Sri Lanka

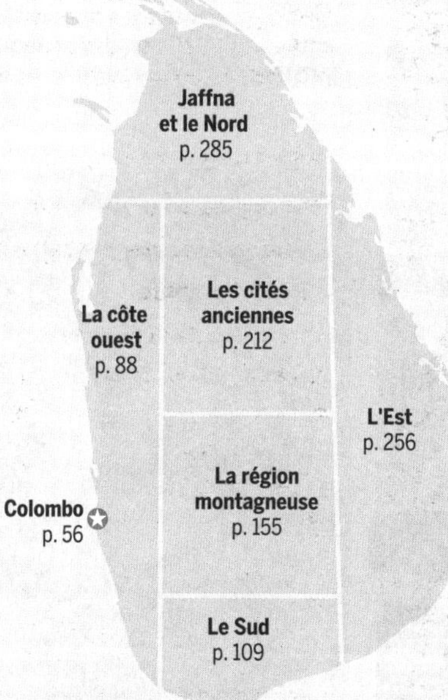

Anirban Mahapatra,
Ryan Ver Berkmoes, Bradley Mayhew, Iain Stewart

PRÉPARER SON VOYAGE

Bienvenue au Sri Lanka .. 4
Carte du Sri Lanka 6
20 façons de voir le Sri Lanka 8
L'essentiel 18
Pour un premier séjour .. 20
Quoi de neuf ? 22
Envie de.... 23
Mois par mois 26
Itinéraires 29
À table ! 34
Plages et activités nautiques 39
Parcs nationaux et safaris 46
Voyager avec des enfants 51
Les régions en un clin d'œil 53

SUR LA ROUTE

COLOMBO 56

LA CÔTE OUEST 88
Nord de Colombo 90
Negombo 90
Waikkal 95
De Negombo à Kalpitiya .. 96
Péninsule de Kalpitiya ... 96
Parc national de Wilpattu .. 98
Sud de Colombo 99
Bentota, Aluthgama et Induruwa 99
Hikkaduwa et ses environs 103

LE SUD 109
Galle 110
Unawatuna et ses environs 122
Thalpe et Koggala 127
Ahangama et Midigama .. 129
Weligama 133
Mirissa 134
Matara 137
Dondra 139
Talalla 139
Dikwella 140
Hiriketiya 140
Goyambokka 141
Tangalla et ses environs .. 142
Parc national de Bundala ..145
Tissamaharama 146
Kirinda 149
Parc national de Yala 151
Kataragama 153

BONCHAN / SHUTTERSTOCK ©

EGG HOPPER P. 36

TRPHOTOS / SHUTTERSTOCK ©

POLONNARUWA P. 226

EFESENKO /SHUTTERSTOCK ©

ISURUMUNIYA VIHARA P. 245, ANURADHAPURA

Sommaire

LA RÉGION MONTAGNEUSE ... 155
De Colombo à Kandy.... 157
Kandy................. 157
Environs de Kandy...... 170
Knuckles Range........ 174
Kitulgala............... 176
Adam's Peak (Sri Pada).. 177
De Kandy à Nuwara Eliya.........180
Nuwara Eliya........... 181
Parc national des Horton Plains et World's End.......... 189
Belihul Oya............ 192
Haputale.............. 192
Bandarawela........... 195
Ella.................. 196
Environs d'Ella.........200
Wellawaya.............202
Parc national d'Uda Walawe..........204
Réserve forestière de Sinharaja...........206
Ratnapura............. 210

LES CITÉS ANCIENNES 212
Matale................ 214
Nalanda Gedige........ 214
Dambulla.............. 215
Sigiriya............... 219
Habarana..............224
Polonnaruwa...........226
Giritale................236
Parcs nationaux de Minneriya et de Kaudulla..237
Ritigala................239
Anuradhapura..........239
Mihintale..............249
Forteresse de Yapahuwa...........252
Panduwasnuwara.......253
Ridi Vihara.............253
Kurunegala...........254

L'EST............. 256
Monaragala............258
Yudaganawa...........258
Maligawila.............259
Arugam Bay............259
Pottuvil et ses environs.........264
D'Arugam Bay à Panama..............266
De Panama à Okanda ...267
Ampara...............268
Batticaloa............269
Kalkudah et Passekudah.........274
Trincomalee............275
Uppuveli...............279
Nilaveli................281

JAFFNA ET LE NORD....... 285
Jaffna.................287
Péninsule de Jaffna.....296
Îles au large de Jaffna...300
Kilinochchi et ses environs..........304
Vavuniya...............304
Île de Mannar et ses environs.........306

COMPRENDRE LE SRI LANKA

Le Sri Lanka aujourd'hui.......... 310
Histoire.............312
Environnement....... 325
Les Sri Lankais....... 329
Le thé............... 334

SRI LANKA PRATIQUE

Carnet pratique...... 338
Transports........... 346
Santé............... 354
Langues............ 362
Index................371

COUPS DE PROJECTEUR

À table !............. 34
Plages et activités nautiques 39
Parcs nationaux et safaris............ 46
Le Sri Lanka historique. 78
Promenade à pied : le Fort de Galle........114
Cités anciennes.......231

Bienvenue au Sri Lanka

Des plages sans fin, des sites archéologiques à foison, une population accueillante, des hardes d'éléphants, des trains pittoresques… les arguments ne manquent pas pour faire du Sri Lanka une destination de premier ordre.

Un pays à redécouvrir

Il était une fois un joyau en forme de larme serti dans l'océan Indien… Île à la culture séculaire et à la nature généreuse, l'ancienne Ceylan enchante les voyageurs depuis l'époque de Marco Polo.

Ce morceau de paradis n'a pas été épargné par les épreuves. Les choses ont désormais changé. Aujourd'hui, le pays attire toujours plus de touristes et avance à grands pas. Situé entre les régions les plus fréquentées d'Inde et d'Asie du Sud-Est, le Sri Lanka offre des expériences uniques aux voyageurs curieux.

L'île aux trésors

Aux amateurs d'histoire et d'archéologie, cette petite île réserve 8 sites culturels classés au patrimoine mondial de l'Unesco. Ses deux millénaires de civilisation s'appréhendent dans de mystérieuses cités anciennes émaillées de temples, de bouddhas et d'immenses dagobas. Les colonisateurs européens ont eux aussi laissé leur empreinte. En témoignent les forts de Galle et de Trincomalee.

Les safaris sont un autre point fort et vous profiterez d'une nature superbe. Dans les parcs nationaux vivent des hardes d'éléphants, des léopards solitaires, des buffles d'Asie, et toutes sortes d'oiseaux et de primates.

Un décor naturel varié

Contrastant avec le climat tropical de la côte et des plaines, les vertes montagnes tempérées du Centre présentent des versants couverts de plantations de thé et de forêts. Une voie de chemin de fer traverse ces paysages spectaculaires, qui séduisent les randonneurs. Et puis il y a les plages. Les plages ! Chaque partie de la côte sri lankaise comporte de sublimes coins de sable, d'une blancheur éclatante et souvent vierges. On y pratique le surf (sur les côtes est et sud), mais aussi la plongée dans les récifs coralliens ou sur épaves. Grâce aux différences de climat, les plaisirs balnéaires se déclinent toute l'année, et toujours à courte distance d'une expérience nouvelle.

Une destination facile

Le Sri Lanka s'explore facilement en indépendant. Les distances sont courtes et les principales destinations sont bien desservies par des transports publics lents mais bon marché. Louer une voiture avec chauffeur (très abordable) est une bonne solution pour celui qui souhaite voir un maximum de sites en un minimum de temps. Trouver un hébergement n'est guère difficile avec un éventail allant du luxueux *resort* balnéaire à la modeste chambre chez l'habitant, en passant par des hôtels de charme à l'architecture coloniale.

Pourquoi j'aime le Sri Lanka

Par Ryan Ver Berkmoes, auteur

Ma fascination pour le Sri Lanka a débuté dans ma jeunesse avec la lecture de *Railway Bazaar* (1975) de Paul Theroux. Le grand étonnement de l'auteur devant les infinies contradictions de cette île est resté gravé dans ma mémoire. Lors d'un séjour dans l'Ouest et le Sud après le tsunami de 2004, j'ai été frappé par les récits des survivants. Depuis, je n'ai cessé d'être stupéfié par la capacité des Sri Lankais à surmonter les catastrophes naturelles, la guerre et d'autres difficultés. Et je reste saisi de voir tant de merveilles et de beauté concentrées sur une si petite île. Elle paraît beaucoup plus grande qu'elle n'est en réalité.

Pour en savoir plus sur nos auteurs, voir p. 384.

Ci-dessus : pêche traditionnelle, Galle (p. 110)

Sri Lanka

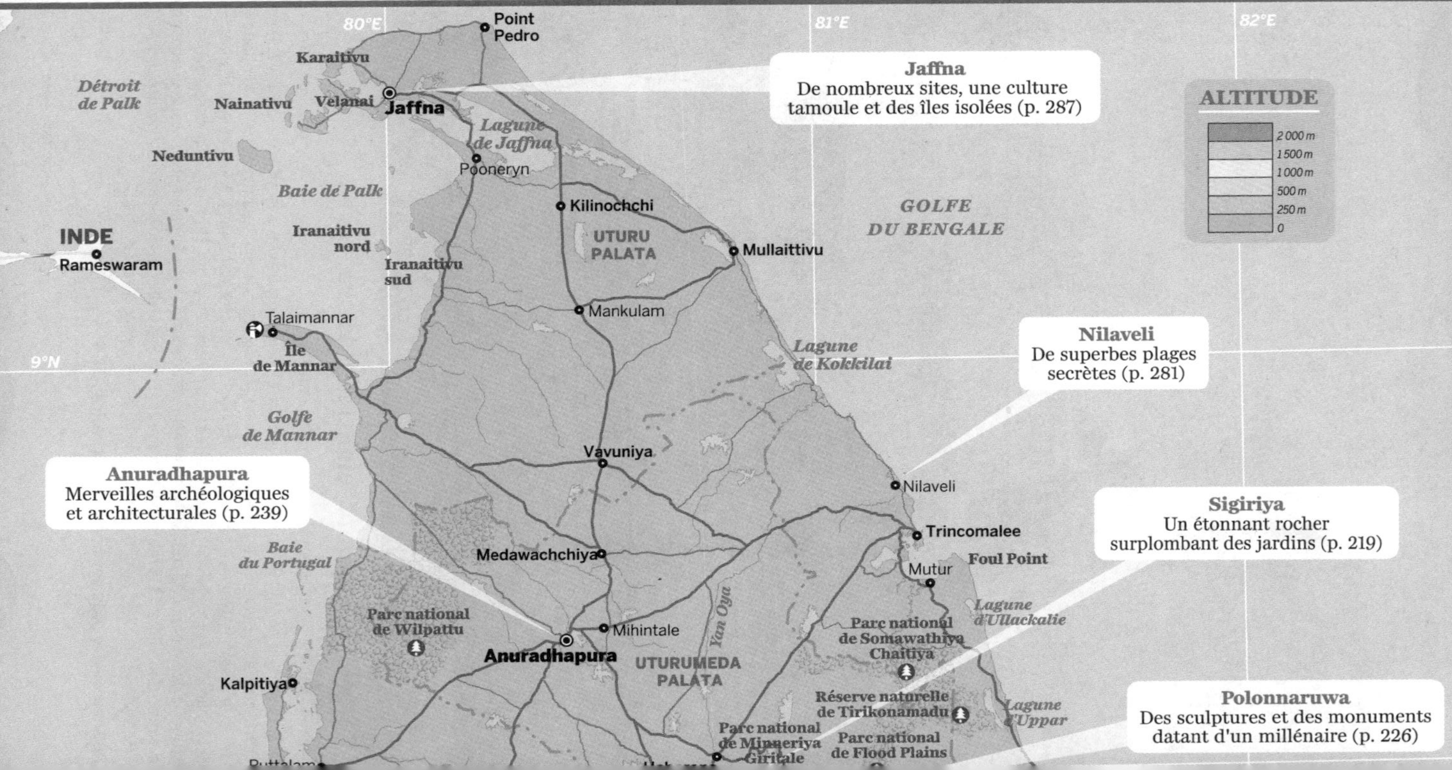

0
50 km
80°E
81°E
82°E
9°N
ALTITUDE
2 000 m
1 500 m
1 000 m
500 m
250 m
0
Jaffna
De nombreux sites, une culture tamoule et des îles isolées (p. 287)
Nilaveli
De superbes plages secrètes (p. 281)
Sigiriya
Un étonnant rocher surplombant des jardins (p. 219)
Polonnaruwa
Des sculptures et des monuments datant d'un millénaire (p. 226)
Anuradhapura
Merveilles archéologiques et architecturales (p. 239)
Point Pedro
Karaitivu
Détroit de Palk
Nainativu
Velanai
Jaffna
Lagune de Jaffna
Neduntivu
Pooneryn
Baie de Palk
Kilinochchi
GOLFE DU BENGALE
INDE
Rameswaram
Iranaitivu nord
Iranaitivu sud
UTURU PALATA
Mullaittivu
Mankulam
Talaimannar
Île de Mannar
Lagune de Kokkilai
Golfe de Mannar
Vavuniya
Nilaveli
Trincomalee
Foul Point
Mutur
Baie du Portugal
Medawachchiya
Yan Oya
Lagune d'Ullackalie
Parc national de Wilpattu
Mihintale
Parc national de Somawathiya Chaitiya
Anuradhapura
UTURUMEDA PALATA
Kalpitiya
Réserve naturelle de Tirikonamadu
Lagune d'Uppar
Parc national de Minneriya Giritale
Parc national de Flood Plains

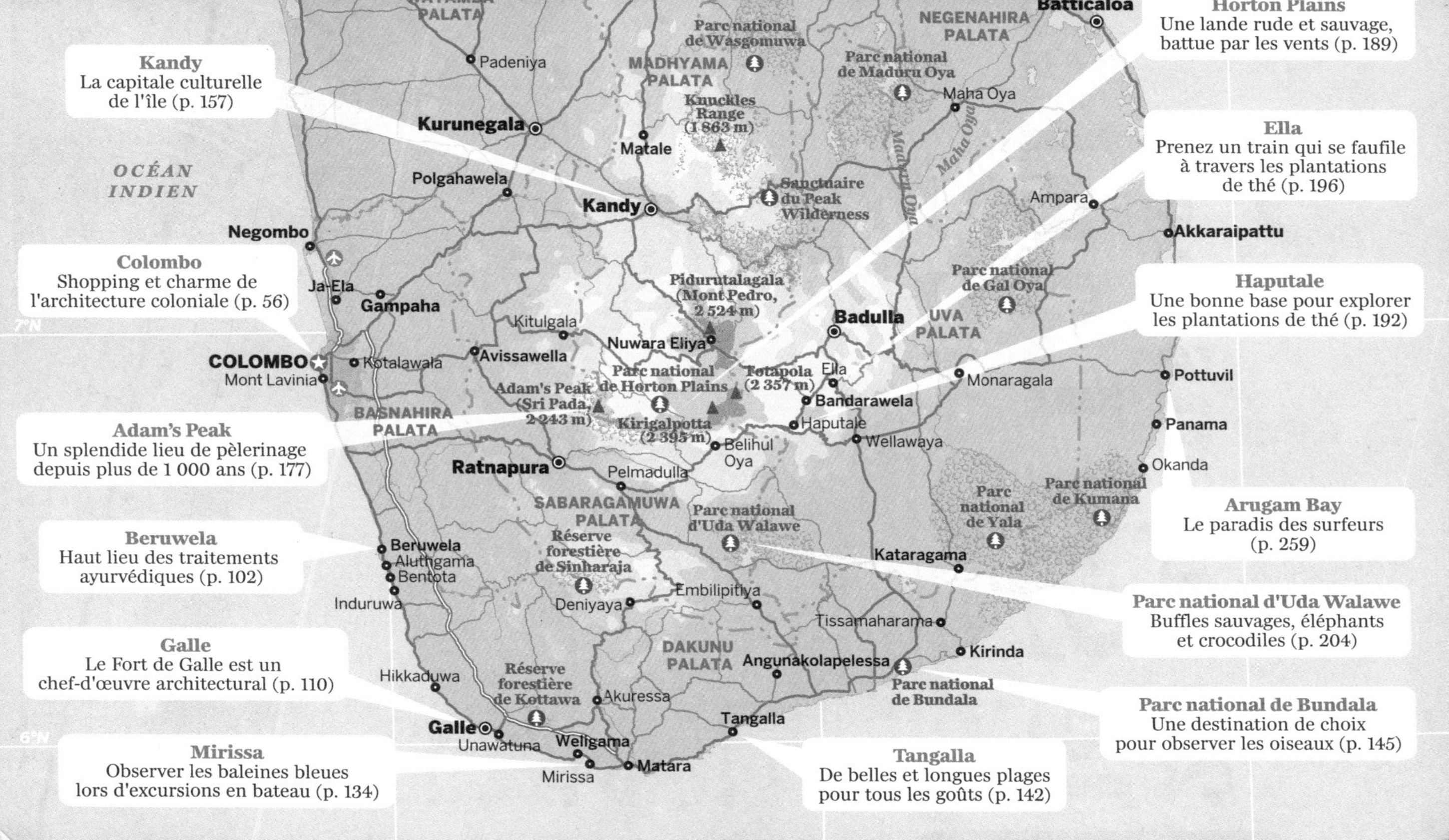
Kandy
La capitale culturelle de l'île (p. 157)
Colombo
Shopping et charme de l'architecture coloniale (p. 56)
Adam's Peak
Un splendide lieu de pèlerinage depuis plus de 1 000 ans (p. 177)
Beruwela
Haut lieu des traitements ayurvédiques (p. 102)
Galle
Le Fort de Galle est un chef-d'œuvre architectural (p. 110)
Mirissa
Observer les baleines bleues lors d'excursions en bateau (p. 134)
Tangalla
De belles et longues plages pour tous les goûts (p. 142)
Parc national de Bundala
Une destination de choix pour observer les oiseaux (p. 145)
Parc national d'Uda Walawe
Buffles sauvages, éléphants et crocodiles (p. 204)
Arugam Bay
Le paradis des surfeurs (p. 259)
Haputale
Une bonne base pour explorer les plantations de thé (p. 192)
Ella
Prenez un train qui se faufile à travers les plantations de thé (p. 196)
Horton Plains
Une lande rude et sauvage, battue par les vents (p. 189)
OCÉAN INDIEN
7°N
6°N
Batticaloa
NEGENAHIRA PALATA
PALATA
Padeniya
Kurunegala
Parc national de Wasgomuwa
MADHYAMA PALATA
Knuckles Range (1 863 m)
Matale
Parc national de Maduru Oya
Maha Oya
Maduru Oya
Polgahawela
Kandy
Sanctuaire du Peak Wilderness
Ampara
Akkaraipattu
Negombo
Ja-Ela
Gampaha
Pidurutalagala (Mont Pedro, 2 524 m)
Parc national de Gal Oya
Badulla
UVA PALATA
Kitulgala
Nuwara Eliya
COLOMBO
Mont Lavinia
Kotalawala
Avissawella
Parc national de Horton Plains
Totapola (2 357 m)
Ella
Monaragala
Pottuvil
Adam's Peak (Sri Pada, 2 243 m)
Bandarawela
BASNAHIRA PALATA
Kirigalpotta (2 395 m)
Haputale
Wellawaya
Panama
Belihul Oya
Ratnapura
Okanda
Pelmadulla
SABARAGAMUWA PALATA
Parc national d'Uda Walawe
Parc national de Yala
Parc national de Kumana
Beruwela
Aluthgama
Bentota
Réserve forestière de Sinharaja
Kataragama
Induruwa
Deniyaya
Embilipitiya
Tissamaharama
DAKUNU PALATA
Angunakolapelessa
Kirinda
Hikkaduwa
Réserve forestière de Kottawa
Akuressa
Parc national de Bundala
Galle
Unawatuna
Weligama
Tangalla
Matara
Mirissa

20 façons de voir le Sri Lanka

Un littoral d'exception

1 Ses longues étendues de sable sont l'un des meilleurs atouts du Sri Lanka (p. 39). Grâce aux variations de climat dans les différentes parties de l'île, on trouve à tout moment de l'année un coin propice où poser sa serviette. Reste à savoir lequel : atmosphère nonchalante dans l'idyllique Mirissa (p. 134), festive à Hikkaduwa (p. 103), robinsonnade à Uppuveli (p. 279)... Dans ce pays aux plages littéralement innombrables, tournez-vous vers celles de Tangalla (p. 142 ; ci-dessous) : chacune a sa propre personnalité, chacune est captivante à sa manière, et l'on peut les voir toutes en une seule journée.

Voyage en train

2 Pittoresque et brinquebalant, le train pour Ella (p. 200 ; ci-contre) se faufile à faible allure à travers les plantations de thé Il est parfois impossible de trouver une plac assise, mais le plus important n'est-il pas de regarder défiler le paysage ? Dehors, le spectacle est permanent : les saris colorés c cueilleuses de thé tamoules ressortent dans un océan de vert, des enfants jouent au cricl dans leur uniforme d'écolier, des familles se baignent dans les rivières. À l'intérieur, le trajet est rythmé par les allées et venues de marchands ambulants montant à bord pour proposer de petits en-cas pimentés.

2

Parc national d'Uda Walawe

3 Cette immense savane est ce qui rapproche le plus le Sri Lanka du Kenya ou de la Tanzanie. On peut y observer des troupeaux de buffles (certains sont domestiqués !) et de sambars, des crocodiles, quantité d'oiseaux et des éléphants par centaines. De l'avis de beaucoup d'amateurs de safaris, Uda Walawe (p. 204) égale, voire surpasse, beaucoup de parcs nationaux d'Afrique de l'Est en matière de pachydermes.

Anuradhapura

4 S'étalant sur 3 km², le site antique d'Anuradhapura (p. 239) fut le siège du pouvoir cinghalais pendant près d'un millénaire. La meilleure façon de l'explorer est de louer un vélo et de rouler entre les monastères en ruine et les immenses dagobas (stupas). En son centre se dresse l'un des plus vieux arbres du monde, le Sri Maha Bodhi. La légende dit qu'il aurait été planté il y a plus de 2 000 ans, à partir d'un rameau de l'arbre sous lequel le Bouddha atteignit l'Éveil. Isurumuniya Vihara (p. 245)

5

6

;igiriya

5 Les jardins royaux au pied de Sigiriya (p. 220) sont une attraction à eux ɜuls. Des bassins et des ruisselets rtificiels les irriguent, offrant une vision lyllique au milieu de la campagne. n regardant vers le haut, un rocher de 70 m surgit du paysage. L'ascension ébute entre les pattes d'un lion taillé ans la roche. On fait ensuite escale dans ne galerie ornée de belles fresques. n arrivant au sommet, recouvert par les uines d'une forteresse, on peut profiter 'une vue portant à plusieurs kilomètres.

Parc national de Bundala

6 Même si le parc national de Yala, son voisin à l'ouest, très fréquenté, lui fait de l'ombre, il serait dommage de passer à côté de Bundala (p. 145). Avec ses immenses étendues d'eau scintillantes animées par les chants de milliers d'oiseaux, Bundala a un charme bien particulier. C'est une destination privilégiée pour les amoureux des volatiles, mais on peut aussi y observer des crocodiles ou des hardes d'éléphants.

Pèlerinage d'Adam's Peak

7 Depuis plus d'un millénaire, des pèlerins gravissent la nuit cette montagne sacrée (Sri Pada ; p. 177) où, selon les croyances, le Bouddha, Shiva ou Adam auraient laissé leur empreinte. Bien qu'exténuante, l'ascension peut être entrecoupée de haltes dans les maisons de thé qui jalonnent le parcours. Les milliers de lumières scintillant dans l'obscurité, les chants des pèlerins et l'odeur du gingembre créent une atmosphère féerique. En atteignant le sommet du pic d'Adam à l'aube, vous contemplerez le lever du soleil.

Kandy

8 Capitale culturelle de l'île, Kandy (p. 157) abrite le temple de la Dent (en bas), censé contenir une dent du Bouddha. Lieu saint pour les Cinghalais, Kandy présente bien d'autres agréments. Sa vieille ville que jouxte un grand lac offre l'occasion d'une agréable promenade, ponctuée par la visite d'un musée. Dans le alentours, admirez les jardins botaniques qui embaument d'essences exotiques. Parcourir la route des temples des environs de Kandy est enfin un bon moyen de découvrir la région montagneuse.

7

8

THOMAS WYNESS / SHUTTERSTOCK ©

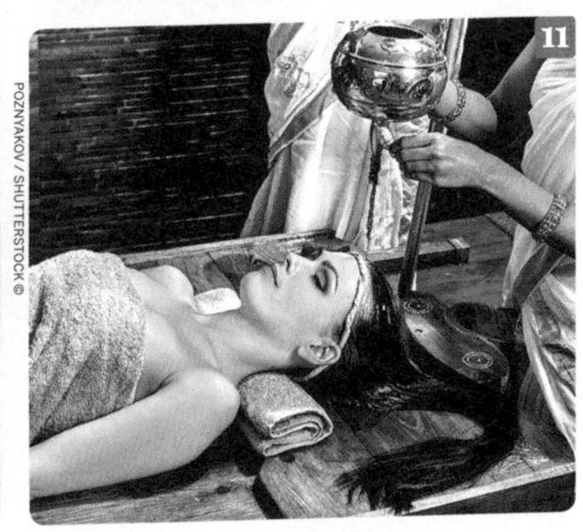

POZNYAKOV / SHUTTERSTOCK ©

Fort de Galle

9 Chef-d'œuvre architectural de l'époque hollandaise, le fort de Galle (p. 113) est un magnifique ensemble de rues pavées et de bâtiments coloniaux. Par la suite, les Sri Lankais ont ajouté de la couleur, et la nature s'est occupée de recouvrir l'ensemble d'une couche de végétation tropicale, d'humidité et d'air marin. En résulte une vieille ville pleine de charme, dynamisée par l'ouverture de galeries, de boutiques en tous genres, de cafés et de pensions, ainsi que de beaux hôtels.

Surfer à Arugam Bay

10 Meilleur spot du pays, Arugam Bay est le paradis des surfeurs. Si le long break à l'extrême sud du village (p. 260) attire des surfeurs d'avril à septembre, les retardataires peuvent profiter des quelques derniers beaux jours jusqu'en novembre. En saison, vous n'aurez aucun mal à trouver une boutique qui loue et répare les planches ou des hébergements bon marché. Pour plus de solitude, prenez la direction des breaks au nord et au sud de la baie.

Médecine ayurvédique

11 L'ayurvéda est une pratique ancestrale fortement influencée par la médecine indienne. Selon ses disciples, les 5 éléments, en liaison avec les 5 sens, façonnent la nature de chaque constitution individuelle, c'est-à-dire les *dosha* ou force de vie. Herbes, épices, huiles et autres produits sont utilisés pour rétablir l'équilibre des *dosha*. Si la plupart des visiteurs se contentent d'un après-midi dans un spa de luxe (p. 102), il est possible de faire des cures dans des cliniques spécialisées. La côte ouest est un haut lieu de ces traitements, telle la région de Beruwela.

WWS001 / SHUTTERSTOCK ©

Plages méconnues de l'Est

12 Les plages splendides de l'est et du nord du Sri Lanka accueillent désormais les visiteurs comme celles, plus connues, de l'Ouest et du Sud. Ces rubans de sable blanc qui s'étirent jusqu'à l'horizon ne semblent attendre que vous. Juste au nord d'Uppuveli, nouvelle destination touristique, Nilaveli (p. 281 ; ci-dessus), est un excellent point de départ. Le sable d'un blanc immaculé s'étend à perte de vue, à l'ombre des palmiers. Il n'y a ni café, ni pension, ni visiteurs. N'importe quelle piste partant de la route côtière déserte vous conduira à un petit coin de paradis rien qu'à vous.

Riz-curry

13 Aventurez-vous dans un grand marché sri lankais et tous vos sens seront à la fête devant la variété des produits du pays. Un cuisinier sri lankais moyen passe plusieurs heures par jour à torréfier et moudre ses épices, tout en émincant, tranchant et coupant en dés toutes sortes d'aliments frais. Un simple riz-curry peut se décliner en dizaines de plats méticuleusement préparés, succulents et bien souvent très épicés ! On peut savourer de délicieux riz au curry partout au Sri Lanka, mais si vous passez par Galle, ne manquez pas celui du Spoon's Cafe (p. 119).

Horton Plains et World's End

14 Les paysages rudes des Horton Plains (p. 189) étonnent dans ce pays de bleus et de verts tropicaux. Randonner dans cette lande permet de découvrir une étonnante diversité de plantes et d'animaux. En partant à l'aube, chaudement vêtu (les gelées matinales ne sont pas rares), vous aurez peut-être la chance de voir le "bout du monde", un escarpement offrant une vue très étendue quand la brume n'est pas de la partie.

Observer les baleines à Mirissa

15 Un séjour sur les plages idylliques de la côte sud s'est longtemps résumé aux joies du farniente sous les cocotiers et d'une plongée pour observer les poissons. Puis, on s'est aperçu que la plus grosse créature de la planète, la baleine bleue, et le grand cachalot, venaient batifoler dans les eaux du Sri Lanka. On peut désormais voir ces impressionnants mammifères lors d'excursions en bateau, organisées le matin en saison, depuis Mirissa (p. 135).

Plantations de thé

16 Les plantations de thé de la région montagneuse sont un vestige de l'époque coloniale britannique. Les sujets de Sa Majesté furent séduits par la fraîcheur du climat. Ne leur manquait qu'une bonne tasse de thé... La maladie décimant les caféiers, ils développèrent la théiculture. Les immenses plantations ont fait du Sri Lanka le deuxième producteur de thé. Visiter une fabrique, telle la Dambatenne Tea Factory (p. 193), construite par sir Thomas Lipton, est une belle expérience.

15

16

THOMAS WYNESS / SHUTTERSTOCK ©

Jaffna et les îles

17 À Jaffna (p. 287), les contrastes culturels entre le Nord et le reste du pays sautent aux yeux. Les différences sont profondes, de la langue (le rapide staccato du tamoul se distingue du cinghalais chantant), à la cuisine particulièrement épicée, agrémentée en saison de mangues. La ville est aujourd'hui à son meilleur, avec de nouveaux hôtels et une belle énergie. Après avoir admiré le grand fort colonial, les faubourgs verdoyants et les vestiges d'un royaume disparu, prenez le ferry pour des îles du bout du monde comme Neduntivu. Naga Pooshani Amman Kovil (p. 302), Nainativu

Héritage colonial

18 Si les Britanniques se sont éclipsés en 1948, leur héritage perdure dans une bureaucratie aussi impénétrable qu'attachée aux formes. C'est au fort (p. 58), au cœur de Colombo, que vous verrez les plus beaux édifices coloniaux. Dans les larges avenues ombragées de la capitale, vous pourrez observer les bâtiments datant de l'ère britannique, comme le National Museum. L'héritage colonial des Hollandais et des Portugais est également notable : le très apprécié Dutch Hospital de Colombo ou de vieilles forteresses jalonnant les côtes du pays. T-Lounge by Dilmah (p. 76)

Polonnaruwa

19 Disposés comme des pièces d'échecs géantes dans une vaste cour herbeuse, les temples et les sculptures du quadrilatère de Polonnaruwa (p. 228) correspondaient au centre du royaume cinghalais il y a environ mille ans. En poursuivant vers le nord du site, on découvre les ruines les plus impressionnantes, tel le Gal Vihara et ses immenses bouddhas merveilleusement sculptés. Au lever et au coucher du soleil, les monuments baignent dans une belle lumière rosée.

19

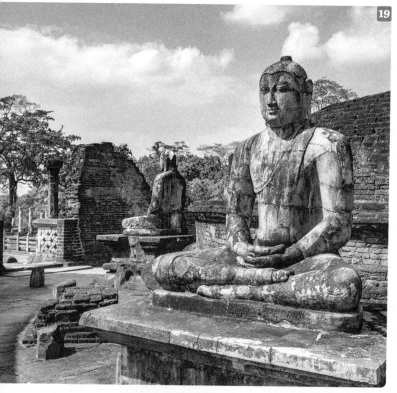

hopping
Colombo

20 Plonger dans le maelstrom
ı shopping à Colombo
ırticipe à la magie de
ville. Les vieilles rues
ımmerçantes de Pettah
. 59) sont des ruches
ı règnent abondance
chaos. Des porteurs
cifèrent et vous
usculent ; tous vos
ns pris d'assaut vous
ssent perplexe mais
thousiaste. La capitale
mpte de plus en plus
boutiques, de grands
agasins, de centres
mmerciaux chics et
charmants quartiers
mme Cinnamon
rdens. Federation of Self
ployees Market (p. 60)

EFESENKO / SHUTTERSTOCK ©

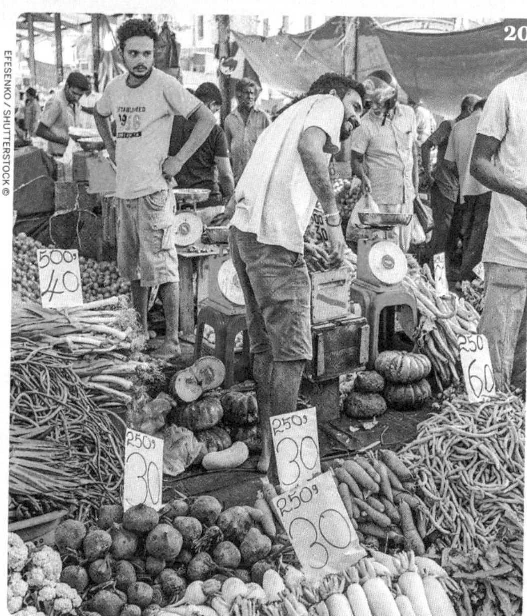

L'essentiel

Pour plus d'informations, voir *Sri Lanka pratique* (p. 337)

Monnaie
Roupie sri lankaise (Rs)

Langues
Cinghalais, tamoul et anglais

Visas
Pour des séjours touristiques inférieurs à 90 jours, une autorisation (Electronic Travel Authorisation, ETA), payante, est obligatoire. Pour des séjours inférieurs à 30 jours, on peut faire la demande à l'avance sur Internet, sur www.eta.gov.lk. Visas de transit gratuits valables 48 heures. Voir p. 340.

Argent
DAB dans les principales villes. Les cartes de crédit sont acceptées dans la plupart des hôtels de catégorie moyenne et tous ceux de catégorie supérieure.

Téléphones portables
Des cartes SIM locales sont disponibles à très bas coût pour les téléphones non bloqués.

Heure locale
GMT/UTC + 5 heures 30

Quand partir

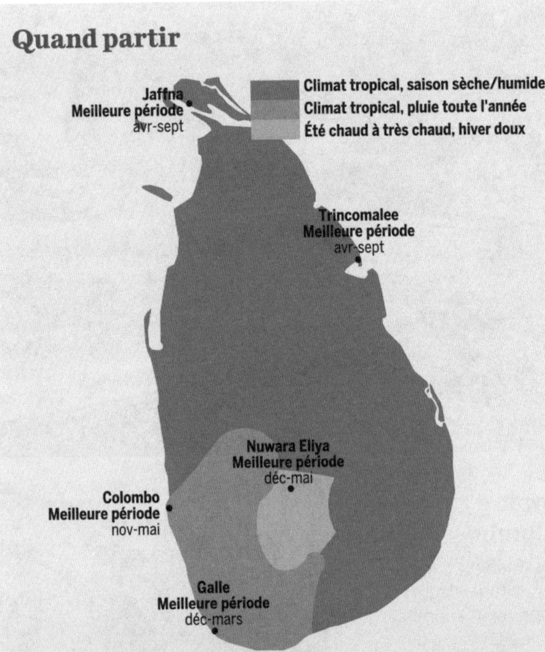

Haute saison
(déc-mars)

➡ Saison sèche et touristique dans la région montagneuse, les côtes ouest et sud.

➡ Les tarifs hôteliers augmentent.

➡ La mousson de Maha (octobre à janvier) arrose l'Est, le Nord et les cités anciennes.

Saison intermédiaire
(avr et sept-nov)

➡ En avril et septembre, beau temps dans tout le pays.

➡ Transports publics bondés au moment du Nouvel An (mi-avril).

➡ Bonne période pour voyager sans tout réserver.

Basse saison
(mai-août)

➡ La mousson de Yala (de mai à août) déverse ses pluies sur les côtes sud et ouest, ainsi que sur la région montagneuse.

➡ Le temps est meilleur dans le Nord et l'Est.

➡ Prix bas dans tout le pays.

Sites Internet

Ceylon Today (www.ceylontoday.lk). Informations, sports, loisirs et une bannière pratique indiquant les taux de change.

Hiru News (www.hirunews.lk). Très bon portail d'actualités.

Meteo (www.meteo.gov.lk). Prévisions météorologiques.

The Man in Seat 61 (www.seat61.com/SriLanka.htm). Informations évocatrices et encyclopédiques sur le voyage en train au Sri Lanka.

Yamu (www.yamu.lk). Excellente revue des restaurants, attractions touristiques et autres.

Lonely Planet (www.lonelyplanet.fr). Présentation synthétique du Sri Lanka, conseils, forum de discussion avec les voyageurs, etc.

Numéros utiles

Toutes les régions possèdent un indicatif régional à 3 chiffres suivi d'un numéro de 6 ou 7 chiffres. Les numéros de portable commencent généralement par ☎07 ou ☎08 et possèdent jusqu'à 12 chiffres.

Indicatif du pays	☎94
Indicatif international	☎00

Taux de change

Canada	1 $C	121 Rs
Suisse	1 CHF	155 Rs
Zone euro	1 €	181 Rs
États-Unis	1 $US	154 Rs

Pour les derniers taux de change, consultez le site www.xe.com.

Budget quotidien

Moins de 6 000 Rs

➡ Pension simple : 2 000-3 500 Rs

➡ Riz-curry local : 150-350 Rs

➡ Tarif des bus : moins de 300 Rs/jour

6 000-20 000 Rs

➡ Chambre double dans un bon hôtel de catégorie moyenne : 3 500-9 000 Rs

➡ Repas à l'hôtel ou au restaurant : 1 000-3 000 Rs

➡ Billet de train, location de vélo et d'une voiture avec chauffeur selon les jours : environ 3 000 Rs/jour

Plus de 20 000 Rs

➡ Hôtel de catégorie supérieure : 9 000 Rs et plus

➡ Repas haut de gamme : à partir de 3 000 Rs

➡ Voiture avec chauffeur tous les jours : à partir de 9 000 Rs

Heures d'ouverture

Hors des zones touristiques, la plupart des commerces n'ouvrent pas le dimanche.

Bars Ferment généralement à minuit, mais arrêtent souvent de servir à 23h.

Restaurants et cafés 7h-21h tlj, plus tard dans les secteurs fréquentés par les voyageurs.

Boutiques 10h-19h lun-ven, 10h-15h sam

Magasins et services destinés aux touristes 9h-20h

Arriver au Sri Lanka

Aéroport international Bandaranaike (Colombo). Il est situé à 30 km au nord de Colombo. Depuis l'aéroport, une course en taxi prépayé coûte autour de 2 600-3 500 Rs selon la destination ; comptez 30 minutes à 1 heure pour rejoindre le fort via la route à péage. Il vous en coûtera 3 000 à 5 000 Rs si c'est un hôtel de Colombo qui organise votre transfert. Le trajet en bus climatisé via la route à péage jusqu'à la gare routière centrale coûte 150 Rs (1 heure).

Circuler

Bus Couvrant tout le pays, les bus sont bon marché mais souvent bondés. Seules quelques lignes bénéficient de véhicules climatisés. Les compagnies privées dispensent un peu plus de confort.

Voiture Beaucoup de voyageurs louent une voiture avec chauffeur pour toute la durée de leur séjour ou seulement une partie. Cette formule offre un maximum de souplesse et les chauffeurs, souvent très aimables, constituent une mine d'informations.

Train Le réseau ferroviaire qui dessert les principales villes s'améliore, rendant parfois le train plus confortable que le bus (sauf en 3e classe). Certaines lignes, comme Haputale-Ella et Colombo-Galle, sont réputées pour la beauté de leurs paysages.

Pour en savoir plus sur **comment circuler**, voir p. 348.

Pour un premier séjour

Pour plus d'informations, voir *Sri Lanka pratique* (p. 337)

Avant de partir

➡ Assurez-vous que votre passeport a une durée de validité d'au moins 6 mois après la date de retour.

➡ Renseignez-vous au sujet des vaccinations éventuelles.

➡ Contractez une assurance voyage ad hoc.

➡ Prenez connaissance des restrictions de la compagnie aérienne en matière de bagages.

➡ Demandez votre visa en ligne une semaine environ avant votre départ.

À emporter

➡ Des bouchons d'oreille

➡ Un antimoustique efficace

➡ De la crème solaire

➡ Des tampons hygiéniques, quasiment introuvables en dehors de Colombo

➡ Des chargeurs de rechange pour vos téléphones, difficiles à trouver dans les lieux reculés

Bons plans

➡ Explorez les plages : le Nord et l'Est, en particulier, recèlent de vastes étendues de sable désertes. En suivant n'importe quelle route menant vers la côte, vous tomberez peut-être sur un trésor.

➡ Prenez le train : il offre un confort supérieur au bus, la vision de jolis paysages et la possibilité de rencontrer des Sri Lankais.

➡ Fréquentez les marchés : débordant de fruits et de légumes exotiques, ils donnent l'occasion de se mêler à la population.

➡ Mangez local : une gargote en centre-ville ou près d'une gare routière vous servira un véritable riz-curry bien relevé.

➡ Regardez le calendrier : des célébrations se déroulent dans tout le pays les jours de pleine lune (*poya*), toujours fériés.

Habillement

Shorts et T-shirts sont admis presque partout, mais ne portez de maillots de bain que sur les plages. Prévoyez de quoi vous couvrir les épaules, ainsi qu'une jupe longue, un sarong ou un pantalon pour entrer dans les temples. Les sandales conviennent en toutes circonstances et s'enlèvent facilement dans les lieux sacrés. Seuls les restaurants de Colombo les plus sélects requièrent une tenue habillée. Prévoyez une veste ou un poncho imperméable contre les intempéries, ainsi qu'une petite laine si vous visitez les montagnes tempérées.

Hébergement

Pensions (guesthouses) Présentes partout, ces pensions familiales peuvent se révéler d'un bon rapport qualité/prix.

Auberges de jeunesse Conçues pour les routards, elles sont rares, mais leur nombre croît dans les principaux lieux touristiques.

Hôtels Il en existe de tout standing, en ville comme sur les routes de campagne ou au bord des plages.

Complexes hôteliers (*resort*) Les plus luxueux se tiennent sur les côtes ouest et sud, ainsi que près des parcs nationaux.

Centres ayurvédiques Pour combiner hébergement et bien-être.

Location de villas Des demeures somptueuses, dont certaines possèdent une plage privée.

Économie locale

Bien que l'économie du Sri Lanka enregistre une croissance rapide, la population doit toujours travailler dur pour joindre les deux bouts, avec des salaires bas comparés à ceux des pays occidentaux.

➡ Salaire minimum dans les plantations de thé : 730 Rs/jour

➡ Salaire minimum d'un serveur ou employé d'hôtel : 10 000 Rs/mois

➡ Salaire annuel d'un officier dans l'armée : 7 400 $US.

Marchandage

En dehors des boutiques pratiquant des prix fixes, marchander est une obligation. D'une manière générale, divisez par deux le prix proposé : dans un premier temps, le vendeur ne consent à baisser que de 25%, puis finit par accepter un prix légèrement supérieur à celui que vous annonciez. Gardez le sens de la mesure : l'enjeu est souvent de moins de 1 $US.

Pourboires

Sachez que les 10% de service compris dans la note reviennent habituellement au patron et non aux employés.

Serveurs dans les restaurants et les bars Jusqu'à 10% en plus du service inclus.

Chauffeurs 10%

Femmes de chambre Jusqu'à 100 Rs/jour

Porteurs 50 Rs/bagage

Gardiens de chaussures dans les temples 30 Rs

Guides Les tarifs varient considérablement. Mettez-vous d'accord au préalable.

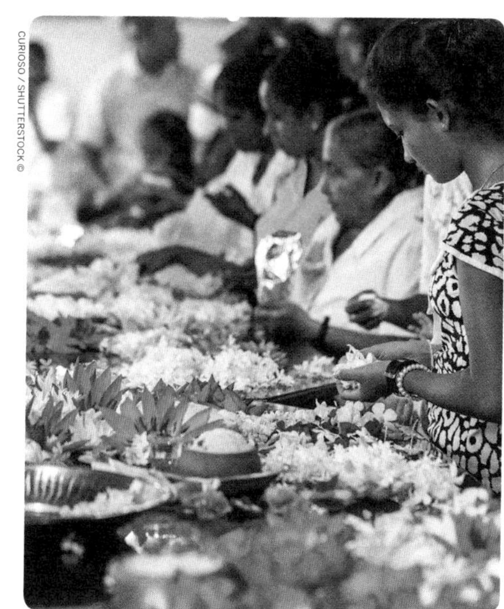

CURIOSO / SHUTTERSTOCK ©

Temple de la Dent (p. 158)

Pas d'impair !

Vous visiterez le Sri Lanka en toute décontraction à condition de ne pas oublier quelques impératifs.

Dans les temples Retirez vos chaussures et chapeaux pour pénétrer dans les temples (vous pouvez garder vos chaussettes). Couvrez vos épaules, bras et jambes, comme il est demandé.

Statues du Bouddha Poser à côté ou devant une statue en lui tournant le dos équivaut à un sacrilège.

Représentation du Bouddha Une personne exhibant un tatouage ou autre marquage corporel (idem pour les vêtements, sacs, etc.) à l'effigie du Bouddha court le risque d'être arrêtée et même expulsée du pays.

Photos Avant de photographier quelqu'un, demandez-lui la permission. Certains, comme les pêcheurs de Koggala, vous demanderont une rétribution.

À la plage Nudisme et monokini sont interdits sur les plages.

Pudeur Les marques d'affection en public suscitent la réprobation.

Main gauche Elle est considérée comme impure. Utilisez les deux mains à la fois ou uniquement la droite.

Langue

Beaucoup de Sri Lankais parlent anglais (en particulier dans les lieux touristiques), mais ils apprécient toujours les efforts des étrangers qui tentent de s'exprimer dans leur langue.

Quoi de neuf ?

Chantiers pharaoniques, Colombo

Le nouveau quartier de Colombo Port City (p. 70) - 269 ha gagnés sur la mer - prend forme au large du fort et du Galle Face Green. Institutions financières, résidences et autres doivent occuper ce gigantesque espace. Dans le même temps, Cinnamon Life (p. 70), centre commercial et complexe résidentiel aussi immense que chic, se construit près de Slave Island.

Édifices restaurés, Colombo

Suivant d'autres rénovations prestigieuses et réussies d'édifices coloniaux emblématiques, comme celle du Dutch Hospital, un ancien asile d'aliénés du XIXe siècle est devenu un élégant centre commercial, l'Arcade Independence Square (p. 83).

Nouveaux hôtels, Colombo

Des hôtels tendance pour tous les budgets ouvrent dans la capitale. Situé dans une tour et doté d'un bar prisé en toit-terrasse, le Cinnamon Red (p. 73) est une belle adresse de catégorie moyenne. Le luxueux Shangri-La Hotel a ouvert en 2017 et le Grand Hyatt Colombo est en cours de construction (p. 71).

Trains Colombo-Jaffna

La réparation des voies de chemin de fer permet à nouveau la liaison ferroviaire entre Colombo et Jaffna. Un magnifique spectacle à découvrir lors de trajets de 8 à 10 heures.

Nouvelles routes du côté de Jaffna

La capitale du Nord trouve un second souffle, les infrastructures aussi. Des routes nouvelles ou rénovées et l'allègement des mesures de sécurité ouvrent l'accès aux îles (p. 300) et au littoral nord-est (p. 299).

Dutch Hospital, fort de Galle

Ce beau bâtiment historique qui accueillait jadis les officiers coloniaux malades a retrouvé sa splendeur d'antan et abrite désormais quelques-uns des meilleurs cafés et restaurants (p. 119) de Galle.

Réhabilitation de la plage d'Unawatuna

Encore récemment, la partie orientale de cette baie magnifique était défigurée par d'horribles brise-vagues en béton. C'est aujourd'hui une large plage de sable après des travaux de réhabilitation. (p. 122)

Nouveaux hôtels à Ella

Depuis l'ouverture de toute une série d'hôtels élégants et de jolies pensions, Ella offre le meilleur choix d'hébergements de toute la région montagneuse. (p. 197)

Activités et resorts à Kalpitiya

La péninsule compte désormais une bonne demi-douzaine de camps pour kitesurfeurs, et Alankuda regroupe une poignée de *resorts* haut de gamme, dont quelques-uns sont particulièrement réussis. (p. 96)

Hébergements petits budgets à Anuradhapura

Des dizaines de petites pensions tenues par des familles ont ouvert dans cette cité antique, qui devient ainsi un très bon choix pour se loger à petit prix. (p. 246)

Populaire Pidurangala

Ce rocher est devenu une étape incontournable : des dizaines de personnes y grimpent au coucher du soleil pour admirer la vue sur Sigiriya. (p. 224)

Pour plus de détails, consultez le site : **www.lonelyplanet.fr/destinations/asie/sri-lanka**

Envie de...

Plages

Au Sri Lanka, il est presque impossible de se promener dans une région côtière sans rencontrer une plage splendide. Et la plupart sont presque désertes !

Thalpe Quelques pensions confortables et des plages calmes pour un répit bienvenu à l'écart de la foule (p. 127).

Marakolliya Beach Une plage merveilleuse, mais la baignade n'y est pas toujours sûre (p. 143).

Rekawa Beach Une longue plage balayée par les vents fréquentée par les tortues, et les touristes aimant la majesté de paysages isolés (p. 144).

Arugam Bay Un spot incontournable pour les surfeurs et apprécié pour son atmosphère détendue (p. 259).

Uppuveli et Nilaveli Belles plages dans l'est du pays, dans un secteur idyllique et peu touristique, à la nature encore intacte (p. 279 et 281).

Littoral nord-est La plupart des plages de ce secteur éloigné sont totalement isolées. Idéal pour les explorateurs et les rêveurs (p. 299) !

Sports nautiques

D'excellents spots existent autour du littoral, mais ils restent souvent ignorés. Si la côte ouest, au sud de Colombo, est depuis longtemps réputée pour la plongée, le Sud et l'Est commencent à se démarquer. Les côtes méridionale et orientale attirent aussi les surfeurs.

Arugam Bay Beau croissant de sable où le break n'est qu'à 10 minutes des pensions (p. 259).

Bar Reef Des récifs peu fréquentés où les dauphins viennent jouer (p. 96).

Récifs de Great Basses L'accès difficile et les conditions souvent mauvaises ne font qu'ajouter à l'aura du meilleur site de plongée du Sri Lanka (p. 149).

Parc national de Pigeon Island Un récif corallien peu profond peuplé de myriades de poissons et de requins. Un spot très plaisant (p. 282).

Weligama Charmante localité du Sud dédiée au surf, pour apprendre à surfer ou juste prendre du bon temps (p. 133).

Batticaloa La sortie sur le HMS *Hermes* est réservée aux adeptes de la plongée technique, mais les descentes vers les roches conviennent à tous (p. 269).

Balades

Bien qu'il fasse chaud en journée et que la pluie puisse vous surprendre, l'île compte quantité de lieux où l'on peut se promener en admirant la nature et les monuments anciens.

Colombo Certaines artères arborées ont du charme (p. 56).

Polonnaruwa Les vestiges épars de ce vaste site archéologique s'intègrent dans un cadre luxuriant (p. 226).

Adam's Peak Faites l'ascension nocturne de ce sommet : vous suivrez les pas du Bouddha accompagné de centaines de pèlerins (p. 177).

Knuckles Range Détrempé par les pluies et densément boisé, le massif de Knuckles Range offre de belles randonnées (p. 174).

Galle Après avoir parcouru l'immense Fort jusque dans ses moindres recoins, poursuivez jusqu'à Jungle Beach, une sorte de fantaisie tropicale (p. 110).

Jaffna Cette ville ancienne déploie des bâtiments coloniaux, un fort captivant et des rues arborées (p. 287).

Temples bouddhiques

Modestes ou grandioses, les temples témoignent d'une histoire religieuse vieille de plus de 2 000 ans. En organisant votre visite pour qu'elle coïncide avec une fête, vous vivrez une expérience inoubliable.

Temple de Gangaramaya Parmi les temples prestigieux de Colombo, celui-ci accueille les célébrations de Vesak les plus extravagantes (p. 62).

Temples rupestres de Mulkirigala Ces temples magnifiques et peu visités se cachent dans une suite de grottes très étroites (p. 146).

Temple de la Dent Renfermant une dent du Bouddha, c'est le cœur et l'âme du bouddhisme sri lankais (p. 158).

Sri Maha Bodhi Le plus ancien arbre du monde, pièce maîtresse du site sacré d'Anuradhapura (p. 241).

Mihintale Il faut gravir plus de 1 800 marches pour arriver au sommet de la montagne où trône ce temple (p. 249).

Temple de Nagadipa À l'extrême nord du pays, une île sacrée où le Bouddha se serait rendu (p. 302).

Safaris

Le Sri Lanka est peuplé d'imposants mammifères, comme les éléphants d'Asie batifolant dans les parcs nationaux et parfois aussi à l'extérieur. On peut observer bien d'autres animaux, notamment des léopards et des buffles.

Parc national d'Uda Walawe Vous ne trouverez pas de lieu plus propice à la rencontre avec des éléphants sauvages (p. 204).

Parc national de Minneriya Ce parc est le lieu du "rassemblement", lors duquel plus de 400 pachydermes se réunissent, créant un spectacle mémorable (p. 238).

Pottuvil Les safaris sur la lagune peuvent vous faire découvrir de

Haut : Temple de Gangaramaya (p. 62), Colombo

Bas : Principal marché au poisson (p. 90), Negombo

très près éléphants, varans et crocodiles (p. 264).

Parc national de Yala Un safari dans ce parc offre de bonnes chances de croiser un léopard. C'est aussi l'un des plus fréquentés du pays (p. 151).

Parc national de Kumana Léopards, éléphants et oiseaux abondent dans ce parc reculé, bien moins fréquenté que le parc de Yala (p. 267).

Shopping

Dans ce pays luxuriant, les meilleurs produits sont ceux que l'on récolte, comme le thé ou les épices. Mais on peut aussi dénicher de beaux objets artisanaux et des articles design.

Colombo Magasins de stylistes, galeries d'art et innombrables marchés vendent tout ce que l'on peut imaginer, et les surprises sont au rendez-vous (p. 83).

Negombo Sur la route parallèle à la plage, des boutiques permettent de faire le plein de souvenirs (p. 90).

Galle Avec sa pléthore de galeries élégantes, boutiques de créateurs et autres magasins aux articles insolites, cette ville est incontournable (p. 121) !

Région montagneuse Les plantations de thé et les fabriques vendent d'excellents thés (p. 155).

Ayurvéda

L'ayurvéda est une médecine traditionnelle dont les soins sont destinés à guérir et à conserver sa jeunesse. Très pratiqué au Sri Lanka, il attire de nombreux visiteurs dont certains séjournent plusieurs semaines dans des lieux spécialisés.

Siddhalepa Ayurveda Toute une gamme de soins s'offre à vous à Colombo, dans des établissements comme cet authentique spa (p. 68).

Sanctuary Spa Retrouvez votre équilibre intérieur après une dure journée dans les eaux d'Unawatuna (p. 122).

Jetwing Ayurveda Pavilions À Negombo, cet établissement propose des chambres incluant des traitements en spa (p. 94).

Barberyn Reef Ayurveda Resort Complexe hôtelier tous services orienté sur le soin, à Beruwela, proposant également des séances de yoga et de méditation (p. 102).

Heritance Ayurveda Maha Gedara Retraite de la côte ouest où la qualité du complexe hôtelier est en parfaite adéquation avec la qualité des soins (p. 102).

Patrimoine

L'Unesco a inscrit 8 sites du Sri Lanka sur la liste du patrimoine mondial, un chiffre impressionnant pour une si petite île.

Fort de Galle Ce fort hollandais compose un très bel environnement urbain : promenez-vous sur ses remparts au couchant (p. 111).

Kandy Cette cité royale et ses temples sont chargés d'histoire et de culture (p. 157).

Réserve forestière de Sinharaja L'une des dernières étendues de forêt tropicale humide (p. 206).

Dambulla Les temples troglodytiques et leurs peintures sont de superbes œuvres d'art (p. 215).

Sigiriya Un ancien monastère dressé sur un rocher haut de 370 m (p. 219).

Polonnaruwa Cette ancienne capitale dévoile de somptueux vestiges (p. 226).

Anuradhapura Ce site sacré couvre plusieurs siècles d'histoire (p. 239).

Hauts plateaux du Centre L'Adam's Peak, les Horton Plains et le Knuckles Range abritent une biodiversité sans pareille (p. 155).

Architecture coloniale

Les Hollandais, les Portugais et les Britanniques ont dominé tour à tour le Sri Lanka. Certains des édifices qu'ils ont laissés sont des monuments aujourd'hui incontournables.

Fort de Colombo Le Dutch Hospital n'est qu'une des nombreuses merveilles coloniales du fort (p. 58).

Cinnamon Gardens à Colombo Le National Museum, ancien édifice britannique, et d'élégantes demeures le long de rues bordées d'arbres (p. 63).

Fort de Galle Promenez-vous au coucher du soleil autour des remparts et ressuscitez un lointain passé (p. 111).

Nuwara Eliya Offrez-vous un séjour dans un hôtel de style colonial : l'époque de l'Empire britannique vous semblera revenir à la vie (p. 181).

Jaffna Des églises de l'époque portugaise, un vieux fort majestueux et de jolies maisons dans des rues arborées (p. 287).

Batticaloa Le quartier compact de Puliyanthivu renferme des perles coloniales et un grand fort (p. 269).

Mois par mois

LE TOP 5

Duruthu Perahera, janvier

Maha Sivarathri, mars

Aurudu (Nouvel An), avril

Vesak Poya, mai

Kandy Esala Perahera, août

Janvier

Le pic de la saison touristique coïncide avec des événements importants, comme le Festival littéraire de Galle.

Duruthu Perahera

Organisée lors de la *poya* (pleine lune) au Kelaniya Raja Maha Vihara à Colombo, cette fête est la seconde en importance après l'immense *perahera* (procession) de Kandy. Elle célèbre la première des 3 visites du Bouddha au Sri Lanka. (p. 70)

Thai Pongal

Mi-janvier, cette fête hindoue des moissons honore Surya, le dieu du Soleil. Elle est essentielle pour les Tamouls du Sri Lanka et d'Inde du Sud, qui préparent pour cette occasion le *pongal*, un plat sucré composé de riz, de noix et d'épices.

Février

Les touristes sont nombreux, les Européens venant se dorer sur les plages. C'est le mois de l'anniversaire de l'indépendance et d'une grande fête religieuse.

Fête de l'Indépendance

Le Sri Lanka a obtenu l'indépendance le 4 février 1948, un événement commémoré par des festivités, défilés, feux d'artifice, compétitions sportives... dans tout le pays. À Colombo, des cortèges motorisés mènent les politiciens d'une manifestation à l'autre.

Navam Perahera

Célébrée pour la première fois en 1979, la Navam Perahera est l'une des plus flamboyantes *perahera* du pays. Organisée lors de la *poya* de février, elle part du temple Gangaramaya et fait le tour du parc Viharamahadevi et du lac Beira à Colombo.

Mars

Durant ce mois capital pour nombre d'hindous sri lankais, vous pourrez voir les cérémonies de Maha Sivarathri dans les cités anciennes et dans les secteurs de la côte ouest où ils sont majoritaires.

Maha Sivarathri

Fin février ou début mars, cette fête hindoue commémore le mariage de Shiva et de Parvati avec une nuit de veille et d'autres rituels. C'est la fête la plus importante pour les shivaïtes – la majorité des hindous sri lankais.

Avril

Bien que les chrétiens ne représentent que 6% de la population, les versions sécularisées des fêtes chrétiennes font partie du calendrier. Ne soyez pas surpris de voir des œufs de Pâques dans les magasins.

Aurudu (Nouvel An)

La veille du Nouvel An (13 avril) et le Jour de l'an (14 avril) sont fériés. Entre l'ancienne et la nouvelle année s'écoule la "période neutre" (*Nonagathe*), quelques heures durant lesquelles toute activité doit s'interrompre. Au cours des jours précédents

et suivants, bus et trains sont bondés de passagers retournant vers leurs villages.

Mai

La Yala (mousson du sud-ouest) commence, apportant de l'océan Indien des pluies diluviennes qui arrosent la région montagneuse et les stations balnéaires du Sud-Ouest. Elle va durer 5 mois.

Vesak Poya

Cette fête de 2 jours commémore la naissance, l'éveil et la mort du Bouddha. Les festivités ont pour point d'orgue l'allumage de lanternes en papier et de lampes colorées devant chaque maison, boutique et temple bouddhique. À la nuit tombée, Colombo scintille d'une multitude de couleurs.

Juin

Après Vesak, les bouddhistes ont à peine le temps de souffler avant une autre fête religieuse majeure.

Poson Poya

La *poya* de Poson célèbre l'introduction du bouddhisme au Sri Lanka par Mahinda. À Anuradhapura, les festivités se déroulent dans les temples célèbres, tandis que non loin, à Mihintale, des milliers de pèlerins vêtus de blanc grimpent les 1 843 marches jusqu'au plus haut temple – une épreuve à couper le souffle...

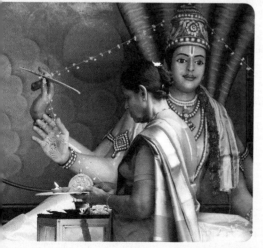

En haut : Poya (p. 28), Unawatuna
En bas : Deepawali (p. 28), Colombo

Juillet

Les lumières sont un élément primordial de la fête bouddhique d'Esala Perahera, qui débute à la fin du mois. Elles font partie des festivités à Kandy.

Vel

Cette fête se déroule à Colombo et à Jaffna. Dans la capitale, le char doré de Murugan (Skanda), le dieu de la Guerre, est tiré de Pettah à Bambalapitiya. À Jaffna, le Nallur Kandaswamy Kovil accueille 25 jours de festivités.

Kataragama

Une autre grande fête hindoue a lieu à Kataragama, où les dévots se livrent à des rites de mortification. Elle commémore la victoire de Skanda, le dieu de la Guerre à 6 visages et 12 bras, sur les démons.

Août

Si l'Esala Perahera de Kandy est importante, des *perahera* plus modestes ont lieu dans tout le pays.

Kandy Esala Perahera

La fête la plus importante et spectaculaire du pays couronne 10 jours et nuits de festivités durant le mois d'Esala. Cette procession grandiose, qui débute fin juillet, rend hommage à la dent du Bouddha, relique sacrée de Kandy.

Nallur Festival

Le Nallur Kandaswamy Kovil à Jaffna est le centre d'une fête hindoue spectaculaire, qui dure plus de 25 jours en juillet et août. Elle culmine le 24e jour avec des défilés d'énormes chars et des séances de mortifications par des dévots en transe.

> **PLEINE LUNE**
>
> Chaque jour de pleine lune (*poya*) est férié. Hôtels, bus et trains se remplissent, surtout si la *poya* tombe un vendredi ou un lundi. La vente d'alcool est interdite et des établissements ferment. Certains hôtels servent discrètement de la bière à leurs clients.
>
> Les jours de *poya* ne coïncident pas toujours avec les jours de pleine lune des calendriers occidentaux. En raison du système religieux utilisé pour calculer le moment exact de la pleine lune, la *poya* peut tomber la veille ou le lendemain de la date indiquée sur les calendriers classiques.

Octobre

Entre les deux grandes moussons, un mois à la météo bizarre, avec pluies et bourrasques qui peuvent se produire presque partout, à tout moment. Ce sont les derniers jours de la haute saison du surf sur la côte orientale.

Deepawali

La fête hindoue des Lumières a lieu fin octobre ou début novembre. Des milliers de lampes à huile célèbrent la victoire du bien sur le mal et le retour de Rama après son exil.

Décembre

La Maha, seconde grande mousson de l'année, arrose le nord-est du Sri Lanka de pluies torrentielles. À éviter si vous désirez bronzer sur la plage à Jaffna.

Adam's Peak

La saison des pèlerinages, quand des pèlerins de toutes confessions (et quelques touristes) grimpent le pic d'Adam près d'Ella, dure de décembre et à mi-avril. L'ascension débute peu après minuit afin de se terminer au sommet pour le lever du soleil.

Unduvap Poya

Ce jour de pleine lune commémore Sangamitta, qui apporta d'Inde une bouture de l'arbre sacré de la Bodhi à Anuradhapura en 288 av. J.-C. L'arbre qui en provient, le Sri Maha Bodhi, est considéré comme le plus vieil arbre au monde planté par l'homme. Les cérémonies attirent des milliers de participants.

Noël

En dehors des communautés chrétiennes du Sri Lanka, surtout aux alentours de Colombo, Noël est devenu une fête populaire qui s'accompagne de traditions occidentales, des pères Noël aux sapins artificiels.

Itinéraires

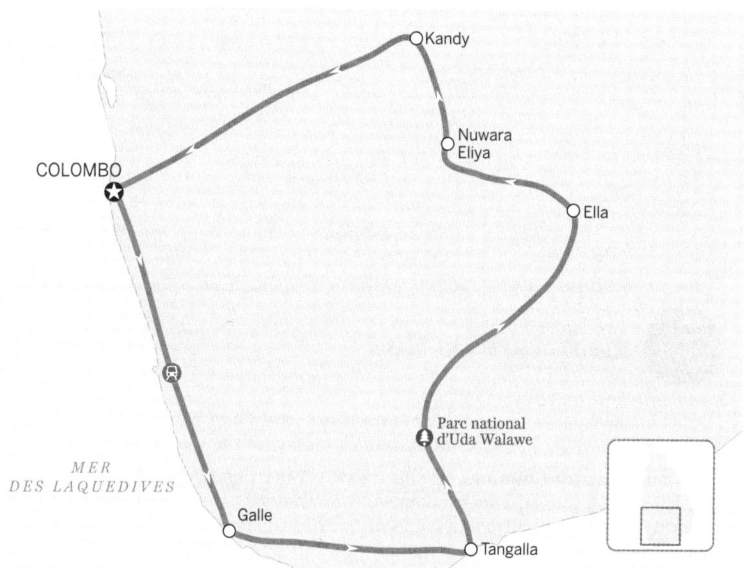

L'essentiel du Sri Lanka

Ce périple très dense englobe le nec plus ultra des sites sri lankais.

Commencez par **Colombo**, ses marchés et le quartier du Fort dans ses nouveaux atours. Puis, prenez le train vers le sud le long de la côte pour rejoindre la fascinante **Galle**, en évitant la route souvent embouteillée de la côte ouest et les villes quelconques qui la jalonnent.

De Galle, allez vous détendre au bord de la mer. La région de **Tangalla** offre un choix de plus en plus varié de ravissants hôtels balnéaires, installés sur sa belle plage de sable peu fréquentée. Dirigez-vous ensuite vers l'arrière-pays pour visiter le **parc national d'Uda Walawe**, où vous verrez des dizaines d'éléphants et nombre d'autres animaux. Empruntez la route sinueuse qui mène au cœur de la région montagneuse et consacrez quelques jours à **Ella**.

Effectuez l'un des plus beaux trajets ferroviaires au monde jusqu'à **Nuwara Eliya**, une station climatique héritée des colons britanniques et figée dans le temps. Visitez des plantations de thé et faites halte à **Kandy** pour ses temples et ses jardins. De là, vous regagnerez facilement Colombo ou l'aéroport.

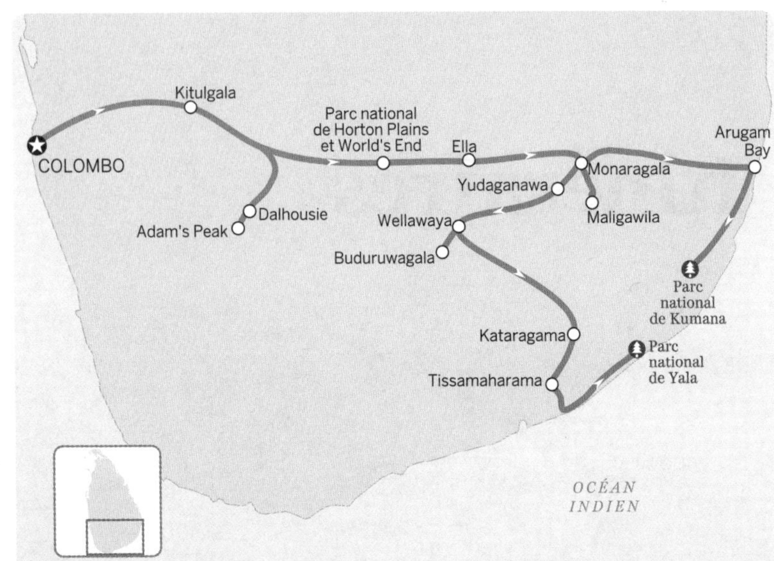

2 SEMAINES La nature du Sud

Le Sri Lanka compte quelques zones sauvages magnifiques, en particulier les vallées et sommets tropicaux, les parcs nationaux et les plages ourlant son littoral méridional.

Commencez par **Colombo**. En allant vers l'est, **Kitulgala** donne accès au rafting sur la Kelaniya Ganga, à des randonnées et à l'observation des oiseaux dans la jungle. Les cinéphiles reconnaîtront des sites de tournage du *Pont de la rivière Kwaï*. Un court trajet conduit dans le secteur embrumé de l'**Adam's Peak (Sri Pada)**, montagne sacrée que gravissent de nombreux pèlerins. **Dalhousie** est le point de départ habituel de cette ascension qui a lieu avant l'aube. Dégustez les thés parfumés des plantations, en séjournant dans les luxueux bungalows d'anciens planteurs coloniaux ou dans des pensions cosy. Rejoignez le **parc national d'Horton Plains** à l'est. Là, une randonnée en boucle de 9,5 km dessert un superbe point de vue, **World's End**, et des cascades. La route n'est pas longue pour rejoindre le village d'**Ella**, la perle de la région montagneuse. Au programme : balades, vues splendides et pensions réputées pour leur cuisine. Continuez vers **Monaragala**, discrète porte de l'Est et tremplin pour **Yudaganawa**, ancien site bouddhique envoûtant. Non loin, **Maligawila** abrite un bouddha debout haut de 11 m, vieux de plus d'un millénaire.

Sur la côte, **Arugam Bay**, station à la popularité croissante, séduit par son ambiance surf nonchalante, et ses poissons et crustacés. Rien de plus plaisant que de s'attarder ici 2 ou 3 jours, confortablement installé dans le hamac de l'une des superbes pensions de bord de mer. On peut explorer en bateau la lagune de Pottuvil toute proche. Découvrez aussi les splendeurs sauvages du **parc national de Kumana**, puis revenez dans l'arrière-pays via Monaragala jusqu'à **Wellawaya**, et faites un bref détour pour admirer le plus grand bouddha debout du pays à **Buduruwagala**. Profitez de la beauté des petits lacs et du chant des oiseaux. De Wellawaya, descendez vers les plaines côtières de **Kataragama**, le but du Pada Yatra, un pèlerinage qui commence à l'autre bout de l'île. À proximité, **Tissamaharama** jouit d'un magnifique emplacement en bord de lac, et fait aussi un point d'entrée pratique au **parc national de Yala**. Ses safaris très populaires permettent d'apercevoir des éléphants, des léopards et d'autres animaux emblématiques du Sri Lanka.

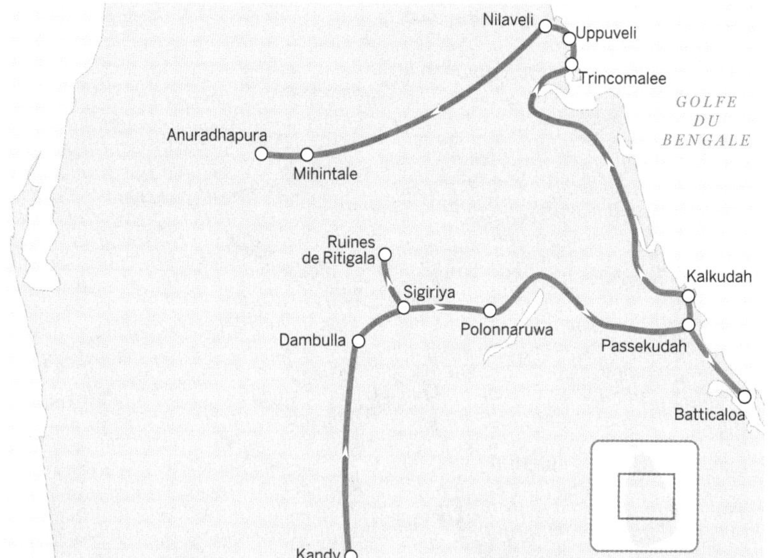

Le Centre, cœur de la culture sri lankaise

Cet itinéraire couvre le centre peu visité du Sri Lanka, qui se trouve aussi être au cœur de la culture du pays. On y voit d'anciens temples et villes, mais aussi les paysages naturels qui ont inspiré tant de générations.

Commencez par **Kandy**. Cette ville établie en bord de lac, dans un superbe écrin naturel, fut la capitale du dernier royaume cinghalais jusqu'au début du XIXe siècle. Puis, dirigez-vous au nord à **Dambulla**, qui compte des sanctuaires troglodytiques ornés de fresques bouddhiques. Rejoignez ensuite **Sigiriya**, un rocher haut de 370 m qui abritait jadis un monastère et l'un des sites les plus fabuleux du pays. Un court trajet par la route vers le nord-ouest vous conduira à la réserve naturelle intégrale de Ritigala. Au cœur de ce territoire se dresse l'un des sites les plus mystérieux du Sri Lanka, les **ruines de Ritigala**, vastes vestiges antiques.

À l'est, dans l'ancienne capitale royale de **Polonnaruwa**, vous verrez de superbes sculptures bouddhiques et les ruines d'un monastère vieux de mille ans. Dirigez-vous vers l'est jusqu'à la côte et aux plages de **Kalkudah** et **Passekudah**. La première est un large et long ruban de sable désert, tandis que la seconde est promise au développement hôtelier de luxe. Longez la côte vers le sud jusqu'à **Batticaloa**, un port historique. On y voit un fort hollandais. Au large, se trouve l'un des sites de plongée les plus célèbres du pays, l'*Hermes*, un porte-avions britannique coulé pendant la Seconde Guerre mondiale.

En continuant vers le nord, on passe par des réserves naturelles et des plages désertes avant de rejoindre **Trincomalee**, un port naturel idyllique que dominent un fort historique et le révéré Koneswaram Kovil. Poursuivez jusqu'aux stations balnéaires d'**Uppuveli** et de **Nilaveli**, aussi séduisantes et décontractées l'une que l'autre. Il est temps d'aller vers l'ouest pour s'enfoncer au cœur du pays. Vous devrez effectuer une ascension très escarpée sur la colline de **Mihintale** pour apprécier l'histoire bouddhique du lieu, qui remonte au IIIe siècle av. J.-C. Il suffit de parcourir encore 13 km vers l'ouest pour atteindre **Anuradhapura**, l'un des plus beaux sites d'Asie du Sud. À vous de découvrir à pied ou à vélo cet ensemble de temples, de ruines et d'autres édifices.

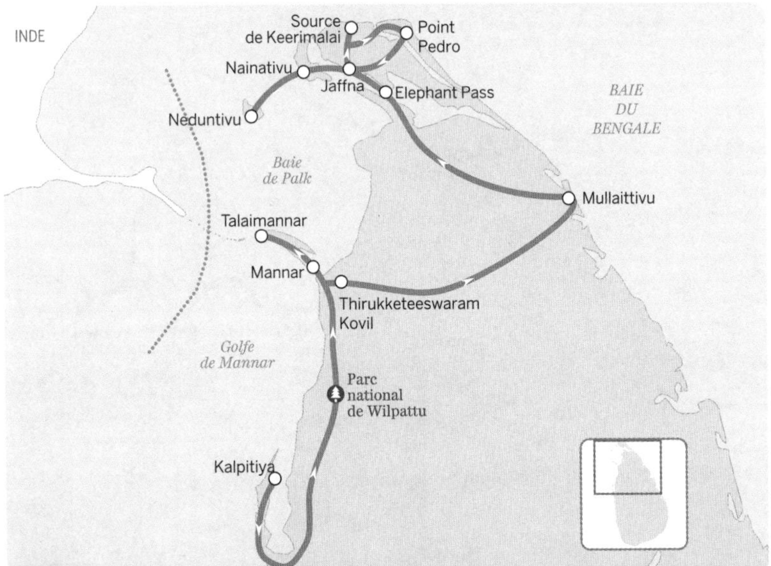

Le Nord : une région de plus en plus en vogue

Les visiteurs peuvent désormais découvrir la beauté, les plages et la culture du nord du Sri Lanka, resté inaccessible pendant des années. Les routes sont en parfait état et des lignes ferroviaires desservent Jaffna et d'autres destinations.

Commencez par **Kalpitiya**, la principale bourgade de la longue presqu'île qui s'avance dans l'océan Indien. Si les plages sont quelconques, le kitesurf et l'observation des dauphins sont des activités réputées. Dirigez-vous vers le nord jusqu'au **parc national de Wilpattu** où évoluent des léopards et d'autres grands mammifères. Explorez **Mannar**, une superbe île étroite, reliée au continent par une chaussée, qui se distingue par ses plages de sable blanc et ses baobabs africains. Depuis la ville de **Talaimannar**, au bout de l'île, Adam's Bridge, une chaîne de récifs et d'îlots, forme quasiment un pont terrestre avec l'Inde. C'était une importante voie d'accès au sous-continent jusqu'à ce que la guerre interrompe cette liaison dans les années 1990.

Revenez sur vos pas et rejoignez la péninsule de Jaffna. Sur le continent près de la côte, juste à l'est de la ville de Mannar au-delà de la chaussée, l'imposant **Thirukketeeswaram Kovil** est l'un des *pancha ishwaram* du Sri Lanka, temples dédiés à Shiva et bâtis pour protéger l'île des catastrophes naturelles. Traversez l'île sur les routes récemment refaites jusqu'à **Mullaittivu**, une ville restée isolée pendant les années de guerre. Les vestiges de cette période abondent, dont l'étrange et fascinant Sea Tiger Shipyard, où les LTTE tentèrent de construire des sous-marins.

Partez vers l'ouest sur la belle A35, puis prenez l'A9 vers le nord jusqu'à l'**Elephant Pass**, à la beauté étrange, ponctué de monuments de guerre grandiloquents. Gagnez **Jaffna**, où la riche culture tamoule a laissé des temples intéressants. Explorez le fort colonial, le quartier du marché et les restaurants. Découvrez la **source de Keerimalai**, un site sacré aux bassins légendaires, proche du Naguleswaram Shiva Kovil, qui remonte au VIe siècle av. J.-C. Vers l'est, **Point Pedro** jouit d'une longue plage déserte d'un blanc étincelant à Munai Beach. Des îles proches de Jaffna jouissent d'une beauté épurée, telle **Nainativu**, minuscule grain de sable avec ses temples bouddhiques et hindous, et **Neduntivu (Delft)**, perdu et balayé par les vents, où vivent des chevaux sauvages.

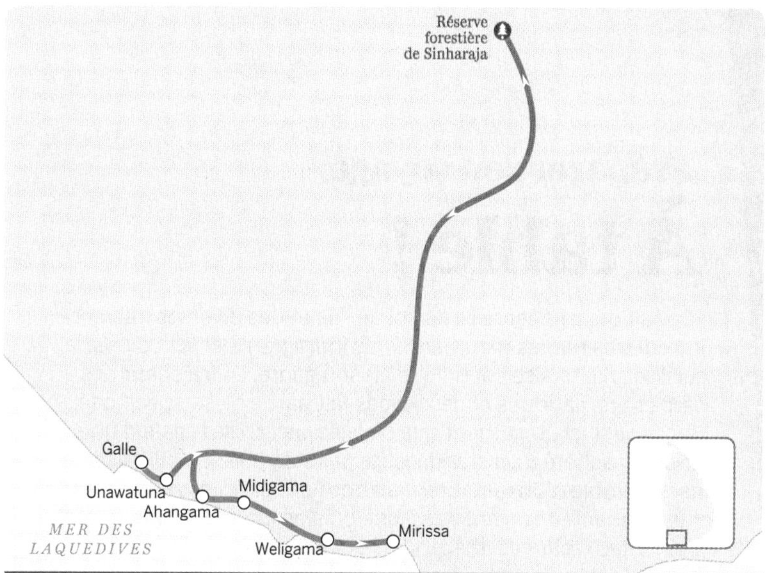

Brève escapade dans le Sud

Cet itinéraire permettra à ceux que le temps presse de profiter de la culture, de la nature et des plages du sud du pays.

Commencez par **Galle** : fondée par les Portugais au XVIe siècle, c'est l'une des villes fortifiées coloniales les mieux conservées d'Asie du Sud-Est. Arpentez les remparts au coucher du soleil et profitez des cafés qui s'avancent le long des rues bordées de bâtiments anciens, restaurés ou romantiquement délabrés. Destination gastronomique, Galle compte des bars d'hôtels élégants, où siroter des cocktails dans une atmosphère raffinée.

Allez à la plage à **Unawatuna**, toute proche, et laissez-vous séduire par son beau croissant de sable, ses cafés dominant les vagues et ses eaux d'un bleu idéal. L'imposante Rumassala Peace Pagoda et la ravissante Jungle Beach ne sont qu'à 15 minutes à pied à l'ouest.

Quittez le bord de mer pour vous immerger dans la **Sinharaja Forest Reserve**, la dernière grande forêt tropicale humide du pays, inscrite au patrimoine mondial. On ne la visite qu'à pied, et des guides indépendants ou travaillant pour le parc peuvent vous conduire le long des sentiers glissants et vous en faire découvrir la flore et la faune d'une étonnante richesse.

Retour sur le littoral sud, où le surf se développe à vive allure. Vous trouverez des écoles, des planches à louer et des hôtels bon marché à **Ahangama** et **Midigama**.

Une petite balade à l'est vous conduira à **Weligama**, avec ses hôtels en bord de plage et son spot de surf parfait pour les débutants. C'est aussi une ville de pêche animée, où se tiennent des marchés intéressants à explorer.

Non loin s'étend **Mirissa**, la perle des plages du Sud, où de jolies pensions se cachent sous les palmiers. Dans le port, Mirissa Harbour, de l'autre côté de la péninsule face à l'extrémité ouest de la plage, les bateaux vont et viennent sans cesse, et les sorties d'observation des baleines sont l'activité la plus prisée. Vous pourrez passez la fin de votre séjour au soleil sur cette magnifique plage.

Préparer son voyage

À table !

Produit de la générosité du sol de l'île et des diverses influences introduites par les marchands, les immigrants et les colons, la cuisine sri lankaise est unique en son genre. La fraîcheur des herbes aromatiques et des épices fait partie de sa spécificité. Manger est ici un authentique plaisir, que l'on se régale d'un riz-curry acheté à un stand, ou de plats de poisson ou fruits de mer à la table d'un restaurant au bord de l'eau. Les *resorts* les plus fréquentés servent aussi une cuisine internationale (plats occidentaux, chinois, thaïlandais et japonais).

Fruits de saison

En raison de la diversité de la topographie, le choix de fruits est incroyablement varié.

Toute l'année

De nombreux fruits, dont les bananes (plus de 20 variétés), les papayes et les ananas, se consomment toute l'année.

Avril-juin

Les premières mangues apparaissent en avril dans le Nord : la mangue de Karuthakolamban (ou Jaffna) pousse en abondance dans les régions sèches de l'île. Le ramboutan, aussi appelé litchi chevelu à cause de sa coque rouge aux excroissances filandreuses, est délicieux au mois de juin. Il a la même saveur que le litchi. On en vend au bord des routes.

Juillet-septembre

C'est la haute saison du durian, ce gros fruit jaune à la peau hérissée de piquants dont l'odeur est extrêmement forte. Le mangoustan, fruit à la peau pourpre et au goût délicat, se récolte aussi à cette saison. Les fruits supportent mal le transport, aussi goûtez-les là où ils poussent, sous les tropiques.

Expériences culinaires

De la mer à l'assiette

➡ **Elita Restaurant** (p. 120). Poissons et fruits de mer à savourer en admirant le phare.

➡ **Bu Ba** (p. 81). Des tables illuminées de bougies sur la plage de Mt Lavinia.

➡ **Cool Spot** (p. 107). Superbes plateaux de fruits de mer.

➡ **Coconut Palm Beach Seafood Restaurant** (p. 140). Poissons et fruits de mer au bord de l'eau.

Saveurs intenses

➡ **Sanctuary at Tissawewa** (p. 248). Cuisine raffinée à déguster dans l'ancienne résidence d'un gouverneur britannique.

➡ **Nihonbashi Honten** (p. 77). Ce restaurant gastronomique japonais est l'une des meilleures tables de Colombo.

➡ **Bedspace Kitchen** (p. 127). Un jardin à l'ambiance décontractée pour une cuisine contemporaine de haute volée.

➡ **Fort Printers** (p. 120). Un cadre historique à Galle, et une carte moderne et inventive où fusionnent Orient et Occident.

➡ **Matey Hut** (p. 199). Saveurs authentiques dans une cabane de la région montagneuse.

Cadres spectaculaires

➡ **Hill Club** (p. 188). Restaurant classique de style baronial proposant une carte britannique, et doté d'une salle de billard.

➡ **Sharon Inn** (p. 167). Vue inoubliable sur les collines de Kandy et cuisine locale généreusement épicée.

➡ **Church Street Social** (p. 120). Choisissez entre la véranda donnant sur la rue ou la salle à manger de style colonial.

Élégance coloniale

➡ **Governor's Restaurant** (p. 81), **Colombo**. Un hôtel-restaurant chic pour un déjeuner dominical.

➡ **Margosa** (p. 292), **Jaffna**. Ce manoir du XIXe siècle est un cadre sublime pour dîner.

➡ **Empire Café** (p. 166), **Kandy**. Une adresse prisée de longue date pour son cadre colonial.

➡ **Royal Dutch Cafe** (p. 119), **Galle**. Savourez thés et cafés raffinés, ou un bon repas dans un élégant édifice à colonnades.

Ambiance des cafés

➡ **Old Railway Cafe** (p. 120), **Galle**. Un café qui mérite amplement de s'échapper du fort.

➡ **Dutch Bank Cafe** (p. 278), **Trincomalee**. Excellents en-cas et repas dans un ancien édifice colonial face au port.

➡ **Dambulla Heritage Resthouse Restaurant** (p. 219), **Dambulla**. Après la visite des grottes, reprenez des forces en sirotant un café.

➡ **Queens Art Cafe** (p. 126), **Unawatuna**. Un lieu ombragé accueillant, tout près de la plage.

➡ **Barefoot Garden Cafe** (p. 77), **Colombo**. Élégant café aménagé dans une cour de la galerie Barefoot.

L'heure du thé

➡ **High Tea at the Grand** (p. 188), **Nuwara Eliya**. Sandwichs au concombre, gâteaux délicats et un grand choix de thés.

➡ **T-Lounge** (p. 76), **Colombo**. Cadre pittoresque, dans un édifice emblématique.

➡ **Mlesna Tea Centre** (p. 196), **Bandarawela**. Boutique de thé réputée, au cœur du pays du thé.

En-cas bon marché

➡ **Kotthu**. Mélange épicé de *roti* (pain) émincé, de légumes et de viande ou d'un œuf. À goûter à l'Hotel De Pilawoos (p. 81), à Colombo.

➡ **Paratha**. Pain plat. Mention spéciale à ceux de Mangos (p. 293), à Jaffna.

➡ **Vadai**. Terme générique désignant des disques de pâte frits ou des beignets, le plus souvent à base de farine de lentilles.

➡ **Coconut roti** Vendus dans la rue, ces petits pains toastés sont consommés avec une garniture salée pimentée.

➡ **Samosa** Omniprésent, cet en-cas est généralement garni de légumes cuits épicés.

Cours de cuisine

Les établissements proposant des cours de cuisine ne sont pas légion au Sri Lanka, mais les options se multiplient au fur et à mesure que croît l'intérêt des touristes.

LE RIZ-CURRY

Plat national, le riz-curry sri lankais se compose de divers petits plats épicés à base de légumes (et souvent de viande et de poisson), servis avec du riz. Les chutneys et le *sambol* (condiment à base d'ingrédients pilés avec du piment) qui l'accompagnent relèvent le goût. En principe, ils sont servis avec des *poppadom* (pains-crêpes).

Presque tous les currys sri lankais sont à base de lait de coco et d'un mélange d'épices : piment, curcuma, cannelle, cardamome, coriandre, *rampe* (feuilles de pandanus), et feuilles de curry, de moutarde et de tamarin. Le poisson séché est souvent utilisé pour assaisonner les plats.

Vous vous arrêterez certainement dans un petit restaurant pour manger un riz-curry. Certains des meilleurs établissements sont tenus en famille et installés au bord des routes. Ils servent un choix de 5 à 10 plats individuels (principalement végétariens, mais il y a souvent un plat de viande ou de poisson).

Nombre de restaurants ne servent le riz-curry qu'au déjeuner. Dans les pensions, on vous le préparera pour le dîner à condition de le commander tôt dans la journée.

➡ **Matey Hut Cooking Classes** (p. 197), **Ella**

➡ **Mamas Galle Fort Cafe** (p. 119), **Galle**

➡ **Sonjas Health Food Restaurant** (p. 123), **Unawatuna**

➡ **Rawana Holiday Resort Cooking Classes** (p. 197), **Ella**

Spécialités sri lankaises

Le riz est l'aliment de base de la cuisine sri lankaise, et aussi la composante du plat national, le riz-curry. La farine de riz sert à la préparation de spécialités uniques. De nombreux Sri Lankais sont végétariens, il est donc très facile de préparer des repas sans viande. Et il existe une profusion de légumes. La noix de coco est présente dans la majorité des plats. Quant aux "plats à la diable" ("devilled dishes"), ce sont tous les plats de poisson ou de viande cuits dans une sauce aigre-douce pimentée avec des oignons et des poivrons.

Riz

Hoppers Crêpes concaves (aussi appelées *appa* ou *appam*) à base de farine de riz, de lait de coco et de vin de palme. Si l'on y ajoute des œufs, cela devient un *egg hopper*. Le *sambol* est souvent utilisé pour en relever le goût.

Dosa (*thosai*) Fines crêpes composées d'une pâte à base de riz, garnies de légumes épicés.

Kola kanda Porridge nourrissant fait de riz, noix de coco, légumes verts et herbes aromatiques.

Riz-curry Le plat national se compose de divers plats épicés à base de légumes, viande ou poisson.

Biryani Riz basmati parfumé cuit avec beaucoup de curcuma, d'ail et de cardamome, souvent agrémenté de morceaux de poulet ou d'agneau.

Plats de légumes

Mallung Cette salade mélange des légumes verts hachés menu (chou frisé), de la noix de coco râpée et de l'oignon.

Curry au jaque Le plus gros fruit du monde se marie à merveille avec les sauces au curry, car sa chair cuite prend la consistance de la viande.

Pains

On trouve des boulangeries dans tout le pays, mais elles sont parfois décevantes.

Roti Pain plat épais cuit sur une plaque chaude et servi avec une garniture sucrée ou salée.

Kotthu *Roti* émincé, sauté avec des légumes et/ou un œuf, du fromage ou de la viande. À goûter à l'Hotel De Pilawoos (p. 81), à Colombo.

Uttapam Spécialité tamoule, crêpe épaisse servie avec oignons, piments, poivrons et légumes.

Poisson et fruits de mer

Crabe de Jaffna Les recettes varient, mais, dans le Nord, le tamarin et la noix de coco sont des ingrédients incontournables.

Ambulthiyal Spécialité du Sud, ce curry de poisson est concocté avec du *goraka*, un fruit qui lui donne sa saveur aigre.

Condiments

Pol sambol Noix de coco râpée, jus de citron vert, oignons rouges, piment et épices.

Lunu miris Oignons rouges, sel, piment en poudre, jus de citron vert et poisson séché.

Desserts et douceurs

Wattalappam (*vattalappam* en tamoul) À base de lait de coco, œuf, *jaggery* et cardamome.

Pittu Gâteaux à base de farine de riz et de noix de coco, cuits à la vapeur dans un moule en bambou.

Curd Yaourt au lait de bufflonne, servi arrosé de mélasse de *kitul* (sirop issu du sucre de palme).

Pani pol Petite crêpe garnie d'un mélange sucré de cannelle et de *jaggery* parfumé à la cardamome.

Bolo fiado Gâteau à plusieurs couches qui aurait été introduit par les Portugais.

Crèmes glacées On en trouve partout, et Galle compte deux établissements spécialisés.

Passer à table

Heure des repas

Les Sri Lankais prennent en principe 3 repas par jour. À chaque repas ses spécialités culinaires, ce qui signifie que vous ne trouverez pas de plats du déjeuner (comme le riz-curry) servis le soir.

En haut : *dosa* (fine crêpe à base de farines de riz et de lentilles)

En bas : petit-déjeuner sri lankais

RHONDA GUTENBERG / GETTY IMAGES ©

Petit-déjeuner Le petit-déjeuner se prend au lever du soleil, et se compose de *hoppers* et de fruits. Le thé au lait est généralement consommé au petit-déjeuner, mais en ville, certains lui préfèrent le café. Dans les hôtels et pensions touristiques, il y a presque toujours des petits-déjeuners à l'occidentale.

Déjeuner Entre 12h et 14h30. Le riz-curry est un incontournable. Selon l'endroit où on le commande, c'est soit un véritable festin, soit une simple pause-déjeuner.

Dîner Généralement entre 19h et 21h. Si vous n'avez vraiment pas envie d'un curry pimenté le soir, optez pour le poisson et les fruits de mer, en principe légèrement épicés, tout comme le riz frit.

Où se restaurer

Le Sri Lanka se distingue de la plupart des pays d'Asie en ce que les habitants préfèrent généralement manger chez eux. C'est différent dans les stations balnéaires et dans la capitale, toutefois dans de nombreuses villes, les restaurants, et même les stands de rue, sont très rares.

Hébergements En principe, on prend le petit-déjeuner à son hôtel. Les établissements servent souvent aussi le dîner, mais dans les pensions, il faut le commander à l'avance. Les grands hôtels proposent généralement des buffets pour le déjeuner et le dîner avec des plats occidentaux et locaux.

"Hôtels" D'une manière qui prête à confusion, les restaurants sont ici également appelés "hôtels". Le plus souvent, ces établissements se trouvent dans les villes et agglomérations. Peu reluisants, ils se résument à une devanture vendant en-cas et boissons, et à quelques tables à l'arrière pour prendre un repas assis. Le riz-curry est la spécialité du déjeuner. Au dîner, on sert des *kotthu*, ainsi que des plats de riz et de nouilles.

Restaurants À Colombo, dans les stations balnéaires et dans les villes touristiques comme Galle, on trouve d'excellents restaurants servant des cuisines très variées, allant des plats mexicains aux spécialités locales.

Boulangeries Elles vendent des "short eats" (snacks), un choix de petits pains farcis de viande, de tourtes à la viande et aux légumes (appelées "cutlets"), de pâtisseries et de *vadai*. Dans certains établissements, on apporte une assiette d'en-cas à votre table et vous ne payez que ce que vous consommez. Nombre de boulangeries (et certains restaurants) proposent un "lunch packet" (littéralement "paquet déjeuner"), une portion de riz et 2 ou 3 petites portions de curry.

Boissons

Thé et café

Ici, le thé se boit très sucré et avec du lait chaud. Si vous le préférez moins doucereux, précisez-le bien au serveur.

Si le café ne fait pas partie des boissons habituelles, on le trouve maintenant couramment à Colombo et dans les zones touristiques. Les cafés avec machine à expresso sont à la mode, sans être très répandus. Pour le reste, attendez-vous à une version instantanée, ou à quelque chose d'approchant.

Boissons sans alcool

Le jus de citron est excellent. Buvez-le avec de l'eau gazeuse, mais demandez le sel ou le sucre à part pour éviter les excès. Les confiseries et les restaurants indiens servent du *lassi* (yaourt à boire). La bière au gingembre est délicieusement surannée – les marques Elephant et Lion sont bonnes. Le jus de *thambili* (noix de coco), servi dans sa cosse, est disponible sur les stands en bordure de route. Ne consommez que de l'eau en bouteille (évitez les glaçons) qui doit être ouverte devant vous.

Bière

Brassée localement, la Lion Lager est une bière légère que l'on trouve partout. Il existe aussi une très bonne stout Lion (Sinha Stout) aux arômes de café et de chocolat, mais elle titre 8,8% d'alcool. Autres bières locales, la Three Coins et l'Anchor sont moins bonnes. Des marques internationales telles Heineken ou Carlsberg sont disponibles en versions sri lankaises.

On peut boire de la bière artisanale à Colombo, mais rarement ailleurs.

Toddy et arak

Le *toddy*, préparé à partir de la sève des palmiers, a un goût amer qui évoque celui du cidre. Il en existe 3 sortes : à base de sève de cocotier, de sève de palmier *kitul*, et de sève de palmier rônier. On trouve des cabanes à *toddy* dans tout le pays, mais elles sont surtout le fief des hommes. L'arak est un *toddy* fermenté et (quelque peu) distillé. Il peut vous donner un formidable coup de fouet, mais aussi une terrible gueule de bois. Il se marie très bien à la bière au gingembre locale.

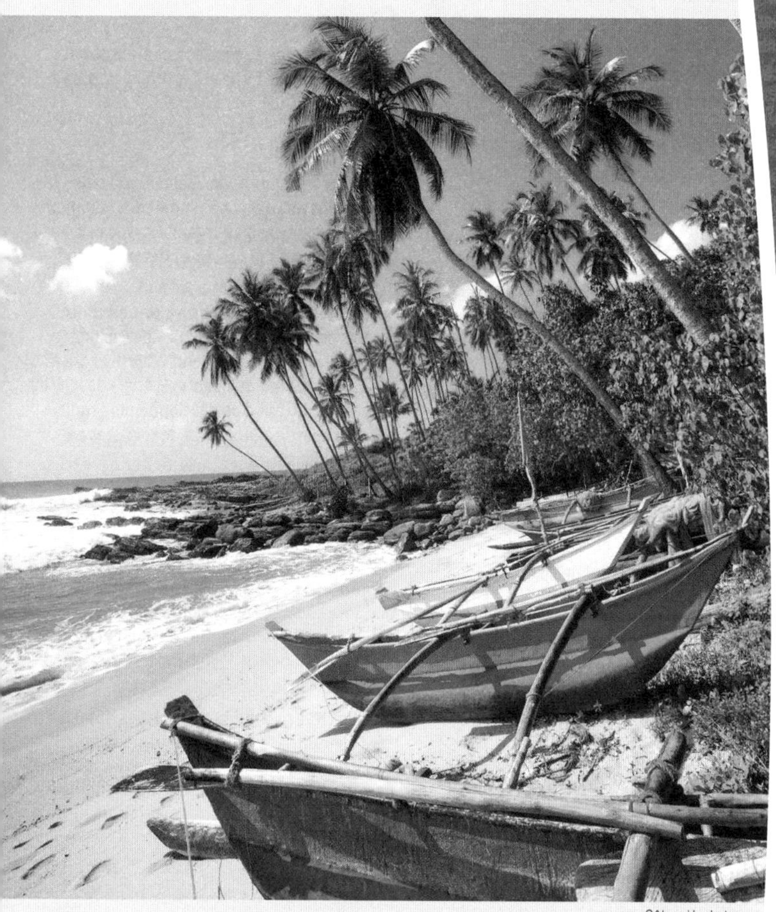

Côte sri lankaise

Préparer son voyage

Plages et activités nautiques

Le Sri Lanka est doté de plages de toute beauté, des bastions du surf ouverts sur l'océan aux criques abritées bordées de plages de sable. Parmi les activités nautiques figurent la plongée et l'observation des baleines, mais si vous préférez vous détendre à l'horizontale, vous êtes aussi au bon endroit.

Plages idéales pour...

La plongée et le snorkeling

Pigeon Island, au large de Nilaveli Beach, offre des eaux cristallines, des récifs peu profonds et des poissons colorés – idéal pour les plongeurs débutants et expérimentés.

Observer les baleines

On peut voir des baleines tout le long de la côte sri lankaise, mais Mirissa est le meilleur endroit pour observer les baleines bleues qui plongent près de Dondra Head.

Explorer

Les îles de Jaffna réservent un incroyable éventail de baies de sable fin et de criques isolées, parfaites pour passer de plage en plage en scooter ou à vélo.

Se faire plaisir

Bentota possède une collection inégalée de fabuleux boutique-hôtels et une plage tout aussi somptueuse.

La solitude

C'est encore un lieu resté discret ! La plage de Talalla Beach est déserte et sublime... pour le moment !

Quand partir

Le Sri Lanka est une destination balnéaire presque toute l'année. Quand il pleut à l'est, il fait généralement beau à l'ouest et inversement.

➡ La principale saison touristique coïncide avec la mousson du nord-est, qui dure de décembre à mars. Durant cette période, le soleil brille sur les côtes ouest et sud, où l'industrie touristique bat son plein. Par contre, il pleut souvent sur la côte est et nombre d'hôtels sont fermés.

➡ De mai à septembre, quand la mousson s'abat sur la côte sud-ouest, rejoignez directement la côte est, protégée de la pluie par les hauts plateaux, ensoleillée et idyllique.

➡ Même au pic de la mousson du sud-ouest, les matinées sont souvent ensoleillées sur la côte ouest avant les orages de l'après-midi.

➡ Le Nord est généralement beaucoup plus sec et l'on peut profiter des plages en toute saison.

Plages

Pour beaucoup de visiteurs, la plage est l'essence du Sri Lanka. La majeure partie du rivage étincelant de cette nation insulaire consiste en de ravissantes étendues de sable.

➡ La côte ouest, la région balnéaire la plus développée, concentre la plupart des complexes hôteliers pour voyages organisés. Que cela ne vous rebute pas car certaines des plages sont les plus belles du pays.

➡ Avec ses plages fabuleuses, un bon choix d'hébergements et d'activités – de la plongée au surf –, la côte sud est l'endroit le plus prisé des voyageurs indépendants en quête de plaisirs balnéaires. Du fait d'un développement rapide, elle accueille de plus en plus de touristes en séjour organisé.

➡ Pendant des années, la guerre et les troubles ont laissé les plages de la côte est à l'écart des circuits touristiques classiques. Seuls les voyageurs les plus aventureux ont osé s'en approcher. Mais la paix commence à dévoiler une côte ponctuée de plages sublimes. Les hôtels poussent comme des champignons, même si l'Est demeure bien moins développé que l'Ouest et le Sud.

➡ Enfin, à l'extrême nord, les plages désertes sont la norme. Mais le développement touristique reste encore minime, et les habitants ne sont pas habitués à fréquenter les étrangers amateurs de soleil et de bains de mer.

Nager sans risque

Chaque année, on déplore des noyades au large des plages sri lankaises. À moins d'être un nageur ou un surfeur chevronné, vous risquez de sous-estimer les dangers ou de les ignorer. Pas d'inquiétude toutefois, toutes les plages du pays ne sont pas forcément baignées de vagues puissantes. Celles d'Unawatuna, de Passekudah et d'Uppuveli, bordées d'eaux calmes, sont idéales pour les nageurs débutants et les enfants. Les plages sont rarement surveillées à temps plein, il n'y a donc en général personne pour vous porter secours. Pour ne pas courir de risque, suivez ces règles de base :

➡ Nagez là où vous avez pied. Si vous êtes piètre nageur, restez près du rivage.

➡ Sortez de l'eau dès que vous sentez que vous commencez à être fatigué.

- Abstenez-vous de nager si vous avez bu de l'alcool ou pris des drogues.
- Surveillez les enfants *en permanence*.
- Méfiez-vous des courants. Le ressac, ou courant sagittal, peut vous entraîner au large. Lorsque la mer est agitée, les courants peuvent apparaître comme des zones paisibles. Mieux vaut vous renseigner auprès de quelqu'un de fiable avant de vous aventurer dans l'eau.
- Si vous êtes pris dans un courant sagittal, essayez de le *traverser* sans nager à contre-courant. Si vous n'y parvenez pas, restez à flot et levez la main pour signaler que vous êtes en détresse. Un courant finit par s'affaiblir ; l'important est de ne pas paniquer.
- Soyez prudent quand il y a de la houle.
- Prenez garde au corail ; l'effleurer peut être douloureux pour le nageur et fatal pour le corail. Renseignez-vous toujours auprès d'une personne de confiance sur l'éventuelle présence de corail là où vous souhaitez nager.
- Ne plongez jamais tête la première : des obstacles peuvent se cacher sous la surface et l'eau peut être moins profonde qu'il n'y paraît.

Us et coutumes à la plage

Les Sri Lankais sont généralement aimables et tolérants. Sur les côtes sud et ouest, ils sont habitués aux touristes étrangers et à leur tenue de plage minimaliste. À l'est et au nord, la situation est un peu différente : les femmes en maillot de bain, même une pièce, peuvent susciter une attention déplaisante. Même dans les stations balnéaires très populaires de la côte est, telles qu'Arugam Bay, et sur les plages au nord de Trincomalee, l'attention peut devenir excessive (il y a eu des agressions sexuelles). Sur ces plages, et notamment dans les endroits isolés, il est conseillé aux femmes de ne pas voyager seules et de porter un T-shirt et un short pour se baigner.

Même sur les plages les plus fréquentées du sud et de l'ouest, il faut avoir à l'esprit que, dans leur grande majorité, les Sri Lankais sont très conservateurs. Faire du monokini est inacceptable en tous lieux. Peu de Sri Lankaises osent porter un bikini. S'il est peu probable que quiconque vous fasse une remarque si vous en portez un sur une plage touristique, vous risquez d'offenser les gens, ou de vous attirer de sérieux ennuis, si vous vous aventurez dans cette tenue dans un village ou en ville.

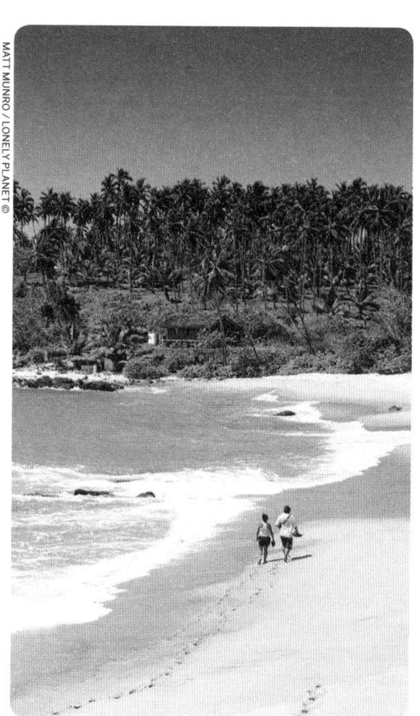

MATT MUNRO / LONELY PLANET ©

Tangalla (p. 142)

La plupart des complexes hôteliers ont des piscines où vous pourrez bronzer en toute liberté sans craindre d'offenser qui que ce soit ou de vous faire harceler.

Les plus belles plages

Rien de plus délicat, mais pour contribuer au débat des experts, voici notre sélection des meilleures plages de sable du pays.

Talalla
Un croissant de sable fin proche de la perfection, ourlé de forêt et presque vierge de toute construction.

Hiriketiya
Cette minuscule anse en forme de fer à cheval sur la côte sud ne manque de rien : breaks de surf, zones de baignade abritées, eaux bleu azur et atmosphère décontractée typiquement tropicale.

Tangalla
Avec ses paisibles criques tropicales et ses immenses plages de sable blanc, Tangalla a de quoi séduire chacun.

Mirissa
Plage idyllique de la côte sud réputée pour ses soirées, c'est aussi la meilleure base pour observer les baleines.

Rafting sur la Kelaniya Ganga, Kitulgala (p. 17

➡ **Uppuveli**
La superbe Uppuveli est une plage de choix pour de nombreux voyageurs indépendants sur la côte est.

➡ **Arugam Bay**
L'un des meilleurs spots de surf du pays, et la destination balnéaire la plus développée de la côte est.

➡ **Bentota**
Langue de sable doré presque déserte bordée de boutique-hôtels.

Surf

Si la houle est présente toute l'année, les vagues sont bien moins impressionnantes qu'aux Maldives voisines et en Indonésie.

Sur la côte est, les gros rouleaux déferlent d'avril à octobre. Sur les côtes ouest et sud, la meilleure période pour le surf va de novembre à avril. Le début et la fin de la saison sont nettement plus propices que les mois de janvier et février – mois que privilégient curieusement la plupart des surfeurs. L'inconvénient est qu'à cette période, les vagues sont parfois moins propres et poussées par des vents venant davantage de l'est, ce qui peut affecter sérieusement certains spots.

Le Sri Lanka est néanmoins parfait pour les surfeurs débutants, ainsi que pour ceux de niveau moyen qui souhaitent expérimenter leurs premiers reef breaks. Nombre des spots sont proches du rivage et très faciles d'accès. La plupart des stations balnéaires louent des planches (comptez 1 200-1 500 Rs la journée) et proposent des cours (à partir de 2 500 Rs).

Les meilleurs spots de surf

➡ **Midigama** (p. 129). Le meilleur spot de la côte sud avec une gauche facile, un beach break constant et un court reef droit, offre la seule vague régulièrement creuse du Sri Lanka.

➡ **Arugam Bay** (p. 259). Sur la côte est, Arugam Bay offre la vague la plus connue du pays. Cette longue droite se surfe d'avril à octobre.

➡ **Weligama** (p. 133). Sur la côte sud, Weligama est idéale pour les débutants. Plusieurs écoles et camps de surf s'y sont récemment installés.

➡ **Hikkaduwa** (p. 103). Ces récifs sur la côte ouest ont acquis une belle notoriété... plus pour la douceur de vivre que pour la qualité des vagues.

Rafting, kayak et bateau

Vous pourrez aussi pratiquer des sports nautiques loin des plages. Dans les montagnes, des rivières dévalent les versants, créant des conditions idéales pour le rafting.

Actuellement, la région la plus connue pour le rafting se situe près de Kitulgala, où l'on peut se promener le long des méandres de la rivière (environ 30 $US/pers) ou, pour les rafteurs expérimentés, descendre des rapides de classes IV et V. Cependant, de nouveaux barrages en construction viendront certainement restreindre les loisirs en eaux vives d'ici quelques années dans ce secteur.

Action Lanka (p. 69), l'acteur principal du rafting au Sri Lanka, organise des expéditions depuis sa base à Colombo ; tarifs à partir de 65 $US.

Vous pourrez faire du kayak à de multiples endroits de la côte, y compris dans les lagunes près de Tangalla. Des excursions en bateau ou en catamaran pour admirer le paysage, observer les oiseaux ou pêcher sont proposées près de Negombo, Bentota et d'autres destinations balnéaires des côtes est et sud.

Observation des baleines et des dauphins

Le Sri Lanka est mondialement réputé pour l'observation des baleines, notamment la baleine bleue, la plus grosse créature au monde. Mirissa (p. 135) est le meilleur endroit pour organiser une excursion. Sur la côte est, Uppuveli et Nilaveli sont plus calmes pour aller à la rencontre des baleines, mais les chances de succès sont réduites. Dans le nord-ouest, le secteur de Kalpitiya est une autre base possible ; on y rencontre de grands groupes de dauphins, ainsi que (moins souvent) des cachalots et des rorquals de Bryde.

Tous ces endroits proposent des sorties en bateau aux alentours. L'excellent tour-opérateur **Eco Team Sri Lanka** (carte p. 65 ; ☎011-583 0833 ; www.srilankaecotourism.com ; 20/63 Fairfield Gardens), présent dans tout le pays, propose des circuits d'observation des baleines (et des dauphins) sur les côtes sud et ouest.

La saison des baleines et des dauphins au large de la côte sud et de Kalpitiya s'étend de décembre à avril, et sur la côte est, de mai à octobre.

Planche à voile et kitesurf

Bien que le Sri Lanka ne soit pas renommé pour ces activités, on peut y faire de la planche à voile et du kitesurf. Negombo compte une école de kitesurf (p. 91) bien gérée qui propose des cours (359 € les 3 jours) et des excursions le long de la côte. Plus au nord, la région de Kalpitiya s'est forgé la réputation d'excellent spot de kitesurf, l'un des meilleurs d'Asie du Sud. Les loueurs de planches et les écoles de kitesurf expérimentées, comme Sri Lanka Kite (p. 98), sont légion.

Plus au sud, Bentota s'établit peu à peu comme une destination de planche à voile avec deux prestataires réputés : Sunshine Water Sports Center (p. 100) et Diyakawa Water Sports (p. 100). C'est une bonne destination pour les débutants, et on peut y prendre des leçons ; les stages de planche à voile coûtent environ 150 $US.

Plongée et snorkeling

Le Sri Lanka offre de multiples possibilités de plongée et de snorkeling. Toutefois, les conditions marines ne sont pas optimales pour ces deux activités en raison de la visibilité restreinte et des fortes vagues.

Des écoles de plongée sont installées tout au long des côtes (sauf au nord). En règle générale, vous verrez plus de poissons que de récifs et quelques épaves. Les eaux du large comptent bon nombre de poissons tropicaux de l'océan Indien comme des poissons-anges, des poissons-papillons, des poissons-chirurgiens et des rascasses. Peut-être verrez-vous aussi des requins à pointe blanche, plus imposants mais nettement plus rares.

Le long de la côte ouest, la meilleure période pour la plongée et le snorkeling va de novembre à avril. Sur la côte est, la mer est plus calme d'avril à septembre. Ne vous attendez pas à une excellente visibilité.

Dans les principales stations balnéaires de la côte ouest, des boutiques louent

TORSTEN VELDEN / GETTY IMAGES ©

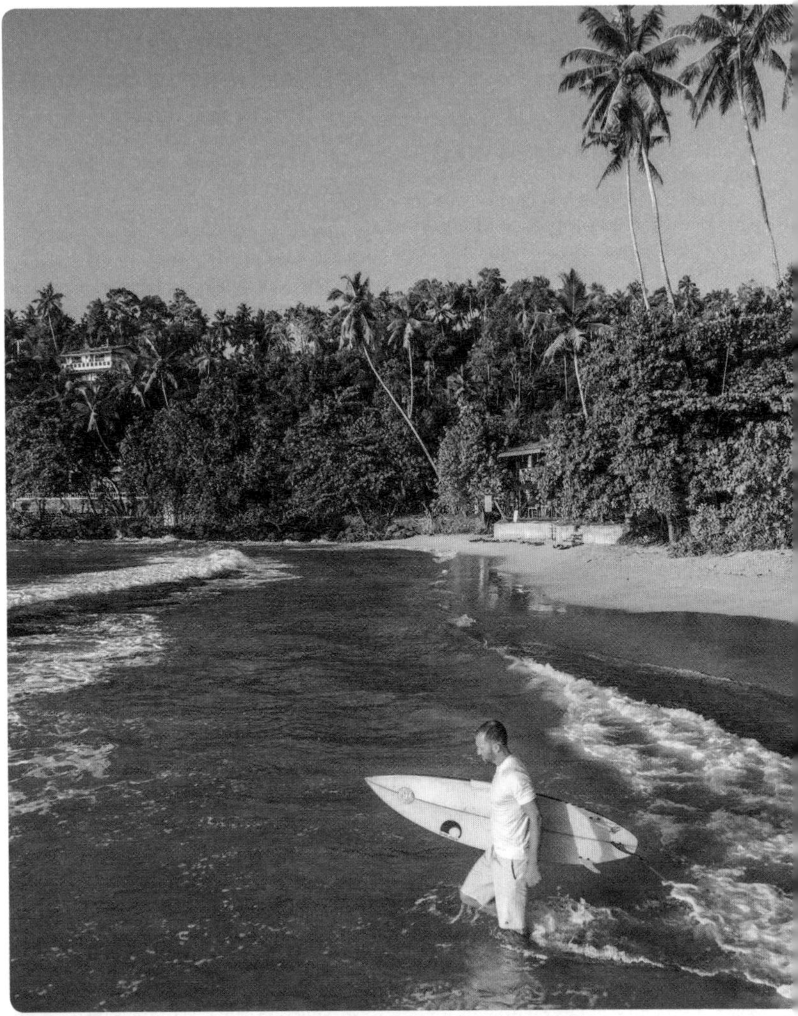

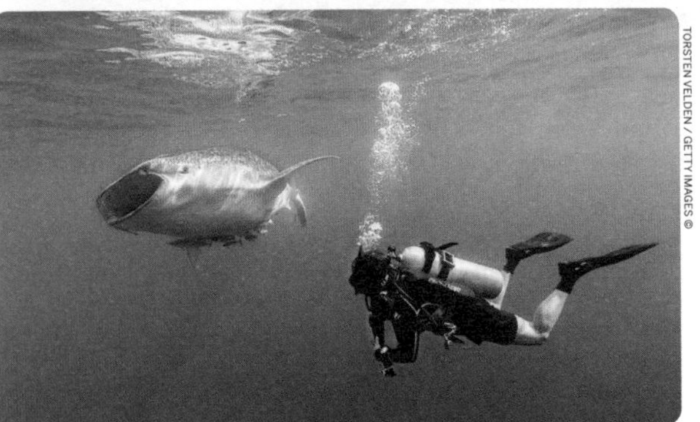

En haut : Mirissa (p. 134)

En bas : plongée avec les requins-baleines

MEILLEURS SITES DE PLONGÉE

Great Basses Reefs (p. 149). À quelques kilomètres de la côte au large de Kirinda, ces lointains récifs sont considérés comme les meilleurs du pays par les plongeurs. On peut y observer des raies aigles et des requins à pointe blanche. Mais attention : les conditions sont difficiles et les récifs sont réservés aux plongeurs expérimentés.

Bar Reef (p. 96). Ces récifs au nord-ouest du pays offrent des écosystèmes intacts, nombre de poissons, des dauphins et des baleines. Pour plongeurs expérimentés.

Pigeon Island (p. 282). Accessibles aux débutants et gratifiants pour les plongeurs chevronnés, les superbes récifs colorés au large de cet îlot permettent de découvrir près de 300 espèces de poissons et autres animaux marins. Aussi pour le snorkeling.

Unawatuna (p. 122). On plonge ici sur des épaves et un bateau a été coulé afin d'améliorer l'expérience. Plusieurs écoles de plongée et nombreuses infrastructures. Pour tous les niveaux.

Batticaloa (p. 271). Des eaux calmes et l'exploration de l'épave du HMS *Hermes*, un navire britannique de la Seconde Guerre mondiale.

Negombo (p. 90). On pourrait penser, en voyant ces eaux marron, que le site ne se prête pas à la plongée. Or, il recèle des récifs peuplés d'innombrables poissons.

et vendent du matériel de plongée et de snorkeling. Les brevets PADI coûtent de 325 à 390 $US et sont proposés par ces écoles de plongée réputées :

- **Poseidon Diving Station** (p. 104), Hikkaduwa
- **Ocean Lanka Scuba** (p. 97), Kalpitiya
- **Unawatuna Diving Centre** (p. 123), Unawatuna
- **Weligama Bay Dive Center** (p. 133), Weligama
- **Sri Lanka Diving Tours** (p. 271), Batticaloa
- **Poseidon Diving Station** (p. 282), Nilaveli
- **Colombo Divers** (p. 91), Negombo

Consignes de sécurité pour la plongée

Avant toute plongée, prenez connaissance des précautions suivantes afin de profiter pleinement de l'expérience sans courir de risques :

- Pour la plongée, vous devez posséder un brevet délivré par un centre reconnu.
- Assurez-vous d'être en bonne forme physique et que vous pourrez plonger sans appréhension.
- Renseignez-vous bien sur les conditions physiques et environnementales du site (auprès d'un centre de plongée réputé par exemple).
- Ne plongez que sur des sites correspondant à votre niveau. Si possible, louez les services d'un moniteur compétent et professionnel.

Plongée responsable

Veillez à respecter ces conseils, afin de préserver l'écologie et la beauté des récifs :

- Ne jetez pas l'ancre dans le récif et prenez garde à ne pas vous échouer en bateau sur les coraux.
- Évitez de toucher ou de vous tenir à des organismes marins vivants, et de remorquer des équipements à travers le récif. Les polypes s'abîment au moindre contact. Si vous devez vous tenir au récif, ne touchez que les roches exposées ou les coraux morts.
- Attention à vos palmes. Même sans contact, les mouvements de palmes à proximité du récif peuvent endommager les organismes fragiles. Ne dégagez pas de nuages de sable, qui risqueraient d'étouffer certains organismes.
- Entraînez-vous à maîtriser votre profondeur d'immersion. Certains plongeurs peuvent causer beaucoup de dégâts en descendant trop rapidement et en se heurtant au récif.
- Soyez très précautionneux dans les grottes sous-marines. Restez-y le moins longtemps possible, car vos bulles d'air, bloquées sous le plafond, peuvent mettre des organismes en péril. Dans les petites grottes, passez à tour de rôle.
- Ne ramassez pas, n'achetez pas de coraux ou de coquillages, et ne prenez pas d'objets sur les sites archéologiques marins.
- Repartez avec vos déchets, et ceux que vous pourriez trouver sur place. Le plastique est une grave menace pour la vie marine.
- Ne nourrissez pas les poissons et ne perturbez pas les animaux marins.

Préparer son voyage

Parcs nationaux et safaris

Le Sri Lanka est l'un des meilleurs pays d'Asie pour observer les animaux sauvages : nombre de ses parcs nationaux sont relativement accessibles, et la variété des habitats et la diversité de sa faune sont exceptionnelles. Vous serez certainement impressionné par la vue de grandes hardes d'éléphants, d'énormes baleines, de léopards farouches, de bancs de dauphins, de milliers d'oiseaux colorés et de poissons multicolores. L'industrie touristique a rapidement intégré le potentiel que représente la découverte de la faune. Un grand nombre de parcs nationaux, de secteurs protégés et de safaris permet à tout visiteur, du profane au naturaliste, de profiter des superbes espaces sauvages du Sri Lanka.

Région par région

Les côtes ouest, sud et est

Si l'Ouest se distingue surtout par sa faune marine, le parc national de Wilpattu abrite de grands mammifères et les marais de Muthurajawela de nombreux oiseaux. Au Sud, dans les eaux territoriales, vivent plusieurs espèces de baleines, dauphins et tortues, tandis que le parc national de Yala est l'un des meilleurs endroits d'Asie pour voir des léopards. L'Est possède de paisibles parcs nationaux et des espèces aviaires préférant les climats plus secs.

La région montagneuse

Les parcs couverts de forêt pluviale, de lande et de savane abritent toutes sortes d'animaux, des éléphants aux oiseaux endémiques des montagnes.

Les cités anciennes

Dans cette région sèche, maints parcs nationaux sont peuplés de mammifères vedettes et d'oiseaux à observer. Même dans les sites archéologiques vivent certaines espèces.

Faune

Pour un petit pays, le Sri Lanka abrite une incroyable diversité d'espèces animales : 125 de mammifères, 245 de papillons, 463 d'oiseaux, 96 de serpents et plus de 320 de poissons tropicaux. Étant donné la fragilité de leur environnement, il n'est pas surprenant que plusieurs soient menacées.

Mammifères

Si certains mammifères se laissent observer très facilement, d'autres sont très discrets comme le léopard, prédateur solitaire et essentiellement nocturne, le chacal doré, l'ours paresseux à poil long, la civette palmiste (un chasseur apparenté à la belette), la mangouste et le pangolin indien, un animal craintif couvert d'une armure de grosses écailles jaune-gris.

Tantôt invisibles mais toujours audibles, des troupes de primates vivent dans les arbres, tels le langur commun, aussi appelé Hanuman ou langur gris, le semnopithèque blanchâtre, une espèce endémique, le langur de montagne à poil long (*Trachypithecus vetulus monticola*) et le macaque à toque. Les mouvements lents du loris grêle dissimulent sa capacité à saisir une proie d'un geste vif.

Parmi les animaux que l'on croise plus souvent figurent l'éléphant d'Asie, le sanglier sri lankais et des cervidés tels que le sambar, un grand cerf brun, et le chital (ou cerf axis), plus petit et tacheté de blanc. L'écureuil des palmiers se rencontre fréquemment dans les jardins et les parcs des villes, de même que la chauve-souris géante d'Inde, qui vit par centaines dans les grands arbres.

Les plus grands mammifères évoluent dans les eaux autour du Sri Lanka. Baleines bleues, cachalots, rorquals communs et rorquals de Bryde parcourent les couloirs migratoires au large des côtes. Les eaux profondes des secteurs voisins de Mirissa et de Dondra Head sont peut-être les meilleurs endroits au monde pour apercevoir des baleines bleues. Divers dauphins sont généralement visibles lors des excursions pour observer les baleines, notamment de grands groupes de dauphins à long bec.

Oiseaux

Un climat tropical, un long isolement du continent asiatique et une diversité d'habitats contribuent à l'abondance de l'avifaune au Sri Lanka. Quelque 463 espèces ont été dénombrées, dont 26 ne vivent qu'au Sri Lanka ; d'autres sont endémiques du Sri Lanka et du sud de l'Inde. Parmi les 200 espèces migratrices, pour la plupart présentes d'août à avril, les échassiers (chevaliers, pluviers, etc.), qui arrivent chaque année de leur lieu de reproduction dans la toundra arctique, sont les champions de la longue distance.

Les passionnés peuvent contacter le **Field Ornithology Group of Sri Lanka** (fogsl.cmb.ac.lk), la branche nationale de Birdlife International.

Observer les oiseaux

- Explorez différents habitats – forêt pluviale, parcs urbains et plans d'eau dans la zone aride – pour découvrir la diversité de l'avifaune.
- La période de février à mars est la plus propice pour l'observation. Vous évitez les moussons et les oiseaux migratoires sont toujours présents.
- Les oiseaux aquatiques sont actifs la majeure partie de la journée.
- Si le matin reste le meilleur moment pour observer les oiseaux, vous verrez en soirée de bruyantes volées qui rejoignent leur perchoir.
- Choisissez un circuit avec un spécialiste pour voir les espèces endémiques et observer un maximum d'oiseaux en un temps limité.

MEILLEURS ENDROITS POUR OBSERVER LES OISEAUX

Réserve forestière de Sinharaja (p. 206). Une étendue de forêt tropicale humide avec quelque 160 espèces d'oiseaux.

Knuckles Range (p. 174). Forêts de montagne peu connues, peuplées d'oiseaux vivant en altitude.

Parc national de Bundala (p. 145). Ce parc de marais est une destination classique pour observer les oiseaux.

Parc national de Kumana (p. 267). Superbe destination en basse altitude pour découvrir quelque 150 espèces.

Marais de Muthurajawela (p. 92). L'endroit idéal pour observer des oiseaux aquatiques près de Colombo.

Lagune de Pottuvil (p. 264). Oiseaux aquatiques et échassiers peuplent ce plan d'eau de la côte est.

Organiser votre safari

Où aller

Demandez-vous d'abord quels animaux vous voulez voir et le type de safari que vous souhaitez faire. Le parc national de Yala, au sud-est, figure par exemple au programme de nombreux voyageurs ; si les léopards se montrent davantage qu'ailleurs, la visite prend souvent des airs de cirque avec un minibus derrière l'autre à la recherche des félins. Pour voir un léopard dans une ambiance plus calme (avec moins de chances), optez pour le parc national de Wilpattu.

MEILLEURS ENDROITS POUR OBSERVER LES ÉLÉPHANTS

Parc national d'Uda Walawe (p. 204). Avec quelque 500 éléphants présents toute l'année, ce parc offre le plus de chances de voir des pachydermes.

Parc national de Minneriya (p. 238). En août, des centaines d'éléphants rejoignent Minneriya, formant un spectaculaire "rassemblement".

Parc national de Kaudulla (p. 238). Plus de 250 éléphants vivent dans ce parc.

Parc national de Bundala (p. 145). Des éléphants sont régulièrement observés dans un superbe cadre aquatique.

Parc national de Yala (p. 151). Des éléphants très nombreux, mais parfois difficiles à voir.

Parcs nationaux et réserves

Il y a plus de 2 000 ans, des souverains éclairés interdirent toute activité humaine dans certains secteurs. Pratiquement toutes les provinces de l'ancien royaume de Kandy possédaient des *udawattakelle* (sanctuaires), où les animaux et les plantes prospéraient sans être dérangés.

Aujourd'hui, les parcs et les réserves regroupent des sanctuaires traditionnels, ceux créés par les Britanniques et des secteurs récemment aménagés, comme les corridors pour les éléphants. Couvrant environ 8% du territoire, une centaine d'espaces sont surveillés par le gouvernement et répartis en 3 types : les réserves naturelles interdites aux visiteurs, les parcs nationaux, accessibles sous conditions, et les réserves avec habitations autorisées. Le Sri Lanka compte aussi deux sanctuaires marins, le Bar Reef, à l'ouest de la péninsule de Kalpitiya, et le parc national de Hikkaduwa, ainsi qu'une dizaine d'îles et de zones littorales protégées.

Hors des sentiers battus

L'État sri lankais contrôle 82% du territoire. Cet espace est régi par un ensemble de lois destinées à empêcher les activités destructrices et à protéger les zones sensibles, comme les nombreuses forêts naturelles. Le pays abrite 63 sanctuaires, une longue liste de réserves forestières et d'innombrables zones humides, avec ou sans titre officiel.

Pour éviter la surfréquentation de certains parcs, n'hésitez pas à vous tourner vers des lieux moins connus mais tout aussi beaux. La visite de Lunugamvehera (qui relie les parcs nationaux de Yala et d'Uda Walawe, permettant aux éléphants de circuler entre les deux) peut remplacer celle de Yala, et Wasgomuwa se substituer à Gal Oya ou Minneriya.

Le Sri Lanka comprend actuellement 6 zones reconnues par la convention de Ramsar sur les zones humides, parmi lesquelles : le parc national de Bundala ; l'estuaire du Madu Ganga (915 ha) près de Balapitiya, à 80 km au sud de Colombo sur l'A2, qui abrite l'une des dernières mangroves intactes ; et la réserve naturelle d'Annaivilundawa (Anawilundawa Wetland Sanctuary), à l'ouest de l'A3 à 100 km au nord de Colombo, un ensemble d'anciens réservoirs d'eau douce aménagés par l'homme qui hébergent aujourd'hui une fabuleuse biodiversité.

Pour des listes de réserves hors des sentiers battus, contactez les services gouvernementaux de conservation ou consultez le site de **LOCALternative Sri Lanka** (www.localternative.com).

Quand partir

Si les animaux peuvent être observés toute l'année, la meilleure période correspond généralement à la principale saison touristique, de novembre à avril. À cette époque, tous les grands parcs sont ouverts et l'absence de pluies pousse les animaux à se rassembler autour des points d'eau, facilitant l'observation (surtout de février à début avril). Si vous venez durant la mousson du sud-est, de mai à octobre, visitez les parcs proches des cités anciennes et dans l'est de l'île.

Comment réserver

Il est extrêmement facile d'organiser un safari dans les principaux parcs nationaux et autres secteurs protégés.

ANTON GVOZDIKOV / SHUTTERSTOCK ©

En haut : Singe, Kandy (p. 157)

En bas : Éléphants, parc national d'Uda Walawe (p. 204)

PRINCIPAUX PARCS NATIONAUX ET RÉSERVES

PARC	SUPERFICIE	CARACTÉRISTIQUES	MEILLEURE PÉRIODE
Parc national de Bundala	62,2 km²	Lagune côtière, oiseaux migrateurs, éléphants	tte l'année
Parc national de Gal Oya	629,4 km²	Prairies, forêt sempervirente, cervidés, Senanayake Samudra (réservoir), éléphants, ours paresseux, léopards, buffles d'Asie	déc-sept
Parc national de Horton Plains	31,6 km²	Classé au patrimoine mondial de l'Unesco, forêts d'altitude, prairies marécageuses, précipice de World's End, sambars	déc-mars
Parc national de Kaudulla	66,6 km²	Kaudulla Tank, forêt sempervirente, jungle, plaines herbeuses, éléphants, léopards, sambars, chats viverrins, ours paresseux	août-déc
Knuckles Range	175 km²	Classé au patrimoine mondial de l'Unesco, villages traditionnels, chemins de randonnée, grottes, cascades, forêt naine d'altitude, forêt sempervirente, forêt fluviale, prairies, broussailles, rizières, plus de 30 espèces de mammifères	déc-mai
Parc national de Kumana	356,6 km²	Prairies, jungle, lagunes, mangroves, oiseaux aquatiques	mai-sept
Parc national de Lunugamvehera	235 km²	Prairies, réservoir, éléphants	mai-sept
Parc national de Minneriya	88,9 km²	Minneriya Tank, macaques à toque, sambars, éléphants, oiseaux aquatiques	mai-sept
Réserve forestière de Sinharaja	189 km²	Classé au patrimoine mondial de l'Unesco, sambars, forêt pluviale, léopards, semnopithèques blanchâtres, muntjacs, 147 espèces d'oiseaux recensées	août-sept, jan-mars
Réserve naturelle de Sri Pada	224 km²	Classé au patrimoine mondial de l'Unesco, Adam's Peak, chemins de randonnée	déc-mai
Parc national d'Uda Walawe	308,2 km²	Prairie, buissons épineux, éléphants, cerfs mouchetés, buffles d'Asie, sangliers	tte l'année
Parc national de Wasgomuwa	393,2 km²	Forêt sempervirente, crêtes montagneuses, plaines herbeuses, éléphants, léopards, ours paresseux	juin-sept
Parc national de Wilpattu	1 317 km²	Forêt sèche, broussailles, spartines, léopards, ours paresseux, cervidés, crocodiles	jan-mars
Parc national de Yala	141 km²	Forêt épineuse tropicale, lagunes, éléphants, ours paresseux, léopards, buffles d'Asie, flamants nains	nov-juil

Des conducteurs de jeeps proposent habituellement leurs services dans la ville la plus proche ou à l'entrée des parcs, et les hôtels peuvent également organiser des safaris. Il suffit généralement d'arriver la veille, de préciser vos souhaits et de négocier le prix. Dans tous les parcs, les droits d'accès sont payés à l'entrée.

Pour les parcs les plus fréquentés comme Yala, mieux vaut s'organiser à l'avance. Ajith Safari Jeep Tours (p. 147) est une bonne agence locale basée à proximité, à Tissamaharama.

Préparer son voyage

Voyager avec des enfants

Le Sri Lanka offre un grand choix de distractions qui peuvent occuper les familles pendant des semaines. Ici, pas de sorties dans de grands parcs d'attractions, mais plutôt des divertissements proches de la nature. Et l'affection des Sri Lankais pour les enfants compensera largement les petits tracas éventuels.

Au Sri Lanka avec des enfants

Les Sri Lankais ont une affection particulière pour les enfants, dont la présence permet à coup sûr de briser la glace. Le pays ne compte aucune attraction spécialement destinée aux plus jeunes, mais les plages, les sites historiques et les parcs nationaux peuplés d'éléphants captiveront les plus récalcitrants. En l'absence d'infrastructures spécifiques, ils découvriront toutefois le pays dans les mêmes conditions d'aventure que les adultes.

Quoi qu'il en soit, avec une bonne préparation et en accordant l'attention nécessaire à certains détails une fois sur place, un voyage au Sri Lanka avec des enfants peut être très plaisant.

À ne pas manquer

Peu d'attractions concernent uniquement les enfants, mais nombre de sites les enchanteront.

➡ **Uda Walawe** (p. 204). L'un des meilleurs parcs nationaux pour l'observation de la faune.

Dans quelles régions ?

L'Ouest

Les plages se suivent sur cette côte sablonneuse. Toutes sortes de complexes hôteliers invitent à la détente et aux joies de la plage, à commencer par les châteaux de sable. C'est dans l'ensemble la région la plus accueillante pour voyager en famille.

Le Sud

Encore d'autres plages, de multiples activités et sports nautiques, et, à l'est, les fameux éléphants.

Région montagneuse

Nombre des curiosités de cette région sont davantage destinées à un public d'adultes, mais les températures modérées reposent agréablement de la chaleur qui règne partout ailleurs. Les plantations de thé et les trains constituent de superbes excursions.

Cités anciennes

Temples anciens, forts, ruines, jungles et éléphants. Indiana Jones, nous voilà !

L'Est

En dehors de la haute saison du surf (mai-octobre), les vagues léchant ces belles plages se font plus douces. Le snorkeling dans le parc national de Pigeon Island est une belle activité pour les enfants.

➡ **Elephant Transit Home** (p. 205). Près d'Uda Walawe, un lieu de transit pour les éléphants blessés et orphelins.

➡ **Minneriya** (p. 238). Un parc national réputé pour ses hardes d'éléphants.

➡ **Parc national de Pigeon Island** (p. 282). Au large de la belle plage de Nilaveli, cette île offre d'excellentes conditions de snorkeling.

➡ **Élevages de tortues** (p. 100). Sur la côte ouest, ils sont renommés.

➡ **Unawatuna** (p. 122). Grâce aux récifs proches de la plage, les eaux sont calmes et peu profondes. L'idéal pour les tout-petits.

➡ **Polonnaruwa** (p. 226). Les enfants peuvent faire les fous dans ce vaste site ancien interdit aux voitures, parsemé de belles ruines.

➡ **Túk-túk** (p. 351). Ces moyens de transport qui se faufilent en pétaradant donneront des frissons de plaisir à vos bambins.

➡ **Trajets en train dans la région montagneuse** (p. 351). Les enfants adorent, bien que la prudence soit de mise dans ces trains brinquebalants.

Préparer son voyage

Hébergement

➡ Les hôtels et pensions louent tous des chambres triples et familiales, et peuvent fournir des lits supplémentaires sur demande.

➡ En revanche, les lits pour bébés sont assez rares.

➡ Ne comptez pas sur des "clubs pour les petits" ou autres structures similaires comme on en trouve couramment dans les *resorts* de luxe.

À emporter

➡ Une moustiquaire, les hôtels en fournissant rarement avec les lits supplémentaires.

➡ De la crème solaire et un antimoustique pour enfants, car vous n'en trouverez pas sur place.

➡ De quoi se distraire pendant les longs trajets en voiture – attention : les téléchargements sont parfois longs au Sri Lanka.

➡ Pour les tout-petits, un porte-bébé ou une poussette, voire les deux. Les poussettes cahotent sur les trottoirs ou bas-côtés inégaux.

➡ Les sièges auto étant rares, apportez-en un si vous avez l'intention de circuler en voiture.

➡ Pour plus d'informations et de conseils, procurez-vous l'ouvrage *Voyager avec ses enfants*, de Lonely Planet.

Se restaurer

➡ Leur hospitalité pousse les Sri Lankais à se mettre en quatre pour satisfaire les jeunes convives difficiles, et la plupart des restaurants proposent au moins un plat à l'occidentale. En revanche, les menus enfant sont rares.

➡ Pour familiariser votre enfant avec la cuisine locale, essayez un petit-déjeuner de *pittu* ; le mélange noix de coco et riz devrait plaire. Les *hoppers* (crêpes de farine de riz), les *string hoppers* (nouilles de riz cuites à la vapeur) et les *roti* (sortes de crêpes) correspondent aussi au goût des enfants.

➡ Les fruits exotiques frais contentent tout le monde, même lorsqu'on ne les a jamais goûtés avant.

➡ Les chaises hautes (dans les restaurants) sont assez rares.

Autres conseils

➡ Il y a dans tout le pays des supermarchés Cargills Food City et Keells qui vendent des produits pharmaceutiques, des aliments importés pour bébés et des couches jetables.

➡ Les couches taillent petit au Sri Lanka.

➡ L'allaitement en public est accepté. En revanche, il n'existe pratiquement pas de salles pour changer les bébés. Cela ne pose pas de problème car vous pourrez le faire en public.

➡ La rage et des parasites transmis par les animaux sont présents au Sri Lanka. Tenez les enfants à l'écart des animaux errants, y compris chats, les chiens et les singes. Voir le chapitre *Santé* p. 354.

➡ Munissez-vous d'en-cas adaptés aux enfants pour les trajets en voiture et en train, car les produits vendus en chemin ne sont pas toujours à leur goût.

Les régions en un clin d'œil

Colombo

Couchers de soleil
Vie urbaine
Shopping

Soirées flamboyantes

Posté sur les rives de l'océan Indien, Colombo regarde à l'ouest, vers le soleil couchant. Les soirées débutent souvent par une explosion de magenta et de pourpre que l'on peut admirer depuis le bar d'un hôtel ou sur le front de mer.

Capitale trépidante

Vous détesterez peut-être Colombo lorsque vous manquerez de vous faire renverser par une charrette remplie de marchandises en plein marché de Pettah. Mais vous vous coulerez bientôt dans ce chaos et apprendrez à slalomer avec aplomb entre les stands et les marchands ambulants.

Luxe clinquant

Des œuvres d'art au thé en vrac, vous trouverez à Colombo, notamment le long des rues verdoyantes de Cinnamon Gardens et dans les nouveaux quartiers commerçants tape-à-l'œil, des articles et des cadeaux intéressants et originaux.

p. 56

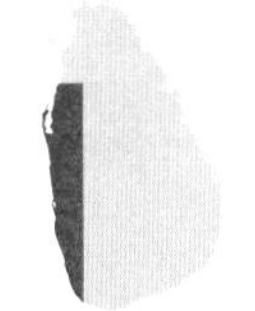

La côte ouest

Plages
Activités
Hôtels

Sable pour tous

La côte ouest charmera tout le monde avec sa grande variété de plages : stations balnéaires pour voyages organisés, anciens lieux de rendez-vous des hippies ou étendues presque désertes.

Activités

Surf et plongée vers les récifs d'Hikkaduwa, ornithologie dans les marais, observation des dauphins dans le nord, soins en thalasso ou safari croisière autour de Bentota, il y en a pour tous les goûts.

Hébergement

Sur les plages autour de Bentota s'élèvent les hôtels de charme parmi les plus beaux du pays. Negombo possède aussi de bons établissements. Si vous envisagez un séjour tout compris, vous êtes dans le bon secteur !

p. 88

Le Sud

Plages
Activités
Nature

Rubans de sable

Si certaines plages sont animées, d'autres sont très peu fréquentées. Mais elles ont toutes en commun une beauté incomparable.

Surf

Le secteur situé entre Galle et Matara est l'un des meilleurs d'Asie du Sud pour le surf, avec des spots réputés comme Ahangama, Midigama et Weligama, avec chacun une personnalité bien affirmée.

Merveilles de la nature

Des singes voltigent dans les arbres, des baleines évoluent gracieusement dans l'océan, des léopards traversent furtivement la nuit et des tortues surgissent du sable, pour le plus grand plaisir des amoureux de la nature.

p. 109

La région montagneuse

Randonnées
Nature
Restauration

À pied

Que vous traversiez la jungle, alliez prendre l'air sur les hauts plateaux, grimpiez jusqu'à des points de vue vertigineux, flâniez dans des plantations de thé, vous suivrez toujours les traces des dieux.

Faune et flore

Aucune autre région du pays ne possède une telle diversité d'habitats : forêts tropicales remplies d'oiseaux bruyants, savanes herbeuses où règnent les éléphants et forêts d'altitude recouvertes de lichens.

Saveurs inoubliables

C'est dans la région montagneuse que la préparation – et la dégustation – des plats s'élève au rang d'art. Les pensions préparent souvent de délicieux repas.

p. 155

Les cités anciennes

Monuments
Temples
Vélo

Sites remarquables

Le quadrilatère de Polonnaruwa, les dagoba d'Anuradhapura, le monastère rocheux de Sigiriya sont quelques-uns des sites spectaculaires du Triangle culturel.

Sri Maha Bodhi

Au milieu des ruines verdoyantes d'Anuradhapura se dresse le Sri Maha Bodhi, un arbre objet de dévotion depuis 2 000 ans. Bien d'autres temples, comme celui de Mihintale, inspirent la dévotion.

En selle !

Les ruines des cités anciennes se trouvent dans de grands parcs aux sentiers ombragés qu'il est très agréable de parcourir à bicyclette. Notez que la plupart des pensions en louent.

p. 212

L'Est

Plages
Activités
Nature

Sable et palmiers

La plupart des longues plages de la côte sont restées sauvages. Même celles qui ont attiré les promoteurs sont de vraies merveilles, associant palmiers, sable blanc et animation discrète dans un parfait dosage.

À l'eau !

L'Est offre un bon choix d'activités à pratiquer entre deux siestes sur la plage. Les vagues sont propices au surf, et récifs et épaves promettent de superbes plongées.

Observer la faune

Au sud, le parc national de Kumana n'est pas aussi vaste que son voisin Yala et il est moins fréquenté. Vous aurez les léopards, les éléphants et les oiseaux pour vous tout seul.

p. 256

Jaffna et le Nord

Redécouverte
Histoire
Littoral

À redécouvrir

Quasiment interdit aux voyageurs pendant des années, le Nord se prête aujourd'hui à l'aventure. Sur les routes en meilleur état que jamais, c'est un plaisir de découvrir des surprises comme le port abandonné à l'extrémité de l'île de Mannar.

Sites antiques

Les immenses portails des temples du Nord s'ornent de dieux hindous aux multiples couleurs.

Îles et littoraux

Des plages infinies ourlent le littoral de la région de Jaffna. D'autres trésors vous attendent dans les eaux turquoise bordant les routes côtières solitaires et les chaussées desservant les îles. Prenez le bateau pour découvrir des îles isolées d'une beauté sublime.

p. 285

Sur la route

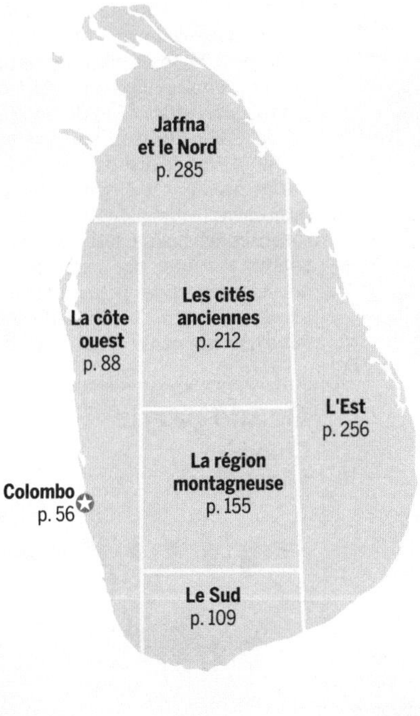

Jaffna et le Nord p. 285
La côte ouest p. 88
Les cités anciennes p. 212
L'Est p. 256
La région montagneuse p. 155
Colombo p. 56
Le Sud p. 109

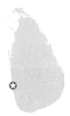

Colombo

☎ 011 / 760 000 HABITANTS

Dans ce chapitre ➡

Histoire........................ 58
À voir........................... 58
Activités....................... 68
Circuits organisés....... 69
Fêtes et festivals..........70
Où se loger...................70
Où se restaurer............76
Où prendre un verre et faire la fête 81
Où sortir....................... 83
Achats......................... 83

Le top des restaurants

- ➡ Nihonbashi Honten (p. 77)
- ➡ Nana's (p. 77)
- ➡ Good Market (p. 80)
- ➡ Bu Ba (p. 81)

Le top des hébergements

- ➡ Cinnamon Red (p. 73)
- ➡ Cinnamon Grand Hotel (p. 73)
- ➡ Havelock Place Bungalow (p. 74)
- ➡ Colombo City Hostel (p. 71)
- ➡ YWCA (p. 72)

Pourquoi y aller

Surnommée la "cité-jardin de l'Orient" au XIXe siècle, Colombo ne mérite certes plus cette appellation, mais elle est devenue une étape incontournable au Sri Lanka et une destination à part entière, qui constitue un excellent point de départ (ou de fin) de vos aventures sri lankaises.

L'héritage colonial reste intact le long des boulevards ombragés. Toujours plus séduisant, le quartier historique du Fort continue de faire l'objet de restaurations réussies, tandis que Pettah déborde de marchés et de commerces. Même Galle Rd, constamment embouteillée, a gagné en standing avec de luxueux complexes hôteliers.

Des restaurants élégants, des galeries et des boutiques composent le versant cosmopolite de la capitale. Les bonnes surprises ne manquent pas : en cherchant un peu, vous pourrez savourer une excellente cuisine locale, découvrir des échoppes et des petits cafés accueillants. Dans le même temps, vous verrez la silhouette de la ville se transformer du fait d'un essor sans précédent de la construction.

Quand partir

Colombo

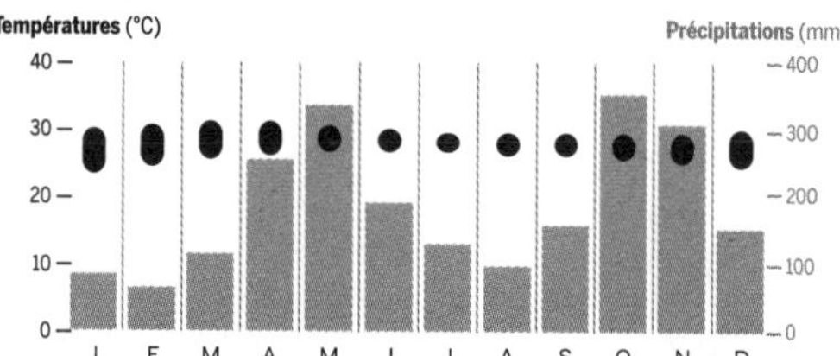

Janvier-mars La saison la plus sèche. L'affluence touristique oblige à réserver bien à l'avance.

Mai À l'occasion de Vesak, fête religieuse, couleurs et lumières égaient la ville.

Décembre Bien que les chrétiens soient une minorité, Noël est populaire et la ville est décorée.

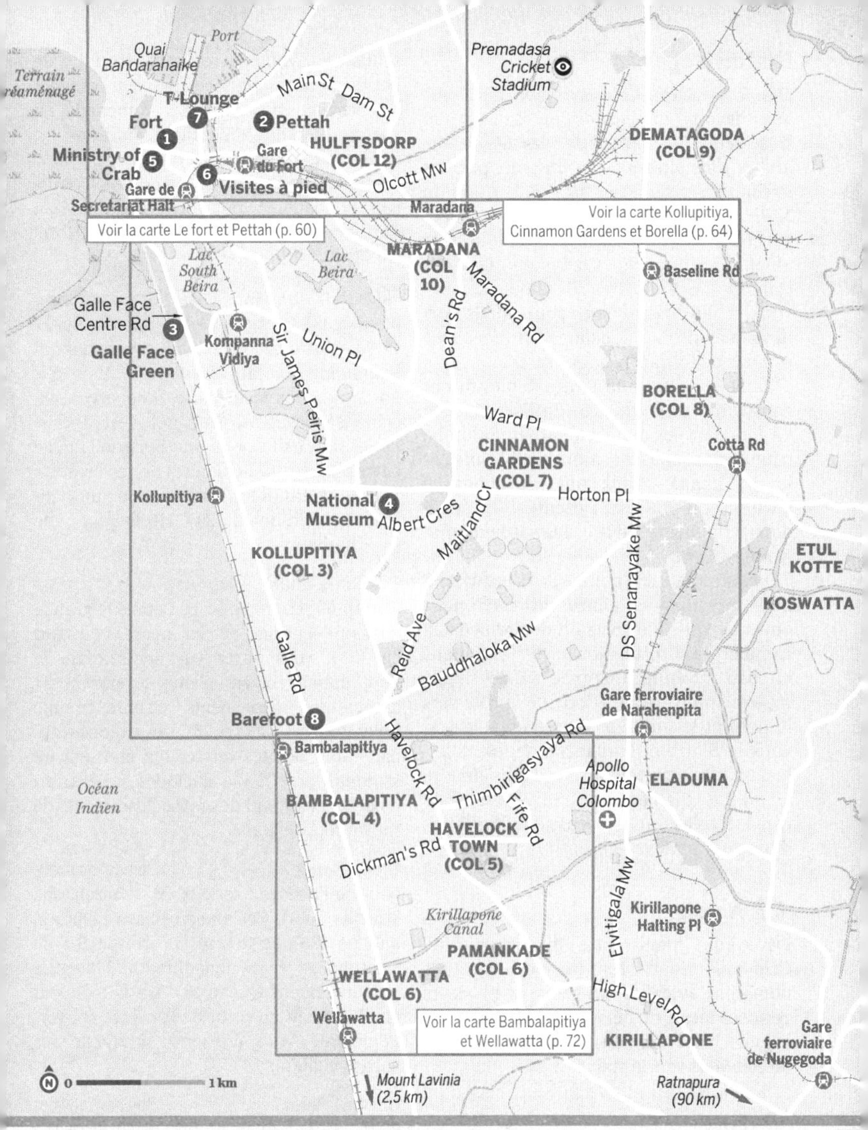

Port
Quai Bandaranaike
Terrain réaménagé
T-Lounge 7
Fort 1
Ministry of Crab 5
Main St
Dam St
2 Pettah
HULFTSDORP (COL 12)
Gare du Fort
6 Visites à pied
Gare de Secretariat Halt
Olcott Mw
Premadasa Cricket Stadium
DEMATAGODA (COL 9)
Maradana
Voir la carte Le fort et Pettah (p. 60)
Voir la carte Kollupitiya, Cinnamon Gardens et Borella (p. 64)
Lac South Beira
Lac Beira
MARADANA (COL 10)
Maradana Rd
Dean's Rd
Baseline Rd
Galle Face Centre Rd 3
Galle Face Green
Kompanna Vidiya
Union Pl
Sir James Peiris Mw
Ward Pl
BORELLA (COL 8)
CINNAMON GARDENS (COL 7)
Cotta Rd
Kollupitiya
National Museum 4
Albert Cres
Maitland Cr
Horton Pl
DS Senanayake Mw
KOLLUPITIYA (COL 3)
ETUL KOTTE
KOSWATTA
Reid Ave
Bauddhaloka Mw
Galle Rd
Barefoot 8
Gare ferroviaire de Narahenpita
Havelock Rd
Thimbirigasyaya Rd
Bambalapitiya
Apollo Hospital Colombo
ELADUMA
Océan Indien
BAMBALAPITIYA (COL 4)
HAVELOCK TOWN (COL 5)
Fife Rd
Dickman's Rd
Elvitigala Mw
Kirillapone Halting Pl
Kirillapone Canal
PAMANKADE (COL 6)
WELLAWATTA (COL 6)
High Level Rd
Wellawatta
Voir la carte Bambalapitiya et Wellawatta (p. 72)
KIRILLAPONE
Gare ferroviaire de Nugegoda
0 1 km
Mount Lavinia (2,5 km)
Ratnapura (90 km)

À ne pas manquer

1. Le passionnant quartier historique du **Fort** (p. 58), admirablement restauré.

2. Une plongée dans la frénésie marchande des magasins, échoppes et marchés de **Pettah** (p. 59).

3. Le coucher du soleil sur la pelouse de **Galle Face Green** (p. 62), face à l'océan.

4. L'histoire du pays et ses trésors en parcourant les 5 remarquables premières salles du **National Museum** (p. 67).

5. Un festin au **Ministry of Crab** (p. 76), l'un des restaurants les plus réputés de la capitale.

6. La découverte du secteur historique de la ville sous un autre angle lors d'une **visite à pied** (p. 69).

7. La dégustation d'un excellent **thé** (p. 76), dans un élégant café comme le T-Lounge.

8. Une virée **shopping** (p. 83) mode et déco dans des boutiques emblématiques comme Barefoot.

Histoire

Dès le Ve siècle, Colombo servait d'escale aux navires marchands entre l'Asie et l'Occident. Au VIIIe siècle, des négociants arabes s'installèrent près du port, puis les Portugais arrivèrent en 1505. Au milieu du XVIIe siècle, les Hollandais s'étaient imposés et cultivaient la cannelle dans le secteur aujourd'hui appelé Cinnamon Gardens (jardins de Cannelle). Il fallut attendre l'arrivée des Britanniques pour que le port devienne une cité ; Colombo fut proclamée capitale de Ceylan en 1815.

Dans les années 1870, des digues furent construites et le quartier du Fort fut créé en inondant les marais alentour. Colombo connut alors une transition paisible lorsque le Sri Lanka obtint son indépendance en 1948. Un nouveau Parlement fut édifié dans le faubourg de Sri Jayawardenepura-Kotte en 1982.

Les attentats à la bombe dans le quartier du Fort pendant les années de guerre civile ont provoqué la dispersion des principaux commerces et institutions dans la capitale. La paix revenue, Colombo se développe rapidement, surtout le long de la côte vers le nord et le sud. Des gratte-ciel poussent dans le centre et l'urbanisation, essentiellement sans charme, ne cesse de s'étendre à l'est. La ville bénéficie d'investissements considérables en provenance de Chine, d'Inde et du Moyen-Orient.

À voir

Privée de grands sites incontournables, Colombo séduit les visiteurs par ses nombreux quartiers qui couvrent plusieurs périodes allant du début de l'ère coloniale à aujourd'hui. Partez du Fort ou de Pettah, et dirigez-vous vers le sud.

Fort

Durant l'époque européenne, le Fort était une forteresse, bordée par l'océan sur deux côtés et protégée par une douve vers l'intérieur des terres. Aujourd'hui, il forme le cœur d'une ville en plein renouveau, avec de beaux édifices coloniaux en cours de restauration et des constructions modernes comme le **World Trade Center** (carte p. 60 ; Bank of Ceylon Mawatha).

La sécurité reste un souci évident dans ce quartier où se trouvent la **résidence du président** (carte p. 60) et divers ministères. Vous devrez peut-être faire de petits détours, mais ce quartier compact se découvre en une courte promenade, en partant de l'Old Galle Buck Lighthouse.

Le port, du côté nord du Fort, est pour l'essentiel inaccessible, mais vous pourrez le découvrir de la terrasse du café au dernier étage du Grand Oriental Hotel (p. 71).

Dutch Hospital ÉDIFICE HISTORIQUE

(Carte p. 60 ; Bank of Ceylon Mawatha, Col 1). Pièce maîtresse du Fort, l'ancien hôpital hollandais date du début du XVIIe siècle. Somptueusement restauré, il héberge d'excellents magasins, cafés et restaurants. Faites une halte pour une boisson fraîche entre les énormes colonnes de ses arcades. Il y a une annexe à l'arrière, dans un bâtiment britannique du XIXe siècle qui donne sur Chatham St.

Old Galle Buck Lighthouse PHARE

(Carte p. 60 ; Marine Dr, Col 1). Depuis la grande terrasse centrale de ce phare construit en 1954, vous aurez vue sur l'océan, le port marchand en pleine expansion et d'immenses lotissements offshore comme Colombo Port City (p. 70). Des canons d'apparat sont pointés vers ce qui était encore le grand large il y a quelques années. Un modeste café vend des rafraîchissements de l'autre côté de la rue.

Clock Tower ÉDIFICE HISTORIQUE

(Tour de l'Horloge ; carte p. 60 ; Janadhipathi Mawatha, Col 1). Cet ancien phare restauré, bâti en 1857, se dresse au croisement de Chatham St et de Janadhipathi Mawatha (anciennement Queen St). Du fait de son emplacement au cœur de l'enclave gouvernementale, vous croiserez sûrement des gardes vigilants.

Central Point ÉDIFICE HISTORIQUE

(Carte p. 60 ; Chatham St, Col 1 ; musée 8h30-16h lun-ven). GRATUIT Les édifices coloniaux de Chatham St sont en cours de rénovation, à l'instar de la majestueuse Central Bank à colonnades datant de 1914, aujourd'hui Central Point. Superbement restauré, l'intérieur comporte un festival de détails gréco-romains et le plus grand lustre qui existe en Asie. Le petit musée consacré à la monnaie locale, près du hall, mérite un coup d'œil pour son panneau sur les mérites comparés du troc et des échanges monétaires.

Lloyd's Buildings ÉDIFICE HISTORIQUE

(Carte p. 60 ; Sir Baron Jayathilaka Mawatha, Col 1). Dans la même rue que les Lloyd's Buildings, magnifiquement restaurés, plusieurs autres imposants bâtiments coloniaux en sont à divers stades de leur rénovation, comme en témoigne le bâtiment Whiteaways voisin avec ses fenêtres en bois cintrées. Ces travaux rendent définitivement sa noblesse à l'ancien quartier financier de Ceylan.

Cargills ÉDIFICE HISTORIQUE

(Carte p. 60 ; York St, Col 1). Cargills, le géant de la distribution, possédait jadis son magasin principal dans York St. Aujourd'hui quasi vide, le bâtiment rouge ornementé, datant de 1906, conserve une élégance fanée et quelques vieilles signalisations. Caractéristiques de l'architecture coloniale de Colombo, les arcades du rez-de-chaussée protègent les passants des trombes d'eau de la mousson. Une petite épicerie Cargills (moderne) est installée à l'intérieur, où l'on peut s'attabler pour prendre une boisson fraîche.

St Peter Church ÉGLISE

(Église Saint-Pierre ; carte p. 60 ; Church St, Col 1 ; 7h-17h mar-dim). Suivez les arcades du côté nord du Grand Oriental Hotel pour rejoindre la salle de réception du gouverneur hollandais, transformée en église en 1821. Elle possède une charpente métallique d'origine et renferme des myriades d'ex-voto laissés par des marins.

Pettah

Juste à l'est du Fort, dans les terres, le bazar animé de Pettah est l'un des plus vieux quartiers de Colombo et l'un des plus plaisants où déambuler. Il se distingue par sa mixité ethnique et de grands édifices religieux représentent de multiples confessions. Marchés et boutiques vendent une infinie variété d'articles.

La foule peut virer à la cohue le matin et en fin d'après-midi. Les vendeurs qui poussent des charrettes surchargées, les *túk-túk* et les voitures qui se faufilent dans les étroites ruelles et les innombrables passants qui se bousculent peuvent donner le vertige. Il est préférable de trouver un endroit ombragé à l'écart de la circulation et observer l'agitation alentour. **Wolfendhal Lane** fait partie de ces refuges où l'on peut flâner notamment le long des échoppes de tissus.

Plusieurs rues de Pettah ont leur propre spécialité (p. 83).

Dutch Period Museum MUSÉE

(Carte p. 60 ; 011-244 8466 ; 95 Prince St, Col 11 ; tarif plein/réduit 500/300 Rs ; 9h-17h mar-sam). Le musée de la Période hollandaise occupe l'ancienne résidence du XVIIe siècle du gouverneur hollandais, successivement transformée en séminaire catholique, en hôpital militaire, en commissariat de police et en poste. La demeure, joliment désuète depuis sa restauration en 1977, a un jardin charmant.

COLOMBO EN...

Un jour

Commencez par les marchés animés de Pettah, entrez dans les petits temples hindous et faites un tour au **Dutch Period Museum**. Rejoignez le **Fort** (p. 58), à l'ouest, et admirez la restauration des joyaux de l'époque coloniale, tel l'**Old Dutch Hospital** (p. 58). Comme les habitants, régalez-vous de crabe au curry et de riz épicé au **Mayura Hotel** (carte p. 60 ; 46 Sri Kathiresan St, Col 11 ; plats 200-500 Rs ; 12h-22h30).

Dans l'après-midi, visitez le **temple bouddhique de Gangaramaya** (p. 62), puis flânez jusqu'au **parc Viharamahadevi** (p. 67). Au coucher du soleil, promenez-vous le long de l'océan avec des familles sri lankaises et savourez un en-cas à **Galle Face Green** (carte p. 64).

Deux jours

Petit-déjeunez à la sri lankaise de *string hoppers* au **Curry Pot** (carte p. 64 ; 011-237 0119 ; www.currypotlk.com ; 314/1/A Marine Dr, Col 3 ; plats 150-400 Rs ; 6h30-16h30 ;), avec vue sur l'océan, avant d'explorer le **National Museum** (p. 67). Cap ensuite sur les beaux magasins et boutiques, comme **Paradise Road** (p. 84), de **Cinnamon Gardens** et de **Kollupitiya**, des quartiers verdoyants. Le soir, rejoignez Mount Lavinia pour vous régaler de produits de la mer les pieds dans le sable au **Bu Ba** (p. 81).

Le fort et Pettah

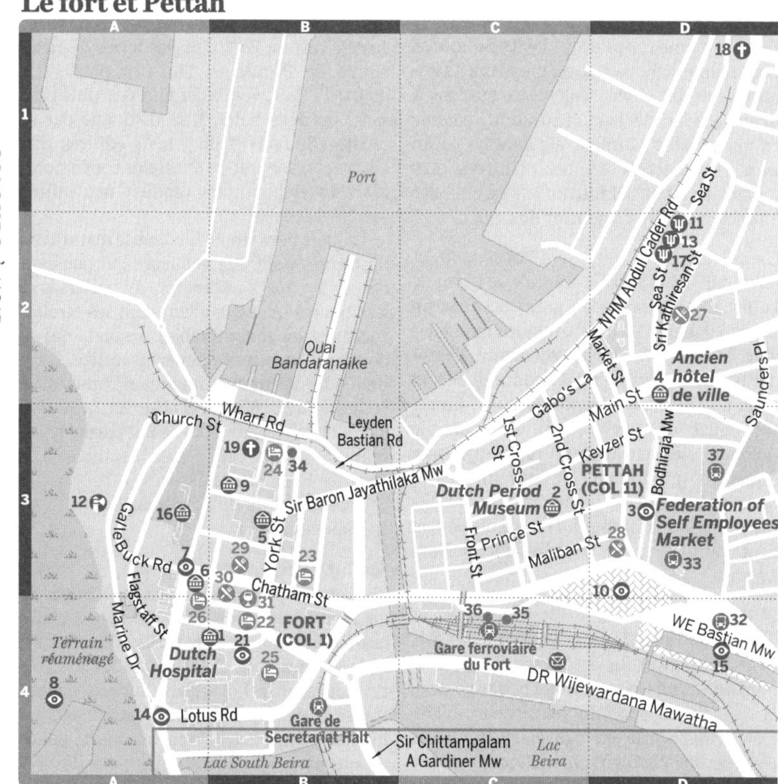

C'est ici que Rajasinha II, roi de Kandy, signa en 1638 le traité octroyant aux Hollandais le monopole du commerce de la cannelle en échange de leur aide contre les Portugais. Le musée présente notamment des meubles et des artefacts de l'époque coloniale hollandaise.

Ancien hôtel de ville — ÉDIFICE HISTORIQUE

(Carte p. 60 ; Main St, Col 11 ; 8h-17h lun-sam). GRATUIT Datant de 1865, ce bâtiment municipal de l'ère britannique est quasi vide aujourd'hui, à l'exception de quelques vieux camions et d'équipements municipaux exposés dans les galeries du rez-de-chaussée. Les gardiens vous feront grimper les escaliers en acajou (donnez-leur un pourboire de 100 Rs) et vous découvrirez une sorte de musée de cire dans les anciennes salles du conseil : ce sont les effigies poussiéreuses des premiers conseillers municipaux de 1906.

Wolvendaal Church — ÉGLISE HOLLANDAISE

(Église réformée ; carte p. 61 ; Wolvendaal Lane, Col 11 ; 9h-16h). L'église Wolvendaal est le principal édifice hollandais du pays. Lors de sa construction en 1749, ce quartier était une étendue sauvage en dehors des remparts de la cité. Les Européens prirent les chacals errants pour des loups et l'appelèrent vallée des Loups (Wolvendaal en hollandais). En forme de croix grecque, avec des murs épais de 1,50 m, cette église renferme un somptueux mobilier hollandais. Des réparations tardives ont débuté en 2017.

Federation of Self Employees Market — MARCHÉ

(Carte p. 60 ; près d'Olcott Mawatha, Col 11 ; 7h-16h). Le commerce frénétique de Pettah atteint son paroxysme dans les marchés. Découvrez celui-ci dans la 5th Cross Street : une débauche d'articles

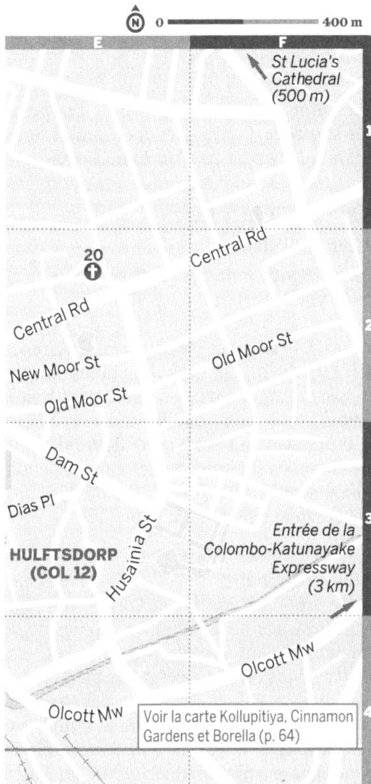

ménagers alterne avec des fruits et légumes joliment présentés, et des pyramides de citrons verts côtoient des jouets plutôt voyants.

Manning Market MARCHÉ

(Carte p. 60 ; Olcott Mawatha, Col 11 ; ⏲6h-14h). À l'est de la gare ferroviaire du Fort, le marché aux fruits et légumes en gros de Colombo vend tout ce qui pousse au Sri Lanka.

Pettah Floating Market PLACE

(Marché flottant ; carte p. 60 ; WE Bastian Mawatha, Col 11 ; ⏲8h-minuit). Illustrant à la perfection la vitesse à laquelle Colombo se métamorphose, cet ancien canal industriel, que longent désormais des promenades en planches, est devenu un quartier au bord de l'eau où sont installés des cafés tout simples, des stands de nourriture, des boutiques, et des fauteuils où l'on peut se détendre sous des parasols.

Le Fort et Pettah

Les incontournables

1 Dutch Hospital ... B4
2 Dutch Period Museum ... C3
3 Federation of Self Employees Market ... D3
4 Ancien hôtel de ville ... D2

À voir

5 Cargills ... B3
6 Central Point ... A3
7 Clock Tower ... A3
8 Colombo Port City ... A4
9 Lloyd's Buildings ... B3
10 Manning Market ... D3
11 New Kathiresan Kovil ... D2
12 Old Galle Buck Lighthouse ... A3
13 Old Kathiresan Kovil ... D2
14 Pelican Perches ... A4
15 Pettah Floating Market ... D4
16 Résidence du président ... A3
17 Sri Muthu Vinayagar Swamy Kovil ... D2
18 St Anthony's Church ... D1
19 St Peter's Church ... B3
20 Wolvendaal Church ... E2
21 World Trade Center ... B4

Où se loger

22 City Rest Fort ... B4
23 Colombo YMCA ... B3
24 Grand Oriental Hotel ... B3
25 Hilton Colombo Hotel ... B4
26 Steuart ... A4

Où se restaurer

Heladiv Tea Club ... (voir 1)
27 Mayura Hotel ... D2
Ministry of Crab ... (voir 1)
28 New Palm Leaf Hotel ... D3
29 Pagoda Tea Room ... B3
30 T-Lounge by Dilmah ... B3

Où prendre un verre et faire la fête

B52 ... (voir 24)
31 Re.Pub.Lk ... B4

Transports

32 Gare routière de Bastian Mawatha ... D4
33 Gare routière centrale ... D3
34 Cinnamon Air ... B3
35 Consigne de la gare ferroviaire du Fort ... C4
36 JF Tours & Travels ... C4
37 Gare routière de Saunders Pl ... D3

Temples hindous ÉDIFICES RELIGIEUX

Nombreux dans la capitale, les temples hindous, appelés *kovil,* se concentrent principalement à Pettah. Trois temples se succèdent dans Sea St, la rue des orfèvres : le **Sri Muthu Vinayagar Swamy Kovil** (carte p. 60 ; Sea St, Col 11), l'**Old Kathiresan Kovil** (carte p. 60 ; Sea St, Col 11 ; 6h-18h) et le **New Kathiresan Kovil** (carte p. 60 ; Sea St, Col 11 ; 6h-18h), un des plus grands *kovil* de Colombo, construit en 1830.

Les temples, dédiés à Murugan (Skanda), le dieu de la Guerre, sont les points de départ de la fête hindoue de Vel, en juillet/août, quand l'immense chariot *vel* (trident) est tiré jusqu'à divers *kovil* dans Galle Rd, à Bambalapitiya (Col 4). De nombreux marchands de guirlandes et de fleurs officient à proximité.

Galle Face Green

Cette longue bande herbeuse au bord de l'océan se trouve juste au sud du Fort. Elle est victime de son succès auprès des habitants de Colombo, qui viennent s'y détendre, et l'herbe usée laisse voir la terre. Par ailleurs, les tours d'hôtels, d'appartements et de bureaux masquent la lumière du levant à l'est et l'immense Colombo Port City (p. 60) bouche en partie l'océan à l'ouest. Pour profiter du coucher de soleil, tout le monde rejoint le luxueux Galle Face Hotel (p. 74), à l'extrémité sud.

Pelican Perches SITE D'INTÉRÊT

(Carte p. 60 ; Galle Face Green, Col 1). De grands pélicans fréquentent ce rond-point, posés sur des lampadaires ou ailleurs. Regardez où vous posez les pieds.

Slave Island et Union Place

Après Pettah, ce sont les plus vieux quartiers de la capitale. C'est à Slave Island, presque entièrement entourée d'eau, que les colons hollandais gardaient jadis les esclaves. Largement oubliée pendant la guerre, sa proximité avec le Fort et Galle Face Green en fait le centre de chantiers de grande ampleur, parmi lesquels l'énorme Cinnamon Life (p. 70). Alors que surgissent des galeries marchandes à plusieurs niveaux, des immeubles d'habitation cossus et la Lotus Tower, vous pouvez encore dénicher des rues au cachet intemporel, mais cela ne saurait perdurer.

Également à l'aube d'une métamorphose, Union Place conserve actuellement ses étroites ruelles où la vie a peu changé depuis des siècles. Commencez par la rangée de **devantures coloniales** (carte p. 64 ; Union Pl, Col 2) transpercées par des arbres sur Union Place, avant de plonger au cœur du quartier en descendant **Church Street** vers le sud et de vous aventurer dans les petites rues situées à l'ouest. De minuscules étals vendent des produits de provenance incertaine et toutes les ruelles réservent des surprises. Continuez vers le sud jusqu'à Nawam Mawatha et le lac South Beira.

Lac South Beira et ses environs

Le lac South Beira est l'ornement central de la ville. Sur l'eau, les pélicans disputent l'espace aux **pédalos en forme de cygnes** (carte p. 64 ; Sir James Peiris Mawatha, Col 2 ; location 150 Rs les 30 min ; 9h-17h) pilotés par des couples d'amoureux en quête d'intimité. Joignez-vous aux familles qui arpentent la promenade au bord de l'eau, tandis que les enfants s'élancent sur le pont suspendu conduisant à l'aire de jeu et aux jardins impeccables situés sur la petite île.

Centre de méditation Seema Malakaya SITE RELIGIEUX

(Carte p. 64 ; lac South Beira, Col 2 ; 6h-18h). L'un des sites les plus photographiés de la capitale se tient sur une île, sur le côté est du lac South Beira. Ce centre de méditation, petit mais fascinant, fut conçu par Geoffrey Bawa en 1985 et est géré par le temple de Gangaramaya. Les pavillons – l'un rempli de bouddhas en bronze thaïlandais, un autre abritant un arbre de la Bodhi et 4 reliefs brahmaniques – sont particulièrement impressionnants en soirée, quand ils sont illuminés. Les ajouts récents se marient mal avec les poétiques édifices d'origine.

Temple de Gangaramaya TEMPLE BOUDDHIQUE

(Carte p. 64 ; 011-232 7084 ; www.gangaramaya.com ; Sri Jinaratana Rd, Col 2 ; don au musée 100 Rs ; 5h30-22h). Dirigé par Galboda Gnanissara Thera, un moine engagé sur la scène politique, ce temple animé possède une bibliothèque, un **musée** et une fantastique collection d'offrandes dorées et incrustées de joyaux déposées par les fidèles au fil des ans. Le Gangaramaya est le centre de la Navam Perahera (p. 70) lors de la *poya* (pleine lune) de février. Il accueille aussi les plus extravagantes célébrations de Vesak à Colombo.

Kollupitiya

Ce long secteur marchand dans Galle Rd, perpétuellement embouteillée, regroupe toutes sortes de boutiques, commerces et hôtels, modestes ou luxueux – l'ancien cédant de plus en plus de terrain au luxe moderne. Riche en surprises, il invite à la promenade, avec plusieurs endroits réputés pour leurs en-cas. Les travaux dans Marine Dr annoncent le développement prochain du front de mer.

Geoffrey Bawa House MUSÉE

(Number 11 ; carte p. 64 ; ☎011-433 7335 ; www.geoffreybawa.com ; 11 33rd Lane, Col 3 ; 1 000 Rs en espèces uniquement ; ⏲visites 10h, 12h, 14h et 15h30 lun-sam, 10h dim). Au bout d'une rue calme se tient la maison où vécut le célèbre architecte sri lankais de 1960 à 1970. Elle combine les formes locales traditionnelles et une austère architecture blanche, des caractéristiques du style de Bawa. On peut visiter le petit jardin, ainsi que l'intérieur, avec son mobilier personnalisé. Si cela vous tente, il est possible de loger dans une partie de la maison (p. 74). Réservez votre visite.

St Andrew's Church ÉGLISE

(Église Saint-André ; carte p. 64 ; 73 Galle Rd, Col 3). Cette église compacte en granite (1834) est un îlot de calme dans l'effervescence de Galle Rd. L'intérieur, blanchi à la chaux, est frais, et les murs sont ornés de plaques commémoratives dédiées aux colons écossais qui édifièrent l'église.

Université de Colombo UNIVERSITÉ

(University of Ceylon ; carte p. 64 ; ☎011-2581835 ; www.cmb.ac.lk ; Cumaratunga Munidasa Mawatha, Col 3). Le vaste campus de l'université de Colombo, qui a remplacé la Ceylon Medical School ouverte en 1870, est entouré de longues avenues arborées, bordées de demeures coloniales. Découvrez Cumaratunga Munidasa Mawatha, qui longe le côté sud-ouest du campus ; le long de cette avenue, remarquez la **Saifee Villa** (carte p. 64), construite en 1910 dans un style baroque italianisant, et non loin la **College House** (carte p. 64) de 1910, dotée de tourelles. Plus de 11 000 étudiants fréquentent cette université.

Cinnamon Gardens

À 5 km au sud du Fort vers l'intérieur des terres par rapport à Kollupitiya, Cinnamon Gardens (jardins de Cannelle) est le quartier le plus chic de Colombo. Couvert de plantations de cannelle il y a un siècle, il est aujourd'hui sillonné de rues bordées d'arbres, où se succèdent demeures somptueuses, ambassades, cafés et boutiques stylés, terrains de sport et plusieurs musées et galeries.

LES PRINCIPAUX QUARTIERS DE COLOMBO

Colombo se divise en 15 secteurs postaux, souvent utilisés pour identifier les différents quartiers. Par exemple, Pettah est également appelé Colombo 11 (ou Col 11). La numérotation des rues recommence à "1" dans chaque quartier – il existe ainsi un "100 Galle Rd" dans plusieurs faubourgs. Voici les principaux secteurs intéressants.

SECTEURS	QUARTIERS
Col 1	**Fort** Centre de la ville, restauré et animé ; historique et chic
Col 2	**Slave Island** Ce n'est pas une île (l'endroit fut utilisé pour garder les esclaves durant l'ère coloniale hollandaise) ; le secteur renferme certains des quartiers les plus anciens – et les plus menacés – de Colombo, dont Union Pl ; grands chantiers urbains en cours
Col 3	**Kollupitiya** Cœur marchand de la ville, avec d'innombrables magasins, hôtels et commerces le long de Galle Rd
Col 4	**Bambalapitiya** Un prolongement de Col 3
Col 5	**Havelock Town** Le prolongement de Col 4, en voie d'embourgeoisement
Col 6	**Wellawatta** Autre secteur commerçant dans le sud de Galle Rd ; dans les terres, **Pamankada** est une nouvelle enclave stylée
Col 7	**Cinnamon Gardens** Quartier le plus huppé de Colombo avec le National Museum, le parc Viharamahadevi, des demeures coloniales, des boutiques et des cafés branchés
Col 8	**Borella** Prolongement vers l'est de Cinnamon Gardens, plus tranquille
Col 11	**Pettah** Vieux quartier à l'est du Fort, avec des marchés animés
Col 13	**Kotahena** À côté du port, au nord de Pettah, cette zone abrite de vieux quartiers et d'importants édifices religieux

Kollupitiya, Cinnamon Gardens et Borella

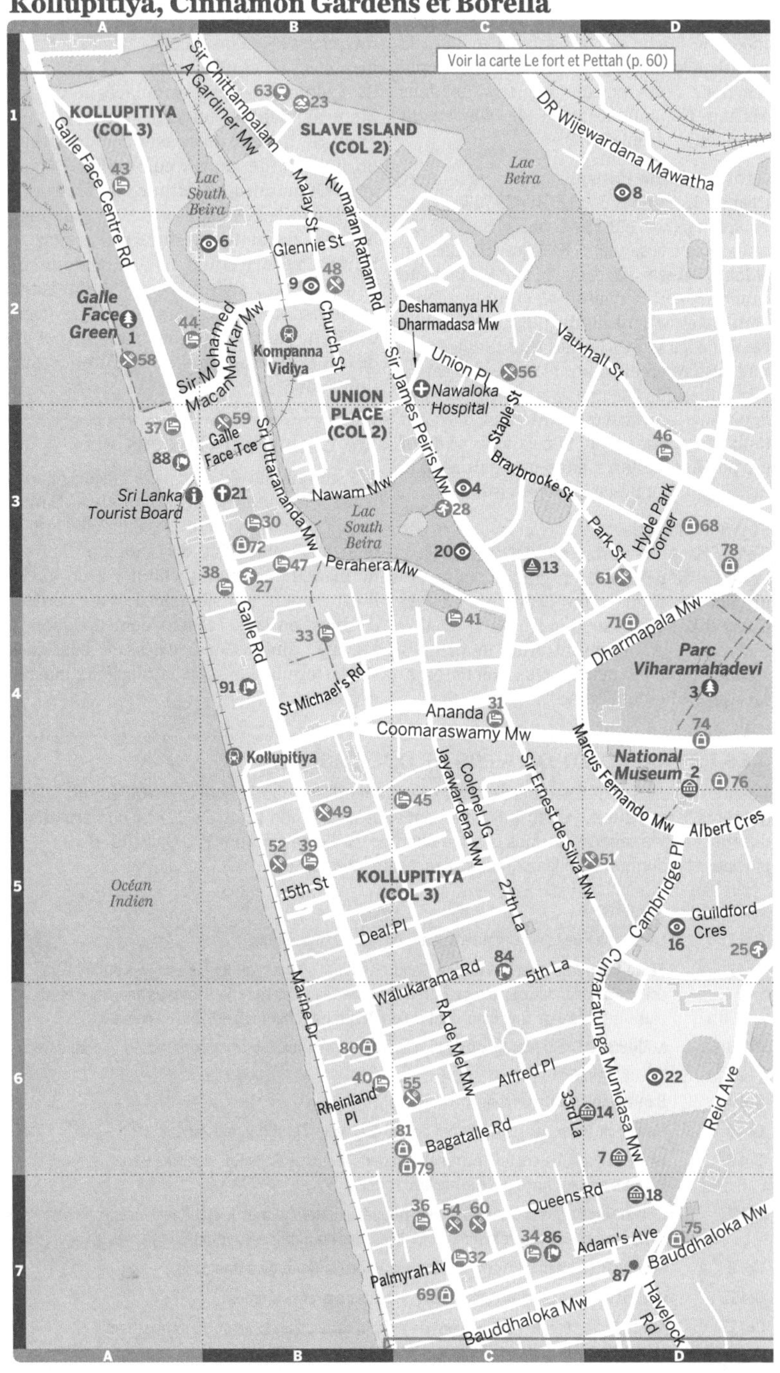

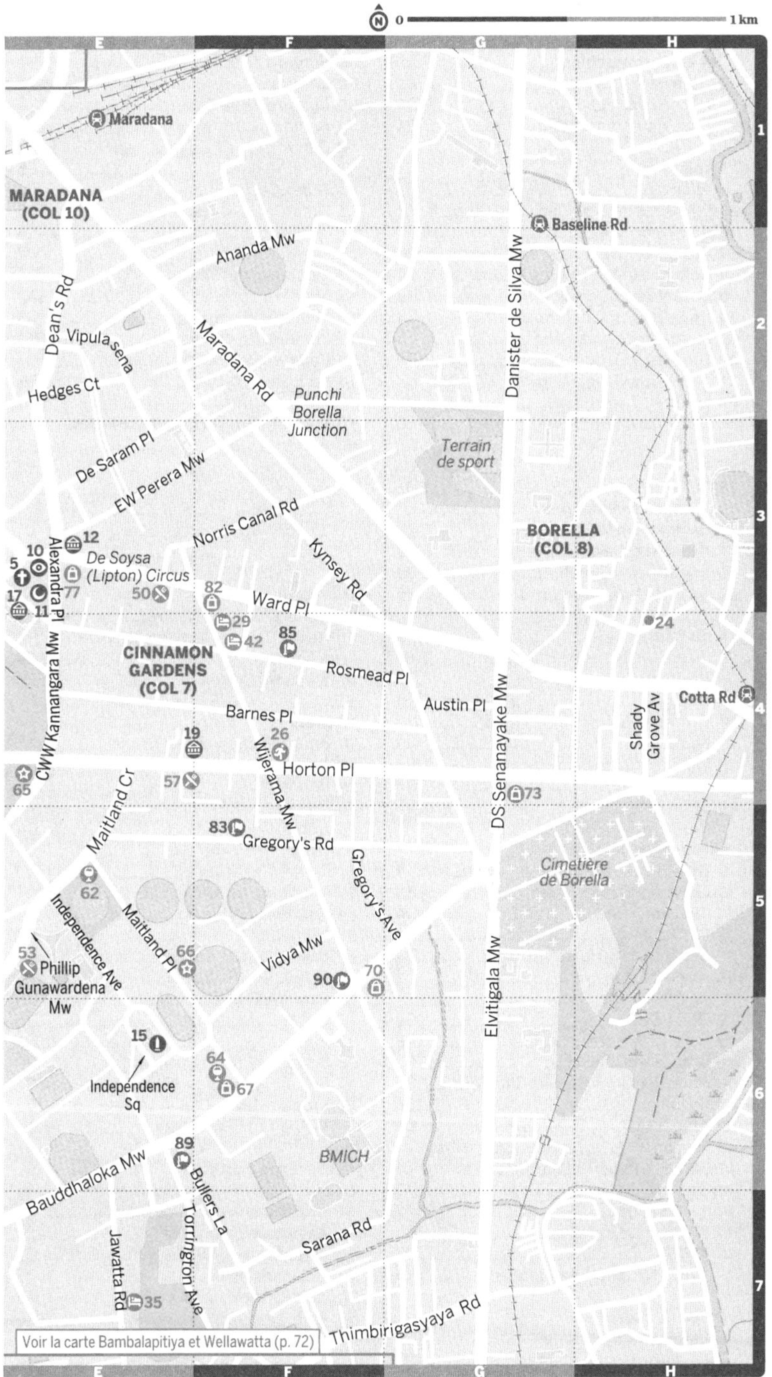
0
1 km
Maradana
MARADANA (COL 10)
Baseline Rd
Ananda Mw
Dean's Rd
Vipulasena
Maradana Rd
Danister de Silva Mw
Hedges Ct
Punchi Borella Junction
De Saram Pl
Terrain de sport
EW Perera Mw
Norris Canal Rd
BORELLA (COL 8)
De Soysa (Lipton) Circus
Alexandra Pl
Kynsey Rd
Ward Pl
CINNAMON GARDENS (COL 7)
Rosmead Pl
Austin Pl
Cotta Rd
Barnes Pl
Shady Grove Av
CWW Kannangara Mw
Wijerama Mw
Horton Pl
DS Senanayake Mw
Maitland Cr
Gregory's Rd
Gregory's Ave
Cimetière de Borella
Independence Ave
Maitland Pl
Vidya Mw
Phillip Gunawardena Mw
Elvitigala Mw
Independence Sq
BMICH
Baudhaloka Mw
Bullers La
Torrington Ave
Sarana Rd
Jawatta Rd
Thimbirigasyaya Rd
Voir la carte Bambalapitiya et Wellawatta (p. 72)

Kollupitiya, Cinnamon Gardens et Borella

Les incontournables
1 Galle Face Green ... A2
2 National Museum ... D4
3 Parc Viharamahadevi ... D4

À voir
4 Altair ... C3
5 Église baptiste de Cinnamon Gardens .. E3
6 Cinnamon Life ... B2
7 College House ... D6
8 Colombo Lotus Tower ... D1
9 Devantures coloniales ... B2
10 De Soysa (Lipton) Circus ... E3
11 Mosquée Dewata-Gaha ... E3
12 Eye Hospital ... E3
13 Temple de Gangaramaya ... C3
14 Geoffrey Bawa House ... D6
15 Mémorial de l'Indépendance ... E6
16 Lionel Wendt Centre ... D5
17 Ancien hôtel de ville ... E3
18 Saifee Villa ... D7
19 Saskia Fernando Gallery ... E4
20 Centre de méditation Seema Malakaya ... C3
21 St Andrew's Church ... B3
22 Université de Colombo ... D6

Activités
23 Cinnamon Lakeside Hotel ... B1
Colombo City Hostel Walking Tour ... (voir 33)
24 Eco Team Sri Lanka ... H4
25 Kemara ... D5
26 Siddhalepa Ayurveda ... F4
27 Spa Ceylon ... B3
28 Swan Boats ... C3

Où se loger
29 Black Cat Bed & Breakfast ... F4
30 Cinnamon Grand Hotel ... B3
31 Cinnamon Red ... C4
32 Clock Inn ... C7
33 Colombo City Hostel ... B4
34 Colombo Courtyard ... C7
35 Colombo Hotel Ceilão Villas ... E7
36 Drift B&B ... C7
37 Galle Face Hotel ... A3
38 Grand Hyatt Colombo ... B3
39 Hotel Renuka & Renuka City Hotel ... B5
40 Ivy Lane ... B6
41 Lake Lodge ... C4
Number 11 ... (voir 14)
42 Paradise Road Tintagel Colombo ... F4
43 Shangri-La Hotel ... A1
44 Taj Samudra ... A2
45 Whitehouse Residences ... C5
46 YWCA ... D3
47 YWCA National Headquarters ... B3

Où se restaurer
Barefoot Garden Cafe ... (voir 69)
Boulevard ... (voir 77)
48 Burger's King ... B2
49 Carnival ... B5
50 Coco Veranda Cafe ... E3
51 Commons ... D5
52 Curry Pot ... B5
53 Good Market ... E5
54 Green Cabin ... C7
55 Hotel De Pilawoos ... C6
Keells ... (voir 72)
56 Keells ... C2
57 Milk & Honey Cafe ... E4
58 Nana's ... A2
59 Nihonbashi Honten ... B3
Paradise Road Cafe ... (voir 78)
60 Paradise Road Gallery Cafe ... C7
61 Park Street Mews ... D3

Où prendre un verre et faire la fête
62 41 Sugar ... E5
63 7° North ... B1
64 Asylum ... F6
Cloud Cafe ... (voir 34)
Cloud Red ... (voir 31)
Silk ... (voir 62)

Où sortir
Lionel Wendt Art Centre ... (voir 16)
65 Nelum Pokuna Mahinda Rajapaksa Theatre ... E4
66 Sri Lanka Cricket ... E5

Achats
67 Arcade Independence Square ... F6
68 Arpico ... D3
69 Barefoot ... C7
70 Buddhist Book Centre ... F5
71 Cotton Collection ... D4
72 Dilmah Tea Shop ... B3
Dilmah Tea Shop ... (voir 77)
73 House of Fashions ... G4
74 Kala Pola Art Market ... D4
75 Laksala ... D7
76 Laksala ... D4
77 Odel ... E3
78 Paradise Road ... D3
79 Plâté ... C6
PR ... (voir 19)
80 Sri Lanka Cashew Corporation ... B6
81 Sri Lanka Tea Board Shop ... C6
82 Tropic of Linen ... F3
Vijitha Yapa Bookshop ... (voir 72)

Renseignements
83 Haut-Commissariat de l'Australie ... F5
84 Haut-Commissariat du Canada ... C5
85 Ambassade de France ... F4
86 Ambassade d'Allemagne ... C7
87 India Visa Office ... D7
88 Haut-Commissariat de l'Inde ... A3
89 Ambassade des Pays-Bas ... E6
90 Haut-Commissariat du Royaume-Uni .. F5
91 Ambassade des États-Unis ... B4

D'un blanc étincelant et coiffé d'un dôme, l'Old Town Hall (White House ; carte p. 65 ; FR Senanayaka Mawatha, Col 7), l'ancien hôtel de ville de 1928, surplombe le parc Viharamahadevi, le cœur du quartier. Au sud, se dresse l'impressionnant Nelum Pokuna Mahinda Rajapaksa Theatre (p. 83), ouvert en 2011.

National Museum MUSÉE
(Carte p. 64 ; 011-269 4767 ; www.museum.gov.lk ; Albert Cres, Col 7 ; adulte/enfant 600/300 Rs ; 9h-18h, dernière entrée 17h). Un grand bouddha en pierre du IXe siècle vous accueille avec un sourire énigmatique à l'entrée de la principale institution culturelle du pays, qui s'améliore un peu plus chaque année. Dans des galeries remontant à 1877, le Musée national conserve un grand nombre d'œuvres d'art sri lankaises – peintures, sculptures et statues –, ainsi que des épées, des fusils et d'autres objets de l'époque coloniale. Il possède aussi des reproductions de peintures anglaises du Sri Lanka datant du XIXe siècle et une splendide collection d'antiques masques de démons.

Parc Viharamahadevi PARC
(Carte p. 64 ; Col 7). Appelé à l'origine parc Victoria, le plus grand espace vert de Colombo fut rebaptisé du nom de la mère du roi Dutugemunu dans les années 1950. Il est remarquable pour ses arbres splendides, en fleurs de mars à début mai. Des éléphants utilisés pour des cérémonies y passent parfois la nuit, mâchonnant placidement les branches des palmiers. Les récents travaux d'embellissement se sont traduits par des arrangements paysagers, allées, bancs (souvent occupés par des tourtereaux) et terrains de jeu. Quelques charmeurs de serpents y exercent encore leur art.

De Soysa (Lipton) Circus SITE D'INTÉRÊT
(Carte p. 65 ; Col 7). Un coin de ce rond-point fréquenté est occupé par le grand magasin Odel (p. 84). En face, l'église baptiste de Cinnamon Gardens (carte p. 65 ; De Soysa (Lipton) Circus, Col 7) date de 1877. Au sud de l'église, la vaste mosquée Dewata-Gaha (carte p. 65 ; Alexandra Pl, Col 7), de 1802, se remplit de fidèles lors de la prière du vendredi après-midi. Imposant bâtiment en briques rouges et jaunes, l'ancien Eye Hospital (carte p. 65 ; De Soysa (Lipton) Circus, Col 7) héberge le tribunal du coroner en attendant d'être sauvé de la décrépitude.

Saskia Fernando Gallery GALERIE D'ART
(Carte p. 65 ; 011-742 9010 ; www.saskiafernandogallery.com ; 41 Horton Pl, Col 7 ; 10h-18h). Cette galerie appartient à la fille du Shanth Fernando, célèbre designer local du groupe Paradise Road. Elle expose certains des meilleurs artistes contemporains sri lankais. Remarquez l'énorme éléphant réalisé avec de vieilles pièces mécaniques.

Lionel Wendt Centre CENTRE CULTUREL
(Carte p. 64 ; 011-269 5794 ; www.lionelwendt.org ; 18 Guildford Cres, Col 7 ; 9h-19h lun-ven, 10h-12h et 14h-19h sam-dim). Ce centre propose un programme constamment renouvelé d'événements culturels, de spectacles, de pièces de théâtre et d'expositions d'art.

Mémorial de l'Indépendance MONUMENT
(Independence Memorial Hall ; carte p. 65 ; Independence Sq, Col 7). Construit pour célébrer l'indépendance nationale conquise aux dépens des Britanniques en 1948, cet immense édifice en pierre s'inspire vaguement de la salle d'audience de Kandy. L'endroit est particulièrement animé depuis la construction du luxueux centre commercial Arcade Independence Square (p. 83), juste au sud.

Sud de Colombo

Au sud de Kollupitiya et de Cinnamon Gardens, le paysage ne diffère guère. Le secteur commercial de Galle Rd continue vers le sud en traversant Bambalapitiya et Wellawatta. À l'intérieur des terres, Havelock Town est une version plus détendue de Cinnamon Gardens avec plusieurs hôtels de catégorie moyenne. Pamankada constitue le seul quartier animé, avec quelques boutiques et cafés intéressants dans Stratford Ave.

Traditional Puppet Art Museum MUSÉE
(011-271 4241 ; www.puppet.lk ; Anagarika Dharmapala Mawatha, Col 5 ; 500 Rs ; 9h-17h). Les spectacles de marionnettes ont longtemps fait partie des divertissements traditionnels dans les villages sri lankais. Des troupes jouaient des spectacles aux intrigues complexes qui duraient des heures. Cet attrayant musée perpétue la tradition et présente des dizaines de marionnettes pittoresques de toutes tailles, pour la plupart étonnamment expressives.

Mount Lavinia

Station balnéaire historique de Colombo, Mount Lavinia offre un répit appréciable après le bruit et la pollution de la capitale. La **plage** est correcte, bien que certains fleuves déversent une eau trouble dans l'océan après les pluies et que les courants sous-marins puissent être dangereux. Si vous allez vers les superbes plages de la côte sud, inutile de vous arrêter ici. Sinon, les nombreux cafés en bord de mer sont des endroits charmants où paresser jusqu'au coucher du soleil. Mount Lavinia n'est qu'à 15 minutes de train du Fort, un trajet agréable.

Kotahena

Kotahena, au nord-est de Pettah, est étroitement lié au port de Colombo, qui forme la lisière ouest. Moins commerçant que Pettah, il compte nombre de rues et d'édifices anciens. Vous pourrez facilement visiter les sites de Kotahena en taxi ou en *túk-túk*.

St Anthony's Church ÉGLISE

(Église Saint-Antoine ; carte p. 60 ; www.kochchikade.churchlk.com ; St Anthony's Mawatha, Col 13 ; 6h-18h). L'église St Anthony, l'un des sanctuaires les plus intéressants que l'on puisse voir à Colombo, ressemble à une église catholique portugaise. À l'intérieur, l'ambiance est typiquement indienne avec des files de dévots offrant des *pujas* (prières ou offrandes) à une dizaine de statues – saint Antoine, qui serait doté de pouvoirs miraculeux, attire des fidèles de diverses religions.

St Lucia's Cathedral ÉGLISE

(Cathédrale Sainte-Lucie ; 011-243 2080 ; St Lucia's St, Col 13 ; 5h30-12h et 14h-19h). Cette immense cathédrale de 1881 se situe au cœur du quartier catholique de Kotahena. La plus grande église du pays, à l'architecture inspirée de Saint-Pierre de Rome, peut accueillir 5 000 fidèles dans un intérieur plutôt dépouillé.

Nord et nord-ouest de Colombo

Souvent embouteillée, l'ancienne route commerciale qui relie Colombo à Negombo et au Nord est jalonnée de centres commerciaux disgracieux, destinés à la classe moyenne. Les premiers kilomètres de la route vers Kandy offrent un spectacle similaire, puis suivent des paysages verdoyants.

Kelaniya Raja Maha Vihara TEMPLE BOUDDHIQUE

(011-291 1505 ; www.kelaniyatemple.org ; Biyagama Rd, Kelaniya). Bouddha aurait visité le site de ce temple lors de son troisième voyage au Sri Lanka. Grandiose et labyrinthique, il possède une histoire mouvementée. Le temple d'origine fut détruit par des envahisseurs indiens, puis restauré et de nouveau détruit par les Portugais au XVIe siècle. Les Néerlandais le reconstruisirent au XVIIIe siècle afin de s'attirer les faveurs de la population.

Activités

Spa Ceylon SPA

(Carte p. 64 ; 011-233 7111 ; www.spaceylon.com ; 103 Galle Rd ; massage à partir de 3 000 Rs/heure ; 9h-21h). La succursale la plus somptueuse de cette chaîne de spas de luxe offre des traitements ayurvédiques, des soins classiques et des thérapies haut de gamme dans un cadre chic.

Kemara SPA

(Carte p. 64 ; 011-269 6498 ; www.kemaralife.com ; 14 Phillip Gunawardena Mawatha, Col 7 ; thérapies à partir de 2 500 Rs ; 10h-20h). Ce spa propose une longue liste de traitements holistiques et de luxueux soins de beauté, ainsi que des produits souvent à base de fruits et d'herbes.

Siddhalepa Ayurveda SPA

(Carte p. 65 ; 011-269 8161 ; www.siddhalepa.com ; 33 Wijerama Mawatha, Col 7 ; thérapies à partir de 2 000 Rs ; 7h30-20h). Ce spa ayurvédique dispense toutes sortes de traitements. Il possède un petit spa qui soigne les effets du décalage horaire dans le hall des départs de l'aéroport international Bandaranaike.

Centre de méditation Kanduboda Siyane MÉDITATION

(011-240 2306 ; www.insight-meditation.org ; Delgoda-Pugoda Rd, Kanduboda, Delgoda ; dons bienvenus). À Delgoda, à 25 km à l'est de Colombo, ce centre majeur enseigne la méditation selon les préceptes de feu Mahasi Sayadaw. L'hébergement et les repas sont offerts, mais les dons sont attendus. La plupart des participants suivent un stage d'initiation de 3 semaines, après lequel ils peuvent méditer indépendamment aussi longtemps qu'ils le souhaitent. Le bus n°224 à destination de Pugoda passe par le centre et peut se prendre à la gare routière centrale.

Edge SENSATIONS FORTES

(Borderlands ; carte p. 72 ; ☎011-441 0110 ; www.discoverborderlands.com ; 15 Stratford Ave, Col 6 ; activités à partir de 40 $US ; ⌚8h30-17h lun-ven). Cette agence bien organisée propose diverses activités : rappel, randonnée, descente de rivière en canoë, kayak de mer, etc. Les prestations allient qualité et sécurité optimale. Dans la boutique de style industriel chic, on peut aussi acheter toutes sortes de matériel pour se lancer à l'aventure en indépendant.

Circuits organisés

♥ **Colombo Walks** À PIED

(☎077 560 0333 ; www.colombowalks.com ; visite adulte/enfant à partir de 4 000/1 000 Rs ; ⌚6h45, 11h, 16h). Incollable sur Colombo, Harold Sandrasagara conduit quotidiennement des visites à pied de 2 heures 30 à 3 heures dans les enceintes historiques du Fort et de Pettah. Il vous fera découvrir ces quartiers passionnants comme vous ne les verriez pas tout seul. Les visites (avec pause casse-croûte) partent du Dutch Hospital - pensez à réserver.

♥ **Colombo by Jeep** EN VOITURE

(☎077 733 0900 ; www.colombobyjeep.com ; visite 3 heures 30 pour 1-4 pers 100 $US). À bord d'une Jeep restaurée de la Seconde Guerre mondiale, Nishantha Abeysekara, votre guide, vous entraîne dans une tournée divertissante de tout ce qui vaut le coup d'œil à Colombo.

♥ **Colombo City Hostel Walking Tour** À PIED

(Carte p. 64 ; ☎077 485 2650 ; 177 RA de Mel Mawatha, Col 3 ; circuits 3 000 Rs ; ⌚10h30). Cette auberge de jeunesse propose des circuits ouverts à tous. Ces visites de 5 heures couvrent les sites majeurs et incluent le transport pour les longues distances. Eau et en-cas compris.

♥ **Action Lanka** ACTIVITÉS DE PLEIN AIR

(☎011-450 3448 ; www.actionlanka.com ; 366/3 Rendapola Horagahakanda Lane, Talangama, Koswatta). Organise des sorties rafting, kayak, plongée, VTT, randonnée et autres. Guides expérimentés titulaires du certificat Swift Water Rescue et formés aux premiers secours.

Srilanka Bicycle Trips VÉLO

(☎011-622 3378 ; www.srilankabicycletrips.com ; circuits à partir de 10 500 Rs). Circuits guidés à vélo de 1 à 14 jours au Sri Lanka. Ce prestataire propose des itinéraires thématiques, mais peut aussi organiser la logistique pour ceux qui souhaitent partir seuls. À noter également : une excursion d'une journée au sud de Colombo dans une plantation de thé où l'on peut pédaler au milieu des collines verdoyantes.

L'ARCHITECTURE SELON GEOFFREY BAWA

Geoffrey Bawa (1919-2003), le plus renommé des architectes sri lankais contemporains, mêla dans son œuvre les styles contemporains et anciens.

À l'aide de cours et de passages, Bawa créait d'agréables liaisons entre intérieur et extérieur. Elles comprenaient fréquemment des espaces contemplatifs, ainsi que des secteurs fermés permettant d'apercevoir les autres pièces. Ses plans étaient basés sur l'environnement et il ne s'opposait pas à ce que la nature envahisse ses constructions, favorisant parfois la croissance de la jungle le long des murs et des toits.

Si Bawa favorisait l'esthétique, il était aussi attaché aux aspects fonctionnels de l'architecture, ouvrant et exposant ses bâtiments à l'air et à la lumière, tout en les protégeant des rigueurs du climat. Son approche, remarquable par son originalité, influença l'architecture au Sri Lanka et à l'étranger.

En dehors de la capitale, il a construit notamment l'**Heritance Kandalama Hotel** (p. 219), près de Dambulla. À Colombo, découvrez les lieux suivants :

Gallery Cafe (p. 77). Le bâtiment historique qui abritait le bureau de Bawa est aujourd'hui un lieu d'exposition consacré à l'art et à la photo.

Centre de méditation **Seema Malakaya** (p. 62). Un joyau sur une île du lac South Beira.

Geoffrey Bawa House (p. 63). La maison où vécut Bawa est devenue un musée.

Parlement du Sri Lanka (www.parliament.lk ; Parliament Approach Rd, Kotte). Le chef-d'œuvre de Bawa se dresse sur une île lacustre à Kotte, à 11 km au sud-est du Fort. Il faut, pour le visiter, obtenir diverses autorisations détaillées sur le site Internet.

COLOMBO TRANSFIGURÉ

Un nouveau projet de construction colossal semble fleurir chaque mois à Colombo. Voici quelques-uns de ces chantiers qui contribuent à remodeler radicalement la silhouette de la ville.

Colombo Port City (carte p. 60 ; www.colomboportcity.lk). Les immenses dragues à l'œuvre au large du Fort et de Galle Face Green réalisent actuellement les premières phases de ce chantier qui agrandira la ville de 269 ha. Ce nouveau quartier de luxe d'un coût (tenu secret) de plusieurs milliards est financé par des investisseurs chinois ; il devrait accueillir des tours de commerces, des appartements de standing, des canaux, des espaces récréatifs, etc. Il bouche d'ores et déjà la vue sur l'océan Indien et pourrait bien priver le Fort d'un accès à la mer. Les investisseurs disent s'être inspirés des célèbres archipels artificiels des Palm Islands à Dubaï.

Cinnamon Life (carte p. 64 ; www.cinnamonlife.com ; près de Glennie St, Col 2). Le groupe sri lankais Cinnamon est responsable de ce vaste lotissement au design accrocheur qui doit conquérir la partie ouest de Slave Island. Conformément à sa vocation multiple, il accueillera un immense hôtel de luxe, des appartements, un immeuble de bureaux de 30 étages et un grand centre commercial sur 5 niveaux.

Colombo Lotus Tower (carte p. 64 ; DR Wijewardana Mawatha, Col 2). Projetant son ombre sur Slave Island, cette tour haute de 350 m (24 m de plus que la tour Eiffel) devrait être inaugurée en 2018. Surmontée d'un bulbe en forme de bouton de lotus, elle servira de relais de télécommunication et comportera diverses attractions touristiques, dont une terrasse d'observation au sommet et un restaurant à la base. Comme la plupart des récents mégaprojets au Sri Lanka, celui-ci a été financé par la Chine.

Altair (carte p. 64 ; www.altair.lk ; 121A Sir James Peiris Mawatha, Col 2). Autre projet emblématique, la surprenante tour Altair, haute de 240 m, tient son nom de sa forme de A élancé. Des balcons rythment la façade linéaire.

Colombo City Tour BUS

(☎ 011-281 4700, 077 759 9963 ; www.colombocitytours.com ; circuit adulte/enfant à partir de 25/12 $US). Parcourez Colombo dans un bus à impériale découverte. Explications en anglais, en-cas et eau compris. Il y a 3 itinéraires et des départs quotidiens, dont un circuit en nocturne le week-end. Réservez et vérifiez les horaires à l'avance.

Fêtes et festivals

Toutes sortes d'événements ont lieu dans la capitale, comme les courses à pied et les concerts en plein air près de l'océan.

♥ Vesak Poya RELIGION

(⏲ mai). La naissance, l'Éveil et la mort de Bouddha sont célébrés dans tout le pays, mais les festivités au temple de Gangaramaya et au lac South Beira à Colombo sont extraordinaires. D'immenses installations lumineuses rivalisent de couleurs avec des centaines de lanternes plus modestes, tandis que des stands de *dansala* distribuent partout nourriture et friandises.

Vel RELIGION

(⏲ juil ou août). Durant le Vel, le chariot doré de Murugan (Skanda), le dieu hindou de la Guerre, est tiré du Kathiresan Kovil, jusqu'à un autre *kovil* (temple) à Bambalapitiya.

Navam Perahera RELIGION

(⏲ fév). Cette procession est conduite par 50 éléphants lors de la *poya* (pleine lune) de février ; elle part du temple de Gangaramaya (p. 62), traverse le parc Viharamahadevi et longe le lac South Beira.

Duruthu Perahera RELIGION

(⏲ jan). Dans le Kelaniya Raja Maha Vihara (p. 68) pour la *poya* de janvier.

Colombo Jazz Festival MUSIQUE

(www.colombojazzfestival.com ; pass journée 5 000 Rs ; ⏲ mi-fév). Ce jeune festival de jazz est bien lancé et attire de grands noms. Il se déroule au Galle Face Hotel (p. 74).

Où se loger

Dans la capitale, la scène hôtelière s'améliore rapidement. De nouveaux hôtels haut de gamme s'installent, tels le **Shangri-La Hotel** (carte p. 64 ; www.shangri-la.com ; 1 Galle Face Centre Rd, Col 2), ouvert en 2017, et le **Grand Hyatt** (carte p. 64 ; www.grand.hyatt.com ; Galle Rd, Col 3), en construction, tandis que les anciens sont rénovés. Le nombre d'excellents établissements de catégorie moyenne et pour petits budgets croît rapidement.

Parmi ces nouveautés, quelques établissements plus anciens continuent de vivre sur leur gloire passée. Le Fort et Galle Rd notamment abritent des hôtels très quelconques qui n'ont guère changé au fil des dernières décennies.

Fort et Pettah

Le quartier du Fort regroupe des tours d'hôtels de type international, ainsi que plusieurs établissements pour petits budgets, récents et destinés aux voyageurs. Le quartier compte aussi des hôtels historiques dont les tarifs compensent les faiblesses.

Colombo YMCA AUBERGE DE JEUNESSE **$**
(Carte p. 60 ; 011-232 5252 ; ymcacbo@sltnet.lk ; 39 Bristol St, Col 1 ; dort 1 500 Rs, s/d à partir de 2 050/2 600 Rs, ch avec clim 5 720 Rs ;). Cette vieille YMCA un peu miteuse conviendra si votre budget est serré. Elle comporte des dortoirs réservés aux hommes et quelques chambres spartiates pour hommes et femmes ; certaines partagent des sdb, d'autres disposent d'un ventilateur. Quelques-unes ont une sdb et la clim. Wi-Fi à la réception uniquement.

City Rest Fort HÔTEL **$$**
(Carte p. 60 ; 011-233 9340 ; www.cityrestfortcolombo.bookings.lk ; 46 Hospital St, Col 1 ; dort/ch à partir de 27/60 $US ;). Cet hôtel-auberge de jeunesse géré de façon très professionnelle est idéalement situé juste à l'est du Dutch Hospital, dans un bâtiment de 4 étages restauré. Il comprend des chambres, ainsi que 73 couchettes réparties dans 17 dortoirs, les uns mixtes, les autres réservés aux hommes ou aux femmes. L'établissement est décoré dans des tons modernes, couleur café.

Grand Oriental Hotel HÔTEL **$$$**
(Carte p. 60 ; 011-232 0392, 011-232 0391 ; www.grandoriental.com ; 2 York St, Col 1 ; ch 60-120 $US ;). Face au port, le Grand Oriental était jadis le plus bel hôtel de Colombo et conserve un charme fané malgré des chambres défraîchies et banales. Les vétérans du personnel se montrent particulièrement serviables et obligeants. Choisissez une chambre donnant sur l'intérieur calme. L'endroit mérite un séjour avant que quelqu'un ne s'en entiche et le transforme en hôtel de luxe.

Le restaurant et la terrasse du 4e étage offrent une vue superbe sur le port ; venez prendre un verre et évitez la nourriture.

Hilton Colombo Hotel HÔTEL **$$$**
(Carte p. 60 ; 011-249 2492 ; www.hilton.com ; 2 Sir Chittampalam A Gardiner Mawatha, Col 2 ; ch à partir de 150 $US ;). Ce grand hôtel international bourdonne d'activité jour et nuit. Il possède 382 chambres standards ou *executive*, 6 restaurants, un pub, un centre d'affaires ouvert 24h/24, une salle de sport et de remise en forme, ainsi qu'un joli jardin avec piscine.

Steuart BOUTIQUE-HÔTEL **$$$**
(Carte p. 60 ; 011-557 5575 ; www.citrusleisure.com ; 45 Hospital Lane ; ch 90-130 $US ;). Cet hôtel occupe un bâtiment rénové datant de l'époque coloniale dont certaines parties remontent à 1835. La décoration des 50 chambres joue la simplicité : tons violet et blanc, et murs ornés de vieux blasons écossais (comme les premiers propriétaires). Toutes disposent d'un réfrigérateur, et les chambres *premium*, dotées d'équipements supplémentaires, sont à peine plus chères ; la qualité de la vue est très variable.

Kollupitiya

Ce quartier central, près de l'océan et de la bruyante Galle Rd, abrite les meilleurs grands hôtels de la capitale (et plusieurs autres en construction). De nombreuses adresses intéressantes se nichent dans les petites rues à l'est.

Colombo City Hostel AUBERGE DE JEUNESSE **$**
(Carte p. 64 ; 077 485 2650 ; www.colombocityhostel.com ; 177 RA de Mel Mawatha, Col 3 ; dort avec ventil/clim 1 500/1 800 Rs, ch avec ventil/clim 25/30 $US ; réception 7h-21h ;). La meilleure auberge de jeunesse de Colombo dispose d'un espace lounge/cuisine/détente sur le toit avec vue superbe sur la ville et Temple Trees, résidence du Premier ministre. Les 33 lits sont répartis dans des dortoirs sur 3 niveaux. L'établissement est dans un secteur de petites rues calmes à deux pas de l'animation ; repérez les panneaux. Intéressantes visites à pied (p. 69) ouvertes aux non-résidents.

Bambalapitiya et Wellawatta

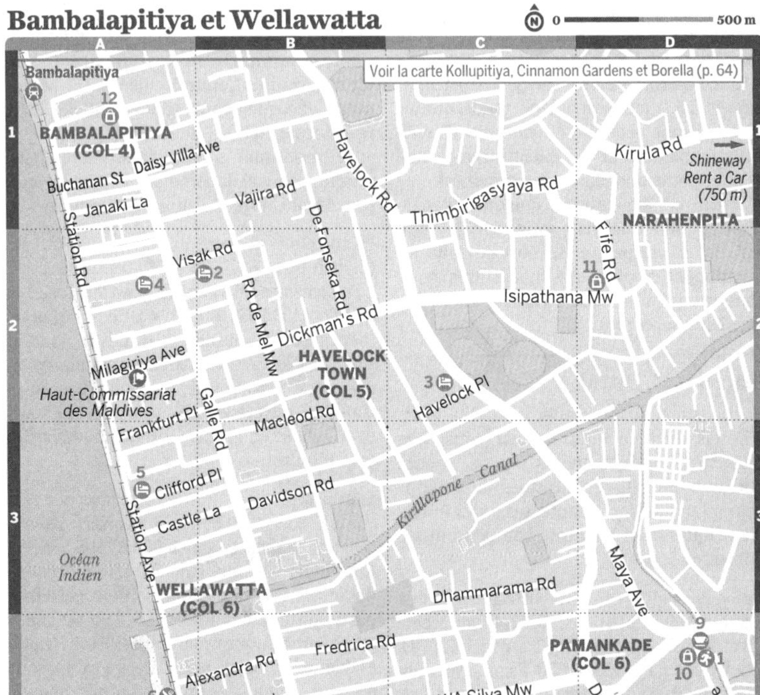

Bambalapitiya et Wellawatta

Activités
1 Edge D4

Où se loger
2 Casa Colombo B2
3 Havelock Place Bungalow C2
4 Hotel Sunshine A2
5 Ozo Colombo A3

Où se restaurer
6 Beach Wadiya A4
7 Bombay Sweet Mahal B4
8 Curry Leaves C4

Où prendre un verre et faire la fête
9 Kopi Kadé D4

Achats
10 Gandhara D4
11 Selyn D2
12 Vijitha Yapa Bookshop A1

Clock Inn HÔTEL $
(Carte p. 64 ; ☎011-250 0588 ; www.clockinn.lk ; 457 Galle Rd, Col 3 ; dort/s/d à partir de 10/40/45 $US ; ❄📶). Rapport qualité/prix, élégance et situation centrale sont les atouts de cet hôtel propre et bien tenu. Les dortoirs de 4 et 6 lits s'agrémentent d'une touche stylée et les chambres sont équipées de grands lits doubles, TV câblée et sdb.

♥ **YWCA** AUBERGE DE JEUNESSE $$
(Carte p. 64 ; ☎011-232 4181 ; www.ywcacolombo.com ; 393 Union Pl, Col 2 ; ch avec eau froide et ventil/eau chaude et clim 4 700/6 750 Rs ; ❄📶). De loin notre préférée parmi les diverses auberges de jeunesse de la capitale, cette modeste demeure coloniale entourée d'un jardin se situe dans un quartier populaire. Si les 9 chambres sont sommaires, vous

pouvez vous prélasser dans de confortables fauteuils en rotin sur le porche ombragé au calme. La salle du petit-déjeuner est un havre de sérénité.

Drift B&B B&B **$$**

(Carte p. 64 ; ☎011-250 5536 ; www.facebook.com/driftbnb ; 646 Galle Rd, Col 3 ; dort/ch à partir de 15/45 $US ; ❄@📶). Dans un immeuble sur cour adossé à la bruyante Galle Road, cet établissement pour routards aisés comprend 10 chambres spacieuses et confortables et des dortoirs pour 4 ou 6 personnes. Les espaces communs aux lignes épurées sont décorés d'œuvres d'art. L'escalier est raide, mais il y a un monte-charge mécanique. Petit-déjeuner en option.

YWCA National Headquarters AUBERGE DE JEUNESSE **$$**

(Carte p. 64 ; ☎011-232 3498 ; natywca@sltnet.lk ; 7 Rotunda Gardens, Col 3 ; ch avec ventil/clim 2 500/3 000 Rs par pers ; ❄@). Dans un quartier chic de Colombo, cette auberge compte 3 chambres propres et spartiates, réparties autour d'une cour verdoyante. Dans ce refuge sûr pour les voyageuses, les hommes ne sont admis qu'accompagnés d'une femme.

Whitehouse Residences PENSION **$$**

(Carte p. 64 ; ☎077 413 2832 ; whitehousecolombo@gmail.com ; 265/2 RA de Mel Mawatha, Col 3 ; ch à partir de 45-80 $US ; ❄📶). Les voyageurs indépendants apprécieront les grandes chambres et les interventions limitées du personnel dans cette pension d'une propreté irréprochable, nichée dans une ruelle. Certaines chambres, notamment la suite du dernier étage, bénéficient d'une vue superbe et d'un balcon.

Ivy Lane PENSION **$$**

(Carte p. 64 ; ☎011-257 5733 ; www.ivylane.lk ; 538 Galle Rd, Col 3 ; s/d à partir de 50/55 $US ; ❄📶). Les 15 chambres de cette véritable retraite urbaine sont décorées de couleurs claires et inondées de lumière. Beaucoup ont un balcon. Dans une rue calme, à l'écart du tumulte.

♥ **Cinnamon Red** HÔTEL **$$$**

(Carte p. 64 ; ☎011-214 5145 ; www.cinnamonhotels.com ; 59 Ananda Coomaraswamy Mawatha, Col 3 ; ch à partir de 90 $US ; ❄@📶🏊). Extrêmement prisé depuis son ouverture, cet hôtel de 26 étages appartenant à l'omniprésent groupe Cinnamon incarne le nouveau concept de luxe abordable. Les 242 chambres, de bonne taille, sont équipées de tables permettant de travailler et beaucoup jouissent d'une vue panoramique.

♥ **Lake Lodge** PENSION **$$$**

(Carte p. 64 ; ☎011-242 4246 ; www.taruhotels.com ; 20 Alvis Tce, Col 3 ; ch 90-120 $US ; ❄📶). Une pension irréprochable : les 13 chambres sont bien équipées et stylées, de longs comptoirs en béton sont pratiques pour travailler et le toit-terrasse donne sur le lac South Beira. Le service est parfait et l'établissement bien géré. Vous pouvez rejoindre à pied la plupart des sites intéressants de Colombo.

♥ **Cinnamon Grand Hotel** HÔTEL **$$$**

(Carte p. 64 ; ☎011-243 7437 ; www.cinnamonhotels.com ; 77 Galle Rd, Col 3 ; ch 150-250 $US ; ❄@📶🏊). Le meilleur grand hôtel de Colombo occupe un emplacement central, bien en retrait de Galle Rd. Toujours animé, entre les mariages ou les rencontres de politiciens dans le vaste salon, il compte 501 chambres spacieuses (préférez celles du haut pour la vue), un centre de remise en forme, une grande piscine découverte et des restaurants haut de gamme. Le service est irréprochable.

♥ **Colombo Courtyard** BOUTIQUE-HÔTEL **$$$**

(Carte p. 64 ; ☎011-464 5333 ; www.colombocourtyard.com ; 32 Alfred House Ave, Col 3 ; ch 80-150 $US ; ❄📶🏊). Tout le confort rêvé (espaces de travail corrects, douches à effet pluie, corbeille de fruits de bienvenue, etc.) est joliment aménagé dans ce nouveau petit hôtel, qui évoque plutôt une retraite urbaine cossue. Certaines chambres donnent sur la

ℹ SE METTRE À L'EAU

Évitez les eaux polluées près de Galle Face Green. Mount Lavinia est le seul endroit où vous pouvez envisager de vous baigner.

Vous pouvez aussi choisir les piscines des hôtels ouvertes aux non-résidents moyennant 1 000 à 2 000 Rs. Citons celle du **Cinammon Lakeside Hotel** (carte p. 64 ; ☎011-249 1000 ; 115 Sir Chittampalam A Gardiner Mawatha, Col 2 ; non-résident adulte/enfant 1 500/750 Rs) et la piscine magnifiquement située du **Mount Lavinia Hotel** (carte p. 75 ; ☎011-271 5227 ; 100 Hotel Rd, Mt Lavinia ; non-résident 1 000 Rs).

piscine. Pour l'animation, rejoignez le Cloud Cafe (p. 82), un rendez-vous très fréquenté sur le toit-terrasse.

Hotel Renuka & Renuka City Hotel HÔTEL **$$**

(Carte p. 64 ; 011-257 3598 ; www.renukahotel.com ; 328 Galle Rd, Col 3 ; ch 65-120 $US ;). Bien géré, le Renuka occupe deux bâtiments distincts et propose 99 chambres bien entretenues, avec coffre, réfrigérateur et *room service* 24h/24. La décoration est moderne et dépouillée, et le personnel se montre compétent. Choisissez une chambre ne donnant pas sur Galle Rd. Le restaurant Palmyrah, au sous-sol, est réputé pour sa cuisine de Jaffna.

Taj Samudra HÔTEL **$$$**

(Carte p. 64 ; 011-244 6622 ; www.tajhotels.com ; 25 Galle Face Centre Rd, Col 3 ; ch 155-250 $US ; @). Établissement d'une chaîne indienne réputée, ce vaste hôtel a d'élégants espaces communs, un beau jardin de 4,5 ha, un café ouvert 24h/24 et de nombreux restaurants et bars. Parmi les 270 chambres d'un rouge somptueux, choisissez-en une face à l'ouest pour profiter du coucher de soleil ou, mieux encore, demandez-en une avec balcon.

Galle Face Hotel HÔTEL HISTORIQUE **$$$**

(Carte p. 64 ; 011-254 1010 ; www.gallefacehotel.com ; 2 Galle Rd, Col 3 ; ch 130-250 $US ; @). Cette institution de Colombo fait face à Galle Face Green au nord et à l'océan à l'ouest. Les escaliers majestueux n'ont pas changé depuis l'ouverture de l'hôtel en 1864. D'importantes rénovations lui ont rendu sa grandeur d'antan en lui apportant un luxe moderne et raffiné. La qualité du service est montée d'un cran, les prix aussi.

Number 11 AUBERGE **$$$**

(Carte p. 64 ; 011-433 7335 ; www.geoffreybawa.com ; 11 33rd Lane ; 200-305 $US pour 1-4 pers). Les admirateurs de Geoffrey Bawa peuvent loger dans sa maison de Colombo, une propriété d'artiste où se déroulent des visites guidées (p. 63). La suite à louer (avec petit-déj) comprend un séjour, 2 chambres, un accès à la loggia du 3e étage et une terrasse au dernier étage. Location à un seul groupe à la fois.

Cinnamon Gardens

Les rues bordées d'arbres contribuent au charme du quartier.

Black Cat Bed & Breakfast B&B **$$**

(Carte p. 65 ; 011-267 5111 ; www.blackcatcolombo.com ; 11 Wijerama Mawatha ; ch à partir de 55 $US ;). L'un des meilleurs cafés de Colombo compte aussi 5 chambres à louer (4 avec lit double, 1 avec lits jumeaux) décorées dans des tons brun et crème en accord avec l'excellent café servi au rez-de-chaussée. Séjour commun et balcon ventilé par la brise.

Paradise Road Tintagel Colombo BOUTIQUE-HÔTEL **$$$**

(Carte p. 65 ; 011-460 2060 ; www.tintagelcolombo.com ; 65 Rosmead Pl, Col 7 ; ch avec petit-déj 150-250 $US ; @). Installé dans une demeure ancienne où vécut un Premier ministre, cet hôtel stylé fait partie de l'empire Paradise Road. Il séduit par son design minimaliste, ses lignes élégantes et ses œuvres originales. Chacune des 10 chambres est unique et certaines disposent d'une piscine privée. Toutes ont un accès indépendant sur l'extérieur.

Bambalapitiya, Havelock Town et Wellawatta

Au sud du centre-ville, les hôtels sont généralement moins chers et moins bruyants, surtout dans les petites rues. De nouvelles adresses ont ouvert près de l'océan.

Hotel Sunshine HÔTEL **$$**

(Carte p. 72 ; 011-401 7676 ; www.hotelsunshine.lk ; 5A Shrubbery Gardens, Col 4 ; ch avec ventil/clim à partir de 2 500/4 000 Rs ;). Haut et étroit, cet hôtel loue 24 chambres propres et banales (les moins chères avec ventilateur), à une centaine de mètres de la mer (quelques-unes en offrent une vue partielle). Les prix sont raisonnables et le service professionnel.

♥ **Havelock Place Bungalow** PENSION **$$$**

(Carte p. 72 ; 011-258 5191 ; www.havelockbungalow.com ; 6-8 Havelock Pl, Col 5 ; ch à partir de 7 800 Rs ; @). Cette pension attrayante propose 7 chambres de deux tailles, réparties dans deux maisons coloniales le long d'une allée calme. Luxe moderne, parquets et antiquités composent une belle harmonie. Un jardin, une petite piscine et un café en plein air sont des atouts supplémentaires.

Colombo Hotel Ceilão Villas BOUTIQUE-HÔTEL **$$$**

(Carte p. 65 ; 011-723 5232 ; www.ceilaovillas.com ; 47/1 Jawatta Rd, Col 5 ; ch 60-120 $US ;

). Proche de Cinnamon Gardens et d'autres sites tout en étant isolé du chaos urbain, ce domaine reposant comprend 6 jolies chambres aménagées dans une paisible demeure moderne. Les arbres et le jardin vous font oublier la ville toute proche. À la grande piscine du jardin s'ajoute une piscine sur le toit. Un excellent rapport qualité/prix – réservez plusieurs semaines à l'avance.

Casa Colombo BOUTIQUE-HÔTEL **$$$**
(Carte p. 72 ; 011-452 0130 ; www.casacolombocollection.com ; 231 Galle Rd, Col 4 ; ch 140-300 $US ;). Cette vaste demeure, vieille de deux siècles, se dresse majestueusement derrière une rangée d'échoppes dans Galle Rd. Protégé du bruit, ce refuge urbain s'agrémente de vénérables grands arbres et d'une curieuse piscine rose. Les 12 grandes suites, conçues par Lalin Jinasena, sont décorées de teintes coloniales et mêlent moderne, minimalisme et détails mauresques. Luxueux service de conciergerie.

Ozo Colombo HÔTEL **$$$**
(Carte p. 72 ; 011-255 5570 ; www.ozohotels.com ; 36-38 Clifford Pl, Col 4 ; ch à partir de 110 $US ;). Ce bâtiment bleu vif de 14 étages, face à la plage (et la gare ferroviaire) de Wellawatta, abrite 158 chambres, qui allient décontraction, confort et gadgets high-tech. Le café sur le toit est idéal pour siroter un verre au coucher du soleil.

Mount Lavinia

Si vous cherchez un endroit plus paisible que Colombo sans vouloir rejoindre une ville balnéaire comme Negombo, Mount Lavinia, à 30 minutes en voiture du Fort, est une modeste station en bord de mer. De simples pensions, destinées aux excursionnistes locaux, bordent Hotel Rd, ainsi que De Saram Rd et College Rd. Visitez-en plusieurs avant de vous décider. Nombre d'entre elles sont à proximité de la gare ferroviaire.

Cottage Gardens Bungalows HÔTEL **$$**
(Carte p. 75 ; 077 794 7804 ; www.cottagegardenbungalows.com ; 42-48 College Ave, Mount Lavinia ; ch à partir de 35 $US ;). Petit coin de Bali à Mount Lavinia, cet hôtel entouré d'une enceinte regroupe plusieurs bungalows dotés de grandes terrasses donnant sur le jardin. L'ensemble est très propre, et les lits sont grands. La plage est à 2 minutes à pied.

Mount Lavinia

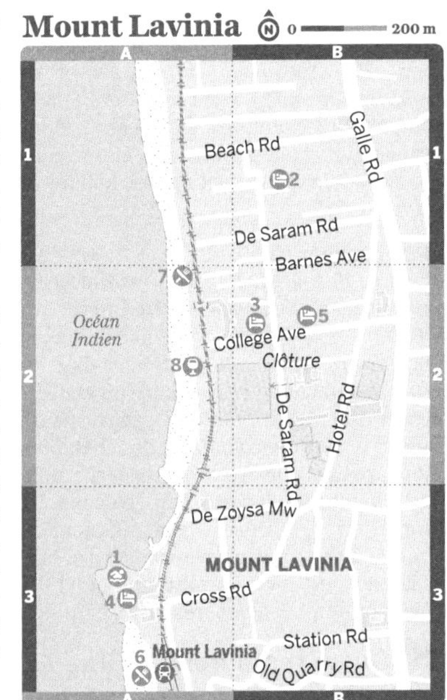

Mount Lavinia

Activités
1 Mount Lavinia Hotel A3

Où se loger
2 Blue Seas Guest House B1
3 Cottage Gardens Bungalows B2
4 Mount Lavinia Hotel A3
5 Tropic Inn B2

Où se restaurer
6 Bu Ba A3
Governor's Restaurant .... (voir 4)
7 La Voile Blanche A2

Où prendre un verre et faire la fête
8 Shore By O A2

Blue Seas Guest House PENSION **$$**
(Carte p. 75 ; 011-271 6298 ; 9/6 De Saram Rd, Mt Lavinia ; ch 2 500-4 600 Rs ;). Au bout d'une petite ruelle, à 2 minutes de la plage, cette maison bien gérée loue 15 chambres propres et spacieuses, certaines avec balcon et les moins chères avec ventilateur. Elle dispose d'un vaste salon et d'un jardin. L'accueil est particulièrement chaleureux.

Tropic Inn PENSION **$$**
(Carte p. 75 ; 011-273 8653 ; www.tropicinn.com ; 30 College Ave ; dort/s/d à partir de 10/34/38 $US ;). Cet hôtel de 4 étages comporte 16 chambres bien tenues, dont beaucoup avec un petit balcon, et une cour intérieure. Le personnel est accueillant et serviable.

Mount Lavinia Hotel HÔTEL **$$$**
(Carte p. 75 ; 011-271 1711 ; www.mountlaviniahotel.com ; 100 Hotel Rd, Mt Lavinia ; ch 100-150 $US ;). Une partie de ce majestueux hôtel en bord de mer date de 1806, quand il était la résidence du gouverneur britannique. "L'aile du gouverneur" conserve un cadre colonial et des chambres plutôt petites ; le reste est moderne avec des chambres dotées d'un balcon. La piscine et la terrasse, magnifiquement situées, offrent une ample vue sur l'océan, et la plage est juste au nord de l'hôtel. Le déjeuner dominical est très prisé.

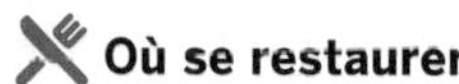

Où se restaurer

Colombo offre un choix croissant de bons restaurants. Outre l'excellente cuisine sri lankaise, vous pourrez savourer des spécialités d'autres pays d'Asie et d'ailleurs. D'élégants cafés visent une clientèle aisée, mais les nombreux établissements prisés de la classe moyenne florissante sont sans doute plus intéressants.

Les sites Internet www.yamu.lk et www.tasty.lk constituent de bonnes sources d'information sur la scène changeante des restaurants de la capitale.

Fort et Pettah

Employés de bureau, commerçants et habitants fréquentent d'excellents stands d'en-cas et restaurants, visant une clientèle populaire. Le prestigieux Dutch Hospital, dans le Fort, abrite des restaurants chics et des cafés en terrasse.

Pagoda Tea Room PÂTISSERIE **$**
(Carte p. 60 ; 011-232 5252 ; 105 Chatham St, Col 1 ; plats 200-500 Rs ; 9h-20h). Ce vénérable établissement, ouvert en 1884, sert des plats sri lankais, mais la clientèle vient surtout ici pour les pâtisseries à petit prix.

New Palm Leaf Hotel SRI LANKAIS **$**
(Carte p. 60 ; 077 654 7611 ; 237 Olcott Mawatha, Col 11 ; repas 200-330 Rs ; 6h-22h). Au Sri Lanka, le terme "hotel" signifie "endroit simple où manger". En face de la gare du Fort et près du marché de Pettah, venez ici pour prendre un thé, une pâtisserie ou pour goûter à un délicieux curry épicé. Le personnel parle anglais et tous les plats peuvent être emportés.

♥ **T-Lounge by Dilmah** CAFÉ **$$**
(Carte p. 60 ; 011-244 7168 ; www.dilmahtlounge.com ; Dutch Sq, 18 Chatham St, Col 1 ; plats 500-900 Rs ; 8h-22h30 ;). Enseigne de Dilmah, la meilleure marque de thé du pays, ce charmant café est installé dans une annexe du Dutch Hospital. La salle, aux murs couverts de livres sur le Sri Lanka, et le thé, se marie harmonieusement avec l'extérieur colonial restauré. La carte offre un choix de savoureux en-cas – crêpes, sandwichs et desserts –, ainsi que des cocktails.

Heladiv Tea Club CAFÉ **$$**
(Carte p. 60 ; 011-575 3377 ; www.heladivteaclub.com ; Dutch Hospital, Col 1 ; plats 500-1 200 Rs ; 9h-minuit ;). Un lieu décontracté où siroter un des nombreux bons thés (mention spéciale pour le thé glacé à la pêche) ou un cocktail sur la terrasse. Tapas classiques, amuse-gueule locaux épicés, burgers, salades et autres comblent les petits creux. Une des meilleures adresses pour faire une pause dans le quartier du Fort.

♥ **Ministry of Crab** CRUSTACÉS **$$$**
(Carte p. 60 ; 011-234 2722 ; www.ministryofcrab.com ; Dutch Hospital, Col 1 ; plats 2 000-8 000 Rs ; 18h-23h lun-ven, 12h-23h sam-dim). Les crabes, pour la plupart exportés, constituent une ressource majeure pour l'industrie de la pêche sri lankaise. Dans ce restaurant haut de gamme, le fameux chef Dharshan Munidasa prépare ce crustacé de multiples manières, du crabe au piment singapourien au curry de crabe local. La version au poivre aillé est sublime.

Dans ce restaurant parmi les meilleurs de Colombo, un bon repas pour deux coûte facilement 15 000 Rs, boissons comprises (un crabe de taille moyenne pour 1 personne coûte 6 600 Rs). Réservez.

Kollupitiya, Slave Island et Union Place

Les établissements prisés de longue date jalonnent Galle Rd ; dirigez-vous vers l'est pour trouver restaurants et cafés dans des rues plus tranquilles et souvent bordées d'arbres.

Nana's CUISINE DE RUE $

(Carte p. 64 ; Galle Face Green, Col 3 ; 17h-22h30). Ce stand parmi les meilleurs de Galle Face Green est réputé pour ses viandes grillées et ses plats de riz. Sur un tabouret en plastique cabossé, devant une table légèrement de guingois, dégustez un repas fraîchement préparé dans la lumière du couchant ou sous les étoiles. Attention, de nombreux imitateurs portent un nom incluant "Nana's".

L'authentique – et le meilleur – se trouve juste en face de l'entrée principale de l'hôtel Taj Samudra.

Burger's King BURGERS $

(Carte p. 64 ; 011-230 4504 ; www.burgerskingsl.com ; angle Malay St et Union Pl, Col 2 ; plats 200-250 Rs ; 8h-23h). Ne confondez pas cette institution de Sale Island avec la chaîne internationale du même nom. Les cuisiniers souriants derrière les grandes vitrines préparent 15 sortes de savoureux burgers (bœuf, poulet, crevettes ou légumes), ainsi que des brochettes et des frites.

Green Cabin SRI LANKAIS $

(Carte p. 64 ; 011-258 8811 ; 453 Galle Rd, Col 3 ; repas 200-450 Rs ; 7h30-23h30). Cette adresse réputée pour ses riz-currys bon marché, servis dans un espace verdoyant. À midi, le buffet végétarien (300 Rs) est d'un excellent rapport qualité/prix ; le curry de mangue, parfois proposé, est succulent.

Carnival GLACIER $

(Carte p. 64 ; 011-257 6265 ; 263 Galle Rd, Col 3 ; cônes 100 Rs ; 10h-23h). Inchangé depuis des décennies, le Carnival mérite davantage la visite pour son cadre que pour ses crèmes glacées. Le banana-split ne coûte cependant que 200 Rs.

Keells SUPERMARCHÉ $

(Carte p. 64 ; 199 Union Pl, Col 2 ; 8h-22h30). Cette chaîne de supermarchés à l'occidentale est appréciée pour son grand choix d'articles d'importation. Cette enseigne en particulier propose une grande variété de repas tout prêts ; vous trouverez une autre succursale au centre commercial **Crescat Boulevard** (carte p. 64 ; 89 Galle Rd, Col 3 ; 8h-22h30).

Park Street Mews CAFÉ $$

(Carte p. 64 ; 011-230 0133 ; www.parkstreetmewsrestaurantcolombo.com ; 50/1 Park St, Col 2 ; plats 500-2 200 Rs ; 10h-23h ;). Dans une rue bordée de boutiques et de restaurants, ce café branché au cadre industriel, avec des coussins sur le sol en ciment et des sièges plus classiques, propose burgers, salades et plats asiatiques. Les fêtards apprécieront le jus de fruits coup de fouet du matin.

DÉJEUNER À PETIT PRIX

Les "paquets déjeuner" (*lunch packets*) restent imbattables pour un bon repas à prix doux (environ 200 Rs). Vendus entre 11h et 14h à tous les coins de rue, ils se composent de riz, d'un curry de légumes, avec du poisson ou du poulet en supplément. Repérez aussi les échoppes ouvertes sur la rue qui vendent des en-cas à emporter, fraîchement préparés.

Nihonbashi Honten JAPONAIS $$$

(Carte p. 64 ; 011-232 3847 ; www.nihonbashi.lk ; 11 Galle Face Tce ; plats à partir de 1 200 Rs ; 12h-14h30 et 18h-22h30). Le meilleur restaurant japonais de Colombo est cher, mais c'est aussi l'endroit rêvé pour une délicieuse soirée. L'intérieur est un vrai bijou, le service excellent, et les sushis, le *donburi* et le bœuf de Kobe sont succulents. Ne manquez pas le Yakitori Garden, où l'on savoure saké et cocktails au milieu des bambous.

Barefoot Garden Cafe CAFÉ $$$

(Carte p. 64 ; 011-258 9305 ; www.barefootceylon.com ; 704 Galle Rd, Col 3 ; plats 750-1 200 Rs ; 10h-19h ;). Dans la cour de la splendide galerie Barefoot, ce café décontracté et stylé sert sandwichs, salades et plats du jour sri lankais et asiatiques. Bonne carte des vins, jus de fruits frais et savoureux desserts. Concerts de jazz très courus le dimanche après-midi.

Paradise Road Gallery Cafe ASIATIQUE $$$

(Carte p. 64 ; 011-258 2162 ; www.paradiseroad.lk ; 2 Alfred House Rd, Col 3 ; plats 500-1 500 Rs ; 10h-minuit ;). Le beau bungalow colonial qui abrite le Gallery Cafe de Shanth Fernando était jadis le bureau du fameux architecte sri lankais Geoffrey Bawa. La salle à manger en plein air donne sur une cour intime et un bassin. La cuisine, d'inspiration sri lankaise, met l'accent sur la fraîcheur et les saveurs, tandis que le chocolat est à l'honneur dans les desserts.

Les currys à base de porc noir et de crevettes sont appréciés. Un large assortiment d'alléchantes pâtisseries est proposé toute la journée. Articles design du groupe Paradise Road en vente dans la petite boutique.

ATTILA JANDI / SHUTTERSTOCK ©

1. National Museum (p. 67), Colombo
2. Fort hollandais (p. 306), ville de Mannar
3. Fort de Galle (p. 113) **4.** Boîte aux lettres, Galle (p. 110)

3

PAUL KENNEDY / GETTY IMAGES ©

Le Sri Lanka historique

La physionomie du Sri Lanka est marquée par plus de 500 ans de passé colonial. Les Portugais édifièrent des fortifications, aujourd'hui en ruine ou largement remaniées à l'époque hollandaise (qui dura près de 2 siècles). Quant à l'héritage britannique, il est visible aux quatre coins du pays.

Portugais

Des traces de l'influence portugaise des XVIe et XVIIe siècles se succèdent sur le littoral. De petites îles comme Velanai ou des villes comme Jaffna, Galle et Trincomalee possèdent des vestiges des défenses portugaises. Beaucoup, comme le fort de Mannar (p. 306), sont en mauvais état, et la grande enclave portugaise de Colombo (qui abritait églises et couvents) a été détruite par les Hollandais en 1655-1656.

Hollandais

Le témoignage le plus imposant de la domination hollandaise est le Fort de Galle (p. 113). Cette cité fortifiée inscrite au patrimoine mondial compte des demeures et bâtiments administratifs majestueux, un vieil hôpital élégant et de hauts remparts. À Colombo, l'église Wolvendaal (p. 60) et la résidence du gouverneur (p. 59) du XVIIe siècle, qui accueille aujourd'hui le Dutch Period Museum, témoignent du passé. On trouve de beaux édifices à Matara et des canaux construits par les Hollandais sur les côtes ouest et est.

Britanniques

Les bâtiments de l'époque britannique sont omniprésents au Sri Lanka : les grandes fabriques de thé et les charmantes maisons de planteurs de la région montagneuse, le National Museum (p. 67) de style néoclassique à Colombo ou des phares, comme celui de Dondra Head (p. 139). Pour une atmosphère "Petite Angleterre", allez à Nuwara Eliya où de vieux hôtels en pierre comme le Hill Club (p. 185) côtoient des jardins soignés de style victorien. Des signes emblématiques et plus utilitaires de la domination britannique perdurent sous forme de boîtes aux lettres et de cabines téléphoniques rouges.

Cinnamon Gardens

Des petits cafés élégants et des restaurants chics bordent les jolies rues du quartier le plus sélect de Colombo.

Good Market MARCHÉ $

(Carte p. 65 ; 077 020 8642 ; www.goodmarket.lk ; Colombo Racecourse, Phillip Gunawardena Mawatha, Col 7 ; 10h-18h sam). Ce marché d'alimentation, spécialisé dans les produits bio et artisanaux de qualité, se tient sur le parking nord-est du Colombo Racecourse. Pains, plats préparés, fruits et légumes bio, smoothies, en-cas, etc. Animations et artisanat de qualité. Les trésors de la baraque de Deen the Bookman méritent le coup d'œil.

Milk & Honey Cafe VÉGÉTARIEN $$

(Carte p. 65 ; 011-523 4347 ; 44 Horton Pl, Col 7 ; repas 300-800 Rs ; 9h-18h lun-sam). Installé dans une maison simple, qu'il partage avec une librairie, ce merveilleux petit café propose une carte constamment renouvelée de plats frais, tels les légumes grillés au pesto et une fabuleuse fougasse au fromage à la crème et aux champignons. Dégustez votre jus de fruits frais assis sur une vieille caisse en bois.

Commons BISTROT $$

(Carte p. 64 ; 011-269 4435 ; 39A Sir Ernest de Silva Mawatha, Col 7 ; plats 400-1 000 Rs ; 8h30-minuit dim-jeu, 8h30-2h ven-sam ;). Cette adresse est prisée des hipsters (et des employés de l'ambassade de Russie en face). Assis dans des fauteuils confortables autour de tables basses, les clients se régalent d'un petit-déjeuner, de *roti,* d'excellents burgers, de pâtes ou de desserts, entre autres. Le jardin à l'arrière est une agréable retraite ombragée. Menu enfant.

Boulevard ESPACE DE RESTAURATION $$

(Carte p. 65 ; 011-462 5800 ; Odel, 5 Alexandra Pl, Col 7 ; repas 200-750 Rs ; 10h-20h). Devant l'entrée du grand magasin Odel, cet espace de restauration en plein air regroupe de nombreux stands d'enseignes locales réputées. Ils vendent sandwichs, plats indiens, cuisine bio, pizzas, divers en-cas, glaces et même des cocktails. Des fontaines ont été ajoutées lors de travaux récents.

Coco Veranda Cafe CAFÉ $$

(Carte p. 65 ; 011-763 5635 ; www.cocoveranda.com ; 32 Ward Pl, Col 7 ; plats 500-1 000 Rs ; 7h-23h30 ;). Dans un petit bâtiment qui abrite des boutiques de créateurs, ce petit café dispose d'une carte impressionnante de thés, cafés, boissons glacées et jus de fruits. Elle comprend aussi des sandwichs, des pâtes et des desserts alléchants, comme le "Death by Chocolate". Petit-déjeuner occidental, frais et savoureux.

Paradise Road Cafe CAFÉ $$

(Carte p. 64 ; 011-268 6043 ; www.paradiseroad.lk ; 213 Dharmapala Mawatha, Col 7 ; plats 350-700 Rs ; 10h-19h). Ce café chic fait partie de l'empire Paradise Road. Cafés, milkshakes, toutes sortes de thés, pâtisseries, sandwichs, ainsi que divers plats sont servis dans une salle située au-dessus de la fameuse boutique. Vous pouvez aussi acheter de quoi préparer un savoureux pique-nique dans le parc Viharamahadevi.

À NE PAS MANQUER

COUCHERS DU SOLEIL

L'océan Indien offre des couchers du soleil aux couleurs si vives et si variées que l'œil peine à en distinguer toutes les nuances. Nombreux sont ceux qui choisissent les cafés en terrasse des environs protégés du Galle Face Hotel, mais pour une expérience plus authentique, rejoignez Galle Face Green (p. 62). Partagez ce moment de beauté avec d'autres promeneurs en dégustant un en-cas. Les cafés en bord de plage à Mount Lavinia sont tout aussi plaisants pour ce spectacle. Sachez que même une journée grise peut se transformer en une explosion de pourpre et de mauve au crépuscule.

Wellawatta

Les restaurants locaux prédominent dans ce quartier sud, que traverse Galle Rd. Pour des endroits plus chics, rejoignez Stratford Ave à Pamankada.

Bombay Sweet Mahal BONBONS $

(Carte p. 72 ; 011-258 3561 ; 161 Galle Rd, Col 6 ; à partir de 50 Rs ; 9h-20h). Si de nombreuses confiseries indiennes bordent Galle Rd, cette petite boutique ouverte sur la rue est la meilleure. Nous avons particulièrement aimé le *nut musket.* Achetez au poids à emporter, ou attablez-vous au fond avec un jus de fruits. Le personnel aimable vous expliquera les nombreuses douceurs.

À NE PAS MANQUER

HOTEL DE PILAWOOS

Marchand d'en-cas ouvert sur la rue, **Pilawoos** (carte p. 64 ; 077 741 7417 ; www.pilawoos.lk ; 417 Galle Rd ; repas 200-400 Rs ; 24h/24) est renommé pour ses *kotthu*, les meilleurs de Colombo. Il s'agit d'une robuste spécialité sri lankaise à base de *roti* (datant de la veille, de préférence) coupés en morceaux et sautés avec des légumes, de la viande, du fromage ou des œufs et autres ingrédients sur une plaque métallique brûlante.

Peut-être inventé ici, le *kotthu* au fromage est vite devenu le plus populaire. À tout moment de la journée, on vient s'en régaler, souvent avec un jus de fruits. Tard dans la nuit, des clients cherchent à compenser l'excès d'alcool par l'effet magique du *kotthu* ; le matin, il redonne des forces aux mal réveillés.

Il s'agit ici du seul et du vrai Pilawoos. Comme souvent au Sri Lanka, son succès lui vaut de nombreux imitateurs aux noms quasi semblables.

Yaal Restaurant SRI LANKAIS **$$**
(011-566 1212 ; Marine Dr, Col 6 ; plats 400-1 000 Rs ; 7h-22h). Face à la mer, ce restaurant simple et très bien tenu propose la cuisine tamoule épicée de Jaffna. Sa spécialité est l'*odiyal kool*, un plat composé de légumes et de produits de la mer dans un porridge crémeux. Le curry de crabe est également prisé.

Curry Leaves INDIEN **$$**
(Carte p. 72 ; 011-566 3322 ; 68 WA Silva Mawatha, Col 6 ; plats 400-900 Rs ; 11h-15h et 17h-23h). Ce restaurant très populaire sert une cuisine d'Inde du Sud dans un cadre plaisant. À des classiques bien préparés s'ajoutent divers plats de crabe à prix raisonnables. Les propriétaires tiennent le Sri Siam voisin, un bar des sports parfait pour une bière pas chère.

Beach Wadiya PRODUITS DE LA MER **$$$**
(Carte p. 72 ; 011-258 8568 ; www.beachwadiya.com ; 2 Station Ave, Col 6 ; plats 600-1 600 Rs ; 10h-23h). Une adresse plébiscitée de longue date pour ses produits de la mer. Elle est située dans un cadre tropical de rêve : une fois franchie la voie de chemin de fer le long du littoral, on pénètre dans une enceinte éclairée de petites lumières romantiques. Les serveurs annoncent les produits frais – il y a toujours du crabe, des crevettes et de la langouste –, et l'on patiente devant une boisson fraîche pendant la préparation. Réservez quelques jours à l'avance.

Mount Lavinia

La plage est bordée de cafés qui servent des boissons (bière Lions 250-400 Rs), des repas simples et du poisson. Traversez les voies ferrées à l'un des passages à niveau et faites votre choix.

La Voile Blanche CAFÉ **$$**
(Carte p. 75 ; 011-456 1111 ; www.lvb.lk/beach ; 26/11 De Saram Rd ; plats 600-1 000 Rs ; 11h-minuit). Cet établissement très populaire d'un blanc immaculé se distingue parmi les cafés souvent négligés du front de mer. Il se situe de l'autre côté des voies ferrées, derrière le Mount Breeze Hotel, avec une rangée de confortables fauteuils et chaises longues sous des palmiers. La liste de boissons est longue et la carte comporte des sandwichs, des pâtes et du poisson.

♥ **Bu Ba** PRODUITS DE LA MER **$$$**
(Carte p. 75 ; 011-273 2190 ; www.bubabeach.com ; Mount Lavinia Beach ; plats 800-3 200 Rs ; 8h-minuit). Avec des tables éclairées à la bougie sur la plage, ce pub-restaurant de poisson et fruits de mer est un trésor caché. Dans la journée, lézardez à l'ombre des palmiers, puis, le soir, admirez le ciel étoilé. De la gare ferroviaire de Mount Lavinia, suivez les voies ferrées sur 50 m environ.

Governor's Restaurant BUFFET **$$$**
(Carte p. 75 ; 011-271 1711 ; www.mountlaviniahotel.com ; Mount Lavinia Hotel, 100 Hotel Rd, Mt Lavinia ; buffet à partir de 1 900 Rs ; 6h30-10h30, 12h30-15h et 19h-22h30). Le restaurant principal du Mount Lavinia Hotel propose 3 fois par jour des buffets sur des thèmes renouvelés quotidiennement. Très apprécié des familles d'expatriés, le déjeuner dominical jouit d'une réputation particulière : il y a du jazz et du blues live, et la clientèle peut profiter de la belle piscine. Réservez une table avec vue sur l'océan.

Où prendre un verre et faire la fête

Pour un verre au soleil couchant, choisissez Galle Face Green ou Mount Lavinia.

CASINOS DE COLOMBO

Le jeu est légal à Colombo, uniquement pour les titulaires de passeports étrangers. Les Asiatiques forment l'essentiel de la clientèle, et les casinos, malgré leurs noms évoquant Las Vegas, restent très modestes. Des patrons du secteur espèrent un changement.

À d'autres moments, la plupart des bons cafés conviennent. S'ils arrêtent officiellement de servir à 23h, beaucoup dépassent largement cet horaire.

Les discothèques sont encore rares, mais commencent à se développer.

♥ Cloud Red LOUNGE

(Carte p. 64 ; ☎011-214 5175 ; www.cinnamonhotels.com ; Cinnamon Red, 59 Ananda Coomaraswamy Mawatha, Col 3 ; ⏲17h-minuit). Le bar situé sur le toit de l'hôtel Cinnamon Red offre une vue en rapport avec sa hauteur (26e étage) mais, ce qui n'est pas toujours le cas dans ce genre d'endroits, les boissons sont elles aussi excellentes, tout comme les en-cas et repas légers. Clientèle nombreuse et souvent huppée.

41 Sugar LOUNGE

(Carte p. 65 ; ☎011-268 2122 ; www.sugar.lk ; 41 Maitland Crescent, Col 7 ; ⏲18h-minuit). Installé sur un toit, cet élégant bar à cocktails comporte de longues tables avec vue sur l'horizon en perpétuelle expansion de la capitale. À l'intérieur, des canapés en cuir invitent à la nonchalance. Longue carte de boissons, et tapas pour les petites faims.

Kopi Kadé CAFÉ

(Carte p. 72 ; ☎077 055 2233 ; www.facebook.com/thekopikade ; 15/3 Stratford Ave, Col 6 ; ⏲12h-20h mer-jeu, 12h-21h ven-dim). Le café bio issu du commerce équitable, souvent torréfié dans la région, est une bonne raison d'entrer dans ce petit établissement de Stratford Avenue. La porte vintage lui confère un certain cachet.

Re.Pub.Lk LOUNGE

(Carte p. 60 ; ☎011-744 6654 ; www.facebook.com/therepublk ; 57 Hospital St, Col 1 ; ⏲17h-23h dim-jeu, 17h-2h30 ven-sam). Cet ancien bar colonial ouvert en 1924 a toujours la même façade, mais l'intérieur entièrement repensé renferme un lounge moderne et élégant. Longue carte de cocktails originaux et tapas pour les petites faims. Le service est excellent.

Shore By O BAR

(Carte p. 75 ; ☎011-438 9428 ; www.facebook.com/TheShoreByO ; College Ave, Mount Lavinia ; ⏲17h-23h lun-mar, 11h-23h mer-dim). Les pieds dans le sable, ce club de plage haut de gamme dispose de tables et de chaises longues sur 2 niveaux pour accueillir la foule à l'heure du couchant. Les pizzas qui sortent du four sont correctes, et il y a une piscine pour les petits.

Asylum LOUNGE

(Carte p. 65 ; ☎011-406 1761 ; www.asylum.lk ; Arcade Independence Sq, 30 Bauddhaloka Mawatha, Col 7 ; ⏲11h-tard). Le nom "Asile" fait référence à l'ancienne vocation de cette adresse haut de gamme. Un bar sombre et chic, où des barmen talentueux concoctent d'excellents cocktails qu'accompagnent des amuse-bouche de haute volée.

Cloud Cafe BAR À COCKTAILS

(Carte p. 64 ; ☎011-464 5333 ; www.colombocourtyard.com ; Colombo Courtyard, 32 Alfred House Ave, Col 3 ; ⏲17h-minuit dim-jeu, 17h-1h ven et sam). Le bar sur le toit de l'hôtel Colombo Courtyard fait le plein presque tous les soirs. Assis dans un joli fauteuil, admirez la vue panoramique en sirotant un bon cocktail, accompagné d'excellents en-cas. Musique live le vendredi soir et films classiques les autres soirs.

7° North BAR À COCKTAILS

(Carte p. 64 ; ☎011-249 1000 ; Cinnamon Lakeside Hotel, 115 Sir Chittampalam A Gardiner Mawatha, Col 2 ; ⏲17h-1h). Seule raison de visiter cet hôtel sans intérêt : son bar chic avec une grande terrasse surplombant le lac Beira. Pour voir les barques glisser sur l'eau au couchant ou déguster des cocktails haut de gamme sous les étoiles.

Silk DISCOTHÈQUE

(Carte p. 65 ; ☎071 482 4398 ; www.sugarcolombo.com/club-silk ; 41 Maitland Cres, Col 7 ; ⏲21h-2h mer-jeu, 21h-4h ven-sam). Proche d'autres établissements nocturnes dont le 41 Sugar, cette discothèque est une des plus populaires de la ville. Bande-son tendance, de la salsa à la house.

B52 DISCOTHÈQUE

(Carte p. 60 ; ☎011-232 0320 ; www.facebook.com/B52NightclubCMB ; Grand Oriental Hotel, 2 York St, Col 1 ; ⏲21h-4h jeu-dim). Un peu exigu, ce club séduit une clientèle diverse – habitants, marins et visiteurs égarés se côtoient sur la piste de danse presque jusqu'à l'aube.

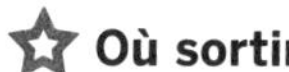

Où sortir

Les possibilités de sortie nocturne à Colombo sont loin de se développer aussi vite que la ville elle-même. Rares sont les endroits où l'on peut écouter de la musique et les discothèques n'en sont qu'à leurs balbutiements. Cela dit, assister à un match de cricket, le sport national, est une belle expérience.

Sri Lanka Cricket CRICKET

(Carte p. 65 ; ✆ 011-267 9568 ; www.srilankacricket.lk ; 35 Maitland Pl, Col 7 ; ⌚ billetterie 8h30-17h30). Les grands matchs se déroulent au Premadasa Cricket Stadium, au nord-est du centre. Vous pouvez acheter les billets à Sri Lanka Cricket, au bureau près du stade.

Nelum Pokuna Mahinda Rajapaksa Theatre THÉÂTRE

(Carte p. 65 ; ✆ 011-266 9019 ; www.lotuspond.lk ; Ananda Coomaraswamy Mawatha, Col 7). Cette salle rutilante se situe dans un endroit chic au sud du parc Viharamahadevi. Son étonnante architecture s'inspire du Nelum Pokuna, le bassin lotus du XIIe siècle à Polonnaruwa. Le programme se compose de productions majeures.

Lionel Wendt Art Centre CENTRE CULTUREL

(Carte p. 64 ; ✆ 011-269 5794 ; www.lionelwendt.org ; 18 Guildford Cres, Col 7 ; ⌚ galerie et bureau 9h-19h lun-ven, 10h-12h et 14h-19h sam-dim). Cette galerie accueille divers événements culturels, dont des représentations théâtrales.

Achats

Les marchés de Colombo, avec leur vaste sélection de produits quotidiens, sont intéressants pour dénicher cadeaux et souvenirs. Par ailleurs, les nombreuses boutiques de la capitale vous obligeront sans doute à prévoir un bagage supplémentaire. Plusieurs luxueuses galeries marchandes devraient bientôt ouvrir avec l'achèvement des grands chantiers. On vend partout du thé de première qualité.

♥ **Barefoot** ARTISANAT, LIVRES

(Carte p. 64 ; ✆ 011-258 9305 ; www.barefootceylon.com ; 704 Galle Rd, Col 3 ; ⌚ 10h-19h lun-sam, 11h-17h dim). La boutique de la créatrice Barbara Sansoni, installée dans une villa ancienne, est renommée pour ses étoffes tissées main, vendues au mètre ou transformées en couvre-lits, coussins, serviettes et autres articles d'intérieur. Vous y trouverez aussi des carnets, abat-jour et albums recouverts de tissu, ainsi qu'un vaste choix de vêtements d'une élégante (et coûteuse) simplicité. Un charmant café (p. 64) occupe la cour.

La boutique comprend une belle sélection de livres, avec des publications locales, les œuvres complètes de Michael Ondaatje et bien d'autres ouvrages.

♥ **Plâté** DÉCORATION

(Carte p. 64 ; ✆ 011-250 3366 ; www.platelimited.com ; 580 Galle Rd ; ⌚ 10h-19h). Antiquités, photos anciennes, objets d'art, livres... On a plaisir à déambuler entre les panneaux de bois de cette boutique distinguée. Gère aussi un studio photo.

Arcade Independence Square CENTRE COMMERCIAL

(Carte p. 65 ; ✆ 078 556 1315 ; www.arcadeindependencesquare.com ; 30 Bauddhaloka Mawatha, Col 7 ; ⌚ 7h-23h). Encore un bâtiment colonial restauré de fond en comble – en l'occurrence un vaste hôpital d'aliénés d'époque, devenu un centre commercial haut de gamme après des décennies de décrépitude. Il regroupe des dizaines de marques internationales, un espace de restauration, quelques tables d'exception et un jardin pour se reposer entre deux achats. Son nouveau nom vient de l'Independence Memorial Hall (mémorial de l'Indépendance, p. 67), situé juste au nord.

RUES COMMERÇANTES DE PETTAH

Les stands des marchés et les boutiques de Pettah semblent vendre tous les articles imaginables. Avant de plonger dans la folie marchande de ce vieux quartier, sachez que des rues ont leur propre spécialité :

1st Cross St et Bankshall St Fleurs en plastique

2nd Cross St et Bankshall St Dentelles et rubans

2nd Cross St Bijoux

3rd Cross St Fleurs artificielles, guirlandes décoratives à l'extrémité sud

4th Cross St Quincaillerie, pommes de terre et ail en gros conditionnement

Gabo's Lane et 5th Cross St Remèdes ayurvédiques

Selyn ARTICLES DE MAISON

(Carte p. 72 ; ☎011-259 5151 ; www.selyn.lk ; 102 Fife Rd, Col 5 ; ⏲10h-19h lun-sam, 10h-18h dim). Les produits vendus ici sont pour l'essentiel issus du commerce équitable et tissés sur des métiers traditionnels. Il s'agit d'articles ménagers très variés, tous colorés et élégants. Cette boutique principale travaille exclusivement avec des fabricants sri lankais.

Odel GRAND MAGASIN

(Carte p. 65 ; ☎011-462 5800 ; www.odel.lk ; 5 Alexandra Pl, Col 7 ; ⏲10h-19h). Ce grand magasin haut de gamme propose des marques internationales et locales dans un labyrinthe étincelant. De la mode aux articles ménagers et des cosmétiques aux cadeaux, Odel offre une sélection de premier ordre. Le magasin est toujours bondé. Les clients vont souvent faire une pause dans l'élégant espace de restauration Boulevard (p. 80), situé devant.

Dilmah Tea Shop THÉ

(Carte p. 65 ; www.dilmahtea.com ; Odel, 5 Alexandra Pl, Col 7 ; ⏲9h-19h). La plus grande marque de thé du pays possède ses propres magasins chics, notamment celui-ci dans l'écrin brillant d'Odel. Un autre se trouve au centre commercial **Crescat Boulevard** (carte p. 64 ; Crescat Boulevard, 89 Galle Rd, Col 3 ; ⏲9h-19h).

Vijitha Yapa Bookshop LIVRES

(Carte p. 65 ; ☎011-259 6960 ; www.vijithayapa.com ; Unity Plaza, Galle Rd, Col 4 ; ⏲9h30-18h lun-ven, 9h30-19h sam, 10h-18h dim). Vaste choix de romans sri lankais et étrangers, magazines et livres illustrés sur le Sri Lanka. Succursale au **Crescat Boulevard** (carte p. 64 ; ☎011-551 0100 ; Crescat Boulevard, 89 Galle Rd, Col 3).

Paradise Road ARTICLES DE MAISON

(Carte p. 64 ; ☎011-268 6043 ; www.paradiseroad.lk ; 213 Dharmapala Mawatha, Col 7 ; ⏲10h-19h). Outre diverses antiquités sri lankaises et coloniales, cette boutique, pleine comme un œuf, du célèbre designer Shanth Fernando offre un bon choix d'objets pour la maison et d'articles de créateurs. La boutique attenante au Paradise Road Gallery Cafe (p. 77) vend des petits articles parfaits à rapporter en guise de cadeaux.

House of Fashions VÊTEMENTS

(Carte p. 65 ; ☎011-215 4555 ; www.houseoffashions.lk ; 101 DS Senanayake Mawatha, Col 7 ; ⏲10h-17h lun, 10h-20h mar-dim). Occupant un bâtiment à plusieurs étages, ce légendaire magasin des surplus de l'industrie du vêtement est devenu un peu plus chic. Il vend toujours textiles et vêtements à des prix imbattables, mais cultive parallèlement son propre style.

Tropic of Linen VÊTEMENTS

(Carte p. 65 ; ☎011-267 2972 ; www.tropicoflinen.com ; 1 Wijerama Mawatha ; ⏲10h-19h). Nombreux vêtements en lin, mais aussi en coton. Pour une garde-robe tropicale, confortable et colorée.

Cotton Collection VÊTEMENTS

(Carte p. 64 ; ☎011-230 7005 ; www.cotton-collection.com ; 143 Dharmapala Mawatha, Col 7 ; ⏲10h-19h). Dans une enceinte à l'écart de la rue animée, cet imposant magasin propose sur deux niveaux des vêtements décontractés de qualité pour hommes et femmes.

PR VÊTEMENTS

(Carte p. 65 ; ☎011-269 9921 ; www.pr.lk ; 41 Horton Pl, Col 7 ; ⏲10h-18h). La branche mode du groupe Paradise Road est dirigée par Annika Fernando et installée au même endroit que la galerie éponyme de sa sœur Saskia Fernando. Tous les vêtements sont conçus par des stylistes sri lankais et indiens.

Kala Pola Art Market MARCHÉ

(Carte p. 64 ; Ananda Coomaraswamy Mawatha, Col 7 ; ⏲8h-12h). Chaque dimanche après-midi, la large avenue Ananda Coomaraswamy Mawatha, au sud du parc Viharamahadevi, accueille le Kala Pola Art Market. Cette exposition hebdomadaire d'œuvres d'artistes locaux est une excroissance de l'immense marché annuel qui se tient le troisième dimanche de janvier et réunit jusqu'à 500 artistes.

Sri Lanka Cashew Corporation ALIMENTATION

(Carte p. 64 ; ☎011-257 5119 ; 518 Galle Rd, Col 3 ; ⏲8h30-18h lun-sam). Importés du Brésil par les Portugais au XVIe siècle, les anacardiers ont visiblement trouvé le climat agréable et les noix de cajou constituent désormais une exportation majeure. Cette petite échoppe est remplie de noix de cajou d'une taille et d'une qualité assez rares.

Arpico HYPERMARCHÉ

(Carte p. 64 ; ☎011-473 4725 ; 62 Hyde Park Corner, Col 2 ; ⏲9h-22h). Un immense magasin où vous trouverez pratiquement tout ce que vous avez oublié chez vous : produits alimentaires importés, médicaments, cosmétiques, crème solaire, gadgets, adaptateurs électriques, etc. Un café permet de souffler après le shopping.

Sri Lanka Tea Board Shop THÉ
(Carte p. 64 ; ☎011-258 7814 ; 574 Galle Rd, Col 3 ; ⏲9h-19h lun-sam). De nombreuses petites marques de thé de Ceylan, parfois difficiles à trouver ailleurs, côtoient les grandes marques comme Mackwoods sur les rayons de ce magasin imposant mais sans prétention. En vente également : toutes sortes d'articles en relation avec le thé.

Gandhara ARTICLES DE MAISON
(Carte p. 72 ; ☎011-259 6329 ; www.gandharacrafts.com ; 28 Stratford Ave, Col 6 ; ⏲10h-19h). Située dans la partie branchée de Stratford Ave, cette élégante boutique de créateur vend toutes sortes d'objets, des bougies aux tables basses, ainsi qu'une bonne sélection de livres sur l'art sri lankais.

Laksala ART ET ARTISANAT
(Carte p. 64 ; ☎011-258 0579 ; 215 Bauddhaloka Mawatha, Col 7 ; ⏲9h-21h). Appartenant à la grande chaîne gouvernementale de boutiques d'art et d'artisanat appréciées des groupes, celle-ci propose des éléphants sculptés peu chers, des objets artisanaux de belle facture et des vêtements et bijoux faits main. L'autre boutique, située dans le **National Museum** (carte p. 64 ; ☎011-269 8263 ; National Museum, Nelum Pokuna Rd, Col 7 ; ⏲9h-21h), comprend un café.

Buddhist Book Centre LIVRES
(Carte p. 65 ; ☎011-268 9786 ; 380 Bauddhaloka Mawatha, Col 7 ; ⏲10h-18h). De nombreux ouvrages sur le bouddhisme.

Renseignements

ACCÈS INTERNET

De nombreux cafés et la plupart des hôtels de Colombo proposent le Wi-Fi. Réseau mobile LTE.

ARGENT

Des banques et des DAB sont installés dans toute la ville. Bureaux de change dans le hall des arrivées de l'aéroport international Bandaranaike, dans le Fort et le long de Galle Rd.

DÉSAGRÉMENTS ET DANGERS

Selon les standards internationaux, Colombo est une ville particulièrement sûre. Si les étrangers sont rarement la cible d'agressions, il convient de prendre les précautions usuelles.

- Les femmes seules doivent faire attention en prenant un taxi ou un *túk-túk* le soir ; si, comme cela arrive parfois, deux hommes sont installés dans le taxi commandé, appelez-en un autre.
- Colombo possède son lot de rabatteurs et d'escrocs. Il arrive qu'après avoir engagé la conversation, une personne sollicite un don pour une école d'aveugles ou pour une autre cause du même genre ; il s'agit invariablement d'une escroquerie ! Déclinez aussi toute offre de visite guidée ou de circuit "spécial" faite dans la rue.

MÉDIAS

Les quotidiens en langue anglaise, le *Daily Mirror*, le *Daily News* et l'*Island*, publient des articles sur l'actualité locale et la liste des sorties du moment.

Ceylon Today (www.ceylontoday.lk). Nouvelles, sport et sorties.

Daily Mirror (www.dailymirror.lk). Le meilleur des sites de journaux.

Yamu (www.yamu.lk). Événements, visites, restaurants, etc.

OFFICE DU TOURISME

Sri Lanka Tourist Board (SLTB ; carte p. 64 ; ☎011-243 7059 ; www.srilanka.travel ; 80 Galle Rd, Col 3 ; ⏲7h-21h). Renseignements, brochures et cartes.

POSTE

Sri Lanka Post (carte p. 60 ; ☎011 232 6203 ; DR Wijewardana Mawatha, Col 1 ; ⏲7h-18h). Possède des bureaux dans toute la ville.

SERVICES MÉDICAUX

Évitez les hôpitaux publics, comme le Colombo General. Le **Nawaloka Hospital** (carte p. 64 ; ☎011-557 7111 ; www.nawaloka.com ; 23 Deshamanya HK Dharmadasa Mawatha, Col 2) est un hôpital privé qui jouit d'une bonne réputation – médecins anglophones.

URGENCES

Ambulance et incendie	☎110, ☎011-242 2222
Ambulances privées Medi-Calls	☎011-255 6605
Police	☎119, ☎011-243 3333
Police touristique	☎1912, ☎011-242 1052

Depuis/vers Colombo

AVION

Bien que l'**aéroport international Bandaranaike** (CMB ; ☎011-226 4444 ; www.airport.lk ; Katunayake) se situe à Katunayake, à 30 km au nord de la capitale, il est appelé Colombo (CMB) sur les horaires aériens.
En arrivant par avion – surtout la nuit –, il est plus simple de passer la première nuit à Negombo, près de l'aéroport, ou à Colombo si vous devez prendre le train, le bus ou un véhicule privé le lendemain pour rejoindre d'autres parties du pays.

BUS

Les gares routières de Colombo sont chaotiques, mais des bus partent fréquemment dans toutes les directions. La ville compte 3 principales gares routières, toutes à l'est de la gare ferroviaire du Fort, à la lisière sud de Pettah. Les bus longue distance partent de **Bastian Mawatha** (carte p. 60 ; Olcott Mawatha) et de **Saunders Pl** (carte p. 60 ; Saunders Pl). La **gare routière centrale** (carte p. 60 ; Olcott Mawatha) gère les bus de banlieue.

Des bus rapides partent des faubourgs sud pour Galle via la Southern Expressway.

TRAIN

La principale gare ferroviaire, la **gare du Fort** (Colombo Fort Train Station, Olcott Mawatha), est très centrale. Les trains en transit ne s'arrêtent souvent que 2 ou 3 minutes.

JF Tours & Travels (carte p. 60 ; ☎ 011-244 0048 ; www.jftours.com ; Colombo Fort Train Station ; ⊙ 9h-17h) possède un bureau devant la gare du Fort ; le personnel, serviable, vous renseignera sur les transports dans et depuis Colombo. Vous pouvez également vous adresser au comptoir d'information dans la gare. Une **consigne** (carte p. 60 ; Colombo Fort Train Station ; 100 Rs par bagage et par jour ; ⊙ 5h30-21h30) se situe à l'extrême gauche quand on fait face à la gare.

Comment circuler

Comme la plupart des grandes villes, Colombo est parfois bloquée par la circulation en semaine. C'est aussi une ville étendue où il faut prévoir un certain temps pour se déplacer. Un conseil donc : si vous voulez visiter un maximum d'endroits en un minimum de temps, choisissez le week-end, quand il y a moins de circulation. Les bus sont déconcertants et souvent bondés. Plusieurs services de taxi pratiquent des prix relativement modiques.

DEPUIS/VERS L'AÉROPORT

L'achèvement de la Colombo-Katunayake Expressway a grandement réduit la durée du trajet entre l'aéroport international Bandaranaike et la capitale. De son début au Kelani Bridge, à 4 km au nord-est du Fort, vous pouvez rejoindre l'aéroport en 30 minutes. Malheureusement, les rues de la capitale restent embouteillées en journée, aussi prévoyez beaucoup de temps pour traverser la ville. Évitez la vieille Colombo-Negombo Rd où le trajet peut durer jusqu'à 2 heures.

Bus Des bus rapides pour l'aéroport via la voie express partent 24h/24 de la gare routière centrale (45 min, 150 Rs). À l'aéroport, ils stationnent sur le parking situé à l'extrémité gauche du terminal en sortant du hall des arrivées.

Taxi Des comptoirs de réservation se tiennent dans le hall des arrivées. Sinon, vous pouvez prendre un taxi à l'extérieur sans problème. La course coûte de 2 600 à 3 500 Rs selon la destination en ville. Précisez si vous souhaitez emprunter la voie express et, dans ce cas, payez 300 Rs de péage.

Voiture La plupart des hôtels de Colombo peuvent envoyer une voiture vous chercher à l'aéroport pour 3 000 à 5 000 Rs. Des hôtels de Galle et d'autres lieux plus éloignés organisent aussi le transport depuis l'aéroport. Les chauffeurs attendent les passagers dans la zone des arrivées.

BUS

Le meilleur moyen de savoir quelle ligne prendre reste de demander aux gens qui attendent à

BUS LONGUE DISTANCE AU DÉPART DE COLOMBO

DESTINATION	GARE DE DÉPART	TARIF (RS)	DURÉE (H)
Anuradhapura	Saunders Pl	350-500	6
Galle	Bastian Mawatha	150-550	1½-3¼
Hikkaduwa	Bastian Mawatha	130-245	3
Jaffna	Saunders Pl	700-1 300	8-10
Kandy	Bastian Mawatha	155-240	3-4
Kataragama	Bastian Mawatha	260-860	6-8½
Kurunegala	Saunders Pl	120-240	3½
Matara	Bastian Mawatha	200-510	2½-5
Negombo	Saunders Pl	60-120	1-2
Nuwara Eliya	Bastian Mawatha	240-480	6
Polonnaruwa	Saunders Pl	265	6
Tangalla	Bastian Mawatha	160-860	3-6
Trincomalee	Saunders Pl	450	7

TRAINS LONGUE DISTANCE AU DÉPART DE COLOMBO

DESTINATION	TARIF (RS)	DURÉE (H)	FRÉQUENCE
Anuradhapura	280-900	5	5/jour
Batticaloa	480-1 250	9	2/jour
Galle	100-180	2 ¼-3 ½	7-9/jour
Jaffna	320-1 100	6-8	4/jour
Kandy	180-500	2 ½-3	9-11/jour
Trincomalee	305-1 250	8	2/jour

l'arrêt le plus proche. Le bus n°100, entre autres, descend Galle Rd depuis le Fort ou Pettah. Les tarifs varient de 10 à 50 Rs selon la distance. Les services sont fréquents ; un panneau en anglais indique habituellement la destination à l'avant du bus.

TAXI

La plupart des taxis sont équipés d'un compteur, mais les chauffeurs l'utilisent rarement – convenez d'un prix avant le départ. De la gare du Fort au Galle Face Hotel (un peu plus de 2 km), comptez environ 300 Rs, et 1 400 Rs jusqu'à Mount Lavinia.

Les radio-taxis sont populaires et bon marché. Ils arrivent entre 5 et 20 minutes après appel. Parmi les compagnies fiables, citons :

Ace Cabs (☎ 011-281 8818 ; www.acecabs.lk)

Kangaroo Cabs (☎ 011-258 8588 ; www.2588588.com). Leurs voitures de petite taille se faufilent dans le trafic.

En outre, Uber fonctionne de manière fiable et bon marché à Colombo. PickMe, le système de covoiturage local, propose aussi une application.

TÚK-TÚK

Également appelés *trishaws* ou *three-wheelers*, ils sont omniprésents. Vous risquez d'être trempé en cas d'averse et la vue est limitée de la banquette arrière, mais un trajet en *túk-túk* fait partie de la découverte de Colombo. Les conducteurs filent à vive allure entre les bus énormes, une expérience grisante pour certains, effrayante pour d'autres.

De nombreux *túk-túk* comportent désormais un compteur, ce qui fait d'eux le moyen de transport le plus économique. Certains chauffeurs tentent de ne pas l'utiliser ou refusent de s'équiper. Évitez ceux qui n'ont pas de compteur ou fixez un prix avant de démarrer. Du Fort, comptez 300 Rs pour Cinnamon Gardens, 600 Rs pour Bambalapitiya et 1 000 Rs pour Mount Lavinia. Évitez les chauffeurs stationnés, qui facturent plus que ceux hélés dans la rue.

TRAIN

Le train dessert les faubourgs situés le long de Galle Rd – Kollupitiya, Bambalapitiya, Wellawatta, Dehiwala et Mount Lavinia ; en prime, la voie ferrée suit la côte. Les horaires sont clairement affichés dans les gares et les services fréquents. Si vous partez de la gare du Fort, vérifiez bien que le train s'arrête à toutes les gares, faute de quoi vous pouvez vous retrouver à Galle. Les tarifs des trains sont sensiblement les mêmes que ceux des bus.

La côte ouest

Dans ce chapitre ➡

Nord de Colombo 90
Negombo 90
Waikkal 95
De Negombo à Kalpitiya 96
Péninsule de Kalpitiya 96
Parc national de Wilpattu 98
Sud de Colombo 99
Bentota, Aluthgama et Induruwa 99
Hikkaduwa et ses environs 103

Le top des restaurants

- ➡ Lords (p. 94)
- ➡ Home Grown Rice & Curry (p. 107)
- ➡ Petit Restaurant (p. 94)
- ➡ Spaghetti & Co (p. 107)

Le top des hébergements

- ➡ Ging Oya Lodge (p. 95)
- ➡ Shangri-Lanka Villa (p. 101)
- ➡ Saman Villas (p. 102)
- ➡ Camellia Dwellings (p. 105)

Pourquoi y aller

La côte ouest du Sri Lanka est un territoire aux multiples facettes. Au nord de la capitale, Negombo est une agréable cité balnéaire aux nombreuses églises. La proximité de l'aéroport en fait une étape obligée pour la majorité des voyageurs. Plus au nord, vous arrivez dans une région sauvage et peu visitée, essentiellement composée de plantations de cocotiers et de lagunes étincelantes, où évoluent des dauphins.

Au sud de la tumultueuse Colombo, la côte offre bien d'autres attraits, tels les traditionnelles danses du démon à Ambalangoda, les boutique-hôtels et la longue plage de sable doré de Bentota ou l'ambiance festive et détendue d'Hikkaduwa, toujours prisée des routards.

Quel que soit l'endroit choisi sur la côte ouest, un séjour en bord de plage sera parfait pour débuter ou conclure vos aventures au Sri Lanka.

Quand partir

Negombo

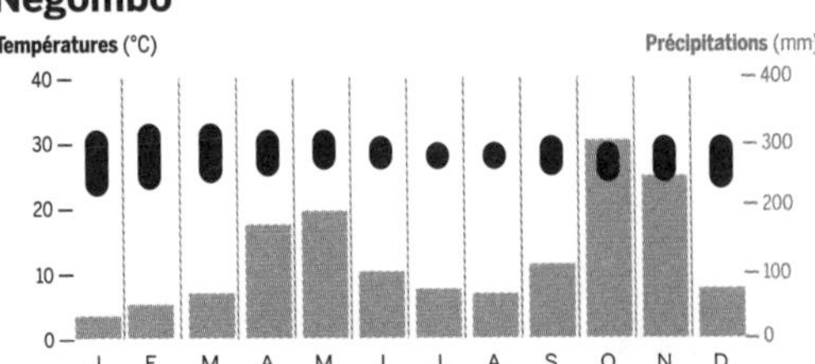

Janvier Des bancs de dauphins tous les jours à Dutch Bay et des fêtes tous les soirs à Hikkaduwa.

Mars-avril Représentations de la Passion par les chrétiens de Negombo et de Talawila.

Novembre Si vous préférez les plages (presque) pour vous seul, c'est le moment idéal.

À ne pas manquer

1 Les bancs de dauphins joueurs au large de **Kalpitiya** (p. 96) et les cours de kitesurf à l'abri des lagunes.

2 Une balade, après un long vol, sur la plage de l'accueillante **Negombo** (p. 90).

3 Le calme et la volupté d'un séjour dans l'un des boutique-hôtels de **Bentota** (p. 99).

4 Un safari d'observation des oiseaux aquatiques dans les marais salants de **Muthurajawela** (p. 92).

5 L'exploration en jeep des sous-bois du **parc national de Wilpattu** (p. 98), sur les traces des léopards et des chitals.

6 L'artistique **Brief Garden** (p. 99), jardin de l'ancienne demeure de Bevis Bawa, près de Bentota.

7 Un verre au soleil couchant à **Hikkaduwa** (p. 103), après une journée de surf ou de plongée.

NORD DE COLOMBO

De Colombo, presque tous les visiteurs se dirigent vers le sud. Ceux qui disposent de temps et d'un tempérament curieux, ou qui souhaitent rejoindre Anuradhapura par le chemin des écoliers, peuvent emprunter l'A3 en direction du nord à la sortie de la capitale ; elle contourne de charmants canaux hollandais, longe des plages de sable, puis se perd dans un enchevêtrement de cocoteraies et de forêts peuplées d'animaux sauvages, offrant une merveilleuse sensation de découverte.

Actuellement, à part Negombo, proche de l'aéroport international Bandaranaike, cette région reste peu explorée par les touristes – à l'exception des kitesurfeurs irréductibles qui affluent à Kalpitiya. C'est sur la tranquille péninsule de Kalpitiya que les changements sont les plus rapides : de nouveaux *resorts* poussent comme des champignons, et un ambitieux chantier est en train de transformer la pointe nord de la péninsule en station balnéaire inspirée par le tourisme haut de gamme des Maldives voisines.

Negombo

☎ 031 / 141 000 HABITANTS

Negombo est une modeste cité balnéaire située à juste 10 km de l'aéroport international Bandaranaike. Avec des hôtels et des restaurants corrects convenant à tous les budgets, une population accueillante, un vieux quartier intéressant et une plage acceptable (quoique polluée), Negombo est bien plus agréable que Colombo pour prendre ses marques au Sri Lanka.

Les Hollandais prirent la cité aux Portugais en 1640, la perdirent la même année, puis la reconquirent en 1644 ; les Britanniques s'en emparèrent sans combattre en 1796. Negombo fut l'une des principales sources de cannelle durant la période hollandaise et conserve des vestiges de la présence européenne.

Très vivant, le centre de Negombo est situé à l'ouest des gares ferroviaire et routière, mais le gros des hébergements se trouve le long de l'artère principale, qui part du centre-ville vers le nord, et le secteur des hôtels situés en bord de plage commence à environ 2 km au nord de la ville.

À voir

Negombo est une ville parsemée d'églises – ses habitants furent si nombreux à se convertir au catholicisme qu'on la surnomme parfois "la petite Rome".

Plage de Negombo PLAGE

(Carte p. 93). Même si elle ne peut rivaliser en beauté avec nombre de plages sri lankaises, la plage de Negombo, qui s'étend au nord de la ville le long du secteur hôtelier puis se perd au loin entre les palmiers, est plutôt agréable et se prête aux promenades à l'heure du couchant. Le déversement de l'estuaire et la pollution rendent l'eau brunâtre, mais elle est suffisamment propre pour que l'on puisse s'y baigner.

Les touristes étrangers accèdent souvent à la plage devant les grands hôtels, même sans y séjourner. Pour plus d'ambiance, rejoignez les habitants au **Negombo Beach Park** (carte p. 93).

Principal marché au poisson MARCHÉ

(Carte p. 91). Tous les jours, les pêcheurs sortent à bord de leurs *oruva* (pirogues à balancier) pour pêcher le poisson qui fait la renommée de Negombo. Leur retour dans la lagune offre un beau spectacle. La vente à la criée sur la plage et le marché au poisson près du fort méritent une visite.

Les prises ne proviennent pas toutes de la haute mer ; Negombo se situe à l'extrémité nord d'une lagune renommée pour ses langoustes, ses crabes et ses crevettes. De l'autre côté du pont qui enjambe la lagune, un second **marché au poisson** (carte p. 91) est l'endroit idéal pour assister au retour de plus gros bateaux de pêche, à condition de se lever à 6h.

Hamilton Canal CANAL

(Carte p. 91). Les Hollandais exprimèrent leur intérêt pour les canaux ici plus qu'ailleurs au Sri Lanka. Ceux-ci s'étirent de Negombo jusqu'à Colombo au sud et jusqu'à Puttalam au nord, couvrant au total plus de 120 km. On peut louer des vélos dans divers hôtels de Negombo pour parcourir les sentiers longeant le Hamilton Canal en admirant paysages pittoresques et petits villages.

Dutch Fort RUINES

(Carte p. 91). À proximité du front de mer, près de la lagune, se dressent les ruines de l'ancien fort hollandais, avec un beau porche daté de 1678. À cet endroit, une pelouse appelée l'**Esplanade** sert de terrain pour les matchs de cricket. Le fort servant désormais de prison, on ne peut le visiter.

Centre-ville de Negombo

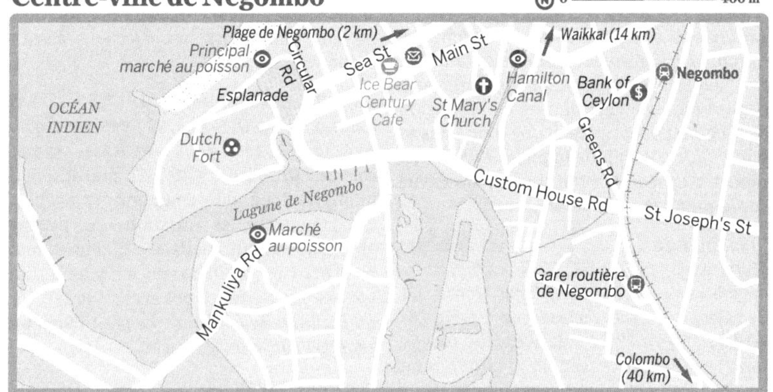

Temple Angurukaramulla TEMPLE BOUDDHIQUE
(Temple Rd). À l'est du centre-ville, le temple Angurukaramulla, avec son bouddha couché de 6 m de long, mérite une visite ; un *túk-túk* vous y conduira pour environ 200 Rs.

St Mary's Church ÉGLISE
(Église Sainte-Marie ; carte p. 91 ; Main St). À l'intérieur de la St Mary's Church, rose pâle, un plafond est décoré de peintures pleines de ferveur religieuse au-dessus de la nef.

Activités et cours

Si Negombo est votre première étape au Sri Lanka, sachez que les hôtels peuvent vous indiquer des guides et des chauffeurs pour voyager ailleurs dans le pays.

Colombo Divers PLONGÉE
(Carte p. 93 ; ☎077 736 7776 ; www.colombodivers.com ; Porutota Rd, Ethukala). L'océan au large de Negombo est bien plus propice à la plongée que beaucoup l'imaginent, et cet opérateur respecté vous fera découvrir la faune marine dans plus de 40 sites récifaux. Une sortie de 2 plongées consécutives coûte 75 $US. Comptez 100 $US pour la journée de découverte Discover Scuba, et 450 $US pour le brevet complet PADI Open Water. Contactez Sherick Fernando.

Serendib Watersports Paradise PLONGÉE
(Carte p. 93 ; ☎077 738 5505 ; Pearl Guesthouse, 13 Porutota Rd). La pension The Pearl peut vous mettre en contact avec cette agence de plongée réputée, établie de longue date. Le cours PADI Open Water coûte 380 €.

Kite Centre Negombo KITESURF
(Carte p. 93 ; ☎031-492 7744 ; Pearl Guesthouse, 13 Porutota Rd). Envie de filer tel un poisson volant à la surface de l'océan ? Ce centre installé dans la pension The Pearl propose des cours de kitesurf avec équipement correct, dispensés par des surfeurs expérimentés. Un stage de 3 jours revient à 359 €, 1 heure de cours à 49 €. Location d'équipement pour les pratiquants expérimentés.

♥ **Ceylon Adventure Tours** SPORTS D'AVENTURE
(☎077 717 3007 ; www.ceylonadventuretours.com ; 189/10A, Lewis Place, Negombo). Circuits à moto ou en voiture guidés par des experts, randonnées avec camping. Location de vélos et de *túk-túk* pour partir en indépendant.

Lucky Tours OBSERVATION DES OISEAUX
(Carte p. 93 ; ☎077 357 8487 ; lucky-tour55@hotmail.com ; 146 Lewis Pl). Excursions spécialisées d'observation des oiseaux dans la région de Negombo, dont des circuits d'une demi-journée (1/2 personnes 5 000/7 000 Rs, transport compris) au marais de Muthurajawela (p. 92).

Où se loger

Il existe de nombreux hébergements dans toutes les catégories de prix, dont une offre importante de chambres chez l'habitant. Beaucoup de visiteurs passent leur première ou leur dernière nuit à Negombo, il vaut donc mieux réserver dans les établissements les plus populaires. En règle générale, plus l'hôtel est proche de la ville, moins il est entretenu.

Jeero's Guest House PENSION $

(Carte p. 93 ; ☎031-223 4210, 077 616 1619 ; 239 Lewis Pl ; ch 3 000-4 000 Rs). Les fenêtres à treillis, les balcons bien frais et le mobilier qui a vécu donnent un caractère confortable et sympathique à cette pension de 4 chambres à l'étage d'une jolie maison familiale, en retrait de la plage. Tarifs intéressants. Demandez une chambre avec vue sur la mer lors de la réservation.

Villa Rodrigo PENSION $$

(Carte p. 93 ; ☎077 590 6277 ; www.villa-rodrigo-lk.book.direct ; 38/3 Peter Mendis Rd, Cemetery 2nd Lane, Kudapaduwa ; d/ste 28/40 $US ; ❄📶). Prix relativement élevés, mais en rapport avec la qualité, pour ces 3 chambres climatisées, modernes et impeccables, aménagées au-dessus d'une maison familiale. L'endroit est à 5 minutes de marche de la plage, dans une petite rue résidentielle et calme. Christian, le fils du propriétaire, peut organiser des sorties de pêche dans la lagune avec son père, marin pêcheur.

Il existe quelques chambres moins chères (double 15 $US) avec ventilateur et sdb commune au rez-de-chaussée, souvent dénommées “Rodrigo Lite” sur Internet.

Angel Inn PENSION $$

(Carte p. 93 ; ☎031-223 6187 ; www.angelinnlk.com ; 189/17 Lewis Pl ; ch 5 000 Rs ; ❄📶). Une des pensions bon marché les mieux tenues de Negombo. Les chambres, simples mais d'une irréprochable propreté, entourent un petit jardin ; elles ne donnent pas sur la mer mais la plage n'est qu'à 20 m, et le rapport qualité/prix est excellent à tout point de vue.

Blue Water Boutique Hotel HÔTEL $$

(Carte p. 93 ; ☎031-223 7233 ; info@bluewater-boutiquehotels.com ; 281/1 Lewis Place ; s/d avec petit-déj 80/89 $US ; ❄📶). Ce nouvel hôtel moderne loue des chambres spacieuses qui jouent sur les variations de niveaux et l'élégance minimaliste. L'établissement n'est pas très lumineux, mais il y a un toit-terrasse, et les hôtes ont accès à la piscine du Paradise Beach Hotel. Le petit-déjeuner est servi sur le toit-terrasse.

Holiday Fashion Inn PENSION $$

(Carte p. 93 ; ☎031-223 7550 ; www.holidayfashioninn.bookings.lk ; 109 Cemetery Rd ; ch avec petit-déj 50 $US, ste 90 $US ; ❄📶). Cette élégante pension à l'ambiance familiale se situe à courte distance de l'artère principale. Les grandes chambres immaculées s'agrémentent d'une kitchenette (sans cuisinière).

Ice Bear Guest House PENSION $$

(Carte p. 93 ; ☎071 423 7755 ; www.icebearhotel.com ; 95 Lewis Pl ; s 26-39 €, d 48-81 € ; ❄📶). Aménagée dans une somptueuse villa traditionnelle, cette “pension de charme” se distingue par sa décoration colorée et chic (d'inspiration suisse comme le suggère l'enseigne, et un peu excentrique). Elle compte diverses chambres aux couvre-lits fleuris et

VAUT LE DÉTOUR

MARAIS DE MUTHURAJAWELA

Le **marais de Muthurajawela**, ou “Suprême Champ de perles”, est un joyau méconnu à la pointe sud de la lagune de Negombo. On peut y observer quelque 75 espèces d'oiseaux dont des hérons pourprés, des cormorans et des martins-pêcheurs, ainsi que des crocodiles, des singes et même quelques loutres rarement observées.

Ce secteur était un bassin rizicole avant que les Portugais ne construisent un canal qui inonda les rizières d'eau de mer. Au fil des siècles, la nature a fait de Muthurajawela la plus vaste zone humide saline du pays.

Le **Muthurajawela Visitor Centre** (☎011-403 0150 ; www.muthurajawelavisitorcentre.org ; excursion en bateau 1 200 Rs/pers ; ⏲7h-18h) se trouve à l'extrémité sud de la route longeant Pamunugama (l'étroite bande de terre entre le golfe et la lagune, qui s'étend sur la majeure partie du trajet entre les faubourgs nord de Colombo et Negombo), à côté du Hamilton Canal. Il présente des expositions vétustes et une vidéo de 25 minutes sur la faune du marais. Il organise aussi des excursions en bateau de 1 heure 30 dans les marais, beaucoup plus intéressantes, surtout pour les amateurs d'oiseaux. Appelez pour réserver car il y a du monde le week-end et les jours fériés. Une partie des bénéfices est versée à des actions de protection de l'environnement.

Plage de Negombo

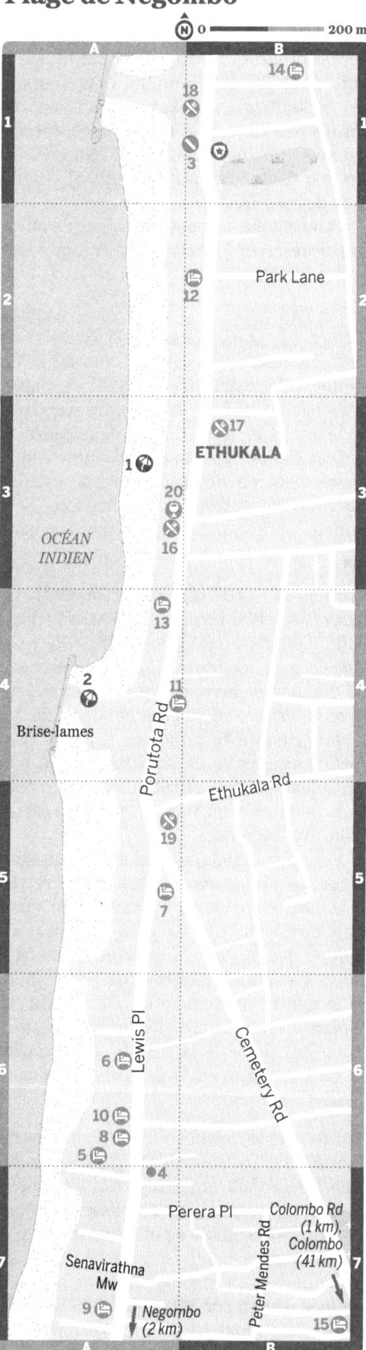

Plage de Negombo

À voir

1 Plage ... A3
2 Negombo Beach Park ... A4

Activités

3 Colombo Divers ... B1
Kite Centre Negombo ... (voir 13)
4 Lucky Tours ... A7
Serendib Watersports Paradise ... (voir 13)

Où se loger

5 Angel Inn ... A6
6 Blue Water Boutique Hotel ... A6
7 Holiday Fashion Inn ... A5
8 Hotel Silver Sands ... A6
9 Ice Bear Guest House ... A7
10 Jeero's Guest House ... A6
11 Jetwing Ayurveda Pavilions ... A4
12 Jetwing Beach ... B2
13 Pearl ... A4
14 Villa Araliya ... B1
15 Villa Rodrigo ... B7

Où se restaurer

16 Dolce Vita ... A3
17 Lords Restaurant ... B3
18 Petit Restaurant ... B1
19 Tusker Restaurant ... A5

Où prendre un verre et faire la fête

20 Rodeo Pub ... A3

aux touches cosy, les plus chères donnant sur la mer. Hamacs et chaises longues invitent à la détente, et le café, agréablement venteux, sert des mets savoureux, comme le muesli maison, à déguster sur fond de musique classique. “Dîner du capitaine” sur réservation (1 800 Rs ; 5 plats).

The Pearl PENSION **$$**
(Carte ci-contre ; ☎031-492 7744 ; www.pearl-negombo.com ; 13 Porutota Rd ; s/d avec petit-déj 39/52 € ; ❄📶). Gérée par des Allemands, cette petite pension discrète en bord de plage allie au confort moderne quantité de chaises longues et un bon restaurant. Les 6 chambres sont impeccables et pimentées d’œuvres d’art moderne – celles en angle ont vue sur la mer. Idéale pour les amateurs de sports nautiques, The Pearl abrite des clubs de plongée et de kitesurf réputés.

Hotel Silver Sands HÔTEL **$$**
(Carte ci-contre ; ☎031-222 2880 ; www.silversandsnegombo.com ; 229 Lewis Pl ; ch avec ventil 2 500-3 800 Rs, avec clim 4 900 Rs ; ❄📶). Des portails cintrés arabisants donnent accès

à cet hôtel économique en bord de mer. Chambres joliment carrelées avec balcon ou terrasse et moustiquaires en forme de tente. Wi-Fi à la réception uniquement.

Jetwing Beach COMPLEXE HÔTELIER **$$$**
(Carte p. 93 ; ☎031-227 3500 ; www.jetwinghotels.com ; Porutota Rd ; s/d avec petit-déj 270/290 $US ; ❄@📶🏊). Son entrée majestueuse et ses hauts plafonds lui donnent l'air d'un temple au luxe minimaliste. Les chambres, luxueuses, profitent de balcons donnant sur la mer et de sdb vitrées avec douche à l'italienne et baignoire circulaire à 2 places. L'imposante piscine est éclairée aux flambeaux la nuit. Un endroit magique. En ligne, on peut trouver une chambre double pour 180 $US.

Jetwing Ayurveda Pavilions COMPLEXE AYURVÉDIQUE **$$$**
(Carte p. 93 ; ☎031-227 6719 ; www.jetwinghotels.com ; Porutota Rd, Ethukala ; s/d avec petit-déj 65/80 $US, villa 105-160 $US ; ❄@📶🏊). Excellent rapport qualité/prix pour ces spacieuses villas alliant minimalisme et luxe. Les sdb sont époustouflantes : plonger en plein air dans un bain fumant, couvert de pétales de fleurs, par un après-midi pluvieux est une expérience inoubliable ! La plupart des clients prennent un forfait incluant soins et repas ayurvédiques, mais on peut aussi profiter de soins individuels dans sa villa à partir de 35 $US.

Villa Araliya BOUTIQUE-HÔTEL **$$$**
(Carte p. 93 ; ☎071 272 8504, 031-227 7650 ; www.villaaraliya-negombo.com ; 154/10 Porutota Rd ; ch avec ventil 60 $US, avec clim 80-120 $US, avec petit-déj ; ❄📶🏊). Ce bel hôtel propose des chambres modernes variées – murs en briques rouges et mobilier en bois sombre prédominent –, toutes extrêmement confortables avec lits à baldaquin, hauts plafonds et belles sdb. La piscine à l'eau cristalline invite à la baignade avant le petit-déjeuner.

Cet hôtel adapté aux familles (jouets, lits d'enfant et chaises hautes) se situe dans une rue paisible, à 5 minutes de marche de la plage. Les petits groupes peuvent choisir la spacieuse villa de 3 chambres située de l'autre côté de la rue.

Où se restaurer

Restaurants et cafés quelconques bordent l'artère principale le long de la plage, avec quelques adresses plus séduisantes.

Petit Restaurant SRI LANKAIS, POISSON **$$**
(Carte p. 93 ; ☎077 628 7682 ; 100/7 Porutota Rd ; plats 750 Rs ; ⏲11h-22h). Plantes et fleurs entourent l'entrée de ce petit restaurant dont la carte comporte la plupart des classiques sri lankais et met l'accent sur les produits de la mer. Elle comprend quelques plats inhabituels comme la "prawn fiesta" (crevettes saupoudrées de noix de coco râpée).

L'endroit est très populaire, aussi vaut-il mieux réserver ; sachez que l'attente des plats peut être longue.

Dolce Vita ITALIEN **$$**
(Carte p. 93 ; ☎031-227 4968 ; 27 Porutota Rd ; plats 700-1 100 Rs ; ⏲9h-22h mar-dim). Ce simple café-restaurant en bord de plage, tenu par un Italien, est le genre d'endroit où l'on peut passer une demi-journée, assis à l'ombre en buvant un authentique expresso et en dégustant pizzas, salades *caprese* ou autres *gelati* maison. Sert également des produits de la mer locaux.

♥ **Lords Restaurant** FUSION **$$$**
(Carte p. 93 ; ☎077 285 3190 ; www.lordsrestaurant.net ; 80B Porutota Rd, Ethukala ; plats 900-1 500 Rs ; ⏲13h30-23h30). De loin l'expérience culinaire la plus créative de Negombo, avec des plats qui mêlent saveurs orientales et occidentales. Martin, le propriétaire britannique, travaille à la fois en salle et en cuisine, veillant au bon déroulement des repas. C'est *le* restaurant de la ville où faire une folie – cartes bancaires acceptées.

Les currys thaïlandais et sri lankais sont recommandés, surtout celui aux crevettes, à la noix de coco et à l'arak. C'est aussi une excellente adresse pour les cocktails (goûtez le mojito à la mangue et au fruit de la Passion) – happy hour l'après-midi et le soir. Le menu du jour à midi (950 Rs, 2 plats) est une affaire. Renseignez-vous en ligne, car il s'y passe beaucoup de choses – salles multiples, musique live, bar à chicha...

Tusker Restaurant POISSON **$$$**
(Carte p. 93 ; ☎031-222 6999 ; 83 Ethukala Rd ; plats 1 000-2 500 Rs ; ⏲11h-14h et 18h-22h30). Décoré d'éléphants, cet établissement clair et spacieux est un des plus chics de la ville. Bien que la carte offre une large palette de plats de tous horizons, poissons et fruits de mer restent son point fort. Les propriétaires, des expatriés, vous réserveront un accueil chaleureux s'ils sont présents.

Où prendre un verre et faire la fête

Si la plupart des visiteurs fréquentent le bar de leur hôtel, cafés et autres pubs sont de plus en plus nombreux à ouvrir leurs portes, surtout dans la partie nord de l'artère principale.

Ice Bear Century Cafe CAFÉ
(Carte p. 91 ; 031-223 8097 ; 25 Main St ; 9h-18h). Dans une maison coloniale rose pêche soigneusement restaurée, cette calme retraite au cœur de Negombo sert toutes sortes de bières sri lankaises, du café (270 Rs), des gâteaux et des biscuits maison, ainsi que des plats du jour à midi, tels la soupe du pêcheur ou le roboratif "ragoût souabe" (plats 540-840 Rs).

Rodeo Pub PUB
(Carte p. 93 ; 031-227 4713 ; 35 Porutota Rd ; 10h-1h). Expatriés et touristes fréquentent ce bar orné de graffitis. Il offre une longue carte de cocktails aux noms sexy, et un choix de plats classiques occidentaux et sri lankais (600-1 000 Rs). Musique live le mardi soir, DJ le reste du temps.

Renseignements

Il y a quelques DAB dans l'artère touristique et la plupart des banques se trouvent dans la ville même.

Bank of Ceylon (carte p. 91 ; Broadway ; 8h30-15h lun-ven, 8h30-13h sam-dim). Change d'espèces, dans le centre-ville.

HSBC (Colombo Rd ; 9h-15h lun-ven). Parmi quelques banques regroupées, celle-ci change les devises étrangères et possède un DAB 24h/24 acceptant les cartes étrangères.

Police touristique (carte p. 93 ; 031-227 5555 ; Porutota Rd, Ethukala ; 24h/24). À l'extrémité nord du secteur hôtelier ; utile en cas d'urgence.

Poste (carte p. 91 ; Main St ; 7h-20h lun-sam). En centre-ville.

Depuis/vers Negombo

Des bus gouvernementaux, privés Intercity circulent entre la **gare routière de Negombo** (carte p. 91) et Saunders Place, à Colombo (ordinaire/climatisé 57/100 Rs, 2 heures, ttes les 20 min). Un bus climatisé et plus rapide empruntant la nouvelle nationale (120 Rs, 1 heure) circule jusqu'à 20h. De longues files d'attente se forment à la gare routière les soirs de week-end, lorsque des excursionnistes retournent à la capitale.

Neuf trains par jour desservent Colombo (2e/3e classe 70/40 Rs, 2 heures), mais ils sont plus lents et moins fréquents que les bus.

Il y a 4 bus quotidiens pour Kandy (150 Rs) ; le dernier part à 15h30, le trajet dure environ 3 heures.

Le bus n°240 à destination de l'aéroport international Bandaranaike (24 Rs, 40 min) part de la gare routière en ville toutes les 15 minutes entre 6h et 19h environ. En *túk-túk* comptez environ 500 Rs de Negombo ville ou 900 Rs de Lewis Pl, et le double en taxi.

À l'aéroport, vous trouverez des taxis au bureau situé à la sortie du terminal et des *túk-túk* sur la route principale, juste à la sortie de l'aéroport. Les hôtels peuvent aussi vous trouver un transport. Le trajet dure de 20 à 30 minutes.

Comment circuler

Pour aller de la gare routière à Lewis Pl ou Porutota Rd, vous pouvez prendre un bus à destination de Kochchikade ou un *túk-túk* (300 Rs).

Waikkal

031

Les environs de Waikkal et sa banlieue Kammala, tout près de l'A3 à quelque 10 km au nord de Negombo, offrent un environnement beaucoup plus tranquille que Negombo avec ses bars et ses boutiques touristiques. Les longues plages de sable doré, dans l'ensemble plus propres que celles de Negombo, constituent un énorme avantage pour cette région.

Si le secteur compte plusieurs hôtels-clubs proposant des forfaits, il existe aussi quelques bonnes adresses plus adaptées aux voyageurs indépendants, offrant une ambiance bien plus intime et proche de la nature. Les restaurants se limitent aux adresses servant du riz-curry situées sur l'A3, à 3 km de la plage à l'intérieur des terres. La plupart des voyageurs mangent à leur hôtel.

Où se loger et se restaurer

Ging Oya Lodge LODGE $$
(031-227 7822 ; www.gingoya.com ; Kammala North ; s/d avec petit-déj 50/57 € ;). Les propriétaires, des artistes belges, se sont inspirés des lodges de safari africains, et ont copié à la perfection le luxe rustique chic. Ils offrent 7 cottages spacieux avec filigranes sculptés aux fenêtres, beaux lits à baldaquin et sdb semi-ouvertes. La piscine est superbe, le calme règne et les oiseaux et les papillons sont omniprésents.

Le menu du soir (11 €, 3 plats), préparé par Leo, le propriétaire, est servi dans la salle à manger ouverte sur l'extérieur sur fond de musique classique. Un chemin ombragé d'un kilomètre conduit à la plage (des vélos sont à disposition) ; vous pouvez aussi rejoindre la mer en kayak (gratuit). Pour vous y rendre, prenez le bus pour Kammala à Chilaw ou le train pour Bolawattafrom à Negombo ou à Colombo ; dans les deux cas, comptez 3 km de plus en *túk-túk* (200 Rs) pour rejoindre le lodge. L'établissement peut vous faire déposer à l'aéroport moyennant 2 000 Rs.

Ranweli Holiday Village COMPLEXE HÔTELIER **$$$**
(☎031-227 7359 ; www.ranweli.com ; Waikkal ; s/d en pension complète à partir de 225/250 $US ; ❄@🛜🏊). Sur la côte près de Waikkal, le Ranweli Holiday Village bénéficie d'un bel emplacement en bord de plage. Avec 90 chambres et des repas sous forme de buffet, le ton est donné par les groupes en voyage organisé, mais la direction, soucieuse d'écologie, organise des circuits d'observation des oiseaux et a été maintes fois primée dans le domaine environnemental. La traversée en bac du canal qui sépare le complexe du continent est indéniablement romantique. Les remises consenties en ligne ramènent souvent les prix à 135 $US.

ℹ Depuis/vers Waikkal

Des bus fréquents reliant Negombo à Chilaw peuvent vous déposer à Waikkal, d'où une brève course en *túk-túk* permet de rejoindre les complexes hôteliers ou la plage. Beaucoup de visiteurs rejoignent Waikkal en taxi ou en voiture avec chauffeur.

De Negombo à Kalpitiya

On aperçoit rarement l'océan entre Negombo et Kalpitiya, bien que l'A3 reste proche du littoral. Elle traverse une interminable série de plantations de cocotiers, d'une beauté hypnotique.

À peu près à mi-parcours, la ville de pêche de **Chilaw** témoigne d'une forte influence catholique, avec des statues de saints et de cardinaux dans le centre. Quelque 7 km au sud de Chilaw, le **temple Murugan** (Kataragama ; A3 Hwy ; ⌚aube-crépuscule), situé en bord de route, mérite un arrêt – ce sanctuaire hindou renferme des statues de Vishnu et de Hanuman d'une hauteur impressionnante. Autre lieu de pèlerinage hindou, **Munneswaram**, à 5 km à l'est de Chilaw, comprend 3 sanctuaires dont celui du centre est dédié à Shiva.

Un marché au poisson animé se tient le matin dans le village d'**Udappuwa**, à 12 km au nord de Chilaw, qui compte un important temple hindou doté d'un grand *gopuram* (tour d'entrée). Ici comme à Munneswaram les fidèles marchent sur des braises pour mettre leur résistance à l'épreuve durant la fête d'août. Des bus fréquents empruntent l'A3, mais il faut parfois changer à Chilaw.

Péninsule de Kalpitiya

Les dauphins et le kitesurf constituent les attraits touristiques de cette péninsule encore relativement peu urbanisée. Des bancs de dauphins, jusqu'à des centaines d'individus, peuvent souvent s'observer au large, et des circuits en bateau permettent de les approcher. Pour ceux qui souhaitent filer sur les vagues, Kalpitiya, avec des vents forts quasi constants, est réputée pour offrir les meilleures conditions pour le kitesurf en Asie du Sud.

En plus des sports nautiques, la plupart des hôtels organisent des safaris au parc national de Wilpattu. Toutefois, c'est un long trajet et vous n'y serez pas à l'aube, le meilleur moment pour voir les animaux.

👁 À voir et à faire

Talawila, à mi-chemin en remontant la péninsule, possède une église catholique dédiée à sainte Anne. Dotée de piliers en bois de citronnier, elle se dresse en front de mer et des milliers de pèlerins s'y rassemblent en mars et en juillet pour des fêtes en l'honneur de la sainte. D'immenses processions, des séances de guérison et une foire font partie des festivités. Kalpitiya Beach et Alankuda Beach, à courte distance au sud, sont les deux plages principales.

Observation des cétacés

Les safaris en bateau pour observer des bancs de dauphins à long bec ont lieu presque tous les matins entre novembre et mars ; les chances d'apercevoir des dauphins (voire des baleines) sont alors de 80% environ. Cachalots et rorquals de Bryde se montrent fréquemment entre décembre et mi-avril.

KALPITIYA VA CHANGER

Le changement est en marche sur la péninsule de Kalpitiya. Le gouvernement, cherchant à développer l'industrie touristique, souhaite transformer le nord de la péninsule et les îles au large en l'une des premières destinations balnéaires du pays. Les plans prévoient d'immenses *resorts*, un aéroport pour les vols intérieurs, des terrains de golf, des safaris en hors-bord, etc.

Les défenseurs de l'environnement s'inquiètent de l'impact de ces projets sur les dauphins, cachalots et dugongs fréquentant les eaux de Dutch Bay, tandis que beaucoup d'habitants s'élèvent contre l'interdiction de pêcher dans certaines zones et la corruption liée à cette urbanisation (le ministre de l'Économie lui-même a reconnu l'existence de faux actes de propriété). L'urbanisation est encore discrète pour l'instant, mais les choses devraient bientôt évoluer.

Tout hôtel peut organiser cette excursion, mais tâchez au préalable de savoir si le capitaine connaît bien les dauphins. Les prix commencent à 40 $US par personne, dont 9 $US reviennent à la protection de la nature.

Kitesurf

La lagune et la plage de Kalpitiya sont de plus en plus connues pour offrir les meilleures conditions de kitesurf de l'Asie du Sud ; il existe plusieurs camps pour kitesurfeurs louant également des équipements.

Un stage de 9 heures (2 ou 3 jours) devrait vous permettre de surfer en solo ; comptez environ 300 $US/pers en groupe de 3 personnes ou 380 $US en cours particulier, location du matériel incluse. Les meilleures écoles sont équipées de talkies-walkies pour accélérer l'apprentissage. Les cours ont lieu à l'abri de la lagune sur la plage de Kalpitiya. Sri Lanka Kite (p. 98) se trouve en plein sur la lagune, tandis que d'autres camps comme Kitesurfing Lanka (p. 98) sont à 20 minutes en voiture.

Les mois de mousson (mai-octobre) offrent plus de vent, mais la mer est parfois houleuse. Le reste du temps, les conditions sont généralement optimales l'après-midi.

Plongée et snorkeling

Au large, quelques spectaculaires récifs abritent nombre de gros poissons. Bar Reef, le meilleur site de plongée et réputé l'un des plus beaux du pays, se trouve à plusieurs kilomètres de la pointe nord-ouest de la péninsule. La plupart des hôtels organisent des sorties de snorkeling et de plongée (60-85 $US).

Alankuda Beach PLAGE

La plage la plus fréquentée et la plus plaisante pour qui ne pratique pas le kitesurf. En faisant abstraction du chapelet de gigantesques éoliennes qui longe la plage, de la massive centrale électrique au charbon installée au bout et de sa longue et affreuse jetée, Alankuda est une jolie plage.

Kalpitiya Beach PLAGE

Cette longue langue de sable, située à la pointe nord de la péninsule, est plus facile à rejoindre en bateau, en traversant la lagune. La plage est belle, mais il y a peu d'installations et parfois beaucoup de vent, trop pour en profiter vraiment.

Kalpitiya Discover Diving PLONGÉE

(☎ 077 003 0033 ; www.kalpitiyadiving.lk). Cette école de plongée est la plus proche des complexes hôteliers d'Alankuda Beach. Une sortie avec 2 plongées consécutives coûte 85 $US. Organise aussi des excursions de snorkeling à Bar Reef.

Ocean Lanka Scuba PLONGÉE

(☎ 071 0822 231 ; www.oceanlankainfo.com ; Kudawa). Prestataire à proximité des écoles de kitesurf de Kalpitiya Beach.

Où se loger et se restaurer

Les constructions hôtelières ont fait un bond ces deux dernières années, surtout dans le haut de gamme. Il y a deux principaux secteurs pour se loger : Alankuda Beach, avec une offre de catégorie moyenne et supérieure, et Kalpitiya Beach, où sont installés plusieurs camps pour kitesurfeurs.

Plusieurs complexes hôteliers d'Alankuda se trouvent juste en dessous d'une rangée d'éoliennes. Ces dernières ne sont pas très esthétiques, mais pas très bruyantes non plus.

Omeesha Beach Hotel HUTTES **$$**

(☎ 072 787 8782 ; www.omeeshabeach-kalpitiya.com ; Alankuda Beach ; s/d avec ventil 3 000/4 500 Rs, avec clim 5 000/7 000 Rs ; ❄ 📶). Cet établissement accueillant, tenu en famille, offre un bon rapport qualité/prix et donne sur une jolie bande de plage. Les chambres sont un peu délabrées (les huttes en bois avec sdb en plein air sont les plus intéressantes), mais il y a un restaurant en bord de plage et des chaises longues. Petit-déjeuner inclus.

Sri Lanka Kite COMPLEXE HÔTELIER $$
(☎077 252 8567 ; www.srilankakite.com ; Sethawadiya ; s/d avec sdb commune 50/90 $US, cottage à partir de 80/110 $US ; 📶). Au bout d'un dédale de pistes mal indiquées depuis la ville de Kalpitiya, ce complexe est clairement destiné aux kitesurfeurs. Les chambres vont de la tente rudimentaire et du dortoir (40 $US/pers) aux bungalows confortables et villas de luxe (s/d 155/180 $US). Le personnel chaleureux, le restaurant convivial et l'emplacement devant la lagune (navette gratuite pour la plage) sont des atouts indéniables. Tarifs en pension complète.

Pour vous y rendre, prenez l'embranchement à 1,5 km au sud de Kalpitiya en direction du village musulman de Sethawadiya.

Kitesurfing Lanka COMPLEXE HÔTELIER $$
(☎072 190 7894 ; www.kitesurfinglanka.com ; Kandakuliya ; tente 35 €/pers, s 60-75 €, d 100-115 € ; 📶). Ce camp pour kitesurfeurs tenu par des Français propose une gamme d'hébergements allant de la tente simple à la villa confortable avec sdb. Il y a un bar et un restaurant conviviaux, et la plage est à deux pas. Tarifs en pension complète.

Pour vous y rendre, quittez la route de Kalpitiya à Kandakuliya (Km 36/37) et continuez vers l'ouest sur 3 km.

Rosaanne Beach Resort RESORT $$$
(☎077 182 5455 ; www.rosaannebeach.lk ; Alankuda Beach ; s/d avec petit-déj 70/90 $US ; ❄📶🏊). Ce complexe, probablement le meilleur d'Alankuda Beach, est un endroit élégant et accueillant composé de 9 bungalows blancs à toit de chaume nichés sous les palmiers à 100 m de la plage. Pour jouer les Robinson avec tout le confort moderne...

Depuis/vers la péninsule de Kalpitiya

Très tôt le matin, deux bus directs relient Negombo à Kalpitiya (180 Rs, 4 heures), mais il est généralement plus facile de changer à Puttalam ou à l'embranchement de Palavi (Km 15), d'où des bus rejoignent Kalpitiya (75 Rs) toutes les 15 minutes.

Pour les hébergements d'Alankuda Beach, descendez à Norochcholai et parcourez les 3 km restant en *túk-túk* (150 Rs). Des bus circulent entre Alankuda et Kalpitiya (50 Rs).

Des bus fréquents au départ de Puttalam rejoignent Negombo (ordinaire/climatisé 85/250 Rs) et Colombo (ordinaire/climatisé 160/320 Rs), et des bus directs pour Anuradhapura passent à l'extérieur de la gare routière.

Parc national de Wilpattu

Wilpattu signifie "lacs naturels" en cinghalais et "dix lacs" en tamoul. Des lacs, voilà exactement ce que vous trouverez dans le **parc national de Wilpattu** (☎025-385 5691 ; www.dwc.gov.lk/library/Np_wilpattu.html ; adulte/enfant 15/8 $US, service par groupe 8 $US, accès jeep 250 Rs, taxe 12% ; ⏲6h-18h30 ; dernières entrées à 16h30). Le contact avec la nature sauvage y est d'autant plus intense que les visiteurs restent peu nombreux, même en haute saison.

Wilpattu, d'une superficie de 1 317 km², est le plus grand parc national du Sri Lanka. Ses forêts denses et sèches abritent de nombreux animaux, dont des léopards (c'est le meilleur parc après Yala pour les observer, avec 16 individus/100 km²), des ours paresseux, des chitals, des cochons sauvages et des crocodiles. Les amoureux des oiseaux apprécieront les nombreuses espèces de forêt sèche, aquatiques et même côtières.

Toutefois, la forêt épaisse et la méfiance des animaux rendent leur observation bien plus aléatoire que dans les parcs plus visités. C'est un endroit pour les amateurs de safaris les plus hardis.

Ce parc se visite dans le cadre de safaris en jeep. Le plus simple est d'organiser un safari par l'entremise de votre hébergement, ce qui vous assure aussi le transport jusqu'au parc. On peut également louer des 4X4 de 6 places à côté de l'entrée et de la billetterie du parc. Comptez un minimum de 4 500-5 500 Rs la demi-journée.

Où se loger et se restaurer

Teal Cottage HÔTEL $$
(☎077 784 4998 ; www.wilpattutealcottage.com ; Wilpattu Junction, Pahala Maragahawewa ; d 3 500-4 500 Rs ; ❄📶). Cet hôtel fiable tenu en

famille constitue une base séduisante pour la visite de parc, d'autant qu'il possède ses propres jeeps pour le safari. Vous aurez le choix entre les 7 chambres calmes et impeccables situées à l'arrière, avec vue sur le lac Timbire Wewa, et les chambres légèrement moins chères plus proches de la route. Sur la route principale à 600 m à l'est de l'embranchement pour le parc.

Mahoora Safari Camp LODGE $$$
(Colombo 011-583 0833 ; www.mahoora.lk ; s 720-920 $US, d 880-1 040 $US avec pension complète ;). Le Mahoora propose un safari à l'ancienne dans un luxueux camp de tentes à la lisière du parc de Wilpattu. Quelle que soit la tente choisie, attendez-vous à un séjour de style brousse chic et à des safaris en jeep de qualité avec d'excellents guides. La pension complète inclut toutes les activités pour une nuit et 2 jours.

La réservation est indispensable : le lodge n'accepte pas les clients qui se présentent à l'improviste et il se peut que le campement ne soit même pas installé.

Depuis/vers le parc national de Wilpattu

L'embranchement vers le parc, sur la route Puttalam-Anuradhapura (A12), se situe à 45 km au nord-est de Puttalam et à 26 km au sud-ouest d'Anuradhapura. De là, l'entrée du parc se trouve à 8 km dans le village à peine visible d'Hunuvilagama (500 Rs en *túk-túk*).

Des bus fréquents à destination d'Anuradhapura, Puttalam et Colombo passent par l'embranchement conduisant au parc, mais on n'est pas certain d'y trouver une place.

SUD DE COLOMBO

Échapper à la frénésie et à la moiteur de la capitale en empruntant la route du sud est un immense soulagement. Adieu les rues encombrées et les nuages de pollution et cap sur les plages tropicales d'un Sri Lanka paradisiaque.

La plupart des voyageurs indépendants rejoignent Hikkaduwa, Mecque du surf, et son grand choix d'hébergements, mais la région de Bentota offre des plages plus tranquilles – et plus belles encore –, ainsi qu'une poignée de boutique-hôtels parmi des *resorts* de luxe. Louez un scooter à la journée et vous ne tarderez pas à trouver votre petit bout de plage déserte.

Bentota, Aluthgama et Induruwa

034

Protégée de la bruyante Galle Rd par le cours paisible du Bentota Ganga, la plage de Bentota est un magnifique ruban de sable doré. Côté hébergement, c'est un heureux mélange de *resorts* hyperluxueux et de boutique-hôtels, plus petits, destinés aux voyageurs indépendants. Ces derniers auront plus de choix près d'Aluthgama, petite localité à l'embouchure d'un chenal, à cheval sur la route principale entre Beruwela et Bentota. À Aluthgama, il y a un marché au poisson, des boutiques et la principale gare ferroviaire de la région. Induruwa, qui s'étend le long de la côte, n'a pas de centre véritable.

À voir

Brief Garden JARDIN
(034-227 4462 ; 1 000 Rs ; 8h-17h). À 10 km de Bentota dans l'intérieur des terres, ce merveilleux jardin semble tout droit sorti du *Livre de la jungle* et invite à se perdre. La demeure où vécut Bevis Bawa, frère du fameux architecte Geoffrey Bawa, renferme une collection d'art éclectique, des sculptures homoérotiques à une superbe peinture murale décrivant la vie sri lankaise dans le style de Chagall.

Vivien Leigh et Laurence Olivier, entre autres, y séjournèrent en 1953 pendant le tournage de *La Piste des éléphants*.

Depuis Aluthgama, suivez Mathugama Rd vers le nord-est à l'intérieur des terres, puis bifurquez vers le nord-ouest et le village de Dharga Town. De là, quelques panneaux jaunes indiquent "Brief", mais l'endroit est connu et vous pourrez demander votre chemin. Aucun transport public ne dessert le jardin ; la course en *túk-túk* coûte environ 1 000 Rs aller-retour.

Temple de Galapata Raja TEMPLE BOUDDHIQUE
(aube-crépuscule). GRATUIT À quelque 3 km de Bentota à l'intérieur des terres, sur la rive sud du Bentota Ganga, ce temple du XIIe siècle renferme des fresques et un dagoba vieux de 2 500 ans, qui abriterait une canine de Kasyapa, principal disciple du Bouddha. Pour y aller, traversez le pont au sud d'Aluthgama et suivez Elpitiya Rd, à gauche, sur 1,5 km ; quand la route tourne à droite, quittez-la pour continuer tout droit sur 1 km.

Activités

La lagune abritée et l'embouchure du Bentota Ganga rendent le secteur particulièrement propice aux sports nautiques. Des opérateurs locaux proposent planche à voile, ski nautique, Jet-Ski, pêche en haute mer, etc. **Sunshine Water Sports Center** (☎034-428 9379 ; www.srilankawatersports.com ; River Ave, Aluthgama ; ⏲9h-crépuscule) et **Diyakawa Water Sports** (☎077 916 5330 ; www.srilankawatersports.lk ; 10 River Ave, Aluthgama ; ⏲8h-17h30) sont installés au bord de la rivière à Aluthgama. Outre la location de matériel divers, ces opérateurs proposent des cours, notamment de planche à voile (à partir de 14 000 Rs) et de ski nautique (5 600 Rs), ainsi que des sorties snorkeling ou canoë et des cours de plongée.

Les paisibles **excursions en bateau** (2 500-5 000 Rs/groupe) sur le Bentota Ganga sont populaires et permettent de passer une agréable fin d'après-midi au milieu des oiseaux. Elles durent généralement 3 heures et conduisent dans le dédale

LA VIE DES TORTUES

Cinq espèces de tortues marines viennent pondre sur les côte ouest et sud du Sri Lanka. La tortue verte est la plus commune, suivie par la tortue olivâtre et la tortue à écailles, ou imbriquée. La tortue luth et la tortue caouane, toutes deux énormes, peuvent atteindre plus de 2 m de long. Au cours de leur longue vie – si toutefois elles ne finissent pas prématurément dans un filet ou une marmite –, les tortues femelles reviennent sur la côte sud afin de pondre leurs œufs dans le sable de la plage où elles-mêmes ont vu le jour. Quelques semaines plus tard, des centaines de bébés tortues effectuent le périlleux voyage jusqu'à la mer.

La plupart terminent aussitôt dans l'estomac d'un oiseau, d'un poisson ou d'un autre prédateur. Beaucoup n'ont même pas le temps d'éclore, car des braconniers ramassent les œufs pour satisfaire la demande d'omelette d'œufs de tortue. Les élevages installés sur la côte autour de Bentota et Kosgoda tentent d'enrayer ce fléau en achetant les œufs un peu plus cher que sur les marchés. Ils les placent ensuite dans un couvoir jusqu'à leur éclosion. Après un court séjour dans un bassin, les bébés sont relâchés dans l'obscurité (à l'état sauvage, ils émergent aussi la nuit).

Cependant, les couvoirs de tortues pourraient causer plus de mal que de bien. Lors de l'éclosion dans la nature, la tortue conserve une partie du jaune d'œuf, qui est une source vitale d'énergie lorsqu'elle nage pour la première fois. En plaçant les bébés dans un bassin pendant une courte période, ils sont privés de cette nourriture initiale. De plus, les tortues femelles adultes aiment retourner sur la plage où elles sont nées pour pondre leurs œufs ; si elles sont nées en captivité, elles n'ont pas reçu l'"empreinte magnétique" de leur lieu de naissance et sont, pense-t-on, incapables de retrouver la plage pour y pondre leurs œufs. Pour un effort de conservation durable des tortues, il vaut mieux que les œufs soient laissés sur la plage où ils ont été pondus et les protéger à cet endroit. Pour en savoir davantage, consultez le site www.srilankaecotourism.com/turtle_hatchery_threat.htm.

Même si les avantages des couvoirs sont limités, les tortues sont adorables et méritent la visite (qui dure rarement plus de 20 minutes). Vous verrez des bébés ainsi que des adultes, blessés par des filets ou victimes d'autres calamités. Beaucoup d'associations de défense de l'environnement conseillent de ne pas visiter les couvoirs à vocation commerciale situés dans le secteur de Bentota.

Kosgoda Sea Turtle Conservation Project (☎091-226 4567 ; www.kosgodaseaturtle.org ; 13A Galle Rd, Mahapalana ; 1 000 Rs ; ⏲8h30-17h30). Sur le côté plage de Galle Rd, au nord de Kosgoda, ce centre tenu par des bénévoles existe depuis 18 ans.

Kosgoda Turtle Hatchery (Victor Hasselblad Sea Turtle Sanctuary ; ☎077-326 2553 ; 500 Rs ; ⏲7h-18h). Pour trouver cet endroit situé dans un coin tranquille au bord d'une plage immaculée, quittez l'A2 au Km 72/73 pour vous engager sur une piste. Découvrez la tortue âgée de 50 ans et la tortue albinos aveugle ayant toutes deux miraculeusement survécu à l'homme (les filets) et à la nature (le tsunami). En arrivant à 18h, vous pourrez aider à relâcher les petits de 3 jours dans l'océan (1 500 Rs).

d'anses et d'îles de la partie inférieure du fleuve, qui abrite plus d'une centaine d'espèces d'oiseaux. Sunshine Water Sports et Diyakawa Water Sports organisent des excursions ; tous les hôtels peuvent vous indiquer des tour-opérateurs.

Où se loger et se restaurer

À côté des hôtels-clubs se trouvent plusieurs superbes hôtels de charme et pensions, ainsi qu'une ou deux rares adresses bon marché.

Presque tous les hébergements se doublent d'un restaurant ; les produits de la mer prédominent sur les cartes.

Si vous souhaitez sortir de votre hôtel, la ville d'Aluthgama compte de bons restaurants, fréquentés et bon marché.

Bentota

Resorts hyperluxueux et hébergements de charme plus petits, de milieu ou de haut de gamme, se partagent la scène hôtelière de cette localité et de sa jolie plage.

Dedduwa Boat House PENSION **$$**

(☎077 027 6169, Colombo 011-452 9901 ; www.jetwinghotels.com ; Dedduwa Junction ; s/d avec petit-déj 3 000/4 000 Rs, house boat 250 $US ; ❄📶). Parcourez quelques kilomètres dans les terres pour trouver cette petite villa tranquille, cachée sur les rives verdoyantes du lac Dedduwa. Les 5 chambres d'un bon rapport qualité/prix sont parfaitement entretenues, et vous pouvez passer des heures à observer les oiseaux sur le lac. L'habitation flottante (*house boat*) offre un luxe total.

Hotel Susantha Garden PENSION **$$**

(☎034-227 5324 ; www.hotelsusanthagarden.com ; Bentota ; s/d avec ventil à partir de 4 850/5 450 Rs, avec clim à partir de 6 500/6 850 Rs ; ❄@📶). Un jardin ombragé, un personnel qui comprend les voyageurs, un accès facile à la partie nord de la plage de Bentota, et des chambres pittoresques en font une adresse très prisée des routards. On peut y accéder depuis le quai de la gare ferroviaire de Bentota (pas celle d'Aluthgama). Les chambres deluxe, plus calmes, offrent le meilleur rapport qualité/prix.

♥ **Shangri-Lanka Villa** BOUTIQUE-HÔTEL **$$$**

(☎034-227 1181 ; www.shangrilankavilla.com ; 23 De Alwis Rd, Bentota ; s/d avec petit-déj 110/125 $US ; ❄📶🏊). Le paisible cadre rural de cette superbe pension de charme britannico-sri lankaise, à 1 km dans les terres de la route principale et de la plage, permet de s'endormir au son des cigales plutôt que des klaxons des bus. Les chambres, immenses, sont décorées de touches de couleurs vives et de tableaux de bon goût.

La cuisine et le service sont aussi bons que l'hébergement. Belle piscine dans le jardin. Au petit-déjeuner, les amateurs apprécieront les toasts aux haricots et les saucisses au bacon.

Club Villa BOUTIQUE-HÔTEL **$$$**

(☎034-227 5312 ; www.club-villa.com ; 138/15 Galle Rd, Bentota ; s/d avec petit-déj à partir de 180/220 $US ; ❄@📶🏊). Que sont devenus les hippies qui sillonnaient les routes d'Asie dans les années 1960 et 1970 ? Tandis que certains demeuraient en marge de la société, d'autres sont rentrés chez eux et sont devenus de riches investisseurs plaçant leur argent dans des hôtels comme cet ensemble dessiné par Geoffrey Bawa. Du mobilier ancien aux statues du Bouddha et de Shiva, tout est ethnique chic.

D'énormes poissons-chats évoluent avec indolence dans les nombreux bassins.

Amal Villa BOUTIQUE-HÔTEL **$$$**

(☎077 603 7541 ; www.amal-villa.com ; 135 Galle Rd, Bentota ; s/d en demi-pension 15 000/17 000 Rs ; ❄📶🏊). Cet hôtel très bien tenu se compose d'un bâtiment côté plage et d'une villa côté terre, qui a notre préférence. Elle dispose d'une superbe piscine à débordement (le supplément de 3 000 Rs pour les immenses chambres de luxe avec balcon privatif est justifié), mais l'autre bâtiment, dépourvu de piscine, est mieux protégé du bruit de la route. Offrez-vous un bain de vapeur au centre de soin ayurvédique.

Wunderbar Hotel and Restaurant PRODUITS DE LA MER **$$**

(☎034-227 5908 ; Galle Rd, Bentota ; plats 650-1 200 Rs ; ⏲8h-23h). L'hôtel Wunderbar se double d'un restaurant plaisant au 1er étage, ouvert aux non-résidents et aux brises marines. Il offre un bon choix de plats de poisson et occidentaux.

Aluthgama

La ville d'Aluthgama, qui comprend quelques petites pensions au bord de la lagune, est idéale si vous recherchez la proximité des transports et des commerces dans un cadre urbain.

AYURVÉDA AU PARADIS

La région de Beruwela, à courte distance au nord de Bentota, compte plusieurs hôtels et centres ayurvédiques réputés, dont ceux recommandés ci-après. **Jetwing Ayurveda Pavilions** (p. 94), à Negombo, est une bonne adresse au nord de Colombo, tandis que l'**Aditya Resort** (p. 106) se trouve immédiatement au sud d'Hikkaduwa.

Saman Villas (☎034-227 5435 ; www.samanvilla.com ; Aturuwella ; d à partir de 625 $US ;). Difficile de trouver les mots pour décrire l'opulence de cet hôtel. Certaines chambres disposent même d'une piscine privée dans la sdb...

Temple Tree Resort & Spa (☎034-227 0700 ; www.templetreeresortandspa.com ; 660 Galle Rd, Induruwa ; s/d avec petit-déj à partir de 120/140 $US ;). Des lofts minimalistes transportés sur une plage tropicale, voilà à quoi ressemble le Temple Tree Resort. Les chambres en pierre et béton ciré, aux murs blanc électrique, sont somptueuses ; les chambres deluxe ont une baignoire d'hydromassage d'où l'on peut contempler l'océan. Toutes les chambres jouissent d'un balcon donnant sur les deux piscines et la plage, superbe.

Heritance Ayurveda Maha Gedara (☎034-555 5000 ; www.heritancehotels.com ; Beruwela ; s/d en pension complète à partir de 205/320 $US ;). Il suffit de visiter quelques hôtels ayurvédiques pour comprendre que la qualité de l'hébergement passe souvent après celle des soins. Ce n'est pas le cas ici. Non seulement les soins sont de premier ordre et dispensés par des médecins expérimentés, mais cet hôtel conçu par Geoffrey Bawa est un havre de luxe caché parmi les frangipaniers. Soins et séances de yoga sont inclus dans le prix.

Barberyn Reef Ayurveda Resort (☎034-227 6036 ; www.barberynresorts.com ; Beruwela ; s/d en pension complète à partir de 85/150 €, plus 80 € par pers et par jour pour soins ayurvédiques obligatoires ;). L'un des établissements les plus réputés du pays, avec une gamme complète de soins et d'excellents médecins. La plupart des clients restent au moins une semaine. Également des séances de yoga, de méditation, des excursions gratuites et des démonstrations de cuisine ayurvédique. Les chambres les moins chères sont équipées d'un ventilateur. Cet établissement est à 4 km au nord du centre d'Aluthgama.

Hotel Hemadan PENSION $$
(☎034-227 5320 ; www.hotelhemadan.com ; 25 River Ave, Aluthgama ; s/d à partir de 6 040/6 900 Rs ;). En bord de rivière, cette pension cosy tenue par des Danois comprend 10 chambres propres situées dans un bâtiment vieillissant. Le restaurant aux allures de villa, l'embarcadère et le *beer garden* offrent une vue superbe sur la rivière et sont ventilés par la brise. Les chambres sont simples : les plus petites ont un balcon, et seules les chambres deluxe sont climatisées. Une bonne adresse si vous souhaitez rester proche de la ville et des transports. Des lits enfants sont à disposition pour ceux qui voyagent avec des petits.

High Rich River View Resort PENSION $$
(☎034-227 4050 ; www.highrichresort.com ; 97 Riverside Rd, Aluthgama ; ch/ste 6 600/8 500 Rs ;). Les 6 chambres, équipées de lits en bois, de coiffeuses et de douches avec eau chaude, sentent légèrement le renfermé, mais les véritables atouts de cette pension sont la terrasse et le restaurant en bord de rivière.

Induruwa

Induruwa s'étend au calme à l'extrémité sud de la plage de Bentota. Deux ou trois *resorts* de luxe y côtoient un ou deux établissements petits budgets parfaits si souhaitez séjourner à la plage en toute tranquillité. Il n'y a pas grand-chose en matière de restaurants et de commerces.

Long Beach HÔTEL $
(☎034-227 5773 ; www.longbeachcottageinduruwa.com ; 550 Galle Rd, Induruwa ; ch lits jum 2 750 Rs ;). Les 5 chambres avec ventilateur sont peut-être rudimentaires, mais cet hôtel tenu en famille est parfait si vous recherchez le paradis à petit prix. Un bosquet de cocotiers tient lieu de jardin et

– atout digne des plus grands hôtels – la plage (superbe) est si proche qu'on entend les vagues du fond de son lit.

Renseignements

Commercial Bank (339 Galle Rd, Aluthgama ; 9h-15h lun-ven). Juste au nord du fleuve ; DAB.

Office du tourisme (091-393 2157 ; Galle Rd, Bentota ; 8h30-16h30 lun-ven). Devant le Bentota Beach Hotel.

Poste (Elpitiya Rd ; 9h-17h lun-sam). À l'est de Bentota.

Depuis/vers Bentota, Aluthgama et Induruwa

Beruwela et Bentota se situent sur la principale ligne ferroviaire Colombo-Matara, mais beaucoup de trains ne s'y arrêtent pas et il faut se rendre à la gare d'Aluthgama, entre ces deux villes. D'Aluthgama, 5 ou 6 trains express desservent chaque jour Colombo (2e/3e classe 110/55 Rs, 1 heure 30-2 heures), et autant Hikkaduwa (2e/3e classe 70/35 Rs, 1 heure). L'express de 15h40 pour le Fort de Colombo permet de prendre une correspondance pour Kandy (2e classe 260 Rs). La billetterie se trouve dans la gare sur le quai central.

Aluthgama est le meilleur endroit pour prendre un bus, bien qu'il soit possible de descendre de tout bus n'importe où le long de Galle Rd (si vous allez à Induruwa, par exemple). Des services fréquents rallient Colombo (ordinaire/climatisé 85/150 Rs, 2-3 heures) et Hikkaduwa (ordinaire/climatisé 57/120 Rs, 1 heure) jusqu'à 17h.

Le *túk-túk* est la solution la plus simple pour circuler entre les hôtels d'Aluthgama, Bentota et Induruwa, mais on peut utiliser n'importe lequel des bus parcourant Galle Rd, la route principale reliant les 3 localités.

Hikkaduwa et ses environs

091

Hikkaduwa figure sur la carte touristique du Sri Lanka depuis les années 1970, d'où la dégradation de l'environnement. Pensions, boutiques et restaurants se succèdent sur 1 km le long de la plage, très érodée dans sa partie nord. Très fréquentée, la route Colombo-Galle, avec sa pollution et ses chauffeurs de bus suicidaires, passe en plein milieu, ce qui rend périlleux le moindre pas en dehors de la pension !

Il n'y a toutefois pas que des ombres au tableau. Il y a de nombreux hébergements charmants, une enfilade de bars et restaurants de plage agréables, de bonnes écoles de plongée et de surf, et nombre d'excursions intéressantes à faire en *túk-túk* ou en louant un scooter. On parle depuis des années d'un contournement routier d'Hikkaduwa : si le projet se concrétise, quelle bénédiction pour ce paradis perdu !

À voir

Parc national d'Hikkaduwa PARC NATIONAL

(adulte/enfant 30/15 Rs). Le parc maritime d'Hikkaduwa s'étend le long de l'extrémité nord de la plage et offre un moyen facile et amusant de découvrir la vie sous-marine. Autour de la billetterie du parc (7h-18h) des établissements louent l'équipement de snorkeling pour environ 600 Rs les 2 heures.

Lac d'Hikkaduwa LAC

Le lac d'Hikkaduwa, avec des varans et de nombreux oiseaux, constitue une agréable excursion dans l'arrière-pays. Des circuits en bateau sont parfois organisés sur le lac ; renseignez-vous sur place. L'hotel Kalla Bongo (p. 106) situé au bord du lac loue des kayaks aux clients qui y déjeunent. Pour rejoindre le lac, suivez Baddegama Rd sur 2 km, puis tournez vers le nord.

Seenigama Vihara TEMPLE BOUDDHIQUE

(aube-crépuscule). À 2 km au nord d'Hikkaduwa, le Seenigama Vihara, perché sur une île, est l'un des deux temples du pays où les victimes de vol peuvent venir chercher une réparation. Elles visitent le temple et achètent une huile préparée spécialement avec du piment et du poivre. De retour chez elles, elles allument une lampe avec cette huile et récitent un mantra. Un jour ou l'autre, le voleur sera frappé par la malchance et identifié.

Des bateaux assurent la navette jusqu'à l'île par temps calme.

Gangarama Maha Vihara TEMPLE BOUDDHIQUE

(Près de Baddegama Rd ; aube-crépuscule). Cet intéressant temple bouddhique contient de nombreuses peintures populaires pédagogiques, œuvres d'un seul homme pendant près d'une décennie. Les moines vous les montreront volontiers.

Activités

Pour beaucoup, Hikkaduwa est synonyme de plage. La plus grande s'étend du sud de l'Hotel Moon Beam jusqu'au faubourg sud de Narigama. La plupart des chaises longues qui s'y trouvent appartiennent à

Hikkaduwa et ses environs

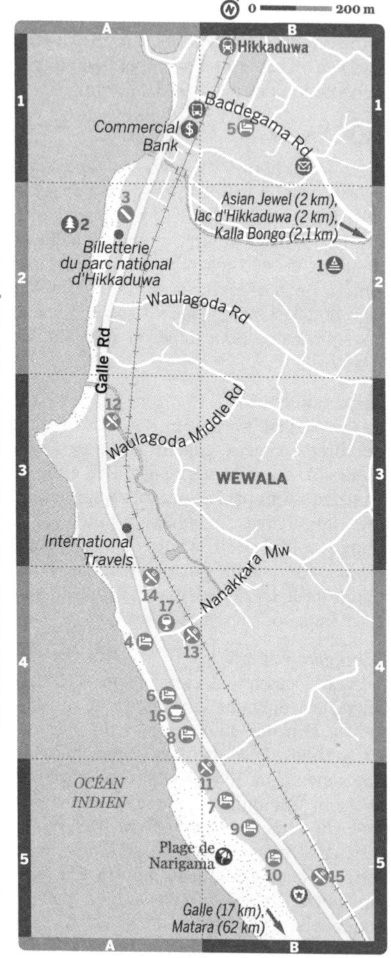

Hikkaduwa et ses environs

À voir
1 Gangarama Maha Vihara.....B2
2 Parc national de Hikkaduwa.....A2

Activités
3 Poseidon Diving Station.....A2

Où se loger
4 Blue Ocean Villa.....A4
5 Camellia Dwellings.....B1
6 Dewasiri Beach Restaurant & Hotel.....A4
7 Drifters Hotel.....B5
8 Hotel Moon Beam.....A4
9 Hotel Ritas.....B5
10 Neela's.....B5

Où se restaurer
11 Bookworm.....B5
12 Cool Spot.....A3
13 Home Grown Rice & Curry Restaurant.....A4
14 No 1 Roti Restaurant.....A4
15 Spaghetti & Co.....B5

Où prendre un verre et faire la fête
16 Coffee Shop.....A4
17 Sam's Bar.....A4

des hôtels, mais on peut généralement les utiliser à condition de prendre une boisson ou un repas. Les balades sont superbes sur la plage du côté sud.

Pour changer un peu de la plage, louez un vélo ou un scooter pour explorer les petites routes s'enfonçant à l'intérieur des terres. Elles vous feront découvrir un univers rural plus calme et complètement différent.

Plongée

La saison dure de novembre à avril. Les débutants peuvent choisir une journée de découverte (Discover Scuba ; 50-85 $US) ou un stage PADI Open Water, plus long (à partir de 375 $US). Les meilleurs sites de plongée sont les épaves du *Conch*, un navire-citerne à vapeur du XIXe siècle bien conservé, et de l'*Earl of Shaftesbury*, un quatre-mâts de 1892.

Il y a plusieurs écoles de plongée, dont **Poseidon Diving Station** (091-227 7294 ; www.divingsrilanka.com ; 304 Galle Rd ; 8h-18h), qui dispose aussi d'un restaurant et d'hébergements pour les plongeurs. Une sortie avec 2 plongées consécutives coûte 75 $US.

Snorkeling

À l'extrémité nord de la baie, Hikkaduwa Beach est une plage en forme de fer à cheval dotée d'un proche récif corallien par 3 m de fond environ ; plusieurs établissements louent du matériel de snorkeling (environ 600 Rs les 2 heures). Restez vigilant dans l'eau : les nombreux bateaux à fond transparent constituent un réel danger. Les plongeurs doivent parfois acheter un ticket à la billetterie (p. 103) du parc maritime d'Hikkaduwa.

Surf

La meilleure saison s'étend de novembre à avril. Les secteurs de Wewala et Narigama

À NE PAS MANQUER

SE SOUVENIR DU TSUNAMI

À 3,5 km au nord d'Hikkaduwa, deux musées racontent, à travers des photos et des articles de journaux, cette terrible journée de 2004 où le tsunami a frappé Hikkaduwa et le Sri Lanka. Le **Tsunami Education Centre and Museum** (077 731 6664 ; Galle Rd, Telwatta ; don à l'entrée ; 8h-18h) est axé sur l'éducation des habitants sur le sujet, mais il contient également des photos aussi spectaculaires que douloureuses, dont certaines montrent des cadavres. Juste au nord de ce centre, le **Tsunami Photo Museum** (091-390 0884 ; Galle Rd, Telwatta ; don à l'entrée ; 8h-18h30), plus délabré, expose des images fortes qui plongent la plupart des visiteurs dans le silence.

Immédiatement au sud de ces musées, à Peraliya, un petit **mémorial** (Galle Rd, Peraliya) est consacré aux quelque 35 000 victimes du tsunami au Sri Lanka et aux centaines de milliers de personnes dont la vie s'est trouvée bouleversée. C'est aussi dans cette région que le tsunami a emporté un train de banlieue bondé, faisant plus de 1 200 victimes – la pire catastrophe ferroviaire au monde, pourtant presque anecdotique par rapport à l'ampleur de la tragédie qui a eu lieu ce jour-là.

À quelques centaines de mètres plus au sud, au **Tsunami Honganji Vihara** (Galle Rd) GRATUIT, un bouddha debout se dresse face aux vagues en faisant le geste d'*abhaya mudra* (posture d'intrépidité et de protection). C'est une copie du bouddha de Bamiyan détruit par les talibans en 2001.

offrent plusieurs reef breaks et un beach break qui conviennent parfaitement aux surfeurs débutants et de niveau intermédiaire. Ces vagues, combinées à une vie nocturne relativement animée, ont fait d'Hikkaduwa le spot de surf le plus populaire du pays.

La plupart des pensions et plusieurs boutiques de surf louent des planches pour environ 400 Rs/heure. Plusieurs établissements proposent des cours de surf ; choisissez-les avec soin car des "moniteurs" de quelques écoles réputées s'intéressent davantage à avoir l'air cool qu'à enseigner.

Où se loger

Presque tous les hébergements bordent Galle Rd. La plupart des terrains le long de la bande côtière sont étroits, de sorte que les pensions n'offrent que quelques chambres chères avec vue sur la mer. Celles plus proches de la route sont bruyantes, aussi assurez-vous d'en choisir une à l'écart de la circulation. Nombre d'établissements sont littéralement collés les uns aux autres.

Dewasiri Beach Restaurant & Hotel HÔTEL $
(091-227 5555 ; 472 Galle Rd ; ch avec ventil 2 500-4 000 Rs, avec clim 4 500 Rs ;). Idéal pour les surfeurs au budget serré, cet établissement un peu délabré dominant le Main Reef dispose de diverses chambres simples mais propres (eau froide), dont les plus chères permettent de s'endormir bercé par les vagues. Cet hôtel se distingue de ses homologues par la famille accueillante et experte en cuisine qui s'en occupe.

Camellia Dwellings PENSION $$
(071 227 7999 ; www.camelliadwellings.com ; Baddegama Rd ; d 30 $US ;). Les 5 chambres spacieuses et bien tenues de cette villa de style colonial offrent un bon rapport qualité/prix. Les propriétaires et le personnel sympathique, ainsi que la proximité des gares ferroviaire et routière sont des atouts supplémentaires, mais il faut aussi citer la vieille Morris Minor garée dans l'allée et le petit-déjeuner servi dans le jardin. Lorsqu'il affiche complet, le propriétaire réserve des chambres (au même prix) à l'Arcadia Resort, une villa proche et tout aussi agréable, dotée en outre d'une piscine.

Neela's PENSION $$
(091-438 3166 ; www.neelasbeachinn.com ; 634 Galle Rd ; ch avec ventil/clim à partir de 30/70 $US ;). Cette pension accueillante et bien tenue satisfera tous les budgets. Même les chambres les moins chères sont joliment décorées et d'une propreté impeccable, tandis que les suites du dernier étage (115 $US) sont très luxueuses. Le petit-déjeuner dans le restaurant en bord de plage est inclus dans le prix de la plupart des chambres. Pour prendre un verre, le convivial Drunken Monkey Bar est situé juste à côté.

Blue Ocean Villa HÔTEL $$
(091-227 7566 ; blueoceanvilla420@gmail.com ; 420 Galle Rd ; ch avec ventil/clim 4 000/7 000 Rs ;). Deux niveaux de confort pour cette pension : à l'étage supérieur les chambres climatisées, bien équipées, donnent sur la plage, tandis que les autres, moins chères mais plus sombres, sont de moindre qualité.

Hotel Moon Beam HÔTEL $$
(091-505 6800 ; hotelmoonbeam@hotmail.com ; 548/1 Galle Rd ; ch avec ventil 5 500 Rs, avec clim 6 000-7 500 Rs ;). Un hôtel chic de catégorie moyenne, avec 28 chambres nettes, agrémentées de tableaux et d'éléments en bois, des douches chaudes et, pour certaines, un balcon donnant sur la mer. Le petit-déjeuner inclus est servi dans l'agréable restaurant. Comptez 1 000 Rs de moins si vous occupez une chambre seul.

Drifters Hotel HÔTEL $$
(091-2275 692, 077 706 7091 ; www.driftershotel.com ; 602 Galle Rd ; d avec ventil/clim 35/60 $US ;). Petite mais bien entretenue, la piscine de cet hôtel en bord de plage justifierait le prix à elle seule, mais les grandes chambres joliment arrangées et la plage correcte située juste devant sont aussi de solides atouts, même si les espaces communs sont un peu étroits. Les chambres triples (70 $US) côté mer sont les meilleures. La même direction possède un hôtel de standing inférieur (mais plaisant) en bord de route du côté des terres ; attention à ne pas les confondre.

Hotel Ritas PENSION $$
(091-227 7496 ; www.hotelritas.com ; Galle Rd ; ch avec ventil/clim avec petit-déj 40/50 $US ;). Prisé depuis longtemps des voyageurs, le charmant Ritas loue des chambres bien tenues au rez-de-chaussée pour les budgets serrés et d'autres de catégorie moyenne face à l'océan, plus chics, les meilleures ayant un balcon individuel (75 $US). Le restaurant donne sur un joli coin de plage avec chaises longues.

Aditya Resort COMPLEXE HÔTELIER $$$
(091-226 7708 ; www.aditya-resort.com ; 719/1 Galle Rd, Devenigoda ; ch avec petit-déj à partir de 465 $US, ste 995 $US ;). Cet hôtel sublime, à 6 km au sud d'Hikkaduwa, regorge de statues de divinités bouddhiques, de fleurs tropicales et de belles antiquités. Les chambres sont immenses, décorées de têtes de lit en bois sculpté, et les sdb, partiellement en plein air, disposent d'un bassin à carpes et d'une petite piscine-Jacuzzi.

L'Aditya surplombe une portion de plage déserte, mais la plupart de ses clients (en nombre restreint) se détendent au bord de la piscine, et profitent du spa. Les clients au sommeil délicat peuvent choisir la fermeté de leur oreiller.

Kalla Bongo BOUTIQUE-HÔTEL $$$
(091-438 3234 ; www.kallabongo.com ; Lane 3, Field View, Baddegama Rd ; s/d avec petit-déj à partir de 13 500/14 500 Rs ;). Un bouddha serein accueille les arrivants dans ce boutique-hôtel en bord de lac tenu par des Hollandais. La même impression de calme règne dans toute la propriété. Les chambres standards donnent sur la piscine, tandis que les 5 chambres deluxe (2 000 Rs de plus) ont une vue superbe sur le lac. On peut emprunter des canoës pour voguer au soleil couchant.

Asian Jewel BOUTIQUE-HÔTEL $$$
(091-493 1388 ; www.asian-jewel.com ; Lane 3, Field View, Baddegama Rd ; ch avec petit-déj à partir de 115 $US ;). Ce petit boutique-hôtel proche du lac d'Hikkaduwa – mais pas au bord – propose des chambres luxueuses et clinquantes, une superbe piscine et une excellente cuisine. C'est le personnel qui rend le séjour particulièrement agréable ; dès votre arrivée, ils se souviennent de votre nom et se plient en quatre pour vous satisfaire.

La carte d'inspiration britannique comprend *breakfast* anglais et *fish and chips*. L'hôtel se tient à 3 km à l'intérieur des terres, juste à côté de Baddegama Rd.

Où se restaurer et prendre un verre

La plupart des restaurants d'Hikkaduwa sont rattachés à des hôtels ou des pensions ; peu d'entre eux laissent un souvenir impérissable. Sur la plage de Narigama, vous pouvez passer d'un endroit à l'autre pour un verre au cours de la soirée ; quelques-uns restent ouverts après 23h.

No 1 Roti Restaurant SRI LANKAIS $
(091-491 1540 ; 373 Galle Rd ; en-cas 150-280 Rs ; 10h-21h30). À l'écart des restaurants de la plage, cette adresse en bord de route propose plus de 60 sortes de *roti* (pain épais plié), allant du poulet à l'ail à la banane-miel. Deux suffisent à un repas

VAUT LE DÉTOUR

MASQUES DE DÉMONS D'AMBALANGODA

Ville terne et étouffante, Ambalangoda est totalement éclipsée par Hikkaduwa, sa voisine touristique. La principale raison d'une visite est la découverte de la signification magique des masques de démons, vendus dans toutes les boutiques de souvenirs du pays. D'authentiques danses des démons, censées chasser les esprits qui provoquent les maladies, ont encore lieu de temps à autre dans les villages de l'arrière-pays. Ambalangoda se trouve à 13 km au nord d'Hikkaduwa sur le principal axe routier entre Colombo et Hikkaduwa, et est desservie par des bus et des trains fréquents.

Southern Antiques & Reproductions (☎091-225 8640 ; 32 Galle Rd, Urawatte). Toute personne s'intéressant à la décoration intérieure se régalera dans cette caverne d'Ali Baba. La plupart des objets sont très volumineux (nombreuses colonnes en bois et bois de récupération), mais il est plaisant de farfouiller dans les espaces intérieurs remplis de trésors plus transportables comme les masques anciens, par exemple.

Ariyapala Mask Museum (☎091-225 8373 ; www.masksariyapalasl.com ; 426 Main St ; ⏲8h30-17h30). Ce musée, avec des dioramas et des légendes en anglais, offre un aperçu intéressant des masques sri lankais et de leur signification. Il vend la brochure *The Ambalangoda Mask Museum*, utile pour plonger dans le monde mystérieux de la danse *kolam*, des légendes et de l'exorcisme, et comprendre la tradition du masque.

Ariyapala Traditional Masks (☎091-225 4899 ; 432 Galle Rd ; ⏲8h30-17h30). Ce petit musée de plain-pied renferme une statue grandeur nature du dernier couple de souverains de Kandy, ainsi qu'une boutique vendant des articles de qualité. Il se trouve en face de l'Ariyapala Mask Museum.

correct. On y sert également des milk-shakes frais et des *lassi*.

♥ Home Grown Rice & Curry Restaurant SRI LANKAIS **$$**

(☎072 440 7858 ; 140/A Wewala ; curry 500-750 Rs ; ⏲8h-22h). Caché sous les palmiers et les fleurs, cet adorable petit restaurant est installé dans un jardin le long d'une rue tranquille (du moins comparée à l'artère principale). La famille qui le tient est tout aussi charmante et sert de savoureux currys, des sandwichs toastés et des produits de la mer (1 200 Rs) à prix raisonnable. Il n'y a pas de bière. L'endroit est populaire et ne compte que quelques tables, aussi vaut-il mieux arriver tôt ou réserver.

Bookworm SRI LANKAIS **$$**

(☎077 622 5039 ; Galle Rd ; currys végétariens/poisson 700/950 Rs ; ⏲18h30-20h30). En le commandant quelques heures à l'avance, vous mangerez, dans ce restaurant tenu en famille, l'un des meilleurs currys de la ville. La salle est à l'étage, le rez-de-chaussée servant au prêt de livres (300 Rs) et à la location de motos (800-1 000 Rs).

Spaghetti & Co ITALIEN **$$$**

(☎077 669 8114 ; 587/2 Galle Rd ; repas 800-1 000 Rs ; ⏲18h-23h). Les jardins luxuriants qui entourent cette villa de style colonial cachent en partie la bruyante Galle Rd, ce qui aide à apprécier les excellentes pizzas et pâtes.

Cool Spot POISSON **$$$**

(☎077 233 4900 ; 327 Galle Rd ; plats 600-2 300 Rs ; ⏲11h-23h). Dans une vieille maison jaune à l'extrémité nord du secteur touristique, une famille sert poissons et crustacés fraîchement pêchés depuis 1972. Le menu est inscrit sur un tableau dans la véranda ; il reflète la pêche du jour et va de la salade de langouste aux crabes pimentés en passant par le vivaneau au curry thaïlandais.

Sam's Bar BAR

(Roger's Garage ; ☎077-725 2550 ; www.hikkaduwasamsbar.com ; 403 Galle Rd ; ⏲10h-minuit). Ce bar décontracté et spacieux, équipé de billards (250 Rs/30 minutes) diffuse les grands événements sportifs et propose une cuisine d'un bon rapport qualité/prix (plats 400-700 Rs). Il n'a absolument rien d'un bar sri lankais typique.

Coffee Shop CAFÉ

(536 Galle Rd ; ⏲9h-19h ; 📶). Un endroit branché qui sert d'authentiques cafés italiens (320 Rs) et de bonnes pâtisseries. Parfait pour retrouver de l'énergie après le surf.

Renseignements

Commercial Bank (Galle Rd ; ⌚9h-15h). Parmi d'autres dans l'artère principale, cette banque change des espèces et dispose de DAB.

Police touristique (☎091-227 5554 ; Galle Rd ; ⌚24h/24). À l'extrémité sud-est du secteur touristique ; les policiers ne parlent pas tous anglais – un paradoxe pour ce service !

Poste principale (Baddegama Rd ; ⌚9h-17h lun-sam). À 5 minutes de marche de la gare routière, vers l'intérieur des terres.

Depuis/vers Hikkaduwa

BUS

Des bus fréquents arrivent de Colombo (ordinaire/clim 127/245 Rs, 3 heures) et desservent Galle (40-50 Rs, 30 min). Les bus pour Galle et au-delà vous déposeront au sud de la gare routière, le long du secteur des pensions. Au départ d'Hikkaduwa, vous aurez plus de chances d'avoir une place assise en partant de la **gare routière** (Galle Rd).

TRAIN

Les trains son assez fréquents sur la ligne littorale, mais il est difficile de trouver un siège quand on monte à bord à Hikkaduwa ; évitez les trains lents qui s'arrêtent partout. Renseignez-vous à la gare sur les horaires des trains express. Parmi les destinations figurent Colombo (2e/3e classe 160/85 Rs, 2-3 heures), Galle (2e/3e classe 40/20 Rs, 30 min) et Matara.

VOITURE

Deux routes relient Hikkaduwa à Galle et Colombo. L'ancienne route Colombo-Galle traverse le centre d'Hikkaduwa ; le trajet dure environ 3 heures jusqu'au centre de Colombo, 4 ou 5 heures jusqu'à l'aéroport (en période creuse, il est plus rapide). Si vous conduisez ou rejoignez Colombo en taxi, cela vaut la peine d'emprunter la Southern Expressway, une route à péage qui relie la côte à l'intérieur des terres en 15 minutes.

Comment circuler

De la gare routière ou ferroviaire, la course en *túk-túk* jusqu'à Wewala ou Narigama revient à 150 Rs environ. La moto procure une grande liberté pour rejoindre les plages désertes, les temples et les sites des environs d'Hikkaduwa. **International Travels** (Galle Rd) est une adresse fiable pour louer des vélomoteurs (800 Rs) et des motos tout-terrain (1 700 Rs).

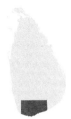

Le Sud

Dans ce chapitre ➜

Galle 110
Unawatuna et ses environs........... 122
Thalpe et Koggala...... 127
Ahangama et Midigama 129
Weligama.................... 133
Mirissa....................... 134
Matara 137
Tangalla et ses environs........... 142
Tissamaharama 146
Parc national de Yala ..151
Kataragama 153

Le top des restaurants

- ➜ Bedspace Kitchen (p. 127)
- ➜ Fort Printers (p. 118)
- ➜ Jinas Vegetarian and Vegan Restaurant (p. 126)
- ➜ Church St Social (p. 120)
- ➜ Mango Shade (p. 145)

Le top des hébergements

- ➜ Blue Turtle (p. 147)
- ➜ Fort Bazaar (p. 118)
- ➜ Mirissa Hills (p. 136)
- ➜ Chill (p. 144)
- ➜ Lonely Beach Resort (p. 144)
- ➜ Pilgrim's Hostel (p. 116)

Pourquoi y aller

Le Sud est un enchantement pour les sens, à commencer par la beauté du littoral, où les croissants de sable blanc s'adossent à des collines couvertes de forêts émeraude. La visite de la région est un véritable régal. Chaque virage de la route littorale dévoile une nouvelle crique de rêve. Galle, ville fortifiée à l'histoire captivante, est indéniablement la perle culturelle du Sud. Et la spiritualité marque de son empreinte tant les grottes isolées ornées d'art d'inspiration bouddhique que le quartier sacré de Kataragama, importante ville de pèlerinage.

Quelles que soient vos envies, le Sud les comblera. Les surfeurs y reviennent chaque année en quête de la vague parfaite. On peut voir des baleines bleues jaillir hors de l'eau au large et des tortues ramper sur les plages au clair de lune, tandis que, dans les parcs nationaux, les léopards se meuvent tels des esprits dans la nuit et les éléphants barrissent dans la forêt pour saluer la lumière du jour.

Quand partir

Galle

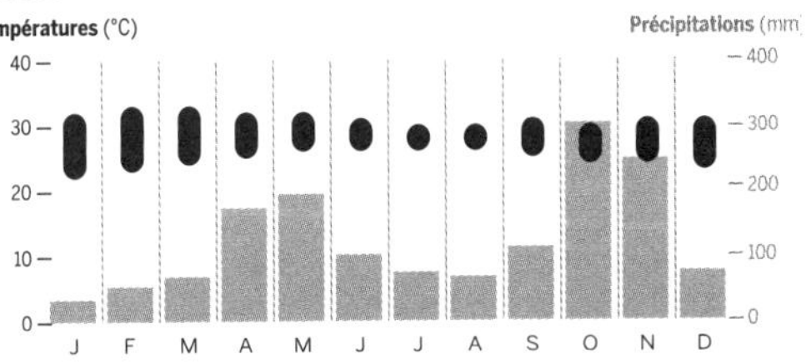

Décembre-avril Les baleines sillonnent l'océan, l'animation règne sur les plages, et tout est ouvert.

Juillet-août Des pèlerins s'infligent des mortifications lors de la fête de Kataragama.

Novembre Les pluies de la mousson cessent, les stations balnéaires se réveillent.

À ne pas manquer

❶ Les rues évocatrices de **Galle** (ci-dessous), ville inscrite au patrimoine mondial.

❷ Le spectacle inoubliable des plus grosses créatures au monde, lors d'une excursion d'**observation des baleines bleues** (p. 135), au départ de Mirissa.

❸ La plage idéale et encore préservée d'**Hiriketiya** (p. 140).

❹ L'élaboration du thé dans la superbe plantation **Handunugoda Tea Estate** (p. 129).

❺ Les longues promenades sur des plages désertes de **Tangalla** (p. 142).

❻ Les léopards, éléphants et crocodiles du célèbre **parc national de Yala** (p. 151).

❼ L'initiation au surf à **Weligama** (p. 133), destination accueillante pour les routards.

❽ Les flamants, les ibis et les aigles peuplant les zones humides du **parc national de Bundala** (p. 145).

❾ Le spectacle de la brume s'élevant du Tissa Wewa dans le halo rosé du couchant à **Tissamaharama** (p. 146).

Galle

☎ 091 / 103 600 HABITANTS

Galle est un véritable joyau. C'est un plaisir de découvrir à pied cette ville historique inscrite au patrimoine mondial. Un exotisme puissant se dégage de ce vieux port commercial, où d'impressionnants bâtiments coloniaux hollandais voisinent avec des mosquées et églises anciennes, des demeures majestueuses et des musées. Au hasard de ses rues, on croise des cafés élégants, des boutiques excentriques et des hôtels impeccablement restaurés tenus par des artistes, écrivains, photographes et designers, sri lankais ou étrangers.

Édifié par les Hollandais à partir de 1663, le Fort, cœur de la ville, est une enclave fortifiée, bordée par l'océan sur trois côtés. L'endroit n'a rien d'un musée. Certes le tourisme domine désormais l'économie locale, mais le Fort et la ville forment une cité dynamique, avec ses administrations, ses tribunaux, ses entreprises, ses écoles et ses universités.

La plupart des voyageurs succombent au charme de Galle, sans conteste la destination incontournable au Sri Lanka.

Histoire

Certains exégètes pensent que Galle pourrait être Tarsis, la cité où le roi Salomon se procurait pierres précieuses et épices, même si la plupart des historiens l'associent à Tartessos, en Espagne. Quoi qu'il en soit, Galle n'acquit de l'importance qu'à l'arrivée des Européens. En 1505, une flotte portugaise ayant mis cap sur les Maldives fut déroutée par les vents et se réfugia dans le port. Entendant chanter un coq (*galo* en portugais), les marins auraient donné son nom à la ville. Selon une explication plus plausible, son appellation viendrait du mot cinghalais *gala* (rocher).

En 1589, tandis que faisait rage un des conflits sporadiques qui les opposèrent au royaume de Kandy, les Portugais bâtirent un petit fortin qu'ils appelèrent Santa Cruz. Ils l'agrandirent plus tard de bastions et de remparts, mais les Hollandais, qui s'emparèrent de Galle en 1640, détruisirent la plupart des traces de la présence portugaise.

Après la construction du Fort au XVIIe siècle, Galle devint le principal port du pays pendant plus de 200 ans, et fut une escale importante pour les navires qui circulaient entre l'Europe et l'Asie. Lorsque Galle passa aux mains des Britanniques en 1796, le commerce s'était déjà déplacé à Colombo. La construction de brise-lames dans le port de Colombo à la fin du XIXe siècle relégua définitivement Galle au rang de port secondaire, même s'il accueille toujours des cargos et des yachts.

À voir

Le quartier du Fort renferme quelque 400 maisons historiques, des églises, des mosquées, des temples et des édifices commerciaux et administratifs anciens. Galle se découvre à celui qui, l'esprit ouvert à tout ce qu'elle recèle, se laisse guider par l'inspiration. La ville nouvelle mérite également le détour, avec ses boutiques et marchés.

Une importante communauté musulmane vit et travaille à l'intérieur du Fort, principalement dans le sud de la cité fortifiée. Plusieurs boutiques ferment quelques heures en milieu de journée le vendredi, pour la prière.

Remparts du Fort

Impossible de visiter Galle sans faire une balade au crépuscule sur les remparts du Fort. Alors que la chaleur se sera atténuée, vous pourrez pratiquement faire le tour du quartier en suivant le chemin de ronde durant une heure ou deux. Vous croiserez de nombreux habitants et pléthore d'enfants occupés à piquer une tête dans les eaux protégées ou à jouer au cricket.

On distingue aisément les murs édifiés par les Portugais de ceux bâtis par les Hollandais : ces derniers concevaient en effet des murailles bien plus épaisses afin d'y installer des canons.

Flag Rock — SITE HISTORIQUE

(Rampart St). Le rocher du Drapeau, à l'extrémité la plus méridionale du Fort, était jadis un bastion portugais. Aujourd'hui, c'est le rendez-vous le plus prisé pour admirer le coucher du soleil. En journée, vous verrez des casse-cou sauter dans l'eau depuis les rochers. De nombreux marchands de rue vendent de bons en-cas, tels que la papaye fraîche accompagnée de piment en poudre.

Durant la période hollandaise, les dangereux récifs étaient signalés aux navires approchant du haut du bastion qui couronne Flag Rock, d'où son nom. Des salves de mousquet, tirées de Pigeon Island, près du rocher, permettaient d'aviser du péril les équipages des navires.

Par la suite, les Hollandais y érigèrent un phare, lequel a disparu depuis, mais dont la rue voisine a, par son nom, conservé la mémoire (Lighthouse Street).

Old Gate — ÉDIFICE HISTORIQUE

De belles armoiries britanniques sculptées coiffent l'entrée de la Vieille Porte du côté extérieur des remparts. À l'intérieur, les lettres VOC (*Verenigde Oostindische Compagnie* ; Compagnie hollandaise des Indes orientales) sont gravées dans la pierre, flanquées de 2 lions et surmontées d'un coq, avec la date 1669. Une partie des remparts servait aussi à entreposer les épices.

Main Gate — ÉDIFICE HISTORIQUE

(Lighthouse St). Au nord, la Main Gate (porte principale), assez récente, fut construite par les Britanniques en 1873 pour faciliter la circulation dans la vieille ville. Cette partie des remparts, la plus fortifiée car faisant face aux terres, fut édifiée et pourvue de douves par les Portugais, puis agrandie par les Hollandais qui, en 1667, en firent 3 bastions appelés Étoile, Lune et Soleil (Star, Moon et Sun Bastions).

Point Utrecht Bastion — ÉDIFICE HISTORIQUE

(Hospital St). La section est des remparts de Galle se termine au Point Utrecht Bastion, proche de la poudrière, qui arbore une inscription hollandaise datant de 1782. C'est ici que se dresse l'actuel **phare** (Hospital St) de la ville.

Lighthouse Beach — PLAGE

(Près de Hospital St). Cette petite plage sablonneuse, immédiatement à l'est du Fort, n'est pas idéale pour la baignade en raison des rochers proches du rivage et des déchets qui jonchent souvent le sable.

Galle

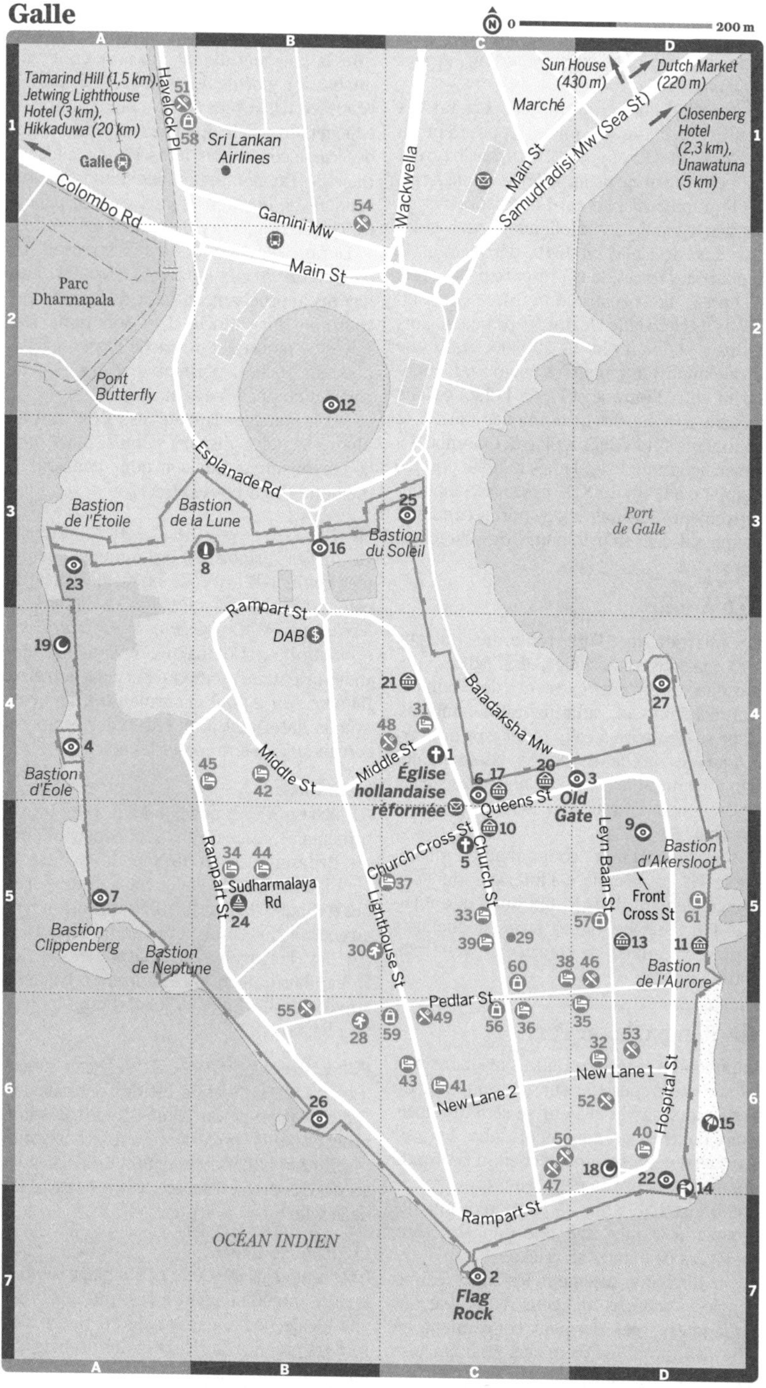

0 — 200 m

A B C D
1 2 3 4 5 6 7

Tamarind Hill (1,5 km), Jetwing Lighthouse Hotel (3 km), Hikkaduwa (20 km)
Galle
Havelock Pl
51
58
Sri Lankan Airlines
Colombo Rd
Gamini Mw
54
Main St
Wackwella
Marché
Main St
Samudradisi Mw (Sea St)
Sun House (430 m)
Dutch Market (220 m)
Closenberg Hotel (2,3 km), Unawatuna (5 km)
Parc Dharmapala
Pont Butterfly
12
Esplanade Rd
Bastion de l'Étoile
Bastion de la Lune
25
Bastion du Soleil
8
16
23
Port de Galle
Rampart St
DAB
19
21
Baladaksha Mw
27
31
48
Middle St
1
Église hollandaise réformée
4
Bastion d'Éole
45
42
Middle St
6
17
20
3
Old Gate
Queens St
10
Leyn Baan St
9
Bastion d'Akersloot
Church Cross St
5
Church St
Rampart St
34
44
Sudharmalaya Rd
24
37
7
Bastion Clippenberg
Bastion de Neptune
Lighthouse St
33
57
Front Cross St
61
39
29
13
11
30
60
38
46
Bastion de l'Aurore
55
Pedlar St
28
59
49
56
36
35
53
32
43
41
New Lane 2
New Lane 1
52
Hospital St
26
50
40
15
47
18
22
14
Rampart St
OCÉAN INDIEN
2
Flag Rock

Galle

Les incontournables
1 Église hollandaise réformée C4
2 Flag Rock C7
3 Old Gate D4

À voir
4 Bastion d'Éole A4
5 Église anglicane de Tous-les-Saints C5
Amangalla .... (voir 31)
6 Clocher C4
7 Bastion Clippenberg A5
8 Clock Tower (tour de l'horloge) B3
9 Court Square D5
10 Maison du gouverneur hollandais C5
11 Dutch Hospital D5
12 Galle International Cricket Stadium B2
13 Historical Mansion D5
14 Phare D6
15 Lighthouse Beach D6
16 Main Gate B3
17 Marine Archeological Museum C4
18 Mosquée Meeran D6
19 Tombeau du saint musulman A4
20 National Maritime Museum C4
21 National Museum C4
22 Point Utrecht Bastion D6
23 Bastion de l'Étoile A3
24 Temple Sudharmalaya B5
25 Bastion du Soleil C3
26 Bastion du Triton B6
27 Zwart Bastion D4

Activités
28 Galle Fort Spa B6
29 Galle Fort Tours C5
Galle Fort Walks .... (voir 53)
30 Spa Sandeshaya B5

Où se loger
31 Amangalla C4
32 Antic Guesthouse D6
33 Fort Bazaar C5
34 Fort Dew Guesthouse B5
35 Fort Inn D6
36 Fort Printers C6
37 Fortaleza C5
38 Frangipani Motel C5
39 Galle Fort Hotel C5
40 Light House View Inn D6
41 Mrs ND Wijenayake's Guest House C6
42 New Old Dutch House B4
43 Pedlar's Inn Hostel C6
44 Pilgrim's Hostel B5
45 Seagreen Guest House B4

Où se restaurer
46 Cafe Punto D5
Church Street Social .... (voir 33)
47 Dairy King C6
48 Elita Restaurant C4
Fort Printers .... (voir 36)
49 Heritage Cafe C6
50 Mamas Galle Fort Cafe C6
51 Old Railway Cafe A1
52 Royal Dutch Cafe D6
53 Serendipity Arts Cafe D6
54 South Ceylon Bakery B1
55 Spoon's Cafe B6

Où prendre un verre et faire la fête
Amangalla .... (voir 31)

Achats
56 Barefoot C6
57 Olanda Antiques D5
58 Old Railway A1
59 Shoba Display Gallery C6
60 Stick No Bills C5
61 Withered Leaves D5

Fort

La plupart des anciens bâtiments du Fort datent de l'époque hollandaise ; nombre de rues portent encore des noms hollandais ou leur traduction. Les Hollandais avaient également construit un ingénieux système d'égouts nettoyé chaque jour par la marée. Dans un souci d'efficacité, ils élevèrent des rats musqués dans les égouts et les exportèrent pour leur musc.

Si vous avez visité Galle il y a une vingtaine d'années, vous serez surpris de la retrouver aujourd'hui : les rues en ruine ont été soigneusement repavées, et nombre d'édifices historiques ont été rénovés ou sont en cours de restauration. Or, comme en manière de rappel de temps moins policés, il arrive qu'un singe facétieux bondisse en poussant un cri.

Église hollandaise réformée ÉGLISE
(Groote Kerk, Great Church ; angle Church St et Middle St ; 9h-17h). Une église fut édifiée ici en 1640, mais le bâtiment actuel date de 1752. Le sol est pavé de pierres tombales issues de cimetières hollandais et l'on peut voir, entre autres éléments remarquables, un orgue et une chaire imposante en bois de calamandre coiffée d'un dais hexagonal. Vous rencontrerez peut-être le sympathique gardien qui vous montrera le mémorial (un peu bizarre) en bois sculpté dédié à Abraham Samlant, commandant de Galle – la petite chemise de coton est celle qu'il aurait portée pour son baptême.

Marine Archeological Museum MUSÉE
(Church St ; adulte/enfant 710/355 Rs ; ⌚8h-17h). Ce musée maritime spacieux occupe un immense entrepôt à épices construit par les Hollandais à la fin du XVIIe siècle. Le bâtiment était intégré à la principale porte du Fort et fait encore partie des remparts. Une vidéo de présentation plante le décor tandis que des installations interactives éclairent le passé maritime de la ville et les nombreux naufrages survenus dans les eaux de Galle. Il occupe deux niveaux, qui serpentent à travers les remparts.

National Maritime Museum MUSÉE
(Queens St ; adulte/enfant 300/150 Rs ; ⌚9h-16h30 mar-sam). Niché dans les remparts, ce petit musée mérite un rapide coup d'œil pour son squelette de rorqual de Bryde et sa maquette très intéressante expliquant le phénomène des tsunamis. Des installations poussiéreuses détaillent les anciennes techniques de pêche et montrent les types d'embarcations locales.

Dutch Hospital ÉDIFICE HISTORIQUE
(Hospital St). Entièrement restauré, ce vaste bâtiment colonial à colonnade du XVIIIe siècle abrite désormais des myriades de boutiques et restaurants haut de gamme. Un hôpital de cette taille était nécessaire dans la mesure où le voyage à Ceylan et la vie sous les tropiques éprouvaient grandement la santé des Hollandais, qui mouraient par centaines, tant du fait de diverses maladies que des effets délétères de la chaleur tropicale. Le balcon supérieur offre une vue de choix sur la baie.

Historical Mansion ÉDIFICE HISTORIQUE
(31-39 Leyn Baan St ; ⌚9h-18h). GRATUIT Cet hôtel particulier d'époque hollandaise, qui tient davantage du magasin d'antiquités que du musée, présente la collection privée d'une vieille famille locale. De nombreux objets y sont à vendre. Vous trouverez ici un bric-à-brac de souvenirs coloniaux, dont d'antiques machines à écrire, des porcelaines de la VOC et des bijoux. Observez les artisans qui polissent des gemmes et fabriquent de la dentelle ; un guide assure la visite.

Amangalla ÉDIFICE HISTORIQUE
(10 Church St). L'Amangalla fut construit en 1684 pour loger le gouverneur et des officiers hollandais. Devenu le New Oriental Hotel, il accueillait les passagers de

Promenade à pied : le Fort

DÉPART TOUR DE L'HORLOGE
ARRIVÉE TOUR DE L'HORLOGE
DISTANCE 2,75 KM ; 3 À 4 HEURES

Cette promenade dévoile les sites majeurs de Galle, au fil de 4 siècles d'histoire. L'un des charmes du quartier du Fort tient à ce que les flâneries sans but y soient toujours récompensées d'une agréable surprise. N'hésitez donc pas à vous écarter de l'itinéraire suggéré ici.

Commencez par la 1 **Clock Tower**, tour de l'horloge dont le mécanisme britannique de 1882 donne toujours l'heure exacte. Le temps d'une pause, regardez au-delà du terrain de cricket vers la ville nouvelle. Longez les remparts côté intérieur jusqu'à la 2 **Main Gate** (p. 111) de construction britannique. En prenant garde aux rickshaws lancés à vive allure, traversez Lighthouse St, puis longez les murailles jusqu'au 3 **Bastion du Soleil**, et sa vue sur le port.

Faites demi-tour et éloignez-vous des remparts pour remonter Church St et rejoindre le cœur du vieux Galle hollandais. Après avoir admiré l'hôtel 4 **Amangalla** (ci-contre), traversez Middle St et pénétrez dans l' 5 **Église hollandaise réformée** (p. 113). En face, le 6 **clocher** (1901) sonne le tocsin en cas de tsunami. Continuez vers le sud dans Church St jusqu'à l' 7 **église anglicane de Tous-les-Saints**, située à l'angle de Church Cross St. Construite entre 1868 et 1871, elle a besoin de constantes réparations (laissez votre obole dans le tronc). Immédiatement au sud se dresse l'imposante façade (XVIIe siècle) de l'hôtel 8 **Fort Bazaar** (p. 118).

Revenez sur vos pas et tournez vers l'est dans Queens St. Là, observez la 9 **maison du gouverneur hollandais**, datant de 1683. Au-dessus de l'entrée, une plaque arbore cette même date ainsi qu'un coq, le symbole omniprésent de Galle. Descendez la rue en pente douce et faites une halte pour admirer les deux côtés de l' 10 **Old Gate** (p. 111). Remontez sur les remparts pour rejoindre l'angle nord-est du Fort et le 11 **Zwart Bastion**. Sans doute bâti par les Portugais, c'est le plus ancien des bastions du Fort, certaines de ses parties datant de 1580.

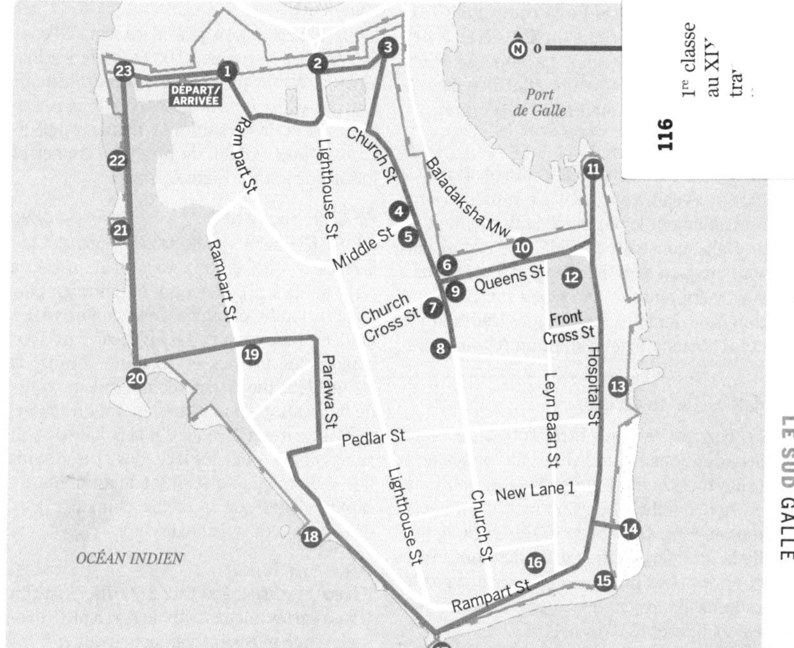

Descendez ensuite jusqu'à la vaste étendue verte de 12 **Court Sq**. Divers tribunaux et administrations en lien avec la justice entourent cette place. Suivez Hospital St vers le sud pour contempler le 13 **Dutch Hospital** (ci-contre). Restauré avec opulence, il accueillait jadis les malades de la peste, mais abrite aujourd'hui plusieurs cafés chics. Vous pourrez peut-être à cet endroit piquer une tête dans les eaux de 14 **Lighthouse Beach** (p. 111).

À l'angle sud-est du Fort, impossible de manquer le 15 **phare** (p. 111) de construction britannique. Immédiatement à l'ouest, dans Rampart St, vous verrez l'imposante 16 **mosquée Meeran**. En poursuivant vers l'ouest, on atteint le 17 **Flag Rock** (p. 111), endroit idéal pour contempler les rochers immergés qui valurent à tant de navires de sombrer au fil des siècles. Parcourez les remparts en direction du nord-ouest jusqu'au 18 **Bastion du Triton**, superbe au couchant.

Il est temps de descendre des remparts pour rejoindre Pedlar St, bordée de cafés, puis prendre la direction nord en tournant dans Parawa St. Ces deux étroits pâtés de maisons regroupent certaines des demeures coloniales hollandaises les plus typiques, avec leurs épaisses colonnes et leurs porches ombragés caractéristiques. Bifurquez vers l'ouest et, à l'angle de Rampart St, observez le 19 **temple Sudharmalaya** avec son dagoba compact et son grand bouddha couché. Si vous avez la chance de vous trouver là au moment de la pleine lune, vous pourrez voir toutes sortes de cérémonies, dont beaucoup s'accompagnent de lumières colorées et de bougies à la nuit tombée.

Remontez de nouveau sur les remparts à hauteur du 20 **Bastion Clippenberg**. Au-dessous de vous, évoluant dans les vagues, peut-être verrez-vous des tortues se nourrir au crépuscule. Longez les remparts vers le nord, puis profitez de la grande pelouse qui, jusque très récemment, faisait partie de la base militaire de la Galle d'aujourd'hui.

Au nord du 21 **Bastion d'Éole**, repérez le 22 **tombeau** du saint musulman Dathini Ziryam à l'extérieur des remparts. Puis, à l'angle nord-ouest du Fort, faites halte au 23 **Bastion de l'Étoile**, qui témoigne du sombre passé de la ville. Ces fortifications ont servi aux Hollandais, à diverses époques, de prison et de quartiers des esclaves. Après le bastion, terminez le circuit à la Clock Tower.

…es navires de la compagnie P&O … siècle. Au cours du XXe siècle, le lieu …ersa un lent déclin. La fameuse Nesta …rohier, grande dame qui était née dans la chambre n°25, en était alors la gérante.

National Museum MUSÉE
(☎091-223 2051 ; Church St ; adulte/enfant 300/150 Rs ; ⏲9h-17h mar-sam). Ce musée occupe probablement le plus vieil édifice hollandais de Galle, construit en 1686. Les expositions sont un peu poussiéreuses et datées mais vous y apprendrez des choses sur la fabrication de la dentelle, les masques traditionnels et les objets religieux, dont un reliquaire.

Ville nouvelle

Le Fort est, à juste titre, l'objet de toutes les attentions. Pourtant la ville nouvelle de Galle mérite aussi le détour. Ses boutiques et ses marchés bourdonnent d'animation tout au long de la journée. Havelock Pl, près de la gare ferroviaire, attire des commerces et entreprises intéressants qui n'ont pas les moyens de payer les loyers toujours plus élevés pratiqués dans le Fort.

Dutch Market MARCHÉ
(Main St ; ⏲7h-18h). Le marché hollandais et ses étals de fruits et légumes sont installés sous un toit à colonnes vieux de 300 ans. D'autres commerces d'épices et d'alimentation jalonnent Main St, une artère animée.

Galle International Cricket Stadium STADE
(Main St). Champ de courses des parieurs britanniques à l'époque coloniale, le stade de cricket de Galle a été inauguré il y a plus de 100 ans. Depuis 1998, il accueille des matchs internationaux. En 2010, c'est là qu'a joué pour la dernière fois Muttiah Muralitharan, légende sri lankaise du cricket. Une belle perspective ouvre depuis le bastion du Soleil au sud.

Activités et circuits organisés

Spa Sandeshaya SPA
(☎071 740 8494 ; www.spasandeshaya.com ; 44 Lighthouse St ; ⏲10h-19h). Installé dans un impressionnant bâtiment Art déco, ce spa très professionnel propose d'excellents massages dispensés par un personnel expérimenté. Gommage et massage des pieds 3 500 Rs, massage du dos à partir de 4 000 Rs.

Galle Fort Spa SPA
(☎077 725 2502 ; www.gallefortspa.com ; 63 Pedlar St ; massage à partir de 5 500 Rs/heure ; ⏲10h-18h30 lun-sam). Spa haut de gamme déclinant tout un choix de soins (essayez le massage sérénité) et de prestations (manucure, pédicure...), avec emploi de produits, crèmes et lotions de grande qualité.

♥ **Galle Fort Walks** À PIED
(☎077 683 8659 ; julietcoombe@yahoo.com.au ; Serendipity Arts Cafe, 60 Leyn Baan St ; circuits à partir de 25 $US). Écrivain et photographe, Juliet Coombe organise d'excellentes visites guidées dans le Fort. Le Mystical Fort Tour explore les mythes et légendes locaux, la visite Meet the Artists comprend un cours de fabrication de masques en option (prévenez 24 heures à l'avance), et la balade du soir se passionne pour les légendes et traditions liées à la magie noire. Il y a aussi d'intéressantes visites sur le thème culinaire (avec dégustation de cuisine de rue).

Galle Fort Tours CIRCUITS
(Church St ; circuits à partir de 3 000 Rs ; ⏲9h-17h). Il vaut certes mieux visiter le Fort à pied, mais sachez que plusieurs conducteurs de *túk-túk* proposent des visites de Galle. Ils attendent près du Galle Fort Hotel ou de l'Old Gate. Attendez-vous à vivre un grand moment en compagnie de fortes personnalités.

Fêtes et festivals

Galle Literary Festival CULTUREL
(www.galleliteraryfestival.com ; ⏲jan). Ce festival annuel, un des événements culturels majeurs du Sri Lanka, réunit des écrivains asiatiques et occidentaux renommés. Au programme : ateliers, causeries, déjeuners et dîners littéraires.

Où se loger

Le Fort compte de plus en plus d'hébergements, dont des hôtels historiques remarquables, mais peu de bons établissements pour les budgets serrés. Réservez en haute saison car la demande ne cesse de croître. Vous trouverez aussi quelques adresses dans les environs, parmi lesquelles des complexes hôteliers avec piscine.

Fort

♥ **Pilgrim's Hostel** AUBERGE DE JEUNESSE $
(☎077 698 0257 ; pilgrimsgalle@yahoo.com ; 6 Sudharmalaya Rd ; dort 13 $US ; wifi). Presque en face du temple bouddhique Sudharmalaya,

LIVRES SUR GALLE

Si vous lisez l'anglais, vous pourrez vous procurer les livres suivants dans des boutiques du Fort :

- *Galle: As Quiet As Asleep*, de Norah Roberts. Libraire à Galle depuis de nombreuses années, l'auteure livre une vision intéressante et agréable à lire de l'histoire locale.
- *Around the Fort in 80 Lives*, de Juliet Coombe et Daisy Perry. Des habitants du Fort racontent des histoires aussi surprenantes qu'éclairantes.
- *Drawn to Galle Fort*, de Juliet Coombe. Ce guide exhaustif propose des balades thématiques dans le Fort et donne des détails sur la ville nouvelle et des curiosités situées au-delà.
- *Galle Fort*, de Mark Thompson et Karl Steinberg. Visite condensée détaillée des sites inscrits au patrimoine mondial.

cette nouvelle auberge de jeunesse dispose de bons dortoirs mixtes où chaque lit a sa lampe de lecture, son ventilateur, sa moustiquaire et sa prise électrique. Dans la salle à manger, on rencontre d'autres voyageurs en sirotant un thé ou une bière. Petit-déjeuner inclus.

Pedlar's Inn Hostel PENSION **$**
(☎ 091-222 7443 ; www.pedlarsinn.com ; 62 Lighthouse St ; dort 12-17 $US, ch 50-60 $US ; ❄ 📶). Une pension engageante forte de bonnes chambres de type auberge de jeunesse. Chacune a 3 ou 4 lits, un ventilateur, des lampes de lecture et des casiers. Deux chambres individuelles sont climatisées. Possibilité de louer un vélo. Petit-déjeuner en libre-service.

Mrs ND Wijenayake's Guest House PENSION **$**
(Beach Haven ; ☎ 091-223 4663 ; www.beachhaven-galle.com ; 65 Lighthouse St ; ch 2 500-6 000 Rs ; ❄ 📶). La merveilleuse Mrs Wijenayake et sa famille accueillent des globe-trotters depuis 1968 dans cette pension confortable à l'image de leur hospitalité. Les chambres vont des plus simples, de bonne tenue et avec sdb commune, aux plus élégantes, climatisées – tous les lits ont une moustiquaire.

Light House View Inn PENSION **$**
(☎ 091-223 2056 ; www.lighthouseviewinn.com ; 44 Hospital St ; ch basique 2 500 Rs, ch avec ventil/clim 3 500/7 000 Rs ; ❄ 📶). Cette auberge bon marché bénéficie d'un bon emplacement face au phare de Galle (prenez une chambre avec balcon). Néanmoins, les chambres sont vieillottes et mal entretenues et l'accueil est très inégal. Les moins chères se partagent une sdb commune. Vous serez réveillé tôt par l'appel lancé depuis la mosquée voisine.

Seagreen Guest House PENSION **$$**
(☎ 091-224 2754 ; www.seagreen-guesthouse.com ; 19B Rampart St ; s/d 45/52 $US ; ❄ 📶). Jolie pension d'une élégante simplicité. Tissus indiens et œuvres d'art apportent des touches de couleurs aux murs chaulés des 5 chambres climatisées, dont certaines jouissent d'une vue splendide sur l'océan. Les sdb figurent parmi les plus belles dans cette catégorie de prix, et, depuis le toit-terrasse, le coucher du soleil sur les remparts et l'océan Indien est sublime. Petit-déjeuner en sus.

Frangipani Motel PENSION **$$**
(☎ 091-222 2324 ; www.frangipanigallefort.com ; 32 Pedlar St ; ch 45-65 $US ; ❄ 📶). Les chambres de cette confortable pension tenue en famille sont réparties dans 2 maisons de part et d'autre de Pedlar St. Il y a 5 prix différents : les plus chères contiennent 2 lits doubles, toutes sont climatisées et disposent d'une sdb. La décoration n'est pas du meilleur goût, mais les chambres sont bien entretenues et le joli jardin situé devant se prête aux rencontres.

Fort Dew Guesthouse PENSION **$$**
(☎ 091-222 4365 ; www.fortdew.com ; 31 Rampart St ; ch à partir de 5 500 Rs ; ❄ 📶). Murs blancs et bois sombre composent une décoration simple et réussie dans cette petite pension proche des anciens remparts dans la partie calme du Fort. Les chambres se partagent des balcons donnant sur les remparts et l'océan. Un café-bar est installé sur le toit-terrasse.

New Old Dutch House HÔTEL **$$**
(☎ 091-223 2987 ; www.newolddutchhouse.lk ; 21 Middle St ; ch 44-55 $US ; ❄ 📶). Cet établissement loue des chambres spacieuses et bien agencées, avec parquets cirés, lit moelleux, TV satellite, réfrigérateur et clim. Possibilité de prendre le petit-déjeuner dans la cour, sous des papayers.

Fort Inn PENSION $$

(☎091-224 8094 ; rasikafortinn@yahoo.com ; 31 Pedlar St ; ch 3 500-5 000 Rs ;). Toujours souriant, le propriétaire de cette pension propose des chambres basiques mais agréables. La pension compte un balcon parfait pour observer le spectacle de la rue. Les chambres économiques sont un peu exiguës tandis que les plus chères disposent d'un réfrigérateur et de la clim.

♥ **Fort Printers** BOUTIQUE-HÔTEL $$$

(☎091-224 7977 ; www.thefortprinters.com ; 39 Pedlar St ; ch 185-190 $US ;). Au cœur du Fort, cet imposant édifice de 1825, qui hébergea une imprimerie puis une école, est aujourd'hui divisé en deux parties : les chambres de la partie ancienne, aux poutres massives, sont très spacieuses, tandis que celles de l'autre partie, plus contemporaines, présentent une décoration moderne et raffinée. Le restaurant (p. 120) est un des meilleurs de Galle.

♥ **Antic Guesthouse** BOUTIQUE-HÔTEL $$$

(☎077 901 9324 ; www.antic.lk ; 3 New Lane 1 ; ch 60-75 $US ;). Ce bâtiment historique a été transformé en pension accueillante par ses hôtes sympathiques, doués d'un tempérament artistique et du sens du design. Un charme balnéaire imprègne les chambres, dotées de luminaires élégants, de parquets peints et du confort moderne – clim, TV écran plat et sèche-cheveux entre autres. Délicieux petit-déjeuner inclus.

♥ **Fort Bazaar** HÔTEL HISTORIQUE $$$

(☎077 363 8381 ; www.teardrop-hotels.com/fort-bazaar ; 26 Church St ; ch/ste à partir de 175/295 $US ;). Après 9 ans de remarquables travaux de restauration, cet hôtel particulier du XVIIe siècle est devenu l'un des hôtels les plus évocateurs de Galle, doté de 18 chambres et suites somptueuses, spacieuses, décorées de teintes naturelles, équipées de machine à expresso et de superbes sdb. Il abrite aussi l'excellent bar-restaurant Church Street Social, une petite bibliothèque et un spa. Une piscine est en projet.

Amangalla BOUTIQUE-HÔTEL $$$

(☎091-223 3388 ; www.amanresorts.com ; 10 Church St ; ch à partir de 500 $US ;). Cet hôtel Aman fait assaut d'opulence coloniale dans l'un des édifices les plus célèbres du Fort. Les salles de réception (avec parquet en teck et mobilier d'époque) donnent le ton : le personnel en tenue élégante vient y apporter, dans un ballet bien réglé, des cocktails de bienvenue aux clients. Il y a plusieurs catégories de chambres – toutes luxueuses, d'une présentation irréprochable et équipées de lits à baldaquin – mais les moins chères sont un peu petites. Lorsqu'il était encore le New Oriental Hotel, l'édifice a reçu des générations de voyageurs. La splendide bibliothèque rappelle à la fois ce passé glorieux et la famille hollandaise qui gérait l'hôtel. Tout comme la magnifique piscine, elle tient d'un excellent prétexte à sortir de sa chambre.

Galle Fort Hotel BOUTIQUE-HÔTEL $$$

(☎091-223 2870 ; www.galleforthotel.com ; 28 Church St ; ch/ste à partir de 310/375 $US ;). Après une restauration saluée par l'Unesco, cette ancienne demeure de négociant hollandais du XVIIe siècle a été transformée en un splendide hôtel de charme. Chaque chambre est différente : certaines sont en duplex, d'autres occupent un étage entier. Le linge est ravissant et l'absence de TV vous laissera tout loisir de profiter de la piscine et de la sérénité du lieu.

Fortaleza BOUTIQUE-HÔTEL $$$

(☎091-223 3415 ; www.fortaleza.lk ; 9 Church Cross St ; ch 125-165 $US ;). Cet ancien entrepôt à épices a été converti en fabuleux petit hôtel. Les chambres doivent leur luxe discret à un mobilier de style colonial sans ostentation. Les salles de bains sont spacieuses. Optez pour la Library Room, inondée de soleil grâce à son immense fenêtre circulaire.

Environs de Galle

Maggie Garden Hostel AUBERGE DE JEUNESSE $

(☎091-223 2836 ; www.facebook.com/maggiehostel ; 492 Dangedera Mawatha ; ch 30-45 $US, dort 10 $US ;). Cette nouvelle auberge de jeunesse est à 3 km du Fort à l'intérieur des terres, mais il est facile de la rejoindre en bus ou en *túk-túk* et l'on peut louer des vélos. Le bâtiment séparé est très attrayant, il y a un charmant jardin et une cuisine à disposition des clients. Les prix sont intéressants vu la qualité des dortoirs (mixtes ou réservés aux femmes) et des chambres, tous équipés de ventilateurs.

Tamarind Hill BOUTIQUE-HÔTEL $$$

(☎091-222 6568 ; www.asialeisure.lk ; 288 Galle Rd ; ch/ste à partir de 160/270 $US ;).

Cette ancienne demeure d'amiral britannique, datant du XIXe siècle, est devenue un petit hôtel de charme de 10 chambres luxueuses, avec excellent service et piscine frangée de jungle. Les chambres occupent des ailes dotées de préaux et sont décorées de mobilier ancien, de tableaux et de tapis orientaux. Les clients profitent du salon, de la salle à manger et du bar sous de hauts plafonds. À 2 km à l'ouest de la ville nouvelle.

Sun House BOUTIQUE-HÔTEL **$$$**
(091-438 0275 ; www.thesunhouse.com ; 18 Upper Dickson Rd ; ch/ste à partir de 160/240 $US ;). Construite dans les années 1860 par un négociant en épices d'origine écossaise, cette jolie villa est perchée sur une colline ombragée au-dessus de la ville nouvelle. Ses 8 chambres sont de dimensions variables, mais même la plus petite se révèle un bijou de décoration. Il y a un salon garni de livres à feuilleter, un jardin ravissant et un restaurant de qualité.

Jetwing Lighthouse Hotel COMPLEXE HÔTELIER **$$$**
(091-222 3744 ; www.jetwinghotels.com/jetwinglighthouse ; Galle Rd ; ch à partir de 220 $US ;). Certaines parties de ce vaste *resort* situé à 3 km du Fort sur le littoral sont dues au célèbre architecte sri lankais Geoffrey Bawa, tandis que d'autres sont plus ordinaires. Les chambres et les restaurants ne vous décevront pas mais les atouts maîtres de cet hôtel Jetwing sont le cadre au bord de l'océan, la plage privée et les deux splendides piscines (dont une de 40 m).

Closenberg Hotel HÔTEL HISTORIQUE **$$$**
(091-222 4313 ; www.closenberghotel.com ; 11 Closenberg Rd ; ch 90-130 $US ;). Construit au XIXe siècle pour loger un capitaine de la P&O à l'apogée de la suprématie commerciale britannique, ce vaste hôtel se dresse sur un promontoire avec vue sur le port de Galle et le Fort (lequel est à 5 minutes à l'ouest en *túk-túk*). Les chambres sont confortables et évocatrices, mais certains équipements auraient besoin d'être remis au goût du jour. Jolie piscine à débordement.

Où se restaurer

Attention à trouver une table dès 21h car la ville n'a rien de très noctambule. Sachez aussi que de nombreux établissements ne servent aucun alcool.

Fort

Question atmosphère, les restaurants situés à l'intérieur du Fort emportent la palme. Les établissements climatisés étant rares, mieux vaut s'y rendre le soir, pour un dîner romantique et détendu, plutôt qu'à midi en pleine chaleur.

Dairy King DESSERTS **$**
(091-222 5583 ; 69A Church St ; desserts à partir de 250 Rs ; 11h-22h). Depuis des années, la famille King produit la meilleure crème glacée de Galle dans cette boutique vitrée. La glace croquante aux noix de cajou et celle au fruit de la Passion sont tout simplement sublimes. Vend aussi des pâtisseries nourrissantes.

Spoon's Cafe SRI LANKAIS **$$**
(077 938 3340 ; 100 Pedlar St ; repas à partir de 450 Rs ; 11h-21h). Ce restaurant minuscule (4 tables seulement) sert un incomparable riz-curry à la mode de Galle. Issu de l'une des plus anciennes familles du Fort, le chef Shamil Roshan Careem prépare des recettes traditionnelles ancestrales. Gardez de la place pour vous régaler de son succulent "Silk Route Toffee".

Royal Dutch Cafe CAFÉ **$$**
(077 177 4949 ; 72 Leyn Baan St ; repas 550-850 Rs ; 8h-19h ;). L'enseigne annonce "Relax Zone" et c'est effectivement un bon endroit pour se poser et profiter de la compagnie de Fazal Badurdeen, le patron, qui a des milliers d'histoires à raconter. Il semble aussi être en mesure de proposer tout autant de thés et de cafés différents, parfumés à la cannelle, à la cardamome, au gingembre, etc. Une petite carte de currys et de bons pancakes à la banane est proposée au petit-déjeuner.

Il n'y a que 4 tables à l'intérieur, mais on peut profiter du spectacle de la rue en terrasse, sous la colonnade.

Mamas Galle Fort Cafe SRI LANKAIS **$$**
(091-223 5214 ; 67 Church St ; plats 450-750 Rs ; 11h-21h). Malini Perera et ses filles servent les voyageurs en quête de curry depuis des décennies, et leur riz-currys, très apprécié et d'une grande simplicité, a toujours du succès, même si les prix ne cessent d'augmenter. Le petit-déjeuner occidental ou oriental (avec des *hoppers*) est roboratif, frais et délicieux également. Les **cours de cuisine** (30 $US) comprennent une excursion au marché de la ville nouvelle.

Serendipity Arts Cafe INTERNATIONAL **$$**

(☎091-224 6815 ; 65 Leyn Baan St ; repas 500-900 Rs ; ⊙8h-21h ; 📶). Rempli d'œuvres d'art, ce café bobo affiche une carte fusion qui comprend des sandwichs à l'occidentale, des currys orientaux, des jus de fruits frais, des *hoppers* avec œufs et bacon et un café filtre. Ambiance décontractée et joli patio.

Heritage Cafe INTERNATIONAL **$$**

(☎091-224 6668 ; 53 Lighthouse St ; repas 500-950 Rs ; ⊙8h-22h ; 📶). À la carte : sandwichs nourrissants, pâtes, steaks et currys sri lankais. Installez-vous sur la terrasse ensoleillée, sous les ventilateurs de la salle ou dans la cour. On peut aussi prendre un simple rafraîchissement – jus de fruits frais, milk-shake ou café glacé – pour combattre la chaleur étouffante.

Cafe Punto SRI LANKAIS **$$**

(42 Pedlar St ; repas 500-800 Rs ; ⊙11h-21h). Le nombre d'éloges qui pleuvent sur ce restaurant de riz-curry est inversement proportionnel à l'étroitesse de la salle. On y sert aussi de savoureux riz et nouilles sautés à la chinoise, ainsi que des *fish and chips* corrects. Lassis, jus et noix de coco fraîches sont à prix raisonnables également.

♥ **Fort Printers** INTERNATIONAL **$$$**

(☎091-224 7977 ; www.thefortprinters.com ; 39 Pedlar St ; repas 1 000-1 800 Rs ; 📶). Ce restaurant d'hôtel idéal pour un repas inoubliable propose une carte concise comprenant du poisson frais et des produits bio locaux. Les plats d'inspiration méditerranéenne (comme le cuissot de chèvre cuit lentement) sont particulièrement réussis mais le riz-curry traditionnel sri lankais est excellent aussi. On peut s'attabler dans la cour ombragée par des frangipaniers située à l'arrière ou bien dans l'impressionnante salle à manger.

♥ **Church Street Social** INTERNATIONAL **$$$**

(☎077 007 2597 ; www.teardrop-hotels.com ; Fort Bazaar Hotel, 26 Church St ; repas 1 200-3 500 Rs ; ⊙7h-22h ; 📶). Pour échapper à la touffeur des rues de Galle et s'offrir un bon repas, cap sur ce restaurant d'hôtel, chic et climatisé. Le cadre, éclectique, joue sur le contraste entre le formalisme des salles de style colonial et les éclairages branchés. La carte, variée, décline sandwichs, *wraps*, burgers, entrées (sashimi de thon) et plats (tajine d'agneau marocain, filet mignon de porc).

Elita Restaurant POISSON **$$$**

(☎077 242 3442 ; www.facebook.com/elita.restaurant ; 34 Middle St ; repas 650-2 000 Rs ; ⊙8h-23h). Les 13 années passées comme chef en Belgique ont donné à Krishantha Suranjith mille talents pour préparer les poissons et fruits de mer. Son nouveau restaurant a l'atout d'une vue superbe sur le phare et le port. C'est l'endroit idéal pour goûter aux délices de la mer. Choisissez une table à l'avant ou à l'étage, dans la jolie salle.

Ville nouvelle

South Ceylon Bakery SRI LANKAIS **$**

(☎091-223 4500 ; 6 Gamini Mawatha ; en-cas 100-300 Rs ; ⊙8h30-21h). En face de la gare routière, cet établissement fait le plein à l'heure du déjeuner avec ses délicieux en-cas salés et sucrés et ses currys relevés. C'est un endroit authentique pour un repas dans la ville nouvelle.

♥ **Old Railway Cafe** CAFÉ **$$**

(☎077 626 3400 ; www.theoldrailwaycafe.wordpress.com ; 42 Havelock Pl ; plats 600-900 Rs ; ⊙10h-18h lun-sam ; 📶). Séparé de la gare du même nom par un petit canal, ce café en étage est décoré d'un mobilier joliment dépareillé et il y règne une ambiance bohème branchée. La carte, alléchante, comprend des soupes, salades et plats originaux (croquettes de poulet enrobées de pesto accompagnées de coleslaw), ainsi que des expressos et des jus de fruits frais. Après le repas, allez voir les vêtements, bijoux et bagues proposés dans la boutique en dessous.

Où prendre un verre et faire la fête

Galle n'est pas réputée pour sa vie nocturne, ce qui ne l'empêche pas de compter quelques adresses où boire un verre dans une ambiance décontractée.

Amangalla BAR À COCKTAILS

(☎091-223 3388 ; www.aman.com/resorts/amangalla ; 10 Church St ; ⊙11h-23h ; 📶). Goûtez à la grande vie en dégustant un délicieux cocktail (cocktails sans alcool 800 Rs, cocktails à partir de 1 200 Rs) ou un verre de vin raffiné à l'hôtel emblématique de Galle. Que vous choisissiez l'élégante véranda située devant ou l'imposant salon Zaal, le cadre est tout simplement éblouissant.

Achats

Ville chargée d'histoire, Galle est un bon endroit pour dénicher des antiquités. On y trouve aussi de plus en plus des boutiques tenues par des créateurs et des adresses haut de gamme. De nombreux commerces de la ville nouvelle ferment le dimanche.

Withered Leaves THÉ
(077 225 0621 ; www.witheredleaves.com ; Dutch Hospital, Hospital Rd). Boutique spécialisée dans le thé proposant un choix étourdissant de thé verts, blancs, thés de Ceylan, thés mélangés ou d'origine unique. On ne vous pousse pas à acheter et le personnel est bien informé.

Stick No Bills AFFICHES
(091-224 2504 ; www.sticknobillsonline.com ; 35 Church St ; 8h-20h). Très belles reproductions d'affiches (3 000 Rs) et de cartes postales (350 Rs) concernant le Sri Lanka au fil du temps. Les affiches de compagnies aériennes et de grands classiques du cinéma sont superbes.

Shoba Display Gallery ARTISANAT
(091-222 4351 ; www.shobafashion.org ; 67A Pedlar St ; 7h30-22h). Cette boutique enseigne diverses techniques artisanales aux femmes et leur garantit un prix juste pour leur travail. Même si vous n'achetez pas, entrez pour voir le processus de fabrication des dentelles. On peut s'inscrire à des cours de fabrication de dentelle (2 000 Rs) ou de papier (1 800 Rs). La boutique comprend un petit café.

Old Railway VÊTEMENTS
(077 626 3400 ; www.theoldrailwaycafe.wordpress.com ; 42 Havelock St ; 10h-18h lun-sam). Boutique éclectique et intéressante, où la plupart des vêtements, bijoux, sacs, jouets et objets à offrir sont conçus et fabriqués sur place à partir de matériaux locaux. Petit café à l'étage.

Barefoot ARTISANAT
(091-222 6299 ; www.barefootceylon.com ; 41 Pedlar St ; 9h-20h lun-sam, 10h-18h dim). Boutique chic vendant vêtements, bijoux, linge de maison, tapis, objets artisanaux et cadeaux colorés, fabriqués au Sri Lanka. Bon rayon de livres.

Olanda Antiques ANTIQUITÉS
(091-223 4398 ; www.olandafurniture.com ; 30 Leyn Baan St ; 9h-18h). Cette immense caverne d'Ali Baba, aménagée dans une maison coloniale hollandaise, recèle entre autres du mobilier d'époque et des reproductions parfaites. Un café la jouxte. Repérez les voitures vintage (une Austin de 1936 et une Morris Minor de 1945) garées devant.

Renseignements

Quelques escrocs et arnaqueurs à la petite semaine sévissent à Galle. Leur opposer un refus ferme et réitéré devrait suffire à vous en débarrasser. Évitez les coins sombres des remparts à la nuit tombée.

Les banques et DAB sont nombreux, aussi bien dans le Fort que dans la ville nouvelle.

DAB (Lighthouse St). Dans le Fort.

Poste (Church St ; 8h-16h30 lun-jeu et sam, 8h-11h45 ven). Petit bureau de poste dans le Fort.

Poste principale (Main St ; 8h-17h lun-ven, 8h-13h sam). Près du marché.

SriLankan Airlines (091-224 6942 ; 3e ét., 16 Gamini Mawatha). Vente de billets d'avion et tous les services habituels des voyagistes.

Depuis/vers Galle

BUS

De nombreux bus locaux rallient les villes situées sur la route côtière, mais peu d'entre eux sont climatisés. Ils partent de la **gare routière** (Main St) située dans la ville nouvelle toutes les 10 à 20 minutes de 4h30 à 20h pour tous les itinéraires. Quelques villes desservies :

Colombo (par la route côtière) 143 Rs, 3 heures 15

Hikkaduwa 36 Rs, 30 min

Matara 65 Rs, 1 heure 15

Weligama 28 Rs, 40 min

Les bus climatisés EX001 reliant Colombo à Galle (400-550 Rs, 1 heure 30, ttes les 20 min) par la Southern Expressway utilisent une gare routière située à Maharagama, une banlieue sud de Colombo ; des bus pour Galle partent aussi de Kadawatha. Le trajet par la voie express prend au minimum 2 heures de moins que par la route côtière. Notez que le trajet peut durer jusqu'à 2 heures 30 entre Galle et l'aéroport international de Bandaranaike, mais il devrait se raccourcir au fur et à mesure qu'ouvrent de nouveaux tronçons de la voie express.

TRAIN

Le trajet ferroviaire le long de la côte entre la gare du Fort à Colombo et la gare de Galle est de loin le plus beau et le plus pittoresque. Le site Internet www.seat61.com est beaucoup plus commode pour consulter les horaires et les prix que le site officiel de Sri Lanka Railways. Il y a au moins 6 express quotidiens sur la ligne Colombo-Matara et tous desservent Galle. Il y a aussi un départ quotidien pour Galle à 5h10 de Kandy (2e/3e classe

320/175 Rs, 6 heures 30) ; le train retour part de Galle à 14h45. La ligne sud est actuellement en voie de prolongation jusqu'à Kataragama, à l'est ; les travaux devraient être terminés d'ici 2018.

Quelques villes desservies :

Gare du Fort, Colombo 2e/3e classe 180/100 Rs, 2 heures15-3 heures 30, 7 à 9/jour

Hikkaduwa 2e/3e classe 40/20 Rs, 30 min, 6 à 9/jour

Matara 2e/3e classe 80/40 Rs, 1 heure-1 heure 30, 5 à 7/jour

VOITURE

Il y a une sortie pour Galle sur la Southern Expressway (route à péage).

Unawatuna et ses environs

091 / 4 800 HABITANTS

Plages bordées de palmiers, eaux turquoise et un bon choix de pensions et restaurants font d'Unawatuna une destination très prisée des voyageurs. Cette station balnéaire est particulièrement bien située : la ville historique de Galle est à seulement 6 km, et un promontoire boisé creusé de petites criques s'étend à l'ouest.

Des années d'urbanisation en dépit du bon sens ont malheureusement vu proliférer au bord du rivage des hôtels et restaurants sans charme bloquant souvent la vue sur la baie.

L'érosion entraînée par la construction de brise-lames mal conçus touche aussi Unawatuna de plein fouet, entraînant la disparition d'une grande quantité de sable des plages. La station était en piteux état en 2012, mais des initiatives récentes ont permis de redresser la situation ; les autorités ont fait pomper du sable au large pour agrandir la plage, qui n'avait pas été aussi belle depuis longtemps.

Côté ambiance, Unawatuna est une ville animée mais sans excès – davantage le genre d'endroit où l'on sort boire un verre le soir qu'une station où l'on fait la fête toute la nuit.

À voir et à faire

Unawatuna doit à son récif frangeant de n'être guère propice au surf. Toutefois, à l'extrémité ouest de la baie, quelques surfeurs locaux dévalent une droite facile. La plage principale convient pour se baigner ou faire du bodyboard. On peut louer du matériel pour faire du **snorkeling** dans les récifs à courte distance de l'extrémité ouest de la plage.

On trouve des **épaves**, un récif et une grotte autour d'Unawatuna. Parmi les épaves figure celle du *Lord Nelson*, un cargo qui a coulé en 2000 ; une cabine de 15 m de long peut s'explorer. Les restes d'un vapeur britannique du XIXe siècle, le *Rangoon* (33 m), reposent à 30 minutes de bateau au sud d'Unawatuna.

Yatagala Raja Maha Viharaya TEMPLE BOUDDHIQUE

(Don 100 Rs). À 4 km d'Unawatuna, dans les terres, ce paisible temple troglodytique comporte un bouddha couché de 9 m de long. Les peintures murales sont caractéristiques de la période kandyenne. Des moines vivent dans ce temple depuis au moins 1 500 ans. Il y a rarement foule, ce qui ajoute encore au charme du lieu. En montant la longue volée de marches, on profite d'une jolie vue sur les rizières alentour.

Temple bouddhique TEMPLE

Ce petit temple bouddhique à l'extrémité ouest de la plage bénéficie d'une vue superbe sur la baie. Il est gardé par un moine vigilant prêt à chasser quiconque feint la piété pour venir chercher un peu d'ombre.

♥ **Sri Yoga Shala** YOGA

(076 569 1672, 077 300 2802 ; www.sriyogashala.com ; Durage Watta, Metaramba ; cours 1 heure 30 1 900 Rs ;). Cette retraite rurale à 3 km d'Unawatuna à l'intérieur des terres est l'une des meilleures du pays. Les installations comprennent une salle de yoga avec vue sur la jungle et une superbe piscine d'eau de mer ; un jardin est en projet. Il y a 3 cours de yoga par jour (vinyasa, Iyengar, hatha, slow-flow et yin), ainsi que des ateliers, des formations pour enseignants et des soins. Des forfaits avec logements dans des hôtels proches sont possibles ; consultez le site Internet. Comptez 400 Rs pour rejoindre le Sri Yoga Shala en *túk-túk* depuis Unawatuna.

Yoga with Asiri YOGA

(077 176 4662 ; www.yogawithasiri.net ; 6 Wella Dewala Rd ; cours à partir de 1 200 Rs ; cours 9h30 tlj, plus 18h déc-avr). Asiri est un professeur apprécié pour son enseignement et son caractère enthousiaste. Il propose également des soins et des massages (3 000 Rs/heure).

Sanctuary Spa SPA

(077 307 8583 ; www.sanctuaryspaunawatuna.com ; 136 Wella Dewala Rd ; massage intégral 1 heure 3 200 Rs ; 9h-18h). Si les vacances sont pour

BRÈVES BALADES

Il y a maintes belles balades à faire à Unawatuna et dans ses environs. Pour voir l'autre versant du promontoire et le Fort de Galle au loin, montez sur la colline située derrière Yaddehimulla Rd.

Autre balade agréable, allez vers le nord et contournez le promontoire rocheux situé à l'extrémité ouest de la plage pour rejoindre **Rumassala**, connu pour ses plantes médicinales protégées. Selon la légende, le dieu-singe Hanuman y aurait fait tomber des herbes rapportées de l'Himalaya.

On peut aussi grimper jusqu'à la **Rumassala Peace Pagoda** GRATUIT au sommet de la colline. Cette imposante pagode fut édifiée en 2005 par des moines bouddhistes japonais de la secte Mahayana, qui cherchent à construire des temples de la paix dans les zones de conflit (la guerre faisait alors rage au Sri Lanka). Comptez 20 minutes d'ascension (soutenue) depuis l'extrémité ouest de la plage d'Unawatuna.

Jungle Beach dans la partie nord de la péninsule est aussi une destination prisée. Si vous n'avez pas envie de franchir à pied sur 2 km la colline recouverte d'une canopée dense, vous pouvez rejoindre cette baie isolée à scooter ou en *túk-túk* en empruntant la Galle-Matara Rd. C'est un de ces "coins secrets" qui semblent connus de tous, avec quelques criques sablonneuses, des sites de snorkeling au large (le récif est néanmoins dégradé) et un café (où se déroulent des fêtes animées par des DJ le mercredi en haute saison).

vous synonyme de remise en forme, le Sanctuary Spa vous enchantera certainement. Réflexologie, aromathérapie et divers massages sont proposés.

Unawatuna Diving Centre PLONGÉE
(☎091-224 4693 ; www.unawatunadiving.com ; près de Galle-Matara Rd ; double plongée en bateau à partir de 60 €, brevet PADI à partir de 215 €). L'unique club avec caisson de recompression. Propose des remises à niveau (40 €), des plongées découverte et loue des caméras étanches.

Sea Horse Scuba Diving Centre PLONGÉE
(☎091-228 3733 ; www.seahorsedivinglanka.com ; près de Galle-Matara Rd ; location matériel snorkeling 1 000 Rs/jour, plongée du bord 20 €). Ce centre PADI organise diverses sorties snorkeling et plongée, notamment sur l'épave du *Rangoon*, ainsi que des plongées nocturnes.

Sonjas Health Food Restaurant CUISINE
(☎077 961 5310, 091-224 5815 ; Wella Dewala Rd ; cours demi-journée 3 000 Rs). Ces cours de cuisine agréables comprennent la préparation de 5 plats au curry et la technique pour préparer rapidement sa propre poudre d'épices. C'est la charmante Karuna qui donne les cours, et une expédition au marché de Galle est incluse. Pensez à réserver.

Où se loger

Unawatuna compte un certain nombre de pensions petits budgets ou de catégorie moyenne. La plupart des hôtels en bord de plage sont sans attraits, et plusieurs sont construits au-dessus de sites d'enfouissement des déchets. On trouve aussi des adresses bon marché sur la route Galle-Matara – à éviter si vous ne voulez pas être bercé par les klaxons de bus et de camions.

Dutch Hostel AUBERGE DE JEUNESSE $
(☎077 144 5732 ; www.facebook.com/TheDutchHostel ; Maharamba Rd ; dort/ch 1 200/2 400 Rs ; wifi). Cette auberge accueillante tenue par une équipe serviable compte 4 dortoirs mixtes avec sdb commune et une chambre double avec sdb individuelle. Il y a un toit-terrasse, un grand salon et une cuisine à disposition. Petit-déjeuner inclus. L'auberge est toutefois éloignée de la plage et pratique un certain jeunisme (elle est réservée aux moins de 50 ans).

♥ **Villa Malena** PENSION $$
(☎077 112 7156 ; www.facebook.com/villamalenaunawatuna ; 61C Bulathwatta ; s/d 26/28 $US). Sur une route tranquille à l'écart de l'axe Galle-Matara, cette pension moderne loue des chambres engageantes d'une propreté impeccable, équipées de mobilier de qualité et de lits à baldaquin. Le rapport qualité/prix est excellent mais elle est à 2 km de la plage (400 Rs en *túk-túk*). Location de vélos.

Saadhana Bird House PENSION $$
(☎091-222 4953 ; www.birdhouseun.wordpress.com ; Yaddehimulla Rd ; ch 45-65 $US ; clim wifi). Une famille charmante, amoureuse des oiseaux, tient cette pension. Simple, propre et proche

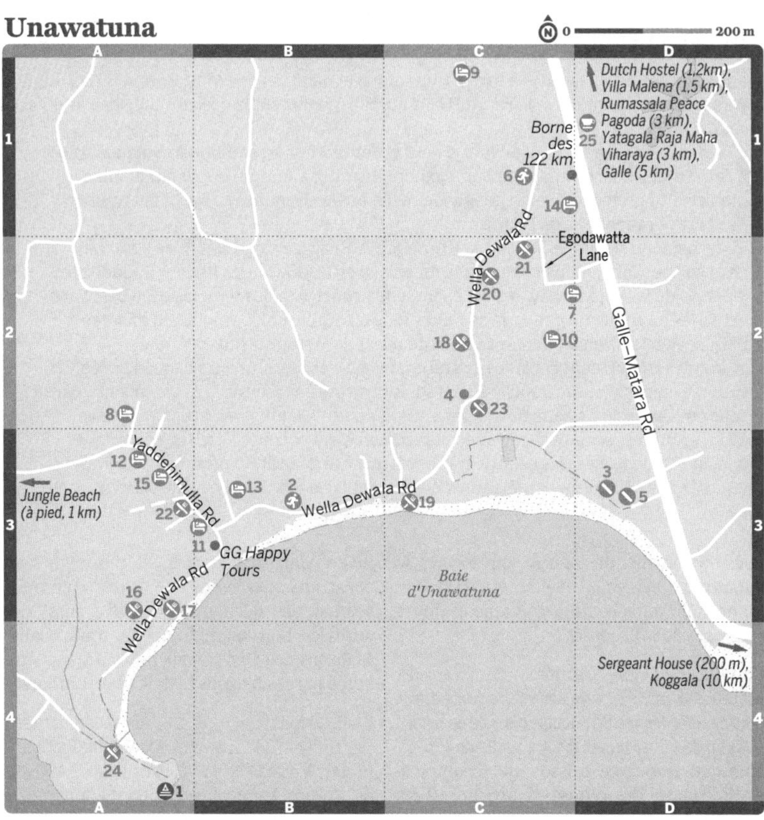

Unawatuna

À voir

1 Temple bouddhiste A4

Activités

2 Sanctuary Spa.............................. B3
3 Sea Horse Scuba Diving Centre........... D3
4 Sonjas Health Food Restaurant........... C2
5 Unawatuna Diving Centre.................. D3
6 Yoga with Asiri.............................. C1

Où se loger

7 Bedspace Guesthouse........................ C2
8 Dream House A2
9 Nooit Gedacht.............................. C1
10 Palm Grove C2
11 Primrose Guest House........................ B3
12 Saadhana Bird House A3
13 Secret Garden.............................. B3
14 Srimali's Residence.............................. C1
15 Weliwatta House.............................. A3

Où se restaurer

16 Bedspace Beach.............................. A3
Bedspace Kitchen .... (voir 7)
17 Hot Rock.............................. A3
18 Jinas Vegetarian and Vegan Restaurant.............................. C2
19 Koko's on the Beach C3
20 Le Cafe Francais Bakery & Boutique.... C2
21 Mati Gedara.............................. C2
22 Queens Art Cafe A3
23 Roti Shop.............................. C2
24 Sunrise Seafood Restaurant.................. A4

Où prendre un verre et faire la fête

25 Kat's Coffee.............................. D1

de la plage, elle comprend des chambres anciennes et d'autres modernes et de meilleure qualité. La route est tranquille. On peut voir les oiseaux depuis le toit-terrasse, et il y a sur place de nombreux amis à plumes à observer. Savoureuse cuisine locale.

Weliwatta House PENSION $$
(☎091-222 6642 ; www.weliwattahouseunawatuna.com ; Yaddehimulla Rd ; ch avec ventil 27-39 $US, avec clim 49 $US ; ❄📶). Cette charmante villa bouton-d'or, pleine de caractère, construite en 1900, possède un jardin luxuriant (où l'on voit parfois singes, varans et piverts). Y sont louées quelques chambres spacieuses et soignées, avec sdb alimentées en eau chaude dans le bâtiment principal, et d'autres, plus récentes et plus confortables, aménagées à l'arrière.

Srimali's Residence PENSION $$
(☎077 337 7826 ; nalakakk@gmail.com ; 206 Galle-Matara Rd ; ch 20 $US ; ❄📶). Dans une petite rue côté plage, près de la route Galle-Matara, cette pension bien située offre un bon rapport qualité/prix. Les chambres, lumineuses et aérées, sont équipées de lits à baldaquin, moustiquaires, balcons et salles de bains avec eau chaude. Elle est tenue par une famille serviable qui loue vélos et scooters et peut vous aider à organiser la suite de vos déplacements.

Bedspace Guesthouse HÔTEL $$
(☎091-225 0156 ; www.bedspaceuna.com ; Egodawatta Lane ; ch 50-72 $US ; ❄📶). Un Britannique et un Néo-Zélandais gèrent cette superbe pension dans une rue tranquille en remontant de la plage. Les chambres, spacieuses et bien agencées, sont climatisées, dotées de stations d'accueil iPod et, pour certaines, d'un lit monumental. Une bonne adresse pour les gastronomes, car les patrons sont de vrais chefs : le petit-déjeuner est un festin, le dîner est inoubliable.

Palm Grove PENSION $$
(☎091-225 0104 ; www.palmgrovesrilanka.com ; près de Wella Dewala Rd ; ch 50-65 $US ; ❄📶). Ce petit bijou tenu par des Anglais compte 5 chambres spacieuses et confortables, avec climatisation et ventilateurs au plafond, ouvrant chacune sur une véranda privative. Le toit-terrasse est garni de hamacs. Le petit-déjeuner est en sus mais le prix (4 $US) est justifié.

Nooit Gedacht HÔTEL HISTORIQUE $$
(☎091-222 3449 ; www.nooitgedachtheritage.com ; Galle-Matara Rd ; ch 45-80 $US ; ❄@📶🏊). Au cœur de cette propriété se dresse une belle demeure coloniale hollandaise de 1735, un peu vétuste mais enchanteresse. Les chambres se répartissent entre l'aile ancienne et un bâtiment plus récent à 2 étages. Location de VTT, soins ayurvédiques et jardin luxuriant comprenant 2 piscines.

Primrose Guest House PENSION $$
(☎077 607 4428, 091-222 4679 ; www.primrose.wz.cz ; Yaddehimulla Rd ; ch avec ventil/clim à partir de 35/45 $US ; ❄📶). Cette pension lumineuse de 3 étages, proche de la plage, profite d'agréables balcons communs pour la détente. Les chambres, nettes et spacieuses, sont bien entretenues, mais la décoration est hétéroclite et un tantinet kitsch.

Sergeant House BOUTIQUE-HÔTEL $$$
(☎077-356 5433 ; www.sergeanthouse.com ; 381 Galle-Matara Rd ; ch 145-280 $US, bungalow 600 $US ; ❄📶🏊). Bien à l'écart de la route fréquentée, ces hébergements très confortables (chambres, suites, bungalow avec 3 chambres) doivent leur ambiance accueillante aux tapis, sculptures et tableaux qui les agrémentent ainsi qu'au goût de leur propriétaire américain en matière de décoration. Le jardin tropical extrêmement fertile comprend une piscine de 20 m. Salle de jeu (avec fléchettes), petite salle de sport et spa.

Secret Garden PENSION $$$
(☎091-224 1857 ; www.secretgardenunawatuna.com ; près de Wella Dewala Rd ; ch/ste à partir de 100/130 $US ; ❄📶). Vieille de 140 ans, la maison, rénovée, compte une gamme de chambres aux couleurs assorties à celles des fleurs du jardin. Le choix se fait entre les chambres et suites et des bungalows à prix intéressant. Des cours de yoga ont lieu deux fois par jour en période de vacances, et des soins ayurvédiques sont proposés.

Dream House PENSION $$$
(☎091-438 1541 ; www.dreamhouse-srilanka.com ; près de Yaddehimulla Rd ; d/tr 65/75 $US ; ❄📶). Cette maison appartenant à un Italien comprend 4 chambres mêlant influences romaines et tropicales. La grande terrasse permet de se détendre en comptant les singes qui bondissent dans les arbres, et il y a un restaurant italien. Rabais importants en basse saison.

Où se restaurer

La plupart des hôtels et pensions servent des repas et la plage est bordée d'établissements proposant des produits de la mer frais. Si vous faites vos courses, vous trouverez des épiceries dans la portion de Wella Dewala Rd vers l'intérieur des terres.

CONTRE LE BÉTONNAGE DU LITTORAL

Après le tsunami de 2004, des lois ont été votées pour interdire toute construction à moins de 100 m de la ligne de marée haute de toutes les plages au Sri Lanka. Dans de nombreux secteurs du littoral, un tour en voiture suffit malheureusement à constater que ces lois sont souvent ignorées. C'est particulièrement criant sur la côte sud, où le tsunami a fait de tels ravages que la plupart des édifices sont postérieurs à la catastrophe.

La puissance des courants et des marées soumet depuis toujours ce littoral à l'érosion, phénomène que le Coast Conservation Department a tenté de contrer en construisant des brise-lames le long de la côte. Les critiques prétendent que ces travaux ont été entrepris sans recherches préalables suffisantes. À Unawatuna, la situation a été aggravée par la présence de constructions illégales bien trop près du rivage, ce qui constitue une double plaie environnementale.

Les autorités régionales ont tenté de rétablir l'équilibre en rasant plusieurs constructions en 2011 et en installant des blocs de béton et des rochers immenses en guise de défenses contre l'océan, mais le littoral est toujours en piteux état. En mars 2015, elles ont loué un bateau pour pomper du sable au large et le rejeter dans la partie est de la plage d'Unawatuna, formant ainsi une grande bande de sable (il s'est trouvé des âmes sensibles pour trouver le sable trop grossier). La hauteur du brise-lames tant décrié a aussi été réduite.

On ignore encore si ces mesures suffiront à sauvegarder Unawatuna Beach. Bien des habitants pensent que l'érosion ne cessera que lorsque le brise-lames aura été retiré.

Roti Shop SRI LANKAIS **$**
(Wella Dewala Rd ; en-cas à partir de 80 Rs ; ⏲10h-22h). Cet endroit tout simple, avec quelques tables en terrasse, sert des *roti* variés, salés ou sucrés, farcis de fromage, de fruits ou d'autres garnitures. Parfaits pour un en-cas.

♥ **Jinas Vegetarian and Vegan Restaurant** VÉGÉTARIEN **$$**
(☎091-222 6878 ; Wella Dewala Rd ; repas 500-800 Rs ; ⏲11h-21h). Une adresse formidable proposant de nombreux plats indiens (*thali*, *masala dosa*), d'excellents falafels, des soupes saines et des plats mexicains comme les *huevos rancheros* (œufs à la sauce tomate épicée). Les jus de fruits pressés à froid sont également délicieux. Comme il y a toujours du monde et que tout est préparé au dernier moment, il faut parfois attendre un peu – profitez du jardin.

Mati Gedara SRI LANKAIS **$$**
(☎077 790 6723 ; Egodawatta Lane ; repas 350-500 Rs ; ⏲8h-21h30 ; 📶). Cette table joliment rustique vaut le détour pour son riz-curry authentique et bon marché. *Mati gedara* est le nom de la grande cocotte en terre dans laquelle sont servis les plats ; le buffet végétarien ne coûte que 350 Rs, mais il y a aussi du poisson et de la viande. Au dessert, régalez-vous d'un fromage blanc au miel.

Le Cafe Francais Bakery & Boutique CAFÉ **$$**
(☎077 740 1014 ; 55/1 Wella Dewala Rd ; repas 500-800 Rs ; ⏲10h-18h ; 📶). Dans ce charmant petit café appartenant à des Français, on déguste des croissants, des pâtisseries et des sandwichs tout en sirotant un café au lait ou un thé servi dans une théière en porcelaine. Les employés fabriquent plusieurs pains artisanaux et préparent un petit-déjeuner excellent.

Sunrise Seafood Restaurant POISSON **$$**
(Près de Wella Dewala ; plats 650-1 200 Rs ; ⏲11h-21h). Niché près du temple du côté ouest de la station, à l'écart de la foule, ce restaurant tout simple en bord de plage jouit, selon nous, du meilleur emplacement d'Unawatuna. La carte reflète la pêche du jour. Commandez vos crevettes avec beaucoup d'ail.

Koko's on the Beach BURGERS **$$**
(Wella Dewala Rd ; repas 600-1 100 Rs ; ⏲9h-23h). Ce bar de plage sert de bons burgers avec des frites et des *fish and chips*. Les kebabs de poulet et les tacos au poisson sont également appréciables. Gary, le propriétaire, se débrouille comme un chef, et la vue sur la baie est grandiose.

Queens Art Cafe CAFÉ **$$**
(☎077 555 1633 ; Yaddehimulla Rd ; plats 450-1 000 Rs ; ⏲8h-21h ; 📶). Un populaire café

de voyageurs ouvert sur la rue. Au menu : bons expressos, en-cas et repas (currys, plats de poisson, petit-déjeuner, plats végétariens). Livres à acheter ou à emprunter.

Hot Rock SRI LANKAIS $$

(☎091-224 2685 ; Wella Dewala Rd ; repas 500-1 000 Rs ; ⊙9h-22h). En bord de plage, ce restaurant tenu en famille permet de déguster une bonne cuisine locale, des produits de la mer et de la bière bon marché, les pieds dans le sable devant l'océan. La carte comprend de nombreux plats de porc (une rareté dans les restaurants de la région).

♥ **Bedspace Kitchen** INTERNATIONAL $$$

(☎091-225 0156 ; www.bedspaceuna.com ; Egodawatta Lane ; plats 900-1 600 Rs ; ⊙12h-15h30 et 18h-22h ; 📶). Cette table figure parmi les plus agréables et les plus créatives du pays. Dans l'assiette, c'est un sans-faute. Près de 95% des produits sont originaires du Sri Lanka – bio et locaux pour la plupart. Sur la carte, concise et sans prétention, le curry de porc noir, le plateau de la mer et la soupe au lait de coco et citronnelle sont quelques-unes des réussites – le déjeuner joue plus la simplicité. Côté cadre, mentionnons la cuisine ouverte et les tables installées dans un jardin ombragé. Réservez car l'endroit jouit d'un engouement justifié.

Bedspace Beach SRI LANKAIS $$$

(☎091-225 0156 ; www.bedspaceuna.com ; 147 Wella Delaya Rd ; repas 600-1 600 Rs ; ⊙8h-22h ; 📶). Ce nouveau restaurant revisite la cuisine sri lankaise et propose d'excellents *hoppers* toute la journée (dont des versions fusion : goûtez ceux aux œufs Benedict, au saumon fumé), un vaste choix de currys authentiques (certains sans gluten ou végétariens) et une bonne dizaine de *sambal* et condiments. Le café est bon et une moitié de ce restaurant attrayant est climatisée.

Où prendre un verre et faire la fête

Kat's Coffee CAFÉ

(☎076 856 8495 ; www.katscoffee.com ; 235 Galle-Matara Rd ; ⊙9h-18h mer-lun ; 📶). On sert ici le meilleur café d'Unawatuna. Le propriétaire, allemand, n'utilise que de l'arabica de première qualité et, malgré des prix élevés (un "*flat white*" coûte 480 Rs), on est conquis, tout comme par les pâtisseries maison. L'endroit est situé sur la route des fous du volant, mais il y a de la place pour garer les scooters.

Renseignements

GG Happy Tours (☎091-225 0376 ; www.gghappytours.com ; Yaddehimulla Rd ; ⊙9h-22h). Accès Internet (250 Rs/heure) également recommandé pour ses circuits et la location de voitures.

Depuis/vers Unawatuna et ses environs

Si vous venez de Galle en bus (18 Rs, 10 min), vous pouvez descendre au départ de la rue d'accès à la mer (Wella Dewala Rd) au Km 122, ou bien à l'arrêt suivant, à l'endroit où la route passe près de l'océan. Un *túk-túk* depuis/vers Galle coûte autour de 500 Rs.

Thalpe et Koggala

☎091

Après Unawatuna, la route longe le littoral, traverse Thalpe, Dalawella, Koggala, Ahangama et continue au-delà. À marée haute, vous verrez des pêcheurs juchés sur des poteaux au-dessus des vagues.

Chacun possède un **mât** fermement planté dans le sable près de la rive, sur lequel il se perche pour lancer sa ligne. Les emplacements, très convoités, sont transmis de père en fils. Vous serez surpris de la rapidité avec laquelle ils descendent des mâts et courent vers vous si vous braquez vaguemcnt un appareil photo dans leur direction !

À voir

♥ **Martin Wickramasinghe Folk Art Museum** MUSÉE

(www.martinwickramasinghe.info ; près de Galle-Matara Rd, Koggala ; 200 Rs ; ⊙9h-17h). Ce musée fort intéressant comprend la maison natale de Martin Wickramasinghe (1890-1976), auteur cinghalais respecté – cette construction traditionnelle du Sud, vieille de 200 ans, présente des influences hollandaises. Les collections, intéressantes et bien agencées, comportent des commentaires en anglais et en cinghalais. Parmi elles figurent une section consacrée à la danse (avec des costumes et des instruments), des marionnettes, des masques de *kolam* (théâtre dansé), dont un représentant un officier britannique brûlé par le soleil, des attelages et des objets bouddhiques. Repérez l'embranchement proche du Km 131, en face du Fortress Hotel.

Lac Koggala LAC

(croisières 8h-16h30). Proche de la route et peuplé d'oiseaux, le lac Koggala est parsemé d'îles. Sur l'une d'elles, un temple bouddhique attire de nombreux visiteurs lors de la *poya* (pleine lune) ; une autre abrite une plantation de canneliers, une autre encore (chère et touristique) un jardin de plantes aromatiques.

Temple Kataluwa Purwarama TEMPLE BOUDDHIQUE

(24h/24). Rarement bondé, ce temple semble figé dans le passé. Datant du XIIIe siècle, il renferme des peintures murales récemment restaurées, dont de grandes fresques montrant des étrangers vêtus de tenues amples aux pans fluides. Un moine vous ouvrira et se fera un plaisir de vous en expliquer la signification. Certains *jataka* (récits des vies antérieures de Bouddha) peints ici datent de 200 ans. Au Km 134, dirigez-vous vers l'intérieur des terres et roulez sur 1,2 km ; quelques panneaux vous aideront à vous orienter.

Où se loger et se restaurer

Cette partie du littoral est jalonnée de villas et d'hôtels haut de gamme. Presque tous les grands hôtels se doublent de bons restaurants ; en revanche, les établissements indépendants sont rares.

Thalpe

Thalpe est prisée de quiconque cherche un pendant paisible à Unawatuna. La plage est en grande partie isolée de la route par une rangée dense de villas, de maisons et d'hôtels, chacun doté de murs épais et de portails massifs.

Frangipani Tree BOUTIQUE-HÔTEL $$$

(091-228 3711 ; www.thefrangipanitree.com ; 182 Galle-Matara Rd, Thalpe ; ste à partir de 250 $US ;). Le ciment est le matériau clé de cette interprétation austère de l'architecture contemporaine, posée sur la côte. Les 9 suites sont réparties dans 3 maisons ; toutes portent des noms de tortues et se caractérisent par de hauts plafonds, une véranda individuelle et la vue sur l'océan. Charmante piscine à débordement et plage bordée de palmiers.

Why House BOUTIQUE-HÔTEL $$$

(091-222 7599 ; www.whyhousesrilanka.com ; près de Galle-Matara Rd, Thalpe ; ch à partir de 250 $US ;). Cet hôtel ressemble plutôt à un domaine privé avec son vaste parc et ses chambres réparties dans une maison coloniale et des cottages. On attache une grande importance à la personnalisation du service, il y a tout ce qu'il faut pour les enfants, et toutes sortes de repas sont proposés. La propriété est à 1 km en retrait de la côte – repérez l'embranchement sur la grand-route, au Km 124.

Wijaya INTERNATIONAL $$$

(091-228 3610 ; www.wijayabeach.com ; Galle-Matara Rd, Thalpe ; plats 900-2 300 Rs ; 9h-23h ;). Situé dans un hôtel de charme, ce restaurant parmi les plus réputés du sud du pays est renommé pour sa pizza cuite au four à bois. Les barmen préparent d'excellents cocktails et les plats de la mer font l'objet de critiques élogieuses. Pas de réservation par téléphone ; réservez en ligne.

Koggala

Koggala a une longue et large plage, battue par les vagues. La route passe assez près de la rive, mais reste invisible la plupart du temps, dissimulée par les hauts murs d'enceinte des propriétés.

Fortress HÔTEL $$$

(091-438 9400 ; www.thefortress.lk ; Galle-Matara Rd, Koggala ; ch à partir de 280 $US ;). De l'extérieur, les hauts murs lui donnent des airs de prison. À l'intérieur, vous découvrirez qu'il est complètement ouvert sur l'océan. Profitez de la superbe piscine à débordement, des 53 chambres de style urbain chic avec bains à remous et douches tropicales, et de l'excellente gastronomie.

Era Beach Hotel BOUTIQUE-HÔTEL $$$

(091-228 2302 ; www.jetwinghotels.com ; 834 Galle-Matara Rd, Thalpe ; ch 200 $US ;). Dans ce petit boutique-hôtel, bois et pierre se marient pour créer une sensation de bien-être zen – sa situation au bord de l'océan, la pelouse ponctuée de cocotiers et la splendide piscine y contribuent aussi. Certaines des chambres – spacieuses, avec parquet verni et lit à baldaquin – perçoivent toutefois un peu du bruit de la route. Le littoral est rocheux, mais il y a des plages de sable fin à deux pas.

Mumbo Jumbo INTERNATIONAL, SRI LANKAIS $$$

(091-228 2497 ; Galle-Matara Rd, Koggala Beach, Habaraduwa ; repas 950-1 700 Rs ; 7h30-22h ;). Bel endroit en bord de plage tenu par

À NE PAS MANQUER

HANDUNUGODA TEA ESTATE, PLANTATION DE THÉ

Superbe plantation de thé dans les collines au-dessus de Koggala, **Handunugoda Tea Estate** (☎077 329 0999 ; www.hermanteas.com ; près de Kathaluwa Rd ; ⏲8h-17h ; wifi) propose des visites (gratuites) très instructives. On peut goûter les produits et découvrir comment sont élaborées les quelque 25 variétés de thé, dont le célèbre Virgin White, délicate boisson préparée à l'aide des feuilles les plus petites et les plus récentes. Là où, en moyenne, l'ouvrier d'une grande plantation cueille quotidiennement 23 kg de feuilles de thé noir, celui employé ici récolte tout juste 150 g de feuilles de thé blanc. La plantation est à 6 km de la route côtière ; elle est indiquée au Km 131.

Elle appartient à Herman Gunaratne, une des légendes du thé au Sri Lanka. Procurez-vous un exemplaire de l'autobiographie de Gunaratne, *The Suicide Club : A Virgin Tea Planter's Journey* (en anglais), récit amusant sur sa vie, la production du thé et le Sri Lanka, du déclin du Raj britannique à nos jours.

une équipe jeune qui sait concocter une carte. Un peu cher, peut-être, mais les produits de la mer sont excellents : goûtez le crabe à la sauce au poivre noir ou le *mahi-mahi* aux noix de cajou. Chaises longues gratuites pour les clients.

Depuis/vers Thalpe et Koggala

Des bus reliant Galle à Matara traversent Thalpe et Koggala toutes les 10 à 15 minutes en journée.

Cinnamon Air (carte p. 60 ; ☎011-247 5475 ; www.cinnamonair.com) propose un vol quotidien entre Colombo (aéroport international de Bandaranaike) et l'aérodrome de Koggala (aller simple 206 $US).

Des *túk-túk* sont disponibles sur place pour les petits trajets et les voitures de location (avec chauffeur) facilitent les excursions.

Ahangama et Midigama

☎041

Paradis sri lankais du surf, la région d'Ahangama et de Midigama s'urbanise par endroits, mais demeure relativement tranquille. Elle compte des hébergements pour surfeurs et quelques villas. Le littoral se compose d'étroites baies sablonneuses et de pointes rocheuses, et la route passe souvent très près du rivage.

Activités et cours

Le premier spot de surf en allant vers l'est est le beach break de **Kabalana Beach**, fort habituellement de bonnes vagues, même lorsque la mer est calme ailleurs.

Midigama, un village proche d'une crique, se distingue par ses reef breaks. Lazy Left est une gauche qui contourne les rochers et entre dans la baie sablonneuse : elle est parfaite pour une première expérience du reef. À quelques centaines de mètres, Ram's Right est une vague creuse, peu profonde et imprévisible, déconseillée aux débutants. Le reef break Plantations est généralement une droite, mais il peut y avoir des gauches en fonction de la houle.

Beaucoup de rochers, coraux et autres dangers peu profonds se cachent sous l'eau. Le Plantation Surf Inn (p. 132) répare les canots, donne des cours de surf et loue des planches.

Lion Yoga YOGA
(☎041-225 0990 ; www.lions-rest.com ; Lion's Rest Hotel, Midigama Beach ; cours 12 $US). Durant la saison touristique, ce petit hôtel accueille deux cours de yoga quotidiens donnés par des professeurs extérieurs. Forfaits semaine/quinzaine.

♥ **Subodinee Surf School** SURF
(☎077 765 9933 ; www.subodinee.com ; près de Galle-Matara Rd, Midigama ; cours 2 heures 30 €, 3 cours 75 €). Le Français Yannick Poirier est un peu une légende locale. Il tient l'une des meilleures écoles de surf de la région, en association avec la Subodinee Guesthouse. Il propose aussi le plus sérieux choix de planches de location (à partir de 6 €/demi-journée).

Où se loger et se restaurer

Les hébergements s'égrènent le long de la côte entre Ahangama et Midigama.

La plupart des voyageurs mangent à leur hôtel ou à leur pension car les restaurants sont rares sur cette partie du littoral.

1

PAUL PRESCOTT / SHUTTERSTOCK ©

2

1. Unawatuna (p. 122)
Avec la renaissance de la large plage sablonneuse, les voyageurs affluent de nouveau vers ces eaux d'un bleu idéal.

2. Fort de Galle (p. 113)
Les couleurs éclatantes de ce fort en font une véritable œuvre d'art.

3. Parc national de Bundala (p. 145)
Régal pour les ornithologues amateurs au Sri Lanka, cette zone humide résonne de mille chants d'oiseaux.

4. Mirissa (p. 134)
Des bateaux animent en permanence le port de Mirissa.

4

3

ROSTISLAV STACH / SHUTTERSTOCK ©

Ahangama

De nombreux surfeurs logent à Ahangama et se rendent à Midigama pour les vagues. Les pêcheurs juchés sur des pilotis au large offrent un spectacle très couleur locale. La courte zone commerciale regroupe prestations et DAB. Enfin, certaines pensions sont assez isolées.

Wadiya on the Beach PENSION **$$**
(070 390 4357, 041-228 2863 ; wadiyahotel@gmail.com ; Galle-Matara Rd, Ahangama ; ch 50 $US ;). Dominant une crique aux allures de lagon, juste au-dessus des vagues, cette petite adresse tenue par un Russe sympathique compte 6 chambres spacieuses et nettes (2 autres sont en projet). Literie et mobilier de qualité, salles de bains individuelles avec eau chaude et accès à une terrasse ou un balcon communs. On peut se baigner directement dans la baie joliment abritée.

Haus Sunil PENSION **$$**
(041-228 3988 ; sunil.walgamage@yahoo.com ; Galle-Matara Rd, Ahangama ; ch 3 500-4 000 Rs ;). Cette pension isolée compte 2 chambres rudimentaires ; celle du haut offre une vue sur l'océan (et sur une petite île) qui laisse rêveur des jours durant. L'édifice, modeste, est bien en retrait de la route, et il y a même une minuscule plage. Possibilité de manger sur place. À l'est du Km 137.

Midigama

Cette bourgade minuscule compte quelques services très basiques et 2 ou 3 pensions bon marché méritant le détour.

Subodinee Guesthouse PENSION **$**
(077 765 9933 ; www.subodinee.com ; près de Galle-Matara Rd, Midigama ; ch/cabanes à partir de 1 800/5 500 Rs ;). Installés ici de longue date, Jai et son épouse Sumana, les propriétaires, louent 19 chambres différentes, depuis les cubes (étouffants) en béton avec sdb commune, aux agréables bungalows et aux chambres du bâtiment moderne de l'autre côté de la route. Tout ici est prévu pour le plaisir des surfeurs. Quittez la route principale en direction de l'intérieur des terres au Km 139, puis dépassez la tour de l'horloge et la gare ferroviaire.

Plantation Surf Inn PENSION **$**
(077 643 8912 ; www.plantationsurfinn.com ; près de Galle-Matara Rd, Midigama ; s/d à partir de 16/23 $US ;). Cette séduisante auberge pour surfeurs tenue en famille possède un joli jardin et 5 chambres avec ventilateur, dont 2 avec sdb individuelle et une pouvant accueillir 4 personnes. La cuisine est excellente, le propriétaire ayant été chef cuisinier à Colombo. Située à l'écart de la route et de la plage, vers l'intérieur des terres.

Ram's Guesthouse PENSION **$**
(041-225 2639 ; ramssurfingbeach@gmail.com ; Galle-Matara Rd, Midigama ; ch à partir de 2 200 Rs ;). Ce camp pour surfeurs est désormais un peu délabré et pâtit du bruit de la route, mais les 15 chambres sont vraiment bon marché. Immédiatement à l'ouest du Km 140, pile en face des meilleures vagues de l'île : Lazy Right. L'établissement n'accepte pas de clients sri lankais.

Midigama Beach

Pile à hauteur du Km 140, repérez la minuscule piste qui part de la route et s'étend sur 100 m en direction de l'eau. Au bout, vous attend une splendide oasis de calme. Il y a là une longue plage et les hébergements de l'endroit, que l'on appelle aussi Gurubebila, sont d'authentiques trouvailles.

Villa Tissa HÔTEL HISTORIQUE **$$**
(041-225 3434 ; www.villatissa.lk ; Midigama Beach ; ch 45-90 $US ;). Donnant dans un joli jardin en bord de plage, les chambres, immenses, parfaitement aménagées, et bordées d'une terrasse à colonnades, rappellent une époque révolue ; beaucoup ne sont toutefois pas climatisées. Une grande piscine, une étroite bande de sable et un ravissant petit café participent au charme du lieu.

Villa Naomi Beach HÔTEL HISTORIQUE **$$$**
(041-225 4711 ; www.villanaomibeach.com ; Midigama Beach ; ch 10 000 Rs ;). Dans un cadre magnifique avec vue sur l'océan derrière une bande de cocotiers, cette belle villa coloniale loue des chambres toutes blanches avec du mobilier ancien et de somptueuses sdb. La terrasse garnie de rocking-chairs en rotin est idéale pour un verre en soirée. Les prix fluctuent beaucoup selon les saisons.

Lion's Rest PENSION **$$$**
(041-225 0990 ; www.lions-rest.com ; 5A Kadabeddagama, Midigama Beach ; s 50-90 $US, d 60-100 $US ;). Juste en face du break Coconuts, cet hôtel attire surfeurs et yogis

avec des cours quotidiens. Il comprend 8 chambres modernes très plaisantes, aménagées dans un édifice entourant une piscine. Celles de l'étage ont vue sur l'océan par-delà la verdure. Côté décoration, on a opté pour le plâtre chaulé et le bois sombre. Petit restaurant de poisson et fruits de mer sur place.

Depuis/vers Ahangama et Midigama

Des bus passent toute les 15 minutes sur la route côtière reliant Ahangama et Midigama à Galle (35 Rs) et Matara (38 Rs). De nombreux trains Colombo-Galle-Matara font halte à Ahangama. Seuls quelques trains locaux s'arrêtent à Midigama.

Weligama

041 / 14 200 HABITANTS

Weligama ("village de sable") est un intéressant mélange de ville de pêche animée et de station balnéaire. Le quartier principal et la route côtière qui le longe ne sont guère engageants, mais il suffit de s'en éloigner pour découvrir les charmes de la plage sablonneuse ; quelques criques sont situées à l'ouest du centre-ville. À l'extrémité est de la plage se dresse, de façon incongrue, un énorme hôtel Marriott en béton dominant les autres bâtiments.

Le petit break de Weligama est idéal pour les surfeurs débutants et bien des voyageurs apprennent ici à surfer sur leurs premières vagues. Des cabanes de surf sont installées le long de la plage principale, de l'autre côté de la route par rapport à l'auberge de jeunesse Hang Ten ; des professeurs y louent des planches (à partir de 1 200 Rs/jour) et donnent des cours (à partir de 2 500 Rs). Après les plaisirs de l'océan, vous pourrez explorer les étals de poissons fraîchement pêchés.

À voir et à faire

Bandrawatta Beach PLAGE

Cette jolie crique naturelle très à l'écart de la route offre une baignade abritée ainsi qu'un break de surf plus au large. Repérez les pêcheurs juchés sur des piquets dans l'océan juste en dessous de l'hôtel Cape Weligama. À 3 km au sud-ouest de Weligama.

Taprobane ÎLE

(www.taprobaneisland.com ; location de l'île à partir de 1 995 $US/jour ; wi-fi). Proche du rivage et accessible à pied à marée basse, cet îlot ressemble à une retraite d'artiste ou d'écrivain, ce qu'il fut : le romancier américain Paul Bowles (1910-1999) y écrivit *La Maison de l'araignée* dans les années 1950. L'île fut aménagée dans les années 1920 par le comte français de Mauny-Talvande, qui percha sa demeure sur ce minuscule rocher. Il est possible de loger ou dîner sur l'île à condition de réserver.

Weligama Bay Dive Center PLONGÉE

(041-225 0799 ; www.scubadivingweligama.com ; 126 Kapparathota Rd ; plongées du bateau à partir de 35 $US, location équipement snorkeling 15 $US/jour). On trouve de bons sites de snorkeling et de plongée du côté de Weligama. Ce centre tout proche de la route à l'extrémité ouest de la plage propose des cours PADI, des plongées de nuit et des plongées sur épave. Il organise aussi des excursions pour observer baleines et dauphins ou pratiquer le snorkeling.

Où se loger et se restaurer

Hang Ten AUBERGE DE JEUNESSE $

(071 415 6135 ; www.hangtimehostel.com ; 540 Weligama Rd ; dort/ch à partir de 1 500/3 500 Rs ; clim, wi-fi). Prenez un vieil hôtel en béton sur le front de mer, injectez-lui quelques prestations propres à séduire les routards (terrasse pour le yoga, bar-restaurant sur le toit-terrasse, rangements pour planches de surf) et vous obtenez le Hang Ten. Les chambres, situées au rez-de-chaussée, profitent de vérandas individuelles, tandis que les dortoirs ont des sdb attenantes avec l'eau chaude, des moustiquaires, des lampes de lecture et des ventilateurs et des casiers individuels. L'auberge organise des excursions, notamment des croisières alcoolisées et des safaris.

Samaru Beach House HÔTEL $$

(041-225 1417 ; www.samarubeachhouseweligama.com ; 544 New Matara Rd ; ch 40-80 $US ; clim, wi-fi). Installé vers le milieu de la baie, sur la plage, ce petit hôtel idéal pour les voyageurs compte 14 chambres claires et spacieuses (certaines avec ventilateur uniquement). Les plus belles ont une véranda. Location de vélos et de planches ; le propriétaire organise divers circuits et activités.

Cape Weligama COMPLEXE HÔTELIER $$$

(041-225 3000 ; www.resplendentceylon.com ; Abimanagama Rd ; ch à partir de 485 $US ; clim, wi-fi, piscine).

Juché sur un promontoire dominant l'océan Indien, ce complexe surprenant dispose d'une vue extraordinaire et d'une sublime piscine à débordement de 60 m en forme de croissant (au cas où vous vous lasseriez de la piscine privée dont sont dotées de nombreuses villas, ou encore de la "piscine grotte" pour les enfants). Il y a un spa, une école de plongée et plusieurs restaurants dont un grill au bord de la falaise.

Eraeliya Villas & Gardens VILLAS **$$$**
(041-225 0461 ; www.eraeliya.com ; 299 Walliwala ; villas à partir de 265 $US ;). Situé dans le coin le plus joli et le plus calme de Weligama, cet ensemble de villas bénéficie d'un cadre charmant au bord de l'océan. Les villas climatisées (2 à 8 personnes) sont très spacieuses et dotées d'équipements modernes – TV écran plat et kitchenette, notamment. Spa, jolie piscine et restaurant sur place.

AVM Cream House INTERNATIONAL **$**
(3 Samaraweera Pl ; repas 200-350 Rs ; 9h-21h). Petit restaurant animé servant des repas roboratifs, notamment des plats de nouilles et de riz sautés, ainsi que des en-cas savoureux (les *shawarma* sont excellents). Au menu également : crèmes glacées et des jus de fruits – le délicieux lassi au melon coûte 240 Rs. En face de la gare routière, au centre-ville. Carte en anglais.

Où prendre un verre et faire la fête

Tiki Clifftop BAR
(071 200 1483 ; www.facebook.com/tikiweligama ; 1 Awariyawaththa ; 10h-tard ;). Situé dans un coin isolé sur le promontoire à 3 km au sud-ouest du centre, ce bar-restaurant sympathique vaut la peine de prendre un *túk-túk*. La vue sur l'océan est exceptionnelle, les DJ abreuvent le *dance floor* de house, de rythmes de fête et, le mercredi, de reggae.

Depuis/vers Weligama

Des bus desservent Galle (50 Rs, 1 heure) et Matara (32 Rs, 30 min) toutes les 15 minutes.

Weligama se situe sur la ligne ferroviaire Colombo-Matara. Des trains rallient, entre autres, Colombo (2e/3e classe 220/120 Rs, 2 heures 30-4 heures), Galle (2e/3e classe 60/30 Rs, 40 min-1 heure) et Matara (2e/3e classe 30/15 Rs, 20-30 min). Entre 4 et 6 trains s'arrêtent quotidiennement à Weligama.

Mirissa

041

Ouvrez une noix de coco, allongez-vous dans un hamac et laissez-vous bercer par la brise marine. Bienvenue à Mirissa, éblouissant croissant de sable où sont installées de nombreuses pensions modestes ainsi que quelques restaurants simples, le long de la plage.

Ce paradis est légèrement gâté par un problème d'érosion du côté est, dû à la fois à un brise-vagues construit par le gouvernement et aux constructions qui gagnent sur le sable.

Mirissa est réputée être une destination de fête pour jeunes voyageurs depuis quelques années et, en haute saison, les DJ passent des morceaux tonitruants jusque tard dans la nuit plusieurs fois par semaine. Si vous recherchez calme et solitude, cette plage n'est peut-être pas l'idéal.

À voir et à faire

Mirissa Beach PLAGE
Image même du bonheur tropical, la plage de Mirissa bénéficie d'un sable fin et clair et d'une eau azur cerclée d'un croissant de cocotiers. La partie ouest est la plus belle et la plage y est plus large ; en se courbant vers l'est, elle rejoint la route Galle-Matara et son vacarme. Près du milieu de la baie, une langue de sable abondamment photographiée relie la plage à un îlot que l'on peut rejoindre à pied à marée basse.

Secret Root Spa SPA
(077 329 4332 ; www.secretrootspa.com ; près de Galle-Matara Rd ; massage 2 700 Rs/heure ;). Situé juste à l'extrémité est de la plage, dans les terres, ce centre ayurvédique est un havre de paix, où officient des thérapeutes des deux sexes experts dans l'art de soulager les tensions. Essayez le bain de vapeur aux herbes après le massage.

Plantation de cannelle VISITE
(041-225 0980 ; www.mirissahills.com ; Mirissa Hills Hotel, Henwalle Rd, près de Galle-Matara Rd ; visite 45 min et repas 2 000 Rs ; 9h-16h30). La visite de ce magnifique domaine de 24 ha situé au sommet d'une colline est une bonne introduction à la culture et à la récolte de la cannelle, reine des épices. Elle permet de voir les arbres, parfois âgés de 40 ans, et comment les ouvriers expérimentés en ôtent l'écorce à l'aide d'un instrument spécial en cuivre. La visite comprend un repas sur la

CIRCUITS D'OBSERVATION DES BALEINES BLEUES

Les biologistes marins ont constaté ces dernières années que les baleines bleues – le plus grand animal au monde – apprécient beaucoup la côte sri lankaise. En fait, les eaux de Mirissa et de Dondra Head, à l'est, concentrent souvent le plus grand nombre de spécimens (sur la côte est, Trincomalee est un autre site de choix pour en observer).

Avec 30 mètres de long et un poids de plus de 200 tonnes, la baleine bleue est significativement plus lourde que n'importe quel dinosaure connu. On pense qu'elle vit plus de 80 ans sans en comprendre la raison, les recherches sur cet animal étant rares, principalement en proportion du très petit nombre d'individus qui existait lorsque la pêche à la baleine prit fin dans les années 1970 – on estimait alors leur population à 5 000 (soit 100 fois moins que 200 ans auparavant). Leur nombre s'étant légèrement accru, on évalue aujourd'hui leur population entre 10 000 et 25 000 individus dans les mers du globe.

Les tour-opérateurs de Mirissa qui proposent des circuits d'observation attirent bon nombre de visiteurs, et la compétition est rude. Outre les baleines bleues, il n'est pas rare d'apercevoir leurs cousins (légèrement) plus petits : rorquals communs (deuxièmes par ordre de taille, ils peuvent atteindre 27 m), cachalots, rorquals de Bryde et dauphins divers. On rencontre régulièrement des dauphins à long bec, qui sont plus de 500. Quelques éléments importants :

- Bien que l'on voie des baleines bleues toute l'année, décembre et avril semblent être leurs mois de prédilection.
- Évitez la période de mai à juillet car les eaux sont très agitées du fait de la mousson.
- La plupart des excursions démarrent vers 6h30 et durent généralement de 2 à 5 heures, selon le temps nécessaire pour rencontrer des baleines. Si la mer est démontée, le périple peut sembler très, très long...
- Les bateaux d'observation qui ont pignon sur rue disposent d'au moins deux ponts d'observation, et de toilettes dignes de ce nom.
- Optez pour les circuits respectant les conventions internationales en matière d'approche des baleines. Renseignez-vous sur ce point avant de réserver.
- Évitez les tour-opérateurs peu scrupuleux ou les bateaux de pêche à louer à plusieurs, car nombre d'entre eux harcèlent littéralement les baleines, par exemple en les coinçant entre deux bateaux.
- Renseignez-vous sur la nourriture et les boissons mises à disposition. Tâchez également de savoir si des jumelles sont prévues pour les passagers.

Parmi les tour-opérateurs recommandés :

Raja and the Whales (☎ 071 333 1811 ; www.rajaandthewhales.com ; Mirissa Harbour ; adulte/enfant 6 000/3 000 Rs). Circuits à bord d'un trimaran à 2 niveaux ; respecte les recommandations internationales en matière d'approche des animaux.

Paradise Beach Club (☎ 041-225 1206 ; www.paradisebeachmirissa.com ; Gunasiri Mahimi Mawatha ; circuits 50 $US). Ce petit complexe hôtelier en bord de plage organise ses propres circuits à bord d'un bon bateau, conçu à cet effet.

Blue Water Cruise (☎ 077 497 8306 ; Galle-Matara Rd ; adulte/enfant 7 000/3 500 Rs). Agence professionnelle et responsable disposant de bateaux bien entretenus.

magnifique terrasse de l'hôtel Mirissa Hills, après quoi l'on est libre de visiter la remarquable collection d'art contemporain de l'établissement. Réservation impérative.

Où se loger

À l'extrémité ouest de Mirissa, dans ou à proximité de Gunasiri Mahimi Mawatha, vous trouverez une foule de pensions d'un bon rapport qualité/prix ainsi que de modestes hôtels sur la plage. Dans les terres, on trouve d'excellentes adresses familiales disséminées dans des ruelles, à courte distance à pied de la plage. Méfiez-vous du bruit à l'extrémité est de la plage, et de la musique tonitruante tard le soir près des cafés au bord de l'océan.

Sunrise Dream PENSION $
(☎077 783 4436 ; ranudituktuk@gmail.com ; 432 Yatipila Rd ; ch avec ventil/clim 2 000/3 000 Rs ; ❄📶). Bonne petite pension avec seulement 3 chambres, spacieuses et très propres, situées dans un bâtiment séparé sur le côté du jardin. Toutes ont une véranda en façade, un ventilateur au plafond et 2 lits. À quelque 500 m de la plage à l'intérieur des terres. Le sympathique propriétaire propose des visites des environs.

Calidan CHEZ L'HABITANT $
(☎077 754 7802 ; calidan.mirissa@gmail.com ; Sunanda Rd ; ch avec ventil/clim à partir de 2 800/3 600 Rs ; ❄📶). Dans cette accueillante maison à étage, vous trouverez de jolies chambres, simples mais peintes de couleurs très gaies. L'adresse se situe à 5 minutes à pied de l'extrémité ouest de la plage.

Amarasinghe Guest House PENSION $
(☎071 689 9787 ; www.amarasingheguesthouse.com ; près de Galle-Matara Rd ; ch avec ventil/clim 2 500/3 500 Rs ; @📶). À 5 minutes de marche de la route, au milieu de chemins ruraux, cette pension familiale comprend plusieurs chambres et bungalows agréables dispersés dans un jardin. Les propriétaires cultivent leurs légumes et leurs épices et proposent une cuisine authentique et bon marché – essayez leurs **cours de cuisine** (2 500 Rs).

♥ **Rose Blossom** CHEZ L'HABITANT $$
(☎077 713 3096 ; mirissa.roseblossom@gmail.com ; près de Galle-Matara Rd ; ch avec ventil/clim à partir de 4 500/6 500 Rs ; ❄📶). Cette maison ravissante comporte de petites chambres joliment décorées, et les charmants propriétaires soignent leurs hôtes, adorent bavarder et préparent d'excellents petits-déjeuners. Elle se situe à 5 minutes de marche, dans la verdure, en retrait de l'extrémité est de la plage.

Poppies PENSION $$
(☎077 794 0328 ; www.poppiesmirissa.com ; près de Galle-Matara Rd ; s/d avec ventil 30/40 $US, avec clim 50/60 $US ; ❄📶). Ces chambres immaculées d'un bon rapport qualité/prix entourent un joli jardin ombragé ; chacune dispose d'un espace de détente extérieur avec hamac. En retrait de l'extrémité est de la plage – on entend un peu le bruit de la route.

Palm Villa PENSION $$
(☎041-225 0022 ; www.palmvillamirissa.com ; Galle-Matara Rd ; ch avec ventil/clim à partir de 50/65 € ; ❄📶). Toutes décorées différemment, dans un style moderne et lumineux, les 8 charmantes chambres de ce manoir colonial offrent un bon rapport qualité/prix. Les plus chères sont en bord de plage – voire un peu trop près du rivage – d'où un peu de bruit et de passage. Minimum 2 nuitées. Bon restaurant.

♥ **Mirissa Hills** BOUTIQUE-HÔTEL $$$
(☎041-225 0980 ; www.mirissahills.com ; Henwalle Rd, près de Galle-Matara Rd ; ch 90-300 $US ; ❄📶🏊). Comptant parmi les hébergements les plus remarquables du pays, cette plantation de cannelle en activité comprend divers logements dont une maison de planteurs rénovée et une retraite spectaculaire en haut d'une colline. Les repas sont excellents, la terrasse de la salle à manger offre une vue spectaculaire sur le littoral, et le musée d'Art contemporain compte de nombreuses sculptures importantes. L'entrée est dans les terres, à 1,1 km du Km 148 de la route principale.

Spice House HÔTEL $$$
(☎077 351 0147 ; www.thespicehousemirissa.com ; Galle-Matara Rd ; ch 85-100 $US ; ❄📶🏊). À l'écart de la route et à courte distance du rivage est de Mirissa, ce bel hôtel, propriété d'un sympathique couple britannico-sri lankais, dispose de 9 chambres bien aménagées et accueillantes, et de 3 autres dans une villa séparée située à l'arrière. Nombreux espaces de détente et joli jardin avec piscine.

Où se restaurer et prendre un verre

De nombreux établissements installent des tables et des chaises jusqu'au bord de l'eau de jour comme de nuit. Il vous suffira de flâner de l'un à l'autre et de comparer pour savoir lequel propose les produits de la mer les plus frais. Tous se prêtent bien à siroter une bière ; certains servent aussi du café.

♥ **No1 Dewmini Roti Shop** SRI LANKAIS $$
(☎071 516 2604 ; www.dewminirotishop.wordpress.com ; près de Udupila Rd ; repas 200-550 Rs ; ⏲8h-21h ; 📶). La première échoppe de *roti* reste la meilleure à ce jour. Elle propose également des *kotthu* (*roti* émincés et mélangés à des légumes), ainsi que de délicieux plats plus substantiels de type riz-curry. Le chef, toujours souriant, dispense des **cours de cuisine** (2 000 Rs les 6 currys). À 350 m au nord de la route qui longe le littoral.

Papa Mango INTERNATIONAL $$
(☎041-454 5341, 077 772 6546 ; www.facebook.com/papamangomirissasl ; près de Galle-Matara Rd ; repas 650-1 200 Rs ; ⏲8h-22h ou plus ; 📶). Ce restaurant bénéficie d'un bel emplacement en bord de plage du côté est de Mirissa. Les tables sont réparties dans un grand jardin avec palmiers ; la carte comprend des produits de la mer, des currys sri lankais et des plats occidentaux. Des fêtes animées par des groupes et des DJ s'y déroulent régulièrement.

Zephyr Restaurant & Bar BAR
(☎077 750 2222 ; www.facebook.com/zephyr-mirissa ; près de Galle-Matara Rd ; ⏲9h-16h et 18h-23h ; 📶). Dans ce bar parmi les plus branchés, des musiques lounge assurent une ambiance cosmopolite. Plus tard dans la soirée, l'humeur est à la fête avec des groupes ou des DJ, et l'on danse dans le sable. Le bar propose également des plats, mais les portions sont petites et l'attente peut être longue.

Depuis/vers Mirissa

Des bus très réguliers (toutes les 15 min environ) relient Mirissa à Galle (55 Rs, 1 heure) et Matara (30 Rs, 25 min). Pour se rendre à Colombo en bus, il faut aller prendre un bus express à Matara ou à Galle.

Depuis/vers Weligama, comptez 15 Rs en bus (10 min) et 400 Rs en *túk-túk*.

Les chauffeurs demandent 10 000 Rs pour vous conduire à l'aéroport de Colombo ; le trajet dure environ 2 heures 30.

Matara

☎041 / 72 600 HABITANTS

Matara, ville commerçante en plein essor, très étendue et animée, ne doit pas grand-chose au tourisme, et offre par là même un tangible aperçu de la vie sri lankaise moderne. Ses remparts, l'architecture hollandaise, un fort bien conservé et l'animation des rues en constituent les principaux attraits.

À voir

Matara se visite en une demi-journée. Vous pourrez aisément faire l'impasse sur la longue plage bordant Sea Beach Rd, quelque peu délabrée et par trop commerçante.

♥ **Star Fort** FORT
(Main St ; ⏲8h30-16h30 mer-lun). GRATUIT Ce fort, près du rempart, fut édifié par les Hollandais pour compenser les défauts du mur défensif. Il est si petit qu'il n'aurait pu protéger qu'une poignée de fonctionnaires. La date de sa construction (1765) est inscrite en relief au-dessus du portail, ainsi que l'insigne de la

Matara

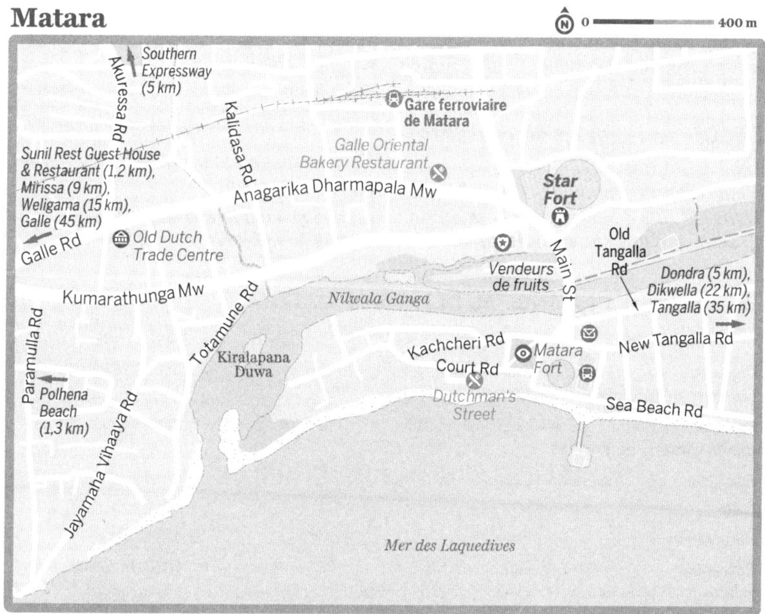

VOC et le blason du gouverneur de l'époque. À l'intérieur, un petit **musée** présente une modeste exposition sur l'histoire de Matara, et l'on peut voir une ancienne chambrée de soldats et des cellules de détenus.

Old Dutch Trade Centre ÉDIFICE HISTORIQUE
(Nupe Market ; Anagarika Dharmapala Mawatha). GRATUIT Dans l'ouest de la ville, ce magnifique bâtiment en T (ancien marché municipal) intéressera les amateurs d'architecture par son imposante toiture pentue, ses 3 tours coniques et sa grande entrée à pignon. Ouvert sur les côtés, l'ensemble est soutenu par d'énormes colonnes et poutres de bois.

Matara Fort QUARTIER
Ce quartier historique décrépit fut le cœur de la partie hollandaise puis britannique de Matara. Il n'y a rien de précis à voir, mais le quartier présente un intérêt architectural et il suffit d'une petite balade pour découvrir de belles demeures coloniales à des stades de délabrement divers. La rive du fleuve, à l'angle ouest, est tranquille. Il y aurait paraît-il des crocodiles. Essayez d'en apercevoir…

Polhena Beach PLAGE
(Polhena Rd). Cette petite crique sablonneuse protégée par un récif au large est la meilleure plage du secteur. La baie se prête au snorkeling et l'on y aperçoit souvent des tortues, malgré une visibilité assez moyenne. Le week-end, les Sri Lankais viennent en nombre batifoler dans les vagues avec des jouets gonflables loufoques, mais l'endroit est généralement calme en semaine.

Où se loger et se restaurer

Sunil Rest Guest House & Restaurant PENSION $
(041-222 1983 ; sunilrestpolhena@yahoo.com ; 16/3A Second Cross Rd ; ch à partir de 2 500 Rs ; wifi). Tenue par Sunil et Ureka, un charmant couple sri lankais, cette belle pension est à 150 m de la plage. Le bâtiment principal contient des chambres simples et propres, et la famille gère d'autres hébergements à proximité. Ureka est très bonne cuisinière. La pension ne verse pas de commission et de nombreux conducteurs de *túk-túk* vous affirmeront qu'elle est fermée ; ne les croyez pas.

Galle Oriental Bakery Restaurant SRI LANKAIS $
(41 Anagarika Dharmapala Mawatha ; repas 130-280 Rs ; 8h-20h). Meilleure table du centre, ce restaurant historique vieillissant comprend plusieurs petites salles lambrissées et des vitrines remplies de pâtisseries et d'en-cas salés. Bons currys et soupes à prix modiques.

♥ **Dutchman's Street** SRI LANKAIS $$
(041-223 6555 ; www.thedutchmansstreet.com ; Court Rd ; repas 500-1 300 Rs ; 9h-22h ; wifi). Ce nouveau café-restaurant branché installé dans les remparts sert des plats internationaux (ailes de poulet frites, beignets de crevettes) à prix raisonnables. Il accueille parfois des DJ et des concerts live ; le jardin fait face à la mer.

Renseignements

Il y a des banques et des DAB dans toutes les grandes artères du centre.

Police (041-222 2222 ; Main St ; 24h/24). Au centre, près du marché.

Poste (New Tangalla Rd ; 8h-17h lun-sam). Près de la gare routière.

Depuis/vers Matara

BUS

La vaste **gare routière de Matara** (New Tangalla Rd ; 24h/24) compte plusieurs

BUS LONGUE DISTANCE AU DÉPART DE MATARA

DESTINATION	TARIF (RS)	DURÉE (H)	FRÉQUENCE
Colombo (par la route littorale)	Ordinaire/semi-luxe 191/410	5	ttes les 15 min
Colombo (par la voie express)	luxe climatisé 510	2 ½	ttes les heures 4h-19h
Ella	270	5	5/jour
Galle	50	1	ttes les 15 min
Kataragama	215	4	ttes les heures
Ratnapura	225	4 ½	6h20, 7h, 12h40
Tangalla	58	1	ttes les 15 min

niveaux. Repérez les minuscules panneaux des destinations au-dessus des files d'attente. Matara étant un carrefour des transports, les liaisons sont fréquentes dans toutes les directions ; la plupart des bus ne sont pas climatisés. Pour rejoindre Kandy, passez par Colombo.

TRAIN

La **gare ferroviaire de Matara** (Railway Station Rd) est l'actuel terminus de la ligne côtière. Mais les travaux de prolongement jusqu'à Kataragama progressent et devraient être achevés d'ici 2018. Quelques destinations desservies :

Bentota 2e/3e classe 140/70 Rs, 2 heures, 5 à 6/jour

Colombo 2e/3e classe 230/130 Rs, 2 heures 45-4 heures, 5 à 6/jour

Galle 2e/3e classe 80/40 Rs, 1 heure-1 heure 30, 6 à 8/jour

Kandy (via Colombo) 2e/3e classe 360/195 Rs, 7 heures, 1/jour

Dondra

La petite ville de Dondra fut l'un des principaux lieux de culte de l'île jusqu'à ce que le grand temple de Tenavaram soit détruit par les Portugais au XVIe siècle. Elle n'est plus connue aujourd'hui que pour être la ville la plus méridionale du pays. On trouve de quoi manger sur le pouce autour du temple de Tenavaram. Matara, toute proche, compte de nombreux restaurants.

Le **Dondra Head Lighthouse** (phare ; Lighthouse Rd) semble marquer d'un point d'exclamation la pointe la plus méridionale du Sri Lanka. Les visites de l'enceinte et du phare lui-même sont actuellement interdites, mais, si l'interdiction est levée, vous découvrirez une vue remarquable depuis le sommet. Le cadre maritime est toujours aussi évocateur. À 1,2 km au sud du centre-ville.

Le **Tenavaram Kovil** est devenu le plus grand temple de Dondra depuis la destruction en 1587 de l'immense temple d'origine. On y trouve généralement un couple d'éléphants (enchaînés, malheureusement).

Des bus en provenance de Matara (toutes les 15 minutes) vous déposent au centre de Dondra, d'où l'on peut rejoindre le phare en *túk-túk* ou à pied.

Talalla

☎ 041

Sublime croissant de sable à peine touché par le tourisme, Talalla est une candidate sérieuse au titre de plus belle plage du pays. Lorsqu'on arpente ce kilomètre de côte idyllique, on ne rencontre pas d'autres signes de présence humaine que de petits bateaux de pêche. On se sent très proche de la nature à l'extrémité ouest de la plage, où des parcelles de forêt tropicale abritent des singes et des iguanes.

L'extrémité est de Talalla est moins jolie, la route passant plus près du rivage.

Où se loger et se restaurer

De modestes pensions sont installées en retrait de la plage, il y a aussi une villa ou deux à louer et un hôtel.

Sur la plage même, il n'y a que quelques gargotes proposant en-cas et boissons ; la plupart des hébergements ont un restaurant.

♥ **Talalla Sunshine Beach** PENSION $$

(☎ 077 514 1533 ; www.talalla-sunshine-beach.com ; ch avec ventil/clim à partir de 3 800/4 700 Rs ; ❄ wifi). Les propriétaires, particulièrement hospitaliers, font le charme de cette pension économique toute proche de la plage. Les 4 chambres offrent une vue partielle sur l'océan et sont équipées de moustiquaires, de la climatisation en option et de sdb avec eau chaude. La cuisine est remarquable : les riz-currys et les petits-déjeuners avec *hoppers* que concocte Nisansala n'ont rien d'ordinaire. Elle propose aussi des cours de cuisine.

Paradise Beach House PENSION $$

(☎ 077 270 809 2 ; près de Matara-Tangalla Rd ; ch 4 500 Rs ; wifi). Chambres propres et carrelées, linge frais, moustiquaires et sdb avec eau froide. Les sympathiques hôtes ne parlent que très peu l'anglais.

Secret Bay Hotel PENSION $$

(☎ 041-438 1089 ; www.secretbayhotel.jimdo.com ; près de Matara-Tangalla Rd ; ch à partir de 55 $US ; ❄ wifi). À environ 250 m de la plage, cette pension propose des chambres soit dans d'humbles bungalows (les meilleures), soit dans le bâtiment principal à 2 étages, assez haut. La décoration, simple, est soulignée de bleu vif. Le restaurant du dernier étage a l'atout d'une vue panoramique.

♥ **Talalla Retreat** COMPLEXE HÔTELIER $$$

(☎ 041-225 9171 ; www.talallaretreat.com ; près de Matara-Tangalla Rd ; ch 50-110 $US ; ❄ wifi piscine). Cette retraite figure parmi les plus isolées de l'île. Nombre de clients y viennent dans le cadre d'un forfait yoga, bien-être ou apprentissage du surf. L'ensemble est évocateur, éloigné du rivage avec vue sur l'océan depuis le restaurant. Certains hébergements sont cependant mal conçus : beaucoup de chambres étant ouvertes sur le côté (sans fenêtre), prévoyez les visites inopinées de singes et d'écureuils chapardeurs, ainsi qu'un peu de bruit.

Depuis/vers Talalla

Tous les bus circulant entre Matara et Tangalla (ttes les 15 min environ) passent près de la route d'accès à Talalla, située au Km 171.

Aucun transport public ne dessert la plage même ; un *túk-túk* entre la route et la plage coûte 250 Rs.

Dikwella

041

À 22 km à l'est de Matara, Dikwella, se résume à un ensemble de quelques commerces en bord de route, pratiques pour les habitants. Mais elle est proche de quelques sites intéressants. Le littoral peu fréquenté comprend quelques jolies plages nichées dans de petites criques près de la route principale.

À voir

Ho-o-maniya Blowhole SITE NATUREL

(250 Rs ; aube-crépuscule). L'évent de Ho-o-maniya est tantôt spectaculaire, tantôt décevant. Durant la mousson du sud-ouest (juin est la meilleure période), la mer s'engouffre dans une cheminée naturelle de 23 m creusée dans les rochers et jaillit à l'extérieur jusqu'à 18 m de hauteur. À d'autres moments de l'année, le phénomène tombe à plat. Depuis le parking, il faut parcourir 300 m en montée et en descente, au milieu de nombreux marchands – le chemin est hélas jonché de détritus.

Wewurukannala Vihara MONUMENT BOUDDHIQUE

(Wewurukannala Rd ; 200 Rs ; aube-crépuscule). Un bouddha assis haut de 50 m, le plus grand de Sri Lanka, est la pièce maîtresse de ce temple un peu tape-à-l'œil, souvent pris d'assaut par les fidèles. Avant d'arriver à la statue du Bouddha, on traverse une salle des horreurs, remplie de démons et de pécheurs grandeur nature. Entre autres supplices, les mécréants sont plongés dans des chaudrons bouillonnants, coupés en deux ou éventrés ! Le temple est à 1,5 km de Dikwella, dans les terres en direction de Beliatta.

Où se loger et se restaurer

La plage regroupe quelques hôtels et pensions. Côté restauration, le secteur compte surtout des petits établissements sri lankais en bord de route servant du riz-curry et des en-cas.

Dickwella Beach Hotel HÔTEL **$$**

(041-225 5522 ; www.dickwellabeach.lk ; 112 Mahawela Rd ; ch avec ventil/clim à partir de 28/36 $US ;). Cet hôtel tenu en famille regroupe deux bâtiments. L'un moderne et situé en bord de plage dispose de chambres avec une vue de rêve sur l'océan, tandis que les chambres petits budgets se trouvent près de la route. Le restaurant près de l'eau est idéal pour siroter une noix de coco en regardant les vagues. Guettez l'embranchement sur la route principale, à environ 1 km à l'est de Dikwella.

Coconut Palm Beach Seafood Restaurant PRODUITS DE LA MER **$$**

(071 803 1141 ; Tangalla Rd ; repas à partir de 650 Rs ;). Belle adresse pour goûter les produits de la mer – crabe, crevettes, calmars ou poisson – juste au bord de l'océan. Ce restaurant occupe une jolie petite crique sablonneuse à 1 km à l'ouest du centre de Dikwella, mais il est proche de la route côtière.

Depuis/vers Dikwella

Dikwella est reliée à Matara (20 Rs, 30 min) et à Tangalla (36 Rs, 40 min) par des bus très réguliers circulant de 5h30 à 19h.

Hiriketiya

041

Bordée de forêt tropicale, battue par les vagues, cette petite baie en fer à cheval est en passe de devenir l'une des plages les plus branchées du pays. Encore relativement peu connue, elle n'attire pour l'instant que des voyageurs et expatriés bien informés. Cet engouement s'explique aisément : elle est très à l'écart du bruit de la route côtière qui afflige bien des plages du sud du pays et aucun hôtel en béton ne s'y dresse. Il n'y a qu'une poignée de pensions discrètes, pour l'instant.

Elle est très prisée pour le surf. Les débutants et les moins expérimentés apprécieront les vagues proches du milieu du rivage, tandis que des vagues plus grosses se déroulent vers l'extrémité est de la baie.

On trouve des planches à louer directement sur la plage, et la plupart des pensions proposent des cours. La baignade est généralement agréable près du rivage et vers l'extrémité ouest de la baie.

Où se loger et se restaurer

Tout est proche de la plage. La jungle étant assez dense, il n'est pas rare de rencontrer des animaux sauvages, notamment des singes et des lézards. La plupart des pensions proposent aussi des repas. Prévoyez de l'attente en haute saison.

Dot's Bay House PENSION **$$**
(☎077 793 5593 ; www.dotsceylon.com ; ch 50 $US ; ❄📶). Cinq petites chambres artistiquement décorées dans une pension réputée pour ses bonnes vibrations et son ambiance décontractée propice aux rencontres ; climatisation en supplément. Les chambres sont un peu onéreuses, mais la baie est si prisée que l'établissement est souvent complet. Agréable café sur place.

Salt House PENSION **$$$**
(☎041-225 6819 ; www.salthousesrilanka.net ; Hiriketiya Rd ; ch 85 $US ; ❄📶). Cette élégante pension haut de gamme comprend 6 chambres (certaines ont un côté ouvert, d'où un peu de bruit, d'autres sont fermées et climatisées) et un grand espace détente sur la terrasse supérieure. Juste à côté se trouve un charmant jardin abritant une magnifique salle de yoga face à la forêt et un restaurant de cuisine diététique. À 100 m du rivage.

Beach House Hiriketiya PENSION **$$$**
(☎076 617 6969 ; www.beachhousehiriketiya.com ; ch 80 $US ; ❄📶). Simplicité et chic balnéaire pour ces chambres alignées derrière le restaurant. Intelligemment conçues, elles sont décorées dans les tons blanc et crème, dotées de matelas épais et confortables et de sdb en plein air. Réservez longtemps à l'avance, car l'endroit est couru.

Dot's Surf Cafe CAFÉ **$$**
(Repas 500-800 Rs ; ⏲8h-18h ; 📶). En retrait du rivage près d'une petite lagune, ce charmant café à l'ambiance branchée sert des burgers riches en viande, des gaufres croustillantes, et de bons jus de fruits et cafés.

Depuis/vers Hiriketiya

Hiriketiya est à environ 1 km de Dikwella. Des bus très réguliers circulent entre Matara (20 Rs, 30 min) et Tangalla (36 Rs, 40 min) de 5h30 à 19h ; tous passent par Dikwella, d'où l'on rejoint Hiriketiya en *túk-túk* pour 250 Rs.

Goyambokka

☎047

Il n'y a pas grand-chose à Goyambokka, qui se résume à quelques jolies anses sablonneuses et à des hôtels sur le littoral. L'embranchement pour Goyambokka Rd est à l'ouest du panneau indiquant le Km 194.

Où se loger et se restaurer

La plupart des hôtels sont un peu datés et plutôt chers au vu des prestations.

On trouve surtout des restaurants d'hôtels dans ce secteur, mais il y a aussi quelques cafés dans des paillotes sur la plage. Vous trouverez plus de choix à Tangalla.

♥ **Goyambokka Guest House** PENSION **$$**
(☎047-224 0838 ; www.goyambokkaguesthouse.com ; Goyambokka Rd ; ch 4 000-5 000 Rs, villa 8 000-10 000 Rs ; ❄📶🏊). Cette belle propriété récemment agrandie propose maintenant un choix d'hébergement allant de la chambre avec ventilateur à la villa de 2 niveaux et autres logements pour les familles. Tous sont disséminés dans un jardin tropical où se balancent des palmiers, à courte distance de la plage.

Green Garden Cabanas HÔTEL **$$**
(☎077 624 7628 ; www.greengardencabanas.com ; Mahawela Rd ; ch avec ventil/clim à partir de 28/40 $US ; ❄📶🏊). En retrait de la plage, cet hôtel possède un choix d'hébergement, dont des bungalows en bois et pierre bien tenus, avec sdb soignée. Les chambres du bâtiment principal disposent de terrasses privatives avec vue sur des jardins regorgeant de fruits. Restaurant correct sur place. L'embranchement se trouve à hauteur du Km 196.

♥ **Amanwella** HÔTEL DE LUXE **$$$**
(☎047-224 1333 ; www.amanresorts.com ; près de Matara-Tangalla Rd ; ste à partir de 655 $US ; ❄@📶🏊). Dans ce temple luxueux, les suites sont parées de piscines privées, d'iPod chargés et de tous les détails d'un design tendance et de bon goût. Elles sont d'un confort si exceptionnel que vous aurez un mal fou à en partir. Toutes ont vue sur l'océan, mais les n[os]110, 111 et 112 sont les plus proches de la plage. L'entrée donne immédiatement à l'est du Km 193. La piscine à débordement, l'une des plus belles du pays, mesure 50 m.

Think Club PRODUITS DE LA MER, SRI LANKAIS $$

(☎077 364 1739 ; près de Goyambokka Rd ; repas 600-1 000 Rs). Tenue par un père et son fils, cette paillote excentrique à souhait est une excellente adresse sur la plage. Il faut grimper une échelle branlante pour manger sur la terrasse face à l'océan. Les délicieux produits de la mer passent directement de l'océan à l'assiette, il y a de la bière fraîche et les propriétaires louent une cabane rudimentaire pour ceux qui ne se sentent pas en état de rentrer.

Depuis/vers Goyambokka

Tous les bus circulant entre Matara et Tangalla (ttes les 10 min) peuvent vous déposer à l'embranchement pour Goyambokka. De la gare routière de Tangalla, comptez 400 Rs en *túk-túk*.

Tangalla et ses environs

☎047 / 11 200 HABITANTS

Tangalla est le point d'accès aux grands espaces et aux plages à l'horizon infini du sud-est du Sri Lanka. C'est la dernière ville digne de ce nom avant Hambantota, et elle dégage un charme européen à l'ancienne. Mais l'on vient avant tout ici pour dénicher sa plage de rêve, et il y en a plusieurs dans les environs.

À voir et à faire

Le port de Tangalla se prête à une petite balade intéressante, dans la mesure où il conserve de nombreux souvenirs de la présence hollandaise. Suivez Harbour Rd pour contourner le cap et pénétrer dans la zone militaire (généralement ouverte). Le **belvédère** aménagé sur le bas-côté herbeux offre un panorama splendide.

Turtle Watch Rekawa CIRCUITS

(☎076 685 7380 ; www.turtlewatchrekawa.org ; Rekawa Beach ; adulte/enfant 1 000/500 Rs ; ⌚20h30-minuit). Cinq espèces de tortues viennent déposer leurs œufs sur Rekawa Beach. Les groupes de visiteurs sont conduits jusqu'aux sites de ponte pour admirer ces magnifiques créatures. Malheureusement, ces groupes étant parfois nombreux (jusqu'à 100 personnes certains soirs du week-end), l'agitation est susceptible de perturber grandement les tortues. En attendant que ces visites soient mieux organisées, on ne saurait les recommander de gaieté de cœur.

Où se loger

Vous pourrez séjourner à Tangalla et dans plusieurs endroits à proximité. Les hébergements en bord de plage proches de la ville sont commodes mais un peu tassés les uns contre les autres. En allant vers l'est, plusieurs d'entre eux sont très reculés, et situés au bout de pistes accidentées partant d'Hambantota Rd.

Tangalla

Les plages de la ville au sud du centre sont ravissantes. Hélas, la grand-route passe à proximité et les passagers des bus se tordent le cou pour observer les étrangères en bikini.

Moonstone Villas HÔTEL $$$

(☎047-224 0320 ; www.moonstonevillas.com ; 336 Matara Rd ; s/d à partir de 72/90 $US ; ❄ 📶 🏊). Chambres modernes et joliment décorées dans un jardin luxuriant. Les prix sont toutefois un peu élevés pour l'endroit, la plage se trouvant au bout et de l'autre côté de la route.

Medaketiya Beach

La plage sablonneuse, qui s'éloigne de la ville vers le nord-est, est jalonnée de pensions et cafés de qualité variable. Le sable est doré mais les vagues cassantes rendent la baignade dangereuse. À l'extrémité nord-est, la route très passante bifurque en direction de l'intérieur des terres et devient plus calme. Malheureusement, de nouveaux brise-lames provoquent une érosion en contrariant les courants.

Starfish Beach Cafe PENSION $

(☎047-224 1005 ; starfishtangalle@gmail.com ; Vijaya Rd ; ch 2 000-4 500 Rs ; 📶). Cette pension abrite de grandes chambres lumineuses d'une propreté irréprochable. Il s'agit d'un repaire de routards très prisé du coin. C'est l'endroit idéal pour acheter un *roti* au stand donnant sur la plage.

Villa Araliya PENSION $$

(☎047-224 2163 ; www.villa-araliya.net ; Vijaya Rd ; ch 40-50 €, villa 180 € ; 📶). Cette pension en bord de plage est tenue par un Allemand. Des bungalows, décorés de mobilier ancien (d'armoires sculptées notamment), occupent un jardin luxuriant. L'ensemble possède un charme rare dans le secteur et la villa de 3 chambres est parfaite entre amis ou en famille.

Tangalla et ses environs

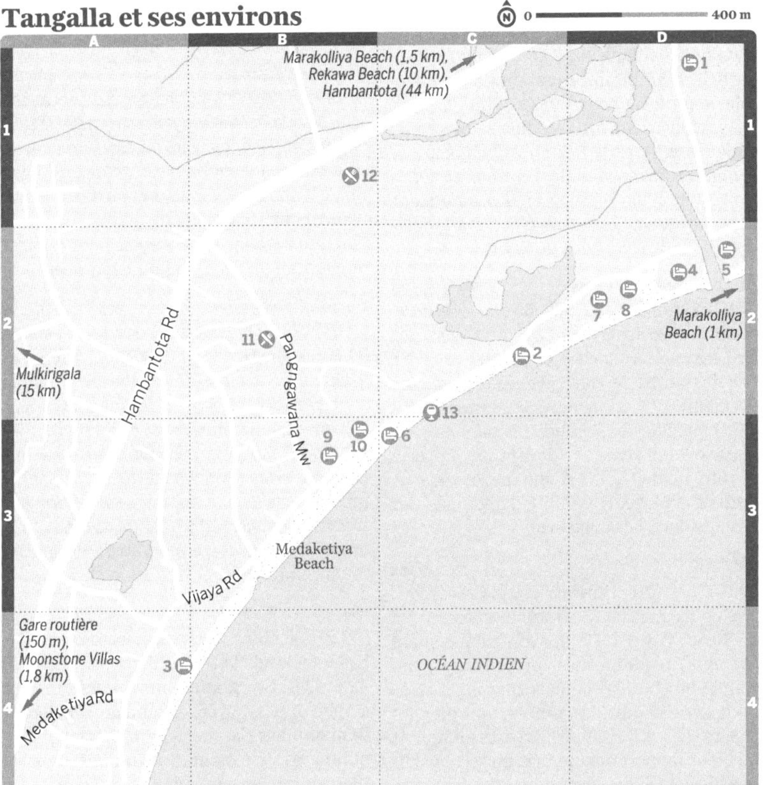

Frangipani Beach Villas PENSION $$
(☎071 533 7052 ; www.frangipanibeachvilla.com ; Jayawardana Rd ; ch 35-75 $US ; ❄📶🏊). Proche de la ville, cette pension ne remportera pas un prix de design : la décoration tape-à-l'œil et disparate, les fresques douteuses et le mobilier daté sont particulièrement dissonants. Esthétique mis à part, les propriétaires sont chaleureux et sympathiques, et le café en bord de plage est très agréable. La piscine est à environ 300 m le long du rivage.

Marakolliya Beach

Quasi la prolongation de Medaketiya Beach, mais bien plus loin de la ville, cette plage fabuleuse semble s'étendre à l'infini le long de la côte, sur fond de palmiers, de fleurs tropicales et de mangroves. Sachez toutefois que les rouleaux puissants qui s'écrasent sur la plage sont traversés de courants, lesquels rendent souvent la baignade très dangereuse.

Tangalla et ses environs

Où se loger

1 Chill D1
2 Cinnabar Resort C2
3 Frangipani Beach Villas A4
4 Ganesh Garden D2
5 Lonely Beach Resort D2
6 Panorama Rock Cafe C3
7 Sandy's D2
8 Serein Beach D2
9 Starfish Beach Cafe B3
10 Villa Araliya B3

Où se restaurer

11 Mango Shade B2
12 Saliya Restaurant B1

Où prendre un verre et faire la fête

13 Lounge C2

Il existe deux routes d'accès : Madilla Rd, prolongement parfois accidenté de Vijaya Rd, à Tangalla ; et une autre piste partiellement bitumée partant de Hambantota Road à hauteur du Km 200. La nuit, des tortues viennent y pondre leurs œufs ; en journée, de rares touristes cherchent des coquillages dans le sable. Pensions et hôtels sont nombreux à proposer des excursions dans la lagune, des sorties d'observation des oiseaux et des locations de kayak.

Panorama Rock Cafe BUNGALOWS **$**
(☎047-224 0458, 077 762 0092 ; www.facebook.com/Panorama-Rock-Cafe ; Madilla Rd, Medaketiya Beach ; ch 2 200-5 000 Rs ; 📶). Les chambres de cette propriété ancienne occupent des bungalows en ciment. Le site bénéficie de l'ombre de plantes déjà matures. Le café à devanture ouverte profite quant à lui d'une belle vue sur l'eau et la plage. Possibilité d'organiser des circuits dans la mangrove.

♥ **Chill** PENSION **$$**
(☎077 671 0711 ; www.chillenjoycabanas.com ; près de Hambantota Rd, Marakolliya Beach ; s/d 30/40 $US ; ❄📶). Ce nouvel établissement est une réussite. Les propriétaires, un couple hungaro-sri lankais travaillant dans l'hôtellerie depuis des années, font bien les choses. Les 2 bungalows séparés offrent le meilleur rapport qualité/prix du secteur ; ils bénéficient d'une décoration impeccable et de belles vérandas avec hamacs. À quelque 400 m de la plage, près de la lagune. Restaurant et location de vélos.

♥ **Lonely Beach Resort** BUNGALOWS **$$**
(☎071 816 4804 ; www.lonelybeachresort.com ; près de Hambantota Rd, Marakolliya Beach ; ch 30-40 $US ; 📶). Cet endroit isolé près de la lagune est parfait pour ceux qui cherchent un pied-à-terre tranquille en bord de plage. Les chambres sont propres et bien tenues ; celles de l'arrière sont moins chères. Le café a l'atout d'une vue ravissante sur la mer, et rien n'est plus agréable que de rêvasser dans un hamac.

♥ **Ganesh Garden** BUNGALOWS **$$**
(☎047-224 2529 ; www.ganeshgarden.com ; Madilla Rd, Marakolliya Beach ; ch 40-75 $US ; ❄📶). Établissement très bien géré, louant divers bungalows : en brique crue, pour ceux situés près de la lagune, à l'arrière, en bois et chaume côté plage, ou encore en béton – tous sont confortables et bien conçus. Autres atouts : une jolie plage, un bon café-restaurant et des kayaks disponibles pour explorer la lagune.

Cinnabar Resort BUNGALOWS **$$**
(☎077 965 2190 ; www.cinnabarresort.wordpress.com ; Madilla Rd, Marakolliya Beach ; ch 20-50 $US ; 📶). Séjour rustique garanti dans cet endroit où l'une des chambres est aménagée dans une cabane perchée dans un arbre... L'ambiance conviviale et le café pittoresque sur la plage en font une belle adresse pour manger ou prendre un verre en fin de journée.

Serein Beach BOUTIQUE-HÔTEL **$$**
(☎047-224 0005 ; www.sereinbeach.com ; Madilla Rd, Marakolliya Beach ; ch 45-90 $US ; ❄📶). Les 9 chambres de cet hôtel chic de 2 étages sont particulièrement attrayantes avec leur élégant mobilier moderne ; celles du dernier étage font face à la mer. En outre, l'eau est chauffée à l'énergie solaire, le personnel professionnel et le toit-terrasse charmant. L'hôtel bénéficie d'un emplacement très ensoleillé, et la plage qui s'étend devant lui est enchanteresse.

Mangrove Chalets BUNGALOWS **$$**
(☎077 790 6018 ; www.beachcabana.lk ; près de Hambantota Rd, Marakolliya Beach ; ch à partir de 45 € ; 📶). Ces grands bungalows (jusqu'à 4 personnes) avec vérandas spacieuses donnent sur la mer ou la lagune. Une bonne adresse pour les familles dans la mesure où les eaux claires et calmes des mangroves sont propices à la baignade. On peut accéder à l'endroit par un pont en bambou.

Sandy's PENSION **$$**
(☎077 622 5009 ; www.sandycabana.com ; près de Hambantota Rd, Marakolliya Beach ; ch à partir de 40 $US ; 📶🍴). Cet établissement classique de style Robinson Crusoé propose des bungalows en palmes (avec pour certains des chambres ouvertes sur les étoiles). Les conditions de séjour sont assez sommaires (vous devrez peut-être inspecter plusieurs bungalows avant d'en dénicher un propre). Le buffet du soir est cher (1 500 Rs), mais copieux.

🛏 Rekawa Beach

À 10 km à l'est de Tangalla, cette plage est une autre merveille. Comme Marakolliya, mais moins développée, cette bande de sable s'étire à perte de vue ; battue par les vents et les vagues, elle est peu propice à la baignade. Elle est aussi connue pour les tortues – pas moins de 5 espèces – qui viennent y pondre. Une route d'accès part de Hambantota Rd à hauteur du Km 203.

Buckingham Place COMPLEXE HÔTELIER $$$
(☎047-348 9447 ; www.buckingham-place.com ; Rekawa Beach ; ch à partir de 210 $US ; ❄☎≋). Entouré d'une enceinte, ce complexe de luxe isolé occupe une langue de sable en retrait de la plage. Les chambres jouent la carte contemporaine, avec sols en béton ciré, mobilier élégant et magnifiques sdb semi-ouvertes. L'établissement est proche de l'endroit où l'on peut voir les tortues et il y a beaucoup d'oiseaux à observer dans la lagune voisine – ne manquez pas d'y faire un tour en kayak.

Où se restaurer et prendre un verre

Tous les hébergements servent des repas. Beaucoup disposent de cafés avec une vue sublime sur l'océan, et les produits de la mer ne déçoivent jamais.

♥ **Mango Shade** SRI LANKAIS $$
(☎077 720 1859 ; Pangngawana Mawatha 141, Medaketiya Beach ; repas 350-750 Rs ; ⏱8h-21h45 ; ☎). Au bout d'une allée, à 300 m de la plage à l'intérieur des terres, voici une adresse où l'on pratique une cuisine maison à la mode sri lankaise, avec sauces fortement épicées et produits de la mer, à prix très raisonnables pour le secteur (poisson et riz-curry 350 Rs). L'endroit est tenu par un couple aimable et l'on mange sous les manguiers et les cocotiers.

Saliya Restaurant PRODUITS DE LA MER $$
(☎047-224 2726 ; Hambantota Rd ; repas 250-500 Rs ; ⏱7h-22h ; ☎). Perchée sur des pilotis à 1,5 km à l'est du centre-ville, près du Km 198, cette excentrique cabane en bois vaut le détour pour sa vue sur la mangrove – la cuisine est bonne, mais le cadre est plus enthousiasmant encore.

Lounge BAR
(☎077 342 4723 ; Madilla Rd, Medaketiya Beach ; ⏱10h-2h ; ☎). Tables et chaises en caisses recyclées, balancelles près du bar, bande-son tendance : ce bar de plage branché a son propre style. Il y a d'excellents cocktails, et les plats (préparés dans une cuisine ouverte) sont bons, quoique chers. Le propriétaire, un Sri Lankais volubile et fan de sport, a vécu plusieurs années à Londres.

Depuis/vers Tangalla et ses environs

Tangalla est un arrêt de bus important sur la route côtière principale ; on peut héler les bus n'importe où sur cette route ou se rendre à la **gare routière** (Main Rd), au centre-ville. La plupart des bus ne sont pas climatisés. Quatre bus de luxe climatisés rejoignent quotidiennement Colombo (860 Rs, 3 heures) via la Southern Expressway. Des bus fréquents (toutes les 15 minutes environ) rejoignent d'autres destinations dont :

Colombo (par la route côtière) ordinaire/semi-luxe 160/324 Rs, 6 heures
Galle 107 Rs, 2 heures
Kataragama 121 Rs, 2 heures 30
Matara 58 Rs, 1 heure
Tissamaharama 101 Rs, 2 heures

Parc national de Bundala

Bien moins visité que le parc national de Yala tout proche, le **parc national de Bundala** (adulte/enfant 10/5 $US, plus 250 Rs/véhicule, service 8 $US/groupe, taxe 15% ; ⏱6h-18h, dernières admissions 16h30) est une excellente destination pour les amateurs d'oiseaux. En outre, les chances sont grandes de voir des crocodiles, des sangliers, des mangoustes, des varans, des singes et des éléphants.

Bundala est un extraordinaire dédale de cours d'eau, de lagunes et de dunes qui scintillent au soleil couchant. Il abrite des milliers d'oiseaux colorés, des minuscules guêpiers aux becs-ouverts indiens. Il constitue par ailleurs un sanctuaire protégé au titre de la convention de Ramsar sur les zones humides. De nombreux grands mammifères y vivent également, dont 15 à 60 éléphants selon la saison (décembre étant le meilleur moment pour les voir).

Le parc accueille quelque 200 espèces d'oiseaux sur ses 62 km². Beaucoup parmi eux migrent de Sibérie et du Rann de Kutch (Inde) pour hiverner entre août et avril (le plus fort de la saison s'étend de décembre à mars). Des flamants roses viennent aussi en hiver et on a recensé jusqu'à 2 000 individus à la fois ; ils délaissent parfois le parc une ou deux années.

Bundala compte aussi des civettes, des écureuils géants et de nombreux crocodiles. Entre octobre et janvier, 4 des 5 espèces de tortues marines du Sri Lanka (Ridley, verte, luth et caouane) pondent leurs œufs sur le littoral.

VAUT LE DÉTOUR

LES TEMPLES RUPESTRES DE MULKIRIGALA

Les paisibles **temples rupestres de Mulkirigala** (Mulkirigala Rd ; 500 Rs ; aube-crépuscule) s'accrochent à une falaise rocheuse à 16 km au nord-ouest de Tangalla, au cœur d'une verdoyante forêt de cocotiers. Une fois gravies les quelque 500 marches (suée garantie !), on atteint un ensemble de 7 grottes semblables à des crevasses distribuées sur 5 terrasses de différents niveaux. Elles abritent d'imposants bouddhas couchés, ainsi que des statues plus petites représentant le Bouddha assis ou debout.

Sur les parois, de fabuleuses peintures murales mettent en scène des pécheurs goûtant les fruits défendus sur Terre, et soumis dans l'au-delà à une torture éternelle. Plus haut, perché au sommet du rocher à 206 m au-dessus de la base, un petit dagoba a l'attrait d'une belle vue sur la campagne alentour.

Sous une forme ou une autre, des temples ont été installés ici depuis plus de 2 000 ans ; ceux que l'on découvre aujourd'hui et leurs peintures datent du XVIIIe siècle. À proximité, une école bouddhique accueille de jeunes moines.

Des manuscrits en pali trouvés dans la bibliothèque monastique par un fonctionnaire britannique en 1826 permirent de traduire le *Mahavamsa* (*Grande Chronique*), qui dévoila l'histoire ancienne du Sri Lanka aux Européens. Vous trouverez plus de détails sur ce site, ainsi que des photos sur www.srilankaview.com/mulkirigala_temple.htm.

Mulkirigala est accessible en bus depuis Tangalla via Beliatta ou Wiraketiya (selon les départs, il peut être plus rapide de passer par Wiraketiya que d'attendre le bus de Beliatta). De Tangalla, l'aller-retour en rickshaw coûte 1 800 Rs environ.

Bundala s'étend sur près de 20 km le long de la côte entre Kirinda et Hambantota. L'entrée se trouve à l'ouest du panneau indiquant le Km 251. Le centre pour les visiteurs situé à l'entrée principale donne sur les marais ; remarquez le squelette d'un impressionnant crocodile. Bundala est ouvert toute l'année, même à la saison humide.

Il n'existe aucun hébergement à l'intérieur du parc et les visiteurs logent habituellement à Tissamaharama. Deux ou trois hôtels sont installés le long de la grand-route, près de l'entrée, mais il faut louer des jeeps pour visiter le parc. Il n'y a aucune possibilité de restauration dans le parc : apportez vos provisions.

Bundala est à 18 km de Tissamaharama et à 10 km de Hambantota. Il n'y a pas de transports publics dans le parc. La plupart des gens organisent leur visite (p. 147) ou louent leurs jeeps à Tissamaharama ; le prix exact d'un safari dépend du nombre de participants, du guide et du véhicule.

Tissamaharama

047 / 11 300 HABITANTS

À Tissamaharama, souvent raccourci en Tissa, le regard se porte automatiquement sur le sommet de l'énorme dagoba blanc et, au-delà de la ville, sur les réserves naturelles peuplées d'animaux sauvages. Joliment située en bord de lac, Tissa fait une base tranquille, idéale pour visiter les parcs nationaux de Yala et Bundala.

À voir

Dagoba de Tissa STUPA BOUDDHIQUE

(Près de Rubberwatte Rd). GRATUIT Le grand dagoba très restauré qui se dresse entre le centre de Tissa et le *wewa*, aurait été construit vers 200 av. J.-C. par Kavantissa, un roi du royaume de Ruhunu, dont l'actuelle Tissamaharama était l'épicentre. Haut de 55,8 m, ce stupa blanc a une circonférence de 165 m. Joliment éclairé en soirée, il aurait contenu une dent et un os frontal sacrés.

Tissa Wewa LAC

Principal site de la ville et des alentours, le beau Tissa Wewa est un immense lac artificiel. En soirée, des volées d'aigrettes se perchent dans les arbres autour du lac. La route longeant la lisière sud du lac comporte une toute nouvelle **Lakeside Walkway** (allée de promenade en bord de lac). La baignade est dangereuse en raison de la présence de crocodiles.

Yatala Wehera STUPA BOUDDHIQUE

(Tissamaharama Rd). Des bassins à lotus entourent ce site, dont les sculptures, nombreuses, représentent autant d'éléphants (vous remarquerez les empreintes d'éléphants sculptées). Le dagoba de Yatala Wehera fut construit il y a 2 300 ans par le roi Mahanaga en remerciements pour la naissance de son fils, Yatala Tissa, et pour avoir échappé à une tentative d'assassinat à Anuradhapura. Le site est facilement accessible à pied depuis la ville.

Musée MUSÉE

(Tissamaharama Rd ; 8h-17h). GRATUIT Ce petit musée voisin du Yatala Wehera renferme une étonnante collection, où figure un ancien bidet ouvragé, doté d'un système élaboré de filtrage de l'eau et décoré de visages affreux pour empêcher tout fantasme sexuel. Les horaires sont variables, le gardien n'étant pas toujours présent.

Wirawila Wewa LAC

Située à l'ouest de Tissa, la Hambantota-Wellawaya Rd emprunte une passerelle enjambant ce vaste lac qui abrite des échassiers, ainsi que des oiseaux migrateurs de passage.

Où se loger

Les prix à Tissamaharama sont moins élevés que sur la côte et d'agréables hôtels et pensions sont disséminés dans la ville. Ceux situés en bord de lac ont bien sûr un charme d'emblée évident. Presque tous possèdent un restaurant. Pour ce qui concerne les circuits organisés à Yala, les hôtels qui jalonnent les routes d'accès au parc et ceux situés à proximité de la plage, à Kirinda, sont aussi de bonnes options.

Tissa Wewa et centre-ville

Hotel Tissa PENSION $

(071 711 5744 ; www.hoteltissa.com ; Main Rd ; ch 15-25 $US, cottage 35 $US ;). À 100 m de la gare routière, ces chambres fonctionnelles et d'un rapport qualité/prix correct sont réparties entre le bâtiment principal et un autre, plus calme, situé à l'arrière. Toutes sont climatisées, et les plus luxueuses ont en sus des réfrigérateurs et l'eau chaude.

Blue Turtle BOUTIQUE-HÔTEL $$

(077 548 6836 ; www.blueturtlehotel.com ; 119/2 Tissamaharama Rd ; ch 34-54 $US ;). D'un rapport qualité/prix exceptionnel, cet hôtel occupe une vaste et paisible enceinte où les hébergements font face à une superbe piscine de 20 m et à une élégante réception-restaurant. Les chambres occupent de séduisants cottages à 2 niveaux ; toutes ont un balcon ou une véranda et sont joliment agencées avec du mobilier contemporain. Le restaurant sert une bonne cuisine sri lankaise et occidentale. Bar sur place.

My Village PENSION $$

(077 350 0090 ; www.myvillagelk.com ; 69 Court Rd ; ch 30-60 $US ;). Cette très élégante pension de 3 chambres est la concrétisation des rêves modernistes d'un designer local. Le café au plan ouvert et l'espace commun sont faits pour les rencontres. Jardin ombragé avec hamacs. Vélos à disposition gratuitement. Admirez la cuisine ouverte d'une propreté absolue où l'on prépare le petit-déjeuner (inclus).

Cool Nest Yala Hotel HÔTEL $

(047-322 1303 ; www.thecoolnestyala.com ; 137/a Halambagaswala Rd, près de Rubberwatte Rd ; s/d à partir de 3 250/3 650 Rs ;). Prix intéressants, propreté et confort caractérisent cet hôtel composé de 2 jolies villas blanches. On peut les louer à la chambre (toutes avec sdb) ou entièrement, pour une famille. Le personnel vous aide à réserver transports et circuits ; à 500 m de la gare routière.

Traveller's Home PENSION $$

(077 601 0208, 047-223 7958 ; www.travellershomeyala.com ; Main Rd ; ch 20-40 $US, bung 3 lits 100 $US ;). Cette pension

CIRCUITS EN JEEP

Tissamaharama est le point de départ le plus prisé pour les circuits en jeep (p. 152) dans les parcs nationaux de Yala et de Bundala. Vous trouverez un chauffeur auprès de votre hébergement ou directement auprès des organisateurs sur le parking de l'**Independent Jeep Association** (près de Tissamaharama Rd) près du lac, ou à l'entrée des parcs. Les tarifs varient largement en fonction du véhicule, mais il faut compter un minimum de 4 000/8 000 Rs la demi-journée/journée. Entraînez-vous à marchander avant de venir. **Ajith Safari Jeep Tours** (077 790 5532, 047-223 7557 ; www.yalawild.com ; 414 Debarawewa) est une agence privée établie de longue date spécialisée dans les excursions dans les parcs de Yala, Uda Walawe et Bundala. Leurs guides sont bien formés et leurs 4X4 en bon état.

Tissamaharama

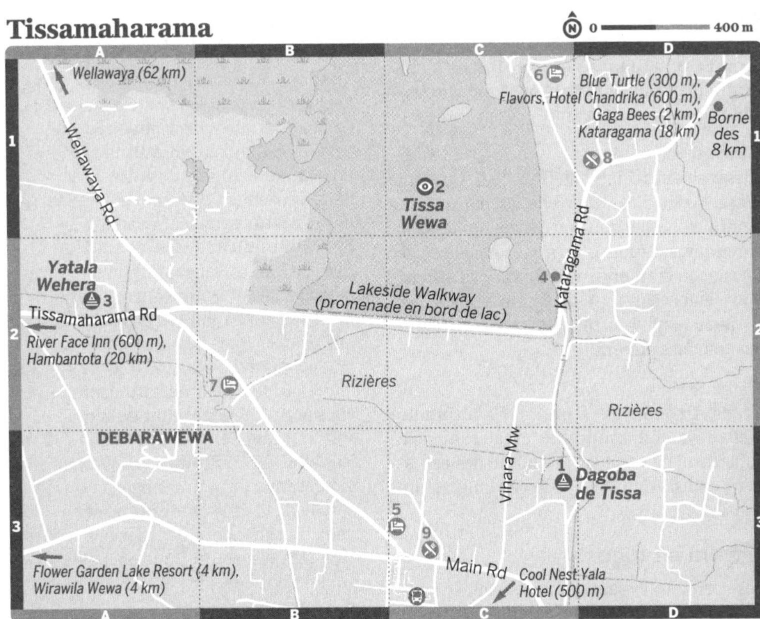

Tissamaharama

Les incontournables
1 Tissa Dagoba....C3
2 Tissa Wewa....C1
3 Yatala Wehera....A2

À voir
Museum....(voir 3)

Activités
4 Independent Jeep Association....C2

Où se loger
5 Hotel Tissa....C3
6 My Village....C1
7 Traveller's Home....B2

Où se restaurer
8 New Cabanas Restaurant....D1
9 Royal Restaurant....C3

attentionnée aux besoins des voyageurs est proche de Main Rd ; elle dispose de diverses chambres lumineuses et rénovées, toutes dotées d'un balcon ou d'un patio et d'une sdb avec eau chaude. Des chambres moins chères avec ventilateur, ainsi qu'un bungalow de 3 lits sont également disponibles. Prêt gratuit de vélos pour les clients. Restaurant.

Gaga Bees BUNGALOWS **$$**
(071 620 5343 ; www.gagabeesyala.com ; près de Sandagirigama Rd ; ch 5 000-6 000 Rs ;). Cet ensemble de 9 bungalows rustiques, plantés dans un cadre serein, est entouré de rizières. Tous sont construits en matériaux naturels – brique crue, toit en feuilles de palmier, bois locaux – et possèdent 2 lits, la climatisation et une véranda. Il y a un petit café et une piscine sur place. À 1,7 km à l'est de la route principale après l'embranchement à hauteur de l'Hotel Chandrika.

Hotel Chandrika HÔTEL **$$$**
(047-223 7143 ; www.chandrikahotel.com ; Kataragama Rd ; ch 85-120 $US ;). Ce grand hôtel rehaussé d'un beau jardin paysager est très prisé des groupes. Les 40 chambres confortables entourent un jardin avec palmiers et piscine ; celles du bâtiment récent sont plus élégantes. Le restaurant sert un délicieux curry. Personnel attentif.

Deberawewa

À l'ouest de Tissa, on trouve de bonnes adresses près de rivières et de grands lacs.

River Face Inn PENSION **$$**
(077 389 0229 ; www.yalariverfaceinn.com ; près de Hambantota Rd ; ch 30-80 $US, cabane dans les arbres à partir de 80 $US ;). Pension tenue

en famille, en bord de rivière, une avec une immense terrasse couverte garnie de tables, de chaises, de canapés confortables, et de hamacs. Les chambres sont équipées de ventilateurs ou de la climatisation. Prenez la cabane dans les arbres pour changer vraiment. Une bonne nourriture est servie le soir. À 3 km à l'ouest de Tissa.

Flower Garden Lake Resort HÔTEL $$
(047-223 9980 ; www.flowergardenlakeresort.com ; près de Wewa Rd ; ch 54-88 $US ;). Dans un coin tranquille et isolé, à 3 km à l'ouest du centre de Tissa, ce petit hôtel tire avantage d'un cadre grandiose, au bord du Wirawila Wewa. Ici, seul le chant des oiseaux trouble le silence. Les chambres ont la TV cablée, et il y a sur place une petite piscine. Le café est bon et l'on sert du vin et de la bière.

Où se restaurer

Royal Restaurant SRI LANKAIS $$
(071 085 1361 ; Main Rd ; repas 300-700 Rs ; 8h-22h). Bonne adresse pour des currys savoureux et bon marché ou encore des plats d'inspiration chinoise (goûtez le riz sauté aux fruits de mer). La clientèle se compose de familles sri lankaises, pour l'essentiel, et de quelques voyageurs. Bien que situé dans le centre, le restaurant est en retrait de la route. Les salles ouvertes sur les côtés sont donc au calme.

Flavors SRI LANKAIS, INTERNATIONAL $$
(077 760 4190 ; www.facebook.com/flavors.tissamaharama ; Kataragama Rd ; repas 500-900 Rs ; 13h-22h ;). Le chef et propriétaire de ce petit restaurant en bord de route a appris le métier à l'étranger et concocte de bonnes recettes italiennes et chinoises, ainsi que d'excellent plats et currys piquants. Jolis sièges en bois.

New Cabanas Restaurant SRI LANKAIS $$
(Kataragama Rd ; plats 600-1 200 Rs ; 11h-22h ;). Restaurant simple, ouvert sur l'extérieur, couru pour ses riz-currys. Il y a souvent des plats du jour à base de produits de la mer grillés, ainsi que des buffets pour le déjeuner.

Depuis/vers Tissamaharama

Des liaisons régulières pour la côte partent de la **gare routière** (près de Main St) située au centre de Tissa. Les bus pour la région montagneuse sont rares mais des bus réguliers desservent le carrefour de Wirawila (16 Rs, 15 min) à l'ouest de la ville, en passant par Wellawaya (82 Rs) pour la plupart. Pour rejoindre Arugam Bay, changez à Wellawaya. Aucun bus ne rallie le parc national de Yala. Quatre bus climatisés de luxe vont quotidiennement à Colombo (860 Rs, 5 heures 30) via la Southern Expressway. Quelques autres destinations importantes desservies en bus depuis Tissa (départs toutes les 15 à 30 minutes) :

Colombo (par la route côtière) ordinaire/semi-luxe, 222/448 Rs, 8 heures
Kataragama 37 Rs, 30 min
Kirinda 28 Rs, 20 min
Tangalla 101 Rs, 2 heures

Une course en ville en *túk-túk* coute entre 150 et 250 Rs.

Kirinda

047

Le village de Kirinda, à 12 km au sud de Tissa, se situe au bord de l'océan. Ses ruelles sablonneuses et ses bâtiments branlants cèdent la place à une série de plages désertes (des courants rendent la baignade dangereuse), idéales pour une promenade en soirée. Dans l'autre direction, des bois enchevêtrés et des prairies desséchées se fondent dans les parcs nationaux.

Le village est construit autour d'un sanctuaire bouddhique, perché sur d'énormes rochers arrondis, au bord du rivage.

À voir et à faire

Au large, on aperçoit les récifs de **Great Basses** battus par les vagues et leur phare solitaire.

La plongée sur ces récifs est classée parmi les meilleures du pays, mais elle est réservée aux plongeurs expérimentés ; les conditions sont souvent mauvaises. La meilleure période s'étend de mi-mars à mi-avril.

Temple de Kirinda SANCTUAIRE BOUDDHIQUE
Kirinda a pour épicentre cet imposant sanctuaire bouddhique situé sur une colline, qui renferme un stupa et un grand bouddha debout. Le temple est dédié à la reine Viharamahadevi, qui vécut au IIe siècle av. J.-C. Elle est l'héroïne d'une vieille histoire très appréciée. Lorsque les eaux démontées menacèrent Ceylan, le roi Kelanitissa ordonna à sa plus jeune fille, alors princesse, d'embarquer sur un bateau pour être sacrifiée. Les eaux se calmèrent comme par miracle et la princesse survécut. Quelque 2 000 ans plus tard, le temple a servi de refuge aux sinistrés durant le tsunami de 2004.

Où se loger et se restaurer

Suduweli Beauties of Nature PENSION $$
(☎072 263 1059 ; www.beauties-of-nature.net ; Yala Junction ; ch 25-50 $US ; @). Cette pension délicieusement rurale offre des chambres sommaires et propres dans la maison principale et quelques bungalows confortables de style chalet dans le jardin paisible. La propriété comprend un petit lac et abrite de nombreux animaux sauvages dont des iguanes et des paons. Elle appartient à un accueillant couple helvético-sri lankais.

Kirinda Beach Resort HÔTEL $$$
(☎077 020 0897 ; www.yalawildlifebeachresortsrilanka.com ; ch à partir de 70 $US ;). Juste à côté d'une plage sauvage et jonchée de rochers, cet ensemble pittoresque est parfait pour passer de longues journées à explorer la côte et pour les amoureux de la nature. L'originale piscine surélevée domine les vagues, le grand café aéré sert des repas, et les chambres occupent des chalets rustiques en bois et des huttes en brique crue. À 1 km au sud-ouest du temple de Kirinda.

Elephant Reach COMPLEXE HÔTELIER $$$
(☎077 106 5092 ; www.elephantreach.com ; Yala Junction ; ch/chalet à partir de 88/104 $US ;). Sols en pierre, rideaux de chanvre, tapis en fibre de coco et murs décorés de photo d'animaux sauvages et de tableaux confèrent un charme naturel aux chambres et chalets de cet établissement agréable. Dehors, la grande piscine serpente dans le jardin.

HAMBANTOTA : UN PROJET CONTROVERSÉ

Jusque récemment, Hambantota n'était qu'un petit port de pêche sans grand intérêt. Mais sous le mandat du président Mahinda Rajapaksa (enfant du pays), cette ville provinciale a acquis une indéniable notoriété en devenant le lieu d'implantation de grands projets de construction dirigés par le président. Les choses se sont calmées depuis que Rajapaksa a été écarté du pouvoir, mais des vestiges grandioses de ces projets inconsidérés demeurent.

La route côtière cahoteuse à deux voies cède la place à de gigantesques échangeurs autoroutiers lorsqu'on entre dans Hambantota. Les nouvelles routes sont jalonnées d'édifices comme un hôpital imposant, un centre de conférences et un parc industriel. Ces projets gigantesques, qualifiés d'éléphants blancs par la presse sri lankaise, ont été largement controversés, même dans un pays où les lubies de Rajapaksa étaient rarement critiquées.

Mahinda Rajapaksa International Cricket Stadium Édifié pour la Coupe du monde 2011, ce stade de cricket d'une capacité de 35 000 spectateurs est équipé de projecteurs et de dispositifs pour médias intelligents. Situé en zone rurale à 32 km de Hambantota, il a rarement affiché complet et se détériore rapidement. Les cultivateurs font sécher des haricots sur la route d'accès et des animaux broutent l'herbe du stade.

Mattala Rajapaksa International Airport Situé à 28 km au nord de Hambantota, ce vaste aéroport portant le nom de la famille de Rajapaksa a coûté 200 millions de dollars. Il ne manque qu'une chose à cette installation rutilante : des passagers. Depuis son ouverture en 2013, il a vu peu d'avions, et il faut chasser les animaux sauvages des 3,5 km de piste (où pourrait se poser l'Airbus A380). Beaucoup de compagnies aériennes refusent de l'utiliser, les zones humides et lacs du voisinage abritant des dizaines de milliers d'oiseaux responsables de collisions. Seuls deux vols réguliers desservent l'aéroport.

Magampura Mahinda Rajapaksa Port Ce port immense proche du centre-ville porte lui aussi le nom de famille du président. On estime (pour l'instant) son coût à 1,3 milliard de dollars. Il était censé soulager le port de fret de Colombo, mais les routes trop étroites en entravent l'accès et il a fallu draguer le port pour que les bateaux puissent se mettre à quai. Devant les coûts de fonctionnement alarmants, le gouvernement sri lankais a vendu 80% de ses parts dans la holding à une entreprise chinoise en novembre 2016.

La Chine a largement financé les folles dépenses de l'ère Rajapaksa et c'est encore elle qui doit assurer la viabilité financière de ces infrastructures. Il a été proposé de faire de la région de Hambantota une zone franche où des travailleurs immigrés venus du Bangladesh fabriqueraient des voitures de marque chinoise.

Depuis/vers Kirinda

Un bus relie Tissa et Kirinda environ toutes les 30 minutes (28 Rs, 20 min). Comptez 500 Rs en *túk-túk*.

Parc national de Yala

Yala (www.yalasrilanka.lk ; adulte/enfant 3 690/ 1 040 Rs, jeep et pisteur 250 Rs, service 8 $US/ groupe, taxe 15% ; 5h30-18h mi-oct à août), le parc national le plus célèbre du pays, couvre une surface totale de 1 268 km² occupée par des maquis, des forêts claires, des plaines herbeuses et des lagunes saumâtres. Très riche en faune sauvage, on est pratiquement certain d'y voir des éléphants, des crocodiles, des buffles et des singes. Préparez soigneusement votre visite : ce parc attire tant de monde que les pistes et points de vue principaux sont souvent encombrés.

Le parc national de Yala est divisé en 5 blocks (sections), dont le plus visité est le Block I (141 km²). Également appelé Yala West, il s'agissait à l'origine d'une réserve de chasse, transformée en sanctuaire en 1938. C'est la plus proche de Tissa. Les droits d'entrée se paient au bureau principal proche de l'entrée ouest. Les circuits organisés et le safari sont les seules manières pratiques de visiter le parc.

Avec plus de 20 léopards estimés dans le Block I, Yala est considéré comme l'un des meilleurs parcs au monde pour observer ces félins. La sous-espèce *Panthera pardus kotiya,* que vous apercevrez peut-être, est endémique au Sri Lanka. La période la plus favorable pour voir des léopards s'étend de février à juin ou juillet, quand le niveau de l'eau est bas.

Les 300 éléphants du parc (selon les dernières estimations) sont plus farouches, mais certains se montrent quand même régulièrement dans les zones les plus visitées. Parmi les autres animaux, citons l'ours lippu et le chacal. Sambars, chitals, sangliers, buffles, mangoustes, singes et crocodiles impressionnants hantent aussi les lieux.

Plus de 200 espèces d'oiseaux ont été recensées à Yala, dont beaucoup migrent du nord en hiver tels la guifette leucoptère, le courlis et le canard pilet. Parmi les espèces endémiques figurent la poule sauvage, le calao, l'oriole et le paon.

Malgré l'abondance de la faune, la forêt rend très difficile l'observation des animaux. On les aperçoit toutefois plus facilement dans les petites clairières et près des nombreux points d'eau. La fin de la saison sèche (mars-avril) est la meilleure période pour visiter le parc ; durant et après la saison des pluies, les animaux se dispersent sur une vaste étendue.

Dans le parc subsistent les vestiges d'une communauté humaine qui fut jadis prospère. Un monastère, le Situlpahuwa, aurait compté 12 000 habitants. Aujourd'hui restauré, c'est un important lieu de pèlerinage. Un *vihara* (ensemble architectural bouddhique) du Ier siècle av. J.-C., le Magul Maha Vihara, et un *chetiya* (sanctuaire bouddhique) du IIe siècle av. J.-C., l'Akasa Chetiya, témoignent de la présence d'un village bien établi, qui aurait fait partie de l'ancien royaume de Ruhunu.

Yala est un parc très fréquenté : il a accueilli plus de 400 000 visiteurs en 2016, soit quatre fois plus qu'en 2009. Par moments, il est vrai que le défilé des jeeps a des airs de cirque. N'hésitez pas à discuter avec votre chauffeur et/ou votre guide pour choisir un endroit où échapper à la foule. Veillez bien toutefois à prévoir assez de temps pour voir le centre des visiteurs (6h-18h) situé à l'entrée ouest. Il abrite d'excellentes expositions sur Yala, ainsi qu'une librairie de qualité.

Où se loger et se restaurer

Le parc national gère 4 refuges simples en son sein. Ils s'adressent surtout à des groupes sri lankais de 10 personnes ou plus, mais il est possible de réserver en ligne sur le site du parc (www.yalasrilanka.lk). On peut aussi camper dans le parc dans le cadre d'excursions qu'il vaut mieux organiser à Tissa.

Plusieurs complexes hôteliers haut de gamme sont installés près de la route de 12 km qui conduit au parc depuis Yala Junction. Il n'y a aucun restaurant dans le parc. Les visiteurs sont autorisés à apporter pique-niques et en-cas, mais doivent manger aux endroits indiqués.

Jetwing Yala COMPLEXE HÔTELIER **$$$**
(047-471 0710 ; www.jetwinghotels.com ; ch à partir de 170 $US ;). À seulement 4 km de l'entrée du parc, ce luxueux complexe hôtelier est niché dans les dunes, près de la plage. Les chambres, tendance, profitent de balcons d'où la vue est splendide ; les villas de luxe en toile offrent un séjour plus intime. Le personnel peut organiser des pique-niques sur la plage au coucher du soleil. L'hôtel comprend une piscine de 50 m et un spa.

CIRCUITS DANS LES PARCS NATIONAUX : L'ESSENTIEL

La plupart des visiteurs explorent les parcs nationaux de Yala et de Bundala dans le cadre de circuits en jeep au départ de Tissamaharama (p. 147). Les circuits d'une demi-journée commencent par un départ de l'hôtel à Tissa vers 4h30, suivi d'une heure de route pour atteindre le parc à l'aube. En principe, on est de retour à 12h. Les circuits du crépuscule s'effectuent de 15h à 19h environ. Les circuits d'une journée complète, de 4h30 à 17h, comportent des arrêts à des plages, ainsi que d'autres sites d'intérêt.

Les jeeps sont de qualité très variable, mais presque toutes sont ouvertes sur les côtés, et dotées d'un toit haut procurant de l'ombre. Tour-opérateurs et jeeps se répartissent approximativement en 3 catégories :

Normal Souvent des véhicules très anciens, avec des sièges aménagés sur les côtés mais donnant sur l'intérieur – loin d'être idéal pour voir les animaux. Les tarifs sont en moyenne de 4 500 Rs la demi-journée.

Luxe En général, 3 rangées de 2 sièges tournés vers l'avant, surélevés à l'arrière de manière à voir par-dessus la tête des autres passagers. Les sièges sont parfois en mauvais état, voire cassés. Les tarifs sont en moyenne de 5 500 Rs la demi-journée.

Super luxe Les jeeps les plus récentes sont généralement de marque Land Rover ou Toyota. Elles comportent 2 ou 3 rangées de sièges confortables. Les tarifs débutent à partir de 6 000 Rs la demi-journée.

Les différences entre les catégories luxe et super luxe sont parfois minimes ; le plus important est que la jeep soit en bon état (les nouveaux modèles ont de meilleures suspensions) et que les sièges soient confortables. Évitez celles qui comptent des sièges au milieu. Et n'oubliez pas de comparer les prestataires car les tarifs sont négociables. Autres points à prendre en considération :

- Les services d'un guide sont-ils compris ? Ce n'est pas toujours nécessaire car de nombreux chauffeurs sont doués pour repérer les animaux. On vous proposera souvent les services d'un pisteur. Ils sont rémunérés au pourboire (pour un circuit d'une demi-journée, prévoyez au moins 500 Rs de pourboire chacun pour le chauffeur et le guide, quel qu'il soit).
- Votre conducteur a-t-il l'air pressé ? La plainte qui revient le plus souvent concerne les chauffeurs qui, sillonnant les parcs à toute vitesse, réduisent ainsi le circuit à un rodéo inconfortable empêchant l'observation des animaux.
- Le chauffeur fournit-il des jumelles ? Renseignez-vous aussi sur les provisions éventuelles d'eau et d'en-cas.
- Dans l'espoir de recevoir de bons pourboires, les chauffeurs chercheront à vous être agréables, peut-être à l'excès. La simple vue d'un animal pourra ainsi déclencher une véritable course-poursuite. Vous pourrez intervenir en demandant à votre chauffeur de réfréner ses ardeurs. Le calme est d'ailleurs bien plus propice à l'observation.

Cinnamon Wild Yala LODGE $$$
(☎047-223 9449 ; www.cinnamonhotels.com ; ch à partir de 120 $US ; ❄📶🏊). Ce lodge offre le nec plus ultra en matière de chic rustique. Les chambres sont aménagées dans de luxueux bungalows individuels. Le lodge fonctionne à l'énergie solaire, recycle une partie des eaux usées et participe au reboisement. Il comprend 2 bars et un bon restaurant.

Depuis/vers le parc national de Yala

Les transports publics ne desservent pas le parc. Le trajet jusqu'à Yala dure environ 1 heure (en raison de l'état de la route), que vous empruntiez l'itinéraire de 22 km traversant Yala Junction au départ de Tissa, ou celui, un peu plus court, passant par de jolis lacs reculés.

Kataragama

047 / 12 600 HABITANTS

Cette ville sacrée entre toutes offre un mélange fascinant de ferveur, de pompe et d'extravagance religieuse. Site de pèlerinage le plus important du pays avec l'Adam's Peak (Sri Pada), Kataragama est sacrée pour les bouddhistes, les musulmans, les hindous et les Veddas.

C'est l'un de ces endroits merveilleux où les légendes deviennent réalité et où la magie flotte dans des nuages d'encens. Selon une croyance bien établie, le roi Dutugemunu construisit ici un sanctuaire dédié à Kataragama Deviyo (le dieu résident) au IIe siècle av. J.-C. Cependant, l'importance du site semble bien plus ancienne.

En juillet et août, la fête de Kataragama attire des milliers de pèlerins. Le reste de l'année, la ville s'anime le week-end et les jours de *poya* (pleine lune). Kataragama se visite aisément depuis Tissa.

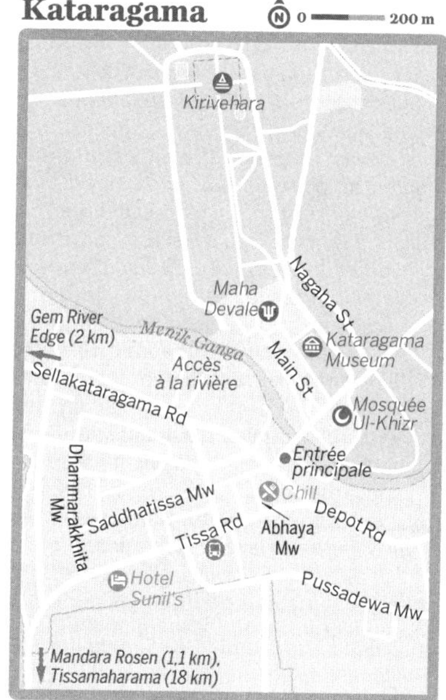

À voir

Le quartier sacré se situe sur la rive nord de la Menik Ganga, une rivière couleur chocolat dans laquelle les pèlerins se lavent avant de rejoindre les sanctuaires. Les larges promenades du site sont "gardées" par des langurs gris toujours en quête d'une aumône (ou de quelque chose à chaparder...). Attention à vos affaires !

Maha Devale SANCTUAIRE HINDOU

C'est le sanctuaire le plus important de Kataragama. Il renferme la lance de Murugan (Skanda), le dieu hindou de la Guerre à 6 visages et 12 bras, identifié au Kataragama Deviyo. Les fidèles apportent des offrandes lors des *pujas* quotidiennes, à 4h30 (sauf le samedi), 10h30 et 18h30. À l'extérieur, des pèlerins cassent des noix de coco en feu contre deux gros rochers en murmurant une prière.

Kirivehara STUPA BOUDDHIQUE

Cet imposant dagoba blanc de 29 m dans la partie nord de l'enceinte sacrée aurait été édifié pendant le règne de Mahasena (r. 276-303), qui construisit également le dagoba de Jetavanarama à Anuradhapura et de nombreux grands bassins.

Mosquée Ul-Khizr MOSQUÉE

Second lieu saint à se présenter quand on traverse l'enceinte sacrée, cette belle mosquée ornée de faïences colorées aux motifs complexes et de linteaux en bois renferme les tombeaux de deux saints (originaires d'Asie centrale et d'Inde).

Kataragama Museum MUSÉE

(650 Rs ; 8h30-16h30 mer-lun). Ce musée archéologique, implanté dans le complexe religieux, expose une collection d'objets religieux hindous et bouddhiques, ainsi que d'immenses reproductions en fibre de verre de statues de tout le pays. Les légendes sont malheureusement d'une indigence rare.

Fêtes et festivals

Fête de Kataragama RELIGION

(www.kataragama.org ; fin juil-déb août). Cette fête principalement hindoue attire des milliers de fidèles effectuant un pèlerinage de 2 semaines (la longue marche de Kataragama).

Où se loger et se restaurer

L'hébergement à Kataragama est plutôt limité. Réservez largement à l'avance pour la période de fête religieuse ou bien logez à Tissa et venez pour la journée à Kataragama. Pour vous restaurer, il y a des stands à en-cas tout simples dans Tissa Rd, ainsi que sur les parkings.

LA LONGUE MARCHE JUSQU'À KATARAGAMA

Quelque 45 jours avant le début de la fête annuelle de Kataragama lors de l'Esala *poya* (pleine lune) en juillet, des fidèles entament la traversée à pied du Sri Lanka sur toute sa longueur pour le pèlerinage de Pada Yatra. Ils recherchent l'accomplissement spirituel en suivant les pas du dieu Kataragama (ou Murugan) et des Vedda, peuple indigène, qui furent les premiers pèlerins à suivre cet itinéraire.

Le trajet suit la côte est depuis la péninsule de Jaffna, via Trincomalee et Batticaloa jusqu'à Okanda, puis traverse le parc national de Yala pour enfin rejoindre Kataragama. Au cours de ce périple plutôt ardu, les pèlerins doivent compter sur l'hospitalité des villageois et des temples.

Les pèlerins parviennent à Kataragama juste avant la fièvre des festivités. Sur fond de défilé d'éléphants et de roulements de tambours, les croyants font des vœux, demandent des faveurs et prouvent leur sincérité par des pénitences et des mortifications spectaculaires : certains se suspendent par des crochets qui leur transpercent la peau, d'autres se roulent à moitié nus dans des sables brûlants près du temple. Quelques-uns marchent sur des braises incandescentes, ou "foulent les fleurs" selon la métaphore. Ces derniers commencent par jeûner, méditer et prier avant de se purifier dans le Menik Ganga, puis prient encore au Maha Devale. Soutenus par leur foi et encouragés par la foule, ils s'élancent ensuite sur le chemin ardent.

La fête se termine officiellement par la cérémonie de l'eau dans le Menik Ganga, censée apporter la pluie pour les récoltes.

Hotel Sunil's PENSION **$**

(☎ 047-567 7172 ; www.hotelsunilskataragama.com ; 61 Tissa Rd ; ch avec ventil/clim 2 500/3 000 Rs ; ❄📶). Cette coquette petite pension est installée dans l'artère principale du secteur paisible qui constitue le centre de Kataragama. Les 10 chambres aux couleurs vives sont climatisées et dotées de sdb avec eau chaude et de TV câblée.

Gem River Edge CHEZ L'HABITANT **$$**

(☎ 047-223 6325 ; www.gemriveredge.com ; près de Sella Rd ; ch à partir de 52 $US ; 📶). Cet écolodge en bord de rivière occupe un cadre rural privilégié à 2 km au nord-ouest du centre. Empruntez un vélo pour visiter la campagne, baignez-vous dans la rivière, observez les papillons et les oiseaux. La cuisine maison, 100% végétarienne, est délicieuse mais les chambres sont un peu sombres, seules 2 d'entre elles ont une sdb et il n'y a pas d'eau chaude.

Mandara Rosen HÔTEL **$$$**

(☎ 047-223 6030 ; www.mandararesorts.com ; Tissa Rd ; ch à partir de 110 $US ; ❄📶🏊). Adresse la plus chic du secteur, cet hôtel entouré de bois est à 2 km au sud du centre. Les chambres sont belles, mais l'atout le plus original est la piscine avec diffusion de musique sous l'eau (sa forme bizarre n'est toutefois pas commode pour faire des longueurs). Il y a aussi un spa, un centre de fitness et un café ombragé, ouvert à tous.

Chill SRI LANKAIS **$$**

(40 Abhaya Mawatha ; repas 250-650 Rs ; ⏲ 7h-23h). Meilleur restaurant de la ville, cette petite adresse animée sert une bonne cuisine sri lankaise et chinoise à prix raisonnables. C'est également une boutique où l'on peut faire provision d'en-cas.

ℹ Depuis/vers Kataragama

Les bus pour Tissamaharama et Colombo sont fréquents. La **gare routière** (Tissa Rd) est située dans le centre et assure des liaisons vers plusieurs destinations dont :

Colombo (par la route côtière) normal/semi-luxe 252/476 Rs, 8 heures 30, ttes les 30 min

Colombo (par la voie express) luxe climatisé 860 Rs, 6 heures, 4/jour

Tissamaharama ordinaire 37 Rs, 30 min, ttes les 20 min

La ligne ferroviaire du littoral était en voie de prolongement jusqu'à Kataragama lors de nos recherches ; les travaux doivent s'achever en 2018.

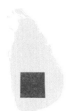

La région montagneuse

Dans ce chapitre ➡

Kandy 157
Adam's Peak (Sri Pada) 177
Nuwara Eliya 181
Parc national des Horton Plains 189
Haputale 192
Ella 196
Parc national d'Uda Walawe 204
Réserve de Sinharaja . 206

Le top des restaurants

- Matey Hut (p. 199)
- Sharon Inn (p. 165)
- High Tea at the Grand (p. 188)
- Hill Club (p. 188)

Le top des hébergements

- Rainforest (p.209)
- Chamodya Homestay (p.201)
- Baramba House (p. 174)
- Tea Trails (p. 179)
- Waterfall Homestay (p. 202)
- Clock Inn Kandy (p. 163)

Pourquoi y aller

La région montagneuse du Sri Lanka offre les plus beaux paysages de l'île, avec des sommets émeraude nimbés de brume et des panoramas splendides sur des plantations de thé à flanc de collines agrémentées d'incroyables cascades. C'est un endroit où l'on supporte bien une petite laine en journée, avant de se blottir au coin du feu le soir venu. Où l'on peut prendre un repas mémorable dans la cité éternelle de Kandy ou dans une cabane au bord de la route dans la jolie ville d'Ella. Une région où marcher jusqu'au bout du monde, se placer dans les pas du Bouddha et être entouré d'une centaine d'éléphants sauvages. Voyager en train et tomber amoureux du paysage. Descendre une rivière grondante en rafting. Vibrer au rythme des tambours des danses traditionnelles, puis savourer le silence au sommet d'une montagne solitaire.

Quand partir

Nuwara Eliya

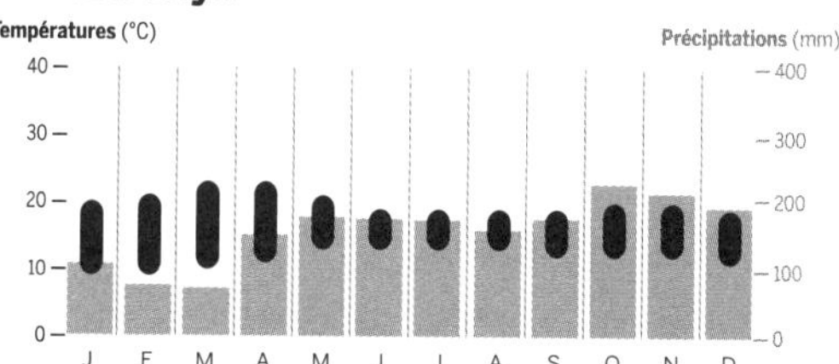

Janvier Ciel dégagé dans la journée, nuits fraîches et le pèlerinage à l'Adam's Peak.

Avril Nuwara Eliya accueille une foule de visiteurs lors du nouvel an cinghalais et de la course hippique de la Governor's Cup.

Juillet-août Les averses ne découragent pas la foule qui se réunit pour Esala Perahera (fête de la Dent).

À ne pas manquer

1 Une randonnée sur le haut plateau des **Horton Plains** (p. 189) jusqu'au World's End (Bout du monde).

2 Le thé à **Nuwara Eliya** (p. 181) dans un hôtel de l'époque coloniale.

3 Le pèlerinage sur l'**Adam's Peak** (p. 177) et l'ascension de cette montagne sacrée à la lumière d'une lampe torche.

4 Un voyage en train de Haputale à Ella en empruntant les **Hills Railways** (p. 200).

5 Observer les oiseaux dans la **réserve forestière de Sinharaja** (p. 206), une impressionnante réserve de forêt humide.

6 Le vaste panorama depuis la petite ville d'**Ella** (p. 196).

7 Un trek loin des sentiers battus, dans les forêts alpestres des **Knuckles Range** (p. 174).

8 Le **parc national d'Uda Walawe** (p. 204) et ses éléphants.

9 Visiter **Kandy** (p. 157), pôle artistique et centre du bouddhisme au Sri Lanka.

De Colombo à Kandy

Le trajet montant de Colombo à Kandy traverse des collines luxuriantes, contreforts des montagnes centrales du Sri Lanka. Plusieurs sites touristiques intéressants ponctuent la route.

Le premier est le **jardin botanique de Henerathgoda** (Gampaha Botanical Garden ; ☎033-222 2316 ; Gampaha ; ⏲8h30-17h), à environ 30 km au nord-ouest de Colombo, où furent plantés les premiers arbres à caoutchouc d'Asie (en 1876, après avoir été importés du Brésil). Ces jardins tropicaux luxuriants couvrent 17 ha et abritent plus de 400 espèces végétales, y compris de hauts palmiers et une belle collection d'orchidées.

À 50 km de Kandy, **Cadjugama** est réputé pour ses noix de cajou. Au Km 48, **Radawaduwa** est renommé pour ses articles en rotin tressé. **Kegalle**, à 77 km de Colombo, est entourée de plusieurs plantations d'épices. C'est la ville la plus proche de l'orphelinat des éléphants de Pinnewala.

Créé à l'origine pour protéger les éléphants abandonnés ou orphelins, l'**orphelinat des éléphants de Pinnewala** (☎035-226 6116 ; nationalzoo.gov.lk/elephantorphanage ; adulte/enfant 2 500/1 250 Rs ; ⏲8h30-17h30) fait partie des sites les plus populaires du pays. C'est un endroit très commercial, avec un droit d'entrée exorbitant pour les étrangers (25 fois supérieur au tarif local) et des mahouts réclamant un pourboire faramineux pour les photos. Certes, vous serez tout proche des éléphants et vous les verrez se baigner, mais l'engagement de l'orphelinat envers la protection de la nature est contestable et des associations ont émis des critiques négatives sur le centre.

À 2 km de Pinnewala sur la route Karandupona-Kandy, la **Millennium Elephant Foundation** (☎035-226 3377 ; millenniumelephantfoundation.com ; adulte/enfant 1 000/500 Rs ; ⏲8h30-16h ; 📶) abrite des éléphants sauvés de mahouts agressifs, et d'autres à la retraite après avoir travaillé dans des temples. Néanmoins, les éléphants restent enchaînés pendant de longues périodes et on nous a signalé des mauvais traitements. Des promenades à dos d'éléphants sont proposées, mais nous déconseillons d'y participer. La fondation accueille volontiers des bénévoles. Dans l'ensemble, les parcs nationaux sont les meilleurs endroits pour voir des éléphants.

Non loin, **Utuwankandu**, une colline rocheuse, était au XIXe siècle le fief de Saradiel, un Robin des Bois local qui détroussait les voyageurs jusqu'à ce que les Britanniques l'exécutent.

À **Kadugannawa**, juste après les plus belles montées par la route ou le rail – avec la vue sur le grand Bible Rock au sud-ouest –, une haute colonne commémore le capitaine Dawson, l'ingénieur anglais qui construisit la route Colombo-Kandy en 1826.

ℹ Depuis/vers la région montagneuse

L'A1 Hwy est toujours très fréquentée, surtout le week-end. Les embouteillages devraient s'améliorer une fois la voie rapide E04 achevée (peut-être d'ici 2019).

Cadjugama, Kegalle et Kadugannawa longent l'A1 et sont facilement accessibles par les bus qui relient Colombo et Kandy. Prenez un train pour rejoindre Kadugannawa et le jardin botanique de Henerathgoda, à Gampaha.

L'orphelinat des éléphants de Pinnewala est à quelques kilomètres au nord de l'A1 qui va de Colombo à Kandy. Il est accessible en cyclo-pousse depuis Karandunpona sur l'A1 Hwy ou depuis la gare de Rambukkana.

Kandy

☎081 / 112 000 HABITANTS / ALTITUDE 500 M

Certains jours, le ciel de Kandy reste obstinément couvert et la brume s'accroche aux collines qui entourent le lac superbe, cœur de la cité. Quand les brises dispersent le brouillard, apparaissent de pittoresques maisons nichées dans les bois. Dans le centre-ville, des *túk-túk* vacillent en négociant des virages serrés, éclaboussant les passantes en sari. Même sous la pluie, Kandy conserve tout son charme.

Quand le crachin cesse enfin, le ciel bleu cobalt révèle une ville à l'imposante architecture kandyenne et de l'époque coloniale, encore surpassée par le temple de la Dent, l'un des sanctuaires bouddhiques les plus sacrés.

L'histoire et la culture sont au rendez-vous. La ville est réputée pour la grande fête d'Esala Perahera (chaque année en juillet-août), mais sa vie culturelle animée et ses sites touristiques la rendent attractive toute l'année.

Histoire

Kandy fut la capitale du dernier royaume cinghalais, qui tomba aux mains des Britanniques en 1815 après avoir résisté 3 siècles aux Portugais et aux Hollandais. Il s'écoula encore 16 années difficiles avant que les Britanniques puissent construire une route entre Kandy et Colombo. Les habitants se considèrent toujours comme un peu différents – voire légèrement supérieurs – des Sri Lankais qui vivent plus près du littoral. D'ailleurs, certains maugréent que lorsque la nouvelle voie rapide depuis Kandy sera achevée (d'ici 2019 ou 2020), le charme culturel de la ville sera inévitablement altéré.

À voir

Temple de la Dent TEMPLE BOUDDHIQUE
(Sri Dalada Maligawa ; www.sridaladamaligawa.lk ; près de Dalada Vidiya ; adulte/enfant 1 500 Rs/gratuit ; temple 5h30-20h, puja 5h30-6h45, 9h30-11h et 18h30-20h). Ce temple au toit doré renferme la plus importante relique bouddhique du pays : une dent du Bouddha. Pendant les *pujas* (prières ou offrandes), la salle de la Dent, fortement gardée, est ouverte à tous les visiteurs. Vous ne verrez pas la dent, conservée dans un reliquaire en or en forme de dagoba, qui contient 6 coffrets identiques de taille décroissante.

Le complexe comprend une série de temples plus modestes, de sanctuaires et de musées qui viennent s'ajouter au grand temple sacré.

Des guides indépendants proposent leurs services dans l'ensemble du temple moyennant 600 Rs, et des audioguides gratuits sont disponibles à la billetterie. Un ascenseur facilite l'accès aux handicapés.

Le temple est parfois bondé, accueillant un grand nombre de fidèles et de touristes, de routards, de groupes de touristes chinois et de moines thaïlandais, tous devant jouer des coudes. Portez des vêtements qui couvrent épaules et jambes et ôtez vos chaussures.

Alut Maligawa TEMPLE BOUDDHIQUE
(entrée comprise dans le billet d'accès au temple ; 5h30-20h). Haut de 3 étages, Alut Maligawa est un grand sanctuaire avec des dizaines de bouddhas assis offerts par des fidèles thaïlandais. Son apparence est similaire à celle d'un temple bouddhique thaïlandais, en hommage aux moines thaïlandais qui rétablirent la lignée d'ordination du Sri Lanka sous le règne de Kirti Sri Rajasinha.

Le **Sri Dalada Museum** (7h30-18h), réparti sur les 2 étages supérieurs, montre une collection stupéfiante de cadeaux offerts au temple de la Dent par plusieurs présidents et dignitaires bouddhistes du monde entier. Des lettres et des extraits de journaux intimes de l'époque britannique témoignent de l'étonnant respect des colons pour la

L'HISTOIRE DE LA DENT

La dent sacrée du Bouddha aurait été dérobée en 483 av. J.-C sur son bûcher funéraire et apportée au Sri Lanka au IVe siècle, cachée dans la chevelure d'une princesse. D'abord conservée à Anuradhapura, elle fut déplacée dans le pays au fil des événements historiques avant de parvenir à Kandy. En 1283, elle fut rapportée en Inde par une armée d'envahisseurs, puis récupérée par le roi Parakramabahu III.

La dent devint progressivement un symbole de souveraineté : on tenait son possesseur pour fondé à régner sur l'île. Au XVIe siècle, les Portugais s'emparèrent de ce qu'ils pensaient être la relique, l'emportèrent et la brûlèrent à Goa dans un élan inquisitorial. Ce n'était en fait qu'une réplique et la dent sacrée était sauve. Selon la rumeur, la dent authentique est cachée dans un endroit sûr et celle conservée dans le temple est une copie.

Le temple de la Dent fut principalement édifié par les rois kandyens de 1687 à 1707 et de 1747 à 1782. Cet ensemble faisait partie du palais royal. Des douves entourent l'imposant bâtiment rose et blanc. La tour octogonale, construite dans les douves par le roi Sri Wickrama Rajasinha, contenait une importante collection de manuscrits en *ola* (feuilles de palmier). Cette partie a été fortement endommagée par l'attentat de 1998.

Le principal sanctuaire de la dent, un édifice rectangulaire à 2 niveaux appelé Vahahitina Maligawa, occupe le centre d'une cour pavée. Le toit doré qui coiffe la salle de la relique a été financé par des donateurs japonais. L'explosion de 1998 a révélé sur la façade au moins 3 couches de peintures du XVIIIe au XXe siècle représentant la *perahera* (procession) et divers *jataka* (récits des vies du Bouddha).

Les bouddhistes sri lankais considèrent qu'ils doivent faire au moins un pèlerinage au temple dans leur vie ; prier ici améliorerait, selon eux, considérablement le karma.

relique. Des photographies plus récentes montrent l'étendue des dégâts subis par le temple lors de l'attentat au camion piégé perpétué par les Tigres tamouls en 1998.

➡ **Salle d'audience** ÉDIFICE REMARQUABLE

(Entrée comprise dans le billet d'accès au temple ; ⏲5h30-20h). Au nord du temple de la Dent, toujours dans l'enceinte du complexe, cette salle d'audience du XIXe siècle est un pavillon ouvert avec des colonnes de pierre sculptées pour ressembler à des piliers en bois. À côté, la **salle de l'éléphant Rajah** (entrée comprise dans le billet d'accès au temple ; ⏲5h30-20h) contient la dépouille naturalisée de Rajah, l'éléphant du temple de la Dent, mort en 1988 après 50 ans passés au service des processions bouddhiques.

➡ **World Buddhism Museum** MUSÉE

(500 Rs ; ⏲8h-19h). Le musée mondial du Bouddhisme occupe les anciens bâtiments de la Haute Cour. Il présente de nombreuses photographies, maquettes et expositions sur le bouddhisme dans le monde entier. Vous y verrez également beaucoup de statues et d'autres objets qui sont des reproductions. Le musée, situé dans l'enceinte du temple de la Dent, est uniquement accessible en traversant le temple.

Lac de Kandy LAC

Le lac de Kandy est au cœur de la ville. Flâner autour, avec quelques haltes sur les bancs, constitue une agréable promenade de quelques heures, malgré la fumée polluante des bus à la lisière sud. Le secteur proche du temple de la Dent est le plus plaisant. Des cas de harcèlement s'étant déjà produits, les femmes éviteront de se promener seules dans les parages après la nuit tombée.

National Museum MUSÉE

(☎081-222 3867 ; www.museum.gov.lk ; adulte/enfant 600/300 Rs, app photo/caméra 250/1 500 Rs ; ⏲9h-17h mar-sam). Le Musée national, jadis la résidence des concubines royales, expose aujourd'hui des insignes royaux et des souvenirs de la vie cinghalaise avant l'arrivée des Européens. La couronne dorée de Rajasinha II est l'une des pièces les plus impressionnantes, mais les visiteurs déplorent le mauvais éclairage du musée, sa signalétique et sa disposition. La salle d'audience, dotée de hauts piliers, accueillit la réunion des chefs kandyens qui cédèrent le royaume à la Grande-Bretagne en 1815.

On peut voir une copie de l'accord de 1815 soumettant les provinces kandyennes à la domination britannique. Le document précise l'une des principales raisons de l'événement :

"... les actes de cruauté et d'oppression du dirigeant de Malabar".

En raison de la "violation des devoirs principaux les plus sacrés d'un souverain", Sri Wickrama Rajasinha fut "déchu de ses fonctions de roi" et le "dominion des provinces kandyennes placé sous la souveraineté de l'Empire britannique".

Ce musée, avec 4 *devale* (temple dédié à l'adoration d'une divinité hindoue ou sri lankaise) et 2 monastères (mais pas le temple de la Dent), fait partie des sites du triangle culturel.

Kandy Garrison Cemetery CIMETIÈRE

(⏲8h-18h). GRATUIT Ce cimetière bien entretenu compte 163 tombes de l'époque coloniale. La jeunesse des défunts surprend ; rares sont ceux qui ont atteint 40 ans. Certains sont morts d'insolation, d'autres furent tués par des éléphants ou par la "fièvre de la jungle". Le gardien vous accompagnera probablement dans votre visite ; véritable mine d'informations, il guida même le prince Charles dans le cimetière et semble connaître une histoire sur chaque sépulture.

St Paul's Church ÉGLISE

(Église Saint-Paul ; Deva Veediya). La construction de cette imposante église en brique rouge de l'époque coloniale débuta en 1843 pour s'achever 5 ans plus tard. De style néogothique, c'était à l'origine une église de garnison pour les troupes britanniques basées à proximité.

Réserve d'Udawattakelle FORÊT

(Adulte/enfant 650/375 Rs ; ⏲6h-18h). Cette forêt s'étendant du côté nord du lac de Kandy abrite de hauts feuillus et des bambous géants, une riche vie aviaire et bon nombre de singes facétieux. Les amateurs d'ornithologie peuvent engager un guide (500 Rs) à la billetterie. Deux sentiers principaux s'offrent à vous, ainsi que des chemins plus modestes.

Évitez de vous y aventurer seul, à plus forte raison si vous êtes une femme. Bien que rares, des agressions s'y produisent de temps à autre. Après la poste, tournez à droite dans DS Senanayake Vidiya. Les derniers billets sont vendus à 16h30.

Devale

Quatre *devale* kandyens sont dédiés aux dieux disciples du Bouddha et protecteurs de l'île.

Kandy

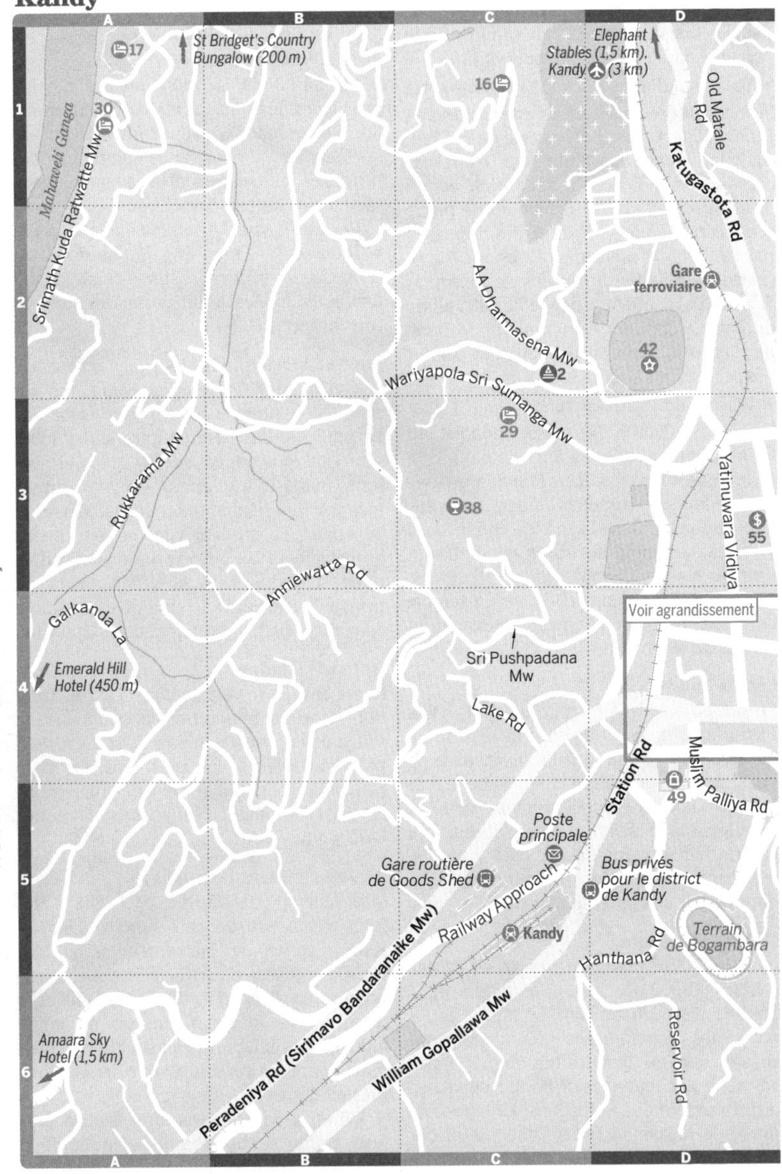

Natha Devale TEMPLE BOUDDHIQUE

(⏲24h/24). Le Natha Devale, le plus ancien (XIVe siècle), se dresse sur une terrasse en pierre avec un beau portail *vahalkada* (panneau sculpté). Des arbres de la Bodhi et des dagobas entourent le temple.

Vishnu Devale TEMPLE BOUDDHIQUE

(⏲24h/24). Le Vishnu Devale possède une salle du tambour. Vishnu, le grand dieu hindou, est le protecteur du Sri Lanka, preuve de la symbiose entre l'hindouisme et le bouddhisme.

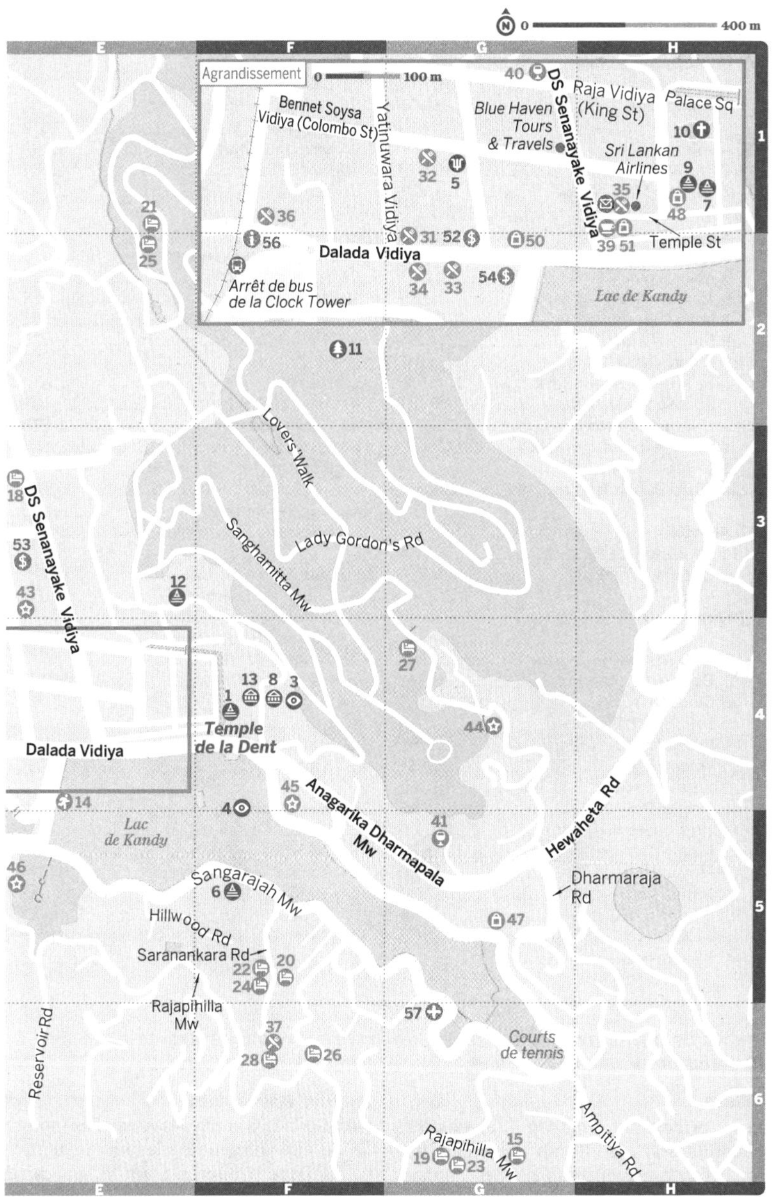

Pattini Devale TEMPLE BOUDDHIQUE
(Temple St ; ⏲24h/24). Très populaire et d'apparence sobre, le temple Pattini Devale est dédié à la déesse de la Chasteté. Il est fréquenté par les femmes enceintes et les malades en quête de guérison.

Kataragama Devale TEMPLE HINDOU
(Kotugodelle Vidiya ; ⏲24h/24). La tour d'entrée du Kataragama Devale est peinte de couleurs vives et attire l'œil au milieu de la cohue ambiante qui règne sur Kotugodelle Vidiya. Murugan,

Kandy

Les incontournables

1 Temple de la Dent ... F4

À voir

Alut Maligawa ... (voir 13)
2 Asgiriya Maha Vihara ... C2
Salle d'audience ... (voir 13)
3 Kandy Garrison Cemetery ... F4
4 Lac de Kandy ... F4
5 Kataragama Devale ... G1
6 Malwatte Maha Vihara ... F5
7 Natha Devale ... H1
8 National Museum ... F4
9 Pattini Devale ... H1
Salle de l'éléphant Rajah ... (voir 13)
Sri Dalada Museum ... (voir 13)
10 St Paul's Church ... H1
11 Réserve d'Udawattakelle ... F2
12 Vishnu Devale ... E3
13 World Buddhism Museum ... F4

Activités

14 Joy Motorboat Service ... E4
Sri Lanka Trekking ... (voir 20)

Où se loger

15 Anna Shanthi Villa ... G6
16 Blue Haven Guesthouse ... C1
17 Cinnamon Citadel ... A1
18 Clock Inn Kandy ... E3
19 Day's Inn ... G6
20 Expeditor Guest House ... F5
21 Forest Glen ... E1
22 Freedom Lodge ... F5
23 Helga's Folly ... G6
24 Hotel Mango Garden ... F5
25 Kandy Cottage ... E2
26 McLeod Inn ... F6
27 Nature Walk Resort ... G4
28 Sharon Inn ... F6
29 St Bridget's Country Bungalow ... C3
30 Villa Rosa ... A1

Où se restaurer

31 Bake House ... G2
32 Cafe Divine Street ... G1
33 Cafe Walk ... G2
34 Devon Restaurant ... G2
35 Empire Café ... H1
36 Kandy Muslim Hotel ... F1
37 Sharon Inn ... F6

Où prendre un verre et faire la fête

38 Blackout ... C3
39 Natural Coffee ... H1
40 Royal Bar & Hotel ... G1
41 Slightly Chilled Lounge Bar ... G5

Où sortir

42 Asgiriya Stadium ... D2
43 British Council ... E3
44 Kandy Lake Club ... G4
45 Kandyan Art Association & Cultural Centre ... F4
46 Mahanuwara YMBA ... E5
Bureau de Sri Lanka Cricket ... (voir 42)

Achats

47 Buddhist Publication Society ... G5
48 Cultural Triangle Office ... H1
Jayamali Batiks Studio ... (voir 49)
Kandyan Art Association & Cultural Centre ... (voir 45)
49 Marché principal ... D5
50 Odel Luv SL ... G2
51 Rangala House Gallery ... H1
Selyn ... (voir 35)

Renseignements

52 Bank of Ceylon ... G2
53 Commercial Bank ... E3
Cultural Triangle Office ... (voir 48)
54 Hatton National Bank ... G2
55 HSBC ... D3
56 Kandy Tourist Information Center ... F2
57 Lakeside Adventist Hospital ... G6

le dieu de la Guerre, possède 6 têtes et 12 mains brandissant des armes.

Vihara

Les principaux *vihara* (monastères bouddhiques) de Kandy revêtent une importance considérable. Les bonzes qui dirigent les deux monastères les plus connus, Malwatte et Asgiriya, sont prééminents dans le pays. Ces *vihara* sont aussi les sièges de deux des principaux *nikaya* (ordres monastiques).

Malwatte Maha Vihara SITE BOUDDHIQUE
(Sanagaraja Mawatha). L'un des principaux *vihara* de Kandy, le Malwatte Maha Vihara, est situé de l'autre côté du lac en face du temple de la Dent (p. 158).

Asgiriya Maha Vihara SITE BOUDDHIQUE
(Wariyapola Sri Sumanga Mawatha). Les moines de ce site dirigent également le temple de la Dent. L'intérieur abrite un grand bouddha couché. À 1 km au nord-ouest du centre-ville.

Activités

Les visiteurs peuvent apprendre ou pratiquer la méditation et étudier le bouddhisme dans plusieurs endroits. Renseignez-vous à la Buddhist Publication Society (p. 168).

Parmi les multiples promenades que l'on peut faire à Kandy, le **parc du Palais royal** (100 Rs ; 8h30-17h), construit par le roi Sri Wickrama Rajasinha (1780-1832), surplombe le lac. Le jardin botanique de Peradeniya (p. 170) se prête aussi parfaitement à une agréable promenade. Plus haut dans Rajapihilla Mawatha, vous découvrirez une belle vue sur le lac, la ville et les collines environnantes. Pour des marches plus longues, empruntez les chemins qui partent de Rajapihilla Mawatha.

Sri Lanka Trekking RANDONNÉE
(071 499 7666, 075 799 7667 ; www.srilankatrekking.com ; Expeditor Guest House, 41 Saranankara Rd). Ces professionnels proposent des randonnées aux alentours de Kandy et des treks avec camping (et observation des oiseaux) dans le massif des Knuckles. Ils organisent aussi des safaris dans le parc national de Wasgamuwa (et beaucoup d'autres réserves), ainsi que des parcours en VTT et des descentes en rafting. Comptez 75 € pour un trek classique dans les Knuckles, nuitée comprise. Le prix par personne est inversement proportionnel à la taille du groupe.

Joy Motorboat Service BATEAU
(20 min 2 000 Rs ; 9h-18h). On peut louer de petits bateaux à moteur sur la jetée à l'extrémité ouest du lac.

Où se loger

Kandy compte beaucoup de pensions agréables. Les hôtels plus confortables occupent souvent des emplacements spectaculaires sur les collines ou au bord de la rivière.

Dans le centre-ville, les hébergements se concentrent principalement dans Anagarika Dharmapala Mawatha, Saranankara Rd et leurs abords ; prenez les bus n[os]654, 655 ou 698 (ou demandez "Sanghamitta Mawatha" à l'arrêt de la Clock Tower).

Clock Inn Kandy AUBERGE DE JEUNESSE $
(081-223 5311 ; www.clockinnkandy.lk ; 11 Hill St ; dort/d à partir de 13/45 $US ;). Cette auberge de jeunesse très bien aménagée se démarque du lot, avec ses accueillants dortoirs climatisés (tous avec casiers, lits superposés confortables et lampes de lecture) et de charmantes chambres doubles avec sdb attenantes. Cette adresse propose également des lits tubulaires complètement délirants, telles des capsules posées sur le toit (claustrophobes s'abstenir !). De grands espaces détente invitent à sympathiser, et l'auberge est proche de la gare ferroviaire.

Hotel Mango Garden PENSION $
(081-223 5135 ; www.mangogarden.lk ; 32/A Saranankara Rd ; ch 3 000-4 000 Rs ;). Malik et sa femme française ne plaisantent pas avec l'organisation. Ils louent des chambres simples et spacieuses, garnies d'une literie impeccable, même si les sdb sont plus prosaïques. Ouvert à tous, le joli restaurant sur la terrasse se prête à l'apéritif et sert d'excellents repas. Sur simple appel téléphonique, on viendra vous chercher gratuitement à la gare ferroviaire ou à la gare routière.

Expeditor Guest House PENSION $
(081-490 1628, 081-223 8316 ; www.expeditorkandy.com ; 41 Saranankara Rd ; ch 2 500-5 500 Rs ;). Profusion de plantes en pot, balcons avec vue, chambres impeccables (certaines avec sdb communes) et parties communes partagées avec les propriétaires chaleureux : cette pension a l'atmosphère douillette d'un B&B. Ils vous renseigneront volontiers sur les treks dans les Knuckles et d'autres régions.

KANDY POUR LES ENFANTS

A priori, Kandy paraît moins adaptée aux enfants que les plages et les parcs nationaux du Sri Lanka. Elle n'en recèle pas moins quelques sites et activités que l'on peut aisément aborder en famille. Une valeur sûre : louer un bateau auprès de **Joy Motorboat Service** pour se promener sur le lac à la rame, avant de découvrir les rues de la ville à bord d'un *túk-túk*. Les enfants pourront se dépenser dans la réserve d'Udawattakelle (p. 159) et le jardin botanique de Peradeniya (p. 170) ; puis, avec leurs costumes somptueux et leurs mangeurs de feu, les divers **spectacles de danse** de Kandy leur plairont à coup sûr. Le temple de la Dent (p. 158) présente assez d'exotisme pour emballer l'imagination de la plupart des enfants, et un **parc de jeux** (Sanagaraja Rd ; 7h-18h mar-dim) pour les petits, étonnamment bien conçu, occupe l'extrémité est du lac.

VAUT LE DÉTOUR

HELGA'S FOLLY

"Si vous souhaitez un séjour classique à l'hôtel, mieux vaut chercher ailleurs," lance l'accroche publicitaire, et rien ne saurait être plus exact, car **Helga's Folly** (081-223 4571 ; www.helgasfolly.com ; près de Rajapihilla Mawatha ; ch 100-130 $US, entrée visiteurs 3 $US ;) semble tout droit sortie de l'imagination de Gaudí et de Dalí réunis. Cet hôtel-galerie d'art-rêve surréaliste est certainement l'hôtel le plus extraordinaire du Sri Lanka. Les Stereophonics se sont inspirés de la propriétaire pour leur célèbre chanson "Madame Helga".

L'extravagante Helga da Silva, qui l'a conçu et le dirige, a grandi dans un monde de célébrités hollywoodiennes, d'artistes, d'écrivains, de politiciens et d'intrigues des années 1950. À notre connaissance, c'est la seule propriétaire d'hôtel qui préfère ne pas afficher complet. Aussi fantastique que soit l'endroit, après avoir admiré les décorations, vous constaterez qu'il est assez défraîchi. Plutôt que de séjourner dans cet "anti-hôtel" au style unique, nous vous conseillons d'y faire un tour simplement pour jeter un coup d'œil et boire un verre – nombre de visiteurs le considèrent comme le site le plus intéressant de Kandy. Réduction de 50% pour les écrivains et les artistes (séjour de 6 nuits minimum).

McLeod Inn PENSION $
(081-222 2832 ; www.mcleodinnkandy.com ; 65A Rajapihilla Mawatha ; ch 3 200-4 200 Rs ;). Agréable pension familiale offrant une jolie vue sur le lac depuis ses 10 chambres confortables et propres. Vous apprécierez l'espace repas et sa vue sur la vallée, invitant à lire un bon livre en sirotant une boisson fraîche : quoi de plus agréable en fin de journée ?

Freedom Lodge CHAMBRES D'HÔTES $$
(081-222 3506 ; www.freedom-lodge-kandy-sri-lanka.en.ww.lk ; 30 Saranankara Rd ; ch avec petit-déj à partir de 5 000 Rs ;). Cette pension appréciée et bien établie, entourée de hauts palmiers, appartient à une famille sympathique dont un professionnel de l'hébergement. Les chambres attrayantes possèdent des sdb attenantes modernes, avec l'eau chaude. Celles situées à l'étage supérieur jouissent de la meilleure vue. Repas faits maison sur demande ; ils sont pris en commun, l'occasion de rencontrer d'autres voyageurs.

Day's Inn PENSION $$
(081-224 1124 ; www.daysinn-kandy.com ; 66A Rajapihilla Mawatha ; d/tr/app 49/56/96 $US ;). Rehaussée de couleurs, de tableaux et de décorations diverses, cette pension composée de 6 chambres dégage une atmosphère intime et accueillante. Les chambres ont toutes une sdb privative, et la cuisine est de qualité. La piscine est à une courte distance à pied, au même endroit que l'appartement familial.

St Bridget's Country Bungalow CHAMBRES D'HÔTES $$
(081-221 5806 ; www.stbridgets-kandy.com ; 125 Sri Sumangala Mawatha, Asgiriya ; ch à partir de 2 800 Rs ;). Bordée d'une dense forêt peuplée d'oiseaux, cette chambre d'hôtes traditionnelle offre 8 chambres modestement meublées, un accueil chaleureux et de bons petits-déjeuners et dîners faits maison. Du centre-ville, grimpez 20 minutes à pied ou prenez un *túk-túk* (250 Rs).

Kandy Cottage PENSION $$
(081-220 4742 ; www.kandycottage.com ; 160 Lady Gordon's Dr, Sri Dalada Thapowana Mawatha ; s 2 000-3 200 Rs, d 3 600-4 800 Rs ;). Tenue par Thomas et Mani, un couple très chaleureux, cette adresse un brin bohème est idéale pour s'évader de la ville, dans un cottage sri lankais niché dans une vallée boisée en bordure du sanctuaire d'Udawattakelle. Les 3 chambres ont des meubles en bois massif et des sols en béton ciré, mais pas de climatisation (possibilité de louer le cottage tout entier).

La pension est à 2 km au nord du centre.

Anna Shanthi Villa PENSION $$
(081-222 3315 ; annashanthivilla@gmail.com ; 203 Rajapihilla Tce ; s/d avec petit-déj 52/58 $US ;). Installée dans une rue tranquille, à proximité du lac, cette pension bien gérée propose 7 chambres avec des meubles de qualité et beaucoup plus de style que nombre d'adresses dans la même gamme de prix. Le personnel se plie en quatre pour satisfaire les hôtes.

Sharon Inn HÔTEL $$
(☎081-220 1400 ; 59 Saranankara Rd ; ch avec petit-déj 6 500-8 500 Rs ;). Ce petit établissement juché au sommet d'une colline est l'un des hôtels les plus anciens de Kandy. Il embrasse une superbe vue et comprend des chambres propres comme un sou neuf, décorées d'art et d'artisanat sri lankais. Le personnel, très accueillant, en connaît un rayon sur les circuits et les curiosités touristiques. Savourez le buffet du dîner (p. 167) qui promet d'être l'un des meilleurs repas que vous prendrez à Kandy.

Nature Walk Resort PENSION $$
☎077 771 7482 ; www.naturewalkhr.net ; 9 Sanghamitta Mawatha ; ch avec petit-déj 22-55 $US ;). Les chambres, spacieuses et aérées, s'agrémentent de carrelage en terre cuite et de portes-fenêtres ouvrant sur des balcons avec, pour certaines, vue sur la forêt. Vous pourrez observer des bandes de singes le matin et l'envol des chauves-souris au crépuscule.

Blue Haven Guesthouse PENSION $$
(☎081-222 9617 ; bluehavtravels@gmail.com ; 30/2 Poorna Lane, Asgiriya ; dort 1 500 Rs, ch à partir de 3 500 Rs, avec petit-déj ;). La piscine et la vue sur le Knuckles Range rattrapent les chambres plutôt ordinaires. Le propriétaire, M. Linton, est un hôte agréable qui loue des voitures et organise des circuits dans le pays. La pension est située au nord du centre ; comptez 300 Rs pour vous rendre en ville en *túk-túk*.

Forest Glen PENSION $$
(☎081-222 2239 ; www.forestglenkandy.com ; 150/156 Lady Gordon's Dr, Sri Dalada Thapowana Mawatha ; s/d/tr 3 500/5 500/7 000 Rs ;). Cette pension familiale, merveilleusement isolée mais légèrement défraîchie, se trouve en lisière du sanctuaire d'Udawattakelle et dévoile une belle vue sur la forêt depuis sa terrasse. Indra est une hôte chaleureuse qui vous préparera de délicieux plats locaux et occidentaux. À 1,5 km au nord du centre-ville de Kandy.

♥ **Clove Villa** BOUTIQUE-HÔTEL $$$
(☎081-221 2999 ; www.clovevilla.com ; 48 P B A, Weerakoon ; ch 170-205 $US ;). Splendide villa restaurée comprenant 7 superbes chambres, toutes agrémentées de beaux meubles élégants et d'une touche artistique, et possédant tout l'équipement nécessaire. Profitez de la bonne cuisine maison, de la table de billard et de la bibliothèque. L'hôtel est à 5 km au nord du centre, sur un méandre de la rivière.

♥ **Villa Rosa** BOUTIQUE-HÔTEL $$$
(☎081-221 5556 ; www.villarosa-kandy.com ; Asgiriya ; s 95-160 $US, d 140-235 $US ;). Dominant un méandre de la Mahaweli Ganga et ornée d'antiquités, la Villa Rosa comprend de grandes chambres aux tons neutres avec parquet, d'agréables salons et une salle de lecture. Un pavillon indépendant abrite un centre de yoga et de méditation. Séjour de 2 nuits minimum.

C'est une adresse prisée, pensez à réserver bien à l'avance.

Elephant Stables BOUTIQUE-HÔTEL $$$
(☎081-743 3201 ; www.elephantstables.com ; 46 Nittawela Rd ; ch avec petit-déj à partir de 174 $US ;). Cette fabuleuse villa fut la propriété de Cudah Ratwatte, le premier maire élu de Kandy. Elle a été joliment convertie en hôtel de charme mariant tons ocre, béton poli et bois noueux. Deux des chambres ont un balcon donnant sur la piscine, engageante, et les montagnes assez proches. L'hôtel possède un incroyable bar ainsi qu'une salle de lecture bien fournie en ouvrages sur le Sri Lanka. Comme son nom l'indique, c'était autrefois une étable pour les éléphants.

Cinnamon Citadel COMPLEXE HÔTELIER $$$
(☎081-223 4365 ; www.cinnamonhotels.com ; 124 Srimath Kuda Ratwatte Mawatha ; ch avec petit-déj à partir de 98 $US ;). Cet hôtel bien conçu jouit d'un emplacement exceptionnel, avec une grande piscine juste à côté de la berge de la rivière. Les chambres luxueuses arborent des nuances chocolat et de l'ardoise grise. Elles offrent un bon rapport qualité/prix compte tenu des équipements, dont un spa, une salle de sport, un café et un bar lounge. L'hôtel se situe à 5 km à l'ouest de Kandy (600 Rs en taxi).

Où se restaurer

À l'image de beaucoup de villes sri lankaises, Kandy compte peu de restaurants. La plupart des voyageurs mangent à leur hôtel ou dans l'un des rares restaurants du centre. Certains établissements plus distingués ont récemment ouvert, et Kandy possède désormais un bon choix de cafés servant des en-cas à l'occidentale, des gâteaux et autres douceurs.

L'ESALA PERAHERA DE KANDY

Cette *perahera* (procession) a lieu à Kandy en l'honneur de la dent sacrée, conservée dans le temple de la Dent (p. 158). Elle se déroule pendant 10 jours durant le mois d'Esala (juillet-août) et s'achève lors de la Nikini *poya* (pleine lune d'août).

Les 6 premières nuits sont relativement calmes. La septième nuit, l'effervescence s'accroît alors que le trajet s'allonge et que la procession devient plus fastueuse (et que le prix des hébergements augmente). Le cortège est conduit par des milliers de danseurs et de percussionnistes, frappant leurs tambours, faisant claquer des fouets et brandissant des bannières colorées. Viennent ensuite de longues processions d'une cinquantaine d'éléphants. L'éléphant de Maligawa, décoré de la trompe au bout des pattes, transporte les deux dernières nuits un énorme dais abritant une réplique du reliquaire sacré. Un tapis de toile blanche est déroulé devant l'animal.

L'Esala Perahera de Kandy est célébrée tous les ans depuis des siècles. Elle a été décrite en 1681 par le voyageur anglais Robert Knox dans son ouvrage *Relation de l'île de Ceylan* (Maspero, 1983). Une procession plus modeste est organisée pour la *poya* de juin et des *perahera* ont parfois lieu lors de grandes occasions.

Cette cérémonie est sans doute l'une des plus spectaculaires d'Asie du Sud. Mais avant de vous décider et de réserver vos billets, considérez le bien-être des éléphants. Les activistes sri lankais dénoncent la cacophonie de la *perahera* qui peut profondément perturber ces mammifères à l'ouïe très sensible, ainsi que le harcèlement douloureux des mahouts équipés d'*ankus* (crochets). Les éléphants sont maîtrisés à l'aide de chaînes et de sangles qui entravent leurs mouvements. Ils effectuent le long trajet jusqu'à Kandy soit à l'arrière d'un camion (sous un soleil ardent), soit en marchant sur la chaussée brûlante.

♥ Empire Café INTERNATIONAL **$$**

(☎081-223 9870 ; www.empirecafekandy.com ; 21 Temple St ; repas 365-780 Rs ; ⊙8h30-20h30 ; 📶). Ce restaurant très séduisant occupe un bâtiment historique de l'époque coloniale. Il compte plusieurs salles à manger peintes de couleurs vives (rose et turquoise) qui créent un cadre idéal pour se reposer un instant au cours d'une journée de visite. Dégustez de délicieux petits-déjeuners, riz et currys, pâtes, galettes, salades, jus de fruits et milk-shakes.

Kandy Muslim Hotel SRI LANKAIS **$$**

(Dalada Vidiya ; repas 150-510 Rs ; ⊙6h30-21h). Il ne s'agit pas d'un hôtel, mais d'un restaurant constamment animé qui offre les meilleurs samosas de Kandy, des currys épicés et de copieuses assiettes de pains plats de la taille d'un frisbee, mais légers comme une plume. Toutefois, les clients viennent surtout pour le *kotthu* (*roti* émincé et sauté avec de la viande et des légumes), décliné en toutes sortes de styles, saveurs et prix (celui au poulet est à 220 Rs environ).

Cafe Divine Street INTERNATIONAL **$$**

(☎077 699 2799 ; www.facebook.com/cafedivinestreet ; 139 Colombo St ; repas à partir de 300 Rs ; ⊙10h-21h mer-dim). Géré par un Kandyen travailleur, ce minuscule café bon marché propose d'excellents burgers, kebabs, sandwichs et plats de riz sauté, le tout bien assaisonné et présenté de façon appétissante. L'étage comprend davantage de tables, avec une bonne vue sur la rue.

Cafe Walk CAFÉ **$$**

(Dalada Vidiya ; repas 350-900 Rs ; ⊙9h-18h ; 📶). Ce café semi-ouvert est le repaire de la jeunesse kandyenne, avec ses tables donnant sur l'animation de Dalada Vidiya. C'est un endroit parfait pour le petit-déjeuner (bonnes crêpes aux amandes) ou pour manger un sandwich, un panini ou une salade. La carte comprend des expressos sous toutes les formes.

Devon Restaurant INTERNATIONAL **$$**

(11 Dalada Vidiya ; repas 175-725 Rs ; ⊙7h30-20h). Ce grand restaurant-boulangerie animé décline une longue carte de plats sri lankais et chinois, des biryanis et quelques spécialités occidentales insipides. Excellent riz et curry (à partir de 175 Rs) avec 4 accompagnements. La salle principale a des airs de cantine.

Bake House SRI LANKAIS **$$**

(☎081-223 4868 ; www.bakehousekandy.com ; 36 Dalada Vidiya ; repas à partir de 220 Rs ;

⌚7h30-20h). Établi de longue date, le Bake House possède désormais une salle élégante (et climatisée) en sus du café au rez-de-chaussée. La carte, fiable mais peu originale, comporte des plats cuits au four, des currys, des sandwichs et des recettes chinoises et indiennes. Venez juste après 15h pour savourer des en-cas chauds de la seconde fournée.

Sharon Inn SRI LANKAIS **$$$**
(☎081-220 1400 ; 59 Saranankara Rd ; repas 500-1 300 Rs ; ⌚19h-21h ;). Le buffet (1 100 Rs) servi tous les soirs à 19h30 précises dans le restaurant à ciel ouvert installé sur le toit-terrasse de cet hôtel (p. 165), vous fera tomber délicieusement amoureux de la cuisine sri lankaise en un clin d'œil. C'est un véritable festival de currys végétariens : jaque, feuilles de bananier, aubergine et autres légumes sont préparés avec amour. Venez-y au crépuscule pour admirer la vue exceptionnelle. Le Sharon Inn se trouve à 2 km au sud du centre-ville de Kandy.

Où prendre un verre et faire la fête

Dans cette ville sacrée, une législation très stricte s'applique aux pubs, bars et clubs (en fait, de nombreux établissements n'ont pas de licence pour servir de l'alcool). Il existe cependant quelques endroits où prendre un verre en soirée.

Royal Bar & Hotel BAR
(☎081-222 4449 ; royalbarandhotelkandy.com ; 44 Raja Vidiya/King St ; ⌚7h-23h ;). Meilleure adresse de Kandy où boire un verre, le Royal a récemment été rénové à la perfection, dans un style chaleureux. Avec deux bars de caractère, une belle cour centrale et un merveilleux balcon-terrasse à l'étage, ce remarquable bâtiment colonial offre l'embarras du choix pour se détendre avec un gin-tonic, un whisky malté ou une bière pression bien fraîche. Les boissons ne sont pas données ; happy hour de 17h30 à 19h30. Il y a également un restaurant (plats 1 200-1 500 Rs), avec une carte de plats asiatiques et de classiques occidentaux.

Slightly Chilled Lounge Bar BAR
(www.slightly-chilled.com ; 29A Anagarika Dharmapala Mawatha ; ⌚11h-23h ;). Avec une vue sur le lac, des billards, la retransmission de matchs de football de Ligue 1, une cuisine chinoise correcte et un happy hour de 17h à 18h, cet établissement est toujours très animé. Vous pourrez y boire du vin local au verre (125 Rs), de l'arak, des cocktails ou des bières d'importation en bouteille.

Blackout CLUB
(www.swissresidence.lk/blackout.html ; Swiss Residence Hotel, 23 Bahirawakanda ; entrée et 1 boisson comprise 1 000-1 500 Rs ; ⌚21h-4h ven-sam ;). La meilleure adresse pour sortir le soir à Kandy, avec des DJ honorables locaux et internationaux qui passent de la house progressive, de la deep house, de la techno et de la musique minimale. Le Blackout attire une foule aisée qui aime se mettre sur son 31 et faire la fête. Le vendredi soir est la plus grosse soirée.

Natural Coffee CAFÉ
(☎081-220 5734 ; naturalcoffee.lk ; 5 Temple St ; ⌚8h30-19h ;). Café accueillant agrémenté de boiseries, parfait pour un remontant caféiné bio et fraîchement moulu. Les prix sont toutefois élevés : 400 Rs pour un café filtre et 500 Rs pour un cappuccino.

Où sortir

Le modeste mais joli **Asgiriya Stadium** (à la sortie de la B70 Hwy), à 2 km au nord du centre, accueille des matchs de cricket de niveaux universitaire, national et international. On peut acheter les billets le jour même ou réserver une place à l'avance auprès du **bureau de Sri Lanka Cricket** (☎081-223 8533).

Des matchs de rugby ont lieu de mai à septembre sur le terrain de Nittawella.

Alliance Française CENTRE CULTUREL
(☎081-222 4432 ; www.afkandy.lk ; 642 Peradeniya Rd ; ⌚9h-17h mar et jeu-dim). Soirées cinéma (gratuit le premier vendredi du mois), livres, magazines et bon café. Bibliothèque.

British Council CENTRE CULTUREL
(☎081-222 2410 ; www.britishcouncil.lk ; 88/3 Kotugodelle Vidiya ; ⌚9h-17h30 mar-sam, 9h-15h dim). Journaux, CD, vidéos et DVD en anglais, plus séances de cinéma, expos et pièces de théâtre à l'occasion. Les non-membres peuvent lire la presse sur présentation de leur passeport.

Achats

Dans le centre de Kandy, des boutiques vendent des ceintures en argent et des bijoux anciens. Le pittoresque **marché principal** (Station Rd ; ⌚8h-19h) propose aussi de l'artisanat.

DANSEURS ET TAMBOURS

Avec des costumes élaborés, des mouvements de danse giratoire et des cracheurs de feu, un spectacle de danse kandyenne est une expérience mémorable. Ces spectacles divertissants ne se limitent pas aux traditions locales ; ils comprennent des danses et des costumes de tout le pays, dont les fameuses danses du "diable" de la côte ouest (très difficiles à voir dans leur région d'origine). Kandy compte 3 salles qui programment des spectacles de 1 heure tous les soirs ; arrivez 30 minutes avant pour accéder aux meilleures places. Aucune salle n'est climatisée et il y fait parfois très chaud.

Kandy Lake Club (☎077 367 0763 ; www.facebook.com/kandylakeclub ; 7 Sanghamitta Mawatha ; 1 000 Rs ; ⌚17h). À 300 m en remontant Sanghamitta Mawatha, ce spectacle montre les costumes les plus travaillés. Les représentations se concluent souvent par une "marche du feu" (marche sur des charbons ardents). Arrivez tôt pour être bien placé.

Kandyan Art Association & Cultural Centre (www.facebook.com/KandyanArtAssociation ; 72 Sangarajah Mawatha ; 500 Rs ; ⌚17h). La salle la plus fréquentée, sur la rive nord du lac, est parfois envahie par les groupes en haute saison. L'auditorium permet néanmoins de prendre des photos plus facilement. Arrivez très en avance pour obtenir des places assises.

Mahanuwara YMBA (☎081-223 3444 ; 5 Rajapihilla Mawatha ; 500 Rs ; ⌚17h30). Au sud-ouest du lac, la pension YMBA est une salle modeste qui accueille des danses sri lankaises ; les représentations y sont divertissantes et la foule un peu moins dense.

Vous pouvez aussi entendre des tambours kandyens tous les jours au temple de la Dent (p. 158) et dans les autres sanctuaires alentour ; leurs roulements indiquent le début et la fin des *pujas* quotidiennes.

Selyn MODE, ACCESSOIRES
(☎081-223 7735 ; www.selyn.lk ; 7/1/1 Temple St ; ⌚8h30-18h). Tout est issu du commerce équitable : tissus, vêtements (dont des saris, des sarongs et des chemises) et bijoux fabriqués à partir de tissus recyclés, de papier et autres matériaux.

Odel Luv SL VÊTEMENTS
(www.odel.lk/luvsl ; shop no L3-3, 5 Dalada Vidiya ; ⌚10h-19h). T-shirts loufoques, tongs et souvenirs kitsch pour touristes et quelques articles de meilleur goût vous attendent sous les arcades du Queens Hotel.

Buddhist Publication Society LIVRES
(☎081-223 7283 ; www.bps.lk ; 54 Victoria Rd ; ⌚9h-16h30 lun-ven, 9h-12h30 sam). Sur la rive du lac à 400 m au nord-est du temple de la Dent, cet organisme à but non lucratif dispense les enseignements du Bouddha. Il propose une belle sélection de livres à la vente ainsi qu'une bibliothèque bien fournie. C'est un bon endroit où se renseigner sur les cours de méditation.

Jayamali Batiks Studio VÊTEMENTS
(www.jayamalibatiks.com ; 196 Main Market). De beaux vêtements en batik et des articles pour la maison (jetés de lit et tentures murales) dans des styles modernes et artistiques imaginés par le créateur Upali Jayakody. À l'étage du marché principal.

Rangala House Gallery ART
(rangalahouse.com/gallery ; 2e ét., 7/1/1 Temple St ; ⌚10h-17h30). Vend des œuvres d'artistes locaux et de la capitale, ainsi que des confitures bio produites dans les collines alentour.

Kandyan Art Association & Cultural Centre ART ET ARTISANAT
(Sangarajah Mawatha ; ⌚9h-17h). Mérite un coup d'œil pour ses objets de bonne qualité en laque ou en cuivre et autres pièces d'artisanat. Quelques artisans travaillent sur place. Prix un brin excessifs.

Cultural Triangle Office LIVRES
(⌚8h-16h15). On trouve ici divers ouvrages sur les cités anciennes. *Kandy,* d'Anuradha Seneviratna, est un guide instructif sur le patrimoine de la ville. *The Cultural Triangle,* publié par l'Unesco et le Central Cultural Fund, contient des informations sur les sites anciens.

Renseignements

ACCÈS INTERNET

Pratiquement tous les hôtels et pensions ont le Wi-Fi, de même que de nombreux cafés.

ARGENT

Les banques suivantes disposent de DAB et d'un service de change :

Bank of Ceylon (Dalada Vidiya ; ⌚9h30-16h30 lun-ven, 9h30-12h sam)

Commercial Bank (Kotugodelle Vidiya ; ⌚9h-17h lun-ven, 9h30-13h sam)

Hatton National Bank (Dalada Vidiya ; ⌚9h-17h lun-ven, 9h-12h sam)

HSBC (Kotugodelle Vidiya ; ⌚9h-17h30 lun-ven, 9h30-13h sam)

DÉSAGRÉMENTS ET DANGERS

Une fois la nuit tombée, mieux vaut éviter les ruelles du centre-ville, fréquentées par des individus louches et des gens ivres.

Les femmes voyageant seules sont parfois victimes de harcèlement aux abords du lac, au crépuscule et la nuit. Pour plus de sécurité, prenez un *túk-túk* jusqu'à votre pension.

OFFICES DU TOURISME

Cultural Triangle Office (☎081-222 2661 ; 16 Deva Vidiya ; ⌚8h-16h lun-ven). Renseignements sur les sites du triangle culturel (notamment Anuradhapura, Polonnaruwa et Dambulla), ainsi que les lieux touristiques de Kandy. Dans un bâtiment colonial près du temple de la Dent. Il n'existe plus de billet combiné pour le triangle culturel.

Kandy Tourist Information Center (☎081-312 2143 ; Dalada Vidiya ; ⌚8h30-19h). Le principal office de tourisme se trouve juste à côté de l'arrêt de bus de la Clock Tower. Le personnel distribue quelques brochures et peut vous aider à déchiffrer les horaires des trains et des spectacles de danse.

POSTE

La **poste principale** (⌚7h-19h lun-sam, 8h-17h dim) fait face à la gare ferroviaire. Un bureau plus central se tient à l'intersection de Kande Vidiya et DS Senanayake Vidiya.

SERVICES MÉDICAUX

Lakeside Adventist Hospital (☎081-222 3466 ; lakesideadventisthospital.blogspot.co.uk ; 40 Sangaraja Mawatha). Le personnel parle anglais.

Depuis/vers Kandy

AVION

Cinnamon Air (carte p. 60 ; ☎011-247 5475 ; www.cinnamonair.com). Un ou deux vols par jour depuis/vers Colombo, et un vol direct quotidien (aller simple 199 $US) vers l'aéroport de Weerawila (pour accéder au sud du Sri Lanka, notamment au parc national de Yala).

SriLankan Airlines (☎081-223 2495 ; 17 Temple St ; ⌚8h-18h lun-ven, 8h-13h sam). La compagnie aérienne nationale. Billets d'avion.

BUS

Kandy possède une gare routière principale (la chaotique Goods Shed) et plusieurs arrêts de bus près de la Clock Tower. La gare routière de Goods Shed accueille les bus longue distance, tandis que les bus locaux réguliers, tels ceux pour Peradeniya (20 Rs), Ampitiya (18 Rs), Matale (48 Rs) ou Kegalle (65 Rs), stationnent près de la Clock Tower (tour de l'horloge). Quelques bus privés Intercity express (pour Negombo ou Colombo, par exemple) partent de Station Rd, entre la Clock Tower et la gare ferroviaire. Si vous êtes déboussolé, demandez votre chemin.

Pour Sigiriya, vous devrez changer à Polonnaruwa. Pour Dalhousie, prenez une correspondance à Hatton. Pour Ella, vous devrez changer à Badulla.

TAXI

La location d'une voiture avec chauffeur revient à quelque 6 000 Rs par jour, essence comprise. Beaucoup de conducteurs de taxis longue distance patientent aux abords du temple de la Dent ; vous pouvez aussi demander à votre pension ou à votre hôtel.

BUS AU DÉPART DE KANDY

DESTINATION	GARE ROUTIÈRE	TARIF LUXE (RS)	TARIF NORMAL (RS)	DURÉE (H)	FRÉQUENCE
Anuradhapura	Goods Shed	372	206	3 ½	ttes les 30 min
Badulla	Goods Shed	215	160	3	ttes les 45 min
Colombo	Station Rd	240	155	3-4	ttes les 15 min
Negombo	Station Rd	248	162	3-4	1/heure
Nuwara Eliya	Goods Shed	250	180	3 ½	ttes les 30 min
Polonnaruwa	Goods Shed	272	180	3 ½	ttes les 30 min
Ratnapura	Goods Shed	–	173	3 ½	1/heure
Trincomalee	Goods Shed	–	232	5	4/jour

Quelques pensions proposent des excursions d'une journée aux 3 destinations du triangle culturel (Sigiriya, Anuradhapura et Polonnaruwa), un itinéraire éprouvant pour le chauffeur et les passagers, qui favorise en outre une conduite dangereuse. Mieux vaut prévoir une nuit à Anuradhapura, Sigiriya ou Polonnaruwa.

Blue Haven Tours & Travels (☎ 077 737 2066 ; www.bluehaventours.com ; 25 DS Senanayake Vidiya). Loueur de voitures fiable ; tarif d'environ 50 $US/jour.

Nishantha Maldeniya (☎ 077 084 9137 ; nishantha.maldeniya71@gmail.com). Tarifs raisonnables pour des trajets locaux et longue distance.

TRAIN

Kandy possède une grande gare ferroviaire, et de nombreux visiteurs arrivent ou partent en train. Des wagons chics et climatisés d'ExpoRail et de Rajadhani Express sont ajoutés à plusieurs trains depuis/vers Kandy. À bord du train pour Badulla, les places assises dans la salle d'oservation en 1re classe sont aussi très prisées. En provenance de Colombo, ce train s'arrête à Hatton (près de l'Adam's Peak), Nanu Oya (pour Nuwara Eliya), Haputale, Ella et plusieurs autres villes de montagne. Les billets en 1re classe panoramique reviennent à 1 000 Rs pour toutes les gares entre Kandy et Nanu Oya, à 1 250 Rs pour celles plus à l'est. Les retards sont fréquents sur la ligne à destination de Hatton.

Si vous ne parvenez pas à obtenir une place au guichet, adressez-vous au chef de gare, qui peut parfois libérer des places supplémentaires pour les touristes.

Des trains desservent les destinations suivantes (prix sans réservation) :

Badulla (2e/3e classe 270/145 Rs ; 7-8 heures ; 5/jour)

Colombo (2e/3e classe 190/105 Rs ; 2 heures 30-3 heures 30 ; 7-9/jour)

Ella (2e/3e classe 240/130 Rs ; 6-7 heures ; 5/jour)

Haputale (2e/3e classe 210/115 Rs ; 5-6 heures ; 5/jour)

Hatton (2e/3e classe 110/65 Rs ; 2 heures 30-3 heures ; 5/jour)

Nanu Oya (pour Nuwara Eliya ; 2e/3e classe 160/90 Rs ; 3 heures 30-4 heures ; 5/jour)

Comment circuler

BUS

Les bus pour les faubourgs de Kandy et les villes voisines, comme Peradeniya, Ampitiya, Matale et Kegalle, partent des arrêts proches de la Clock Tower.

TAXI

Radio Cabs (☎ 081-223 3322) a des taxis climatisés avec compteur qui constituent une alternative confortable aux *túk-túk*. Vous devrez parfois attendre, surtout s'il pleut et que la demande est importante. Avec des taxis (minibus) sans compteur, négociez le prix avant le départ.

TÚK-TÚK

La course entre la gare ferroviaire et la pointe sud-est du lac coûte autour de 300 Rs.

Environs de Kandy

Des sites intéressants dans les environs de Kandy peuvent se visiter en une demi-journée (le mieux est en *túk-túk* ou en taxi). La boucle des Trois Temples (comprenant les temples de Lankatilake, Gadaladeniya et Embekka) constitue une belle excursion. Pour finir la journée, laissez-vous tenter par une visite au jardin botanique.

À voir

♥ **Jardin botanique de Peradeniya** JARDIN

(www.botanicgardens.gov.lk ; adulte/enfant 1 500/750 Rs ; 7h30-17h). Autrefois, seule la famille royale de Kandy pouvait jouir de ce sublime jardin. Aujourd'hui, tout le monde peut admirer le jardin botanique le plus vaste (60 ha) et le plus impressionnant du Sri Lanka.

Admirez la belle collection d'orchidées, la grandiose allée de palmiers royaux, le boulet de canon (un arbre extraordinaire judicieusement nommé) et le bambou de Burba haut de 40 m. Sur la grande pelouse, le figuier géant de Java est également très apprécié, avec son tronc colossal et ses branches formant un toit végétal. Peradeniya est à 6 km du centre de Kandy.

Vous partagerez le jardin avec des milliers de roussettes battant des ailes, des centaines de singes et des dizaines de couples enamourés.

Le jardin botanique comprend une cafétéria hors de prix (plats 550-1 000 Rs) qui sert une cuisine sri lankaise et occidentale, et un petit café près de la sortie. Mieux vaut prévoir de quoi pique-niquer.

De l'arrêt de la Clock Tower à Kandy, le bus n°644 (16 Rs) dessert le jardin botanique. Comptez environ 400 Rs l'aller simple en *túk-túk*. De nombreux chauffeurs de taxi incluent une visite du jardin botanique dans la boucle des Trois Temples de Kandy.

Temple de Lankatilake
TEMPLE BOUDDHIQUE, HINDOU

(300 Rs ; 8h-18h). Ce remarquable temple du XIVe siècle, juché sur un promontoire rocheux, est le plus imposant de la région. Divisé entre une partie bouddhique et une partie hindoue, il renferme une statue du Bouddha assis, des peintures de la période kandyenne, des inscriptions rupestres et des éléphants en pierre. Un gardien ou un moine vous ouvrira la porte si besoin. Une *perahera* (procession) s'y déroule en août.

Le cadre environnant est aussi mémorable que le temple, qui se trouve à 15 km au sud-ouest de Kandy.

Vous pouvez prendre le bus n°644 à destination de Pilimatalawa qui le dessert directement depuis Kandy. Il vous faudra descendre à Dawulagala Rd et poursuivre à pied sur environ 750 m. Vous pouvez aussi rejoindre Lankatilake à pied depuis le temple d'Embekka Devale, distant de 3 km, en longeant des rizières.

Devale d'Embekka
TEMPLE HINDOU

(300 Rs ; 8h-18h). Dédié à la divinité hindoue Mahasen, ce temple du XIVe siècle arbore des piliers en bois finement sculptés de cygnes, d'aigles, de lutteurs et de danseuses. Les plus belles sculptures se trouvent dans la salle des joueurs de tambour.

Pour accéder au temple en transports publics, prenez le bus n°643 (à destination de Vatadeniya via Embekka ; 38 Rs) qui passe fréquemment près de la Clock Tower de Kandy. Le village d'Embekka est à environ 7 km après le jardin botanique de Peradeniya (à environ 45 minutes de Kandy). Depuis le village, une agréable promenade dans la campagne mène au temple situé à 1 km.

Temple de Gadaladeniya
TEMPLE BOUDDHIQUE, HINDOU

(300 Rs ; 8h-18h). Doté d'une annexe hindoue, ce temple bouddhique date du XIVe siècle. Dans sa salle principale, trône un magnifique bouddha doré assis. Des marches creusées dans la roche conduisent au sanctuaire, érigé sur un escarpement rocheux parsemé de petits bassins.

Lors de votre visite, il sera peut-être protégé par un échafaudage et un toit en tôle pour stopper l'érosion causée par la pluie. Le temple est à 13 km au sud-ouest du centre de Kandy.

De Kandy, le bus n°644 (28 Rs) et d'autres se rendent au temple. La sortie de l'A1 Hwy est proche du Km 105, puis il reste 1 km jusqu'à Gadaladeniya.

Ceylon Tea Museum
MUSÉE

(081-380 3204 ; www.ceylonteamuseum.com ; Hantane ; adulte/enfant 800/400 Rs ; 8h30-15h45 mar-sam, 8h30-15h dim). Le musée du Thé occupe l'Hantane Tea Factory de 1925, à 4 km au sud de Kandy sur la route d'Hantane. Abandonnée pendant plus d'une décennie, la manufacture a récemment été restaurée et présente une exposition sur les pionniers du thé James Taylor et Thomas Lipton, et de nombreux ustensiles d'époque relatifs au thé. Une rapide visite guidée (tous les guides connaissent bien leur sujet, mais certains donnent l'impression de réciter un discours) est comprise, qui se termine par une tasse de thé offerte dans la salle à l'étage.

Degal Doruwa Raja Maha Vihara
TEMPLE BOUDDHIQUE

(Lewella ; don souhaité ; 8h-18h). Niché dans la périphérie verdoyante de Kandy, le temple troglodytique de Degal Doruwa Raja Maha Vihara, construit au XVIIIe siècle (grâce à quelques rochers bien placés), est peu visité mais non moins fascinant. Ses parois intérieures sont pourtant entièrement ornées de jolies peintures de l'époque kandyenne, légèrement passées, qui illustrent des scènes des *jakata* (récits des vies du Bouddha).

Parmi elles figurent des représentations incongrues d'hommes armés de fusils, sans doute les premiers arrivés au Sri Lanka. Le sanctuaire renferme aussi un grand bouddha couché. L'un des 5 moines qui résident sur place vous fera sans doute visiter.

Kandy War Cemetery
CIMETIÈRE

(www.cwgc.org ; Deveni Rajasinghe ; don souhaité ; 10h-12h et 13h-18h). Des soldats tombés en défendant le Sri Lanka durant la Seconde Guerre mondiale reposent dans ce petit lieu mélancolique, entretenu par la commission des cimetières militaires du Commonwealth.

Activités

Les environs de Kandy comptent plusieurs centres de méditation réputés.

Nilambe Buddhist Meditation Centre
MÉDITATION

(077 780 4555 ; www.nilambe.net ; don souhaité). Propose des cours quotidiens (principalement de la méditation assise et silencieuse) répartis sur un séjour minimum de 3 à

Environs de Kandy

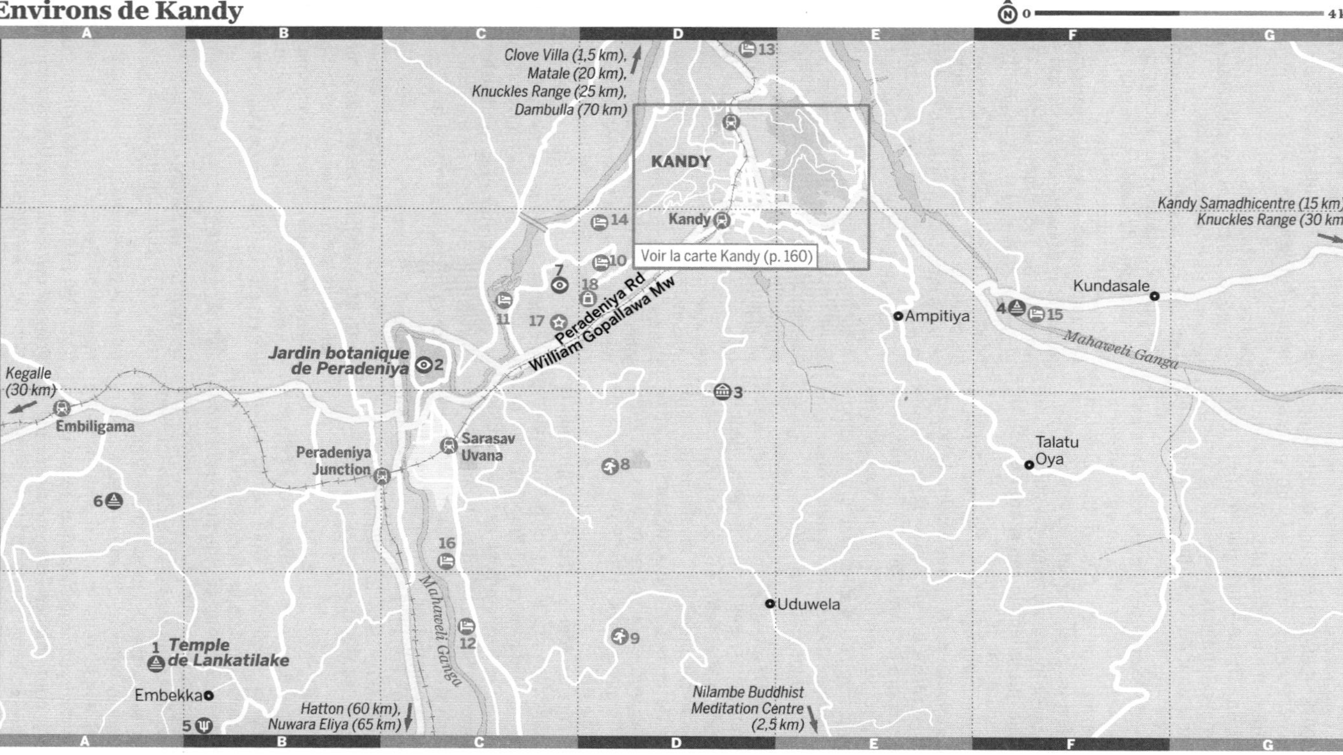

Environs de Kandy

Les incontournables
1 Temple de Lankatilake A4
2 Jardin botanique de Peradeniya C2

À voir
3 Ceylon Tea Museum D3
4 Degal Doruwa Raja Maha Vihara F2
5 Devale d'Embekka B4
6 Temple de Gadaladeniya A3
7 Kandy War Cemetery C2

Activités
8 Amaya Hills D3
9 Dhamma Kuta Vipassana
Meditation Centre D4

Où se loger
10 Amaara Sky Hotel D2
11 Baramba House C2
12 Chaya Hills C4
13 Elephant Stables D1
14 Emerald Hill Hotel D2
15 Kandy House F2
16 Nisha Tourist Home C3

Où sortir
17 Alliance Française C2

Achats
18 Waruna Antiques D2

5 jours. Hébergement basique disponible. La journée commence par le gong de 4h45 et s'achève avec un cercle de chant et de méditation vers 21h. Réservations sur le site Internet, au moins deux semaines à l'avance.

À 24 km au sud de Kandy, l'endroit est desservi par le bus n°633 ; montez dans un bus à destination de Delthota via Galaha et descendez à Office Junction. De là, grimpez sur 3 km à travers les plantations de thé ou prenez un *túk-túk* (250 Rs). En *túk-túk*/taxi de Kandy, comptez 1 200 Rs.

Amaya Hills AYURVÉDA
(081-447 4022 ; www.amayaresorts.com ; Heerassagala ; soins du visage à partir de 4 000 Rs, massage et bain de vapeur 8 000 Rs). Voici le centre ayurvédique le plus agréable de Kandy et ses alentours, avec un personnel professionnel et de merveilleux massages et soins – demandez un gommage Udvarthana. Passez la journée sur place et, après le déjeuner, profitez de la superbe piscine. Amaya Hills est perché dans les hauteurs le long d'une route sinueuse. Comptez environ 600 Rs pour y venir en *túk-túk* depuis Kandy.

Dhamma Kuta Vipassana Meditation Centre
(081-238 5774 ; www.kuta.dhan Mowbray, Hindagala ; don souhaité). Stage 10 jours suivant la technique de médi de S.N. Goenka. Réservation obligat e. Dortoirs séparés pour hommes et femmes. À l'arrêt de la Clock Tower à Kandy, prenez un bus à destination de Mahakanda jusqu'au terminus. Parcourez ensuite une montée escarpée de 2 km.

Où se loger et se restaurer

Kandy étant de plus en plus embouteillée, les visiteurs se tournent vers les collines verdoyantes autour de la ville pour se loger. Cette région très pittoresque compte un nombre croissant d'hôtels et de pensions. La plupart proposent des repas, ce qui compense le nombre limité de restaurants.

Nisha Tourist Home CHAMBRES D'HÔTES $$
(077 084 9137 ; nishantha.maldeniya71@gmail.com ; 47/9A Riverside, Galaha Rd, Peradeniya ; ch 25 $US ;). Tenue par une famille accueillante et astucieuse, cette maison familiale loue des chambres propres avec sdb attenantes dotées de l'eau chaude. L'emplacement est très tranquille bien qu'isolé, rendant très utiles les vélos mis à disposition. Les propriétaires pourront venir vous chercher à la gare de Peradeniya Junction (à 3,5 km) ; ils vous proposeront des cours de cuisine et Nisha est une excellente conductrice/guide.

Emerald Hill Hotel HÔTEL $$
(081-465 1651 ; www.emeraldhill.lk ; 70/18 Riverdale Rd, Aniwatte ; ch à partir de 45 $US ;). Situé sur une crête, cet hôtel jouit d'une vue parmi les plus spectaculaires de toute la région de Kandy. Depuis les balcons des chambres modernes, le panorama est éblouissant sur la vallée de Mahaweli, où coule une rivière. Les alentours ne réservent toutefois rien d'autre à découvrir, et il vous faudra emprunter des *túk-túk* ou être motorisé.

Chaya Hills HÔTEL $$
(077 350 6962 ; www.chayahillskandy.com ; 1 Chaya Hills ; dort/d 18/40 $US ;). À environ 6 km au sud-ouest de Kandy, cet hôtel d'un bon rapport qualité/prix offre une gamme de chambres très attrayantes (y compris des dortoirs climatisés de 4 lits) et des doubles très spacieuses avec la TV câblée. Réservez une des chambres à l'étage avec une vue dégagée sur la vallée.

Baramba House BOUTIQUE-HÔTEL **$$$**
(081-220 0173 ; www.barambalanka.com ; 22 Upul Mawatha, Primrose Hill ; ch 85-95 $US avec petit-déj ;). Ses propriétaires suisses et sri lankais ont su faire de cette pension un vrai petit coin de paradis. Dans les 3 chambres hautes de plafond, de gros ventilateurs tournent paresseusement au-dessus d'énormes lits à baldaquin et les eaux de la piscine sont transparentes. Les terrasses avec vue sur les collines envahies par la jungle, ainsi que les délicieux repas faits maison, ajouteront encore au plaisir de votre séjour à Baramba.

Moins de 12 ans non admis. L'établissement se trouve à 5 km de Kandy.

Kandy House BOUTIQUE-HÔTEL **$$$**
(Amunugama Walauwa ; 081-492 1394 ; www.thekandyhouse.com ; Amunugama Walauwa, Gunnepana ; ch à partir de 325 $US avec petit-déj ;). Une profusion de fleurs exotiques embaume l'air de cette ancienne demeure familiale d'un chef kandyen. Désormais restaurées de fond en comble, ses 9 chambres ont des meubles et objets anciens de l'époque coloniale. Vous serez servi par un majordome attitré dès votre arrivée. La piscine à débordement laisse place à des rizières vert émeraude, et les repas sont un vrai régal.

Les enfants de moins de 12 ans ne sont pas acceptés.

Amaara Sky Hotel BOUTIQUE-HÔTEL **$$$**
(081-223 9888 ; www.amaarasky.com ; 72/22 AB Damunupola Mawatha ; ch avec petit-déj à partir de 140 $US ;). Boutique-hôtel juché sur les collines en périphérie de Kandy. Les chambres réservent une suberbe vue depuis les balcons et certaines sont parmi les plus grandes du secteur. Le restaurant sert une délicieuse cuisine locale et internationale.

Kandy Samadhicentre BOUTIQUE-HÔTEL **$$$**
(077 771 0013 ; www.thekandysamadhicentre.com ; Kukul Oya Rd, Kandy ; s/d à partir de 95/120 $US ;). Centre bohème de yoga et d'ayurvéda à 23 km du centre de Kandy, avec des huttes en terre crue, des chambres et des pavillons répartis sur le flanc boisé d'une colline, tous meublés de lits à baldaquin et de tissus asiatiques. Divers forfaits sont proposés, comprenant des soins et des sessions de yoga ; en revanche, les tarifs sont élevés. La cuisine est bio et végétarienne (dîner 15 $US), et on ne sert pas d'alcool.

Achats

Waruna Antiques ANTIQUITÉS
(081-447 0925 ; www.warunaantique.com ; 761 Peradeniya Rd ; 9h-18h). À environ 2 km au sud-ouest du centre-ville, l'antre de cet antiquaire est un vrai dédale où acheter de vieux masques, des bijoux, des pièces, du tissu, des cartes et de l'art. Prix honnêtes.

Depuis/vers Peradeniya

Il est très fréquent de louer un *túk-túk* pour la journée pour se déplacer dans ce secteur ; comptez 3 000 Rs depuis le centre de Kandy. Une voiture coûtera environ 6 000 Rs ; essayez auprès de Nishantha Maldeniya (p. 170).

Les bus circulent sur les axes principaux. Si vous combinez les transports publics et la marche à pied (qui n'a rien d'anecdotique), vous devrez demander votre chemin de temps à autre.

Knuckles Range

Les montagnes centrales du Sri Lanka ont récemment été inscrites au patrimoine mondial de l'Unesco, et le Knuckles Range, massif dentelé à la forte biodiversité, en est l'une des raisons majeures. Il abrite des poches de forêt alpestre et d'altitude rare, et fait la part belle aux randonnées et à l'observation des oiseaux. Son nom qui signifie "articulations" fait référence à la silhouette des montagnes, évoquant un poing fermé. Cet espace relativement ignoré des touristes étrangers est l'une des plus belles zones de la région montagneuse pour sortir des sentiers battus.

Vous aurez besoin d'être bien préparé pour faire de la randonnée dans le secteur ; un guide compétent est pratiquement indispensable.

Les hôtels du Knuckles Range peuvent organiser des randonnées guidées. À Kandy, contactez Sri Lanka Trekking (p. 163). Il est obligatoire d'engager un guide pour les hauts sommets, et indispensable de se munir d'un équipement imperméable et d'une protection contre les sangsues. Pour toute marche plus ambitieuse qu'une promenade de quelques heures dans les contreforts, vous devrez être totalement autonome, avec matériel de camping et nourriture.

Les contreforts des Knuckles sont ponctués de petits villages et peuvent se parcourir librement à pied. En revanche, les hauteurs forment une zone protégée soumise à un droit d'accès de 650 Rs. Les

VAUT LE DÉTOUR

À LA RENCONTRE DES VEDDA

Le Sri Lanka était habité bien longtemps avant la venue des Cinghalais et des Tamouls. Ces premiers habitants, appelés Vedda (ou chasseurs), seraient arrivés sur l'île il y a quelque 18 000 ans et, jusque récemment, ont vécu sans trop de problèmes aux côtés des autres Sri Lankais. Aujourd'hui, comme les communautés aborigènes d'Asie du Sud, les Vedda subissent d'énormes pressions et il ne reste plus que quelques centaines d'individus non métissés.

Le dernier bastion vedda se situe dans la campagne près du village de **Dambana**, à l'est de la bourgade de **Mahiyangana**. Si vous désirez rencontrer les Vedda, une fois à Dambana il vous faudra trouver un guide-interprète, puis rejoindre le joli hameau de **Kotabakina**, le village vedda le plus visité. Sur place (moyenant une somme substantielle), vous assisterez à des danses, des chants et un rituel de chasse.

Si l'expérience peut sembler artificielle, souvenez-vous que le tourisme fournit des revenus aux villages et que la curiosité pour cette culture traditionnelle peut suffire à empêcher sa disparition.

Mahiyangana, une ville étendue et peu peuplée, constitue la meilleure base pour visiter la région. Sa seule curiosité est le **dagoba de Mahiyangana** où, selon la légende, le Bouddha aurait prêché lors de son premier séjour au Sri Lanka. À la sortie de Kandy, deux routes vont vers la ville. La spectaculaire A26 part en direction du nord vers Madugoda en passant par le réservoir Victoria, avant d'attaquer la descente sinueuse ponctuée de 18 virages en épingle à cheveux jusqu'aux basses terres mahaweli et aux plaines de la zone aride. En montée, on redoute la surchauffe et en descente, que les freins lâchent. Les chauffeurs préfèrent emprunter la route qui longe les berges sud des réservoirs Victoria et Randenigala, plus rapide et en meilleur état.

Mahiyangana compte quelques hébergements, peu habitués à recevoir des étrangers. Des bus desservent Kandy, Badulla et Polonnaruwa, entre autres destinations.

billets ne peuvent pas s'acheter à l'entrée ; votre guide les obtiendra à l'office des forêts.

Où se loger et se restaurer

Cette zone montagneuse compte d'excellents lodges et boutique-hôtels. Vous trouverez plusieurs bonnes adresses dans le village d'Elkaduwa, qui est une base idéale pour explorer le Knuckles Range. Pratiquement tous les hôtels et pensions servent des repas ; cela mis à part, le choix en matière de restauration reste très limité.

Green View HÔTEL $$
(☎077 781 1881 ; bluehavtravels@gmail.com ; Karagahinna, Elkaduwa ; s/d avec petit-déj à partir de 2 800/3 600 Rs ; 📶❄). Lodge bien tenu et chaleureux, installé à flanc de colline avec une vue spectaculaire sur une vallée boisée de montagne. Les chambres sont simples et propres bien qu'un peu défraîchies. Des employés vous guideront volontiers pour des promenades faciles à basse altitude ou pour des marches plus ardues sur les crêtes du Knuckles Range. Réservez et l'on viendra vous chercher à Kandy.

♥ **Rangala House** BOUTIQUE-HÔTEL $$$
(☎081-240 0294 ; www.rangalahouse.com ; 92B Bobebila Rd, Makuldeniya, Teldeniya ; s/d en demi-pension 171/235 $US, studio à partir de 288 $US ; 📶❄). Située à environ 1 000 m d'altitude, cette magnifique maison d'un ancien planteur de thé jouit d'un climat modéré, parfois frisquet, sur la pente escarpée d'une colline boisée d'arbres à épices. Elle possède 3 chambres doubles, ainsi qu'un studio pour les familles. Vous serez sous le charme du grand salon et de la vaste salle à manger (avec cheminée) d'où l'on voit en contrebas les lumières éloignées de Kandy.

Le Rangala propose d'excellentes randonnées avec guide dans le Knuckles Range.

Madulkelle Tea & Ecolodge BOUTIQUE-HÔTEL $$$
(☎081-380 1052 ; www.madulkelle.com ; village de Madulkelle ; d à partir de 268 $US ; 📶❄). 🍃 Véritable camping glamour, ce lodge chic propose des tentes de luxe disséminées sur une colline verdoyante, toutes munies de lits confortables, de bureaux en bois et de sdb

équipées. Promenez-vous dans le domaine de Madulkelle puis relaxez-vous dans la piscine à débordement, tout en contemplant le relief montagneux et le vert profond des plantations de thé des environs.

Le bâtiment principal, qui abrite la grande salle à manger, s'agrémente de meubles anciens et de fauteuils en cuir autour d'un feu de cheminée. Attention, la route d'accès est très accidentée et nécessite généralement un véhicule surélevé.

Amaya Hunas Falls Hotel HÔTEL **$$$**
(☎081-494 0320 ; www.amayaresorts.com ; Elkaduwa ; ch/ste avec petit-déj à partir de 145/252 $US ;). Perché à la lisière d'une plantation de thé et d'épices, ce complexe hôtelier propose des chambres élégantes. Si le bâtiment est une longue construction en béton plutôt disgracieuse, le paysage environnant est splendide. Plusieurs espaces se prêtent joliment à un repas mémorable, notamment la terrasse au bord du lac, et le pub au rez-de-chaussée est parfait pour prendre un verre.

Depuis/vers le Knuckles Range

Les excursions de randonnée dans les Knuckles depuis Kandy comprennent généralement le transport aller-retour. Autrement, compter 900/1 800 Rs pour un *túk-túk*/taxi de Kandy à Elkaduwa. Vous pourrez aussi prendre un bus pour Wattegama (près de la Clock Tower à Kandy), puis une correspondance pour Elkaduwa.

Kitulgala

☎036

À l'ouest de la route de Kandy à Nuwara Eliya, Kitulgala est un centre de sports d'aventure réputé, situé parmi des collines densément boisées. La plupart des visiteurs sont des jeunes dynamiques venus de Colombo, mais les visiteurs étrangers découvrent peu à peu la région pour son rafting en eaux vives, ses treks dans la jungle, ses oiseaux et ses grottes à explorer.

La ville est aussi célèbre car c'est ici que fut tourné le film oscarisé *Le Pont de la rivière Kwai* (1957), de David Lean, sur les berges de la Kelaniya Ganga, même s'il en reste peu de traces visibles.

À quelques kilomètres de Kitulgala s'étend un grand **réseau de grottes** où des restes humains vieux de 28 500 ans ont été découverts. Nombre d'hôtels du secteur pourront vous procurer un guide.

À voir

Seules les fondations en béton du "Pont de la rivière Kwai" subsistent. Pour atteindre le site, suivez les panneaux depuis la route principale, à environ 1 km du Plantation Hotel en direction de l'Adam's Peak. Des aspirants guides proposeront de vous montrer le chemin, mais c'est inutile. Apparemment, les wagons de train utilisés lors du tournage gisent au fond de la rivière. Vous devrez néanmoins apporter votre équipement de plongée pour les inspecter.

Classic Car Museum MUSÉE
(Plantation Hotel, 250 Kalukohuthanna ; 8h-18h). GRATUIT Relevant davantage du garage d'un hôtel que d'un musée, cette belle collection de voitures classiques mérite néanmoins un coup d'œil. Il suffit de prendre un verre à l'hôtel pour y avoir accès. Les modèles, des années 1960 pour la plupart, comprennent plusieurs Rolls-Royce, des Jaguar et une Mini Cooper originale. L'une des Rolls aurait transporté la reine d'Angleterre dans le pays lors d'un voyage officiel.

Activités

Observation des oiseaux

La région est réputée pour l'observation des oiseaux : 23 des 27 espèces endémiques du Sri Lanka peuplent la forêt alentour. Le Rafter's Retreat (ci-contre) dispose des meilleurs guides ornithologiques (environ 2 800 Rs la demi-journée).

Rafting

Au moment de notre passage, la Kelaniya Ganga – la rivière qui traverse Kitulgala – offrait le meilleur rafting en eaux vives du Sri Lanka. La construction de deux nouveaux barrages en amont (qui devraient entrer en service d'ici 2019) perturbera néanmoins la rivière, avec un impact sur les futures descentes en rafting. Contactez Rafter's Retreat (ci-contre) ou Borderlands (ci-contre) pour connaître la situation.

La descente classique franchit 7 rapides de classes II-III sur 7 km en 2 heures environ (30 $US/pers, transport et déjeuner compris). Sur demande, les rafteurs expérimentés peuvent affronter des rapides de classes IV-V. Certains prestataires complètent aussi la descente en rafting par du canyoning en rivière.

Presque tous les hôtels peuvent organiser des descentes en rafting auprès d'une dizaine d'agences locales. Les forfaits sont tous sensiblement identiques, mais certains sont sans assurance – vérifiez les papiers avant toute chose. Xclusive Adventures (☎072 456 9615 ; www.xclusive-adventures.com ; Gingathhena Rd), de bonne réputation, propose du rafting en eaux vives (à partir de 20 $US), du canyoning, du VTT et des excursions de trekking.

Randonnée

Une épaisse forêt couvre les collines abruptes autour de Kitulgala. Vous pourrez découvrir la région au cours de belles et épuisantes randonnées. Vous aurez besoin d'un guide, de bonnes chaussures, de vêtements imperméables et d'un répulsif contre les sangsues. La plupart des hôtels pourront vous procurer un guide et vous indiquer des itinéraires ; Channa Perera du Rafter's Retreat connaît parfaitement la jungle, la faune et la flore locales. Comptez autour de 20 $US la demi-journée.

Où se loger et se restaurer

Kitulgala offre un choix croissant d'hébergements, mais les prix sont excessifs (peut-être en raison des nombreux touristes venus de Colombo).

Breetas Garden HÔTEL $$

(☎051-224 2020 ; www.breetasgarden.com ; Kitulgala-Ginigathhena Rd ; ch 60 $US ; 📶❄). Cette ancienne demeure de plantation de thé a été transformée en une pension pleine de charme avec un restaurant et 8 chambres spacieuses et bien décorées, dont beaucoup possèdent un balcon. La vue sur la montagne est splendide, et depuis la petite piscine vous pourrez contempler la forêt tel un océan végétal. Situé à 7 km à l'est de Kitulgala sur la route en direction d'Hatton, avec de beaux sentiers de randonnée dans les environs.

♥ **Royal River Resort** BOUTIQUE-HÔTEL $$$

(☎011-273 2755 ; www.plantationgrouphotels.com ; Eduru Ella ; s/d en demi-pension 11 500/13 900 Rs ; ❄📶). Enfoui dans la forêt humide, à 6 km au nord de Kitulgala en empruntant une route cahoteuse, cet hôtel merveilleusement isolé loue 4 cottages en bois, récemment bâtis dans un cadre de rochers et de cascades. Les chambres sont joliment décorées dans le style colonial. L'établissement possède un bon restaurant et une sublime piscine alimentée par la rivière.

Rafter's Retreat LODGE $$$

(☎031-228 7598 ; www.raftersretreat.com ; s/d en demi-pension 75/90 $US ; 📶). Ce superbe bungalow colonial sert de bureau à ce tour-opérateur spécialisé dans le rafting et l'observation des oiseaux. Les 10 cottages atypiques au bord de la rivière sont basiques et équipés de ventilateurs. Il suffit de relever un store pour voir les eaux bouillonnantes.

Le restaurant, au bord de l'eau, est idéal pour une bière et Channa, le jovial patron, organise toutes sortes d'excursions et d'activités.

Borderlands CAMPING $$$

(☎077 789 9836, Colombo 011-441 0110 ; www.discoverborderlands.com ; en bord de rivière, près de Kalukohuthanna ; demi-pension 66 $US/pers ; 📶). Tenu par des jeunes de différentes nationalités qui aiment s'amuser, ce camp au bord de la rivière permet de pratiquer des activités telles que kayak, rafting, vélo et randonnée. L'hébergement est basique mais plutôt onéreux, soit en cabanes semi-ouvertes avec moustiquaires, soit dans de grandes tentes avec lits. Le camping possède un bloc sanitaire séparé et un bel espace terrasse-espace repas. Attention, l'endroit est parfois envahi par des groupes scolaires.

Des forfaits à 125 $US/personne incluent la pension complète et 2 activités.

Depuis/vers Kitulgala

Il est facile de rejoindre Kitulgala en bus. Si vous venez de Colombo, prenez un bus pour Hatton et descendez à Kitulgala (186 Rs). Pour repartir, vous pourrez héler un bus à destination de Hatton sur la route principale (72 Rs). Pour Nuwara Eliya et Kandy, prenez une correspondance à Hatton.

Adam's Peak (Sri Pada)

☎051 / ALTITUDE : 2 243 M

Situé dans un secteur splendide du sud de la région montagneuse, ce haut sommet alimente l'imaginaire depuis des siècles. C'est un lieu de pèlerinage depuis plus de 1 000 ans.

Il est appelé Adam's Peak (l'endroit où Adam posa le pied sur terre après avoir été chassé du paradis), Sri Pada (l'Empreinte sacrée, laissée par le Bouddha sur le chemin du paradis) ou encore Samanalakande (mont des Papillons ; là où les papillons viennent mourir). La légende attribue l'empreinte au sommet à saint Thomas, premier apôtre venu en Inde, ou à Shiva.

La saison des pèlerinages commence à la *poya* de décembre et continue jusqu'à la **fête de Vesak**, en mai. Durant la saison, pèlerins et touristes gravissent ensemble les innombrables marches qui mènent au sommet. En dehors de cette période, le temple au sommet n'est pas toujours en activité et est souvent perdu dans les nuages.

Activités

La randonnée escarpée et moyennement ardue jusqu'au sommet sacré de l'Adam's Peak est un défi qu'entreprennent de nombreux Sri Lankais et voyageurs depuis Dalhousie.

Pendant la saison des pèlerinages (de décembre à mai), l'itinéraire est illuminé par un ruban de lumières scintillantes visible à des lieues à la ronde, qui ressemble de loin à une traînée d'étoiles s'élevant vers les cieux. Hors saison, vous aurez besoin d'une lampe torche.

Portez des chaussures de randonnée, ou à la rigueur de bonnes chaussures de sport.

L'ADAM'S PEAK UN JOUR DE POYA

Si vous songez gravir l'Adam's Peak un jour de *poya* (pleine lune) ou le week-end, n'hésitez pas car cela restera probablement l'un des temps forts de votre séjour au Sri Lanka. Sachez toutefois que lors de notre dernière ascension, nous avons dû faire la queue pendant près de 3 heures à 800 m du sommet, progressant ensuite d'une centaine de mètres avant d'abandonner la partie. La plupart des touristes sans motivation spirituelle ont agi de même. Au dire de voyageurs, la montée peut durer jusqu'à 9 heures. Pour autant, le jeu en vaut la chandelle car il règne alors sur le site une ambiance festive haute en couleur. Les stands de thé sont pleins à craquer et certains pèlerins hindous portent leurs plus beaux atours. Toutefois, n'espérez pas un moment de silence pour méditer quand le soleil se lève au-dessus des montagnes.

Prévoyez des vêtements chauds et une bonne provision d'eau. Si vous êtes à Dalhousie pendant la saison des pèlerinages, vous trouverez des vestes chaudes et des couvre-chefs en vente aux étals du marché (même si lors des soirées avec beaucoup de monde, la proximité de la foule suffira à vous tenir chaud). Autrement, vous pourrez trouver de l'équipement de plein air au marché de Nuwara Eliya ou dans les boutiques d'Ella.

L'ascension

Vous pourrez débuter l'ascension de 7 km depuis Dalhousie peu après la tombée de la nuit – emportez un bon duvet pour passer la nuit en haut à l'abri du froid – ou attendre 2h du matin pour grimper. Des marches (environ 5 200) jalonnent la majeure partie de la montée. Vous rejoindrez le sommet en 2 heures 30 à 4 heures. En partant à 2h30, vous arriverez facilement avant l'aube, qui se lève vers 6h30. Les jours de *poya*, la foule des pèlerins ralentit la progression, qui peut prendre plusieurs heures supplémentaires.

Du parking, la pente monte graduellement pendant la première demi-heure, passant sous une arche d'entrée puis devant le dagoba de l'Amitié Japon-Sri Lanka. Le chemin devient ensuite plus escarpé avant de se transformer en une succession de marches. Des maisons de thé, dont certaines ouvertes toute la nuit en saison, jalonnent l'itinéraire jusqu'au sommet. Quelques-unes ouvrent également hors saison. Afin de préserver l'atmosphère de ferveur, les autorités ont interdit l'alcool, le tabac, la viande, la musique enregistrée et l'abandon de déchets.

De nombreux pèlerins préfèrent effectuer l'ascension de 7 heures, plus longue et plus fatigante (également bien signalée et éclairée), à partir de Ratnapura via le Carney Estate, car elle procure plus de mérite spirituel.

De juin à novembre, quand le chemin n'est pas éclairé et que les pèlerins sont peu nombreux, n'entreprenez pas seul cette ascension. Les services d'un guide coûtent environ 1 000 Rs.

Le sommet

Il peut faire froid au sommet, aussi vaut-il mieux ne pas arriver longtemps avant l'aube et attendre en grelottant.

Alors que l'aube illumine la montagne sacrée, la lumière matinale dévoile les hauteurs de la région montagneuse à l'est, et les pentes qui descendent vers la côte. Colombo, à 65 km, se voit facilement par temps clair.

L'Adam's Peak révèle toute sa splendeur juste après l'aurore. Le soleil projette une ombre parfaite du pic sur les nuages de brume en contrebas vers la côte. À mesure que le soleil s'élève, cette ombre triangulaire recule vers le pic avant de disparaître.

Certains pèlerins attendent que les prêtres effectuent une offrande matinale avant de redescendre, mais le soleil et la chaleur grimpent rapidement et mieux vaut ne pas s'attarder.

La descente

La descente semble souvent plus difficile que la montée. Les escaliers interminables peuvent faire flageoler les genoux les plus entraînés, en sus de douleurs aux orteils et d'ampoules si vos chaussures sont inadéquates. Un bâton de marche ou une canne solide rendra la descente moins éprouvante. Portez un chapeau, car le soleil matinal chauffe rapidement. N'oubliez pas de vous étirer les jambes à l'arrivée ou, encore mieux, de vous faire masser.

Où se loger et se restaurer

Dalhousie est le point de départ idéal pour l'ascension, mais les hébergements y sont généralement moyens et d'un rapport qualité/prix décevant.

La plupart des pensions sont regroupées sur la gauche en arrivant à Dalhousie.

La localité compte des restaurants simples et des magasins où acheter des en-cas. La plupart des pensions et des hôtels servent des repas.

Dalhousie

Ayos Hill Hotel PENSION $

(076 925 5998 ; Sri Pada Rd ; ch 2 500-3 800 Rs ; wi-fi). Géré par de sympathiques locaux, cet établissement situé au bord du lac offre des chambres bien tenues avec du linge de lit éclatant et des sdb attenantes. Le restaurant-salon de thé sert de bons thés et une cuisine gourmande à prix honnête. Des vélos sont à la disposition des clients, de même qu'une navette gratuite jusqu'au départ du sentier pour l'ascension de l'Adam's Peak, situé à 4 km.

White House CABANES $

(077 791 2009 ; www.adamspeakwhitehouse.com ; ch en demi-pension 3 200-4 800 Rs ; wi-fi). Cette adresse au personnel serviable est joliment située en bordure de rivière, près d'un bassin de baignade avec de nombreux hamacs et transats. Les chambres, allant de basiques à plutôt chics, pourraient être mieux entretenues mais toutes ont une sdb attenante (avec l'eau chaude) et font l'affaire pour une nuit ou deux. Possibilité de visite guidée des plantations de thé.

♥ Slightly Chilled PENSION $$

(052-205 5502, 071 909 8710 ; www.slightly-chilled.tv ; ch en demi-pension 45-70 $US ; @ wi-fi). Sur votre gauche en arrivant en ville, cette pension à l'ambiance détendue est très plaisante. Elle offre des chambres spacieuses, confortables et colorées avec des parquets cirés, dont beaucoup réservent une belle vue sur Sri Pada, ainsi qu'un grand restaurant. Possibilité de louer des VTT. Beaucoup d'informations sur les sentiers alentours.

Punsisi Rest HÔTEL $$

(051-492 0313 ; ch avec petit-déj à partir de 4 200 Rs ; wi-fi). Ensemble de bungalows en béton en expansion constante abritant des chambres vieillissantes avec douches chaudes – au bout d'escaliers interminables pour certaines d'entre elles. Le restaurant sur place sert une cuisine locale et chinoise. Le Punsisi offre le transport gratuit depuis la gare ferroviaire de Hatton sur réservation. Wi-Fi capricieux.

Environs de l'Adam's Peak

Après l'escalade de l'Adam's Peak, la plupart des voyageurs rêvent d'un repos mérité et il n'existe pas de meilleurs endroits que les charmants bungalows des plantations de thé dans la campagne alentour.

♥ Tea Trails HÔTEL HISTORIQUE $$$

(Colombo 011-774 5700 ; www.resplendentceylon.com/teatrails ; Dikoya ; s/d en pension complète à partir de 453/582 $US ; clim wi-fi piscine). Le Tea Trails réunit 5 sublimes demeures de style colonial bâties pour les régisseurs de plantations de thé britanniques. Restaurés de fond en comble, les bungalows comprennent chacun 4 à 6 grandes chambres, un salon et une salle à manger aussi spacieux l'un que l'autre, ainsi qu'une véranda et un jardin avec une vue dégagée sur les plantations de thé. "Summerville" se distingue par son emplacement, sur une langue de terre s'avançant dans le réservoir de Castlereigh.

Tout est inclus dans les tarifs, même la blanchisserie. Le chef concocte des repas occidentaux et sri lankais, accompagnés de boissons gracieusement offertes (alcool et thé d'origine unique). Des promenades à faire en autonomie (sans guide) parcourent les vertes collines de la région. Tous les bungalows disposent d'une bibliothèque bien choisie. Après un dîner gastronomique, dégustez un whisky pur malt au coin du feu dans votre bungalow, une expérience mémorable au Sri Lanka.

The Farm Resorts HÔTEL HISTORIQUE **$$$**
(☎051-222 3607 ; www.thefarmresorts.com ; Norton Rd, Dikoya ; cottages 66-132 $US ; 📶). Ces cottages superbement aménagés, avec de beaux meubles et un soupçon d'élégance, occupent un emplacement charmant sous des eucalyptus au bord du réservoir de Castlereigh. Le personnel sert les repas dans une agréable salle à manger et peut organiser des promenades en bateau sur le lac.

ℹ Depuis/vers l'Adam's Peak

Un taxi de Hatton à Dalhousie coûte 2 600 Rs, un *túk-túk*, 1 800 Rs. Certains soirs de pèlerinage, les routes peuvent être embouteillées et les derniers kilomètres prendre des heures. Par conséquent, mieux vaut partir pour Dalhousie aussi tôt que possible.

BUS

Pendant la saison des pèlerinages, des bus desservent Dalhousie à partir de Kandy (gare routière de Goods Shed), Nuwara Eliya et Colombo. Sinon, il faut changer à Hatton ou à Maskeliya, à 20 km sur la route Hatton-Dalhousie.

Toute l'année, des bus rallient Hatton de Colombo (252 Rs), Kandy (116 Rs) ou Nuwara Eliya (88 Rs). Quelques bus directs partent de Nuwara Eliya et de Colombo pour Maskeliya.

Pendant la saison des pèlerinages, des bus relient Hatton et Dalhousie via Maskeliya toutes les 30 minutes (80 Rs, 2 heures). Sinon, vous devrez prendre un bus de Hatton à Maskeliya (42 Rs, dernier départ vers 18h), puis changer pour Dalhousie (38 Rs, dernier départ vers 19h).

En dehors de la saison des pèlerinages, les bus déposent parfois leurs passagers sur la place principale de Dalhousie. Sinon, ils s'arrêtent là où ils peuvent.

TRAIN

Hatton est la gare la plus proche de Dalhousie. Cinq trains quotidiens font la liaison entre Colombo et Nanu Oya, tous via Kandy et Hatton. Depuis Kandy, le trajet coûte 163/98 Rs (2e/3e classe) et dure de 2 heures 30 à 3 heures. Sachez toutefois que les retards sont fréquents sur cette ligne, surtout les week-ends pendant la saison des pèlerinages.

Depuis Nanu Oya, le trajet coûte 60/30 Rs (2e/3e classe) et dure entre 1 heure 30 et 2 heures. Le billet avec réservation coûte 600 Rs quelle que soit la classe, et la place dans le salon panoramique 1 000 Rs dans chaque direction.

De Kandy à Nuwara Eliya

La route de Kandy à Nuwara Eliya grimpe sur près de 1 400 m en serpentant à travers des plantations de thé vert jade et des réservoirs. De nombreuses cascades et maisons de thé invitent à s'arrêter le long de ce trajet de 92 km.

Plus loin, le **réservoir de Kothmale** (ou réservoir de Puna Oya) fait partie du Mahaweli Development Project ; des habitants lui attribuent les bizarreries climatiques des dernières années. Les belles **chutes de Ramboda** (108 m), à 1,5 km de la route, dévalent en deux cascades parallèles.

En s'approchant de Nuwara Eliya, la route gagne brusquement en altitude, longe plusieurs plantations de thé, puis des stands remplis de légumes et de fleurs apparaissent sur les bas-côtés.

👁 À voir

Blue Field Tea Estate FABRIQUE DE THÉ
(www.bluefieldteagardens.com ; ⏲8h-16h lun-sam). GRATUIT Cette vaste plantation de thé s'étend à 20 km au nord de Nuwara Eliya. De courtes visites guidées sont proposées, et l'endroit comprend également un restaurant correct. La fabrication s'interrompt le dimanche.

Glenloch Tea Estate FABRIQUE DE THÉ
(☎052-225 9646 ; A5 Hwy, Katukithula ; ⏲8h-16h45). GRATUIT À environ 27 km au nord de Nuwara Eliya, cette fabrique propose des visites guidées instructives sur la culture du thé, les différentes variétés et les procédés de séchage et d'emballage. Quelques belles machines anciennes en provenance du Royaume-Uni sont encore en service. Contrairement à nombre d'autres fabriques de thé, les photographies sont autorisées au Glenloch Tea Estate.

Mackwoods Labookellie Tea Factory FABRIQUE DE THÉ
(www.mackwoods.com ; A5 Hwy ; ⏲8h-17h15). GRATUIT Au bord de l'A5, à 11 km au nord-ouest de Nuwara Eliya, la Labookellie Tea Factory se visite facilement. Le circuit est

très bref, mais comprend une tasse de thé gratuite. Soyez prévenu, des centaines de visiteurs s'y arrêtent en haute saison et l'endroit est parfois bondé. Il comprend un café et des thés de qualité sont en vente à prix honnête.

Où se loger et se restaurer

Il y a quelques hôtels le long de la route, mais le choix est bien plus restreint qu'à Kandy et à Nuwara Eliya. La route est ponctuée de rares restaurants, et certaines plantations de thé ont un café.

Ecolanka LODGE $$$
(☎051-223 3133 ; www.ecolanka.com ; Maussawa Estate, Pundaluoya ; s/d à partir de 42/60 €, cottages 90 € ; wifi). Assez reculé, à 28 km au nord de Nuwara Eliya, ce lodge rustique est l'endroit idéal pour se mettre au vert et enfiler ses chaussures de randonnée – plusieurs bons sentiers passent aux alentours. Certaines chambres ont une sdb partagée ; pour plus de confort, vous pouvez réserver le cottage deluxe. Sublime vue sur les collines du centre du Sri Lanka, et bonne cuisine revigorante.

Depuis/vers Nuwara Eliya

Des bus (normal/rapide 250/180 Rs, 3 heures 30) font la liaison entre Kandy et Nuwara Eliya toutes les 45 minutes environ.

Nuwara Eliya

☎052 / 26 120 HABITATIONS / ALTITUDE : 1 889 M

Souvent surnommée "la petite Angleterre", cette paisible communauté montagnarde dégage en effet une atmosphère rappelant vaguement un village de campagne britannique, avec ses maisons de l'époque coloniale, ses hôtels de style Tudor, ses haies bien taillées et ses jolis jardins. En fait, Nuwara Eliya était jadis la villégiature favorite des pionniers anglais et écossais de l'industrie du thé, séduits par la fraîcheur du climat.

L'essor récent de la construction a quelque peu terni le paysage, et le centre animé et poussiéreux est un labyrinthe urbain typiquement sri lankais, mais Nuwara Eliya demeure une base agréable pour quelques jours de détente. La campagne environnante composée de plantations de thé verdoyantes, de potagers entretenus avec soin et de collines escarpées est très pittoresque. Offrez-vous une nuit dans l'un des hôtels coloniaux de Nuwara Eliya, faites un parcours de golf ou quelques parties de billard, et imprégnez-vous du patrimoine historique unique de la ville.

De novembre à février, la brume enveloppe la ville les jours de pluie. Pendant les vacances d'avril affluent les touristes sri lankais qui apprécient les courses hippiques, grimpent dans les hauteurs avec des voitures de sport et célèbrent le nouvel an sri lankais. Le prix des hébergements grimpe en flèche et Nuwara Eliya devient une ville festive.

Histoire

Région inhabitée de forêts et de prairies au pied du Pidurutalagala (ou mont Pedro, 2 524 m), Nuwara Eliya devint une retraite britannique après avoir été "découverte" par le fonctionnaire John Davy en 1819 et choisie pour y édifier un sanatorium 10 ans plus tard.

Le district devint réputé pour la culture des légumes et des fruits "anglais", comme la laitue et les fraises, destinés aux colons. Les caféiers furent parmi les premières plantes cultivées dans la région mais, après la destruction des arbustes par une maladie, les colons se tournèrent vers le thé. La plantation de Loolecondera, dans les montagnes entre Nuwara Eliya et Kandy, produisit les premières feuilles de thé récoltées au Sri Lanka. Avec le succès des plantations, la ville acquit rapidement le statut de "capitale du thé" de la région montagneuse, un titre qu'elle continue de porter.

Comme ailleurs dans la région montagneuse, la plupart des employés des plantations de thé étaient des Tamouls, amenés du sud de l'Inde par les Britanniques. Si les descendants de ces "Tamouls des plantations" (une appellation utilisée pour les distinguer des Tamouls du nord de l'île) sont le plus souvent restés en dehors du conflit ethnique qui a fait rage à Jaffna et dans le Nord, des affrontements ont ponctuellement opposé les Cinghalais et les Tamouls locaux. La ville fut en partie mise à sac pendant les violentes émeutes de 1983.

Une importante population musulmane vit à Hakgala, non loin, en bonne entente avec les autres confessions.

À voir

Parc Victoria PARC
(300 Rs ; 7h-18h). C'est l'un des parcs urbains les plus beaux et les mieux entretenus du pays. Se promener autour

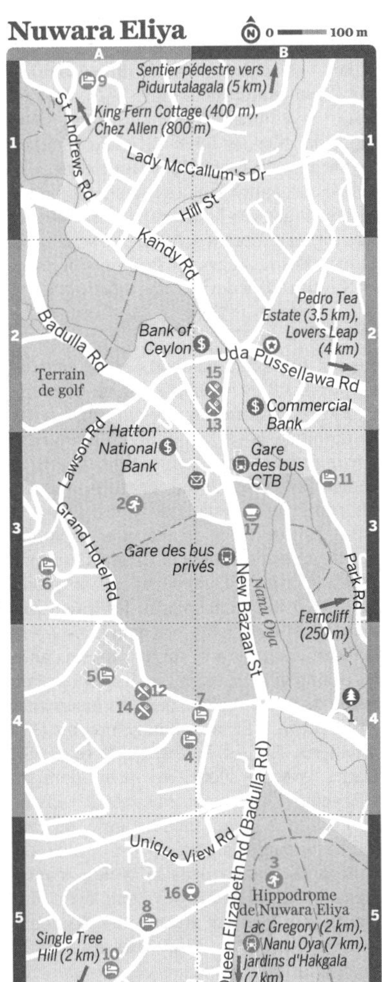

Nuwara Eliya

À voir

1 Parc Victoria....B4

Activités

2 Nuwara Eliya Golf Club....A3
3 Royal Turf Club....B5

Où se loger

4 Ceybank Rest....A4
5 Grand Hotel....A4
6 Hill Club....A3
7 Hotel Glendower....B4
8 Single Tree Hotel....A5
9 St Andrew's Hotel....A1
10 Teabush Hotel....A5
11 Trevene....B3

Où se restaurer

12 Coffee Bar....A4
13 De Silva Food Centre....B2
14 Grand Indian....A4
High Tea at the Grand....(voir 5)
Hill Club....(voir 6)
King Prawn Restaurant....(voir 7)
15 Milano Restaurant....B2
Nuwara Eliya Golf Club Dining Room....(voir 2)

Où prendre un verre et faire la fête

16 Lakeview Pub....A5
17 Victoria Restaurant....B3

de ses pelouses soignées est un plaisir, surtout quand les fleurs s'épanouissent, de mars à mai et d'août à septembre. Il abrite de nombreux oiseaux de la région montagneuse, dont le gobe-mouches du Cachemire, la brève du Bengale et la mésange petit-deuil.

Parc national de Galway's Land PARC NATIONAL

(Hawaeliya ; 10 $US plus taxe 15% ; 6h-17h). Parmi les parcs nationaux les plus récents (celui-ci a été créé en 2006) et les plus petits (il ne fait que 27 ha) du Sri Lanka, Galway's Land déploie une dense forêt de montagne à quelques kilomètres à l'est de la ville. Renommé pour sa faune aviaire, il accueille notamment 10 espèces d'oiseaux endémiques, ainsi que des buffles, des sangliers, des muntjacs et autres mammifères. Le site est avare en renseignements, mais des guides sont disponibles (moyennant un don) au bureau du parc, d'où s'élance également un sentier de randonnée de 2 km.

Environs de Nuwara Eliya

Jardins d'Hakgala JARDINS

(Hakgala Gardens ; adulte/enfant 1 500/750 Rs ; 7h30-17h30). À 10 km au sud-est de Nuwara Eliya, ces beaux jardins sont une retraite paisible. Les éléments les plus remarquables sont la belle roseraie, le jardin japonais, la collection d'orchidées, les cèdres et les cyprès géants. Le prix d'entrée est cependant très élevé pour les étrangers. Entre janvier et fin mars, saison des plantations, les jardins ne revêtent pas leur plus bel aspect. Pour vous y rendre, prenez un bus pour Welimada (22 Rs, 20 min).

Temple de Seetha Amman TEMPLE HINDOU
(A5 Hwy, Sita Eliya). GRATUIT Ce pittoresque temple hindou, à 7 km au sud-est de Nuwara Eliya, marquerait l'endroit où Sita fut retenue captive par le roi-démon Rawana et priait chaque jour pour que Rama vienne la secourir. Sur le rocher de l'autre côté du cours d'eau, des dépressions circulaires seraient les empreintes des pattes de l'éléphant de Rawana.

Lovers Leap POINT DE VUE
Du Pedro Tea Estate (p. 184), une agréable promenade de 5 km (aller-retour) mène au Lovers Leap (Saut des amoureux), un point de vue spectaculaire et une cascade. De la fabrique, traversez la route principale et suivez les panneaux jusqu'au bungalow du directeur le long d'une piste. Au premier croisement, tournez à gauche et marchez encore 15 minutes pour atteindre le parking en terre battue. Sur la gauche, un sentier pédestre à travers les plantations de thé se dirige vers la forêt et une paroi rocheuse jusqu'au site, juste après un petit temple de Shiva.

Activités

Le Grand Hotel (p. 185), le St Andrew Hotel (p. 185), le Hill Club (p. 185) et l'Hotel Glendower (p. 185) disposent tous d'une salle de billard. Le Hill Club possède aussi 4 courts de tennis en terre battue.

Nuwara Eliya Golf Club GOLF
(☎052 223 2835 ; www.nuwaraeliyagolfclub.com ; green 18 trous 5 900-7 200 Rs, location club et chaussures 2 500 Rs ; ⌚6h-18h). Fondé en 1889 par les planteurs de thé, le Nuwara Eliya Golf Club, superbement entretenu, compte plusieurs greens gardés par des chiens somnolents. Attention aux corbeaux qui s'emparent des balles de golf !

Les membres temporaires paient 500 Rs par jour. Les hommes doivent porter une chemise, un pantalon ou un bermuda, les femmes une tenue décente. Le club possède un bar lambrissé à l'atmosphère conviviale et une salle de billard. La **salle à manger** (☎052-222 2835 ; www.nuwara-eliya-golf-club-nuwara-eliya-sri-lanka.en.ww.lk ; Nuwara Eliya Golf Club ; repas à partir de 850 Rs ; ⌚12h-15h et 18h30-21h) sert une cuisine anglaise classique, comme les côtelettes d'agneau avec sauce à la menthe, et un nombre croissant de plats asiatiques.

Royal Turf Club COURSES DE CHEVAUX
(☎077 030 9090 ; www.royalturfclub.com ; Race Course ; billets à partir de 100 Rs). Le Royal Turf Club accueille des courses hippiques sur son champ de courses rétro datant de 1875, le Nuwara Eliya Race Course. L'événement majeur de l'année, la course de la Governor's Cup, se déroule en avril, pendant les vacances du nouvel an sri lankais.

Cyclotourisme

Des pistes escarpées sillonnent les collines alentour. Adressez-vous au Single Tree Hotel pour la location de VTT (p. 184). Un itinéraire assez sportif et spectaculaire traverse de verdoyantes plantations de thé jusqu'à la Labookellie Tea Factory (p. 180). Les montées sont suivies de descentes grisantes.

Randonnée

La plus haute montagne du Sri Lanka, le **Pidurutalagala** (2 524 m), aussi appelé Mt Pedro, se dresse derrière la ville. Son sommet, interdit aux visiteurs, accueille le principal relais TV de l'île. Vous pouvez grimper sur 4 km jusqu'à un réservoir en béton, qui marque la limite d'une zone de haute sécurité. De Keena Rd, le sentier longe un ravin à travers une forêt d'eucalyptus (d'où la ville tire son bois de chauffage), puis pénètre dans la rare forêt de nuages.

Un itinéraire alternatif grimpe sur **Single Tree Hill** (2 100 m), pour une randonnée de 3 heures aller-retour. Suivez Queen Elizabeth Rd vers le sud, remontez Haddon Hill Rd jusqu'à la tour des télécommunications, puis prenez le chemin sur la gauche. Les pensions vous fourniront une carte rudimentaire.

Pour des randonnées plus longues, renseignez-vous au Single Tree Hotel. La plupart des marches guidées dans les collines alentour coûtent entre 3 000 et 5 000 Rs. L'hôtel organise aussi de plus longs treks avec camping.

Circuits organisés

La plupart des hôtels en ville peuvent organiser des excursions à la journée en moto-taxi, en voiture ou en 4X4 jusqu'au parc national des Horton Plains (p. 189). Le prix standard jusqu'à 5 passagers s'élève à 4 000 Rs (sans le droit d'entrée au parc). L'un des meilleurs circuits en 4X4 organisés part du Single Tree Hotel, à 1 heure en voiture de l'entrée du parc.

VAUT LE DÉTOUR

PLANTATION DE THÉ PEDRO

Pour savoir d'où provient votre thé du matin, rendez-vous dans la plantation **Pedro Tea Estate** (200 Rs ; 8h-11h et 14h-16h), à 3,5 km à l'est de Nuwara Eliya en direction de Kandapola. La visite guidée de la fabrique, construite en 1885 et toujours équipée de machines du XIXe siècle, dure une vingtaine de minutes. Sachez qu'en raison du type de thé (très léger), le traitement n'a lieu qu'en soirée, quand il fait plus froid, et vous ne verrez sans doute pas la coupe et le séchage.

Une agréable maison de thé surplombe la plantation. Les photos sont interdites dans la fabrique.

L'aller-retour en *túk-túk* de Nuwara Eliya coûte environ 450 Rs, attente comprise. Vous pourrez aussi prendre le bus (15 Rs) à destination de Ragalla à la gare routière principale de Nuwara Eliya.

Le Single Tree propose également des excursions au Pedro Tea Estate et au Lovers Leap (p. 183) pour 1 500 Rs. Son circuit d'une journée à la découverte des cascades (3 500-9 000 Rs/minibus) inclut 6 à 18 d'entre elles et passe par 2 plantations de thé.

Où se loger

Séjourner dans un hôtel de style colonial en se délectant de l'atmosphère historique est un des temps forts de tout séjour au Sri Lanka. Ceci dit, ne vous attendez pas à des prestations exceptionnelles, et notez que vers le nouvel an sri lankais (en avril) le prix des chambres monte en flèche. Les couvertures sont de mise à presque toute époque de l'année. Certains hôtels allument un feu de bois quand les nuits sont fraîches. Les pensions orientées vers une clientèle de routards sont peu nombreuses.

Chez Allen PENSION $$

(052-222 2581 ; 45/B St Andrew's Rd ; ch à partir de 4 500 Rs ;). Avec des allures de chalet alpin, cette belle pension à flanc de colline offre une vue imprenable depuis ses balcons et ses chambres accueillantes. Les plats proposés sont savoureux et fraîchement préparés. La pension est située à 3 km au nord de la ville – comptez environ 300 Rs pour vous y rendre en *túk-túk*.

Trevene HÔTEL HISTORIQUE $$

(052-222 2767, 072 230 4220 ; www.hoteltrevenenuwaraeliya.com ; 17 Park Rd ; ch avec petit-déj 4 000-8 000 Rs ;). Cette villa coloniale fort plaisante, sise dans un jardin fleuri, offre de nombreux recoins où se blottir avec un livre les jours de pluie. Les chambres sont de niveau variable et il vaut la peine d'en visiter plusieurs avant de faire son choix : certaines ont de hauts plafonds, des boiseries et des cheminées, d'autres sont un peu vieillottes. Service de navette gratuite depuis le centre-ville, sur simple demande par téléphone.

Single Tree Hotel PENSION $$

(052-222 3009 ; singletreehtl@sltnet.lk ; 178 Haddon Hill Rd ; s/d/tr 30/35/40 $US ;). Cette pension prisée des voyageurs est répartie sur 2 bâtiments adjacents, où règne une atmosphère conviviale entretenue par un personnel serviable. Les chambres, avec de nombreuses touches de bois, sont un brin onéreuses et plutôt fonctionnelles, mais les draps sont frais et la propreté au rendez-vous. Les propriétaires connectés proposent une multitude de bonnes excursions dans la région et louent des vélos (1 000/1 500 Rs la demi-journée/journée) et des scooters.

Ceybank Rest HÔTEL HISTORIQUE $$

(052-222 3855 ; www.ceybank-rest-nuwaraeliya-sri-lanka.en.ww.lk ; 119 Badulla Rd ; s/d avec petit-déj 8 600/9 800 Rs ;). Cette demeure historique, autrefois un manoir appartenant à un gouverneur britannique, possède un splendide jardin. Ses attraits sont nombreux, comme son agréable espace salon et son beau bar ancien. Les chambres, bien que spacieuses, sont quelque peu négligées, avec des tapis usés et des rideaux bon marché.

King Fern Cottage PENSION $$

(077 358 6284 ; www.kingferncottage.com ; 203/1A St Andrews Rd ; ch 3 200-6 500 Rs ; @). Adresse atypique, le King Fern est aux antipodes du minimalisme : choc des couleurs, dessus-de-lit voyants, énormes lits fabriqués maison et tables en rondins. Toutefois, si vous avez quelque inclinaison artistique, vous trouverez l'ensemble charmant. Le cadre est agréable, dans un pavillon en bois au bord d'un ruisseau gargouillant. Demandez par téléphone qu'on vienne vous chercher à la gare de Nanu Oya.

Ferncliff BOUTIQUE-HÔTEL $$$

(072 231 9443 ; www.ferncliff.lk ; 7/10 Wedderburn Rd ; ch avec petit-déj 182 $US ;). Entouré de vastes pelouses, ce charmant

bungalow de l'époque coloniale a vraiment tout pour plaire. Il ne compte que 4 chambres spacieuses, chacune avec une sdb moderne, et vous apprécierez le salon avec cheminée réservé aux visiteurs. Repas copieux et délicieux.

Grand Hotel HÔTEL HISTORIQUE **$$$**
(052-222 2881 ; www.tangerinehotels.com ; Grand Hotel Rd ; ch/ste avec petit-déj à partir de 222/277 $US ;). Ce grand bâtiment style Tudor possède des pelouses impeccables, une salle de lecture et une impressionnante terrasse semi-ouverte où sont servis les repas. Les chambres sont confortables et bien équipées, mais dépourvues du charme qu'ont les autres hôtels historiques de Nuwara Eliya – car la majeure partie de l'hôtel est en fait une extension. Installations de qualité, dont une salle de sport et une salle de billard lambrissée.

Hill Club HÔTEL HISTORIQUE **$$$**
(052-222 2653 ; www.hillclubsrilanka.lk ; 29 Grand Hotel Rd ; ch avec petit-déj 160-180 $US ;). En termes de rapport qualité/prix, les chambres plutôt défraîchies de cet hôtel colonial par excellence ne sont pas vraiment à la hauteur. Toutefois, un séjour au Hill Club reste parmi les expériences les plus mémorables des voyageurs au Sri Lanka. Exercez-vous dans la salle de billard, promenez-vous dans le grand jardin, admirez les facades en pierre, sirotez un gin-tonic au bar et imprégnez-vous de l'atmosphère unique.

St Andrew's Hotel HÔTEL HISTORIQUE **$$$**
(052-222 3031 ; www.jetwinghotels.com ; 10 St Andrews Rd ; ch avec petit-déj 139-198 $US ;). Située au nord de la ville sur un promontoire superbement aménagé surplombant le terrain de golf, cette remarquable demeure coloniale était autrefois un cercle de planteurs. Aujourd'hui, c'est un hôtel historique luxueux et rénové avec soin, géré par le groupe Jetwing. L'ancien et le nouveau se mêlent dans les parties communes, dont un bar à cocktails couvert de graffitis, une bibliothèque aux livres poussiéreux dotée d'une cheminée, une salle de billard et un restaurant correct.

Teabush Hotel HÔTEL HISTORIQUE **$$$**
(052-222 2345 ; www.teabush-hotel.com ; 29 Haddon Hill Rd ; s/d avec petit-déj à partir de 95/125 $US ;). Cette maison de planteur agée de 140 ans ne manque pas de caractère, avec ses meubles anciens et son atmosphère coloniale. Le charme ancien des espaces communs est néanmoins tempéré par les chambres plus prosaïques. La vue depuis le restaurant est splendide.

Hotel Glendower HÔTEL HISTORIQUE **$$$**
(052-222 2501 ; www.hotelglendower.com ; 5 Grand Hotel Rd ; ch/ste avec petit-déj 90/110 $US ;). Cette grande bâtisse coloniale déborde de charme britannique suranné (ou du moins de sa version d'Asie du Sud), grâce à son superbe bar, son salon, ses salles de billard et son jardin (avec jeu de croquet à disposition). Les chambres mériteraient cependant un rafraîchissement, avec leurs tapis élimés et des équipements datés. Cela reste toutefois une bonne adresse pour les visiteurs nostalgiques.

Environs de Nuwara Eliya

Quelques lieux d'hébergement splendides se cachent dans les plantations de thé autour de Nuwara Eliya. Chacun d'eux nécessite d'être motorisé.

Highest Village Bungalow PENSION **$**
(052-205 1938, 077 617 1208 ; highestvillagebungalow@yahoo.com ; 222 School Rd, Shanthipura ; ch 3 000 Rs ;). Tenue par une famille très accueillante, cette charmante petite pension est située dans les collines, à 4 km au nord-ouest de la ville, dans un village de montagne réputé pour être le plus haut du Sri Lanka. Vous y apprécierez la belle vue, les bonnes randonnées aux alentours, l'excellente cuisine et les chambres propres. Téléphonez et les propriétaires viendront vous chercher dans le centre-ville.

Heritance Tea Factory BOUTIQUE-HÔTEL **$$$**
(052-555 5000 ; www.heritancehotels.com ; Kandapola ; ch avec petit-déj à partir de 188 $US ;). Nimbée dans la brume d'altitude parmi les collines, à 13 km au nord-est de Nuwara Eliya, cette adresse unique a été construite dans et autour d'une fabrique de thé centenaire. Effaçant la frontière entre musée et hôtel de luxe, la plupart des machines de la fabrique sont encore en place et font partie du décor. Les chambres, majestueuses et confortables, sont chauffées. Le service est de tout premier ordre.

L'hôtel comprend 2 restaurants distincts (dont l'un dans un ancien wagon de train à vapeur) qui servent des plats parmi les meilleurs des montagnes. Notez que le code vestimentaire est assez strict pour le dîner.

THOMAS WYNESS / SHUTTERSTOCK ©

SAIKO3P / SHUTTERSTOCK ©

Parc national des Horton Plains
189)
parc national est un foyer de biodiversité, vit notamment le discret calotes nigrilabris éralement : lézard vert à lèvres noires).

Ella (p. 196)
uelques kilomètres d'Ella, le pont aux Neuf nes offre de belles photographies.

Parc national d'Uda Walawe
204)
centaines d'éléphants vivent dans ce parc onal, l'un des meilleurs endroits du pays pour erver ces pachydermes.

Adam's Peak (p. 177)
nez-vous aux pèlerins lors d'un trek jusqu'au met de ce pic rocheux pour voir le soleil ever.

ANTON GVOZDIKOV / SHUTTERSTOCK ©

Langdale PENSION $$$
(☎052-492 4959 ; www.amayaresorts.com ; Radetta, Nanu Oya ; s/d avec petit-déj 170/180 $US ;). Pour le comble du luxe, essayez cette enseigne de la chaîne Amaya, à 11 km à l'ouest de la ville sur la route de Hatton. La demeure coloniale, nichée au cœur d'une plantation de thé, offre un cadre très sélect et un service au cordeau. Vous allez adorer le court de tennis et le terrain de croquet, tous deux en gazon.

Où se restaurer

Il y a étonnamment peu de lieux où se restaurer. Plusieurs adresses proposent des bons repas à petits prix dans le centre-ville. Le soir, sans doute préférerez-vous dîner dans votre pension ou dans l'un des restaurants des hôtels haut de gamme.

De Silva Food Centre SRI LANKAIS $
(90 New Bazaar St ; plats 200-660 Rs ; 8h-21h). Ce restaurant bon marché situé dans une grande rue animée sert des plats de riz sauté sri lankais et à la chinoise. Les quelques *roti* végétariens sont un en-cas idéal à midi, tandis que les plats de riz et de curry (au déjeuner seulement) coûtent environ 250 Rs.

Milano Restaurant SRI LANKAIS $
(94 New Bazaar St ; repas 180-500 Rs ; 7h30-22h). Le cadre de ce restaurant est incontestablement vieillot, mais le service est sympathique et la carte propose d'excellents plats sri lankais, chinois et occidentaux, y compris de bonnes grillades. Des en-cas pas chers comme les petits pains aux champignons (30 Rs/pièce) sont également en vente au comptoir du rez-de-chaussée.

Coffee Bar CAFÉ $$
(tangerinehotels.com; Grand Hotel Rd ; en-cas à partir de 200 Rs ; 7h-19h ;). Ce petit café moderne situé dans l'allée du Grand Hotel est parfait pour prendre un expresso ou une part de gâteau. Néanmoins, les en-cas (samosas et pâtisseries) sont parfois un peu secs et décevants.

King Prawn Restaurant CHINOIS $$
(Hotel Glendower, 5 Grand Hotel Rd ; plats 500-900 Rs ; 12h-14h et 18h-22h ;). Dans une salle qui évoque l'Angleterre des années 1930, vous dégusterez des spécialités chinoises, du poisson et des fruits de mer. Si la nourriture n'a rien d'exceptionnel, elle change agréablement du sempiternel riz-curry. Attention aux taxes qui viennent grossir l'addition.

100% LOCAL

UNE ENVIE DE FRAISES ?

À environ 11 km de Nuwara Eliya sur la route de Hatton, le village de Radella abrite la **Somerset Farm** (☎052-567 5550 ; Somerset Radella ; en-cas à partir de 250 Rs ; 7h30-17h30), une boutique et un café où les gens bien renseignés achètent des fraises fraîches du cru, ainsi que des confitures et du thé. Quelques tables à l'extérieur permettent de déguster ces produits sur place.

Hill Club INTERNATIONAL $$$
(☎052-222 2653 ; 29 Grand Hotel Rd ; menu 25 $US ; 19h-22h30). Dîner au Hill Club est un événement. La carte se concentre sur des plats typiquement anglais, comme le rôti de bœuf et tous ses accompagnements ou les copieux puddings – la cuisine est loin d'être sophistiquée, mais elle ne surprendra pas les nostalgiques de l'Angleterre. Le repas se déroule selon un cérémonial suranné hérité de l'époque coloniale. Tenue élégante exigée pour tous les convives.

Grand Indian INDIEN $$$
(grandhotel.tangerinehotels.com ; Grand Hotel Rd ; plats 600-1 300 Rs ; 12h-15h et 18h30-22h ;). De loin l'établissement le plus prisé en ville, au point qu'on doit souvent attendre le soir qu'une table se libère. Délicieuse cuisine d'Inde du Nord ; goûtez au *palek paneer* (purée d'épinards au fromage frais) ou au poulet tandoori.

High Tea at the Grand CAFÉ $$$
(☎052-222 2881 ; www.tangerinehotels.com ; Grand Hotel, Grand Hotel Rd ; thé complet 1 250 Rs ; 15h30-18h). Le thé complet est servi soit dehors sur la pelouse, soit dans le salon semi-ouvert. À 15h30 précises, des serveurs en livrée blanche dévoilent un copieux buffet de sandwichs triangulaires parfaits et de pâtisseries délicates, le tout accompagné d'un large choix de thés.

Indian Summer INDIEN $$$
(☎052-222 4511 ; www.indiansummerlk.com ; Badulla Rd ; repas à partir de 750 Rs ; 10h-22h ;). L'enseigne annonce "cuisine fusion", mais ce restaurant chic avec vue sur le lac est surtout apprécié pour ses currys d'Inde du Nord. Les prix sont assez élevés, mais le

service est efficace, les saveurs sont authentiques et le cadre est plaisant et confortable. On ne sert pas d'alcool.

Où prendre un verre et faire la fête

Plusieurs hôtels coloniaux ont un bar idéal pour prendre un gin-tonic en soirée, comme le Hill Club (p. 185) et le Glendower (p. 185). Si vous êtes amateur de thé, dégustez un thé complet (*high tea*) l'après-midi au Grand Hotel.

Victoria Restaurant CAFÉ
(Près de New Bazaar St, Victoria Park ; ⏲7h-19h). Un endroit tranquille où prendre le thé, siroter l'une des nombreuses variétés de cafés ou manger des plats simples (300 Rs), avec vue sur le parc Victoria, mais hélas au bord d'une route bruyante.

Lakeview Pub BAR
(Alpine Hotel, 4 Haddon Hill Rd ; ⏲16h-tard ; 📶). Avec des murs lambrissés et un personnel accueillant au comptoir, ce bar est une adresse prisée. Il propose aussi un billard, des fléchettes et une terrasse avec une vue (lointaine) sur le lac.

ℹ Renseignements

Chacune des banques ci-dessous possède un DAB et un service de change :

Bank of Ceylon (Lawson Rd ; ⏲8h30-18h lun-ven, 9h-13h30 dim)

Commercial Bank (Park Rd ; ⏲9h-15h lun-ven)

Hatton National Bank (Badulla Rd ; ⏲8h-15h lun-ven)

Police (Jayathilaka Mawatha). Dans le centre.

Poste (Badulla Rd ; ⏲8h-16h30 dim-ven). Situé dans le centre-ville.

Depuis/vers Nuwara Eliya

AVION

Cinnamon Air (carte p. 60 ; ☎011-247 5475 ; www.cinnamonair.com). Deux vols par semaine depuis/vers Colombo (153 $US, 30 min).

BUS

La **gare routière CTB** (près de New Bazaar St) se situe sur le principal rond-point du centre-ville, et la **gare des bus privés** (New Bazaar St), un peu plus loin dans New Bazaar St. Des bus circulent depuis/vers les destinations suivantes :

Colombo (normal 240 Rs, express intercités 480 Rs ; 6 heures ; ttes les 45 min)

Ella (150 Rs ; 3 heures ; 4/jour)

Haputale (116 Rs ; 2 heures ; 3/jour)

Hatton (102 Rs ; 2 heures ; 7/jour)

Kandy (normal 180 Rs, express intercités 250 Rs ; 3 heures 30 ; ttes les 30 min)

Matara (360 Rs ; 7-8 heures ; 2 départs/matin)

Welimada (56 Rs ; 1 heure ; ttes les 30 min)

TRAIN

Nuwara Eliya est desservie par la gare ferroviaire de Nanu Oya, à 9 km sur la route de Hatton et de Colombo. Dans la plupart des hébergements de Nuwara Eliya, on enverra quelqu'un vous chercher, souvent gratuitement, si vous avez réservé. En taxi/*túk-túk*, comptez 800/450 Rs.

Une place dans le wagon panoramique de 1re classe coûte 1 000 Rs, quelle que soit la gare où vous montez ou descendez. Les places sont limitées et très demandées, aussi vaut-il mieux réserver à l'avance. Tous les trains ne disposent pas d'un wagon de 1re classe. Une place de 2e classe réservée coûte 600 Rs pour toute destination entre Kandy et Badulla.

Badulla (2e/3e classe 140/80 Rs ; 3 heures 15-5 heures ; 5/jour)

Bandarawela (2e/3e classe 90/50 Rs ; 2-3 heures ; 5/jour)

Colombo (2e/3e classe 450/270 Rs ; 6-7 heures 30 ; 4/jour)

Ella (2e/3e classe 110/60 Rs ; 2 heures 30-3 heures ; 5/jour)

Haputale (2e/3e classe 80/40 Rs ; 1 heure 30 ; 5/jour)

Hatton (2e/3e classe 60/30 Rs ; 1 heure 30 ; 6/jour)

Kandy (2e/3e classe 160/90 Rs ; 4-5 heures ; 4/jour)

Parc national des Horton Plains et World's End

Les Horton Plains sont un plateau d'altitude d'une beauté presque irréelle, très prisé par les randonneurs, qui comprend le célèbre point de vue de World's End. Si vous descendez depuis les montagnes centrales vers la côte, la route qui traverse le parc national est un itinéraire vraiment spectaculaire.

À voir

♥ **Parc national des Horton Plains** PARC NATIONAL
(Adulte/enfant 15/8 $US, jeep/voiture 250/125 Rs, service 8 $US/groupe, plus taxe globale 15% ; ⏲6h-18h). À l'ombre des deuxième et troisième plus hauts sommets du Sri Lanka, le Kirigalpotta (2 395 m) et le Totapola (2 357 m), ce parc national compte d'excellents sentiers de randonnée. Les "plaines" forment un plateau vallonné à plus de

VISITER LE PARC NATIONAL DES HORTON PLAINS

Voici l'un des rares parcs nationaux du Sri Lanka où les visiteurs peuvent se promener librement (sur des sentiers désignés). Si World's End reste la principale curiosité, la marche à travers les plaines herbeuses ne manque pas d'attrait. Enfin, des randonnées plus longues et plus exigeantes partent à l'assaut des monts Kirigalpotta et Totapola.

Presque toutes les pensions de Nuwara Eliya et de Haputale organisent des excursions aux Horton Plains et à World's End ; prévoyez de payer 4 000 Rs ou 4 500 Rs respectivement. Le droit d'entrée au parc n'est pas compris et doit être réglé au bureau du parc national près de Farr Inn. Dernière entrée à 16h.

Faune

Importante ligne de partage des eaux et bassin d'alimentation de plusieurs rivières et cours d'eau, les Horton Plains abritent une grande diversité d'animaux et de plantes. Quelques léopards et sangliers vivent ici, mais vous ne risquez guère de les croiser. Peut-être apercevrez-vous en revanche un sambar. Le semnopithèque blanchâtre fait parfois des apparitions dans la forêt sur la route d'Ohiya ou dans les bois autour de World's End (son cri ressemble à un grognement rauque). Vous apercevrez peut-être l'endémique macaque à toque.

Observation des oiseaux

La région est prisée pour l'observation des oiseaux. Parmi les espèces endémiques figurent le bulbul oreillard, le cisticole des joncs, l'akalat à tête cendrée, le zostérops de Ceylan, le merle de Ceylan, l'arrenga de Ceylan, le gobe-mouches de Ceylan et la pirolle de Ceylan. Parmi les rapaces, citons le faucon des montagnes.

Flore

La prairie est couverte d'une herbe touffue appelée *Chrysopogon* et la mousse des marais (sphaigne) prospère dans les secteurs marécageux. Le *keena* (*Calophyllum*), un arbre en forme d'ombrelle aux fleurs blanches, constitue la principale essence de la canopée dans les forêts alpestres. Les arbres et les buissons rabougris sont couverts de lichens et de mousses. Autre espèce notable, le *Rhododendron zeylanicum* possède des fleurs rouge sang. Le *Strobilanthes* à feuilles pourpres fleurit une fois au bout de 5 ans, puis meurt.

2 000 m d'altitude, couvert de prairies sauvages entrecoupées d'épaisses forêts, d'affleurements rocheux, de cascades et de lacs brumeux. L'étonnante diversité de paysages n'a d'égale que celle de la faune (ci-dessus), bien que les gros animaux se montrent extrêmement furtifs. Les amateurs d'oiseaux en prendront plein les yeux.

♥ World's End POINT DE VUE

Le plateau des Horton Plains se termine abruptement à World's End (le "bout du monde"), un escarpement spectaculaire qui plonge de 880 m. Une marche de 4 km conduit à World's End, mais le chemin effectue une boucle par les chutes de Baker (2 km) avant de revenir vers l'entrée (3,5 km). Le circuit aller-retour de 9,5 km se parcourt paisiblement en 3 heures. À moins de venir tôt, la vue est souvent bouchée par la brume, surtout pendant la saison des pluies d'avril à septembre.

Sachez qu'après 9h, vous ne verrez qu'un mur blanc tourbillonnant. Le début de la matinée (de 6h à 10h) est le moment le plus propice, avant l'arrivée des nuages. Vous découvrirez les petits villages des plantations de thé dans la vallée en contrebas, et une vue dégagée au sud en direction de la côte.

Évitez d'effectuer cette excursion le dimanche ou un jour férié, quand l'endroit est bondé.

Les guides du bureau du parc national s'attendent à une rémunération de 750 Rs. Aucun tarif n'est fixé pour les guides bénévoles, mais prévoyez un montant identique. Certains connaissent bien la faune et la flore et les femmes seules seront plus tranquilles en compagnie d'un guide.

Passionnés par le parc et connaissant bien son milieu naturel, **M. Nimal Herath** (☎077 618 9842 ; hrthnimal@gmail.com) et **M. Kaneel Rajanayeka** (☎077 215 9583 ; nuwaraeliyatrekkingclub@hotmail.com), dit Raja, travaillent normalement comme guide/chauffeur de jeep pour le Single Tree Hotel (p. 184) à Nuwara Eliya, mais louent également leurs services en indépendants.

Prévoyez de bonnes chaussures de marche, des lunettes de soleil, un chapeau et de l'écran solaire. Pensez également à emporter de l'eau et quelques provisions. Demandez à votre pension de vous préparer un petit-déjeuner et dégustez-le à World's End. Le temps peut changer rapidement dans les plaines ; ensoleillé et dégagé, il peut devenir froid et brumeux en une minute. Emportez des vêtements chauds (il fait très froid à 6h).

Il est interdit de quitter les sentiers, glissants et accidentés par endroits. Sachez également qu'il n'y a pas de rails de sécurité autour de World's End ; plusieurs personnes ont fait une chute mortelle. Si vous venez avec de jeunes enfants, soyez prudent et tenez-les fermement aux abords de la falaise.

Farr Inn BÂTIMENT HISTORIQUE

À côté du parking où débute la promenade vers World's End, cet ancien pavillon de chasse jadis destiné aux dignitaires britanniques abrite un café aux prix élevés et un centre des visiteurs illustrant la faune, la flore et la géologie du parc. À proximité, un petit stand de souvenirs vend des livres sur Horton.

On y accède par la route depuis Ohiya ou Nuwara Eliya ; le bâtiment se trouve près du parking d'où la plupart des visiteurs commencent la randonnée jusqu'à World's End.

Où se loger et se restaurer

La grande majorité des visiteurs logent à Nuwara Eliya. Haputale est une autre base possible.

Il y a quelques hébergements dans les environs d'Ohiya, à 10 km à l'est du parc, y compris un bon lodge de montagne. Mais si vous choisissez d'y séjourner, vous devrez trouver un moyen de transport pour rejoindre les Horton Plains.

Le **Department of Wildlife Conservation** (☎011-288 8585 ; www.dwc.gov.lk ; 382 New Kandy Rd, Malambe) gère 2 bungalows, Giniheriya Lodge et Mahaeliya Lodge, au sein du parc national des Horton Plains. Les bungalows comptent 10 lits chacun, et le coût pour les étrangers est de 30 $US par jour, avec un supplément de 2 $US par groupe pour la location de draps, ainsi que des frais de service de 30 $US par groupe. Prévoyez des provisions et du carburant. Les lodges sont ouverts seulement quand les chambres sont occupées, et la réservation est impérative.

Il existe également 2 campings (indiqués au début du sentier pour World's End). Ils acceptent aussi les réservations via le Department of Wildlife Conservation. Il y a un café près de Farr Inn, à côté du bureau du parc national. Sinon, prévoyez votre propre pique-nique.

♥ Hill Safari Eco Lodge LODGE $$

(☎071 277 2451 ; www.hill-safari-eco-lodge-ohiya-sri-lanka.en.ww.lk ; Lower Bray Estate, 5 km au sud d'Ohiya ; ch 25-50 $US). Situé dans une plantation de thé, ce beau lodge de montagne est doté d'une vue magnifique – par temps très dégagé, on peut même voir le phare de Dondra sur la côte sud. Les 5 chambres ont toutes une sbd privative avec l'eau chaude, et celles aménagées dans la nouvelle aile ont une vue étonnante. Le lodge sert une copieuse cuisine locale. C'est une base idéale pour les adeptes du trekking ; cartes de randonnée disponibles.

Il n'y a ni Wi-Fi, ni réseau mobile. Le Hill Safari est à 5 km de la gare ferroviaire d'Ohiya, via une route d'accès cahoteuse tout juste carrossable pour les *túk-túk* (mais déconseillée aux véhicules non surélevés). L'altitude avoisine les 2 000 m, prévoyez donc des vêtements chauds.

Renseignements

Bureau du parc national (⏲6h-18h). Près du Farr Inn, c'est l'endroit où acheter les billets d'entrée. Les derniers billets sont vendus à 16h.

Depuis/vers les Horton Plains et World's End

Même si vous traversez seulement le parc en voiture, vous devrez payer un droit d'entrée (onéreux).

Nuwara Eliya De Nuwara Eliya, le trajet par la route dure à peu près 1 heure (environ 4 000 Rs aller-retour en minibus). Si vous choisissez un circuit depuis cette ville, vous pouvez demander qu'on vous dépose ensuite à la gare ferroviaire de Pattipola afin de prendre le train de 13h30 pour Haputale et Ella.

Ohiya La localité d'Ohiya, à 10 km à l'est du parc des Horton Plains, possède une gare ferroviaire desservie par 5 trains par jour vers Haputale et Nanu Oya. Depuis la gare, vous pouvez prendre un *túk-túk* (environ 1 800 Rs, attente comprise) jusqu'au Farr Inn du parc. La route monte en serpentant à travers la forêt avant d'émerger dans les plaines. Gardez les yeux ouverts pour apercevoir les singes.

Haputale Il est également possible de rejoindre le Farr Inn au départ d'Haputale. Comptez environ 1 heure 30 par la route (4 500 Rs aller-retour).

Belihul Oya

Belihul Oya est une jolie région à flanc de colline, qui mérite le détour sur le chemin de la région montagneuse. Elle compte une multitude de cascades, dont les spectaculaires chutes de Bambarakanda, et se prête à de bonnes randonnées.

Chutes de Bambarakanda CASCADE
(Kalupahana ; 150 Rs ; 8h-17h30). Dévalant sur 240 m, ces chutes sont les plus hautes du pays. Mars et avril sont les meilleurs mois, mais elles valent le déplacement à tout moment de l'année après de fortes pluies. Le reste du temps, elles peuvent se réduire à un filet d'eau. Les chutes se trouvent près de l'A4 Hwy, entre Belihul Oya et Haputale.

La bifurcation vers les chutes est à Kalupahana Junction. Ensuite, empruntez une piste sur 6 km – trop accidentée pour beaucoup de voitures. Des *túk-túk* attendent des passagers pour parcourir cette piste à peine visible. Comptez 1 000 Rs pour l'aller-retour aux chutes avec une heure d'attente.

Bambarakanda Holiday Resort PENSION $
(057-357 5699 ; www.bambarakanda.com ; ch en pension complète 2 500-4 000 Rs). Cette pension rustique se tient à quelques centaines de mètres avant les chutes de Bambarakanda. Elle comprend 3 cottages en briques de terre crue et 2 chambres ; toutes sont assez basiques mais en bon état, et le cadre, avec vue sur les cascades, est tout simplement spectaculaire. L'idéal est d'être motorisé pour venir ici ; attention à la route d'accès qui est en très mauvais état.

Belihul Oya Rest House HÔTEL HISTORIQUE $$
(045-228 0156 ; www.chcresthouses.com/belihuloya ; Ratnapura-Haputale Rd ; s/d avec petit-déj à partir de 58/68 $US ;). Cet établissement propice à la détente est joliment situé près de la tumultueuse rivière Belihul Oya. Les 6 chambres affichent une décoration défraîchie, mais il règne dans l'hôtel une discrète atmosphère coloniale et le jardin est très agréable. Prenez garde aux singes et ne laissez pas les fenêtres ouvertes. De bons repas locaux et occidentaux (à partir de 600 Rs) sont servis sur la belle terrasse donnant sur la rivière.

Depuis/vers Belihul Oya

Belihul Oya se trouve sur l'A4 Hwy. Environ toutes les heures, des bus desservent Haputale (52 Rs, 1 heure) et Ratnapura (121 Rs, 2 heures).

Haputale

057 / 5 500 HABITANTS / ALTITUDE 1 580 M

Perchée à la lisière sud de la région montagneuse, Haputale est une ville essentiellement tamoule, accrochée sur une longue crête étroite, flanquée de précipices. Par temps clair, on peut voir la côte sud et, la nuit, le phare d'Hambantota. Les autres jours, des langues de brume s'accrochent aux flancs des collines. Quel que soit le temps, l'endroit est spectaculaire.

SIR THOMAS LIPTON, UN ÉCOSSAIS TRÈS AVISÉ

Si son nom a envahi les rayons de thé des supermarchés, sir Thomas Lipton était un homme d'affaires prospère avant de devenir le leader mondial du thé.

Entre 1870 et 1888, il fit de la simple épicerie de ses parents à Glasgow une chaîne nationale de 300 enseignes. Flairant le potentiel commercial du thé, il contourna astucieusement les traditionnels marchés de gros londoniens pour aller directement acheter son thé dans les plantations sri lankaises. Ses 300 boutiques lui garantissaient un réseau de distribution pour vendre du thé meilleur marché à la classe ouvrière, un créneau encore inexploité. Ce système inspira le percutant slogan publicitaire : "Directement des plantations à la théière".

Les ambitions planétaires de Thomas Lipton ne se limitaient pas au commerce. En 1909, il finança le trophée Thomas Lipton pour une compétition internationale de football 21 ans avant la première Coupe du monde. Par ailleurs, il tenta à maintes reprises, sans succès, de remporter l'America's Cup. Son intérêt amplement médiatisé pour la voile et le ballon rond contribua au succès de sa marque des deux côtés de l'Atlantique.

Haputale

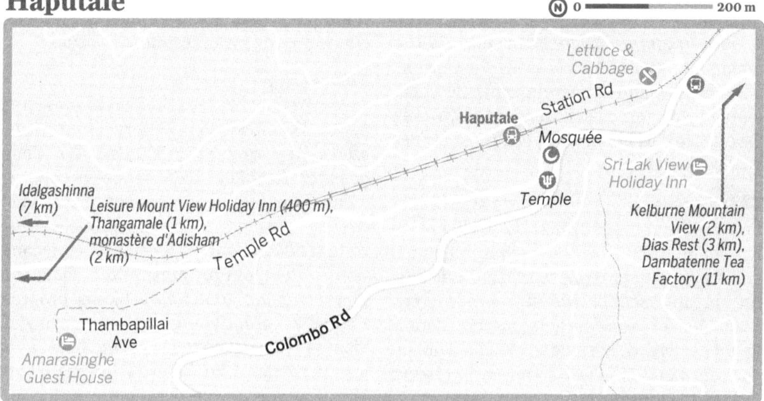

La ville se résume à une longue rue poussiéreuse et encombrée, bordée de petits commerces. Une courte promenade vous fera découvrir une vue extraordinaire. La voie ferrée, prouesse de l'ingénierie du XIXe siècle, longe un côté de la crête. Haputale est une base pratique pour des excursions aux Horton Plains ; les pensions peuvent réserver des minibus moyennant 4 500 Rs par personne.

Histoire

Bien que les cultures cinghalaise et tamoule y prédominent aujourd'hui, Haputale conserve l'héritage des planteurs de thé britanniques. Des plantations couvrent les versants alentour, ponctuées de bungalows où logeaient ces planteurs et enveloppées d'une brume épaisse qui devait rappeler leur pays natal aux colons britanniques. La jolie église anglicane (St Andrew) sur la route de Bandarawela comporte un cimetière rappelant le temps jadis.

À voir et à faire

Dambatenne Tea Factory FABRIQUE DE THÉ
(250 Rs ; 8h-18h). Cette fabrique de thé prisée fut construite en 1890 par sir Thomas Lipton, l'un des plus célèbres personnages de l'histoire du thé (voir l'encadré ci-contre). La visite, très complète, fait découvrir toutes les étapes – fermentation, roulage, séchage, coupe, tamisage et classement du thé – et s'achève par la dégustation d'une tasse de thé. Évitez d'y aller le dimanche, car il n'y a pas grand-chose à voir ce jour-là. Dambatenne est à 9 km au nord-est d'Haputale. Des bus (28 Rs, 20 min) au départ d'Haputale passent par la fabrique toutes les 30 minutes. Un aller simple/aller-retour en *túk-túk* depuis Haputale coûte 600/1 000 Rs.

Monastère d'Adisham MONASTÈRE
(057-226 8030 ; www.adisham.org ; adulte/enfant 150/50 Rs ; 9h-16h30 sam-dim, jours de poya et vacances scolaires). Ce superbe monastère bénédictin appartenait autrefois à sir Thomas Lester Villiers, un planteur de thé. Afin de recréer le paysage de son Angleterre natale, celui-ci fit aménager autour des jardins de style cottage qui enchantent les visiteurs aujourd'hui encore. Dans la demeure elle-même, vous pourrez voir le salon et la bibliothèque tapissée du sol au plafond de volumes poussiéreux. Si le monastère vous séduit au point d'y séjourner, c'est tout à fait possible dans la petite pension (p. 194). Photographies interdites à l'intérieur du bâtiment.

Lipton's Seat POINT DE VUE
(50/100 Rs par pers/véhicule ; 24h/24). Le point de vue de Lipton's Seat est le plus impressionnant du pays (sauf bien sûr par temps brumeux et nuageux, raison pour laquelle il vaut mieux s'y rendre au petit matin). Le baron écossais du thé sir Thomas Lipton avait coutume d'observer son empire en devenir depuis ce promontoire, et aujourd'hui la vue porterait par-delà les collines émeraude et les plantations de thé jusqu'à non moins de 7 provinces différentes.

Pour randonner jusqu'au point de vue, suivez l'étroit sentier pavé balisé depuis la Dambatenne Tea Factory et grimpez sur environ 8 km à travers de luxuriantes plantations de thé. Il est aussi possible de monter en véhicule – comptez environ 2 500 Rs pour l'aller-retour en *túk-túk* depuis Haputale. Au cours de l'ascension, vous serez peut-être accompagné de cueilleurs de thé tamouls se rendant au travail. Des locaux vendent des boissons et des en-cas au sommet.

Thangamale RÉSERVE NATURELLE
Ce territoire boisé à l'ouest de la ville porte le nom de réserve ornithologique, bien qu'il s'agisse davantage d'une forêt d'altitude avec un agréable sentier pédestre sur la crête. Vous pouvez accéder à la réserve depuis le monastère d'Adisham (p. 193), d'où un chemin mène à l'ouest à travers la réserve jusqu'à Idalgashinna, située à 4,3 km.

Randonnée

Pour d'autres vues spectaculaires, prenez le train jusqu'à **Idalgashinna**, à 8 km à l'ouest d'Haputale. Revenez à pied le long de la voie ferrée pour découvrir les précipices de part et d'autre des rails.

Quelques randonneurs suivent la voie ferrée d'Haputale à **Pattipola** (14 km, une journée), la plus haute gare ferroviaire du pays. De Pattipola, vous pourrez continuer à pied ou en *túk-túk* jusqu'à la gare ferroviaire d'Ohiya, puis rejoindre les Horton Plains.

M. Amarasinghe, le fantastique propriétaire de l'Amarasinghe Guest House (ci-contre), prévoit d'ouvrir un nouvel itinéraire de randonnée jusqu'au sommet de la colline qui surplombe la ville.

Où se loger et se restaurer

La popularité d'Haputale auprès des touristes est en baisse ces dernières années, peut-être en raison des embouteillages de plus en plus présents. La ville compte néanmoins bon nombre d'hébergements bon marché, avec de bonnes prestations par rapport aux villes touristiques plus proches et plus fréquentées.

Le centre-ville compte quelques adresses honnêtes où manger sur le pouce en-cas, *dosa*, *roti* et riz-curry.

Leisure Mount View Holiday Inn PENSION $
(☎ 057-226 8327 ; www.leisuremountview.com ; 163/3 Temple Rd ; ch 1 500-4 500 Rs ; wifi). Belle adresse où séjourner avec 4 chambres basiques et bon marché dans la maison familiale, ainsi qu'un nouveau bâtiment à 2 niveaux comprenant de spacieuses chambres deluxe, toutes avec une vue époustouflante. Le dîner sur le toit-terrasse, combinant une vue spectaculaire et une bonne cuisine locale, est un vrai plaisir.

Amarasinghe Guest House CHAMBRES D'HÔTES $
(☎ 057-226 8175 ; agh777@sltnet.lk ; Thambapillai Ave ; ch 2 500-3 500 Rs ; wifi). Cette pension familiale bien tenue occupe le même emplacement paisible (sans vue) depuis plusieurs dizaines d'années. Elle comprend 5 chambres récentes à la décoration contemporaine, ainsi que 3 chambres plus anciennes, toutes agréables et propres. L'aimable propriétaire, M. Amarasinghe, viendra vous chercher gratuitement à la gare ferroviaire ou à l'arrêt de bus, et de bons repas sont proposés.

Dias Rest PENSION $
(White Monkey ; ☎ 057-568 1027 ; diarest@yahoo.com ; Thotulagala ; ch à partir de 1 800 Rs ; wifi). Tenue par des gens très sympathiques et accueillants (le propriétaire est un guide chevronné et pourra vous conseiller sur les treks locaux), cette adresse jouit d'une vue renversante. Les chambres sont certes plutôt basiques (et un peu fraîches), mais elles sont bien entretenues et la cuisine sri lankaise (riz-curry et petit-déjeuner) est excellente et très abordable. La pension se trouve à 3 km à l'est du centre-ville.

Sri Lak View Holiday Inn HÔTEL $
(☎ 057-226 8125 ; www.srilakviewholidayinn.com ; Sherwood Rd ; s/d avec petit-déj à partir de 1 500/1 700 Rs ; @ wifi). Offrant un bon rapport qualité/prix, cette auberge propose des chambres impeccables réparties dans 2 bâtiments. Certaines chambres, de même que le restaurant correct, jouissent d'une vue sur des kilomètres. Cet établissement est prisé par les routards pour son emplacement central, ses tarifs bon marché et ses informations touristiques.

Adisham Monastery Guesthouse HÔTEL HISTORIQUE $$
(☎ 057-226 8030 ; www.adisham.org ; ch en pension complète adulte/enfant 3 000/1 500 Rs). Pour vivre une expérience unique, séjournez dans ce monastère (p. 193) qui accepte les visiteurs depuis peu. Il offre 9 chambres propres et nettes, avec sdb privée (eau chaude) et draps frais. Les repas fournis sont aussi généreux que délicieux. L'alcool et le tabac sont interdits. Les visiteurs sont tenus d'être aussi silencieux que possible et de réserver au moins 3 semaines à l'avance.

TRAINS DEPUIS HAPUTALE

DESTINATION	TARIF (2e/3e CLASSE)	DURÉE (H)	FRÉQUENCE
Bandarawela	20/15 Rs	30 min	5/jour
Colombo	330/180 Rs	8 ½-9	4/jour
Ella	50/25 Rs	1	5/jour
Kandy (y compris Peradeniya Junction)	210/115 Rs	5 ½	5/jour
Nanu Oya	80/40 Rs	1 ½-2	5/jour
Ohiya	30/20 Rs	30-45 min	5/jour

Kelburne Mountain View BOUTIQUE-HÔTEL $$$
(057-226 8029, 011-257 3382 ; www.kelburne-mountainview.com ; Kelburne Tea Estate ; bung 19 600-22 000 Rs ;). Kelburne est un lieu sublime où se détendre pendant quelques jours. On séjourne dans des bungalows parfaitement rénovés et très confortables d'une ancienne plantation de thé, tandis que le personnel en livrée blanche répond à vos moindres désirs. Le jardin fleuri, les plantations de thé alentour et la vue somptueuse constituent toutefois les principaux atouts du lieu.

Lettuce & Cabbage INTERNATIONAL $$
(Station Rd ; repas à partir de 300 Rs ; 11h-21h ;). Situé au-dessus d'une rangée de boutiques, ce beau café offre des sièges blancs modernes, une vue dégagée et une bonne carte de plats occidentaux comme la salade avocat-bacon, ainsi que des plats locaux comme le *kotthu*. Il est géré par le propriétaire de l'Amarasinghe Guest House et fournit des données touristiques indépendantes et fiables.

Depuis/vers Haputale

BUS

Les bus partent d'arrêts proches du carrefour principal, dans la partie est du centre-ville. Des lignes régulières desservent Badulla (76 Rs, 2 heures), Bandarawela (28 Rs, 30 min), Welimada (55 Rs, 1 heure 30) et Wellawaya (93 Rs, 2 heures 30). Trois bus quotidiens vont à Nuwara Eliya (116 Rs, 2 heures 30). Pour Ella, changez à Bandarawela, pour Tangalla et Embilipitiya, à Wellawaya.

TRAIN

Haputale se trouve sur la ligne Colombo-Badulla, avec des trains directs depuis/vers Kandy ou Nanu Oya (pour Nuwara Eliya). Le billet de 1re classe en wagon panoramique coûte 1 000 Rs pour toutes les gares entre Badulla et Nanu Oya, 1 250 Rs pour celles entre Nanu Oya et Kandy. Le billet de 2e classe avec réservation revient à 600 Rs.

TAXI

Les pensions peuvent réserver des minibus partagés faisant office de taxi pour vous emmener aux Horton Plains (aller-retour attente comprise 4 500 Rs), à Ella (2 200 Rs) et au parc national d'Uda Walawe (7 000 Rs).

Bandarawela

057 / 7 970 HABITANTS / ALTITUDE : 1 230 M

Bandarawela est un bourg animé jouissant d'un climat agréable, qui en fait une base potentielle pour découvrir les environs. La circulation y est toutefois un problème et les bus, les camions et les *túk-túk* peinent à se frayer un chemin. Sinon, hormis un marché animé le dimanche matin, il n'y a pas grand-chose ici pour attirer les touristes.

À voir

Temple de Dowa TEMPLE BOUDDHIQUE
(Carte p. 201 ; Badulla Rd ; 100 Rs). À 6 km à l'est de Bandarawela, sur la route de Badulla, ce temple charmant se distingue par son bouddha debout de 4 m de haut, sculpté dans la paroi rocheuse, et les belles peintures bouddhiques de style sri lankais du sanctuaire rupestre attenant. Le roi Valagamba (Vattagamani Abhaya) s'y serait réfugié au Ier siècle av. J.-C., lors de ses 14 années d'exil loin d'Anuradhapura. Selon la légende, un tunnel secret relierait le temple à Kandy. Si vous venez en bus, demandez au chauffeur où descendre car le temple passe facilement inaperçu. L'aller-retour en *túk-túk* ou en taxi de Bandarawela coûte 750 Rs.

Church of the Ascension ÉGLISE
(Église de l'Ascension ; Bandarawela-Welimada Rd). Du côté nord-ouest de la ville, cette belle église en pierre fut construite en 1908, puis agrandie en 1936 et en 1938, et enfin dotée d'un clocher en 1952.

Où se loger et se restaurer

Très peu de visiteurs séjournent à Bandarawela, qui ne compte que quelques établissements. Pour de la restauration rapide et des en-cas, dirigez-vous vers la tour de l'horloge et le rond-point central.

Bandarawela Hotel HÔTEL HISTORIQUE $$$
(☎057-222 2501 ; www.aitkenspencehotels.com ; 14 Welimada Rd ; s/d avec petit-déj 90/106 $US ; 📶). Ce vénérable club de planteurs de thé a cessé de moderniser son mobilier il y a 90 ans et l'hôtel conserve aujourd'hui un charme d'antan. Alors mettez votre casque colonial, un bermuda et de grandes chaussettes, installez-vous dans l'un des fauteuils et profitez du bar élégant. Les chambres, bien que petites, ont des éléments d'époque et des sdb attenantes avec baignoire.

Mlesna Tea Centre CAFÉ $
(www.mlesnateas.com ; Welimada Rd ; thé 80-120 Rs ; ⏲8h-20h lun-sam, 8h-18h dim). Cette superbe boutique vend du thé en vrac de grande qualité produit dans les collines, ainsi que de nombreuses tasses et théières. Le salon de thé est parfait pour prendre une tasse de thé et une part de gâteau.

Cargills Food City SUPERMARCHÉ $
(7 Welimada Rd ; ⏲8h-22h). Horaires d'ouverture étendus et parfait pour acheter des provisions.

Depuis/vers Bandarawela

BUS

Les bus partent depuis plusieurs arrêts disséminés en ville, ce qui prête à confusion. Des lignes régulières desservent les destinations suivantes :

Badulla 66 Rs, 1 heure 15
Ella 36 Rs, 30 min
Haputale 35 Rs, 30 min
Nuwara Eliya 83 Rs, 2 heures 15
Welimada 56 RS, 1 heure

TRAIN

Bandarawela se situe sur la ligne Colombo-Badulla. Le billet de 1re classe en wagon panoramique coûte 1 000 Rs pour toutes les gares entre Nanu Oya et Badulla, 1 250 Rs pour celles entre Nanu Oya et Kandy. Un billet de 2e classe avec réservation revient à 600 Rs.

Badulla (2e/3e classe 60/30 Rs ; 1 heure 30 ; 5/jour)
Colombo (2e/3e classe 340/185 Rs ; 8-10 heures ; 4/jour)

Bandarawela

Ella (2e/3e classe 30/15 Rs ; 30 min ; 5/jour)
Haputale (2e/3e classe 20/15 Rs ; 20-30 min ; 5/jour)
Kandy (2e/3e classe 230/125 Rs ; 6 heures ; 5/jour)
Nanu Oya (pour Nuwara Eliya ; 2e/3e classe 90/50 Rs ; 2 heures-2 heures 30 ; 5/jour)

Ella

☎057 / 4 820 HABITANTS / ALTITUDE : 1 041 M

Bienvenue au bourg unanimement préféré de la région montagneuse, l'endroit où paresser quelques jours dans l'une des meilleures pensions du pays. La vue à travers l'Ella Gap (faille d'Ella) est fabuleuse ; par nuit claire, vous apercevrez même la lueur du phare de Great Basses sur la côte sud. Des promenades faciles à travers des plantations de thé conduisent à des temples, des cascades et des points de vue. Après une randonnée, vous pourrez vous régaler d'une succulente cuisine maison et d'une tasse de thé revigorante.

La renommée d'Ella a fait un bond ces dernières années, et le cachet de la ville a été amoindri par la construction d'affreux immeubles en béton.

Activités et cours

La plupart des gens viennent à Ella pour randonner, ou simplement se détendre. Des cours de cuisine sont aussi proposés si vous souhaitez vous délasser.

Randonnée

Ella est un endroit idéal pour la randonnée. La plupart des hôtels distribuent une carte des sentiers dessinée à la main. Commencez par une balade jusqu'à la colline surnommée localement **Little Adam's Peak** (petit pic d'Adam). Descendez Passara Rd jusqu'au Ella Flower Garden Resort sur la droite, après le Km 1. Suivez le sentier qui longe les pensions The Chillout et The One ; Little Adam's Peak, la colline la plus imposante, est clairement indiquée à votre droite par des panneaux. Prenez le deuxième sentier à droite et suivez-le jusqu'au sommet de la colline. Une partie du chemin traverse une plantation de thé. L'aller-retour d'environ 4,5 km s'effectue en 1 heure 30 (45 minutes dans chaque sens). À part les 20 dernières minutes de montée, la marche est aisée. Si vous partez vers 7h, vous rencontrerez des familles tamoules partant travailler dans les plantations de thé. Du haut de Little Adam's Peak, vous verrez des cascades et quelques fabriques de thé émerger de la brume qui couvre souvent les collines alentour.

La marche jusqu'à **Ella Rock** (carte p. 201) est plus fatigante et mieux vaut partir avec un guide (il est facile de rater l'embranchement à partir de la voie ferrée et de se perdre dans la forêt qui couvre le haut des versants). La plupart des pensions pourront vous trouver un guide pour 1 800 Rs par groupe. Comptez 3 à 4 heures de marche aller-retour. La vue depuis le sommet est époustouflante. Attention en chemin, on nous a signalé la présence de serpents.

Si vous décidez d'entreprendre l'ascension sans guide, faites-le à plusieurs. Suivez la voie ferrée en direction de Bandarawela pendant 45 minutes. Juste après un pont noir, tournez à gauche au niveau d'un petit sanctuaire et descendez jusqu'au pont en béton au-dessus des chutes de Rawana. Traversez-le et empruntez la piste qui monte. À partir de là, vous risquez de vous égarer, surtout par temps brumeux ou nuageux. Repérez bien les marques bleues délavées qui balisent l'itinéraire par endroits. Au sommet, quelqu'un vend souvent du thé et d'autres boissons à des prix exagérés.

Une marche plus aisée (à 2,5 km de la ville) suit le parcours vers Ella Rock, mais s'arrête aux petites **chutes de Rawana**.

Cours de cuisine

Matey Hut Cooking Classes CUISINE

(Carte p. 198 ; Main St ; 1 500 Rs). Ces cours de cuisine remportent un tel succès que le chef et propriétaire Madu en anime désormais deux par jour. Vous apprendrez les ficelles et préparerez jusqu'à 8 plats végétariens différents.

Rawana Holiday Resort Cooking Classes CUISINE

(Carte p. 198 ; ☎057-222 8794 ; rawanaholiday.com ; Rawana Holiday Resort ; cours d'une demi-journée 2 000 Rs). Vous apprendrez ici à cuisiner jusqu'à 10 plats, y compris l'aubergine façon aigre-douce, le curry de pommes de terre aux épices et le curry à l'ail, spécialité de Rawana, préparé avec des gousses entières de la "rose malodorante".

Où se loger

Les hébergements à Ella sont de très bonne qualité, et quelques belles pensions ont récemment ouvert, mais peu d'adresses sont vraiment bon marché. Durant les fêtes de fin d'année, les tarifs peuvent doubler.

Vous risquez d'être abordé dans le train par des rabatteurs qui vous raconteront que votre hôtel est fermé ou infesté de rats, ou toute autre histoire du même acabit. Ils essaient juste de vous entraîner vers un établissement qui leur paiera une commission.

Freedom Guest Inn CHAMBRES D'HÔTES $

(Carte p. 198 ; ☎071 689 7778 ; freedomguestinn@gmail.com ; 132/1 Passara Rd ; ch avec petit-déj 4 000 Rs ; Wi-Fi). Chambres d'hôtes traditionnelles où l'aimable propriétaire vous accueillera chaleureusement, pourra vous fournir une carte de randonnée et saura vous conseiller sur les transports publics et privés. Les chambres sont propres et bien ordonnées, et vous pourrez prendre le petit-déjeuner sur la jolie terrasse couverte.

Sita's Heaven PENSION $

(Carte p. 198 ; ☎057-205 0020 ; www.sitasheavenella.com ; près de Passara Rd ; ch 2 700-4 000 Rs ; Wi-Fi). Dans une calme allée boisée à 5 minutes de marche du centre, le Sita's Heaven allie intimité et vue splendide. Les propriétaires sont à l'écoute des besoins des voyageurs et c'est le genre d'endroit où l'on prolonge volontiers son séjour.

Ella

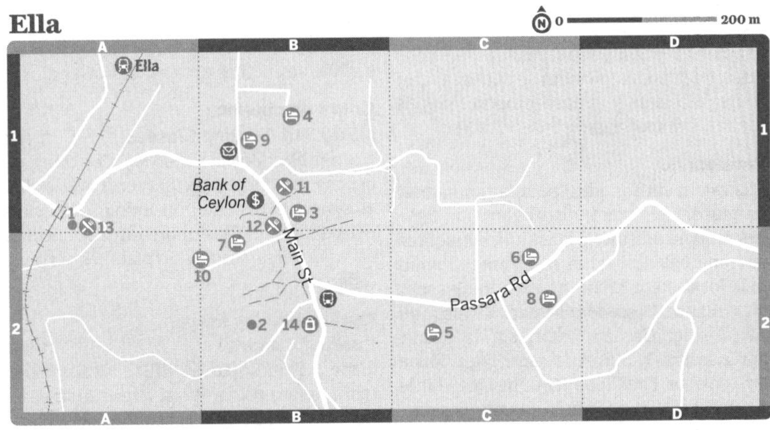

Sun Top Inn PENSION $
(Carte ci-contre ; 057-222 8673 ; suntopinn@yahoo.com ; ch avec petit-déj à partir de 3 000 Rs ;). Pension couleur orange crépuscule, dont les propriétaires accueillants préparent l'un des meilleurs petits-déjeuners de la ville, et proposent aussi des cours de cuisine. Ils louent de petites chambres bien tenues et des vélos (1 500 Rs/jour).

Little Folly COTTAGES $
(Carte ci-contre ; 057-222 8817 ; www.facebook.com/LittleFollyInElla ; Passara Rd ; cottages avec petit-déj 3 000-4 000 Rs ;). Deux cottages clairs, propres et spacieux, faits de rondins et de bambous, dans une forêt qui, à défaut de grand méchant loup, cache sans doute quelques singes. Une excellente **pâtisserie-salon de thé** (gâteaux 150 Rs ; 8h-20h ;), au niveau de la route, complète le tout.

Eeshani Guest Inn CHAMBRES D'HÔTES $
(Carte ci-contre ; 057-222 8703 ; eeshaniguestinn@yahoo.com ; ch 2 200-4 500 Rs ;). Un vieux couple adorable vous accueillera et vous offrira une tasse de thé dans sa maison remplie de photos de famille sépia. Les 5 chambres s'accompagnent d'un ravissant jardin fleuri et d'une excellente cuisine locale.

Dream Café Guest House HÔTEL $$
(Carte ci-contre ; 057-222 8950 ; www.dreamcafe-ella.com ; Main Rd ; ch à partir de 5 500 Rs ;). Situé au-dessus du restaurant (ci-contre) du même nom, cet hôtel propose divers types d'hébergement – en grande partie des mini-appartements avec 2 chambres et un balcon – dotés de meubles de qualité et de parquets cirés, le tout très propre et idéal pour les familles. Il est situé dans une grande rue animée, mais vous ne serez pas trop gêné par la circulation car les chambres donnent sur l'arrière (et non sur la route).

Ella

Activités

1	Matey Hut Cooking Classes	A1
2	Rawana Holiday Resort Cooking Classes	B2

Où se loger

3	Dream Café Guest House	B1
4	Eeshani Guest Inn	B1
5	Freedom Guest Inn	C2
6	Little Folly	C2
7	Okreech Cottages	B2
8	Sita's Heaven	C2
9	Sun Top Inn	B1
10	Zion View	B2

Où se restaurer

11	Cafe Chill	B1
12	Curd Shop	B1
	Dream Café	(voir 3)
	Little Folly Restaurant	(voir 6)
13	Matey Hut	A1

Achats

14	T-Sips	B2

Okreech Cottages COTTAGES $$
(Carte ci-dessus ; 077 238 1638, 077 779 4007 ; www.ellaokreechcottages.com ; ch à partir de 35 $US ;). Cette adresse dénote une touche artistique évidente, avec ses jolis cottages atypiques à 2 niveaux répartis dans un jardin à flanc de colline. Tous présentent

un intérieur plutôt simple mais plaisant et possèdent d'agréables balcons et des sdb privatives modernes avec l'eau chaude.

Zion View PENSION $$$
(Carte ci-contre ; ☎ 072 785 5713 ; www.ella-guesthouse-srilanka.com ; ch avec petit-déj 60-110 $US, app à partir de 180 $US ; 📶). Merveilleuse pension où les chambres ont de gigantesques baies vitrées et des terrasses tendues de hamacs et agrémentées de fauteuils. Le petit-déjeuner sur la terrasse ensoleillée face à l'Ella Gap est un vrai bonheur. Les propriétaires se mettront en quatre pour vous être utile ; une fois arrivé à la gare ferroviaire ou à l'arrêt de bus, téléphonez pour qu'ils viennent vous chercher gratuitement.

Où se restaurer

La rue principale d'Ella compte un large choix de cafés et de restaurants. Ce sont cependant les pensions les plus simples qui servent une des meilleures cuisines, authentique et faite maison ; pensez juste à réserver au préalable. Certaines adresses proposent également des cours de cuisine de riz-curry.

Le *curd* (yaourt au lait de bufflonne) au sirop de palmier *kitul* (parfois appelé miel) est une spécialité locale très prisée.

Curd Shop INTERNATIONAL $
(Carte ci-contre ; Main St ; repas 200-380 Rs ; 🕒7h-21h). Avant ou après l'ascension matinale du Little Adam's Peak, venez déguster un bon petit-déjeuner dans ce mouchoir de poche jouxtant l'arrêt de bus. Classique repaire de routards, il a pour spécialité le *curd* au miel et le *kothu roti*, et vend aussi des sandwichs à emporter.

♥ **Matey Hut** CAFÉ $$
(Carte ci-contre ; www.facebook.com/janikath ; Main St ; repas 300-600 Rs ; 🕒12h-20h). Ce chalet néo-rustique au bord de la route ressemble fortement à un établissement campagnard branché, mais ce n'est qu'une adresse simple et très bon marché tenue par un chef enjoué et talentueux. Le riz-curry (parfois agrémenté de mangue, de citrouille, de gombo et d'un trait de noix de coco au sambal) est l'assurance d'un bon repas. L'endroit est petit, soyez patient pour obtenir une table. Le Matey Hut propose également d'excellents cours de cuisine.

♥ **Cafe Chill** INTERNATIONAL $$
(Carte ci-contre ; www.facebook.com/cafechillnescoffeeshop ; Main St ; repas 500-800 Rs ; 🕒10h-22h ; 📶). Géré par une sympathique équipe de locaux, cet immense et élégant café-bar-restaurant en bord de route a de nombreux atouts. La terrasse supérieure est parsemée de coussins et de tables, sous un toit en bois sculpté évoquant des vagues. La musique d'ambiance est moderne et choisie avec soin. Sans oublier l'excellente cuisine, avec des plats locaux et occidentaux savoureux et du café expresso.

Goûtez le *lamprais* (viande et légumes cuits lentement dans une feuille de bananier) ou l'un des 10 currys différents.

Dream Café INTERNATIONAL $$
(Carte ci-contre ; www.dreamcafe-ella.com ; Main St ; repas 560-1 250 Rs ; 🕒8h-21h30 ; 📶). Ce café-restaurant cosmopolite offre un bon expresso, des plats occidentaux bien exécutés, y compris le petit-déjeuner (490 Rs), des galettes aux légumes sautés, des paninis et des pizzas, ainsi que d'excellents steaks grillés au poivre (1 250 Rs). Des smoothies et des salades sustenteront aussi les voyageurs soucieux de diététique.

Achats

Main St est bordée de boutiques d'objets pour le voyage, de vêtements et de souvenirs.

T-Sips THÉ
(Carte ci-contre ; ☎ 077 788 3434 ; Wellawaya Rd ; 🕒9h-19h30). Ce magasin de thé et d'infusions provenant du commerce équitable a été créé afin d'aider les enfants dont les parents travaillent dans les plantations. Il reverse 5% de ses bénéfices à des projets de développement local.

Renseignements

Presque toutes les pensions et certains restaurants disposent du Wi-Fi.

Bank of Ceylon (carte ci-contre ; Main St ; 🕒8h30-17h lun-ven, 8h30-13h sam). Possède un DAB.

Poste (carte ci-contre ; Police Station Rd ; 🕒8h-16h30 lun-sam).

Depuis/vers Ella

BUS

Les bus partent de Main Street (carte ci-contre), d'arrêts juste au sud de la bifurcation avec Passara Rd. Les horaires varient fréquemment, renseignez-vous auprès du Curd Shop (ci-contre). Aucun bus ne part d'Ella et beaucoup sont déjà complets (places debout uniquement) quand ils y passent.

➡ Des bus réguliers desservent Badulla (48 Rs, 45 min), Bandarawela (36 Rs, 30 min) et Wellawaya (67 Rs, 1 heure).

- Pour Kandy, prenez une correspondance à Badulla.
- Il y a 5 bus directs pour Matara (270 Rs, 5 heures), le dernier est à 14h30 ; ou vous pouvez aussi prendre un bus pour Wellawaya, puis une correspondance vers la côte sud ou Monaragala (pour Arugam Bay).
- Un bus part pour Galle tous les jours à 8h (340 Rs, 7 heures).

TRAIN

Ella est situé à une heure d'Haputale et de Badulla sur la ligne ferroviaire Colombo-Badulla. Le tronçon à partir d'Haputale (via Bandarawela) est particulièrement beau. À Demodara, à 10 km au nord d'Ella, la voie décrit une boucle complète autour de la montagne et s'enfonce dans un tunnel 30 mètres plus bas. Quelques kilomètres après la sortie d'Ella, le train passe sur le **pont aux Neuf Arches**, ouvrage remarquable et pittoresque.

La jolie gare ferroviaire d'Ella est si charmante qu'elle a remporté le prix de la "gare la mieux entretenue". Le chef de gare, M. Ashendria Disanayake, a quant à lui gagné le titre de "chef de gare le plus serviable".

Les tarifs et les horaires sont bien indiqués. Une place dans le wagon panoramique coûte 1 000 Rs pour les destinations entre Nanu Oya et Badulla, 1 250 Rs pour celles entre Kandy et Colombo. Un billet de 2e classe avec réservation revient à 600 Rs. Ces destinations sont desservies par 5 trains quotidiens, et seulement 4 pour Colombo.

Destination	Tarif (2e/3e classe)	Durée (h)
Badulla	40/20 Rs	1
Bandarawela	30/15 Rs	35 min
Colombo	350/190 Rs	9
Haputale	50/25 Rs	1-1 ½
Kandy	240/130 Rs	6-10
Nanu Oya (pour Nuwara Eliya)	110/60 Rs	2 ½-3
Ohiya	70/40 Rs	2

TAXI

Des taxis-minibus stationnent près du Dream Cafe. Leurs tarifs sont les suivants :

Colombo (16 000 Rs)
Galle (14 000 Rs)
Horton Plains (8 500 Rs)
Mirissa (12 000 Rs)
Nuwara Eliya (7 500 Rs)
Tangalla (10 000 Rs)
Tissamaharama (6 500 Rs)

Environs d'Ella

Divers sites vous attendent autour d'Ella. Certains sont accessibles en transport public ou, plus pratique, en circuit d'une demi-journée en *túk-túk* ou en taxi.

À voir

Uva Halpewaththa Tea Factory — FABRIQUE DE THÉ

(Carte ci-contre ; www.halpetea.com ; adulte/enfant 300/150 Rs ; visites 8h-16h). À 5 km au nord d'Ella, l'Uva Halpewaththa Tea Factory propose l'une des meilleures visites guidées d'une plantation de thé de tout le pays. Goûtez ensuite les différents thés, en vente dans une petite boutique qui propose aussi des articles en rapport. Les visites ont lieu toute la journée, mais leur fréquence dépend de la variété du thé en cours de fabrication. Pour plus de sûreté, venez le matin.

Prenez un bus pour Bandarawela jusqu'au carrefour de Kumbawela, puis faites signe à un bus allant vers Badulla. Descendez juste après le Km 27, près du **temple de Halpe** (carte ci-contre), à 2 km de marche de la fabrique, en montée escarpée. L'aller-retour en *túk-túk* depuis Ella revient à 1 000 Rs.

Temple troglodytique de Rakkhiththakanda Len Viharaya — TEMPLE BOUDDHIQUE

(Près de Wellawaya Rd). Ce temple rocheux, reculé et peu visité, est indiqué depuis la route de Wellawaya. Des peintures délavées de l'époque kandyenne, dont une présente les armoiries de la couronne britannique, décorent la façade. D'autres, en meilleur état, recouvrent l'intérieur, qui abrite aussi un bouddha couché.

Chutes de Rawana Ella — CASCADE

(Carte ci-contre ; Wellawaya Rd). Les chutes de Rawana Ella, hautes de 19 m, se situent à 6 km en contrebas de l'Ella Gap en direction de Wellawaya. Réputées les plus impressionnantes du pays durant la saison des pluies, elles peuvent se tarir pendant la saison sèche. Des marchands vendent en-cas et souvenirs. Empruntez n'importe quel bus allant vers Wellawaya.

Newburgh Green Tea Factory — FABRIQUE DE THÉ

(Carte ci-contre ; Newburgh Tea Estate, Passara Rd ; adulte/enfant 500 Rs/gratuit ; 8h-18h lun-sam). Dans cette fabrique de thé vert, les visites guidées sont très expéditives et les guides, dilettants. Newburgh est la propriété de

Environs d'Ella

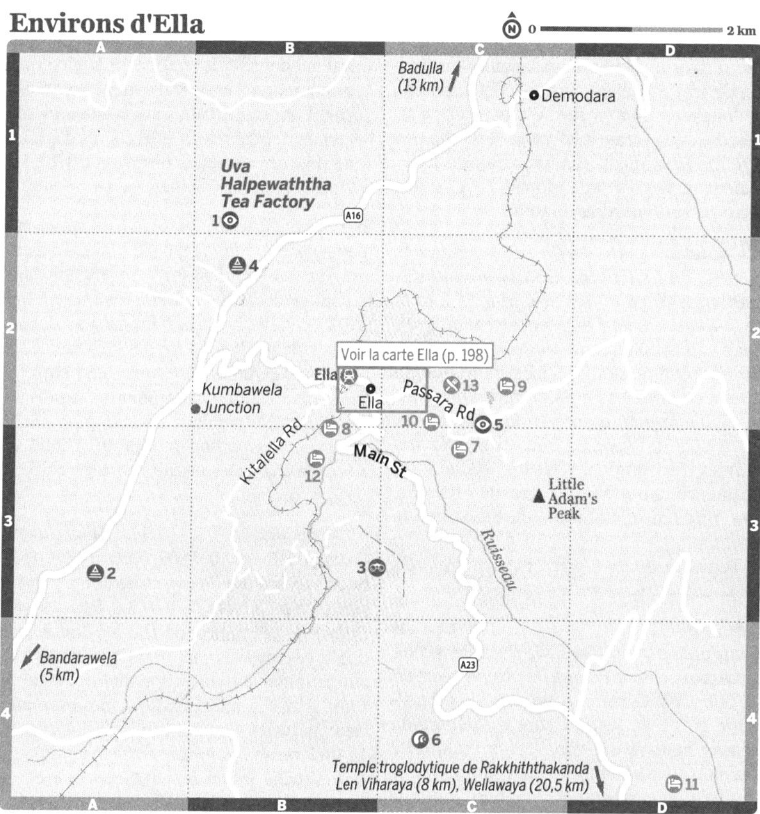

Finlays, l'un des plus gros producteurs de thé mondiaux. À une demi-heure de marche de la ville.

Où se loger et se restaurer

Chamodya Homestay CHAMBRES D'HÔTES $ (Carte ci-dessus ; 077 743 7795 ; ch avec petit-déj 4 500 Rs ;). L'une des meilleures chambres d'hôtes dans la région d'Ella, le Chamodya est tenu par un adorable couple aux petits soins avec ses visiteurs. La vue sur la vallée boisée est splendide. Quand aux 5 chambres, attrayantes et très bien décorées, elles ont chacune une sdb avec eau chaude. N'hésitez pas à manger sur place. Cette adresse est à 2 km à l'ouest du centre, en suivant une piste ; le trajet en *túk-túk* coûte 250 R.

The One PENSION $$ (Carte ci-dessus ; 077 533 0532 ; dammikaediri@gmail.com ; Passara Rd ; ch 45-50 $US ;). Tenues par une talentueuse musicienne et

Environs d'Ella

Les incontournables
1 Uva Halpewaththa Tea Factory B1

À voir
2 Temple de Dowa A3
3 Ella Rock B3
4 Temple de Halpe B2
5 Newburgh Green Tea Factory C2
6 Chutes de Rawana Ella C4

Où se loger
7 98 Acres Resort C3
8 Chamodya Homestay B3
9 Chill Ville C2
10 Ella Flower Garden Resort C2
11 Planters Bungalow D4
The Chillout .... (voir 7)
The One .... (voir 7)
12 Waterfall Homestay B3

Où se restaurer
13 Adam's Breeze C2

un maître charpentier, ces chambres aux superbes finitions arborent de magnifiques accessoires et éléments artisanaux (étagères, penderies) et allient design contemporain et touche traditionnelle. Chaque chambre possède un écran plat avec les chaînes satellite ainsi qu'un généreux balcon. Deux étaient achevées au moment de notre passage, sur 6 prévues au total.

♥ Waterfall Homestay PENSION **$$**
(Carte p. 201 ; ☎057-567 6933 ; www.waterfalls-guesthouse-ella.com ; s/d avec petit-déj à partir de 5 000/6 000 Rs ; 📶). Appartenant à un couple australien qui apprécie l'art et le design, cette maison délicieusement isolée à 1,5 km de la ville se fond parfaitement dans la colline et jouit d'une vue fantastique sur les chutes de Rawana. Vous trouverez des œuvres d'art originales ou une statue dans chaque chambre, à la décoration différente. Des repas mémorables sont servis sur la terrasse.

Fermé du 10 au 19 avril, et les 3 premiers jours des autres mois de l'année.

The Chillout PENSION **$$**
(Carte p. 201 ; ☎077 404 9777 ; dhanushka4048@gmail.com ; près de Passara Rd ; ch avec petit-déj 40 $US ; 📶). Gérée par une famille accueillante et située juste à côté du départ du sentier menant à Little Adam's Peak, cette pension offre 3 chambres bien équipées avec des ventilateurs et des minibars, dont le balcon partagé réserve une belle vue.

♥ Chill Ville COTTAGES **$$$**
(Carte p. 201 ; ☎077 180 4020 ; www.chillvillehotel.com ; 8 Mile Post, Passara Rd ; cottages 80 $US ; ❄📶🏊). Entièrement transformé, cet hôtel autrefois tape-à-l'œil propose désormais 7 bungalows élégants et modernes à la conception irréprochable, chacun avec un grand balcon dévoilant une vue imprenable sur la vallée. Le tout est délicieusement isolé à 8 km d'Ella, et géré par l'équipe efficace du Cafe Chill (p. 273). Le Chill Ville a ouvert en 2017, et les propriétaires prévoient de rénover le restaurant sur place et d'ouvrir un yoga *shala*.

Un *túk-túk* depuis Ella coûte environ 400 Rs.

Planters Bungalow HÔTEL HISTORIQUE **$$$**
(Carte p. 201 ; ☎077 127 7286, 057-492 5902 ; www.plantersbungalow.com ; 10 Mile Post, Wellawaya Rd ; d/ste avec petit-déj 85/130 $US ; 📶🏊). Au sud d'Ella, cette demeure restaurée d'une ancienne plantation de thé est bordée de magnifiques jardins fleuris, soignés avec amour par les propriétaires (dont l'un travaillait dans l'édition d'art en Angleterre). Les chambres impeccablement rénovées s'ornent de représentations religieuses, de beaux meubles anciens et d'œuvres d'art. La suite pouvant accueillir jusqu'à 6 personnes est idéale pour les familles.

Ella Flower Garden Resort PENSION **$$$**
(Carte p. 201 ; ☎057-205 0480 ; www.ellaresort.com ; Passara Rd ; ch 55-80 $US ; 📶). Jouxtant le sentier de Little Adam's Peak, cet hôtel est un paradis horticole aux jardins débordant de fleurs. Il propose des hébergements de 3 niveaux de qualité, tous bien entretenus – réservez un chalet pour avoir plus de place. Il y a cependant beaucoup de chantiers de construction autour de l'hôtel et même le chant des oiseaux en cage ne peut les faire oublier.

98 Acres Resort COMPLEXE HÔTELIER **$$$**
(Carte p. 201 ; ☎057-205 0050 ; www.resort98acres.com ; Uva Greenland Tea Estate ; ch/ste avec petit-déj à partir de 180/300 $US ; 📶🏊). Dans une plantation de thé à 2 km à l'est d'Ella, ces cottages sur pilotis jouissent d'une vue formidable en direction du Little Adam's Peak. Aux chambres rustico-chics en matériaux naturels s'ajoutent une piscine cernée de théiers, un spa et un centre ayurvédique. En revanche, les tarifs sont élevés et le choix de restauration mériterait d'être amélioré.

Adam's Breeze INTERNATIONAL **$$**
(Carte p. 201 ; Passara Rd ; repas à partir de 500 Rs ; ⏲7h-21h ; 📶). Établissement familial au toit de chaume proche de la bifurcation pour Little Adam's Peak. On y déguste de délicieux *kotthu*, des plats de nouilles, des currys et des plats occidentaux. Les prix sont raisonnables et le service chaleureux.

ℹ Depuis/vers Ella

Depuis Ella, vous pouvez prendre des bus vers des villes comme Wellawaya, Bandarawela et Badulla pour voir les sites touristiques de la région. Mais il est plus pratique d'engager un *túk-túk* – comptez environ 2 200 Rs la demi-journée.

Wellawaya

☎055 / 4 230 HABITANTS

Wellawaya est une petite ville à la croisée des chemins et, mis à part les magnifiques sculptures de Buduruwagala à proximité, les alentours ne présentent guère d'intérêt. Elle est entourée de plaines arides qui abritaient autrefois l'ancien royaume cinghalais de Ruhunu.

Des routes partent au nord à travers le spectaculaire Ella Gap vers la région montagneuse, au sud vers Tissamaharama et la côte, à l'est vers le littoral et à l'ouest vers Colombo.

À voir

Buduruwagala MONUMENT

(300 Rs ; 6h30-18h). Les splendides statues de Buduruwagala, sculptures millénaires de Bouddha taillées dans la roche, sont le principal site touristique de la région. Le plus grand bouddha debout de l'île, haut de 15 m, conserve des traces de sa robe d'origine en stuc et une bande orange suggère qu'il était peint de couleurs vives. Il est entouré de sculptures plus petites. On accède à ce site isolé, situé à 9 km au sud de Wellawaya, par une petite route pittoresque.

➡ Figures de droite

Parmi les 3 personnages à droite du Bouddha, celui du milieu serait Avalokiteśvara, le bodhisattva de la compassion, flanqué à gauche de son épouse Tara, peinte en blanc. Selon une légende locale, le troisième représente le prince Sudhana.

➡ Figures de gauche

Le personnage couronné au centre serait Maitreya, le bouddha du Futur. À sa gauche, Vajrapani tient un *vajra* (symbole du tonnerre en forme de sablier), un exemple inhabituel de l'aspect tantrique du bouddhisme sri lankais. La dernière sculpture pourrait représenter Vishnu ou Sahampath Brahma. Plusieurs personnages lèvent la main droite avec deux doigts recourbés vers la paume, un signe de salut.

BADULLA, UN PÔLE DE TRANSPORTS

Badulla marque la limite sud-est de la région montagneuse et donne accès à la côte est. L'une des plus anciennes cités du pays, elle fut brièvement occupée par les Portugais qui l'incendièrent en la quittant. Les Britanniques en firent un rendez-vous de la bonne société, comme en témoignent les jolis jardins, la Clock Tower et d'autres vestiges du passé, tels l'hippodrome et le club de cricket. L'effervescence sri lankaise a néanmoins repris tous ses droits. Badulla est le terminus de la ligne ferroviaire qui part de Colombo et traverse la région montagneuse.

Rares sont les touristes qui passent la nuit à Badulla. Depuis quelques années, les pensions les moins chères ont tendance à louer des chambres à l'heure, tandis que les adresses plus onéreuses accueillent souvent des fêtes de mariage. L'**Hotel Onix** (055-222 2090, 055-222 2426 ; 69 Bandaranayake Mawatha ; d avec petit-déj avec/sans clim 4 800/3 600 Rs ;) est le meilleur que vous trouverez à Badulla.

La plupart des Sri Lankais qui visitent Badulla font escale soit à **Muthiyagana Vihara** (près de Passara Rd), soit à **Kataragama Devale** (Lower King St).

Bus

Deux bus nocturnes luxueux et climatisés (910 Rs, 6 heures) partent chaque jour pour Colombo à 23h et 23h30. La gare routière (King St) est située dans le centre. Des bus fréquents et réguliers desservent les destinations suivantes :

Colombo 330-490 Rs, 6-7 heures

Ella 48 Rs, 45 min

Kandy 160-215 Rs, 3 heures

Monaragala 118 Rs, 2 heures

Nuwara Eliya 120 Rs, 2 heures

Train

Une place dans le wagon panoramique coûte 1 000 Rs pour toutes les gares entre Badulla et Nanu Oya, 1 250 Rs au-delà. Un billet de 2e classe avec réservation revient à 600 Rs.

Cinq trains quotidiens vont jusqu'à Colombo (2e/3e classe 370/205 Rs) via Kandy (2e/3e classe 270/145 Rs).

Buduruwagala signifie représentations (*ruva*) en pierre (*gala*) du Bouddha (Budu). Les sculptures dateraient du Xe siècle et appartiendraient à l'école bouddhique mahayana, qui connut alors un bref âge d'or au Sri Lanka.

Un stupa a été mis au jour récemment à mi-parcours de la route d'accès aux bas-reliefs.

➡ Informations pratiques

Il se peut qu'un guide vous accompagne ; il attendra un pourboire. L'aller-retour en *túk-túk* de Wellawaya revient à 700 Rs. Des visiteurs viennent à pied (ou à vélo) de la route principale, une marche plaisante, mais longue et en plein soleil. La piste de 4 km traverse une série de lacs peuplés d'oiseaux, dont nombre d'aigrettes et de hérons.

Où se loger et se restaurer

Little Rose PENSION $

(☎055-567 8360 ; www.littlerosewellawaya.com ; 101 Tissa Rd ; avec petit-déj, s avec/sans clim 3 000/2 000 Rs, d avec/sans clim 4 000/2 500 Rs ;). À 500 m de la gare routière, le Little Rose constitue un excellent choix si vous devez passer la nuit à Wellawaya. Dans un cadre paisible, cette maison entourée de rizières est tenue par une famille accueillante. Ses 17 chambres sont bien tenues et possèdent des moustiquaires, des ventilateurs (ou la climatisation) et des sdb privées. Elle sert de bons repas à petits prix.

♥ **Jetwing Kaduruketha** HÔTEL $$$

(☎055-471 0710 ; www.jetwinghotels.com ; ch 112 $US ;). Dans la campagne à 2 km au nord de Wellawaya, ce bel hôtel récent propose des chambres modernes, élégantes et bien équipées avec vue sur les montagnes du centre au-delà des rizières. La tranquillité n'y est perturbée que par les oiseaux chanteurs et les paons. Des vélos sont à disposition gratuite des clients. En période creuse, les prix peuvent chuter de moitié.

Living Heritage Koslanda BOUTIQUE-HÔTEL $$$

(☎077 935 5785 ; www.koslanda.com ; Koslanda ; ch avec petit-déj 295-395 $US ;). Ces bungalows de style planteur, calmes et décorés à merveille, s'inscrivent sur un domaine de 32 ha comprenant une forêt enchevêtrée et une cascade. Ils ont été construits par des artisans locaux selon des techniques traditionnelles, mais rassurez-vous, de superbes sdb en plein air et des Jacuzzis privés y ont été ajoutés. Le domaine comprend également une piscine à débordement. Mais, sans surprise, les prix sont élevés.

VAUT LE DÉTOUR

CHUTES DE DIYALUMA

D'une hauteur de 171 m, les **chutes de Diyaluma** sont les troisièmes plus hautes du Sri Lanka. Dévalant un escarpement du plateau de Koslanda, elles débordent de la falaise pour plonger d'un seul tenant dans un bassin en contrebas. Elles sont encore plus impressionnantes pendant la saison des pluies. Les chutes de Diyaluma sont à 13 km à l'ouest de Wellawaya ; tous les bus à destination de Haputale y passent.

Un sentier menant à la partie supérieure des cascades commence non loin du Km 207,5 sur l'A4 Hwy. Vous atteindrez le sommet après 45 minutes de marche avec un fort dénivelé. Attention, l'endroit n'est pas sécurisé.

Depuis/vers Wellawaya

Wellawaya est une étape classique entre la région montagneuse et les côtes sud et est. On trouve habituellement des correspondances jusqu'en milieu d'après-midi. Pour rejoindre Tissamaharama, changez à Pannegamanuwa Junction (92 Rs). Les bus partent une fois pleins.

Badulla (96 Rs ; 1 heure 30 ; ttes les 30 min)
Ella (67 Rs ; 1 heure ; ttes les 30-40 min)
Embilipitiya (141 Rs ; 2 heures 30 ; 5/jour)
Monaragala (74 Rs ; 1 heure ; ttes les 20 min)
Tangalla (172 Rs ; 3 heures 30 ; ttes les 30 min)

Parc national d'Uda Walawe

Bordé par des montagnes côté nord, le **parc national d'Uda Walawe** (adulte/enfant 15/8 $US, frais de service par groupe 8 $US, frais de transport par groupe 250 Rs, et taxe globale TVA 15% ; ⏲6h-18h) est l'un des meilleurs endroits au monde pour voir des éléphants. Principalement composé d'herbages et de forêt broussailleuse, c'est aussi l'un des meilleurs parcs nationaux du Sri Lanka pour observer d'autres gros animaux, tels que buffles sauvages, sambars et cerfs tachetés, ainsi que des écureuils géants de l'Inde.

Les éléphants sont l'attraction phare d'Uda Walawe : le parc en compte environ 600, répartis en troupeaux allant jusqu'à 50 individus. Des barrières de protection empêchent les pachydermes de sortir de la zone et le bétail d'y pénétrer. Vous aurez plus de chances de les observer entre 6h30 et 10h et entre 16h et 18h30.

Le parc, qui s'étend autour des 308,2 km^2 du réservoir d'Uda Walawe, possède une beauté austère, et l'absence de végétation épaisse facilite la découverte des animaux.

L'entrée du parc se situe à 12 km de l'embranchement sur la route Ratnapura-Hambantota et à 21 km d'Embilipitiya. Les visiteurs achètent les billets, vendus jusqu'à 17h, dans un bâtiment 2 km plus loin. S'ils choisissent pour la plupart un circuit organisé par leur hôtel, des 4X4 attendent devant l'entrée et demandent 3 800 Rs la demi-journée (jusqu'à 8 passagers), chauffeur inclus. Le droit d'entrée comprend les services d'un guide du parc. Ces guides connaissent très bien le parc et ses habitants et savent repérer la faune ; prévoyez un pourboire.

Aux éléphants, sambars et buffles sauvages (moins visibles toutefois que les buffles domestiques), s'ajoutent des mangoustes, des chacals, des varans aquatiques, des crocodiles, des ours lippus et quelques léopards. On dénombre aussi 30 variétés de serpents et 210 espèces d'oiseaux ; les migrateurs en provenance du nord rejoignent les résidents entre novembre et avril.

À voir

Elephant Transit Home ZOO

(CP de Silva Rd ; adulte/enfant 500/250 Rs ; nourrissage 9h, 12h, 15h et 18h). Ce refuge financé par la Born Free Foundation (www.bornfree.org.uk) prend soin des éléphants blessés ou orphelins du secteur. Une fois remis sur pied, ces derniers sont réintroduits dans la nature, souvent à Uda Walawe. Même si vous ne pouvez pas approcher ni toucher les éléphants, le moment du nourrissage (observé depuis une plateforme) reste très amusant. Le refuge est situé sur la route principale en bordure du lac, à environ 5 km à l'ouest de l'entrée du parc. D'ordinaire, les éléphants n'y sont pas enchaînés la nuit (contrairement aux autres "orphelinats" d'éléphants au Sri Lanka). Plus de 100 éléphants ont été remis sur pied à l'Elephant Transit Home avant d'être relâchés dans la nature. Le zoo abrite généralement une quarantaine de jeunes pachydermes. La plupart des tour-opérateurs visitent l'Elephant Transit Home au cours de leurs circuits. Des panneaux très informatifs vous rendront incollable sur les éléphants et leurs ancêtres. Dans la mesure du possible, évitez de venir le week-end, quand des dizaines de personnes s'agglutinent sur la plateforme d'observation.

Où se loger et se restaurer

Un large choix d'hébergements s'offre à vous à la lisière du parc. Les tarifs sont élevés – attendez-vous à payer bien plus que sur la côte ou dans les montagnes. Tous les hôtels autour du parc disposent de restaurants.

Silent Bungalow PENSION $

(071 271 8941 ; près de Dakunu Ala Rd, Uda Walawe ; ch avec petit-déj 1 500-3 000 Rs ;). Adresse accueillante proposant un bon hébergement à petit prix dans des chambres simples et relativement spacieuses avec ventilateur et sdb privative (eau froide). Le petit-déjeuner, à l'instar des autres repas, est excellent. Sudath, la propriétaire, organise de superbes safaris à prix raisonnable, dont vous pourrez certainement partager le coût avec d'autres clients ; le Silent Bungalow est une base appréciée des voyageurs indépendants. Réservez. La pension se trouve derrière la base militaire dans la ville d'Uda Walawe.

Superson Family Guest PENSION $

(047-347 5172 ; 90B CDE Pl, Uda Walawe ; s/d 1 200/2 000 Rs, d avec clim 3 200 Rs ;). Tenue par Percy et Mali, un charmant couple de locaux, cette pension économique offre des chambres propres, un joli jardin et une bonne cuisine maison. Les propriétaires pourront vous conseiller sur les transports et pour réserver des safaris ; c'est une adresse très fréquentée par les routards. Les tarifs sont flexibles.

Athgira River Camping CAMPING $$

(047-223 3296 ; www.nilukasafari.com ; Mudunmankada Rd ; s/d en demi-pension 70/85 $US ;). Ce camping safari propose de confortables tentes en toile dressées le long de la berge avec des sdb attenantes (eau froide) et de vrais lits (avec moustiquaires). Le personnel sympathique organise de fréquents barbecues le soir au bord de l'eau qui contribuent à l'atmosphère conviviale. Des vélos sont également disponibles en location.

MENACE SUR UDA WALAWE

La faune du parc national d'Uda Walawe est menacée pour plusieurs raisons. Citons l'installation illégale associée au pâturage du bétail. Citons également le braconnage et l'utilisation des "hakka patas", de petits systèmes explosifs cachés dans des appâts sur les rives du réservoir d'Uda Walawe où paissent les sangliers. S'ils visent les sangliers, ces explosifs ont malheureusement gravement blessé des éléphants ces dernières années.

Le long de la grand-route qui borde le parc, des vendeurs proposent des fruits aux automobilistes de passage afin de nourrir les éléphants sauvages qui se rassemblent le long de la barrière. Sachez que cela encourage leur dépendance et amenuise leur peur des humains, provoquant des conflits avec les habitants (chaque année, une cinquantaine de personnes au Sri Lanka sont tuées par des éléphants et plus d'une centaine d'éléphants sont abattus par des fermiers).

La clôture du parc engendre également du stress chez les éléphants, en les empêchant d'accéder à des bassins naturels ou à de bons pâturages. Des études prouvent que les éléphants retenus dans le parc d'Uda Walawe ont des difficultés à se nourrir correctement. Ces pachydermes préfèrent se nourrir d'herbe, mais plus les forêts d'Uda Walawe se régénèrent, moins il y a d'herbages.

Si vous venez en bus, descendez à l'Elephant Transit Home et rendez-vous à l'Athgira Restaurant, en face, qui assurera votre transport jusqu'au camping.

Elephant Safari Hotel LODGE **$$$**
(047-567 8833 ; www.elephantsafarihotel.lk ; 60 Aloka Mawatha ; s/d en demi-pension 139-232 $US ;). Ce lodge offre d'immenses cottages avec des murs en terre crue et des toits de chaume, spacieux et plutôt élégants, avec des douches en plein air. La piscine est néanmoins souvent hors service et l'entretien général devrait être bien meilleur compte tenu des tarifs pratiqués. On y accède par un lacis de sentiers cahoteux, mais correctement fléchés. Suivez l'embranchement à quelques kilomètres à l'ouest de l'entrée du parc.

Grand Uda Walawe COMPLEXE HÔTELIER **$$$**
(047-223 2000 ; www.grandudawalawe.com ; 912 Thanamalwila Rd ; s/d en demi-pension 155/195 $US ;). Certes, ce complexe bien géré ne se fond guère dans l'environnement naturel, mais il assure un confort luxueux à celui qui ne saurait s'en passer. Organisé autour d'une piscine aux formes sinueuses, il a la faveur des groupes. Les équipements comprennent une salle de sport et une salle de billard.

Depuis/vers le parc national d'Uda Walawe

Des visites guidées du parc sont proposées depuis Ella, Ratnapura, Tissa et de nombreuses stations balnéaires de la côte sud.

Les bus en provenance d'Embilipitiya (46 Rs, ttes les 45 min) passent devant l'entrée du parc, d'où vous pourrez ensuite louer une jeep pour un safari.

La plupart des hébergements économiques se concentrent dans la petite ville d'Uda Walawe et ses alentours. Des hôtels plus haut de gamme jalonnent la route entre la localité et l'entrée du parc. Les conducteurs de bus vous déposent généralement devant l'hôtel de votre choix, mais sachez que beaucoup d'établissements sont desservis par des chemins secondaires poussiéreux.

BUS DEPUIS EMBILIPITIYA

À 23 km au sud de la billetterie du parc national d'Uda Walawe, Embilipitiya sert parfois de base pour visiter le parc. Cependant, vu le nombre croissant d'hébergements autour du parc, il n'y a guère de raison de loger dans cette ville agricole animée et poussiéreuse.

Des bus partent fréquemment de la gare routière centrale (A18 Hwy, Embilipitiya) vers les destinations suivantes :

Matara (142 Rs ; 2 heures 30 ; ttes les 20 min)
Ratnapura (166 Rs ; 3 heures ; ttes les 30 min)
Tangalla (88 Rs ; 2 heures ; ttes les 30 min)
Uda Walawe (46 Rs ; 45 min ; ttes les 30 min)

Réserve forestière de Sinharaja

Plus grande forêt humide de basse altitude au Sri Lanka, la **réserve forestière de Sinharaja** (adulte/enfant 644/325 Rs, guide obligatoire à partir de 1 000 Rs/pers, caméra 560 Rs ; 6h30-18h, fermeture billetterie 16h30) est un écosystème luxuriant, riche en biodiversité et bordé de rivières. De nombreux animaux y vivent, notamment des mammifères rares et beaucoup d'oiseaux endémiques. Contrairement à la plupart des parcs nationaux au Sri Lanka, la forêt est accessible uniquement à pied, en compagnie d'un garde forestier ou d'un guide. Les visiteurs logent généralement dans les villages voisins de Deniyaya ou de Kudawa, où les billets d'entrée sont en vente dans les principaux bureaux du Forest Department.

La forêt étant très dense, il est plus difficile d'y apercevoir des animaux que dans les autres parcs et réserves du Sri Lanka. Un guide compétent facilite les choses. La plupart du temps, la jungle est noyée dans d'épais nuages de pluie, qui régénèrent ses sols profonds et équilibrent les ressources en eau pour une grande partie du sud-ouest du Sri Lanka. Reconnaissant son importance pour l'écosystème du Sri Lanka, l'Unesco a inscrit la réserve au patrimoine mondial en 1989.

Les habitants des 22 villages qui entourent la forêt sont autorisés à entrer (à moto) pour collecter la sève des palmiers, qui sert à confectionner le *jaggery* (sucre brun et dur), et récupérer les feuilles et le bois morts, utilisés comme combustible ou matériau de construction. Les plantes médicinales sont cueillies à des saisons précises. L'exploitation du rotin s'avère plus préoccupante, car la demande est importante. Sinharaja attire aussi les chercheurs illégaux de pierres précieuses, dont les puits abandonnés constituent un danger pour les hommes et les animaux et provoquent l'érosion. Le braconnage menace également la faune.

Histoire

En 1840, la forêt devint une terre de la couronne britannique, et, depuis, des efforts ont été entrepris pour la préserver. Cependant, des bûcherons l'investirent en 1971 et entamèrent une exploitation sélective.

CURIOSITÉS DE SINHARAJA

Faune

Le léopard est le plus grand carnivore de la réserve. On l'aperçoit rarement et seuls ses excréments et ses empreintes révèlent sa présence. Les chats léopards d'Inde et les chats pêcheurs sont encore plus rares. Les sambars, les muntjacs et les sangliers s'observent plus facilement. Des groupes de 10 à 14 semnopithèques blanchâtres sont communs. On rencontre 3 sortes d'écureuils : l'écureuil roux volant, l'écureuil gris volant et l'écureuil géant. Les porcs-épics et les pangolins sont présents, mais rarement visibles. Les civettes et les mangoustes sortent la nuit, mais vous verrez peut-être une mangouste à travers la frondaison en plein jour. Six espèces de chauves-souris ont été recensées.

Oiseaux

La vie aviaire est très riche : 160 espèces ont été recensées, et 19 des 20 espèces endémiques du Sri Lanka y ont été observées. La forêt est réputée pour ses nuées d'oiseaux variés, qui se produisent quand plusieurs espèces différentes d'oiseaux se rassemblent au sein d'une nuée pour se nourrir. Ce phénomène est courant dans de nombreux endroits du globe, mais à Sinharaja il se distingue par la durée du passage de la nuée et le nombre d'espèces (jusqu'à une douzaine). Parfois, elle comprend même des mammifères (comme des sciuridés).

Reptiles

Parmi les 45 espèces de reptiles, 21 sont endémiques. Les serpents venimeux comprennent la vipère trigonocéphale verte, qui vit dans les arbres, l'hypnale et le bongare, qui se déplacent sur le sol. La *Rana rugosa* (grenouille fripée), que l'on entend coasser la nuit, est l'amphibien le plus représenté.

Flore

Sinharaja abrite une profusion de plantes. Les arbres de la canopée atteignent 45 m de haut et les cimes du niveau inférieur grimpent à 30 m. Presque tous les arbres de la sous-canopée sont des espèces rares ou menacées. Plus de 65% des 217 essences et lianes endémiques à la forêt pluviale du Sri Lanka poussent à Sinharaja.

Les feuillus endémiques furent remplacés par des acajous (qui ne poussent pas là naturellement), des chemins et des routes furent tracés à travers la forêt et une scierie fut construite. Après des interventions persistantes d'écologistes, le gouvernement interdit l'exploitation forestière en 1977. Les équipements furent démontés, la végétation effaça progressivement les routes et Sinharaja fut sauvée. Les autres poches de forêt pluviale de l'île se tiennent pour la plupart sur des crêtes montagneuses, dans un rayon de 20 km de la réserve.

À voir

Mis à part la réserve forestière, la région qui borde Sinharaja possède quelques temples notoires et plusieurs cascades qui méritent le détour.

Getabaruwa Raja Maha Viharaya SITE BOUDDHIQUE

Ce superbe temple en pierre du début du XVIIe siècle s'élève juste à l'ouest de Kotapola, à 11 km au sud de Deniyaya. Une route escarpée suivie d'escaliers mène au site, où l'on voit un bouddha doré assis et un petit stupa.

Temple de Kolawenigama TEMPLE

Le temple de Kolawenigama, qui se trouve à 6 km au sud-ouest de Deniyaya, est un édifice aux proportions modestes qui ressemble au temple de la Dent de Kandy. Il fut construit par le roi Buwanekabahu VII pour remercier les villageois d'avoir protégé la relique sacrée. Des fresques kandyennes décorent le sanctuaire.

Chutes de Kiruwananaganga CASCADE

Les impressionnantes chutes de Kiruwananaganga, parmi les plus importantes du Sri Lanka (60 m de hauteur sur plusieurs niveaux et jusqu'à 60 m de large pendant le pic de la saison pluvieuse), sont à 5 km à l'est de Kotapola sur la route d'Urubokka. Le secteur dénombre plusieurs autres cascades.

Activités

La forêt de Sinharaja est uniquement accessible au cours d'une promenade guidée, soit avec un guide indépendant (depuis l'entrée du parc), soit au cours d'une visite organisée. Les visites sont possibles depuis Deniyaya et Kudawa, ainsi qu'au cours d'excursions à la journée organisées par des tour-opérateurs de plusieurs stations balnéaires de la côte sud, notamment Unawatuna et Galle.

> **GARE AUX SANGSUES !**
>
> Les sangsues sont omniprésentes à Sinharaja. Les soldats britanniques, hollandais et portugais les considéraient comme leur pire ennemi lorsqu'ils essayaient d'envahir l'arrière-pays, alors couvert de forêts. Un écrivain anglais affirma qu'elles avaient fait plus de victimes que tous les autres animaux réunis. Aujourd'hui, vous en souffrirez moins car tous les guides emportent des répulsifs.

Le tarif exact des guides dépend de la taille du groupe, mais vous pouvez compter environ 25 $US pour une promenade guidée d'une demi-journée.

Dans la réserve, il peut pleuvoir à tout moment de l'année, des vêtements imperméables sont donc conseillés ; il est aussi essentiel de se protéger contre les sangsues.

Où se loger et se restaurer

Plusieurs bases sont possibles pour explorer la réserve, comme Kudawa du côté nord et Deniyaya du côté sud. Toutes les pensions et les hôtels fournissent des repas.

Kudawa et ses environs

Ce village est une destination de choix pour de nombreux visiteurs ayant leur propre véhicule. De ce côté du parc, la forêt est un peu plus tranquille. À Kudawa, le Forest Department propose aussi un hébergement basique dans quelques bungalows. Pour plus de renseignements, contactez le **Forest Department HQ** (011-286 6633 ; forest@slt.lk ; 82 Rajamalwatte Rd, Battaramulla), à Colombo.

Rock View Motel HÔTEL $$

(045-567 7990 ; www.rockviewmotel.com ; Rakwana Rd, Weddagala ; d/tr avec petit-déj 5 250/ 7 000 Rs ;). Le Rock View offre des chambres aérées et fonctionnelles, avec des balcons dévoilant une vue sur les collines couvertes de forêt et les plantations de thé. L'hôtel est à 2 km à l'est de Weddagala. Malgré les fêtes de mariage bruyantes qui battent souvent leur plein le week-end, difficile de trouver meilleure affaire dans le coin.

Blue Magpie Lodge PENSION $$$

(077 320 6203 ; www.bluemagpie.lk ; Kudawa ; s/d avec petit-déj 80/95 $US ;). Dans un lieu paisible non loin de l'entrée du parc, ce

lodge possède 12 *cabanas* rustiques, légèrement défraîchies et sombres, et 6 chambres modernes plus chics. Les tarifs sont élevés, même compte tenu de la situation isolée, mais il y a une belle forêt environnante et des guides ornithologiques disponibles.

Boulder Garden BOUTIQUE-HÔTEL **$$$**
(045-225 5812 ; www.bouldergarden.com ; Sinharaja Rd, Koswatta ; s/d 188/272 $US ;). Pour changer d'horizon, essayez cet éco-hôtel d'une conception fabuleuse. Il comporte 10 chambres rustiques – dont 2 occupent de véritables caves – aménagées parmi les rochers et les ruisseaux, ainsi qu'un restaurant situé sous une énorme avancée rocheuse. Le Boulder Garden est à 15 km au nord-ouest de l'entrée pour la Sinharaja Forest Reserve à Kudawa.

Deniyaya

Si vous n'êtes pas motorisé, la petite ville de Deniyaya est une base pratique.

L'hébergement a aussi tendance à y présenter un meilleur rapport qualité/prix.

Deniyaya Rest House HÔTEL **$**
(041-227 3600 ; ch 3 000 Rs ;). Comme la plupart des hôtels gouvernementaux du pays, celui-ci bénéficie d'un emplacement privilégié, près de l'artère principale, avec une vue superbe sur la campagne. Les grandes chambres spartiates vieillissent avec grâce et vous pourrez prendre un remontant au bar-restaurant pour vous remettre des morsures de sangsue.

Sinharaja Rain Forest View Villas CABANES **$$**
(071 801 0700 ; rainforestviewvillas.com ; s/d/tr 25/35/45 $US ;). Ces cabanes en bois bien construites dans la forêt sont adorables, avec chacune un lit double, une élégante sdb attenante (eau chaude) et une véranda. La vue s'étend sur la réserve forestière de Sinharaja, les hôtes sont sympathiques et obligeants (touchez-leur un mot des visites guidées) et la cuisine délicieuse. Le tout est d'un bon rapport qualité/prix pour le secteur. Situé à 6 km au nord de Deniyaya via des pistes difficiles.

Sinharaja Rest PENSION **$$**
(041-227 3368 ; www.sinharajarest.com ; Temple Rd, Deniyaya ; ch avec petit-déj 24-40 $US ;). Les frères Palitha et Bandula Rathnayaka sont des guides certifiés et séjourner dans leur pension facilite l'exploration de la réserve. Leur maison comporte 6 chambres spartiates, un joli jardin et les repas sont excellents. Une excursion d'une journée à Sinharaja revient à 4 000 Rs par personne, transport, guide et déjeuner compris (droit d'entrée en sus). Les excursions sont également ouvertes aux visiteurs non clients, et il est possible de passer la nuit dans des bungalows en forêt (sur réservation). La famille possède aussi d'élégants chalets d'une capacité de 4 personnes (100-120 $US avec petit-déj) un peu plus haut sur la même route.

Rainforest Lodge HÔTEL **$$**
(041-492 0444 ; www.rainforestlodge-srilanka.de ; près de Temple Rd, Deniyaya ; avec petit-déj s 25-55 €, d 44-68 € ;). Isolé au sein d'une plantation de thé, à 2 km à l'ouest de Deniyaya, le Rainforest Lodge propose des chambres spacieuses, simples mais correctes, avec sdb attenantes, et de bons repas. La vue embrasse la forêt tropicale, des rizières et des rangées de théiers.

Les excursions en forêt coûtent 4 500/7 000 Rs pour 1/2 personnes, nourriture, transport et guide compris.

Rainforest BOUTIQUE-HÔTEL **$$$**
(Colombo 011-558 8714 ; www.rainforest-ecolodge.org ; s/d avec petit-déj 180/215 $US ;). En lisière de la réserve de Sinharaja (on y voit régulièrement des semnopithèques blanchâtres très rares), cet hôtel est l'un des plus reculés du Sri Lanka. Ses chambres très originales, riches d'une perspective exceptionnelle, ont en effet été créées à partir de conteneurs métalliques de bateau. Le personnel est composé de membres de la communauté locale ayant été formés. L'eau provient des sources à proximité et le système de recyclage est très élaboré. Vous y accéderez après 17,5 km de virages en lacet, en direction du nord depuis Deniyaya.

Depuis/vers Sinharaja

Il y a plusieurs points d'accès à la réserve, les plus pratiques se situant au nord-ouest via Kudawa et au sud-est via Mederapitiya (accessible de Deniyaya). L'entrée de Mederapitiya est mieux desservie par les transports publics.

BUS

Tous les jours, 4 bus relient Ratnapura et Deniyaya (218 Rs ; 5 heures) de 6h30 à 14h30. Trois bus circulent aussi tous les jours depuis/vers Galle (164 Rs ; 3 heures).

L'accès à Kudawa est parfois lent et compliqué. Depuis Ratnapura, des bus réguliers se rendent à Kalawana (68 Rs, 1 heure 30), puis à Weddagala (4 km avant Kudawa ; 32 Rs, 20 min), et, enfin, une correspondance vous mènera à Kudawa (18 Rs, 15 min).

VOITURE

La route qui traverse le Hayes Tea Estate, au nord de Deniyaya vers Madampe et Balangoda (pour Belihul Oya, Haputale ou Ratnapura), est splendide. La boucle qui va de l'entrée nord à l'entrée sud du parc est également superbe, mais très lente et pénible en raison des routes en mauvais état.

Ratnapura

045 / 55 640 HABITANTS

Ville trépidante et encombrée, Ratnapura accueille peu de voyageurs, mais c'est un célèbre centre de commerce pour les nombreuses pierres précieuses de la région. En explorant la ville, vous serez certainement abordé par des vendeurs insistants désireux de vous faire acheter une gemme (ou un morceau de verre poli...). Ratnapura marque aussi le point de départ d'un des plus vieux itinéraires vers le sommet de l'Adam's Peak (p. 177). Le climat est humide avec des averses fortes et régulières.

À voir

Maha Saman Devale TEMPLE BOUDDHIQUE

Ce temple bouddhique, à 4 km au nord-ouest de la ville, est un trésor architectural qui mérite largement la visite. Perché sur une petite colline, il possède plusieurs belles cours et des pavillons blanchis à la chaux, coiffés de toits multiples dans le style kandyen. Bâti au XIIIe siècle, le temple fut détruit par les Portugais, puis reconstruit pendant la période néerlandaise. Le sanctuaire principal est dédié à Saman, tandis que les autels latéraux honorent Bouddha et Pattini. Le trajet en *túk-túk* depuis Ratnapura coûte environ 250 Rs.

La grande fête du temple est un *perahera* pour la *poya* d'Esala (juillet-août).

Musée gemmologique MUSÉE

(045-223 0320 ; 6 Ehelepola Mawatha ; 9h-17h mar-sam). GRATUIT Constituée par un gemmologue local, cette impressionnante collection privée de pierres précieuses (comprenant aussi du quartz, des fossiles et divers objets) est une bonne introduction à l'extraction des gemmes au Sri Lanka. Il y a bien des pierres précieuses en vente, mais le personnel ne vous poussera pas à l'achat, et l'endroit compte également un petit café. Le musée est à 2,5 km au sud-ouest du centre, en quittant l'A4 Hwy.

Où se loger et se restaurer

Hotel Gem Land PENSION $

(076 696 6533 ; www.rohangems.com/hotelgemland ; 12 Mudduwa Rd ; ch avec ventil/clim 17/29 $US ;). À l'écart de l'agitation du centre-ville, cette pension possède des chambres fonctionnelles avec de solides lits et meubles en bois ; certaines ont un balcon. On y sert de bons plats (vous ne mangerez jamais seul grâce au calao domestique !) et il y a une table de billard. Le personnel semble heureux de travailler ici et d'aider les visiteurs à organiser leurs déplacements et leurs circuits sur les pierres précieuses.

Ratna Gem Halt PENSION $

(045-222 3745 ; www.ratnapura-online.com ; 153/5 Outer Circular Rd ; ch avec ventil/clim à partir

LA CITÉ DES GEMMES

Le Sri Lanka est associé aux pierres précieuses depuis l'Antiquité (ses noms anciens, Serendip et Ratna Dweepan, sont tous deux liés aux pierres) ; Marco Polo témoigna y avoir vu des mines de pierres précieuses au cours de ses voyages en 1292. Ratnapura est un haut lieu des pierres précieuses au Sri Lanka ; en fait, son nom vient du sanskrit signifiant "la cité des gemmes". Les flots des rivières se déversant des montagnes centrales sont chargés de rochers et de pierres contenant des gemmes, en particulier des saphirs et des rubis.

La royauté britannique attache, depuis longtemps, de la valeur aux saphirs du Sri Lanka. Les joyaux de la couronne de la reine Élisabeth en comportent plusieurs, et la bague de fiançailles offerte à Lady Diana par le prince Charles était sertie d'un saphir de Ceylan. Ce fut également le cas de la bague de fiançaille offerte par le prince William à Kate Middleton. "L'étoile de l'Inde" de 563 carats actuellement exposée au Museum d'histoire naturelle de New York est un saphir du Sri Lanka absolument parfait.

de 1 250/3 000 Rs ; ❄📶). Dans cette pension familiale de 8 chambres située au nord de la ville, on vous accueillera chaleureusement avec une bonne cuisine sri lankaise et une belle vue sur les rizières vert émeraude. Les chambres les moins chères n'ont ni vue ni eau chaude. L'adresse est tenue par un négociant en pierres qui propose aussi des cours de gemmologie (4 000 Rs/jour). Des excursions aux mines de pierres, aux marchés, aux parcs et aux cascades sont également possibles.

Achats

Ratnapura Gem Bureau, Museum & Laboratory BIJOUTERIE
(☎045-222 2469 ; Pothgulvihara Mawatha ; ⏰9h-16h). Cette bijouterie réputée pour ses pierres précieuses ne vous forcera pas à l'achat. Belle collection de minerais locaux et de pierres précieuses, ainsi que des renseignements sur l'extraction et le polissage des pierres. Comptez environ 400 Rs pour le trajet aller-retour en *túk-túk* depuis le centre-ville, attente comprise.

ℹ Depuis/vers Ratnapura

Ratnapura est bien reliée par la route à Colombo, mais elle n'est desservie par aucune ligne ferroviaire.

La gare routière est située dans le centre. Pour les destinations sur la côte ouest comme Hikkaduwa, allez jusqu'à Kalutara, puis prenez une correspondance.

Quelques destinations desservies :

Colombo (175 Rs ; 3 heures ; ttes les 15 min)
Deniyaya (228 Rs ; 5 heures ; 4/jour)
Haputale (167 Rs ; 3 heures ; ttes les 30 min)
Kalutara (182 Rs ; 3 heures ; 1/heure)
Kandy (203 Rs ; 4 heures ; 1/heure)
Matara (278 Rs ; 6-7 heures ; 3/jour)

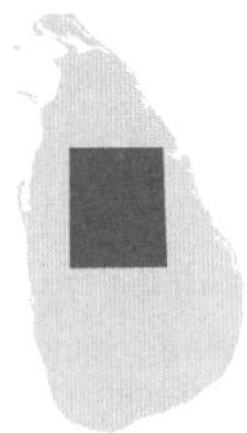

Les cités anciennes

Dans ce chapitre ➡

Matale 214
Nalanda Gedige 214
Dambulla.................... 215
Sigiriya 219
Polonnaruwa 226
Parcs nationaux de Minneriya et de Kaudulla............ 237
Anuradhapura 239
Mihintale 249
Forteresse de Yapahuwa 252
Panduwasnuwara...... 253
Ridi Vihara................. 253
Kurunegala................ 254

Le top des restaurants

- Sanctuary at Tissawewa (p. 248)
- Hotel Shalini (p. 248)
- Traditional Foods Sales Centre (p. 219)

Le top des hébergements

- Rice Villa Retreat (p. 236)
- Sigiri Lion Lodge (p. 222)
- Jim's Farm Villas (p. 214)
- Ulagalla (p. 247)
- Sanctuary at Tissawewa (p. 248)

Pourquoi y aller

Temples en ruine, cités perdues et sites sacrés bouddhiques sont d'excellentes raisons pour s'enfoncer dans les terres jusqu'au cœur culturel du Sri Lanka. C'est ici, dans les plaines centrales, que les anciennes dynasties cinghalaises établirent leurs capitales, favorisant un remarquable essor artistique et architectural. Ces royaumes finirent par décliner, avant d'être lentement repris par la forêt et la jungle.

Depuis plus d'un siècle, des archéologues mettent lentement au jour les nombreux vestiges de ce passé prestigieux. La forteresse rocheuse de Sigiriya, les monumentaux dagobas (stupas) d'Anuradhapura et les sculptures raffinées de Polonnaruwa ne représentent qu'un échantillon des sites considérés comme des trésors nationaux. Ce "triangle culturel" abritant 4 sites classés au patrimoine mondial de l'Unesco est un paradis pour les historiens et les archéologues amateurs.

Outre les ruines splendides, parcourez les parcs nationaux, peuplés d'éléphants et d'une fabuleuse avifaune, et découvrez au moins un temple à l'écart des sentiers battus.

Quand partir

Dambulla

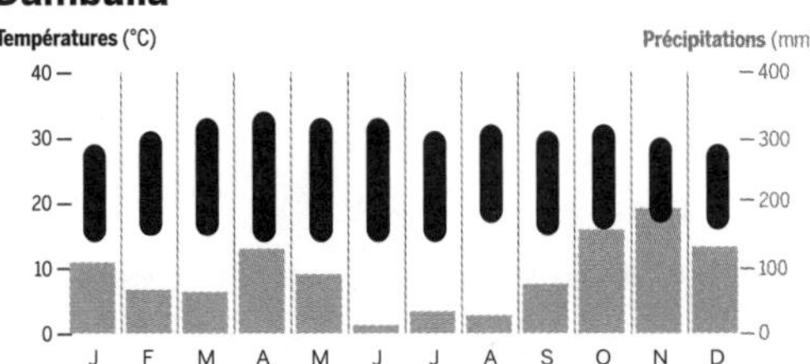

Juin Grande fête, la Poson Poya se tient à Mihintale lors de la pleine lune.

Mai-septembre Les éléphants se rassemblent dans le parc national de Minneriya, central et accessible.

Novembre Les cérémonies de l'Unduvap Poya à Anuradhapura fêtent l'arbre sacré de la Bodhi.

À ne pas manquer

1 L'immensité de l'ancienne capitale Anuradhapura et du **dagoba d'Abhayagiri** (p. 241).

2 Le rocher remarquable de **Sigiriya** (p. 219) pour admirer la vue épique, les fresques et les ruines mystérieuses.

3 Les ruines de **Polonnaruwa** (p. 226), ancienne citadelle cinghalaise, avec ses bouddhas et ses temples aux magnifiques sculptures.

4 L'observation des éléphants, des crocodiles et des oiseaux sur les rives du lac et dans la jungle à **Minneriya** (p. 238).

5 Les fresques bouddhiques parmi les plus remarquables du Sri Lanka dans les **temples troglodytiques de Dambulla** (p. 215).

6 Le petit site peu fréquenté du **Ridi Vihara** (p. 253), à l'écart des sentiers battus.

7 Les escaliers monumentaux menant aux stupas et aux points de vue de **Mihintale** (p. 249), berceau du bouddhisme au Sri Lanka.

Matale

☎066 / 46 000 HABITANTS

Cette ville de taille moyenne se situe au cœur du pays, à 300 m d'altitude dans une large vallée fertile. Bourgade sans charme, avec des rues à sens unique embouteillées, Matale n'incite guère à s'attarder. Toutefois, la route au nord de la ville est bordée de dizaines de plantations – vanille, hévéa, quinquina, jaquier, cacao, cardamome, etc. –, qui accueillent volontiers les visiteurs. La région est également réputée pour le *kohila* (une sorte de cresson) et les petits piments doux. Le site bouddhique historique d'Aluvihara situé juste au nord de la ville mérite aussi le coup d'œil.

À voir

Aluvihara MONASTÈRE BOUDDHIQUE

(250 Rs ; 7h-18h). Sur les contreforts des montagnes, à 3 km au nord de Matale, entouré d'immenses rochers, ce monastère est un site discret mais non moins curieux. Il possède plusieurs belles grottes bouddhiques, des peintures religieuses et un ou deux stupas. On y accède aisément depuis la route principale.

Selon la légende, un géant aurait utilisé trois des rochers pour poser sa marmite, et le nom d'Aluvihara (monastère des Cendres) fait référence aux cendres laissées par le feu de cuisson.

Sri Muthumariamman Thevasthanam TEMPLE HINDOU

(Extérieur/intérieur 100/250 Rs ; 7h-12h et 16h30-19h30). Cet intéressant temple hindou du style du sud de l'Inde s'élève juste au nord de l'arrêt de bus pour Kandy (à la limite nord de la ville). Les 2 hangars accolés abritent 5 énormes chars de cérémonie colorés qui sont tirés par des gens lors du festival de Theru, chaque année en février-mars.

Où se loger et se restaurer

Rien ne vous oblige à passer la nuit à Matale (Kandy n'est qu'à une heure de là), mais la ville offre toutefois quelques hébergements corrects.

Sesatha Hotel PENSION $$

(☎066-205 7080 ; h.sesatha@gmail.com ; 40 Kohombiliwela Rd ; d 4 500-5 500 Rs ;). Un établissement moderne et élégant, avec vue sur les rizières depuis les balcons des 5 chambres. Le restaurant donne sur le superbe jardin, parsemé de palmiers. Le piège (qui n'est pas des moindres) : c'est également un lieu prisé pour les mariages, et si vous venez au mauvais moment, vous vous retrouverez au cœur de folles festivités de style Bollywood. Le Sesatha se situe à 1,5 km au sud de la ville, à 200 m de la route principale (il n'est pas très visible).

Jim's Farm Villas LODGE $$$

(☎077 782 8395 ; www.jimsfarmvillas.com ; s/d/tr 130/160/195 $US ;). Dans des collines verdoyantes et brumeuses au nord de Matale, à 450 m d'altitude, cette ferme bio en activité (qui cultive noix de coco, mangues, bananes et papayes) appartient à un Anglais qui la gère de manière écologique. Les 14 chambres (réparties dans 3 villas) sont attrayantes, avec de beaux meubles en bois, du linge de lit en coton égyptien, un spa et de grands balcons ou vérandas.

La cuisine est exceptionnelle et les repas (10-20 $US) sont pris en commun. À 20 km au nord de Matale, et à 3 km à l'écart de la route principale à l'ouest de Madawala Ulpotha.

A&C Restaurant SRI LANKAIS $$$

(☎072 367 4501 ; 3/5 Sir Richard Aluvihara Mawatha ; plats 900 Rs ; 11h-15h). Un cran au-dessus de votre habituel riz-curry, cet établissement propose de délicieux plats sri lankais dans un lieu improbable.

Depuis/vers Matale

À Kandy, les bus n[os]593 et 636 partent toutes les 10 minutes pour Matale (normal/minibus 50/80 Rs, 1 heure 30). Les bus pour Dambulla ou Anuradhapura vous déposeront à Aluvihara (10 Rs) ou aux jardins d'épices.

Chaque jour, 5 trains circulent sur la jolie ligne entre Matale et Kandy (3e classe 25 Rs, 1 heure 30). Le lundi et le samedi, un train direct part à 6h40 pour Colombo (3e/2e classe 125/220 Rs, 4 heures 30). La gare se trouve à la limite est du centre-ville.

Nalanda Gedige

Le vénérable **Nalanda Gedige** (7h-17h) GRATUIT occupe un emplacement merveilleusement paisible à côté d'un *wewa* (lac artificiel) riche en faune avaire. C'est une bonne halte entre Dambulla et Kandy, si vous avez votre propre véhicule. Ce temple, construit dans le style des temples hindous d'Inde du Sud, comprend une salle d'entrée reliée à un haut *sikara* (sanctuaire des statues sacrées),

À NE PAS MANQUER

JARDINS D'ÉPICES

L'A9 entre Matale et Dambulla est réputée pour ses jardins d'épices : on en dénombre plus de 30 sur le parcours. Tous proposent la visite gratuite avec un guide anglophone, qui vous expliquera les propriétés et les bienfaits des herbes, épices et plantes dont le cacao, la vanille, la cannelle, le clou de girofle, la coriandre, le café, la noix de muscade, le poivre, la cardamome, l'aloe vera, le plectranthus (tulsi) et le henné.

La plupart des visiteurs apprécient les visites guidées qu'ils trouvent instructives, mais qui à un certain point vous dirigent vers la boutique de souvenirs où certains articles affichent un prix exorbitant ; attendez-vous à devoir acheter quelque chose, et considérez cela comme une contrepartie de la visite gratuite.

Euphoria Spice & Herbal (☎077 270 9107 ; www.euphoriaspice.com ; Madawala Ulpotha ; ⏲8h30-16h). Visite très détaillée du jardin d'épices et une boutique qui vend toutes sortes de crèmes, potions et lotions supposées soigner tous les maux, de l'insomnie au manque de libido. Le personnel est accueillant, il y a un restaurant et on peut assister à des démonstrations de cuisine. À 15 km au nord de Matale sur la route de Dambulla.

Heritage Spice & Herbs Garden (☎066-205 5150 ; 130 Center Land, Madawala Ulpotha ; ⏲8h-17h). Doté d'un beau jardin ombragé, ce spécialiste des épices organise des visites instructives et possède un café qui sert boissons et en-cas. À environ 15 km au nord de Matale.

avec une cour pour les circumambulations. Aucune divinité hindoue n'est représentée dans ce temple, qui aurait été utilisé par des bouddhistes. C'est l'un des premiers temples en pierre du Sri Lanka.

Construits avec des blocs de pierre richement décorés entre le VIIIe et le XIe siècle, les murs sont réassemblés à partir de ruines en 1975. Les plinthes portent quelques sculptures tantriques aux postures érotiques – les seules du genre dans le pays. Abîmées par les intempéries, elles se distinguent difficilement.

Nalanda Gedige se situe à 25 km au nord de Matale et à 20 km avant Dambulla, à 1 km à l'est de la route principale ; repérez le panneau près du Km 49. Les bus pour Anuradhapura en provenance de Kandy ou de Matale vous déposeront à l'embranchement.

Dambulla

☎066 / 72 500 HABITANTS

Le célèbre temple troglodytique de Dambulla est une image emblématique du pays – son intérieur spectaculaire rempli de bouddhas vous sera familier avant que vous arriviez en ville. Malgré une ambiance un peu commerciale, le temple reste un important lieu saint, à ne pas manquer.

La ville de Dambulla, sans intérêt particulier, est perpétuellement encombrée à cause d'un des plus importants marchés de gros du pays. Une nuit sur place est supportable, mais venez plutôt pour la journée, depuis les environs plus paisibles de Kandy ou de Sigiriya.

À voir et à faire

Ces dernières années, deux groupes monastiques rivaux se sont disputé l'autorité légale des grottes de Dambulla ; en conséquence, la **billetterie** (⏲7h-17h) a été déplacée du Temple doré à un nouvel emplacement peu pratique et mal indiqué, à 1 km à l'ouest de la route principale, sur le flanc sud de la colline qui mène aux temples. Le plus simple est encore d'y venir en *túk-túk* pour prendre votre billet, puis de faire l'ascension de 20 minutes jusqu'aux temples troglodytiques sur le chemin secondaire depuis la billetterie, et enfin de redescendre par l'escalier principal jusqu'au Temple doré sur la route principale.

♥ **Temples troglodytiques** TEMPLES BOUDDHIQUES
(Adulte/enfant 10/5 $US ; ⏲7h-18h). Le superbe ensemble de temples troglodytiques (Golden Rock Temple) se dresse à 160 m au-dessus de la rue dans la partie sud de Dambulla. Cinq grottes séparées accueillent quelque 150 fabuleuses peintures et statues du Bouddha, composant l'une des collections d'art sacré les plus importantes et

les plus évocatrices du pays. Les premières effigies du Bouddha datent de 2 000 ans, et les rois successifs ont ajouté des œuvres et embelli l'ensemble au fil des siècles. Le site dévoile un panorama superbe sur la campagne alentour et Sigiriya se distingue parfaitement à quelque 20 km.

Dambulla aurait été un lieu de culte depuis le Ier siècle av. J.-C., quand le roi Valagambahu (Vattagamani Abhaya), chassé d'Anuradhapura, s'y réfugia. Lorsqu'il récupéra son trône, il fit sculpter l'intérieur des grottes, les transformant ainsi en de magnifiques temples troglodytiques. Des peintures furent ajoutées par des rois ultérieurs, dont Nissanka Malla qui fit dorer les parois intérieures, ce qui vaut au site le nom de Ran Giri (Rocher d'Or).

Les retouches de l'original et la création de nouvelles œuvres d'art ont continué jusqu'au XXe siècle et, étonnamment, l'ensemble reste totalement cohérent.

➡ Grotte n°1 (Devaraja Viharaya)

Dans la première grotte, le temple du Roi des dieux, vous pourrez voir un bouddha couché long de 15 m. Ananda, fidèle disciple du Bouddha, est représenté à ses côtés, en compagnie d'autres bouddhas assis. Une statue de Vishnu est conservée dans un petit sanctuaire, habituellement fermé.

➡ Grotte n°2 (Maharaja Viharaya)

Le temple du Grand Roi, qui mesure 52 m d'est en ouest et 23 m de l'entrée au mur du fond, est le plus spectaculaire ; le plafond s'élève à 7 m au point le plus haut. La grotte doit son nom à deux statues de rois – une statue en bois peint de Valagambahu, à gauche de l'entrée, et une autre de Nissanka Malla, plus à l'intérieur.

La principale statue du Bouddha, qui semble avoir été couverte de feuilles d'or, se situe sous un *makara torana* (voûte ornée de dragons), avec la main droite levée en signe de protection. Des divinités hindoues sont aussi représentées. Un récipient collecte l'eau qui tombe en permanence du plafond du temple, utilisée pour les rituels sacrés.

➡ Grotte n°3 (Maha Alut Viharaya)

Baptisée Nouveau Grand Temple, cette grotte serait un ancien entrepôt transformé en temple au XVIIIe siècle par l'un des derniers monarques kandyens, Kirti Sri Rajasinghe. Comme les autres, elle compte de nombreuses statues du Bouddha – dont un superbe bouddha couché. Un simple mur la sépare de la grotte n°2.

➡ Grotte n°4 (Pachima Viharaya)

Cette cavité, relativement petite, n'est pas la plus à l'ouest bien que son nom signifie "grotte de l'Ouest". Ce statut revient en effet à la grotte n°5. Le bouddha central est assis sous un *makara torana,* les mains jointes en forme de coupe dans la position méditative du *dhyana mudra*. Le petit dagoba central a été brisé par des voleurs qui croyaient qu'il contenait les bijoux de la reine Somawathie.

➡ Grotte n°5 (Devana Alut Viharaya)

Plus récente, cette grotte servit autrefois d'entrepôt. Aujourd'hui appelée Second Nouveau Temple, on peut y admirer un bouddha couché et des divinités hindoues, dont Kataragama (Murugan) et Vishnu.

Musée des Peintures murales MUSÉE

(Adulte/enfant 300/150 Rs ; 8h-16h). L'exposition en anglais de ce musée est une bonne introduction à l'art mural sri lankais – des peintures rupestres aux fresques du XVIIIe siècle. Malheureusement, les reproductions de mauvaise qualité ne suscitent pas l'enthousiasme que le sujet mérite. Le bâtiment est à 500 m au sud du parking principal pour les grottes.

Marché de Dambulla MARCHÉ

(Matale Rd ; 12h-3h). Ce vaste marché de gros, au sud du centre-ville, offre un aperçu fascinant du large éventail de produits cultivés au Sri Lanka. Tout ce que vous verrez transporté dans la précipitation (restez hors du passage !) sera vendu le lendemain à Colombo.

BILLETS POUR LE TRIANGLE CULTUREL

Des billets sont nécessaires pour visiter les sites majeurs du triangle culturel, ainsi que quelques sites mineurs, pour la plupart gérés par le Central Cultural Fund (CCF ; www.ccf.gov.lk).

Les billets d'entrée pour les sites principaux sont chers, et valables seulement une journée :

Anuradhapura 25 $US

Aukana 6,60 $US

Dambulla 10 $US

Mihintale 3,30 $US

Polonnaruwa 25 $US

Sigiriya 30 $US

Dambulla

Dambulla

Les incontournables
1 Temples troglodytiques.......................A4

À voir
Grotte n°1 (Devaraja Viharaya)... (voir 1)
Grotte n°2 (Maharaja Viharaya)..(voir 1)
Grotte n°3 (Maha Alut Viharaya)..(voir 1)
Grotte n°4 (Pachima Viharaya)...(voir 1)
Grotte n°5 (Devana Alut Viharaya)..(voir 1)
2 Marché de Dambulla B3
3 Temple doré B4
4 Musée des peintures murales.............B5

Où se loger
5 Dambulla Heritage Resthouse B4
6 Sundaras...B5

Où se restaurer
Dambulla Heritage Resthouse Restaurant ....(voir 5)
7 Mango Mango.......................................A1

Temple doré TEMPLE BOUDDHIQUE
(www.goldentemple.lk ; aube-crépuscule). GRATUIT Au pied de la colline des temples troglodytiques, ce temple moderne à la structure atypique comprend un musée bouddhique ouvert en 2000 grâce à des dons venant du Japon. Une immense enseigne au néon et un bouddha doré en posture *dhammachakka mudra* (faisant tourner la roue du Dharma) dominent le bâtiment cubique.

Lanka Ballooning MONTGOLFIÈRE
(077 472 7700 ; www.srilankaballooning.com ; adulte/enfant 210/160 $US ; nov-avr). Cette compagnie fiable propose des vols en montgolfière d'une heure, à l'aube, au-dessus de la région du lac Kandalama. Vous distinguerez Sigiriya au loin et, avec un peu de chance, peut-être verrez-vous des éléphants en contrebas. Les enfants sont acceptés à partir de 7 ans ; tarif plein à partir de 13 ans.

Où se loger

Des camions circulent jour et nuit sur l'A9, qui traverse le centre de Dambulla ; gardez cela à l'esprit lors du choix de votre hébergement.

Les pensions se trouvent généralement aux abords des temples troglodytiques, tandis que les meilleurs complexes hôteliers haut de gamme se nichent dans la campagne luxuriante près du lac Kandalama ; ces derniers nécessitent d'être motorisé ou d'emprunter un *túk-túk*.

Dambulla Heritage Resthouse HÔTEL HISTORIQUE $$
(066-228 4799 ; www.chcresthouses.com ; Kandy Rd ; s/d/tr 38/45/54 $US ;). Cette ancienne auberge gouvernementale, classée bâtiment historique et entièrement rénovée, se distingue par des intérieurs très élégants ; les meubles en bois sombre et les superbes tissus évoquent l'époque coloniale. Elle comprend également un excellent café-restaurant. Principal inconvénient : la proximité de la nationale et le bruit permanent de la circulation.

VAUT LE DÉTOUR

LE BOUDDHA AUKANA

Selon la légende, le magnifique **bouddha Aukana** (adulte/enfant 1 000/500 Rs ; 24h/24), haut de 12 m, daterait du règne de Dhatusena, au Ve siècle. D'autres sources l'attestent du XIIe ou du XIIIe siècle. Aukana signifie "qui mange le soleil" et l'aube, quand les premiers rayons du soleil éclairent les traits finement sculptés de l'immense statue, est le meilleur moment pour la contempler.

Si le dos de la statue reste étroitement joint au roc dans lequel elle est taillée, le socle en forme de lotus est une pièce séparée. La posture *asisa mudra* de ce bouddha debout signifie bénédiction, tandis que la flamme au-dessus de sa tête symbolise la puissance de l'Éveil.

Admirez le bassin aux nénuphars creusé dans la roche derrière le stupa blanc, en lisière du site.

Pour visiter la statue, vous devrez être vêtu d'un pantalon ou d'un sarong ; la billetterie est en haut de la première volée de marches raides. Quelques vendeurs proposent des boissons près du parking.

La statue s'élève à 800 m du village d'Aukana. Les bus entre Dambulla et Anuradhapura font halte à la ville carrefour de Kekirawa (30 Rs, 30 min, ttes les 30 min), où des bus locaux passent toutes les 30 minutes pour rejoindre Aukana (40 Rs, n°548) à 19 km de là. Le trajet en *túk-túk* de Kekirawa à Aukana coûte 900 Rs, attente comprise.

Aukana se situe sur la ligne ferroviaire Colombo-Trincomalee et 4 trains s'y arrêtent chaque jour ; la gare est à 1 km de la statue.

Sundaras COMPLEXE HÔTELIER $$$
(072 708 6000 ; www.sundaras.com ; 189 Kandy Rd ; ch avec petit-déj 75-85 $US ;). Ce complexe hôtelier intermédiaire mais élégant est à une courte distance à pied des grottes et du musée. La propriété n'est pas très grande, mais le personnel (dont quelques membres suédois) est attentif. Les chambres bien équipées ont toutes un balcon donnant sur la piscine et son bar aquatique.

Lake Lodge BOUTIQUE -HÔTEL $$$
(066-2052500; www.lakelodgekandalama.com; 16 Division, Wewa Rd, Kandalama ; s/d avec petit-déj à partir de 190/230 $US ;). Avec 12 chambres, le Lake Lodge n'a pas l'envergure des grands complexes hôteliers de Kandalama, mais se rattrape avec son service personnalisé. Les chambres sont fraîches et modernes, avec une belle vue du coucher de soleil sur la canopée depuis les chambres deluxe à l'étage supérieur. L'hôtel, tenu par des Français, sert un café et une cuisine de qualité. Les dîners romantiques aux chandelles près de la piscine sont un point fort de l'établissement.

Kalundewa Retreat HÔTEL $$$
(077 520 5475 ; www.kalundewaretreat.com ; Kalundewa Rd ; ch 270-655 $US ;). Le Kalundewa Retreat porte une attention minutieuse au détail ; ses 6 suites ont des sols en béton ciré, de l'art moderne et d'élégants meubles en bois qui s'accordent à merveille avec un paisible cadre naturel fait de rizières, de bassins et de chants d'oiseaux. Pour un séjour délicieusement sélect.

Amaya Lake COMPLEXE HÔTELIER $$$
(066-446 1500 ; www.amayaresorts.com ; ch 180-290 $US ;). Le complexe d'Amaya Lake comprend 100 villas élégantes installées sur un superbe domaine paysager sur la rive nord du lac Kandalama. L'ensemble est immense, avec d'excellents équipements (courts de tennis, magnifique piscine, spa, etc.). Animations en soirée et somptueux buffets. L'établissement se trouve à 9 km au nord-est de Dambulla.

Arika Boutique Villa BOUTIQUE-HÔTEL $$$
(066-493 5045 ; www.arikavillas.com ; 40th Mile Post, Puwakattawala Rd ; ch avec petit-déj 220 $US ;). Petit hôtel chic avec des chambres spacieuses et élégantes, dont 4 ont des balcons surplombant la rivière. Les meilleures chambres, avec de hauts plafonds, sont situées à l'étage supérieur. Les prix sont élevés, à moins d'obtenir un tarif réduit en ligne (à partir de 80 $US). À 9 km au sud de Dambulla, près de la Kandy Rd.

Heritance Kandalama Hotel COMPLEXE HÔTELIER $$$

(☎066-555 5000 ; www.heritancehotels.com ; Kandalama Wewa ; s/d avec petit-déj à partir de 335/395 $US ;). Conçu par le fameux architecte Geoffrey Bawa, l'Heritance Kandalama est l'un des plus beaux hôtels du pays. Avec 124 chambres, ce gigantesque édifice émerge de la forêt telle une cité perdue aux murs et aux toits couverts de vigne vierge. La lumière inonde les chambres superbement aménagées et la piscine à débordement surplombe le Kandalama Wewa.

Où se restaurer

Dambulla compte quelques bonnes adresses où se restaurer, juste au nord du quartier de la Clock Tower.

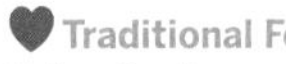

Traditional Foods Sales Centre SRI LANKAIS $

(A6 Hwy ; en-cas 20-100 Rs ; 7h-19h). Cette échoppe gérée par le gouvernement a pour but de préserver le patrimoine culinaire local, un excellent moyen pour les voyageurs de se lancer dans l'exploration gustative. Goûtez une portion de *pittu* (boulettes de riz vapeur avec une sauce relevée) suivie de *narang kewum* (beignet à la noix de coco et au miel), le tout accompagné de tisane aux fleurs de beli.

Mango Mango INTERNATIONAL $$

(Anuradhapura Rd ; plats 400-900 Rs ; café 7h-22h, repas 11h-15h et 18h-22h). Café-restaurant chic et moderne où déguster du café et des gâteaux, ainsi que des plats occidentaux comme des pancakes, des saucisses-purée et des raviolis pékinois. C'est une bonne adresse où faire une pause. Les menus du soir (300-490 Rs) présentent un bon rapport qualité/prix.

Dambulla Heritage Resthouse Restaurant INTERNATIONAL $$

(Kandy Rd ; plats 300-800 Rs ; 7h-22h ;). Cet élégant café-restaurant, tout en photographies monochromes et meubles d'époque, est une adresse pleine de charme pour boire un verre ou déguster de la poule au pot ou un poisson du lac. Belle carte des vins et agréables tables en terrasse.

Depuis/vers Dambulla

Dambulla se situe à 72 km au nord de Kandy sur la route d'Anuradhapura, qui croise celle de Colombo-Trincomalee (A6) dans le centre-ville.

La gare ferroviaire la plus proche est à Habarana, à 23 km au nord. Les bus locaux partent fréquemment de la gare routière à destination de Kurunegala, Matale et Sigiriya (30 Rs, 45 min, ttes les 45 min).

Pour les autres destinations, vous devrez prendre un bus de passage et croiser les doigts pour avoir une place assise. Les bus pour Kandy s'arrêtent devant la gare routière. Ceux vers Anuradhapura (88 Rs, 2 heures), Habarana et Sigiriya font halte juste au nord de la clock tower (tour de l'Horloge), tandis que les bus à destination de Colombo s'arrêtent au sud-ouest de celle-ci.

Colombo 150 Rs, 5 heures, ttes les 30 min
Kandy 100 Rs, 2 heures, ttes les 30 min
Polonnaruwa 78 Rs, 1 heure 45, ttes les 45 min

Une course en *túk-túk* en ville coûte 100-150 Rs.

Sigiriya

☎066 / 1 800 HABITANTS

S'élevant au-dessus des plaines centrales, le mystérieux rocher de Sigiriya est sans doute le site le plus remarquable du Sri Lanka. Des parois quasi verticales se dressent jusqu'à un sommet aplati qui conserve les vestiges d'une ancienne civilisation ; il s'agirait du centre de l'éphémère royaume de Kassapa. Tôt le matin, la vue sur les forêts nimbées de brume est époustouflante. Sigiriya ne révèle pas facilement ses secrets : vous devrez grimper une série d'escaliers vertigineux accrochés aux parois pour atteindre le sommet. En chemin, vous découvrirez plusieurs fresques remarquables et une paire d'énormes pattes de lion sculptée dans le rocher. Le paysage alentour – fossés couverts de nénuphars, jardins aquatiques et sanctuaires dans des grottes – ajoute à l'attrait de Sigiriya.

Histoire

Parsemé de grottes et surplombs rocheux naturels – augmentés d'ajouts et de modifications humains au fil des siècles –, Sigiriya pourrait avoir été habité dès la préhistoire.

Selon la théorie historique établie, la formation rocheuse avait des fonctions royales et militaires sous le règne du roi Kasyapa (r. 477-495), qui construisit un jardin et un palais au sommet. Selon cette théorie, le roi cherchait une nouvelle résidence imprenable après avoir renversé et tué son père, le roi Dhatusena d'Anuradhapura. Après 16 ans de règne, Kasyapa finit par se suicider sur le champ de bataille, après le retour de son demi-frère vindicatif.

Sigiriya

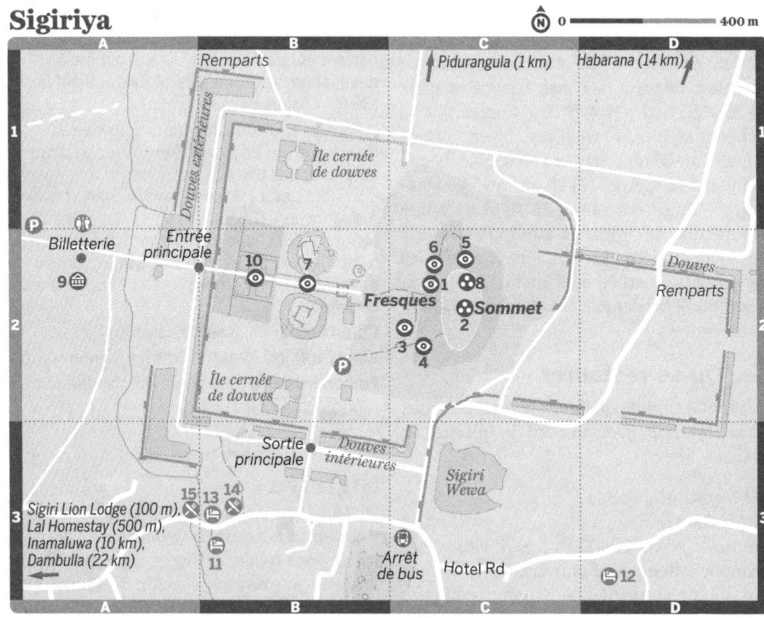

Sigiriya

Les incontournables
1 Fresques ... C2
2 Sommet ... C2

À voir
3 Boulder Gardens ... C2
4 Grotte du Capuchon du cobra ... C2
5 Pattes du lion ... C2
6 Mur du Miroir ... C2
7 Jardins royaux ... B2
8 Sigiriya ... C2
9 Sigiriya Museum ... A2
10 Jardins aquatiques ... B2

Où se loger
11 Flower Inn ... B3
12 Hotel Sigiriya ... D3
13 Nilmini Lodge ... B3
River Retreat Homestay ... (voir 11)

Où se restaurer
14 Chooti ... B3
15 Rasta Rant ... A3

Le complexe fut abandonné après le XIVe siècle. En 1898, l'archéologue britannique HCP Bell découvrit les ruines, qui furent fouillées par son compatriote, l'explorateur John Still, en 1907.

Sigiriya est inscrit au patrimoine mondial de l'Unesco depuis 1982.

À voir

L'un des monuments les plus célèbres du Sri Lanka, **Sigiriya** (www.ccf.gov.lk/sigiriya.htm ; adulte/enfant 30/15 $US ; billets 7h-17h30), est un site archéologique et non un site sacré - vous pourrez le découvrir en short et sans sarong. Prévoyez une demi-journée de visite.

Arrivez tôt pour éviter la chaleur écrasante et la foule oppressante. Grimpez directement sur le rocher afin de profiter de la relative fraîcheur matinale. Plus tard, vous pourrez vous promener dans les jardins et visiter le musée. Les escaliers étroits sont notamment saturés de visiteurs après 9h30. Mieux vaut être en forme, car la montée est parfois raide. Il n'y a pas d'ombre au sommet, aussi emportez un chapeau et de l'eau.

Des guêpes bâtissent leurs nids sur la façade rocheuse et posent parfois problème en juillet-août, soyez donc vigilant si vous êtes sensible aux piqûres.

Royal Gardens JARDINS

La base du rocher de Sigiriya est un bel espace paysager, où sont aménagés d'élégants points d'eau, des jardins en terrasses et des rochers naturels qui abritaient jadis un grand nombre de sanctuaires bouddhiques. C'est un superbe lieu à découvrir à l'écart de la foule.

Depuis l'entrée principale, vous longez une enfilade de **jardins aquatiques** symétriques qui s'étendent jusqu'au pied du rocher et comprennent des bassins de baignade et des îlots agrémentés de pavillons qui servaient autrefois de palais pendant la saison sèche.

Des marches traversent les jardins en terrasses jusqu'à la façade ouest du rocher, avant d'amorcer une ascension très raide.

Les charmants **jardins de pierres**, plus proches du rocher, sont davantage visibles en descendant. Ils sont jonchés de rocs qui formaient autrefois la base de bâtiments monastiques. Les creux semblables à des marches sur les côtés des blocs étaient les fondations des murs en briques et des colonnes en bois. Les rocs de la citerne et de la salle d'audience sont impressionnants, et les jardins dans leur ensemble sont plaisants à explorer.

Fresques — SITE HISTORIQUE

À mi-chemin du rocher de Sigiriya, un escalier découvert en colimaçon conduit à une longue galerie abritée dans la paroi rocheuse. Elle renferme une série de peintures de femmes pulpeuses, à la taille de guêpe, qui représenteraient des *apsara* (nymphes célestes) ou des concubines du roi Kasyapa. Protégées du soleil dans la galerie, les fresques demeurent en très bon état, avec des couleurs toujours vives.

Selon une théorie moderne, ces femmes représenteraient Tara, une bodhisattva et une divinité majeure du bouddhisme tantrique. Si le style est similaire à celui des peintures rupestres d'Ajanta, en Inde, ces fresques diffèrent par leur réalisme classique. Nul ne sait à quelle période elles ont été réalisées, mais il semble improbable qu'elles datent du Ve siècle, quand régnait le roi Kasyapa.

Les peintures sont particulièrement belles dans la lumière de la fin d'après-midi. Les photos sont interdites.

Mur du Miroir — SITE HISTORIQUE

Après les fresques de Sigiriya, le chemin s'accroche à la paroi rocheuse, protégé à l'extérieur par un mur haut de 3 m. Ce mur (qui n'est pas la véritable façade) était recouvert d'un enduit sur lequel les visiteurs notaient leurs impressions (et leurs désirs) sur les femmes de la galerie au-dessus – c'est du moins ce qu'affirme la légende locale. Ces graffitis datent principalement de la période allant du VIe au XIVe siècle.

Les inscriptions anciennes sont cachées dans le fouillis des messages modernes. En voici un exemple : "Les femmes qui portent des chaînes en or sur la poitrine me plaisent. Depuis que j'ai vu ces femmes resplendissantes, le paradis ne me semble plus désirable." Un autre dit : "Une jeune femme aux yeux de biche, du côté de la montagne, éveille en moi la colère. Dans sa main, elle tient un collier de perles et son regard fait de nous ses rivales."

Les graffitis sont d'un intérêt primordial pour les chercheurs, car ils montrent le développement de la langue et de l'écriture cinghalaises, et dévoilent une critique séculaire de l'art et de la beauté. Des panneaux avertissent les visiteurs de ne pas y ajouter d'inscriptions.

Pattes du lion — SITE HISTORIQUE

À l'extrémité nord du rocher, un étroit sentier mène à une grande plateforme qui a inspiré le nom du site – Sigiriya (de *sinha-giri*) signifie "rocher du lion". En 1898, l'archéologue britannique HCP Bell, qui contribua à de nombreuses découvertes au Sri Lanka, trouva ces deux énormes pattes de lion lors d'une campagne de fouilles.

PALAIS OU MONASTÈRE ?

Selon la théorie communément admise, le sommet de Sigiriya aurait accueilli le palais de Kasyapa, mais certains spécialistes (dont le Dr Raja de Silva, ancien ministre délégué à l'Archéologie du Sri Lanka) n'en sont pas convaincus. En effet, l'absence de soubassements en pierre, de trous de poteaux, de fondations visibles pour des murs transversaux ou des fenêtres à guillotine et d'installations sanitaires a entraîné des doutes et provoqué des débats houleux quant à la fonction de ces édifices.

De l'avis du Dr Raja de Silva, ce site était un vaste monastère bouddhique, embrassant à la fois les pratiques du theravada et celles du mahayana, qui aurait existé pendant des siècles avant et après le règne de Kasyapa. Le sommet était un sanctuaire pour la méditation, comportant des *kuti* (cellules) pour les moines et des chemins pavés pour les déambulations bouddhiques.

Jadis, un gigantesque lion en brique était assis sur ce bout du rocher et l'ascension finale débutait par un escalier qui passait entre les pattes du fauve et entrait dans sa gueule. Le symbole du lion rappelait aux dévots qui gravissaient le rocher que le Bouddha était Sakya-Sinha (le lion du clan Sakya) et que les vérités qui sortaient de sa bouche étaient aussi puissantes que le rugissement d'un lion.

Le lion, sculpté au Ve siècle, a depuis disparu ; seules subsistent les premières marches et les pattes. Plusieurs escaliers en métal successifs conduisent au sommet, tout en laissant voir les rainures et marches originales taillées dans la roche.

Sommet VESTIGES

Le spectaculaire sommet en terrasses couvre 1,6 ha. Il s'agirait du site choisi par le roi Kasyapa pour édifier sa capitale fortifiée après qu'il eut assassiné son père. Aujourd'hui, seules subsistent les fondations basses et les vestiges ne sont guère impressionnants. En revanche, vous serez sûrement ébahi par la vue époustouflante, qui s'étend sur des kilomètres à travers un océan émeraude de canopée.

Une dalle en pierre lisse (appelée trône du roi, peut-être un lieu de méditation) se tient à 30 m des ruines d'un dagoba. Le bassin de 27x21 m, creusé dans la roche, ressemble à une piscine moderne, et servait sans doute de réservoir d'eau.

Grotte du Capuchon du cobra GROTTE

Cette saillie rocheuse dans le jardin des pierres tient son nom de sa forme qui évoque le capuchon déployé d'un cobra. L'intérieur, recouvert de plâtre, était jadis orné de peintures de fleurs et d'animaux ; on les discerne encore en quelques endroits. On passe généralement par cet endroit en descendant du rocher pour rejoindre la porte sud et le parking.

En dessous de la saillie rocheuse, une inscription du IIe siècle av. J.-C. indique qu'elle appartenait au chef Naguli, qui l'aurait offerte à un moine.

Sigiriya Museum MUSÉE

(8h30-17h30). Ce musée, à l'aide d'un intéressant diorama du site, offre un excellent aperçu de Sirigaya et de son importance culturelle au-delà de son évidente beauté naturelle. Il présente la théorie selon laquelle Sigiriya était un monastère bouddhique, même si la thèse officielle affirme qu'il s'agissait d'un palais ou d'une forteresse. Les routes commerciales sont aussi expliquées, montrant les liens de Sigiriya avec le golfe Persique, la Chine, l'Inde et l'Empire romain.

Où se loger

De nouveaux hôtels et pensions ouvrent en permanence dans les environs de Sigiriya, ce qui se comprend facilement : l'agréable village, à l'écart de la nationale, constitue une base bien plus plaisante que Dambulla.

Reportez-vous p. 217 si vous cherchez des hôtels ruraux entre Dambulla et Sigiriya pouvant aussi servir de base pour visiter le rocher.

Sigiri Lion Lodge PENSION $

(071 479 3131 ; www.sigirilionlodge.com ; 186 Main Rd ; ch 2 200-4 000 Rs ;). Une fabuleuse adresse, grâce à l'accueil chaleureux et à l'attention accordée aux hôtes par Agith et Ramya, les propriétaires. Les chambres sont réparties entre l'ancien bâtiment au calme et une construction moderne de 3 niveaux comprenant des chambres lambrissées au dernier étage. Toutes sont propres, spacieuses, et disposent de tables à l'extérieur où prendre le petit-déjeuner en toute tranquillité.

La pension se situe au bout d'une ruelle, à courte distance à l'ouest du village. La climatisation est en supplément (1 000 Rs).

Lal Homestay PENSION $

(066-228 6510, 077 704 5386 ; lalhomestay@gmail.com ; 209 Ehelagala ; ch 1 500-2 000 Rs ;). Cette pension est une adresse idéale pour partager la vie d'une famille. Vos hôtes, qui sont très accueillants et chaleureux, offrent des repas maison (goûtez le délicieux curry de jaque) et des informations utiles. Les 5 chambres avec ventilateur, chacune dotée d'une véranda et d'une sdb avec eau chaude, sont parfaitement tenues. Les 2 chambres donnant sur l'arrière sont plus à l'écart du bruit de la route.

River Retreat Homestay PENSION $

(077 242 9784 ; river.retreat@yahoo.com ; ch 2 000-4 000 Rs ;). Ce bungalow en retrait de la route compte 3 chambres spacieuses et tranquilles proches d'une rivière, avec la climatisation et l'eau chaude solaire. Lors de notre passage, la pension venait tout juste d'ouvrir,

LES CITÉS ANCIENNES SIGIRIYA

mais promettait de bonnes prestations. On y accède via l'autre établissement du propriétaire, la **Flower Inn** (☎066-567 2197 ; s/d à partir de 1 800/2 500 Rs, avec clim 3 000/3 500 Rs ; ❄📶), aux chambres plus simples et moins chères.

Nilmini Lodge PENSION $

(☎066-567 0469 ; nilminilodge@gmail.com ; ch avec/sans clim à partir de 3 000/1 500 Rs ; ❄📶). Une famille qui accueille des voyageurs depuis des années tient cette pension à l'ancienne et vous donnera des conseils utiles sur la région. Les chambres sont basiques mais fonctionnelles, avec l'eau froide uniquement (et sdb partagées pour les moins chères). Le jardin offre de beaux espaces où s'asseoir. En plein centre du village.

Fresco Lion Villa PENSION $$

(☎077 630 2070, 071 780 7634 ; www.frescolion-villa.com ; Sigiriya Rd ; ch 4 000-5 000 Rs ; ❄📶). Cette adresse bien tenue, située à 9 km de Sigiriya (et à 12 km de Dambulla), possède 5 chambres élégantes dans une propriété arborée et rurale au sud de l'embranchement pour Kimbissa. Les logements vont du duplex avec 2 chambres climatisées et balcons, à la chambre familiale non climatisée sur 2 niveaux. Les repas sri lankais sont excellents et Roy est un hôte d'exception.

Hideout Sigiriya LODGE $$$

(☎077 771 6088 ; www.sigiriyahideout.com ; Palatawa Rd, Kimbissa ; ch avec petit-déj 60-80 $US, cabane perchée 85-110 $US ; ❄📶🏊). Bien nommé, ce havre de paix se cache au bout d'une piste au milieu des champs. Des cabanes perchées dans les arbres permettent d'observer les oiseaux, dont des aigles et des paons. Les chambres sont spacieuses mais peut-être un peu rudimentaires au regard des tarifs (seules quelques chambres sont climatisées). La piscine n'en est pas moins agréable, le cadre paisible a des effets relaxants et l'accueil est chaleureux.

Fresco Water Villa HÔTEL $$$

(☎066-228 6161 ; www.frescowatervilla.com ; Kimbissa ; s/d 125/130 $US ; ❄📶🏊). Les groupes apprécient cette adresse pour ses chambres spacieuses, ses beaux balcons et son décor élégant. La piscine de 25 m est un pur délice après une dure journée sur le rocher, mais réquisitionnner l'un des 6 transats (pour 72 chambres !) relève de l'exploit. Le restaurant sur place affiche des prix élevés injustifiés. L'hôtel est à 5 km à l'ouest de Sigiriya. Les tarifs en ligne peuvent baisser jusqu'à 70 $US.

Elephant Corridor HÔTEL DE LUXE $$$

(☎066-228 6951 ; www.elephantcorridor.com ; Kimbissa ; ch à partir de 220 $US ; ❄@📶🏊). Dans plus de 80 ha d'herbages sans clôtures, cet hôtel luxueux est un endroit fantastique pour voir la faune. Iguanes, varans, mangoustes et éléphants sauvages font de régulières apparitions dans la propriété. Les villas sont spectaculaires et incroyablement spacieuses, toutes avec piscine intérieure privée. Un bon spa et une piscine sont aménagés dans une clairière.

Jetwing Vil Uyana HÔTEL DE LUXE $$$

(☎066-228 6000 ; www.jetwinghotels.com ; Kimbissa ; ch à partir de 340 $US ; ❄@📶🏊). Le Jetwing est idéal pour une immersion dans la nature – crocodiles dans l'étang, varans sur la pelouse et éléphants de passage. Les immenses chalets privés d'allure rustique sont équipés de tout le confort moderne (dont un système audio Bose) ; préférez un "water dwelling" ou un "forest dwelling" pour jouir des meilleures vues.

Hotel Sigiriya HÔTEL $$$

(☎066-493 0500 ; www.serendibleisure.com ; Hotel Rd ; s/d avec petit-déj 140/155 $US ; ❄@📶🏊). La piscine bénéficie d'une vue remarquable sur le rocher. Ce grand complexe construit il y a 40 ans présente un extérieur vieillissant, mais les chambres ont été rénovées et comportent des sdb modernes et du béton ciré. L'adresse est prisée des groupes et des amoureux des oiseaux – un naturaliste résident accompagne d'excellentes excursions d'observation de l'avifaune (15-25 $US).

 Où se restaurer

Le village de Sigiriya compte plusieurs cafés orientés vers les voyageurs, et la plupart des pensions des environs servent des repas. Pour un menu d'exception, dînez au Jetwing Vil Uyana (p. 223).

Rasta Rant SRI LANKAIS $$

(☎077 794 2095 ; plats 350-500 Rs ; ⌚11h-23h). Cette adresse décontractée installée au bord de la rivière séduit les jeunes routards. C'est autant un bar qu'un restaurant, avec une cuisine d'un bon rapport qualité/prix, du petit-déjeuner aux *rotis* aux fruits, sur fond musical de Bob Marley. Nombreux hamacs et transats en bois de palette au bord de la rivière.

À NE PAS MANQUER

EXPLORER LES ENVIRONS DE SIGIRIYA

À vélo ou à scooter, vous pourrez explorer plusieurs sites aux alentours de Sigiriya.

Ne manquez pas le rocher de **Pidurangala** (500 Rs ; 5h-18h30), dont les temples sont en réalité plus anciens que Sigiriya. Son large sommet réserve une superbe vue sur Sigiriya, à environ 1 km au sud. Comptez environ 20 minutes de marche pour en faire l'ascension, ponctuée de plusieurs petits temples et d'un bouddha couché de 12,5 m, qui s'achève par une section périlleuse encombrée de rochers. La plupart des visiteurs y montent au crépuscule (prévoyez une lampe-torche pour redescendre), mais le lever du soleil est un moment tout aussi magnifique et bien plus calme. Le trajet aller-retour en *túk-túk* coûte environ 700 Rs, attente comprise. Si vous explorez le chemin de terre vers le nord puis vers l'ouest du rocher, vous découvrirez plusieurs réservoirs où il se reflète joliment.

Une autre agréable promenade à vélo ou à scooter, plus longue, emprunte des routes secondaires sur 25 km jusqu'à Dambulla en passant par le réservoir de **Kandalama Wewa**.

En chemin, vous pourrez vous arrêter au **Dakinigiriya Vihara** (Kaludiya Pokuna) GRATUIT, à 2,5 km à l'écart de la route principale au bout d'un chemin de terre après le Paradise Resort. Des sentiers vous feront découvrir un stupa, les pierres levées monolithiques d'une salle de prière, plusieurs rochers gravés, des grottes, un petit bassin et des arbres magnifiques. Vous n'aurez sûrement que les singes pour seule compagnie.

Le propriétaire propose également des sorties en kayak de 2 heures 30 dans un *wewa* (réservoir) à proximité pour 1 800 Rs/personne.

Chooti SRI LANKAIS $$
(Plats 300-400 Rs ; 7h-22h ;). Cet agréable restaurant sert une délicieuse ribambelle de pains *roti* sucrés et salés fraîchement cuits, ainsi que d'excellents jus de fruits dans sa nouvelle salle de style cabane à l'étage supérieur. Sirotez le lait d'une noix de coco fraîche ou régalez-vous de milk-shakes aux fruits. Situé dans le centre du village.

Depuis/vers Sigiriya

Sigiriya se situe à environ 10 km à l'est de l'embranchement pour Inamaluwa sur la grand-route entre Dambulla et Habarana. Les bus pour Dambulla circulent toutes les 30 minutes de 6h30 à 18h (40 Rs, 45 min) depuis un petit arrêt au sud-est de la sortie du site. Un *túk-túk* entre Dambulla et Sigiriya coûte 800 Rs environ.

Pour rejoindre Polonnaruwa, vous pouvez soit prendre le bus de Dambulla jusqu'à l'embranchement pour Inamaluwa, puis un autre bus vers le nord, soit (plus court) monter dans un *túk-túk* vers le nord jusqu'à l'intersection avec la route Habanara-Pononnaruwa et prendre une correspondance.

Cinnamon Air (carte p. 60 ; 011-247 5475 ; www.cinnamonair.com) propose des vols quotidiens depuis/vers Colombo (229 $US) à l'aéroport situé à 5 km à l'ouest de la ville, mais les prix sont élevés.

Les pensions peuvent organiser des excursions en voiture privée vers Anuradhapura ou Polunnaruwa pour environ 8 000 Rs l'aller-retour, ou vous déposer à l'aéroport de Colombo pour 9 000 Rs.

Pour explorer Sigiriya et ses environs, le mieux est de louer un vélo (300 Rs/jour) ou un scooter (1 500 Rs). La plupart des pensions en proposent.

Habarana

066 / 8 700 HABITANTS

Cette petite ville n'est pas une destination à proprement parler, mais c'est une bonne base pour explorer Sigiriya et faire des safaris dans les parcs nationaux de Minneriya et de Kaudulla.

Où se loger et se restaurer

Ces dernières années, de nombreux établissements haut de gamme ont surgi autour d'Habarana. La ville elle-même compte quelques bons hôtels, mais peu d'adresses bon marché.

Mutu Village PENSION $$
(077 269 4579 ; www.mutuvillage.com ; Kashyapagama ; ch avec petit-déj 40-80 $US ;). Cette pension rurale est tenue par un couple accueillant : Mutu est un cuisinier hors pair et Ajith prend soin des hôtes. Le cadre est ravissant, avec un joli jardin à l'écart du bruit et de la circulation. L'établissement

possède un spa ayurvédique un brin délabré. Situé à 10 minutes de route au sud, puis à l'est de l'intersection principale, dans une rue secondaire.

Heritage Habarana HÔTEL **$$**
(☎066-227 0003 ; www.chcresthouses.com ; s/d avec petit-déj 42/50 $US ; ❄📶). Anciennement la Rest House, cette belle bâtisse historique a été intelligemment restaurée et offre un grand confort à un emplacement de choix à côté du carrefour central. Les 4 chambres agrémentées de persiennes turquoise ouvrent sur une longue véranda ombragée. Cela pourrait changer car d'importants travaux de rénovation sont prévus.

Cinnamon Lodge HÔTEL DE LUXE **$$$**
(☎066-227 0012 ; www.cinnamonhotels.com ; ch 250-280 $US ; ❄@📶🏊). Hôtel élégant au service professionnel, le Cinnamon allie le style colonial portugais à l'architecture sri lankaise en pierre inspirée des ruines de Ritigala. Un sentier nature traverse le domaine luxuriant de 11 ha au bord d'un lac jusqu'à la plateforme d'une cabane dans les arbres d'où observer les oiseaux (155 espèces), les cerfs et les singes. Les chambres, aménagées avec goût et très confortables, présentent un décor tropical.

La principale salle de restaurant surplombe la jolie piscine. Elle est réputée pour son buffet (avec une salle entière réservée exclusivement aux desserts). L'hôtel compte même un sommelier attitré. Situé juste au sud du croisement principal d'Habarana.

Galkadawala LODGE **$$$**
(☎077 373 2855 ; www.galkadawala.com ; s/d avec petit-déj à partir de 75/85 $US ; ❄@📶). Joliment bâti dans la forêt avec des matériaux recyclés, ce paisible écolodge est parfait pour les amateurs de vie sauvage : vous serez en pleine nature, à deux pas du réservoir local, et vous verrez d'innombrables oiseaux et des éléphants. Maulie, un hôte sympathique, connaît très bien la région, et la cuisine exclusivement végétarienne est succulente.

Other Corner LODGE **$$$**
(☎077 374 9904, 076 624 6511 ; www.tocsrilanka.com ; s/d avec petit-déj 110/130 $US ; ❄@📶🏊). Traversez le pont de corde pour rejoindre cet écolodge où vous vous sentirez bien vite coupé du monde, bien qu'il soit seulement à 1,5 km du centre. Les 9 superbes cabanes en terre crue au toit de chaume sont installées sur un grand domaine ombragé, et le restaurant romantique sert une cuisine fraîchement préparée. L'excellent naturaliste du lodge conduit des promenades ornithologiques et peut organiser des safaris nocturnes.

Aliya COMPLEXE HÔTELIER **$$$**
(☎066-204 0400 ; www.theme-resorts.com/aliyaresort ; s/d avec petit-déj à partir de 185/220 $US ; ❄@📶🏊). Ce temple du luxe met la barre très haut. L'entrée digne d'une forteresse, l'agréable restaurant semi-ouvert et l'ensemble de chalets élégants formant comme un petit village sont plus impressionnants que charmants, mais la piscine à débordement de 30 m (avec une vue sur le rocher de Sigiriya) est à couper le souffle.

Heritage Avanhala CAFÉ **$$**
(www.ceylonhotelscorporation.com ; Heritage Habarana ; plats 550-800 Rs ; ⏲7h-22h ; 📶). Le café-restaurant de l'hôtel Heritage Habarana est situé au principal carrefour de la ville, ce qui en fait un endroit idéal pour observer les passants. Il offre une agréable ambiance rétro et un large choix de plats : currys locaux, plats relevés, viandes grillées, sandwichs et petits-déjeuners occidentaux (490 Rs). Les amateurs de douceurs se laisseront certainement tenter par la vitrine des desserts ; goûtez un morceau de *rulang* au sésame et aux céréales.

ℹ Depuis/vers Habarana

Située à un carrefour fréquenté, Habarana est bien desservie par les transports et possède la gare ferroviaire la plus proche de Dambulla et de Sigiriya.

BUS

Les bus s'arrêtent au carrefour devant l'hôtel Heritage Habarana. Services fréquents :

Anuradhapura 90 Rs, 2 heures 30, ttes les 30 min

Dambulla ordinaire/climatisé 25/40 Rs, 30 min, ttes les 30 min

Polonnaruwa 40 Rs, 1 heure, ttes les 30 min

TRAIN

La gare ferroviaire se situe à 2 km au nord de la ville sur la route de Trincomalee. Parmi les liaisons, peu fréquentes, citons :

Batticaloa 2e/3e classe 210/115 Rs, 3 heures 30, 1/jour

Colombo 1re/2e/3e classe 620/300/160 Rs, 5 heures, 2/jour

Polonnaruwa 3e classe 50 Rs, 1-2 heures, 2/jour

La gare de Palugaswewa, à 6 km à l'ouest, est desservie par des trains plus nombreux et plus rapides.

Polonnaruwa

☎027 / 15 800 HABITANTS

Des rois gouvernaient les plaines centrales du Sri Lanka depuis Polonnaruwa il y a 8 siècles, alors que la ville était un important centre commercial et religieux. Des trésors archéologiques attestent cette gloire passée et donnent une bonne idée de l'aspect de la cité à son apogée. L'exploration du parc archéologique est un plaisir, avec des centaines d'anciens édifices – tombes, temples, statues et stupas – dans un espace limité. À lui seul, le Quadrilatère justifie la visite.

La proximité de Polonnaruwa avec les parcs nationaux peuplés d'éléphants ajoute à sa popularité. Et avec ses bons hébergements et de nombreux vélos à louer, la ville, bordée d'un énorme réservoir de toute beauté, est une base agréable pour un jour ou deux dans une ambiance décontractée.

Kaduruwela, située à 4 km à l'est de Polonnaruwa, abrite nombre de banques, boutiques et autres services.

Histoire

La dynastie Chola d'Inde du Sud fit de Polonnaruwa sa capitale après avoir conquis Anuradhapura à la fin du Xe siècle. Polonnaruwa était mieux placée pour se protéger d'éventuelles rébellions du royaume cinghalais de Ruhunu, dans le Sud-Est. Elle était aussi moins envahie par les moustiques ! Lorsque le roi cinghalais Vijayabahu Ier (r. 1055-1110) chassa les Chola de l'île en 1070, il conserva Polonnaruwa comme capitale.

La cité atteignit son apogée sous le règne de Parakramabahu Ier (r. 1153-1186). Il fit édifier d'énormes bâtiments, traça de superbes parcs et créa un réservoir de 25 km², si grand qu'il fut nommé Parakrama Samudra (mer de Parakrama). Le lac actuel englobe 3 anciens réservoirs, et n'est sans doute pas celui d'origine.

Nissanka Malla (r. 1187-1196), qui succéda à Parakramabahu Ier, conduisit pratiquement le royaume à la faillite en essayant de rivaliser avec ses prédécesseurs. Au début du XIIIe siècle, Polonnaruwa commença à se montrer aussi vulnérable aux invasions indiennes qu'Anuradhapura. Elle fut finalement abandonnée et le centre du pouvoir fut déplacé du côté ouest de l'île.

La cité ancienne de Polonnaruwa a été inscrite au patrimoine mondial de l'Unesco en 1982.

À voir

Pour la plupart des visiteurs, une journée suffit pour explorer les **ruines** (☎027-222 4850 ; www.ccf.gov.lk/polonnaruwa.htm ; adulte/enfant 25/12,50 $US ; 7h30-18h), qui peuvent se diviser en 5 groupes : le Palais royal ; le Quadrilatère ; l'ensemble du Nord (réparti sur un vaste secteur) ; le petit ensemble du Parc de l'île près du Musée archéologique sur les berges du réservoir Tissa Wewa ; et le modeste ensemble du Sud, en direction de la nouvelle ville. Quelques autres ruines sont éparpillées. Les principaux édifices comportent d'utiles panneaux d'information.

L'entrée principale pour le site archéologique central se fait par Habarana Rd, à environ 500 m au nord du musée. Il n'est généralement pas nécessaire de prendre un billet pour visiter le Parc de l'île ou l'ensemble du Sud. Un vélo est idéal pour découvrir le secteur. Les alentours des monuments sont ombragés et des marchands vendent boissons (y compris d'énormes noix de coco givrées) et en-cas.

Si un billet ne donne théoriquement droit qu'à une seule entrée, vous pouvez demander à un contrôleur de le signer et dater afin de pouvoir revenir après le déjeuner.

Archaeological Museum MUSÉE
(7h30-17h). L'excellent Musée archéologique comprend des salles dédiées à la citadelle, aux faubourgs, au secteur du monastère (admirez la maquette de l'hôpital des moines et les instruments médicaux) et aux monuments hindous. Cette dernière salle contient une superbe collection de bronzes, dont d'exceptionnelles statues de Shiva. L'une d'elles représente Shiva entouré d'une auréole et effectuant une danse cosmique en piétinant un nain. Les photos sont interdites.

Ensemble du Palais royal

Cet ensemble de bâtiments fut construit au XIIe siècle sous le règne de Parakramabahu Ier. L'enceinte murée est le départ tout indiqué de la visite de Polonnaruwa, avant de poursuivre au nord pour voir les autres monuments d'importance.

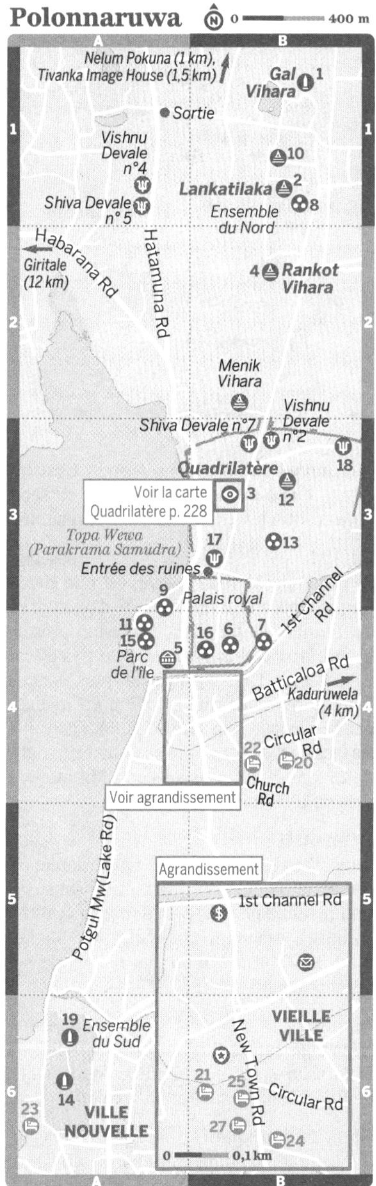

Polonnaruwa

Les incontournables

1	Gal Vihara	B1
2	Lankatilaka	B1
3	Quadrilatère	B3
4	Rankot Vihara	B2

À voir

5	Archaeological Museum	A4
	Atadage	(voir 3)
6	Salle d'audience	B4
7	Bassin	B4
8	Buddha Seema Prasada	B1
	Gal Pota	(voir 3)
	Hatadage	(voir 3)
9	Salle du Conseil royal	A3
10	Kiri Vihara	B1
	Latha-Mandapaya	(voir 3)
11	Palais de Nissanka Malla	A4
12	Pabula Vihara	B3
13	Ruines de Polonnaruwa	B3
14	Potgul Vihara	A6
15	Bains royaux	A4
16	Palais royal	B4
	Satmahal Prasada	(voir 3)
17	Shiva Devale n°1	B3
18	Shiva Devale n°2	B3
19	Statue	A6
	Thuparama Gedige	(voir 3)
	Vatadage	(voir 3)
	Stèle de Velaikkara	(voir 3)

Où se loger

20	Devi Tourist Home	B4
21	Hotel Ancient Village	B6
22	Jayaru Guest House	B4
23	Lake Hotel	A6
24	Leesha Tourist Home	B6
25	Manel Guest House	B6
26	Sunset Tourist Home	B6
27	Thisara Guest House	B6

Palais royal RUINES

Le palais royal édifié par Parakramabahu Ier était un magnifique édifice de 31 m sur 13 m, qui aurait comporté 7 étages. Il n'en reste aujourd'hui malheureusement que des vestiges.

Les murs épais de 3 m sont percés de trous pour les poutres de soutènement de 2 étages. S'il existait 4 étages supplémentaires, ils devaient être en bois. Le toit de cet édifice de 50 pièces reposait sur 30 piliers.

Salle d'audience RUINES

La salle d'audience de Parakramabahu Ier comporte une frise d'éléphants, chacun dans une position différente. De beaux lions se dressent en haut des marches.

Bain royal RUINES

À l'angle sud-est de l'enceinte du palais, le bain royal (Kumara Pokuna) en forme de lotus possède encore deux jets d'eau sortant de gueules de crocodiles. Les fondations visibles sur la droite sont celles d'un ancien vestiaire.

Quadrilatère

À courte distance au nord du Palais royal, cette zone rassemble des ruines fascinantes sur un terrain surélevé entouré d'un mur. C'est l'ensemble de constructions le plus compact de toutes les cités anciennes du Sri Lanka. Au fil du temps, il semblerait que l'Atadage, le *vatadage* et l'Hatadage aient tous accueilli la relique de la dent de Bouddha. Ils furent érigés par des rois successifs en signe de leur dévotion.

Outre les ruines principales, admirez aussi la **salle du Bouddha couché**, la **salle capitulaire**, le **sanctuaire du Bodhisattva** et le **sanctuaire de l'arbre de la Bodhi**.

Vatadage — TEMPLE BOUDDHIQUE

Dans le sud-est du Quadrilatère, le *vatadage* (chambre de relique circulaire) est typique de ces structures. Il comporte une terrasse extérieure de 18 m de diamètre, et une seconde terrasse avec 4 entrées flanquées de remarquables pierres gardiennes. La *sandakada pahana* (pierre de lune) à l'entrée nord est la plus belle de Polonnaruwa. Quatre entrées séparées mènent au dagoba central et à ses 4 bouddhas. Le mur en pierre aux motifs floraux aurait été ajouté ultérieurement, probablement par Nissanka Malla.

Gedige de Thuparama — TEMPLE BOUDDHIQUE

À l'extrémité sud du Quadrilatère, le *gedige* de Thuparama est le plus petit *gedige* (temple bouddhique creux aux murs épais) de Polonnaruwa, et l'un des plus beaux : il est le seul à avoir conservé son toit intact, soutenu par des corbeaux (supports de forme arquée). La salle intérieure, délicieusement fraîche, comprend 4 magnifiques statues debout de Bodhisattva. L'extérieur du bâtiment démontre une forte influence hindoue et daterait du règne de Parakramabahu Ier.

Hatadage — MONUMENT

Édifié par Nissanka Malla, l'Hatadage aurait été bâti en 60 (*hata*) heures. Aujourd'hui en piteux état, il comptait à l'origine 2 étages et aurait peut-être abrité la dent du Bouddha. De l'entrée, admirez la symétrie des piliers au loin.

Latha-Mandapaya — RUINES

C'est à Nissanka Malla que l'on doit le Latha-Mandapaya. Cette construction unique, formée d'un treillis de pierre – une curieuse imitation d'une clôture en bois –, entoure un minuscule dagoba cerné de piliers en pierre figurant des tiges de lotus

Quadrilatère

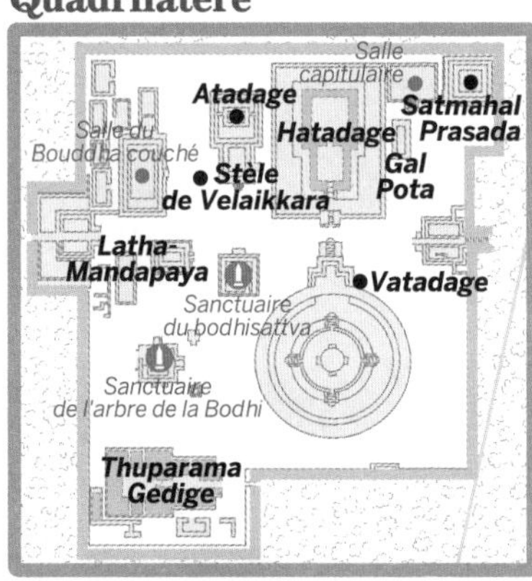

couronnées de bourgeons fermés. C'est ici, dit-on, que Nissanka Malla venait s'asseoir pour écouter les textes bouddhiques chantés.

Gal Pota — MONUMENT

Le Gal Pota (Livre de pierre) est une gigantesque représentation en pierre d'un livre en *ola* (feuilles de palmier). Il mesure près de 9 m de long, 1,50 m de large et de 40 à 66 cm d'épaisseur. L'inscription, la plus longue dans le pays, indique qu'elle a été rédigée par Nissanka Malla (r. 1187-1196). Elle vante les exploits du roi et précise que cette dalle de 25 tonnes fut transportée de Mihintale, à près de 100 km !

Satmahal Prasada — MONUMENT

Dans l'angle nord-est du Quadrilatère se dresse le Satmahal Prasada, une construction pyramidale de 6 étages (il y en avait 7 à l'origine), évoquant une ziggourat. Remarquez les figurines dans les niches de ses murs croulants.

Atadage — MONUMENT

L'Atadage, sanctuaire destiné à accueillir la Dent sacrée, est le seul édifice de l'époque de Vijayabahu Ier subsistant à Polonnaruwa.

Stèle de Velaikkara — MONUMENT

Sur cette stèle commémorative du XIIe siècle est gravé le serment prêté par les gardes royaux de Velaikkara de protéger la relique de la dent de Bouddha, après qu'une rébellion eut été étouffée.

Autour du Quadrilatère

Parsemés autour du Quadrilatère, plusieurs édifices, dont les Shiva *devale* (temples hindous), datent de l'invasion sud-indienne au Xe siècle.

Shiva Devale n°1 TEMPLE HINDOU

Juste au sud du Quadrilatère, ce temple hindou du XIIIe siècle témoigne du renouveau de l'influence indienne après l'essor cinghalais à Polonnaruwa. Il se distingue par un travail de la pierre d'une qualité et d'une précision remarquables. Le toit de brique en forme de coupole s'est effondré. Des fouilles ont dévoilé des bronzes de toute beauté, désormais exposés au Musée archéologique.

Shiva Devale n°2 TEMPLE HINDOU

Le Shiva Devale n°2 est le plus vieux monument de Polonnaruwa. Il remonte à la brève période des Chola, lorsque les envahisseurs indiens s'emparèrent de la cité. Contrairement à de nombreux édifices des cités anciennes, il fut bâti entièrement en pierre et conserve pratiquement sa structure d'origine. Admirez la statue de la monture de Shiva, le taureau Nandi.

Pabula Vihara TEMPLE BOUDDHIQUE

Le Pabula Vihara, également appelé Parakramabahu Vihara, est un dagoba typique de l'époque de Parakramabahu Ier. Se dressant dans une clairière, ce stupa en brique est le troisième plus grand dagoba de Polonnaruwa.

Ensemble du Nord

Ces ruines, au nord des remparts de la cité, commencent à 1,5 km au nord du Quadrilatère. Elles comprennent l'impressionnant **groupe d'Alahana Pirivena**, qui englobe le Rankot Vihara, le Lankatilaka, le Kiri Vihara, le Buddha Seema Prasada et d'autres bâtiments. Son nom signifie "collège crématoire", car il se tenait sur le terrain des crémations royales, créé par Parakramabahu Ier.

Plus au nord, le Gal Vihara est probablement le plus fameux groupe d'effigies du Bouddha au Sri Lanka. La découverte de l'ensemble du Nord est bien plus facile à vélo.

♥ Rankot Vihara TEMPLE BOUDDHIQUE

Haut de 54 m, le Rankot Vihara, inspiré du style d'Anuradhapura, est le plus grand dagoba de Polonnaruwa et le quatrième de l'île. Il daterait du règne de Nissanka Malla. À l'instar des autres grands dagobas d'Anuradhapura et de Polonnaruwa, il possède un dôme en terre, recouvert de briques et de plâtre. Les instruments chirurgicaux trouvés dans les ruines d'un hôpital voisin du XIIe siècle ressemblent curieusement à ceux employés aujourd'hui ; le Musée archéologique en montre plusieurs exemplaires.

Buddha Seema Prasada RUINES

Installée sur une crête, c'était jadis la salle d'audience du monastère, où les moines se rassemblaient deux fois par mois. Le bâtiment comporte un beau *mandapaya* (plateforme surélevée, dotée de piliers décoratifs).

♥ Lankatilaka TEMPLE BOUDDHIQUE

L'un des édifices les plus emblématiques de Polonnaruwa est le temple de Lankatilaka, construit par Parakramabahu Ier, puis restauré par Vijayabahu IV. Cet immense *gedige* possède des murs hauts de 17 m, mais le toit s'est effondré. Une allée majestueuse mène à un gigantesque bouddha debout (désormais décapité). Les offrandes d'encens, les colonnes et les arches de l'édifice ajoutent à la spiritualité et à la dévotion qui imprègnent les lieux.

Kiri Vihara TEMPLE BOUDDHIQUE

Le dagoba du Kiri Vihara, jadis appelé Rupavati Chetiya, aurait été construit par Subhadra, l'épouse du roi Parakramabahu Ier. Son nom actuel, qui signifie "blanc laiteux", lui fut attribué quand la jungle fut défrichée après 7 siècles d'abandon, révélant le revêtement à la chaux d'origine en parfait état. Il reste le dagoba non restauré le mieux préservé de Polonnaruwa.

♥ Gal Vihara MONUMENT

Cet ensemble de 4 bouddhas, qui fit partie du monastère nord de Parakramabahu Ier, marque sans doute l'apogée de la sculpture rupestre cinghalaise. Les statues, taillées dans un long bloc de granite, étaient jadis enfermées dans une enceinte séparée.

Le **bouddha debout**, haut de 7 m, est considéré comme le plus beau de la série. La position croisée des bras, inhabituelle, et son expression affligée laissèrent supposer qu'il s'agissait d'Ananda, un disciple du Bouddha déplorant le départ de son maître pour le nirvana, une théorie confirmée par la proximité du bouddha couché. Le fait qu'il possédait sa propre enceinte et la découverte d'autres effigies aux bras dans la même position ont discrédité cette interprétation, et l'on considère aujourd'hui que toutes les sculptures représentent le Bouddha.

Le **bouddha couché** représenté entrant dans le parinirvana (le nirvana après la mort) est long de 14 m. Observez le léger creux de l'oreiller sous la tête et les symboles de lotus au bord de l'oreiller et sur les plantes de pieds du Bouddha. Les deux autres statues sont des bouddhas assis. Les sculptures mettent en valeur la marbrure naturelle de la roche. Celle de la petite cavité est plus petite et de moins bonne facture.

Nelum Pokuna BASSIN

Un chemin à gauche du tronçon nord de la route conduit à l'inhabituel Nelum Pokuna (bassin en forme de lotus), probablement utilisé par les moines. De près de 8 m de diamètre, il comporte 5 anneaux concentriques, chacun composé de 8 pétales.

Salle de la statue Tivanka TEMPLE BOUDDHIQUE

La route nord de Polonnaruwa aboutit à la salle de la statue Tivanka. *Tivanka* signifie "triple flexion" et se réfère à la position de la statue du Bouddha à l'intérieur, normalement réservée aux figures féminines. Le bâtiment se distingue par ses belles fresques représentant les vies passées du Bouddha – ce sont les seules fresques subsistantes de Polonnaruwa (photos interdites). Certaines datent de travaux de restauration entrepris par Parakramabahu III, d'autres sont beaucoup plus anciennes.

Ensemble du Sud

Le modeste ensemble du Sud est proche de plusieurs hôtels haut de gamme. Potgul Mawatha (Lake Rd) se prête à une agréable promenade à vélo sur les rives du réservoir Topa Wewa (Parakrama Samudra). Le paysage est de toute beauté au crépuscule. Vous y croiserez probablement plus de vaches (et de hérons garde-bœufs) que d'êtres humains.

Potgul Vihara MONUMENT

Aussi appelé le dagoba bibliothèque, la silhouette atypique du Potgul Vihara s'élève à l'extrémité sud de Polonnaruwa. Cet édifice creux en forme de stupa, aux murs épais, aurait jadis servi à entreposer des livres sacrés. Il s'agit en fait d'un *gedige* circulaire et de 4 dagobas plus petits, disposés en quinconce autour du dôme central, une disposition cinghalaise courante de 5 éléments qui forment un rectangle – un à chaque coin et un au centre.

Statue STATUE

Cette statue de près de 4 m de haut est d'un réalisme inhabituel qui contraste avec les effigies idéalisées ou stylisées du Bouddha. Sa représentation reste un sujet de débat. Pour certains, il s'agit du professeur indien védique Agastya, un livre à la main. Pour d'autres, ce pourrait être Parakramabahu Ier tenant le "joug de la royauté". Selon d'autres encore, le roi tiendrait simplement un morceau de papaye.

Ensemble du Parc de l'île

La nature a repris ses droits sur les ruines du **palais de Nissanka Malla** regroupées juste au nord du Musée archéologique. Elles sont précédées des **bains royaux**, toujours alimentés par une écluse du bassin principal. Cet ensemble de ruines est en accès libre.

Salle du Conseil royal RUINES

Cette salle à colonnes était le lieu de réunion du conseil du roi Nissanka Malla. Chacune des 48 colonnes est gravée du nom du dignitaire qui s'asseyait à côté, tandis que le trône royal, en forme de lion de pierre, domine l'entrée de la salle. À quelque distance, un îlot accueille les ruines d'une modeste résidence d'été du roi.

Où se loger

La plupart des hôtels en ville ont une atmosphère champêtre, en particulier ceux situés juste au sud du carrefour central. À proximité, Giritale est une bonne alternative.

Sunset Tourist Home PENSION $

(027-222 7294 ; info@sunsettouristhome.com ; ch avec/sans clim 3 000/2 000 Rs ;). Cette maison de campagne est une adresse paisible située au milieu des rizières, avec de hauts plafonds et de jolis balcons où s'asseoir. Elle est un peu éloignée des ruines, mais des vélos sont disponibles à la location et des repas sont proposés. Le Palm Garden voisin offre lui aussi un hébergement de qualité.

Thisara Guest House PENSION $

(027-222 2654, 077 170 5636 ; www.thisaraguesthouse.com ; New Town Rd ; ch avec/sans clim 3 000/2 000 Rs ;). À 100 m de la route principale au sud de la vieille ville, cette pension possède de grandes chambres propres avec terrasses dans 2 bâtiments ; celles à l'arrière, avec vue sur les rizières, sont plus agréables (réservation conseillée). Les deux nouvelles chambres au-dessus du restaurant seront les meilleures une fois les travaux achevés.

Suite à la p. 235

LES CITÉS ANCIENNES POLONNARUWA

STEFANO EMBER / SHUTTERSTOCK ©

Cités anciennes

Fleuron de l'art et de l'architecture bouddhiques en Asie, cette région fascinante compte non moins de 4 sites classés au patrimoine mondial de l'Unesco. Les dagobas (stupas) monumentaux, les palais en ruine, les élégantes fresques et les remarquables sculptures et bas-reliefs font partie des plus beaux monuments du pays. La découverte de la région des cités anciennes est un régal : dans cette zone essentiellement rurale, les sites principaux sont entourés d'une campagne pittoresque de zone sèche, et bordés de parcs nationaux.

Dans ce chapitre

- ➡ Anuradhapura
- ➡ Polonnaruwa
- ➡ Sigiriya
- ➡ Dambulla

Ci-dessus Détail du *vatadage* (p. 228), Polonnaruwa

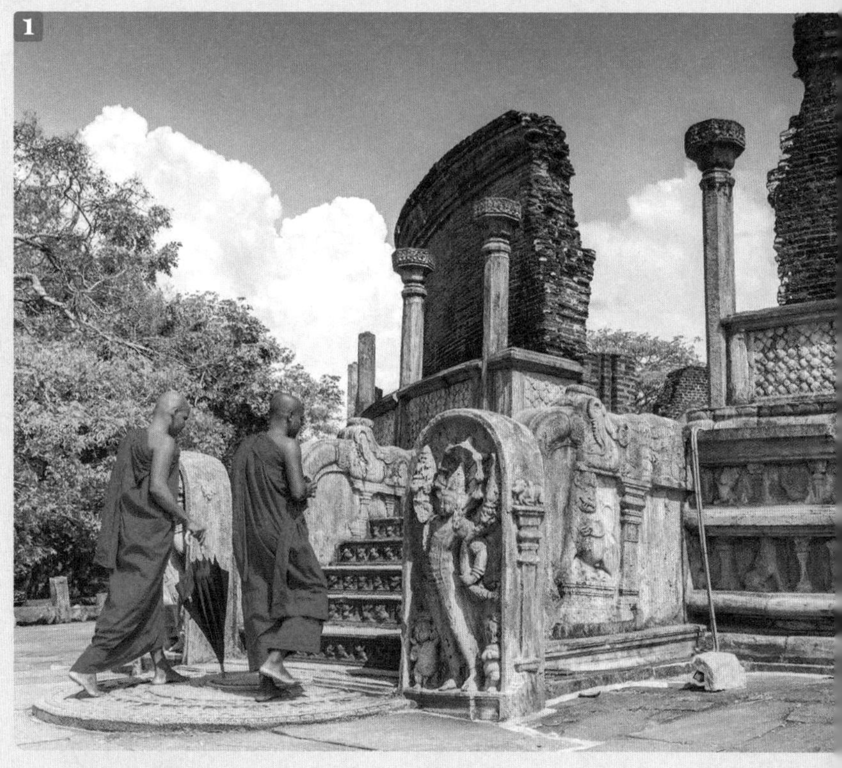

Cités anciennes

Anuradhapura

Anuradhapura (p. 239) représente les débuts de la civilisation à une échelle monumentale. Ses 3 stupas colossaux figurent parmi les plus grands monuments jamais construits dans le monde antique, dépassés seulement par les pyramides de Gizeh en Égypte.

Fondée au IVe siècle av. J.-C., Anuradhapura fut l'épicentre de la civilisation bouddhique sur l'île pendant près de 1 300 ans, une cité composée de magnifiques monastères et de palais alimentés par un ingénieux système d'irrigation et d'énormes réservoirs. C'est aussi un important lieu de pèlerinage qui abrite le Sri Maha Bodhi (figuier sacré).

Ces incroyables vestiges de structures civiles et religieuses s'étendent sur un grand domaine comportant 4 secteurs. Les sites majeurs comprennent le complexe monastique en bois d'Abhayagiri (où vivaient 5 000 moines), la citadelle et les ruines de son palais royal, et le stupa Jetavanarama.

Polonnaruwa

Célèbre pour ses bas-reliefs, sculptures et temples élaborés, Polonnaruwa (p. 226) demeura la capitale de l'île du XIe au XIIIe siècle, une période courte mais illustre qui vit s'épanouir les arts et l'architecture bouddhiques.

Le Quadrilatère de la cité délimitait une enceinte sacrée et contenait des structures impressionnantes, dont le *vatadage* et sa fameuse pierre de lune. Le temple de Lankatilaka possède un gigantesque Bouddha sans tête et l'ensemble du Gal Vihara représente l'apogée de la sculpture rupestre cinghalaise.

1. *Vatadage* (p. 228), Polonnaruwa
2. Temples troglodytiques de Dambulla (p. 215)
3. Monastère d'Abhayagiri (p. 241), Anuradhapura

Sigiriya

Le site étonnant de Sigiriya (p. 219) s'épanouit brièvement au Ve siècle sous l'égide du roi Kassapa, qui choisit un promontoire rocheux quasi inaccessible pour son palais royal. En grimpant jusqu'au sommet, vous passerez devant les pattes d'un lion géant sculpté dans la pierre, le mur du Miroir (couvert de graffitis anciens) et de superbes fresques.

LES CITÉS ANCIENNES DU SRI LANKA

Anuradhapura (p. 239) Vaste ensemble bouddhique ancien, hautement spirituel.

Polonnaruwa (p. 226) Bouddhas, temples et sculptures élaborées.

Sigiriya (p. 219) Une merveille dominée par un palais et décorée de fresques.

Dambulla (p. 215) Temples troglodytiques, statues et fresques bouddhiques.

Ridi Vihara (p. 253) Reculée, mais des exemples grandioses d'art bouddhique.

Mihintale (p. 249) Berceau du bouddhisme au Sri Lanka.

Aluvihara (p. 214) Belle collection d'art rupestre non loin de Matale.

Ritigala (p. 239) Gigantesque ensemble monastique ancien.

Pattes de lion (p. 221), Sigiriy

Au pied du rocher, s'élèvent les jardins de pierres, les jardins aquatiques et un impressionnant musée consacré au site.

Dambulla

À mi-hauteur d'une colline, les splendides fresques et statues bouddhiques des grottes de Dambulla (p. 215) furent façonnées au Ier siècle av. J.-C., avant que le site ne soit davantage embelli par ses bienfaiteurs royaux, notamment les rois kandyens. Le lieu témoigne d'un incroyable sens artistique, avec des peintures et des sculptures très bien préservées. Le sommet dévoile une vue dégagée sur le temple du rocher de Sigiriya.

Suite de la p. 230

Leesha Tourist Home PENSION $

(072 334 0591 ; leeshatourist@hotmail.com ; 105/A New Town Rd ; ch avec/sans clim 2 800/ 2 000 Rs ;). Une ambiance plaisante règne en ces lieux grâce à la gentillesse du génial propriétaire Upali et de sa famille. Les chambres, d'une propreté impeccable, disposent toutes de moustiquaires et de matelas à ressorts ; celles qui donnent sur la rue souffrent du bruit de la circulation. L'endroit est convivial, avec des tables pour jouer au Parcheesi ou pour savourer la délicieuse cuisine maison. Des cours de cuisine sont proposés.

Devi Tourist Home CHAMBRES D'HÔTES $

(027-222 3181 ; www.facebook.com/devitouristhome ; Church Rd ; ch 2 000-4 500 Rs ; @). Dans une rue tranquille et arborée des faubourgs, cette pension accueillante, ordonnée et efficacement gérée appartient à un couple malais musulman. C'est un bon choix, avec 5 chambres (les moins chères ont seulement un ventilateur) distribuées autour d'un joli jardin. Les repas sont copieux ; dégustez les crêpes de farine de riz au petit-déjeuner. Location de vélos (300 Rs/ jour) et un *túk-túk* pour les transferts.

Jayaru Guest House PENSION $

(027-222 2633, 071 563 6678 ; jayaruguest@gmail.com ; Circular Rd ; s/d 1 200/1 500 Rs ;). Si vous cherchez une chambre vraiment bon marché, cette pension toute simple, située dans un quartier paisible, possède un agréable salon où se détendre et des chambres basiques, avec ventilateur et sdb (eau froide). Elle loue aussi quelques chambres climatisées (simple/double 3 000/ 3 500 Rs). Les musiciens se retrouveront peut-être à jouer quelques notes avec les propriétaires, dont l'un est professeur de musique.

Manel Guest House PENSION $

(027-222 2481 ; www.manelguesthouse.com ; New Town Rd ; s/d avec petit-déj 2 000/2 500 Rs, nouveau bâtiment 4 000/4 500 Rs ; @). Cette adresse sympathique comprend 2 bâtiments. Dans le plus ancien, les chambres ont des ventilateurs mais peuvent devenir étouffantes, tandis que celles du bâtiment plus récent sont bien plus modernes, climatisées et possèdent des balcons surplombant les rizières (celles situées au dernier étage sont les meilleures). Les 2 bâtiments partagent l'agréable restaurant. Demandez au gérant de vous jouer un air traditionnel à la flûte.

Hotel Ancient Village HÔTEL $$

(072 212 3063 ; www.hotelancientvillage.com ; Sri Sudarshana Rd, Thopawewa ; s/d avec petit-déj 28/35 $US ;). Au bout de cette rue secondaire bordée de rizières sur 3 côtés, cet hôtel de 10 chambres affiche une décontraction champêtre malgré sa proximité avec le centre-ville. Les chambres fraîches et carrelées ont des balcons, et l'établissement comprend un paisible restaurant au toit de chaume de style *cabana*.

Tishan Holiday Resort PENSION $$

(027-222 4072 ; www.facebook.com/TishanHolidayResort ; Habarana Rd, Bendiwewa ; ch avec petit-déj 3 500-5 500 Rs ;). Cet établissement présente un bon rapport qualité/ prix (surtout avec sa piscine agrémentée de transats) à mi-chemin entre les gammes économique et intermédiaire. Il est situé à 4,5 km à l'ouest du centre-ville, mais loue des vélos et des scooters, et possède un bon restaurant. Il y a également quelques chambres bon marché et non climatisées au rez-de-chaussée (simple/double 2 250/ 2 750 Rs).

Lake Hotel HÔTEL $$$

(027-222 2411 ; www.thelakehotel.lk ; Potgul Mawatha ; s/d avec petit-déj 95/110 $US ; @). Au bord du lac, cet élégant hôtel de 2 étages offre une vue superbe sur le réservoir depuis ses chambres joliment aménagées, le restaurant et la piscine. L'ambiance est détendue, avec de la musique classique dans le salon, des photos en noir et blanc et un service attentif. Les chambres à l'étage supérieur ont la meilleure vue.

Où se restaurer

Inutile de vous aventurer loin de votre hôtel ou de votre pension pour un repas, car la ville compte peu de restaurants exceptionnels.

Ariya Rest House SRI LANKAIS $$

(077 358 8060 ; www.ariyaresthouse.com ; Bendiwewa ; buffet 500-750 Rs ; 11h30-17h). Ce grand restaurant bien géré est parfait pour les groupes de touristes, mais c'est aussi un endroit pratique où faire une pause entre deux visites. Le déjeuner-buffet est présenté tout l'après-midi et la cuisine est bonne, avec du délicieux manioc, des fleurs de banane et d'étonnants currys à la mangue. Situé à 4 km du centre, mais aisément accessible en vélo ou en *túk-túk*.

Jaga Food SRI LANKAIS $$$
(☎077 665 2048 ; 22 Junction, Jayanthipura ; buffet 950 Rs ; ⏲11h30-16h et 18h30-21h). Ce restaurant familial avec jardin est situé à mi-chemin entre Polonnaruwa (6 km) et Giritale (7 km) ; il faut donc un véhicule pour s'y rendre, mais il mérite le détour. La dizaine de currys proposés sont cuisinés sur des fourneaux à bois traditionnels, et les clients peuvent jeter un coup d'œil en cuisine, et même prendre un cours gratuit (venez à 17h30).

Renseignements

Police touristique (☎027-222 3099 ; Batticaloa Rd). Dans la vieille ville, au rond-point principal.

Poste (Batticaloa Rd ; ⏲8h-17h lun-ven). Dans le centre de la vieille ville.

Seylan Bank (Habarana Rd ; ⏲9h-16h lun-ven). Change des devises étrangères et possède un DAB en service 24h/24.

Depuis/vers Polonnaruwa

BUS

La gare routière principale se trouve à Kaduruwela, à 4 km à l'est de la vieille ville, dans Batticaloa Rd. Les bus qui circulent depuis/vers l'ouest traversent la vieille ville, mais, pour être sûr d'avoir un siège, partez plutôt de Kaduruwela.

Les bus des lignes principales passent toutes les 30 minutes environ jusqu'à 16h :

Anuradhapura 145 Rs, 3 heures

Colombo 265 Rs, 6 heures

Dambulla 77 Rs, 1 heure 30 ; prenez un bus en direction de Kandy, Kurunegala ou Colombo

Kandy 75 Rs, 3 heures

TRAIN

Polonnaruwa se situe sur la ligne Colombo-Batticaloa, à environ 30 km au sud-est de Gal Oya, où la ligne bifurque de celle de Colombo-Trincomalee. La gare ferroviaire se trouve à Kaduruwela.

Parmi les trains, citons :

Batticaloa 2e/ 3e classe 150/85 Rs, 2 heures 30, 5/jour

Colombo 1re/2e/3e classe 700/340/185 Rs, 6-7 heures, 2/jour, dont un train de nuit (1 250/630/480 Rs) qui part à 22h25

Comment circuler

Des bus fréquents (20 Rs) relient la vieille ville et Kaduruwela. Les conducteurs de *túk-túk* demandent 250 Rs. Le vélo est idéal pour découvrir les monuments de Polonnaruwa, entourés de bois ombragés. La plupart des pensions louent des vélos pour 200 à 350 Rs/jour, et certaines vous dénicheront un scooter pour 1 500 Rs.

Giritale

☎027 / 8 200 HABITANTS

Au nord-ouest de Polonnaruwa, sur la route d'Habarana, Giritale est une bourgade somnolente qui s'étend le long de l'impressionnant Giritale Wewa du VIIe siècle. Cette localité essentiellement rurale compte quelques hébergements (tous de 7 à 15 km de Polonnaruwa) et constitue une bonne base pour visiter Polonnaruwa et le parc national de Minneriya, sans oublier les ruines du Mandalagiri Vihara.

Où se loger et se restaurer

Quelques modestes restaurants se tiennent sur la route de Giritale-Polonnaruwa, mais presque tout le monde mange à son hôtel.

Lak Nilla CHAMBRES D'HÔTES $
(☎077 911 5265 ; www.laknilla.com ; s/d 2 500/3 000 Rs ; ❄📶). Une maison très simple et accueillante, avec 5 chambres propres, dans un village à l'écart de la nationale. Le dîner somptueux coûte 650 Rs. Vélos disponibles en location et possibilité de safaris. Cette adresse est à 2 km à l'est de l'embranchement de Giritale, puis à 700 m au bout d'une route secondaire ; les propriétaires viendront vous chercher gratuitement si vous prévenez par téléphone.

♥ **Rice Villa Retreat** PENSION $$
(☎077 630 2070 ; www.ricevillaretreat.com ; 21st Mile Post, Polonnaruwa Rd, Jayanthipura ; s/d 5 500/6 500 Rs ; ❄@📶). Adresse mémorable, cette pension merveilleusement située surplombe des rizières, bercée par les bruits des paons et des crapauds. Les 5 bungalows sont bien aménagés, avec des sdb modernes, des sièges en terrasse et des touches de design contemporain. La chaleureuse hospitalité des propriétaires ajoute à l'attrait du lieu.

Le prix baisse de 1 000 Rs si vous ne souhaitez pas la climatisation. Les excellents repas sont servis dans le restaurant en bois sur pilotis, et des cours de cuisine gratuits sont offerts aux résidents. Réservez et demandez que l'on vienne vous chercher à l'arrêt de bus de Giritale, à 4 km à l'ouest. Les propriétaires sont rompus à l'art de réserver les transports locaux vers Polonnaruwa et au-delà.

VAUT LE DÉTOUR

MANDALAGIRI VIHARA

Ce *vatadage* (chambre de relique circulaire), pratiquement identique à celui de Polonnaruwa, se dresse solitaire au sommet d'une basse colline. Des marches en granite grimpent jusqu'au **Mandalagiri Vihara** (Medirigiriya ; aube-crépuscule), qui comprend des anneaux concentriques de 16, 20 et 32 piliers autour du dagoba. Quatre grands bouddhas font face aux 4 points cardinaux. Une jolie route de campagne conduit à ce site peu fréquenté.

Un édifice plus ancien fut peut-être construit à cet endroit vers le IIe siècle, mais celui-ci fut édifié par Aggabodhi IV au VIIe siècle. Un hôpital se tenait autrefois à côté du *vatadage*, et un temple avec 3 bouddhas debout est toujours visible.

Situé à 3,5 km après Medirigiriya, ville située à 30 km au nord de Polonnaruwa, le Mandalagiri Vihara se prête bien à une excursion d'une demi-journée depuis Giritale. Vous ne trouverez ni hébergement ni restaurant à proximité. L'aller-retour en *túk-túk* depuis Polonnaruwa ou Giritale vous coûtera environ 1 500 Rs. En scooter, passez par Hingurakgoda, puis parcourez les 14 km menant à Medirigiriya, avant d'emprunter la route de gauche au rond-point de la Clock Tower (tour de l'Horloge).

Au moment de notre passage il n'y avait pas de vendeur de billets, mais cela pourrait changer.

White House Bungalow BOUTIQUE-HÔTEL $$
(077 630 2070 ; www.whitehousebungalow.com ; s/d avec petit-déj 4 500/5 500 Rs ;). Cette villa blanche fraîche et nette a ouvert en 2017. Les chambres modernes sont agrémentées de dessus-de-lit colorés et de têtes de lit anciennes. Un bon restaurant occupe le toit. Cet hôtel est sous la même gérance que le Rice Villa Retreat. Déduisez 1 000 Rs sans la climatisation.

Deer Park COMPLEXE HÔTELIER $$$
(027-777 7777 ; www.deerparksrilanka.com ; ch à partir de 180 $US ;). Grande propriété aux allures de complexe hôtelier, comprenant 85 chambres réparties dans des cottages. La piscine, le bar et le restaurant sont très agréables. Certaines chambres ont une douche en extérieur, et les plus onéreuses disposent d'une terrasse privée avec vue sur le Giritale Wewa. Des promenades dans la nature peuvent être organisées ; avec une paire de jumelles, vous aurez peut-être la chance de voir des éléphants de l'autre côté du réservoir. Le Deer Park se situe au sud de l'embranchement pour Giritale.

Giritale Hotel HÔTEL $$$
(027-224 6311 ; www.giritalehotel.com ; ch 90-110 $US ;). Les chambres de cet hôtel un brin vieillot sont spacieuses et agréables, mais l'attrait principal est le spectacle incomparable du coucher du soleil depuis la terrasse du bar – venez y prendre un verre si vous êtes motorisé. Le Giritale se trouve derrière l'hôtel Deer Park, à 1,5 km au sud de l'embranchement pour Giritale.

Depuis/vers Giritale

Les bus fréquents qui relient Polonnaruwa et Habarana (ainsi que d'autres villes à l'ouest) font halte à Giritale. Aucun hébergement n'est proche de cet arrêt : demandez que l'on vienne vous chercher.

Parcs nationaux de Minneriya et de Kaudulla

Proches de Polonnaruwa et d'Habarana, les parcs nationaux de Minneriya et de Kaudulla offrent d'excellentes chances de voir des éléphants et d'autres animaux, sans les foules du parc national de Yala. Certains jours, vous n'aurez pas besoin d'entrer dans les parcs pour voir des éléphants, qui se déplacent librement dans la campagne. Peut-être même en verrez-vous au crépuscule, si vous vous tenez au bord de la grand-route d'Habarana à Giritale. Restez à une distance respectable.

Avant votre visite, adressez-vous aux locaux (personnel de votre pension, tour-opérateurs ou guides) qui savent lequel de ces deux parcs abrite le plus grand nombre d'éléphants à un moment donné. Kaudulla est le moins fréquenté des deux.

Les deux parcs sont bien desservis par les circuits : aux heures de pointe, vous trouverez les guides patientant dans leur jeep aux entrées. Vous pouvez aussi organiser l'excursion avec votre hôtel ou pension. Pour 2 personnes, comptez environ 90 $US pour un safari de 4 heures, frais de guide et droits d'entrée compris.

Il est d'usage que les groupes versent un pourboire d'environ 10% au chauffeur (et au guide s'ils en ont un).

Les parcs nationaux ne comportant pas d'hébergement, tous les visiteurs viennent donc d'Habarana, de Giritale ou de Polonnaruwa. Il n'y a pas non plus de restaurants aux abords des parcs. Partez tôt le matin et prévoyez un pique-nique pour le petit-déjeuner.

Parc national de Minneriya PARC NATIONAL
(☎027-327 9243 ; adulte/enfant 15/8 $US, frais de service 8 $US, taxe 250 Rs/véhicule, plus taxe globale 15% ; ⌚6h-18h30). Ce parc national est l'un des meilleurs endroits du pays pour voir des éléphants sauvages, souvent très nombreux. Dominé par l'ancien Minneriya Wewa, le parc s'étend sur 88,9 km² de forêts, de broussailles et de marécages. Il abrite aussi des macaques couronnés, des sambars, des buffles, des crocodiles et des léopards (on aperçoit très rarement ces derniers).

La saison sèche, d'avril à octobre, est la meilleure période pour une visite ; le réservoir est alors presque asséché, procurant herbe et jeunes pousses aux herbivores. Les éléphants, parfois jusqu'à plus de 200, viennent se nourrir et se baigner lors du "rassemblement", tandis que des nuées d'oiseaux, dont des petits cormorans, des tantales indiens, des hérons et des pélicans, pêchent dans les eaux peu profondes. Vous pouvez aussi voir de nombreux éléphants à d'autres périodes de l'année. Lors de notre visite en février, nous en avons vu plus de 100.

L'entrée du parc se situe sur la route Habarana-Polonnaruwa. À proximité, un centre des visiteurs vend les billets et présente une petite exposition sur l'histoire naturelle du parc. Le trajet de 40 minutes sur une mauvaise piste jusqu'au cœur du parc traverse une épaisse forêt, où il est rare d'apercevoir des animaux. Puis, le paysage s'ouvre de manière spectaculaire et la vue sur le réservoir est superbe. Le meilleur moment pour observer les oiseaux est au petit matin, et en fin d'après-midi pour les éléphants.

Parc national de Kaudulla PARC NATIONAL
(☎027-327 9735 ; adulte/enfant 10/5 $US, frais de service 8 $US, taxe 250 Rs/véhicule, plus taxe globale 15% ; ⌚6h-18h). Tout comme Minneriya, Kaudulla offre de bonnes chances d'observer les éléphants. En octobre, la population d'éléphants du parc, qui comprend des hardes de jeunes mâles, peut atteindre 250 têtes. Léopards, chats viverrins, sambars, chats rubigineux – une espèce menacée – et ours paresseux peuplent également le parc. La meilleure période pour venir est de janvier à mars et, avec un peu plus d'aléas, de mai à juin.

Ce parc s'étend en bordure de l'ancien Kaudulla Wewa, à 6 km après la sortie pour Gal Oya sur la route Habarana-Trincomalee. Il fait partie d'un couloir de passage des éléphants de 66,6 km² entre les parcs nationaux de Somawathiya et de Minneriya.

À NE PAS MANQUER

ÉLÉPHANTS GOURMANDS

L'un des plus beaux spectacles naturels d'Asie se déroule au parc national de Minneriya en août et septembre. Lors du "rassemblement", plus de 200 éléphants se regroupent plusieurs semaines à un endroit. On a longtemps cru que la soif les attirait pendant la saison sèche, avant d'apprendre récemment que les facteurs naturels derrière ce phénomène étaient plus complexes.

Les éléphants entourent le Minneriya Wewa, l'énorme réservoir construit au IIIe siècle et qui reste humide quand les trous d'eau plus petits s'assèchent. Des biologistes ont découvert que le recul de l'eau attire les pachydermes. En se réduisant, le réservoir laisse de vastes étendues de terre boueuse, qui se couvrent rapidement d'une herbe riche et tendre – un festin pour les éléphants qui accourent en masse.

Malheureusement, les mesures prises par les autorités chargées de la gestion de l'eau (et de l'irrigation pour les agriculteurs locaux) ont menacé le rassemblement ces dernières années. Quand le réservoir est plein, les nouvelles herbes ne poussent pas. Par conséquent, il peut y avoir de nombreux éléphants en quête de nourriture sur le rivage. Parmi les autres menaces figurent les installations illégales dans le parc et le braconnage.

Depuis/vers les parcs nationaux de Minneriya et de Kaudulla

Tout le monde visite les parcs dans le cadre de safaris en jeep. Des véhicules attendent à l'entrée du parc, mais la plupart des visiteurs utilisent celle de leur hébergement. Comptez 3 000-4 500 Rs pour la jeep seule.

Ritigala

Au fin fond de la réserve naturelle de Ritigala s'étendent les **ruines** (adulte/enfant 2/1 $US ; 8h-16h) de cet immense monastère forestier, envahies par la jungle.

Ritigala fut probablement un lieu de refuge (dès le IVe siècle av. J.-C.) et joua par ailleurs un rôle important dans la mythologie. C'est l'endroit d'où Hanuman, le dieu-singe, aurait sauté vers l'Inde pour dire à Rama qu'il avait découvert l'endroit où Sita était détenue par le roi de Lanka.

Les moines trouvèrent les grottes de Ritigala idéales pour mener une existence ascétique et plus de 70 cavernes ont été découvertes. Les souverains firent preuve d'une grande générosité, notamment le roi Sena Ier, qui finança au IXe siècle un monastère pour les moines *pamsukulika* (littéralement "en haillons").

Ritigala fut abandonné à la suite des invasions des Chola aux Xe et XIe siècles. Il sombra pratiquement dans l'oubli, avant d'être redécouvert et mis au jour au XIXe siècle par des géomètres britanniques.

PIC DE RITIGALA

En luxuriante toile de fond derrière les ruines, la silhouette unique du pic de Ritigala (Ritigala Peak) culmine à 766 m au-dessus des plaines centrales arides. Son ascension est tentante, malgré ses 3 heures d'efforts. Pour y accéder, il faut demander un permis à Colombo, qui est difficile à obtenir.

À voir

Les ruines de l'ensemble monastique de Ritigala se divisent en deux grands ensembles, avec une dizaine de bâtiments plus modestes et de logements nichés parmi les rochers. Prévoyez environ 2 heures pour cette visite.

Depuis la billetterie, des sentiers longent le bungalow du département d'Archéologie avant d'atteindre l'énorme *banda pokuna* (bassin artificiel), qui se remplit encore d'eau pendant la saison des pluies. Ensuite, empruntez le pont de pierre qui traverse l'anse et suivez l'escalier d'apparat en passant par le premier de 3 rond-points.

Les premières ruines importantes sont celles d'un grand bâtiment de réception. Un sentier part vers la droite vers le *janthagara* (bains du monastère), avec un bassin central en dénivelé entouré de colonnes supportant un toit. Les meules qui servaient aux bains sont toujours visibles.

En montant l'escalier dallé, vous atteindrez le rond-point principal, d'où 2 chemins partent vers la gauche. Le premier retourne vers un pont monolithique et une bibliothèque surélevée, en passant par des ruines à moitié ensevelies. Ce secteur comprend plusieurs autres bâtiments à découvrir.

Plus haut, le grand escalier atteint finalement le bâtiment n°16, un *padhanaghara* (bâtiment à double plateforme) érigé dans un creux ressemblant à une douve, destiné à la méditation, à l'enseignement et aux cérémonies. À l'angle droit se trouve une latrine avec une pierre sculptée.

Il n'y a aucun hébergement à Ritigala, et la plupart des visiteurs s'y arrêtent en chemin entre Anuradhapura et Sigiriya.

Prévoyez des en-cas et de l'eau, car il n'y a pas non plus de restaurants.

Depuis/vers Ritigala

La bifurcation vers Ritigala est à 15 km au nord-ouest d'Habarana sur la route d'Anuradhapura. De là, il faut parcourir 5,5 km sur une bonne route goudronnée, puis 2 km sur un chemin de terre, parfois impraticable après de fortes pluies.

Vous trouverez peut-être un *túk-túk* (aller-retour 1 000 Rs) à la bifurcation sur la route principale ; sinon, vous devrez avoir votre propre véhicule.

Anuradhapura

025 / 64 000 HABITANTS

Les ruines d'Anuradhapura sont l'un des sites les plus évocateurs d'Asie du Sud. Ce vaste ensemble regroupe une riche collection de merveilles archéologiques et architecturales : énormes dagobas, bassins anciens et temples en ruine, construits au cours des 1 000 ans pendant lesquels Anuradhapura fut au centre du pouvoir politique et religieux. Aujourd'hui, plusieurs édifices restent des sanctuaires ou temples en activité et de fréquentes cérémonies donnent au site une ambiance de spiritualité qui contraste fortement avec l'atmosphère muséale de Polonnaruwa.

Aujourd'hui, Anuradhapura est une cité agréable mais étendue, une petite ville à l'atmosphère de gros bourg. Elle offre de nombreux hébergements bon marché de qualité, des vélos à louer et un rythme tranquille : tout invite à y passer une journée supplémentaire.

Histoire

Anuradhapura devint une capitale sous Pandukabhaya en 380 av. J.-C., mais ce fut sous le règne de Devanampiya Tissa (r. 307-267 av. J.-C.), durant lequel le bouddhisme atteignit le Sri Lanka, qu'elle acquit une véritable importance. Elle devint rapidement un grand centre bouddhique, qui gagna encore en importance quand la cité accueillit la relique de la dent de Bouddha au IVe siècle.

En 204 av. J.-C., la ville tomba pour la première fois sous la coupe de la dynastie chola d'Inde du Sud – un sort qui allait se répéter à de nombreuses reprises pendant plus d'un millénaire. Il fallut près de 50 ans avant que le héros cinghalais Dutugemunu, qui avait libéré le nord de l'île contre les envahisseurs tamouls, ne conduise son armée, depuis un refuge à l'extrême sud, pour reprendre Anuradhapura. *Dutu* signifie "désobéissant" ; son père, le roi Kavantissa, craignant pour la vie de son fils, lui avait interdit de tenter cette expédition. Dutugemunu lui désobéit et envoya plus tard à son père une parure de femme pour lui signifier ce qu'il pensait de son courage.

Dutugemunu (r. 161-137 av. J.-C.) lança un vaste programme de construction comprenant certains des monuments les plus prestigieux d'Anuradhapura. D'autres rois importants lui succédèrent, dont Valagambahu (r. 103 av. J.-C. et 89-76 av. J.-C.), qui perdit son trône au cours d'une autre invasion indienne, avant de le reconquérir, et Mahasena (r. 276-303), le dernier "grand" roi d'Anuradhapura, qui fit édifier le colossal dagoba Jetavanarama, 16 réservoirs et un grand canal.

Anuradhapura survécut jusqu'au XIe siècle avant d'être remplacée comme capitale par Polonnaruwa. Le site d'Anuradhapura fut pillé par les Chola en 1017 et ne recouvrit jamais sa splendeur passée, bien qu'une poignée de moines continuât à y vivre pendant encore 200 ans.

À voir

Deux jours vous seront nécessaires pour visiter comme il se doit le **site historique d'Anuradhapura** (www.ccf.gov.lk/anuradhapura.htm ; adulte/enfant 25/12,50 $US ; 24h/24) inscrit au patrimoine mondial de l'Unesco. Le billet d'accès à Anuradhapura est en vente au **Jetavanarama Museum** (7h30-18h30), au **Musée archéologique** (7h30-18h30), à la **billetterie** (7h30-18h30) juste à l'est de la citadelle et parfois à un kiosque proche du site d'Abhayagiri.

Les ruines couvrent une vaste superficie. Les différentes zones peuvent se parcourir à pied, mais le vélo est le moyen idéal de circuler sur les chemins interdits aux voitures et dans les sentiers de terre battue qui relient les sites principaux.

On peut diviser Anuradhapura en 4 grands secteurs. Le Mahavihara était le centre spirituel d'Anuradhapura, et c'est là que s'élevait le Sri Maha Bodhi – l'arbre sacré de la Bodhi. À proximité, vous découvrirez la citadelle – un ensemble compact de bâtiments millénaires – et Jetavanarama, avec son immense dagoba et son grand musée. Plus au nord, se trouve le monastère d'Abhayagiri, peut-être la partie la plus impressionnante, avec plusieurs temples et dagobas vieux de plus de 2 000 ans dans un vaste secteur boisé.

Le billet d'accès à Anuradhapura est cher et valable une seule journée. Pour éviter d'en acheter un autre, il vous faudra vous montrer astucieux. Les billets sont soigneusement contrôlés dans les sites et musées d'Abhayagiri et de Jetavanarama. Vous pouvez grouper les visites de ces sites majeurs sur une journée, puis consacrer le lendemain à la visite des lieux comportant un droit d'entrée individuel, comme le Sri Maha Bodhi ou l'Isurumuniya Vihara.

Mahavihara

Ici, bat le cœur de l'antique Anuradhapura. Il est régulièrement le théâtre de cérémonies religieuses, lesquelles attirent des foules de fidèles portant leur plus bel habit. Les reliques du site datent d'une période allant du IIIe siècle av. J.-C. au XIe siècle.

♥ Sri Maha Bodhi SITE BOUDDHIQUE

(200 Rs ; ⌚6h-12h et 14h-21h). L'arbre sacré de la Bodhi constitue le centre spirituel et géographique d'Anuradhapura. Il a poussé à partir d'un rameau provenant de Bodhgaya (Inde) et serait le plus vieil arbre au monde, soigné par des gardes depuis plus de 2 000 ans. Aujourd'hui, des milliers de dévots viennent déposer des offrandes, en particulier le week-end et les jours de *poya* (pleine lune). L'ambiance est magique au coucher du soleil.

Les fidèles pensent que le rameau fut rapporté d'Inde par la princesse Sangamitta, fille de l'empereur indien Ashoka et sœur de Mahinda (qui introduisit le bouddhisme au Sri Lanka). Ce lieu compte désormais non pas un mais plusieurs arbres de la Bodhi : le plus vieux et le plus sacré se tient sur la plateforme supérieure. Les grilles et les autres structures autour des arbres sont couvertes de drapeaux de prière.

En 1985, pendant la guerre civile, les Tigres tamouls ouvrirent le feu dans l'enceinte du Sri Maha Bodhi, tuant plusieurs fidèles. Cette attaque faisait partie d'une offensive de plus grande envergure qui fit plus de 150 victimes civiles.

Avril et décembre sont particulièrement animés car des pèlerins affluent pour les *snana puja* (prières ou offrandes).

♥ Dagoba de Ruvanvelisaya TEMPLE BOUDDHIQUE

Ce magnifique dagoba blanc est protégé par un mur orné d'une frise représentant 344 éléphants, serrés les uns contre les autres. Mis à part quelques-uns à côté de l'entrée ouest, la plupart sont des copies des originaux, qui dataient de 140 av. J.-C. Après avoir été fortement endommagé par les forces indiennes, le dagoba ne mesure plus que 55 m, bien moins que sa hauteur d'origine, et son dôme est aplati.

Une partie des cendres du Bouddha aurait été enterrée ici lors de la consécration du dagoba, au cours d'une cérémonie solennelle en présence de moines venus de Rajagriha, de Vaishali, de Patna, du Cachemire et d'Afghanistan. À l'époque, c'était le plus grand stupa au monde, avec des fondations de 7 m de profondeur en pierre calcaire écrasée au marteau puis piétinée par des éléphants.

C'est le roi Dutugemunu qui commanda le Ruvanvelisaya, mais il mourut avant la fin des travaux. Alors qu'il gisait sur son lit de mort, un revêtement en bambou et tissu fut placé autour du dagoba pour que le roi puisse contempler son chef-d'œuvre “achevé” avant de trépasser. Au sud du grand dagoba, un petit pavillon abrite une statue en pierre calcaire qui représenterait Dutugemunu.

Le terrain autour du dagoba est parsemé de vestiges de bassins, de colonnes et de piliers. Légèrement au sud-est du dagoba, sur le chemin menant au temple de Sri Maha Bodhi, vous verrez l'un des nombreux réfectoires des moines d'Anuradhapura.

Lowamahapaya RUINES

(Palais de Bronze). Les ruines du palais de Bronze (Brazen Palace), qui doit son nom à son ancien toit de tuiles en bronze, avoisinent l'arbre de la Bodhi. Seuls les vestiges de 1 600 colonnes subsistent de cet immense pavillon, qui pouvait, dit-on, accueillir, sur 9 étages, 1 000 moines et leur suite.

Édifié à l'origine par le roi Dutugemunu il y a plus de deux millénaires, il fut reconstruit à maintes reprises au fil des siècles, chaque fois un peu moins grandiose.

Dagoba de Thuparama TEMPLE BOUDDHIQUE

Dans un bois superbe au nord du Ruvanvelisaya, le dagoba de Thuparama est le plus vieux du Sri Lanka – probablement le plus vieux subsistant dans le monde. Édifié par le roi Devanampiya Tissa au IIIe siècle av. J.-C., il contiendrait la clavicule droite du Bouddha. Lors de sa restauration en 1862, sa forme en “tas de riz” ressembla à une cloche plus conventionnelle, d'une hauteur de 19 m.

Monastère d'Abhayagiri

La découverte du monastère d'Abhayagiri, vieux de 2 000 ans et en grande partie envahi par la forêt tropicale, est un pur moment de bonheur. Éloignez-vous des sentiers principaux, et vous vous retrouverez en seule compagnie d'aigrettes se pavanant et de quelques varans de la taille d'un chien.

À l'entrée du site, une carte explique comment la forêt autour du dagoba principal accueillait 4 grands *mula* (collèges ou facultés), avec chacun ses résidences, ses réfectoires, ses centres de méditation et son sanctuaire d'arbre de la Bodhi. On estime à 5 000 le nombre de moines y ayant vécu à l'apogée du monastère.

♥ Dagoba d'Abhayagiri TEMPLE BOUDDHIQUE

Bâti au Ier siècle av. J.-C., ce dagoba colossal était le haut lieu des cérémonies du

Anuradhapura

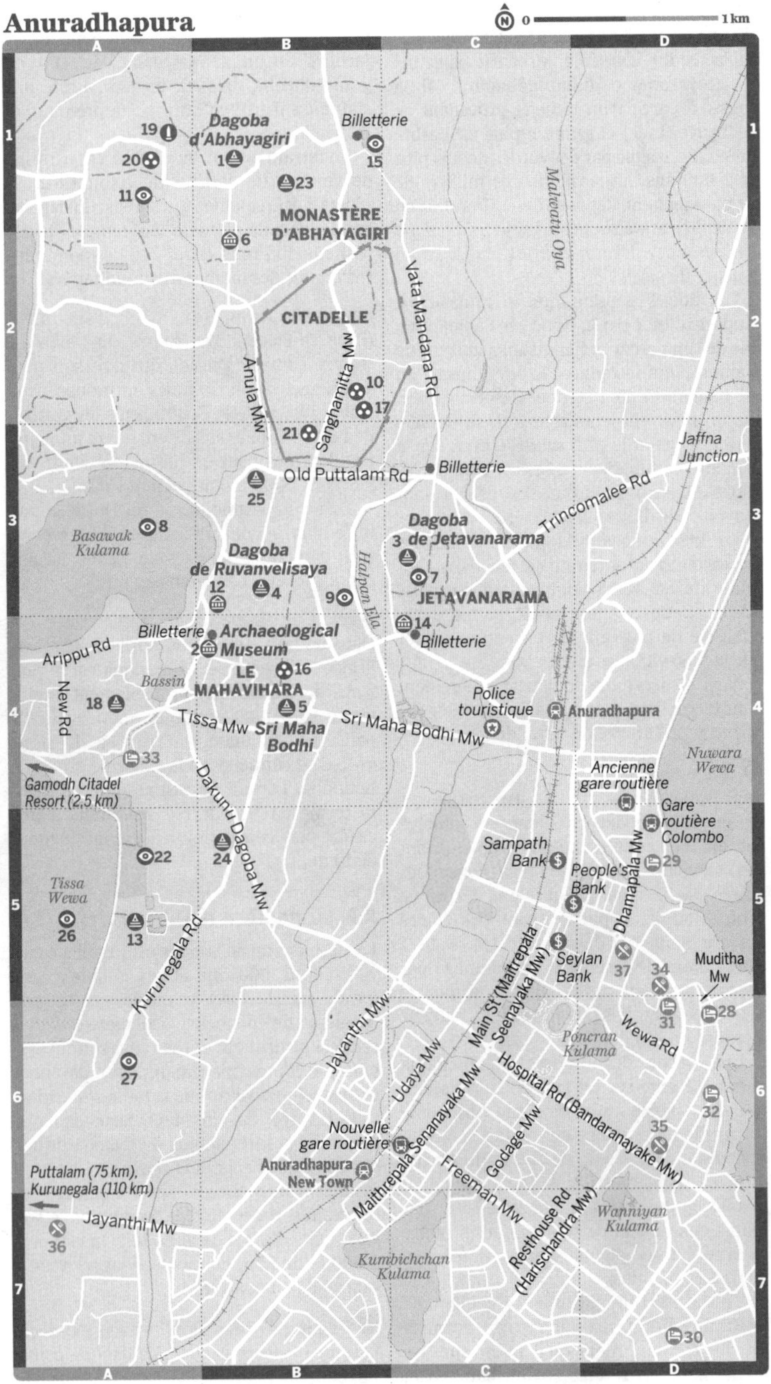

0 — 1 km

A B C D

Dagoba d'Abhayagiri
19
20
1
11
Billetterie
15
23
MONASTÈRE D'ABHAYAGIRI
6
Malwatu Oya
Vata Mandana Rd
CITADELLE
Anula Mw
Sanghamitta Mw
10
17
21
Jaffna Junction
Billetterie
Old Puttalam Rd
Trincomalee Rd
25
Basawak Kulama
8
Dagoba de Jetavanarama
3
Dagoba de Ruvanvelisaya
Halpan Ela
7
12
4
9
JETAVANARAMA
14
Billetterie
Archaeological Museum
2
Billetterie
Arippu Rd
LE MAHAVIHARA
16
Bassin
New Rd
18
5
Police touristique
Anuradhapura
Tissa Mw
Sri Maha Bodhi
Sri Maha Bodhi Mw
33
Nuwara Wewa
Gamodh Citadel Resort (2,5 km)
Dakunu Dagoba Mw
Ancienne gare routière
Gare routière Colombo
Sampath Bank
22
24
People's Bank
Dhamapala Mw
29
Tissa Wewa
26
13
Kurunegala Rd
Seylan Bank
Maitrepala St (Maitrepala Seenayaka Mw)
37
34
Muditha Mw
28
31
Jayanthi Mw
Poncran Kulama
Wewa Rd
27
Udaya Mw
Main St
Hospital Rd (Bandaranayake Mw)
Senanayaka Mw
32
Nouvelle gare routière
Godage Mw
35
Anuradhapura New Town
Freeman Mw
Puttalam (75 km), Kurunegala (110 km)
Maithrepala Senanayaka Mw
Resthouse Rd (Harischandra Mw)
Jayanthi Mw
Wanniyan Kulama
36
Kumbichchan Kulama
30

Anuradhapura

Les incontournables

1 Dagoba de Abhayagiri B1
2 Archaeological Museum B4
3 Dagoba de Jetavanarama C3
4 Dagoba de Ruvanvelisaya B3
5 Sri Maha Bodhi B4

À voir

6 Abhayagiri Museum B2
7 Site historique d'Anuradhapura C3
8 Basawak Kulama A3
9 Clôture bouddhique B3
10 Dalada Maligawa B2
11 Eth Pokuna A1
12 Folk Museum B3
13 Isurumuniya Vihara A5
14 Jetavanarama Museum C4
15 Kuttam Pokuna B1
16 Lowamahapaya B4
17 Réfectoire de Mahapali B2
18 Dagoba de Mirisavatiya A4
19 Pierre de lune A1
20 Ratnaprasada A1
21 Palais royal B3
22 Jardins d'agrément royaux A5
23 Bouddha Samadhi B1
24 Sandahiru Seya B5
25 Dagoba de Thuparama B3
26 Tissa Wewa A5
27 Vessagiriya A6

Où se loger

28 Hotel Randiya D6
29 Lakeside at Nuwarawewa D5
30 London Palace D7
31 Melbourne Tourist Rest D6
32 Milano Tourist Rest D6
33 Sanctuary at Tissawewa A4

Où se restaurer

34 Hotel Shalini D5
35 Lulu's Feeding Point D6
36 Mango Mango A7
Sanctuary at Tissawewa .... (voir 33)
37 Walkers D5

monastère d'Abhayagiri. Haut de plus de 100 m à l'origine, c'était l'un des plus grandioses édifices de l'époque, comme les pyramides de Gizeh (et le proche Jetavanarama). Aujourd'hui, après plusieurs reconstructions, le dagoba d'Abhayagiri s'élève à 75 m au-dessus de la forêt. Le premier aperçu de ce monument en brique à travers les arbres laisse pantois.

Son nom signifie "colline de Protection" ou "colline Sans Peur". Dans le *Saddharma Rathnawaliya*, il est écrit que la statue d'un bœuf doré contenant des reliques du Bouddha fut enterrée au cœur du stupa.

Le dagoba d'Abhayagiri possède quelques remarquables bas-reliefs, dont un près de l'escalier ouest représentant un éléphant tirant un arbre. Sur le côté nord, une grande stèle porte une empreinte de pied du Bouddha ; sur les marches est et ouest, d'inhabituelles pierres de lune sont faites de dalles en pierre concentriques (l'appellation "pierre de lune" fait référence à la forme de la pierre, et non au type de roche).

En contournant le côté nord du stupa, admirez la forme octogonale du *yupa* (flèche) qui coiffait le dagoba à l'origine, avant l'ajout du chapeau carré actuel.

Pierre de lune — MONUMENT

S'élevant au nord-ouest du dagoba d'Abhayagiri, ces ruines d'un complexe résidentiel monastique du IXe siècle se distinguent par la plus belle pierre de lune taillée du Sri Lanka ; amusez-vous à compter le nombre d'espèces animales représentées parmi les sculptures élaborées. Ce paisible secteur boisé, où évoluent de nombreux papillons, invite à se ménager une pause durant la visite du site et à se désaltérer (à deux pas, des stands proposent boissons et en-cas). Découvrez les belles marches soutenues par des *gana* (nains) joviaux.

Ratnaprasada — RUINES

La plua grande partie du Ratnaprasada (VIIIe siècle), ou "palais des Pierres précieuses", est en ruine. Autrefois, il avait 7 étages et un toit à plusieurs niveaux. À l'entrée, vous découvrirez un *mura gala* (gardien de pierre) superbement sculpté ; il représente le roi Cobra tenant une corne d'abondance et une branche fleurie, avec un serveur nain à ses pieds et la tête encadrée par un capuchon de cobra.

Abhayagiri Museum — MUSÉE

(10h-17h). Juste au sud du dagoba d'Abhayagiri, ce musée, sans conteste le plus intéressant d'Anuradhapura, possède une collection de bijoux, de poteries et de sculptures religieuses provenant du monastère. Il fournit de nombreuses informations sur les monuments d'Anuradhapura et comprend une petite librairie.

Bouddha Samadhi — STATUE BOUDDHIQUE

Cette statue du IVe siècle, assise en posture de *samadhi* (méditation), est considérée comme l'un des plus beaux bouddhas du pays. Elle fut sans doute érigée en même temps que trois autres statues, chacune indiquant un point cardinal.

Kuttam Pokuna — BASSINS

(Bassins jumeaux). Ces bassins aux allures de piscine servaient probablement aux moines du foyer de Kaparamula situé à proximité. Le plus grand bassin était alimenté en eau par une gueule de *makara* (créature hybride mythique possédant le corps d'un poisson, la gueule d'un crocodile et la trompe d'un éléphant), puis se déversait dans le bassin plus petit par un tuyau souterrain. Remarquez le cobra à 5 têtes près du *makara*, et le système de filtrage de l'eau à l'extrémité nord-ouest des bassins.

Eth Pokuna — BASSIN

(Bassin de l'éléphant). Au milieu de la forêt, cet immense bassin aurait servi autrefois de réservoir d'eau pour le monastère d'Abhayagiri, plutôt que de piscine pour les pachydermes. Il est si grand – 159 m de long, 53 m de large et 10 m de profondeur – qu'on pourrait aisément y faire tenir 6 piscines olympiques.

Citadelle

Bien qu'elle soit plus récente que la plupart des constructions bouddhiques, la citadelle montre les marques du temps. Ses murs jadis imposants sont presque entièrement recouverts de végétation, en une belle démonstration bouddhique de l'impermanence des choses.

Palais royal — RUINES

GRATUIT Construit en 1070 (quelque 12 siècles après la chute d'Anuradhapura), ce palais était une tentative du roi Vijayabahu Ier d'associer son règne à la gloire de l'ancienne capitale cinghalaise. Il en reste aujourd'hui peu de vestiges : seulement deux beaux gardiens en pierre d'une modestie surprenante.

Réfectoire de Mahapali — RUINES

Le réfectoire de Mahapali, ou salle des aumônes, se distingue surtout par son immense écuelle (près de 3 m de long et 2 m de large) que les serviteurs remplissaient de riz pour les moines.

Dalada Maligawa — RUINES

Près du palais royal, vous découvrirez également le Dalada Maligawa. Le sanctuaire central des reliques de ce temple en ruine aurait été le premier temple de la Dent au IVe siècle. D'après d'autres sources, la dent aurait été conservée dans le dagoba d'Abhayagiri.

Jetavanarama

Dagoba de Jetavanarama — TEMPLE BOUDDHIQUE

L'énorme dôme du dagoba de Jetavanarama domine toute la partie est d'Anuradhapura. Édifié au IIIe siècle par Mahasena, il atteignait peut-être 120 m de hauteur à l'origine, mais plafonne désormais à 70 m – une taille similaire à celle de l'Abhayagiri. Il était, quasi certainement, le troisième plus haut édifice au monde lors de sa construction, après deux pyramides égyptiennes.

L'énorme édifice en forme de bulbe n'est pas enduit de plâtre et serait composé de plus de 90 millions de briques. Un guide touristique britannique du début du XXe siècle calcula que le dagoba comptait assez de briques pour bâtir un mur de 3 m de haut entre Londres et Édimbourg.

LES TOILETTES LES PLUS DÉCORÉES DU MONDE

Au VIIIe siècle, une nouvelle congrégation de moines *tapovana* (ascètes) s'installa à la limite occidentale d'Anuradhapura. Vivant parmi les castes les plus basses, vêtus de haillons récupérés dans les cimetières alentour, ils avaient renoncé au luxe du monastère principal et ne vivaient, dit-on, que de riz.

Pour exprimer leur mépris des biens terrestres, ils avaient taillé dans la roche des toilettes "à la turque", au fond desquelles ils avaient représenté d'opulents monastères. Leurs urinoirs étaient ornés du dieu des Richesses, déversant des pièces de monnaie dans le trou.

Par l'ironie du sort, ces latrines figurent parmi les objets les plus joliment décorés subsistant à Anuradhapura ; de beaux exemplaires sont visibles à l'Archaeological Museum, à l'Abhayagiri Museum et sur le site de **Padhanagara**, ainsi qu'au Ridi Vihara (p. 253).

Dans les environs se dressent les ruines d'un monastère qui accueillait 3 000 moines. Un bâtiment possède encore des montants de porte de plus de 8 m de hauteur, avec 3 m supplémentaires enfouis dans le sol. Cette zone faisait anciennement partie d'un parc d'agrément appelé Nandana Uyana, où Mahinda aurait prêché ses premiers sermons sur le bouddhisme au IIIe siècle av. J.-C.

Jetavanarama Museum MUSÉE
(⌚8h-17h30). Un bel édifice colonial britannique de 1937 expose certains des trésors trouvés à Jetavanarama. Les objets visibles vont du sublime (fleurons d'ivoire délicatement sculptés) au ridicule (anciens tuyaux de sanitaires). Les plus belles pièces comprennent un urinoir aux sculptures élaborées dans la salle n°1 et une minuscule décoration dorée de 8 mm de long représentant 8 fleurs de toute beauté dans la salle n°2.

Clôture bouddhique SITE ARCHÉOLOGIQUE
Un peu au sud du dagoba de Jetavanarama, de l'autre côté de la route, une clôture en pierre imite un mur en rondins. Elle entoure un site de 42 x 34 m, où se dressait un bâtiment depuis longtemps disparu.

Musées

Anuradhapura compte un musée principal, l'Archaeological Museum, qui couvre la plupart des sites locaux. Deux autres musées, l'Abhayagiri Museum (p. 243) et le Jetavanarama Museum, sont étroitement liés à leurs sites respectifs.

♥ **Archaeological Museum** MUSÉE
(⌚8h-17h, fermé jours fériés). GRATUIT L'ancien bâtiment de l'administration coloniale britannique a été récemment rénové et possède une intéressante collection d'œuvres d'art, de sculptures et d'objets du quotidien, provenant d'Anuradhapura et d'autres sites historiques du Sri Lanka. Parmi les pièces exposées figurent une chambre de reliques restaurée, trouvée lors des fouilles du dagoba de Kantaka Chetiya à Mihintale, et une grande maquette du *vatadage* du dagoba de Thuparama, coiffé d'un toit en bois.

Folk Museum MUSÉE
(Adulte/enfant 300/150 Rs ; ⌚9h-16h30 mar-sam, fermé jours fériés). À courte distance au nord du Musée archéologique, ce musée poussiéreux présente des expositions modérément intéressantes sur la vie rurale dans la province du centre-nord du Sri Lanka.

TENUE CORRECTE EXIGÉE

Les sites majeurs d'Anuradhapura sont encore pour beaucoup considérés comme sacrés, soyez donc prêt à ôter vos chaussures et votre chapeau, et à porter un sarong si vous avez les jambes nues. Une tenue sobre est de mise. Une paire de chaussettes vous sera utile pour marcher sur le sol chaud et rocailleux.

Les pèlerins sri lankais portent du blanc, une couleur sacrée. Vous pouvez faire de même en signe de respect (en outre le blanc réfléchit la lumière du soleil et permet d'avoir moins chaud).

Autres sites

Plusieurs autres sites notables et mystérieux sont à découvrir au sud et à l'ouest des principaux secteurs historiques et sacrés.

Dagoba de Mirisavatiya TEMPLE BOUDDHIQUE
GRATUIT Cet immense dagoba fut le premier construit par le roi Dutugemunu après sa reconquête de la cité au IIe siècle av. J.-C. Selon la légende, Dutugemunu vint se baigner dans le réservoir et planta son sceptre, qui contenait une relique du Bouddha, sur la rive. Lorsqu'il sortit de l'eau, il ne parvint pas à le retirer. Prenant cela pour un signe de bon augure, il fit édifier le dagoba.

Jardins d'agrément royaux JARDINS
(Ranmasu Uyana). GRATUIT Également connus sous le nom de parc du Poisson rouge, ces vastes jardins d'agrément de 2 000 ans couvrent 14 ha et contiennent deux bassins ingénieusement tracés pour entourer les énormes rochers du parc. Admirez les beaux bas-reliefs représentant des éléphants.

Isurumuniya Vihara MONUMENT BOUDDHIQUE
(200 Rs ; ⌚7h-20h). Ce charmant temple en pierre datant du règne de Devanampiya Tissa (r. 307-267 av. J.-C.) encadre un beau bassin en forme de lotus, dont un angle comporte des bas-reliefs représentant des éléphants s'arrosant joyeusement. Le temple central possède quelques peintures murales particulièrement remarquables. Grimpez par l'arrière jusqu'au sommet du rocher pour voir le stupa surmonté d'une cloche et deux traces de pas du Bouddha gravés dans la roche.

RÉSERVOIRS D'EAU

Anuradhapura compte 3 grands réservoirs d'eau artificiels (*Tanks*), dont la construction fut ordonnée par les rois de la cité à des fins d'irrigation et de revenus d'impôts pour la communauté bouddhiste.

Le **Nuwara Wewa**, à l'est de la cité, est le plus grand avec une superficie de 12 km². Construit vers 20 av. J.-C., il est à l'écart de la cité ancienne. Depuis l'angle nord-ouest, vous pourrez admirer un spectaculaire coucher de soleil sur la cité ancienne.

Encerclé par un chemin en terre, le réservoir de **Tissa Wewa** occupe 160 ha dans le sud de la cité ancienne. On y accède facilement à l'arrière de l'Isurumuniya Vihara ou du Jardin royal des Plaisirs.

Le **Basawak Kulama** (120 ha), le plus vieux, date probablement du IVe siècle av. J.-C. et se situe au nord.

Tous trois se prêtent à de paisibles promenades sur leurs berges, à pied ou à vélo.

Vessagiriya SITE HISTORIQUE

 Au sud de l'Isurumuniya Vihara subsistent quelques vestiges du monastère troglodytique de Vessagiriya : une succession évocatrice de surplombs rocheux défiant la gravité, parcourus d'inscriptions et de veines d'eau. On imagine sans peine les moines y méditer dans leurs grottes.

Circuits organisés

La plupart des hébergements peuvent vous fournir les services d'un guide agréé, précieux pour comprendre les subtilités d'Anuradhapura et de sa riche histoire. Comptez un minimum de 1 500 Rs pour 2 heures de visite, sachant que vous devrez vous charger du transport.

Charitha Jithendra Jith (☎ 077 303 7835 ; charithajithendra@gmail.com) est l'un des meilleurs guides locaux.

Fêtes et festivals

Unduvap Poya RELIGIEUX

(⏲déc). Chaque année en décembre, des milliers de pèlerins se pressent à Anuradhapura pour Unduvap Poya, une fête commémorant l'arrivée de l'arbre sacré de la Bodhi depuis l'Inde.

Où se loger

Anuradhapura compte certains des meilleurs hébergements bon marché du Sri Lanka, avec des dizaines d'excellentes pensions familiales disséminées dans les agréables quartiers arborés au sud-est de Main St.

Les prix indiqués correspondent à une réservation directe. Sur les sites de réservation, les tarifs des adresses bon marché sont parfois 50% plus chers ; le contraire s'applique aussi aux établissements haut de gamme. L'abondance d'hébergements à petit prix laisse une bonne marge de négociation possible.

Sachez que des rabatteurs en quête de commissions montent parfois dans les trains à quelques gares avant la ville pour harceler les visiteurs. Les chauffeurs de *túk-túk* agissent de même. De nombreux établissements viennent gratuitement chercher leurs clients dans les gares.

Balcony Rest PENSION $

(☎ 071 614 1590 ; balconyrestanuradhapura@gmail.com ; 1160/B Nagasena Mawatha ; s/d 2 000/2 500 Rs ; ❄📶). Cette élégante demeure familiale ne comprend que 2 chambres ; si vous venez à 2 couples, vous aurez tout l'étage pour vous. Les chambres présentent un excellent rapport qualité/prix, avec une sdb immaculée et un beau balcon en bois. Située dans un quartier résidentiel à l'écart du centre, cette pension peut être difficile à trouver, alors prévenez de votre arrivée. Nimali, professeur d'anglais et Jayantha, son époux, sont d'excellents hôtes.

Melbourne Tourist Rest PENSION $

(☎ 025-223 7843 ; www.melrest.com ; 388/28 Rest House Rd, Stage 1 ; ch 2 500-3 000 Rs ; ❄📶). Cette pension fraîche et moderne gérée par le Milano Tourist Rest compte 10 chambres carrelées, un grand restaurant et un jardin avec des sièges, le tout au calme et dans le centre. Le Milano construit également un nouvel hôtel moderne de 50 chambres à proximité, qui devrait ouvrir en 2018.

London Palace PENSION $

(☎ 025-223 5070 ; www.londonpalacesl.com ; 119/29/1 Mailagas Junction ; ch 3 000-3 500 Rs ; ❄@📶). Cet établissement ("palace" semble un peu présomptueux) de 2 étages loue 10 jolies chambres propres, claires et spacieuses, avec TV, frigo, couleurs neutres et balcon (sauf pour les simples). Les 6 chambres donnant sur l'avant sont les meilleures. Un peu excentré, il loue des vélos (400 Rs). Il appartient aux efficaces propriétaires du Milano Tourist Rest.

Milano Tourist Rest HÔTEL $$
(☎025-222 2364 ; www.milanotouristrest.com ; 596/40 JR Jaya Mawatha ; ch 3 500 Rs ;). Niché dans une paisible rue résidentielle, le Milano est un établissement géré de main de maître, installé dans une élégante demeure de la fin des années 1950. Les 8 chambres sont quelque peu désuètes, mais d'une élégance qui justifie les prix modérés. Toutes les chambres sont pourvues de matelas épais, d'un réfrigérateur et d'une sdb moderne. Le restaurant (plats 850 Rs) est bon et un charmant jardin permet de dîner sous les étoiles.

Gamodh Citadel Resort HÔTEL $$
(☎025-492 8906 ; www.gamodhcitadelresort.com ; Lolugaswewa ; ch 30-35 $US, ste 40-45 $US ;). Ce superbe hôtel rural offre des chambres confortables d'un excellent rapport qualité/prix dans deux bâtiments récents, et des chambres plus petites et un peu vieillottes dans le bâtiment plus ancien. Le jardin paysager est relaxant, avec des tables disséminées autour de la grande piscine. Les repas sont savoureux. L'hôtel est à 6 km du centre commerçant, mais relativement proche des ruines situées à l'ouest.

Hotel Randiya HÔTEL $$
(☎025-222 2868 ; www.hotelrandiya.com ; 394/19A Muditha Mawatha ; ch avec petit-déj 4 500-8 000 Rs ;). Cet hôtel propose 2 prestations différentes. Le bâtiment récent, élégant et moderne, présente des lignes épurées et des murs blancs, une piscine et un restaurant moderne. La villa plus ancienne, avec des boiseries, est dotée d'une architecture de type *walawwa* (petit palais) avec des chambres de caractère plus sombres mais moins chères et un bar à l'ancienne plein de charme.

Ulagalla BOUTIQUE-HÔTEL $$$
(☎025-205 0280, Colombo 011-232 8832 ; www.ugaescapes.com ; Ulagalla Walawwa, Thirappane ; s/d à partir de 395/460 $US ;). Les 20 villas sélectes de cet établissement rural isolé, à 40 km d'Anuradhapura, jouent la carte du haut de gamme, avec piscines privées et terrasses reposantes, sans compter une belle piscine centrale. Le bâtiment centenaire est empreint d'une élégance coloniale qui en fait un lieu d'exception où se détendre après avoir visité les sites culturels de la région.

L'atout maître est le sentiment d'intimité et d'espace, mais le luxe se pare également d'arguments écologiques, comme la récupération de l'eau de pluie et l'électricité à 50% d'origine solaire.

Lakeside at Nuwarawewa HÔTEL $$$
(☎025-222 1414 ; www.nuwarawewa.com ; Dhamapala Mawatha ; s/d/tr 85/95/105 $US ;). Rénové de fond en comble, cet hôtel moderne est bien situé près du beau réservoir de Nuwara Wewa. Ses chambres fraîches et élégantes sont agrémentées soit d'un balcon, soit d'une véranda ; celles sans vue sur la piscine coûtent quelques dollars de moins. Bon rapport qualité/prix. Le restaurant est excellent et possède d'agréables tables en extérieur. Les non-résidents peuvent accéder à la piscine pour 850 Rs.

LE NOUVEAU STUPA D'ANURADHAPURA

Deux mille ans après la construction du premier grand dagoba, un immense stupa, le **Sandahiru Seya** (temple de la Lune et du Soleil), s'élève peu à peu du côté sud d'Anuradhapura. Commandés par le président Mahinda Rajapaksa, les travaux ont commencé en 2010. Il devrait atteindre 85 m de hauteur et 244 m de circonférence, pour s'élever au-dessus des anciens dagobas de Jetavanarama et d'Abhayagiri (sans dépasser leur hauteur d'origine). Le Sandahiru Seya, bâti avec des briques (plus de 30 millions), sera recouvert de plâtre, puis blanchi à la chaux.

Ce monument provoque d'ores et déjà la controverse : il s'agit en fait de l'un des 9 nouveaux stupas prévus, sur ordre du président, "en reconnaissance du noble service rendu par les forces armées et la police pour combattre le terrorisme et apporter une paix durable dans le pays". Toutefois, certains critiquent le fait de dédier un monument bouddhique aux actions menées par l'armée sri lankaise.

Le rythme de la construction et l'arrivée des financements se sont essoufflés ces dernières années, et ce grand dagoba pourrait bien ne pas être achevé avant longtemps.

Sanctuary at Tissawewa HÔTEL HISTORIQUE $$$
(025-222 2299 ; www.tissawewa.com ; près de Old Puttalam Rd ; s/d deluxe avec petit-déj 130/140 $US ;). Pour une authentique élégance coloniale, cette relique du Raj (l'ancienne résidence d'un gouverneur britannique) reste inégalée. Elle a été superbement restaurée : les chambres élégantes bénéficient de tout le confort moderne et les vérandas sont merveilleuses pour un après-midi de farniente, avec vue sur le parc planté d'acajous et de tecks, et peuplé de paons et de singes.

Palm Garden Village Hotel HÔTEL $$$
(025-222 3961 ; www.palmgardenvillage.com ; Old Puttalam Rd, Pandulagama ; s/d à partir de 140/155 $US ;). Installé dans un domaine de 33 ha de forêt et de jardins avec un bel espace piscine, ce complexe hôtelier propose des chambres spacieuses avec d'agréables sièges en terrasse. Les sdb sont d'un niveau inégal. Le spa ayurvédique et la visite occasionnelle d'éléphants sauvages sont autant d'autres atouts. Le service pourrait être meilleur, mais la situation au calme est très reposante. Situé à 7 km à l'ouest de la ville.

Où se restaurer

Anuradhapura offre un choix étonnamment limité. Plusieurs hôtels, dont le Sanctuary at Tissawewa, possèdent de bons restaurants.

Lulu's Feeding Point SRI LANKAIS $
(Hospital Rd ; currys 270-330 Rs). Cette échoppe en libre-service faisant l'angle est parfaite pour les voyageurs au budget serré qui résident dans les pensions à petit prix des alentours. Le riz-curry, les nouilles de riz, le *kotthu* et certains plats chinois sont tous bons et il y a des tables en plein air en bord de rue. Quant au personnel, il est serviable et sympathique. Une adresse tout indiquée pour bien manger sans se ruiner.

Walkers SRI LANKAIS $
(Rest House Rd ; plats 350 Rs ; 7h-21h30 ;). Juste à l'est du "rond-point de l'éléphant", ce café-restaurant-épicerie moderne est prisé pour ses plats d'œufs, currys et nouilles, ainsi que son jus d'orange fraîchement pressé. Il possède une terrasse et les serveurs sont sympathiques. La chaleur peut devenir étouffante.

Hotel Shalini SRI LANKAIS $$
(025-222 2425, 071 807 3335 ; www.hotelshalini.lk ; 41/388 Rest House Rd ; menu 850 Rs ; 12h-14h et 18h-23h). Avec son pavillon à étage et ses bordures de toit dentelées, ce bâtiment aux allures d'*haveli* (maison de ville) occupe un joli cadre, mais se distingue surtout par sa cuisine. Le menu varie chaque jour, mais les recettes familiales comprennent généralement une excellente salade aux racines de lotus, du curry de jaque et de délicieuses aubergines préparées de deux façons, ainsi que des plats médicinaux insolites comme le tubercule de *kohilla*. Prévoyez du répulsif à moustiques.

Mango Mango INDIEN $$
(025-222 7501 ; Jayanthi Mawatha ; currys 320-520 Rs ; 7h-10h, 12h-15h30 et 18h-22h). L'emplacement en périphérie sud de la ville n'est pas des plus pratiques, mais ce restaurant lumineux et branché vaut le détour si vous avez envie d'un curry indien (le soir uniquement). Les plats tikka et tandoori sont savoureux, tout comme le délicieux poulet *kadahi masala* (cuit avec des oignons, des tomates et des poivrons). Les menus du soir sont d'un bon rapport qualité/prix (290 Rs).

Les comptoirs du café à côté croulent sous les desserts et les gâteaux.

Sanctuary at Tissawewa INTERNATIONAL $$$
(www.tissawewa.com ; plats 800-1 600 Rs ; 7h30-9h30, 12h-15h et 19h30-21h30 ;). La véranda et la salle de restaurant de ce superbe hôtel colonial sont des endroits d'exception pour prendre un verre ou un repas tranquille. Goûtez aux côtes de porc marinées au piment, au club sandwich ou au menu unique à 4 plats (1 550 Rs), pour finir avec un café servi dans des tasses de porcelaine blanche ciselée. Pas d'alcool.

Renseignements

Des banques avec DAB bordent Main St et Dhamapala Mawatha, dans le centre.

People's Bank (Main St ; 9h-17h lun-ven)

Police touristique (011-313 3686 ; Sri Maha Bodhi Mawatha ; 24h/24). Là où s'adresser en cas d'urgence.

Sampath Bank (Main St ; 8h-20h). Horaires d'ouverture étendus, pas de commission, service rapide et DAB.

Seylan Bank (Main St ; 9h-17h lun-ven)

Depuis/vers Anuradhapura

BUS

Anuradhapura compte 3 gares routières. Sauf mention contraire, les services sont fréquents dans la journée quelle que soit la destination (ttes les 30 min environ).

Gare routière Colombo

Des bus privés climatisés et "semi-confortables" (sièges plus larges, sans climatisation) partent de la petite gare routière Colombo, près de l'ancienne gare routière.

Les bus à destination de Colombo passent par Dambulla et Kurunegala (bus n°15) ou, plus rapide, par Puttalam et Negombo (bus n°4). Les bus express intercités, climatisés et plus rapides, partent pour Colombo à 9h15 et 14h15.

Parmi les destinations desservies figurent :

Colombo 350-500 Rs, 6 heures

Dambulla 190 Rs, 1 heure 30 ; prenez un minibus à destination de Kandy

Kandy 340 Rs, 3 heures 30 ; les minibus climatisés sont les plus rapides

Nouvelle gare routière

Les bus au départ de la nouvelle gare routière desservent des villes à l'est et au nord. Parmi les destinations :

Jaffna 328 Rs, 6 heures, 8/jour ; en provenance de Colombo, s'arrête à l'extérieur de la gare routière

Mihintale 33 Rs, 30 min

Polonnaruwa 150 Rs, 3 heures ; le bus affiche "Kaduruwela" et dessert aussi Habarana

Trinco 180 RS, 3 heures 30, 2/jour ; ou prenez une correspondance à Horowupotana

Ancienne gare routière

L'ancienne gare routière sert surtout pour les lignes locales, notamment celle pour Kurunegala (140 Rs, 3 heures).

TRAIN

La principale gare ferroviaire d'Anuradhapura est un petit bijou Art déco. Certaines lignes s'arrêtent également à la nouvelle gare ferroviaire plus au sud. Les trains desservent entre autres :

Colombo 1re/2e/3e classe 900/450/280 Rs, 5 heures, 5/jour

Jaffna 1re/2e/3e classe 1 000/500/130 Rs, 3 heures 30, 3/jour

Comment circuler

Le quartier commerçant est assez compact, mais le reste de la ville est trop étendu pour se parcourir à pied. Comptez 1 500 Rs pour une visite de 3 heures en taxi et 1 200 Rs en *túk-túk*. Le vélo constitue le meilleur mode de transport ; vous pourrez en louer dans la plupart des hôtels et pensions (400-500 Rs/jour).

Mihintale

☎ 025

À 13 km à l'est d'Anuradhapura, ce village somnolent et son **ensemble de temples** (500 Rs ; 24h/24) tiennent une place particulière dans l'histoire nationale. En 247 av. J.-C., lors d'une chasse au chevreuil sur la colline de Mihintale, le roi Devanampiya Tissa d'Anuradhapura rencontra Mahinda, le fils du grand empereur bouddhiste indien Ashoka. Mahinda testa la sagesse du roi et, l'estimant un disciple de valeur, le convertit sur-le-champ. Mihintale est depuis associé à l'introduction du bouddhisme au Sri Lanka.

L'ascension dure 25 minutes, il est donc judicieux de visiter le site en début de matinée ou en fin d'après-midi afin d'éviter les fortes chaleurs de la mi-journée. Vous pouvez couper la marche en deux en montant en voiture par Old Rd et en partant à pied depuis le réfectoire des moines. Des soi-disant guides demandent 800 Rs pour une visite de 2 heures. Si un guide vous suit dans l'escalier, cela signifie que vous l'avez engagé, aussi exprimez clairement votre décision avant de partir.

À voir

Réfectoire des moines et chambre des reliques — RUINES

Au deuxième palier, le réfectoire des moines comporte d'énormes écuelles en pierre que les servants remplissaient de riz.

Non loin de là, une plateforme surélevée identifiée comme la salle des reliques du monastère comporte deux plaques en pierre gravées, érigées sous le règne de Mahinda IV (r. 975-991). Les inscriptions stipulent les règles relatives au reliquaire et à la conduite des responsables.

Une inscription précise que nul objet de la chambre des reliques ne peut être prêté ou vendu. Une autre indique la superficie de terrain à donner en échange de la fourniture d'huile et de mèches pour les lampes et de fleurs pour les offrandes. Également appelées les tablettes de Mihintale, ces stèles définissaient les devoirs des nombreux servants du monastère : ceux qui devaient ramasser du bois et cuisiner, ceux qui cuisinaient avec le bois rapporté par d'autres, etc.

Figurent également des règles concernant les moines : se lever à l'aube, se laver les dents, s'habiller, méditer, puis prendre le petit-déjeuner (du riz bouilli) au réfectoire, après avoir récité des passages des Écritures.

Salle de réunion — RUINES

Au même niveau que la chambre des reliques, cette salle, également appelée salle des convocations, est l'endroit où les moines se réunissaient pour débattre de

Mihintale

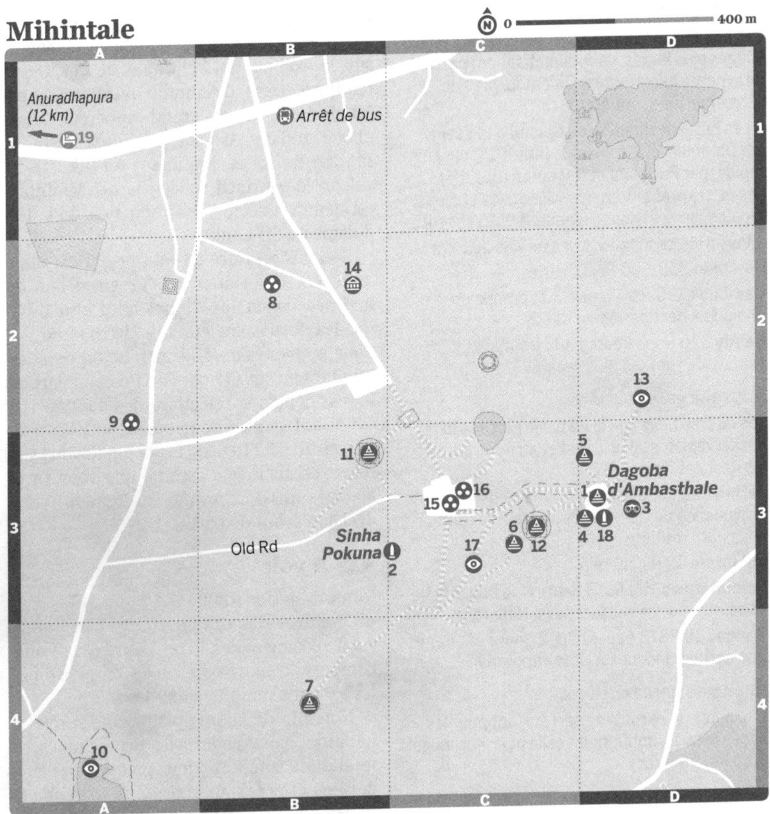

sujets d'intérêt général. Au milieu de la salle se trouve une tribune surélevée d'où le plus âgé des moines présidait les discussions. Le site comptait jadis 64 piliers en pierre qui soutenaient le toit. Le principal sentier vers le dagoba d'Ambasthale part de cet endroit.

♥ Sinha Pokuna MONUMENT

Juste en dessous du réfectoire des moines sur le deuxième palier, près de l'entrée en arrivant par Old Rd, un petit bassin est surmonté d'un lion haut de 2 m, l'une des plus belles sculptures animalières du pays. En plaçant une main sur chaque patte, on fait face au jet d'eau qui sortait de la gueule du lion. De jolies frises entourent le bassin.

♥ Dagoba d'Ambasthale TEMPLE BOUDDHIQUE

Le principal escalier cérémonial, bordé de frangipaniers, mène au dagoba d'Ambasthale, construit à l'endroit où Mahinda convertit Devanampiya Tissa au bouddhisme. Non loin, une **statue du roi** en costume traditionnel marque le lieu de sa rencontre avec Mahinda. Ambasthale signifie "manguier" et se réfère à une énigme que Mahinda posa au roi pour tester son intelligence.

Sur le côté, une grande **statue du Bouddha** blanche se tient en haut d'une volée de marches taillées dans la roche.

L'**arbre de la Bodhi** à gauche des escaliers menant au dagoba de Mahaseya serait l'un des plus vieux arbres du Sri Lanka. Il est entouré d'une clôture ornée de drapeaux de prière laissés par des pèlerins.

Dagoba de Mahaseya TEMPLE BOUDDHIQUE

Ce dagoba, sans doute le plus grand de Mihintale, aurait été construit pour conserver les reliques de Mahinda. Tout au bout s'élève le dagoba original en briques, plus petit ; c'est l'un des plus anciens du pays et il est généralement ignoré par les visiteurs. De là, la vue s'étend au-delà des lacs et des arbres sur Anuradhapura.

Mihintale

Les incontournables

1 Dagoba d'Ambasthale....D3
2 Sinha Pokuna....C3

À voir

3 Aradhana Gala....D3
Salle de réunion....(voir 16)
4 Arbre de la Bodhi....D3
5 Statue du Bouddha....D3
6 Dagoba....C3
7 Et Vihara....B4
8 Hôpital....B2
9 Ensemble d'Indikatu Seya....A2
10 Kaludiya Pokuna....A4
11 Kantaka Chetiya....B3
12 Dagoba de Mahaseya....C3
13 Grotte de Mahinda....D2
14 Musée de Mihintale....B2
15 Ruines de Mihintale....C3
16 Réfectoire des moines et chambre des reliques....C3
17 Naga Pokuna....C3
18 Statue du roi....D3

Où se loger

19 Mihintale Rest House....A1

Un petit temple, au pied du dagoba, renferme un bouddha couché et des fresques modernes aux couleurs vives (don demandé). Sur le côté, un *devale* abrite des statues des principaux dieux – Ganesh, Vishnu, Murugan (Skanda) et Saman.

Grotte de Mahinda — GROTTE

Un sentier descend la colline depuis l'arrière de la cour du pavillon des reliques, au nord-est du dagoba d'Ambasthale. Au bout de 10 minutes de marche, vous atteindrez une grotte comportant une grande pierre plate où vécut Mahinda. Le chemin est éprouvant pour les pieds nus.

Aradhana Gala — POINT DE VUE

À l'est du dagoba d'Ambasthale, un sentier escarpé emprunte des marches rocheuses chauffées par le soleil jusqu'à un superbe point de vue surplombant la vallée environnante. Une rambarde longe la totalité du parcours. Aradhana Gala signifie "rocher de Méditation".

Naga Pokuna — BASSIN

À mi-chemin de la volée de marches abruptes qui descend du dagoba d'Ambasthale, un sentier court sur la gauche, autour de la base de la colline que surmonte le dagoba de Mahaseya. C'est là qu'on découvre le Naga Pokuna (bassin du serpent), qui doit son nom à un cobra à cinq têtes sculpté en bas-relief sur sa paroi rocheuse. Sa queue descendrait jusqu'au fond du bassin.

En continuant, vous reviendrez au deuxième palier. Sinon, empruntez le chemin de gauche qui monte à l'ancien stupa près du dagoba d'Ambasthale, ou le chemin de droite qui mène à l'Et Vihara.

Kantaka Chetiya — TEMPLE BOUDDHIQUE

Sur le premier palier, un escalier latéral de 100 marches rejoint directement ce dagoba partiellement en ruine, l'un des plus anciens de Mihintale. Il mesure 12 m de haut (et plus de 30 m à l'origine) pour un périmètre de 130 m à la base. Une inscription en brahmi explique que le dagoba fut financé par les taxes sur un réservoir d'eau voisin. Quatre autels en pierre aux motifs floraux se tiennent aux points cardinaux, entourés de sculptures de nains, d'oies et d'autres sujets.

Et Vihara — TEMPLE BOUDDHIQUE

Encore plus haut (309 m) que le dagoba de Mahaseya, le stupa de l'Et Vihara (littéralement "monastère de l'éléphant") est plus modeste et moins fréquenté. Il dévoile une superbe vue sur la vallée et est un point d'observation idéal pour admirer le coucher du soleil.

Musée de Mihintale — MUSÉE

(8h-16h30). GRATUIT Ce petit musée sur la route qui mène au pied des escaliers mérite un court détour pour sa modeste collection d'objets trouvés à Mihintale.

Hôpital — RUINES

À quelques pas du musée de Mihintale se trouvent les vestiges d'un hôpital du IXe siècle. L'hôpital se composait de plusieurs cellules. Un *bat oruwa* (grand abreuvoir en pierre) est visible près de l'entrée. L'intérieur de l'auge est sculpté en forme de corps humain ; les patients y grimpaient pour se baigner dans des huiles curatives.

Des inscriptions ont révélé que l'hôpital comptait des spécialistes, dont un *mandova*, spécialisé dans les os et les muscles, et un *puhunda vedek*, un expert des sangsues. Les fouilles archéologiques du site ont révélé des instruments chirurgicaux.

Ensemble d'Indikatu Seya — RUINES

Sur la route qui conduit à Old Rd, à l'ouest du site, les vestiges d'un monastère sont entourés d'un mur de pierre en ruine. À l'intérieur se dressent 2 dagobas, le plus grand étant l'Indikatu Seya (dagoba de

LE SYMBOLISME DES SCULPTURES

Les 4 *vahalkada* (panneaux sculptés massifs) du Kantaka Chetiya (p. 251) comptent parmi les plus anciens et les mieux préservés du pays. Il n'en existe aucun autre à Mihintale.

Les *vahalkada* font face aux 4 points cardinaux et comprennent une série de bandes, chacune contenant des ornementations. La partie supérieure se compose généralement de niches, qui abritaient des sculptures de divinités. À chaque extrémité des *vahalkada*, un pilier est surmonté d'un animal, tel un éléphant ou un lion. L'origine de ces sculptures demeure incertaine. Selon une théorie, elles seraient une évolution des simples autels floraux. D'autres pensent qu'elles s'inspirent des temples hindous.

Dans la sculpture traditionnelle, les points cardinaux sont représentés par des animaux spécifiques : un éléphant à l'est, un cheval à l'ouest, un lion au nord et un taureau au sud. D'autres sculptures représentent des nains (parfois avec une tête d'animal), des oies (qui auraient le pouvoir de choisir entre le bien et le mal), des éléphants (qui semblent souvent soutenir le poids de la construction) et des *naga* (serpents mythiques aux pouvoirs magiques). Les motifs floraux, à part le lotus, seraient essentiellement ornementaux.

l'Aiguille), dont l'architecture diffère des autres dagobas de Mihintale en cela qu'il est bâti sur une plateforme carrée. Des indices suggèrent que ce monastère promouvait le bouddhisme mahayana.

Kaludiya Pokuna LAC

(Étang de l'eau noire). En périphérie sud-ouest de Mihintale, le joli Kaludiya Pokuna est un bassin artificiel comportant des bains taillés dans la pierre et un petit monastère. C'est un endroit agréable pour pique-niquer au calme.

Fêtes et festivals

Poson Poya FÊTE RELIGIEUSE

Cette grande fête est célébrée tous les ans lors de la pleine lune de Poson (généralement en juin) en commémoration de la conversion de Devanampiya Tissa au bouddhisme.

Où se loger et se restaurer

Mihintale Rest House HÔTEL $$

(☎ 025-226 6599 ; www.chcresthouses.com ; Trincomalee Rd ; s/d avec petit-déj 3 740/4 400 Rs ; ❄@📶). Mihintale étant proche d'Anuradhapura, peu de visiteurs y séjournent. Cet hôtel possède néanmoins un élégant hall-salon semi-ouvert et des chambres spacieuses bien qu'un peu vieillottes. Les chambres deluxe ont une belle vue et de meilleures sdb pour 1 000 Rs de plus. Le café sert un menu à 700 Rs au déjeuner.

Depuis/vers Mihintale

Mihintale est situé à 13 km à l'est d'Anuradhapura. Les bus circulent fréquemment (30 Rs, 30 min) depuis la nouvelle gare routière d'Anuradhapura ; le dernier bus repartant vers 18h30 depuis l'arrêt juste au nord du site de Mihintale.

Comptez environ 2 500 Rs pour un aller-retour en taxi depuis Anuradhapura, avec 2 heures pour visiter le site, ou environ 1 500 Rs en *túk-túk*. À vélo, vous rejoindrez le site en moins d'une heure.

Forteresse de Yapahuwa

Se dressant à 100 m de hauteur au-dessus de la plaine environnante, tel un Sigiriya miniature, l'impressionnant affleurement granitique de **Yapahuwa** (rocher de feu ; adulte/enfant 4/2 $US ; ⏲7h-18h) sort des sentiers battus, mais c'est un lieu fascinant riche en histoire.

Yapahuwa abrite un monastère bouddhique depuis le IIIe siècle av. J.-C., mais c'est entre 1272 et 1284 que ce lieu connut son apogée, quand le roi Bhuvanekabahu Ier fit de la forteresse rocheuse sa capitale et y plaça la relique sacrée de la dent du Bouddha. Les Indiens de la dynastie Pandavan s'emparèrent de Yapahuwa en 1284 et emportèrent la précieuse dent en Inde du Sud ; celle-ci fut récupérée par le roi Parakramabahu III quelque 4 années plus tard. La capitale fut alors déplacée à Kurunegala.

L'escalier d'apparat escarpé qui menait autrefois au temple de la Dent est sans doute le plus bel élément de cette spectaculaire forteresse rocheuse. L'un des lions en haut des marches figure sur les billets de 10 Rs. Les porches de l'escalier comportaient de splendides fenêtres en pierre ajourée, dont l'une se trouve dans le National Museum à Colombo et l'autre dans le musée du site.

Le petit musée est situé près du parking 300 m avant l'entrée de l'escalier. La collection montre des sculptures en pierre de Vishnu et de Kali, quelques présentoirs lumineux en anglais et des pièces de monnaie témoignant des liaisons commerciales avec des pays aussi lointains que la Chine.

Après le musée, vous arriverez à la porte sud et aux remparts intérieurs et extérieurs ainsi qu'aux douves qui protègent l'ancienne forteresse. De là, un escalier décoratif mène au sommet du rocher, rafraîchi par la brise, et à sa vue panoramique à 360°. Quelques traces du stupa et de l'arbre de la Bodhi qui s'y tenaient jadis sont encore visibles.

De retour au niveau du sol, à côté des principaux bâtiments du monastère, un temple troglodytique contient de superbes fresques du XIIIe siècle et des représentations du Bouddha en bois et en bronze. Si le temple est fermé, adressez-vous au moine qui vous l'ouvrira avec une clé démesurée.

Depuis/vers Yapahuwa

Yapahuwa se situe à 9 km à l'est de la nationale Anuradhapura-Kurunegala, bien desservie par les bus. Les *túk-túk* font payer 1 000 Rs l'aller-retour jusqu'au site (attente comprise), depuis l'intersection sur la route principale à Daladagama.

Autre option, le bus n°57/7 qui circule de Kurunegala à Maho (75 Rs, 2 heures) ttes les 15 min ; il reste ensuite 6 km à parcourir en *túk-túk* jusqu'à Yapahuwa.

Maho possède aussi une gare ferroviaire, où la ligne de Trincomalee se sépare de la ligne Colombo-Anuradhapura.

Panduwasnuwara

Quasiment abandonnées, les ruines du XIIe siècle de la capitale temporaire de Parakramabahu Ier sont disséminées dans la campagne, à environ 36 km au nord-ouest de Kurunegala. Elles méritent le détour si vous êtes féru de ruines bouddhiques ou que vous voyagez entre Negombo et les cités anciennes.

Panduwasnuwara est généralement visité dans le cadre d'une excursion à la journée depuis Kurunegala ou lors du trajet entre Anuradhapura et Negombo.

Ce site archéologique occupe un vaste secteur. Près de l'entrée, vous découvrez une douve, les murs massifs de la citadelle et les vestiges d'un palais royal. Plus loin, se tiennent des sanctuaires, des dagobas en brique et les quartiers des moines.

Suivez la route lorsqu'elle bifurque vers la gauche pour arriver à un temple de la Dent (Dalada Maligawa) restauré comprenant un arbre de la Bodhi, un temple peint de couleurs vives avec un bouddha endormi et, derrière, les vestiges d'un fascinant palais circulaire (qui devait autrefois compter plusieurs étages), ceint de douves arrondies.

Depuis/vers Panduwasnuwara

Panduwasnuwara est situé à environ 20 km au sud-ouest de Padeniya, sur la route de Wariyapola à Chilaw. L'embranchement vers le site se trouve au village de Panduwasnuwara, près du petit musée.

Des bus fréquents (n°525) de la ligne Kurunegala-Chilaw desservent Panduwasnuwara (60 Rs), où vous pouvez louer un *túk-túk* pour faire le tour des ruines, dont les plus éloignées sont à environ 2 km de la route.

Ridi Vihara

Littéralement le "temple argenté", le Ridi Vihara (7h-20h) GRATUIT porte le nom du minerai de fer qui fut découvert à cet endroit au IIe siècle av. J.-C. et qui finança la construction de l'énorme dagoba de Ruvanvelisaya à Anuradhapura. Les deux grottes bouddhiques au pied de la falaise sont peu fréquentées, mais le monastère attenant est un lieu accueillant et vaut le détour pour ses superbes fresques, ses carreaux hollandais atypiques et son grand bas-relief du Bouddha à proximité.

L'attrait principal de ce temple bouddhique est la statue dorée du Bouddha assis dans la grotte principale du nom de Pahala Vihara (temple inférieur), qui abrite aussi un bouddha couché de 9 m, allongé sur une plateforme ornée de carreaux bleu et blanc. Les céramiques, offertes par le consul hollandais, représentent des scènes de la Bible, notamment les animaux entrant deux par deux dans l'arche de Noé.

L'Uda Vihara (temple supérieur) voisin fut construit au XVIIIe siècle par le roi kandyen Kirti Sri Rajasinghe et comporte des fresques et des bas-reliefs étonnamment colorés dans des tons de jaune, de rouge et de bleu. Les artistes utilisèrent

BOUDDHA DE RIDIGAMA

Bouddha assis de 20 m de haut, le **Monaragala Viharaya Buddha** (www.samadhibuddhastatue.lk ; Rambadagalla) s'élève à 4 km au sud-est de Ridigama et fut inauguré en 2015 comme la statue de granite la plus grande (à défaut d'être la plus belle) au monde. Installé sur un socle sculpté représentant des paons, des éléphants et des fleurs de lotus, le Bouddha est dans une posture de *samadhi* (méditation). Il mérite bien une courte visite, si vous êtes motorisé.

des astuces visuelles pour réaliser leurs fresques : à un endroit, au-dessus de la porte extérieure à droite, ce qui semble être un éléphant se révèle, observé de près, un ensemble de neuf jeunes filles. Les photos sont interdites dans les deux temples.

À l'extérieur de l'ensemble des temples, vous pourrez remonter le sentier de cérémonie qui mène à un dagoba restauré, en passant par un temple de pierre de style indien. En montant, vous verrez sur la droite une ancienne inscription sur la pierre.

Les passionnés de bouddhisme peuvent séjourner à la pension du monastère ; sinon, la plupart des visiteurs viennent à la journée depuis Kurunegala ou en se rendant de Dambulla à Kandy.

Depuis/vers le Ridi Vihara

Le Ridi Vihara se situe à l'est de la route Kurunegala-Dambulla, à 2 km au sud-est du village de Ridigama.

Depuis Kurunegala, prenez le bus n°564 à destination de Keppitigala et descendez à Ridigama (40 Rs, 1 heure). Autrement, prenez le bus n°556 à destination de Matale, descendez à l'intersection à 2,5 km au nord de Ridigama et terminez le trajet en *túk-túk*.

Depuis Ridigama, l'aller-retour en *túk-túk* jusqu'au Ridi Vihara coûte 400 Rs.

Kurunegala

037 / 34 500 HABITANTS

Ce bourg animé et commerçant est un carrefour de transports entre Colombo et Anuradhapura d'une part, et entre Kandy et Puttalam d'autre part. Ce n'est pas une destination remarquable, mais quelques sites intéressants se trouvent à proximité.

À voir

D'imposantes formations rocheuses surplombent Kurunegala. Nommés selon les animaux qu'ils évoquent (rocher de la Tortue, rocher de l'Éléphant, etc.), ces promontoires ont une signification mythologique. D'après la légende, il s'agirait d'animaux qui, menaçant les ressources d'eau de la ville, furent changés en pierre.

Athagala SITE BOUDDHIQUE

(Rocher de l'éléphant). Un escalier pittoresque taillé dans la pierre monte en lacet jusqu'à Athagala, un grand affleurement de roche noire du côté est de la cité, qui réserve une belle vue sur la ville depuis une statue blanche du Bouddha de 22 m de haut. Une route monte également en virage jusqu'au même endroit. En grimpant, vous passerez devant un petit monastère, l'**Ibbagala Vihara**. L'aller-retour en *túk-túk* jusqu'au sommet coûte 700 Rs.

Padeniya Raja Mahavihara TEMPLE BOUDDHIQUE

(Don apprécié ; aube-crépuscule). À 85 km au sud d'Anuradhapura et à 25 km au nord-ouest de Kurunegala, au croisement des routes de Puttalam et d'Anuradhapura, ce temple de style kandyen vaut le coup d'œil. Temple médiéval aux 28 piliers sculptés, il possède une porte fabuleusement élaborée (qui serait la plus grande du pays) à l'entrée du sanctuaire principal. Il comprend une salle de statues d'argile, une bibliothèque et une salle de prêche avec une chaire en bois aux sculptures inhabituelles.

Où se loger et se restaurer

Peu de voyageurs séjournent à Kurunegala, qui compte néanmoins quelques hébergements.

Hotel Viveka HÔTEL $$

(037-222 2897 ; www.hotelviveka.com ; 64 North Lake Rd ; s/d 3 000/4 000 Rs ;). Cette villa coloniale élégante bien qu'un peu vétuste est située dans un quartier arboré de la ville et possède une véranda donnant sur le lac. Les 4 chambres ont été rénovées et comportent des sdb modernes. Promenez-vous au crépuscule autour du lac. Le Viveka se double du bar-restaurant (plats 500-700 Rs) le plus convivial de Kurunegala, d'où l'animation le week-end.

Littlemore Estate Bungalows LODGE $$$
(☎072 231 9443 ; reservations@ferncliff.lk ; ch avec petit-déj 115 $US ;). Cet établissement est une plantation de cocotiers de 50 ha, bordée de rizières et de bois et peuplée de paons. Il compte 3 chambres modernes très joliment aménagées. Le personnel vous fera visiter la propriété et vous expliquera tout sur la récolte des noix de coco. On sert ici une cuisine sri lankaise traditionnelle.

À 9 km au nord-ouest de Kurunegala ; l'embranchement se trouve dans le village de Pellandeniya, sur la nationale A10.

In & Out SRI LANKAIS $
(18 Puttalam Rd ; plats 200 Rs ; 6h-22h). Cette boulangerie-restaurant étonnamment moderne, située à 30 m de la gare routière, sert des plats sri lankais et occidentaux corrects. La carte comprend des omelettes, ainsi que du riz-curry (à partir de 11h30) et quelques bons gâteaux.

Depuis/vers Kurunegala

Les bus partent d'une gare routière chaotique et polluée en plein-centre-ville. Parmi les services frequents (ttes les 20 min) figurent :

Anuradhapura express 140 Rs, 3 heures

Colombo normal/express avec clim 120/240 Rs, 3 heures 30

Dambulla 100 Rs, 2 heures

Kandy normal/express avec clim 67/130 Rs, 1 heure

Negombo express 195 Rs, 3 heures

Les trains partent d'une gare à 2 km au sud-ouest du centre-ville.

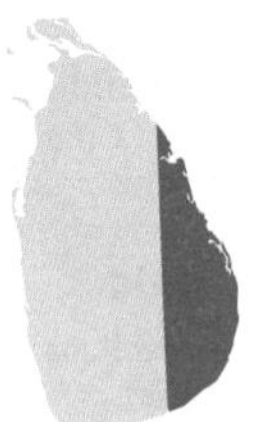

L'Est

Dans ce chapitre ➡

Monaragala 258
Arugam Bay 259
Pottuvil et ses environs......... 264
D'Arugam Bay à Panama 266
De Panama à Okanda 267
Ampara..................... 268
Batticaloa................. 269
Trincomalee 275
Uppuveli 279
Nilaveli.......................281

Le top des restaurants

- ➡ Hideaway Restaurant (p. 263)
- ➡ Sana's (p. 281)
- ➡ Coconut Beach Lodge (p. 281)
- ➡ Sun Shine Cafe (p. 273)

Le top des hébergements

- ➡ Stardust Beach Hotel (p. 262)
- ➡ Riviera Resort (p. 272)
- ➡ Laya Waves (p. 275)
- ➡ Hilltop Beach Cabanas (p. 265)
- ➡ Trinco Blu by Cinnamon (p. 280)

Pourquoi y aller

Si vous êtes en quête d'un Sri Lanka moins développé, plus terre à terre, plus authentique, avec en prime des plages parmi les plus belles au monde, l'est du pays est votre terre promise.

Ici, les visiteurs ont tendance à s'attarder, cherchant des excuses pour repousser leur départ. Avec ses paysages d'une beauté brute, l'Est demeure une contrée de villages de pêcheurs, de ruelles sablonneuses, de poulets gambadant dans les cours et de traditions. S'y déploie une fascinante mosaïque culturelle de communautés musulmanes tournées vers la mer, de temples hindous, de forts coloniaux en ruine et de marchés hauts en couleur. Côté paysage, le littoral recèle des kilomètres de sable blanc, des baies retirées et de formidables spots de surf.

L'ensemble de la région est bien relié au reste du pays par la route, et desservi par de nombreux bus et trains : autant de raisons pour céder à ses nombreux charmes.

Quand partir

Trincomalee

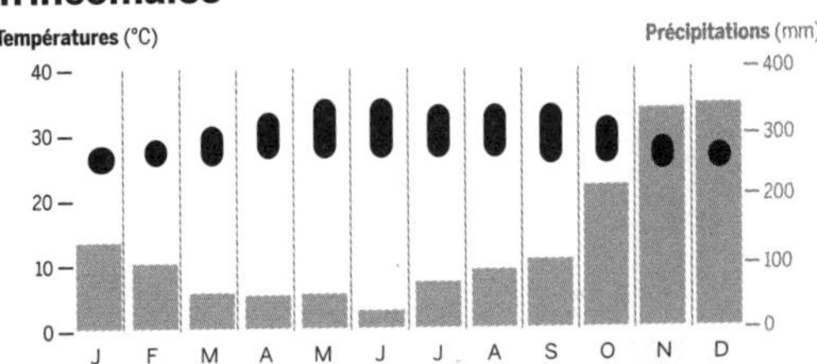

Mars-avril Le meilleur moment pour voir des baleines bleues au large de Trincomalee.

Mai-juin Saison intermédiaire ; nidification à Kumana et possibilité de voir des éléphants.

Juin-juillet Idéal pour se prélasser sur les plages de sable blanc (et faire du surf) entre Nilaveli et Arugam Bay.

À ne pas manquer

❶ Un moment de détente sur la plage de sable d'**Uppuveli** (p. 279).

❷ La recherche d'un léopard, tout en évitant les éléphants solitaires sur les routes tranquilles du **parc national de Kumana** (p. 267).

❸ Le snorkeling et la plongée avec les requins autour des récifs du **parc national de Pigeon Island** (p. 282), près de Nilaveli.

❹ **Arugam Bay** (p. 259), Mecque du surf décontractée avec ses droites sans fin.

❺ L'aventure sur la tranquille B424 au **nord de Nilaveli** (p. 283), jalonnée de plages désertes, de lagunes et de sites archéologiques.

❻ Le clapotis de l'eau et le vol des martins-pêcheurs au plumage arc-en-ciel dans les mangroves de la **lagune de Pottuvil** (p. 264).

❼ L'exploration du fort, de la vieille ville coloniale et des plages de Kallady à **Batticaloa** (p. 269).

❽ La visite de la forteresse, des temples hindous et autres sites dans la ville portuaire historique de **Trincomalee** (p. 275).

Monaragala

☎055 / 10 400 HABITANTS

Si vous arrivez de la région montagneuse, Monaragala sera sans doute votre première étape dans l'Est. Accueillant le dimanche un grand marché, cette ville animée est une bonne entrée en matière. Elle se niche au pied du Peacock Rock ("rocher du paon"), une montagne arrondie, tapissée de forêts. Peu de voyageurs font étape à Monaragala. Son atmosphère tranquille et ses avenues verdoyantes ont pourtant un certain attrait.

À voir et à faire

Une promenade superbe et facile part de la gare routière : marchez 5 minutes en passant devant un **temple de Ganesh** jusqu'à la vieille fabrique de caoutchouc, puis tournez à gauche dans un chemin pavé qui grimpe entre des rochers à travers les plantations d'hévéas de Monaragala.

Une randonnée plus fatigante (une journée aller-retour) conduit au sommet du **Maragala Rock**, une montagne couverte de forêt. En l'absence de sentier tracé, vous devrez louer les services d'un guide (environ 1 500 Rs pour une randonnée de 4 heures) par l'intermédiaire d'une pension. Depuis le sommet, on aperçoit par temps clair les vagues d'Arugam Bay.

Wijayawardana (VJ ; ☎077 649 1117) est un sympathique guide anglophone. Il facture 4 000 Rs la journée ses randonnées à pied et ses excursions en *túk-túk*.

Où se loger et se restaurer

On trouve une poignée d'hébergements, la plupart sur l'A4.

Kanda Land Villa PENSION $

(☎055-227 6925 ; raxawa@yahoo.com ; Wellawaya Rd ; ch avec ventil/clim 2 000/4 000 Rs ; ❄). Cette bonne pension occupe l'ancien bâtiment de l'auberge de jeunesse YMCA. Elle offre 4 chambres spacieuses et un salon où rencontrer d'autres voyageurs. Les hôtes se voient proposer des randonnées au Maragala Rock et dans une plantation d'hévéas, ces dernières incluant une nuit dans un lodge de montagne. Cuisine correcte (riz-curry 350 Rs).

Victory Inn HÔTEL $

(☎055-227 6100 ; www.victoryinnmonaragala.com ; 65 Wellawaya Rd ch avec ventil/clim 3 000/4 000 Rs ; ❄📶). Derrière la façade en verre fumée un peu datée du Victory se nichent 16 chambres confortables mais vieillottes, certaines pourvues d'un balcon et la plupart lambrissées. Le restaurant prépare des plats sri lankais et occidentaux, dont un déjeuner-buffet substantiel très avantageux (350 Rs). Bar bien fourni.

Pavilion SRI LANKAIS $

(☎055-227 6127 ; 1 Pottuvil Rd ; plats 250-700 Rs ; ⏲9h-21h). Sur la place principale circulaire de la ville, le Pavilion possède une aire de restauration proposant un menu de spécialités sri lankaises, ainsi qu'un bon déjeuner-buffet (350 Rs). Pour un déjeuner rapide, le café sert des riz-currys et des en-cas, notamment à emporter.

Depuis/vers Monaragala

Monaragala est une ville carrefour pratique entre l'Est, le Sud et les montagnes. Quelques destinations couvertes par les bus :

Ampara 130 Rs, 2 heures 30, ttes les heures

Colombo standard/clim 345/630 Rs, 7 heures, ttes les heures

Ella 125 Rs, 2 heures, 6/jour

Kandy 215 Rs, 5 heures, 5/jour

Nuwara Eliya 218 Rs, 4 heures, 1/jour

Pottuvil (pour Arugam Bay) 120 Rs, 2 heures 30, 7/jour

Wellawaya (via Buttala ; pour la région montagneuse et la côte sud) 74 Rs, 1 heure, ttes les 20 min

Yudaganawa

Dans une clairière proche du village de Buttala se cache l'énigmatique dagoba (stupa) en ruine de Yudaganawa, un site qui vaut le détour.

♥ Dagoba de Yudaganawa RUINES

(Près de l'A4 ; 100 Rs ; ⏲6h-18h). Seul le tiers inférieur de ce dagoba en ruine subsiste, mais l'édifice s'inscrit dans un cadre évocateur, et l'on peut imaginer son aspect imposant au temps de sa splendeur. Sans doute un stupa en terre datant de 2 300 ans, il a subi au fil des ans divers remaniements qui ont obscurci son histoire. Des restaurations sont en cours depuis les années 1970.

Devant, un petit bâtiment conserve des bouddhas en bois sculptés vieux de 300 ans et quelques jolies peintures aux couleurs passées, probablement du VIIe siècle. Le site est d'une propreté impressionnante.

Chulangani Vihara RUINES

Juste avant le dagoba principal de Yudaganawa, les petites ruines couvertes de mousse du Chulangani Vihara (XIIe siècle) comprennent un dagoba en forme de gâteau et les vestiges d'un bouddha décapité du VIIe siècle.

Depuis/vers Yudaganawa

Des bus relient Monaragala et Buttala toutes les 30 minutes (40 Rs, 25 min) et l'aller-retour en *túk-túk* de Buttala vers Yudaganawa revient à 400 Rs. De Monaragala, comptez 1 300 Rs l'aller-retour en *túk-túk*, ou 3 000 Rs environ pour les sites de Yudaganawa et Maligawila.

En voiture, la sortie pour Yudaganawa est à 1,5 km à l'ouest de Buttala sur l'A4. Prenez vers le nord juste après le Km 232 et poursuivez sur 1,5 km jusqu'au site.

Maligawila

Dans la forêt du village de Maligawila s'étendent les imposants vestiges du Pathma Vihara (VIIe siècle), avec ses deux statues du Bouddha au regard insondable. Le village est si épars que vous ne le remarquerez même pas. Vous pourrez également découvrir le joli temple de Dematamal Vihara, 10 km plus au nord-ouest.

Dematamal Vihara TEMPLE BOUDDHIQUE

Ce somptueux temple ancestral, entouré d'un paysage fertile et verdoyant, est à peu près à mi-chemin entre Buttala et Maligawila.

Pathma Vihara SITE BOUDDHIQUE

(aube-crépuscule). GRATUIT À Maligawila, dans une clairière ombragée entourée d'arbres verdoyants s'étendent les imposantes ruines du Pathma Vihara, jadis au cœur d'un immense monastère et comportant deux belles statues du Bouddha sculptées par des fidèles au VIIe siècle.

Depuis/vers Maligawila

Maligawila est à 17 km à l'est de Buttala par des routes tortueuses, mais en bon état.

De Monaragala, l'aller-retour en *túk-túk* coûte 2 000 Rs, ou 3 000 Rs pour le circuit Maligawila-Yudaganawa.

Des bus fréquents desservent Maligawila depuis Monaragala (60 Rs, 40 min) ou Buttala (35 Rs). Le trajet de Monaragala à Maligawila, à travers la jungle et les rizières, est aussi spectaculaire que les ruines.

VAUT LE DÉTOUR

UNE NUIT DANS LES ARBRES

Isolé au pied du Weliara Ridge, à 10 km de Buttala, le **Tree Tops Jungle Lodge** (077 703 6554 ; www.treetopsjunglelodge.com ; Badeyaya ; 1re nuit tout compris 150 $US, moins pour les nuits supp) est une merveille naturelle qui tranche radicalement avec les complexes hôteliers bétonnés et les parcs nationaux sillonnés par des centaines de 4x4. Dans ce lodge en pleine nature, vous aurez la chance d'écouter à l'aube le concert des animaux, d'entendre des éléphants sauvages et de contempler la nuit un ciel étoilé.

L'hébergement se fait dans 3 grandes huttes en toile, sur une plateforme recouverte de sable avec sdb. Le tarif inclut les repas (essentiellement végétariens), les boissons et les randonnées avec des guides locaux, notamment à l'Arhat Kanda ("montagnes de l'Éveil"). Réservez bien à l'avance.

Arugam Bay

063

Ravissante baie sablonneuse en forme de croissant, Arugam Bay est connue pour son point break, que beaucoup considèrent comme le meilleur spot de surf du pays. Elle ne compte que quelques centaines d'habitants et son activité se concentre le long d'une unique route parallèle à la côte.

Le charme de l'endroit ne se limite pas au surf. On trouve ici des restaurants et pensions en bord de plage et une atmosphère nonchalante qui a totalement disparu des stations balnéaires rutilantes de la côte ouest. Des bateaux de pêche vont et viennent dans le sud de la baie, rapportant à terre leur prise du jour, et les pêcheurs se reposent dans des cabanons en lisière de la plage. Les habitants aiment se rassembler au coucher du soleil pour regarder l'océan se parer de reflets dorés.

Arugam Bay constitue aussi une excellente base pour s'aventurer dans l'arrière-pays. En basse saison (novembre-avril), le calme s'installe et nombre d'établissements ferment leurs portes. La faible fréquentation touristique et les paysages verdoyants rendent cette période plaisante.

Arugam Bay

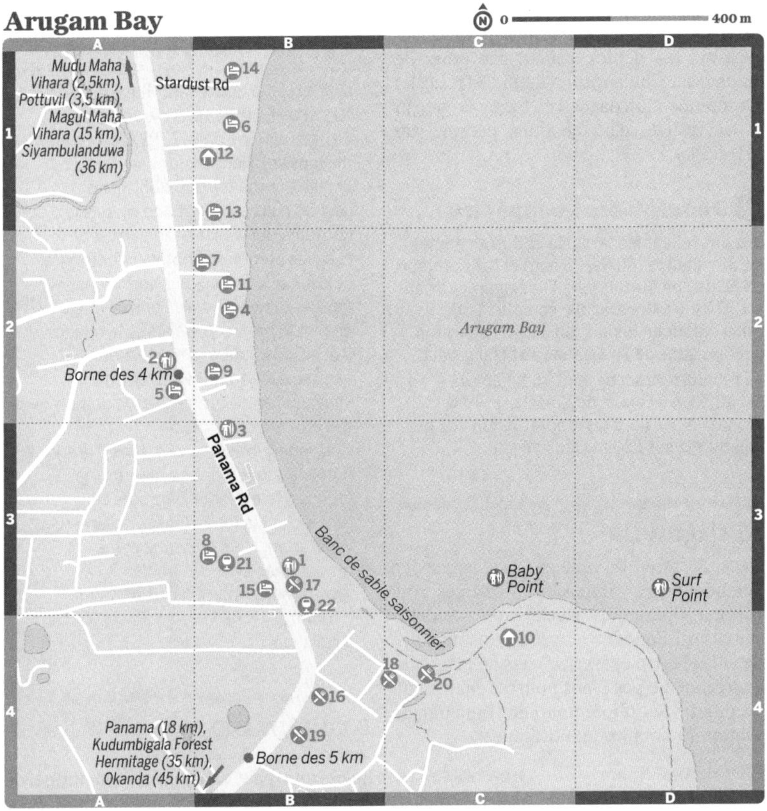

Arugam Bay

Activités
1 A-Bay Surf Shop B3
2 Dylan's Surf Company A2
3 Safa Surf School B3

Où se loger
4 Arugam Bay Surfing Bay Resort B2
5 Danish Villa A2
6 Galaxy Lounge Beachfront Cabanas B1
7 Happy Panda B2
8 Hideaway B3
9 Hotel Stay Golden B2
10 Mambo's C4
11 Nice Place B2
12 Ranga's Beach Hut B1
13 Sandy Beach Hotel B1
14 Stardust Beach Hotel B1
15 Surf N Sun B3

Où se restaurer
Hideaway Restaurant .... (voir 8)
16 Meena B4
17 Perera Restaurant B3
18 Samanthi's Restaurant C4
19 Seahorse Inn & Pizzeria B4
20 Siripala Place Surf Cafe C4
Stardust Restaurant .... (voir 14)
Surf N Sun .... (voir 15)

Où prendre un verre et faire la fête
21 Hide & Chill Bar B3
22 Siam View Hotel B3

Activités

Surf

Le long point break droit à la pointe sud d'Arugam Bay offre une houle constante d'avril à septembre, et quelques bons jours (bien plus calmes) jusqu'en novembre ; d'autres spots ne se prêtent pas au surf avant mai ou juin.

Des habitants et quelques surfeurs étrangers vous diront peut-être qu'Arugam Bay se range parmi les spots de classe mondiale, ce qui ne reflète pas la réalité. Toutefois, les vagues longues et bien formées qui cassent assez doucement sont idéales pour les surfeurs de niveau intermédiaire. En moyenne de 1 m à 1,50 m, les vagues peuvent atteindre 2 m. Parfois peu profondes et fragmentées, elles peuvent toujours présenter des remous. En saison, l'affluence peut rendre le spot dangereux ; les débutants devraient alors s'en tenir au beach break plus loin à l'intérieur de la pointe, également appelé **Baby Point**. **Surf Point**, un peu plus au sud, est aussi un excellent break.

Il existe bien d'autres breaks de qualité similaire, qui nécessitent une houle bien formée. Au nord, citons **Pottuvil Point**, une droite lente idéale pour les débutants (généralement meilleure plus tard en saison), Whiskey Point (p. 265) et Lighthouse Point (p. 265), qui conviennent également aux néophytes. Au sud se trouvent **Crocodile Rock**, **Elephant Rock** et **Peanut Farm**, qui compte deux breaks dont un pour les surfeurs confirmés. Plus au sud, on accède par une piste en terre au break de **Panama**, peu apprécié, et à celui d'Okanda (p. 267), considéré par certains comme le meilleur du coin.

Plusieurs boutiques de surf louent des planches, proposent des cours et organisent des excursions avec camping dans certains spots éloignés. Ces "camps de surf" permettent de commencer à surfer tôt le matin, sans se soucier de la nourriture et du transport. Certains surfeurs estiment qu'il est aussi simple et moins coûteux de se débrouiller seul.

Safa Surf School SURF
(☎077 955 2268 ; www.safaarugambay.com ; Panama Rd ; location planche courte ou longue/bodyboard 1 000/750 Rs par jour, cours à partir de 30 $US). Fawas Lafeer, un surfeur du cru, tient cette adresse où les cours sont dispensés par des moniteurs sri lankais. Planches de qualité et réparations.

Dylan's Surf Company SURF
(☎072 876 0737 ; www.dylanssurfcompany.com ; Panama Rd ; location planche à partir de 1 000 Rs/jour, cours à partir de 2 500 Rs ; ⏲9h-19h). Boutique de surf bien tenue, vendant tous types d'équipements et louant des planches d'excellente qualité.

A-Bay Surf Shop SURF
(Panama Rd ; location bodyboards et planches de surf à partir de 1 000 Rs, cours à partir de 2 500 Rs ; ⏲8h-20h). Offre un bon choix de vieilles planches qui conviennent aux débutants, un excellent service de réparation, de la cire et de l'écran solaire.

Baignade

Bien que la mer soit agitée, on peut s'y baigner. Sur les plages les moins fréquentées, où les courants peuvent être dangereux, il est plus prudent de se renseigner auprès de la population avant de piquer une tête. Les eaux de faible profondeur à l'extrémité sud d'Arugam Bay, où la plage s'incurve vers la pointe, permettent de nager en toute sécurité. Essentiellement fréquentée par les pêcheurs, cette jolie bande de sable n'incite guère à s'attarder.

Observation de la nature

Mangrove Ecotours (p. 264), sur la lagune de Pottuvil, au nord de la baie, propose des excursions incontournables. Pour cela, il est préférable de s'adresser directement aux propriétaires de bateau. On peut organiser des excursions dans le parc national de Kumana (p. 267), peuplé de léopards, éléphants, buffles sauvages, crocodiles et oiseaux en tout genre, par l'intermédiaire des hôtels et pensions.

Vous aurez de bonnes chances de voir des crocodiles et des éléphants vers Crocodile Rock à Pasarichenai Beach, juste au sud d'Arugam Bay. Pour l'**observation des oiseaux**, notamment aquatiques et échassiers, privilégiez Pottuvil et les étangs et lagunes entre Arugam Bay et Panama.

Où se loger

La plupart des adresses mentionnées sont situées sur la plage ou à proximité. Ce sont pour la plupart des affaires familiales sans prétention. Cependant, de nouveaux établissements commerciaux rutilants commencent à pousser sur la plage, mettant en péril l'atmosphère décontractée de la baie.

Le terme "*cabana*" désigne aussi bien une hutte rudimentaire en planches ou en *cadjan* (nattes de palmes de cocotier) qu'un luxueux bungalow tout confort. Les réductions de 20 à 50% sont monnaie courante en basse saison.

♥ **Ranga's Beach Hut** HUTTES $
(☎077 160 6203 ; www.arugambaybeachhut.com ; près de Panama Rd ; huttes 500-700 Rs,

cabana 1 000-1 500 Rs ;). Cette adresse originale a du caractère, ce qui lui vaut une clientèle fidèle de baroudeurs et de surfeurs. Elle loue plusieurs types d'hébergement en bois, bambou et chaume, dont des *cabana* sur pilotis et des huttes réparties sur plusieurs sites voisins. La plupart sont près de l'océan. Les moins chères ont des sdb partagées.

Le restaurant à l'arrière, pourvu d'une grande table commune et d'une terrasse ombragée, sert des repas d'un bon rapport qualité/prix (400-700 Rs). Possibilité d'excursions intéressantes, notamment en bateau sur la lagune. Service de blanchisserie.

Happy Panda PENSION **$**
(077 299 0779 ; www.happypandahotel.com ; près de Panama Rd ; ch 2 500-3 000 Rs ;). À 50 m de la plage, 3 chambres sans prétention et un salon-véranda engageant avec des hamacs. Le Happy Panda propose de bons petits-déjeuners (400-500 Rs ; pain perdu, salade de fruits tropicaux nappée de lait caillé) dans son "*very small cafe*" ("tout petit café").

Hotel Stay Golden AUBERGE **$$**
(075 064 4409 ; www.staygoldenarugam.com ; Panama Rd ; ch 20-65 $US ;). Sur un vaste site sablonneux qui s'étire de la route à la plage, le Stay Golden propose 7 chambres dans des *cabana* en bois et en stuc. Certaines ont des terrasses à l'étage avec hamacs et vue sur l'océan et la belle étendue de sable.

Sandy Beach Hotel HÔTEL **$$**
(063-224 8403 ; www.arugambay-hotel.com ; près de Panama Rd ; ch 4 000-10 000 Rs ;). Cet établissement sur 2 niveaux en bord de plage compte 15 chambres reluisantes joliment aménagées, la plupart avec des meubles esthétiques et un minibar, ainsi qu'une *cabana* plus simple. M. Badur Khan, le propriétaire charmant et cultivé, se met en quatre pour ses clients. Trois des chambres ont vue sur l'océan.

Galaxy Lounge Beachfront Cabanas PENSION **$$**
(063-224 8415 ; www.galaxysrilanka.com ; près de Panama Rd ; cabana 5 000-10 000 Rs ;). Plein de cachet et d'ambiance, ce lieu comporte de spacieuses *cabana* sur pilotis et des hamacs tendus entre les arbres du rivage. Les bungalows plus chics ont du charme et l'emplacement en bord de plage est superbe. Jeux de société et barbecues réguliers.

Danish Villa HÔTEL **$$**
(077 695 7936 ; www.thedanishvilla.dk ; Panama Rd ; ch 2 000-8 000 Rs ;). En retrait de la route principale, côté ouest, la Danish Villa possède un jardin agréable et paisible (sauf lorsqu'un groupe de singes s'y invite) et une atmosphère coloniale très chic. Le service avenant et la savoureuse cuisine asiatique et occidentale font que de nombreux clients reviennent régulièrement.

Arugam Bay Surfing Bay Resort PENSION **$$**
(071 640 9720 ; près de Panama Rd ; ch 2500-10 000 Rs ;). Très populaire pour son ambiance conviviale, sa cuisine et sa salle à manger communes. Les 8 chambres ont des charpentes en bambou et des toits de chaume, mais il y a aussi des *cabana* et des tentes à la mauresque. Le restaurant sert une bonne cuisine (repas 400-900 Rs). Trois des chambres dans le site en forme de L ont une belle vue sur l'océan. Planches de surf à louer.

Nice Place PENSION **$$**
(077 341 2240 ; près de Panama Rd ; ch 3 500-8 000 Rs ;). Cette pension dispose de 12 chambres confortables à une centaine de mètres en retrait de la plage. Cependant, de nouvelles constructions sur le site font qu'on s'y sent vite à l'étroit. Personnel charmant. Les chambres les moins chères n'ont que des ventilateurs.

Stardust Beach Hotel HÔTEL **$$$**
(063-224 8191 ; www.arugambay.com ; Stardust Rd ; cabana s/d 35/45 $US, ch 70-80 $US, app 95-110 $US ;). Tenu par des Danois, ce complexe trône au nord de la baie. Son agréable coin restaurant semi-ouvert avec terrasse face à l'océan invite à s'attarder devant un plat ou un verre et à se réunir entre amis. Les chambres (dans un bâtiment à 2 niveaux) et appartements ravissants présentent un mobilier choisi, mais des sdb sans eau chaude. Il y a aussi des *cabana* plus basiques, nettes et bien conçues. Vaste jardin ombragé. Cours de yoga et massages en haute saison.

Hideaway AUBERGE **$$$**
(063-224 8259 ; www.hideawayarugambay.com ; Panama Rd ; ch 40-120 $US ;). Une adresse branchée avec un immense jardin ombragé. Les volets aux décors peints à la main et les tissus ethniques ornent les bungalows. À l'arrière, dans une villa de style colonial drapée de bougainvilliers

vous trouverez 4 chambres et un bon restaurant. Certaines chambres ont des vérandas avec une belle vue, à apprécier lové sur les chaises longues en rotin.

Surf N Sun PENSION **$$$**

(063-224 8600 ; Panama Rd ; bung avec petit-déj 40-100 $US ;). Cette pension mérite sa popularité. Côté ouest de la route principale, elle possède un luxuriant jardin tropical à faire pâlir d'envie Adam et Ève, avec un étang au milieu. Les bungalows sont cosy, certains avec des arbres tortueux s'invitant dans la douche. L'ensemble bien conçu compte de nombreux espaces de détente. Bons repas et réductions en période creuse.

Mambo's HUTTES **$$$**

(077 782 2524 ; www.mambos.lk ; s/d à partir de 45/60 $US, bung 85-140 $US ;). Le chouchou des surfeurs jouxte le principal spot : on peut presque sauter du lit à sa planche. Les chambres en dur, avec ventilateur, et les bungalows au décor simple, avec moustiquaires aux fenêtres et petite véranda, dans un délicieux jardin, sont très plaisants. Le bar-restaurant, avec hamacs, organise des fêtes le samedi soir. Les prix fluctuent beaucoup selon la saison.

Où se restaurer et prendre un verre

La baie compte un vaste choix de restaurants proposant une cuisine internationale axée sur les produits de la mer. Dans nombre de pensions, les propriétaires préparent des riz-currys si on leur demande un peu à l'avance.

En saison, la plupart des établissements d'Arugam Bay servent bières et cocktails. Hors saison, trouver une bière fraîche relève souvent du défi.

Les restaurants les plus animés organisent en saison des fêtes sur la plage, notamment à la pleine lune. De nombreux visiteurs filent vers le nord et les célèbres raves de la plage de Whiskey Point.

Siripala Place Surf Cafe POISSON, FRUITS DE MER **$$**

(Près de Panama Rd ; plats 400-1 000 Rs ; 11h-23h). Le poisson est déchargé des bateaux à deux pas de ce café. Ce qui ne part pas sur des charrettes tirées par des buffles prend la direction des cuisines, garantissant la fraîcheur des plats. À déguster sur la terrasse caressée par la brise, devant l'océan.

Meena SRI LANKAIS **$$**

(Panama Rd ; repas 200-550 Rs ; 8h-22h). Cette petite table mitonne tous les classiques sri lankais, tels que *string hoppers*, riz-curry, *kotthu roti* et riz sauté, à arroser d'un jus de fruits tropicaux.

Samanthi's Restaurant SRI LANKAIS **$$**

(077 175 9620 ; Freedom Beach Cabanas, près de Panama Rd ; plats 250-700 Rs ; 8h-22h ;). Dans le Freedom Beach Cabanas, le Samanthi's propose une excellente cuisine, mitonnée par une chaleureuse famille sri lankaise. Commandez à l'avance le riz-curry (autour de 350 Rs). Les autres plats sont des mélanges classiques de recettes occidentales et sri lankaises (donc raisonnablement épicées). Essayez les fruits frais avec miel et yaourt au lait de bufflonne, la spécialité locale.

Perera Restaurant SRI LANKAIS **$$**

(Panama Rd ; plats 250-500 Rs ; 8h-22h). Une gargote en bord de route où manger un riz-curry correct et des spécialités couleur locale à prix raisonnables, ainsi que quelques plats et petits-déjeuners occidentaux.

Seahorse Inn & Pizzeria PIZZAS **$$$**

(077 172 2356 ; www.seahorseinnabay.com ; Panama Rd ; plats 700-1 600 Rs ; 11h-tard). Les chambres de cette auberge sont trop près de la route, mais heureusement le restaurant est à l'arrière. Tout est en plein air, y compris les espaces détente. Les pizzas sont les meilleures d'Arugam Bay, si ce n'est du pays, avec une pâte fine et des garnitures de première qualité. Le bar sert de bons alcools.

Hideaway Restaurant INTERNATIONAL **$$$**

(063-224 8259 ; www.hideawayarugambay.com ; Panama Rd ; plats 900-1 600 Rs ; 8h-22h ;). Ce restaurant d'hôtel au cadre sélect présente une carte qui change chaque jour, à base de produits frais. Les plats trahissent souvent des influences méditerranéennes et d'Asie du Sud-Est. Il y a aussi nombre d'options végétariennes, végétaliennes ou sans gluten. Des tables extérieures parsèment le joli jardin. Les propriétaires gèrent également le café Hideaway Blue, qui sert café, paninis, jus et smoothies. Service professionnel.

Stardust Restaurant INTERNATIONAL **$$$**

(063-224 8191 ; www.arugambay.com ; près de Panama Rd ; repas 800-2 000 Rs ; 11h-22h ;). Un restaurant d'hôtel devant la plage où manger dans un cadre mémorable. La carte comprend des plats européens et asiatiques réalisés par des cuisiniers experts et des vins au verre ou en bouteille, sans oublier de très bons jus de fruits, lassis et expressos. À vous de choisir entre la terrasse et le jardin agréables ou la salle semi-ouverte aérée par la brise marine. Excellents fruits de mer.

Surf N Sun POISSON, FRUITS DE MER **$$$**
(☎063-224 8600 ; www.thesurfnsun.com ; Panama Rd ; plats 600-1 500 Rs ; ⊙11h-22h ;). Le jardin luxuriant et une vaste terrasse en bois couverte de coussins, poufs, bougies et lanternes invitent à la détente. La cuisine est bonne, notamment les fruits de mer, les pizzas et parfois des grillades au barbecue. Bar bien fourni.

Hide & Chill Bar LOUNGE
(☎063-224 8259 ; Hideaway Hotel, Panama Rd ; ⊙17h-minuit). Sirotez de délicieux cocktails sous la voûte étoilée au Hide & Chill Bar du Hideaway Hotel, le plus classe des bars d'Arugam Bay. Les nombreux espaces détente permettent de se délasser après une longue journée d'exploration, en laissant l'heure tourner.

Siam View Hotel BAR
(www.arugam.com ; Panama Rd ; ⊙11h-tard ;). Ce bâtiment disgracieux bordant la route est le QG des fêtards du coin, qui s'y pressent à toute heure du jour et de la nuit. Des soirées animées par des DJ ou des groupes locaux font vibrer la piste de danse. Une atmosphère idéale pour se faire de nouveaux amis. Et en cas de fringale, on y sert quelques plats thaïlandais. Repérez dehors la cabine téléphonique typiquement british.

Renseignements

Les habitants ont l'habitude de voir des Occidentales en bikini sur la plage. Toutefois, s'agissant d'une communauté musulmane conservatrice, porter un T-shirt par-dessus, ou même un short et un T-shirt, vous évitera d'attirer l'attention. Hommes et femmes doivent s'habiller décemment. Ne vous promenez pas en maillot de bain en dehors de la plage.

Des tentatives d'agression sexuelle ont eu lieu dans des endroits isolés, en particulier au sud derrière le spot de surf.

Pour contacter la police, passez par votre hébergement.

Il y a deux DAB sur Panama Rd, l'artère principale, et beaucoup plus au nord, à Pottuvil, si ceux d'Arugam Bay ne fonctionnent pas.

Depuis/vers Arugam Bay

Les bus arrivent et partent de Pottuvil, d'où il faut prendre un *túk-túk* (250 Rs). Une correspondance à Siyambulanduwa est souvent nécessaire pour rejoindre Pottuvil.

Pour une voiture climatisée avec chauffeur depuis/vers Colombo, comptez environ 18 000 Rs et de 5 à 7 heures. Adressez-vous à votre hébergement pour réserver.

Presque toutes les pensions louent des vélos (environ 500 Rs/jour) et des motos (1 000-1 500 Rs/jour).

Peu de bus directs se rendent à Pottuvil depuis le reste du pays. Vous en trouverez en revanche pour Siyambulanduwa (ville de marché à 37 km à l'ouest), d'où de nombreux bus rejoignent Pottuvil (40 Rs).

Pottuvil et ses environs

☎063

Pour la plupart des touristes, Pottuvil se résume à un nœud de communications pour Arugam Bay, 3 km au sud. Pourtant, il y a ici une magnifique lagune, un excellent break de surf et d'intéressantes ruines antiques.

À voir et à faire

Mudu Maha Vihara RUINES
À l'est du centre, vers l'océan, se dressent les ruines antiques du Mudu Maha Vihara. Ce site charmant, en partie recouvert par des dunes de sable, comprend un beau bouddha debout haut de 3 m, flanqué de deux bodhisattvas. Juste derrière, la belle plage, large et sauvage, n'est pas sûre pour la baignade. Une route en excellent état mène aux ruines depuis le sud.

Pottuvil Point SURF
Au bout d'une étendue de sable en forme de péninsule, au nord du centre et à l'est de la lagune, Pottuvil Point est une droite lente, parfaite pour les débutants. Pour se restaurer, on trouve à l'extrémité sud du break des stands côtoyant la luxueuse Kottukal Beach House (p. 265). L'aller-retour en *túk-túk* d'Arugam Bay coûte 1 000 Rs.

♥ **Mangrove Ecotours** CANOË
(☎076 307 5516, 075 824 1432 ; circuit 2 heures 4 000 Rs pour 2 pers). Ces excursions valent à elles seules une visite à Pottuvil. Vous traverserez la lagune en canoë à balancier avant de zigzaguer dans les mangroves pour observer crocodiles, singes et une myriade d'oiseaux. Commencez tôt le matin ou à la tombée de la nuit. Ignorez

les rabatteurs à Arugam Bay et réservez sur place à l'agence, au bord de l'eau.

Où se loger et se restaurer

La plupart des visiteurs logent au sud, à Arugam Bay, mais il y a un hébergement sur la plage près du break de surf de Pottuvil, et plusieurs adresses plus au nord.

Pottuvil

Kottukal Beach House BOUTIQUE-HÔTEL $$$
(077 534 8807 ; www.jetwinghotels.com ; ch 120-150 $US ;). Cet hôtel retiré, dans une villa traditionnelle à 2 niveaux en bordure de plage, à 5 km au nord d'Arugam Bay, appartient au groupe réputé Jetwing. Un hébergement apprécié des surfeurs à gros budget pour son emplacement à l'extrémité sud du break de Pottuvil Point. Il n'y a que 4 chambres, immenses et luxueuses, et les parties communes sont spacieuses.

Cargills SUPERMARCHÉ $
(Panama Rd ; 8h-20h). Cette enseigne locale fiable possède un magasin près de la gare routière, où l'on trouve des produits occidentaux.

Whiskey Point

Whiskey Point est situé à 3 minutes de marche au nord de Pottuvil Point par la plage, beaucoup plus par la route. Ce spot de surf convient aux débutants, avec des vagues régulières à partir de fin avril. Il y a peu d'ombre sur la plage, et d'étonnants rochers ronds à l'extrémité sud. Les *túk-túk* demandent environ 1 600 Rs pour l'aller-retour d'Arugam Bay, avec 3 heures d'attente ; le trajet dure 25 minutes.

Paper Moon Kudils AUBERGE $$$
(071 997 9797 ; www.papermoonkudils.lk ; ch à partir de 60 $US ;). Hébergement haut de gamme pour surfeurs, directement sur la plage. Si malgré cela l'océan vous paraît loin, piquez une tête dans la grande piscine ! Les chambres sont dans des bungalows à toit de chaume. Le restaurant sert de bons fruits de mer, le bar des cocktails du jour.

SaBaBa Surf Café CAFÉ $$
(077 711 8132 ; plats 350-1 000 Rs ; restauration 7h-22h). Ce café bohème orné de bois flotté est au centre de la vie sociale de Whiskey Point. Doté d'une vaste terrasse en bois garnie de coussins et de chaises longues sur la plage, ce café organise des fêtes régulières durant la saison de surf (mercredi et vendredi en général). À cette occasion, des DJ passent de la house et de l'électro jusqu'à l'aube.

Pottuvil

Lighthouse Point

Sur une jolie plage peu fréquentée à 23 km au nord d'Arugam Bay, cette autre droite pour surfeurs débutants et intermédiaires forme un spot isolé où profiter des vagues de mai à octobre. **Green House**, un autre point plus au nord, s'étend à 15 minutes de marche en longeant la plage.

Si vous trouvez quelque chose d'ouvert hors saison et que les vagues ne vous effraient pas, Lighthouse Point est un lieu idyllique, aussi splendide que préservé.

Les *túk-túk* facturent 3 500 Rs l'aller-retour depuis Arugam Bay. La piste de 4 km depuis l'A4 est souvent impraticable en basse saison (novembre-début avril).

Hilltop Beach Cabanas HUTTES $$
(077 374 1466 ; www.hilltopcabanas.com ; cabana 30-50 $US). La gentillesse et la cuisine (repas 300-600 Rs) de Dilani, la propriétaire, font le succès des lieux. Optez pour la *cabana* sur pilotis décorée de guirlandes de coquillages. Elle jouit d'une vue fabuleuse. L'énergie solaire fournit uniquement l'éclairage et les sdb sont installées dehors, sous les arbres.

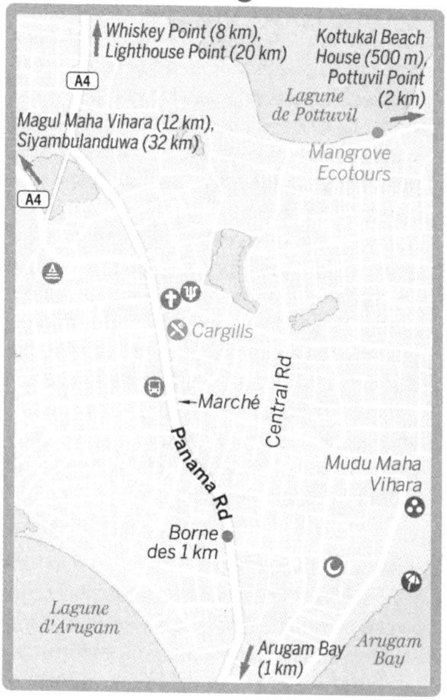

VAUT LE DÉTOUR

MAGUL MAHA VIHARA

À 12 km à l'ouest de Pottuvil se dressent les belles ruines du **Magul Maha Vihara** (Ve siècle), dans une paisible clairière. Sans doute érigé par le roi Dhatusena, qui régna de 459 à 477, l'édifice faisait probablement partie d'un domaine royal. Au pied d'un ancien sanctuaire gît une pierre de lune en bon état, entourée d'éléphants ; certains portent des petits cavaliers. Le site est à 800 m au sud de l'A4 ; sortez vers l'ouest juste après le Km 307.

Parmi les autres monuments que l'on peut voir figurent un stupa en bon état, gardé fièrement par des lions en pierre, un *vatadage* (reliquaire circulaire) sur une plateforme en croix – soutenue en trompe-l'œil par des piliers en pierre et des lions accroupis autour de sa base –, et un bouddha décapité, grossièrement réparé. Remarquez les balustrades en forme de trompes d'éléphant le long des escaliers. D'aucuns affirment que certaines parties du temple datent du IIe siècle av. J.-C.

Un peu plus à l'est, entre les Km 308 et 309, on peut admirer à **Kotawehera** les vestiges d'un stupa en brique trônant magnifiquement au sommet d'une colline. Par temps clair, la vue spectaculaire sur la forêt embrasse le paysage jusqu'à la zone humide autour de la lagune de Pottuvil.

Lighthouse Beach Hut HUTTES $$
(☎077 317 9594 ; www.lighthousebeachhut.com ; cabana à partir de 3 500 $US). Ces 8 *cabana* rustiques s'inscrivent dans un environnement rural juste à côté du break. Kanthan, le maître des lieux, prépare une excellente cuisine locale (repas à partir de 250 Rs). L'électricité est produite par l'énergie solaire. Cours de yoga en haute saison. Il faut y grimper, mais les huttes perchées dans les arbres offrent une vue splendide.

Depuis/vers Pottuvil

Pottuvil est le point d'accès principal à Arugam Bay ; le trajet en *túk-túk* revient à 250 Rs. Pour atteindre Pottuvil en bus, une correspondance à Siyambulanduwa (p. XXX) est souvent nécessaire.

Il y a peu de bus directs pour Pottuvil. Vous trouverez à la **gare routière** (Panama Rd) des bus privés et du Central Transport Board (CTB) :

Batticaloa 160 Rs, 3 heures, 12/jour

Colombo standard/clim 425/750 Rs, 8 heures, 3/jour

Wellawaya (correspondances vers la côte sud) 175 Rs, 2 heures 30, 2/jour

D'Arugam Bay à Panama

Des kilomètres de plages de sable intactes s'étirent au sud d'Arugam Bay. Véritable paradis du surf, la région est également appréciée des marcheurs pour ses superbes plages de sable désertes.

La B374 d'Arugam Bay à Panama, en retrait de la côte, traverse des lagunes où vous apercevrez des oiseaux aquatiques, des échassiers, des buffles, voire des éléphants évoluant dans des paysages splendides aux airs de savane. De nouveaux éco-tours basés à Panama permettent d'explorer la région, qui peut se visiter en une journée depuis Arugam Bay.

Activités

Parmi les spots de surf accessibles par la route côtière depuis Arugam Bay figurent **Crocodile Rock** (aller-retour en *túk-túk* 800 Rs), **Elephant Rock** (1 000 Rs) et **Peanut Farm** (environ 1 000 Rs).

À l'extrémité nord de la plage de Panama, près de l'usine de traitement des méduses (elles sont envoyées en Asie de l'Est où elles servent d'ingrédient culinaire), un point break droit convient aux débutants.

Panama Lagoon Eco Safari CROISIÈRES
(☎071 175 6933, 076 719 1015 ; punchiralasomasiri@gmail.com ; Panama Beach Rd ; croisières 3 heures pour 4 pers à partir de 5 000 Rs ; ⏲départ 6h et 15h). Explorez les mangroves pendant 3 heures en bateaux lents (neufs mais dotés de sièges disgracieux) pour s'approcher de la faune variée grouillant sous l'eau, sur les marais et dans le ciel. Bureaux et bateaux sont à 3 km du centre, à l'endroit où la piste en terre de la plage débouche sur la plage et la lagune. Réservez.

Depuis/vers Panama

Panama est à 13 km au sud d'Arugam Bay par la B374 (en bon état). L'aller-retour en *túk-túk* coûte 2 000 Rs. Il n'y a qu'une poignée de bus quotidiens entre Pottuvil et Panama (80 Rs, 1 heure).

De Panama à Okanda

Si la route semble s'arrêter à Panama, la B355 continue en fait vers le sud, mais ce n'est plus alors qu'une piste en terre défoncée de 16 km menant à l'entrée du parc national de Kumana et à Okanda, petit campement saisonnier pour les pêcheurs locaux et site d'un pèlerinage annuel.

Pour se rendre à Okanda, on roule au pas, mais la route traverse des paysages de marécages et de savane exceptionnels, peuplés d'une faune abondante (elle est souvent bloquée par des éléphants, dont les bouses sont partout). Vous verrez aussi des tantales indiens (grands échassiers colorés). Ajoutez une ou deux escales intéressantes en route, et vous serez ravi d'avoir prolongé votre excursion à la journée depuis Arugam Bay.

Depuis Okanda, à 5 minutes de marche du temple, une grande **plage** de sable beige, avec un excellent point break droit, est prisée des surfeurs qui fuient la foule d'Arugam Bay.

Kudumbigala Forest Hermitage SITE RELIGIEUX

(Près de la B355). Superbe site de 47 km², le Kudumbigala Forest Hermitage est un merveilleux fouillis d'affleurements rocheux rappelant Sigiriya dans une jungle épaisse. Plus de 200 sanctuaires et ermitages sont installés dans des grottes ou accrochés à des surplombs rocheux. Si les constructions n'ont guère d'intérêt, l'ambiance est fantastique et le plus haut rocher, coiffé d'un dagoba, offre une vue panoramique sur ce paysage inhabituel et la vaste canopée. Kudumbigala se visite généralement lors de

VAUT LE DÉTOUR

PARC NATIONAL ET RÉSERVE DE KUMANA

Les amateurs d'ornithologie, de nature sauvage et de beaux paysages apprécient le calme du **parc national de Kumana** (☎063-363 5867 ; www.dwc.gov.lk ; près de la B355 ; adulte/enfant 10/5 $US, véhicule 250 Rs, services 8 $US/groupe, plus taxe 15% ; ⏰billetterie 6h-16h).

Ce parc de 357 km², autrefois appelé parc national de Yala Est, est en effet beaucoup moins fréquenté que son voisin, le parc national de Yala. Bien que la variété et la densité de la faune soient moindres, il donne moins l'impression d'un zoo. Vous aurez de bonnes chances d'apercevoir un léopard, des éléphants, des crocodiles, des tortues, des cobras blancs, des buffles sauvages et quantité d'oiseaux. Une douzaine d'ours vivent ici, mais se montrent rarement.

On peut voir de petites expositions à la billetterie près de l'entrée du parc.

La partie la plus connue du parc est la réserve ornithologique de Kumana, un marais de mangrove de 200 ha peuplé d'oiseaux, à 22 km au-delà d'Okanda. La saison de nidification dure de mai à juin. De rares jabirus d'Asie ont été aperçus. Les calaos de Malabar, guêpiers d'Orient, loriots à bec effilé et tantales indiens font partie des espèces les plus communes, y compris hors de la réserve. Des tours de guet facilitent l'observation et les visiteurs rapportent souvent avoir vu des dizaines de paons.

Les divers droits d'entrée cumulés peuvent finir par chiffrer, prévoyez en conséquence. Un guide obligatoire, pas toujours anglophone, accompagne chaque véhicule. Les pensions d'Arugam Bay procurent des jeeps avec chauffeur moyennant quelque 8 000 Rs/jour.

Des circuits avec camping dans le parc permettent d'observer les animaux au crépuscule et à l'aube.

La tarification pour camper dans le parc national peut sembler alambiquée. Il faut s'acquitter de 15 $US/personne de frais de camping, 20 $US/personne de frais d'accès au parc et de 12 $US/personne de frais de service, auxquels s'ajoutent une taxe de 15% et le prix de l'entrée au parc.

Des excursions camping d'une nuit, matériel compris, sont disponibles à Arugam Bay pour environ 300 $US pour 2 personnes ; elles comprennent un safari le matin et le soir.

Depuis Arugam Bay, comptez jusqu'à 1 heure 30 pour rejoindre la billetterie et l'entrée du parc. Il n'y a le plus souvent ni guides ni chauffeurs sur place ; recrutez-les à Arugam Bay (vous les trouverez facilement). Si vous ne faites que l'excursion à la journée de 4 000 Rs vers Panama et Okanda, vous ne verrez rien du parc, car il n'y a aucun site d'intérêt autour de l'entrée.

circuits organisés comprenant Kumana et Okanda. Les chauffeurs connaissent le site et ses accès.

Okanda Sri Murugan Kovil TEMPLE HINDOU
(Près de la B355, Okanda). Relativement petit, le temple principal a un *gopuram* (tour d'entrée) pittoresque et constitue une étape importante du pèlerinage de Pada Yatra à Kataragama. Chaque année, environ 25 000 pèlerins se rassemblent ici pendant les deux semaines précédant la *poya* (pleine lune) de juillet, avant d'entamer l'ultime, et la plus périlleuse, étape de 5 jours de la marche de 45 jours depuis Jaffna.

Depuis/vers Okanda

Comptez environ 1 heure pour parcourir les 16 km séparant Panama d'Okanda/parc national de Kumana sur la B355. Depuis Arugam Bay, une excursion à la journée en *túk-túk* coûte environ 4 000 Rs.

Ampara

063 / 44 300 HABITANTS

Sise au milieu d'une campagne alternant rizières, lacs et palmeraies, cette localité détendue n'a guère d'attrait, mais ses alentours abritent quelques sites mineurs.

À voir

Deegawapi RUINES
(Dighavapi Cetiya ; près de la B92). Selon la légende, Deegawapi (Dighavapi Cetiya) est le seul endroit que le Bouddha visita dans le sud-est du Sri Lanka. Construit sous le règne de Saddhatissa (137-119 av. J.-C.), le stupa fut restauré aux IIe et XVIIIe siècles avant de disparaître dans la jungle qui recouvrait alors la région. Le site est à 19 km à l'est d'Ampara via Eragama et la B439.

Redécouvert en 1916, il est la cause de conflits depuis des décennies : de nombreux Cinghalais affirment que la population majoritairement musulmane de la région s'est délibérément installée sur les terres (comprenez cinghalaises) de l'ancien dagoba, tandis que les musulmans, qui vivent ici depuis des siècles, voient cette revendication comme le début d'une colonisation cinghalaise.

Ce site ne justifie peut-être pas le long détour. Si les vestiges du grand dagoba central de brique rouge en imposent, le cadre n'a rien de particulier. Des fouilles sont en cours, et le petit musée (8h-17h, gratuit) expose quelques artefacts archéologiques.

Buddangala Rajamaha Viharaya SITE BOUDDHIQUE
(Buddhangala Rock Hermitage ; près de Buddangala Rd ; dons acceptés ; 6h-20h). S'élevant au-dessus de la forêt au nord d'Ampara, cette colline rocheuse haute de 150 m dévoile une vue panoramique depuis son sommet (et même parfois des éléphants sauvages au crépuscule). Le site daterait de 1 800 ans. Lorsque les vestiges de l'ancien temple, à gauche du sanctuaire principal, furent mis au jour en 1964, les archéologues y découvrirent un coffret en or contenant une dent du Bouddha. Il est désormais conservé dans le dagoba et exposé durant 3 jours en juin lors de la *poya.*

Une grotte en surplomb recèle d'intéressants trésors, dont un squelette humain utilisé pour la méditation. On admirera la splendeur du site mais, sans guide ni explications en anglais, difficile de saisir toute son importance spirituelle. Il se peut toutefois que des moines parlant anglais soient présents. L'aller-retour en *túk-túk* d'Ampara, à 6 km au nord-est, coûte 1 000 Rs, attente comprise.

Pagode de la Paix japonaise SITE BOUDDHIQUE
(Sama Chaitya ; près de Inginiyagala Rd). À 4 km à l'ouest de la ville, ce gracieux stupa ceint d'une colonnade à sa base comporte des niches dont les bouddhas dorés ressortent sur le blanc immaculé de l'édifice. De la tour de l'horloge, suivez DS Senanayake Rd qui se dirige vers Inginiyagala, en passant par le pittoresque Ampara Tank. Au bout de 3 km, tournez à droite.

Près de l'entrée, la salle des statues, avec ses bouddhas, son autel coloré et ses nuages d'encens, retient l'attention, surtout quand le moine et la nonne qui résident sur place psalmodient au son des tambours. La plateforme de la pagode est un perchoir idéal pour observer les centaines d'oiseaux aquatiques qui volent sur le lac en face. Les éléphants qui traversaient jadis le site n'ont plus été vus depuis des années.

Sri Manika Pillaiyar SITE HINDOU
(Inginiyagala Rd). Ce sanctuaire hindou aux statues illuminées par des guirlandes électriques offre à Ganesh une jolie vue sur l'Ampara Tank. Le site est à 1 km à l'ouest du rond-point principal.

Où se loger et se restaurer

Ambhasewana Guest House PENSION $
(063-222 3865 ; angle 1st Ave et 4th Ave ; ch avec ventil/clim à partir de 850/1 800 Rs ;). Gérée par une famille accueillante, cette modeste pension bleu et blanc occupe un site ombragé dans une rue calme, à deux pâtés de maisons du centre. Les 9 chambres sont aérées, simples et confortables.

Terrel Residencies PENSION $$
(063-222 2215 ; terrelb@gmail.com ; 153 Stores Rd ; s/d avec ventil 2 000/2 500 Rs, avec clim 4 750/5 250 Rs ; restaurant 11h-22h ;). Occupant un bâtiment à 2 niveaux, cette pension animée et plaisante compte 11 chambres propres et confortables réparties autour d'un jardin central. Le restaurant sert des plats d'inspiration chinoise (300-600 Rs). L'aimable propriétaire, Terrel, organise des safaris en bateau (à partir de 4 800 Rs) dans les lagunes et sur les lacs alentour.

Monty Guest House HÔTEL $$
(063-222 2169 ; 1st Ave ; ch 3 000-9 000 Rs ;). Une adresse agréable et bien tenue, dans une banlieue verdoyante à 1 km au sud du centre-ville. Côté cadre, la réception contemporaine de bon goût contraste avec certains espaces communs évoquant un parking sur plusieurs niveaux. Si les chambres avec ventilateur sont fonctionnelles et un peu sombres, celles qui sont climatisées marient lignes pures et mobilier moderne. Le restaurant (plats 250-650 Rs) sert des plats locaux et occidentaux en terrasse ou dans la salle à manger.

Keells New City SRI LANKAIS $
(DS Senanayke Rd ; repas 150-300 Rs ; 7h-22h). Une valeur sûre au cœur de la ville, pour manger un riz-curry à midi, un *kotthu* le soir ou des en-cas frits entre les repas. Une boulangerie et un supermarché sont adjacents. Le restaurant est au cœur du village, juste à l'est de la tour de l'horloge de 1980.

Depuis/vers Ampara

On trouve à la nouvelle gare routière d'Ampara, juste au sud de la tour de l'horloge, des bus CTB et privés, notamment pour :

Batticaloa 98 Rs, 3 heures, 4/jour

Kandy 381 Rs, 5 heures 30, ttes les heures

Pottuvil (pour Arugam Bay) 110 Rs, 3 heures, 1/jour

Batticaloa

065 / 93 600 HABITANTS

Dépourvue de sites exceptionnels, la ville historique de Batticaloa ("Batti") séduit par son ambiance et son charme, amplifié par le soleil qui filtre à travers les palmiers des lagunes alentour. L'atmosphère décontractée et le petit centre-ville, avec son immense forteresse et ses nombreuses églises, méritent bien d'y consacrer une demi-journée.

À l'est du centre de Batti, la petite ville de Kallady s'étire sur un long isthme sablonneux. On y trouve de superbes plages et un nombre croissant d'hébergements. Explorer la région à vélo est particulièrement agréable.

À voir

La ville se divise en 3 secteurs, séparés par les eaux de la lagune.

Puliyanthivu

Le quartier le plus charmant, correspondant au vieux Batti, est en fait une île où se dressent le fort, plusieurs églises de l'ère coloniale et où s'arrêtent les bus. Un lieu particulièrement magique la nuit, bercé par le chant des cigales et le clapotis de l'eau et sans le moindre passant venant troubler votre solitude. Outre la cathédrale St Mary et l'église St Anthony, l'**église méthodiste** (Post Office Rd ; 8h-17h) et le **St Michael's College** (Central Rd), qui datent de l'époque coloniale, valent le coup d'œil.

Dutch Fort FORT
(Fort Rd, Puliyanthivu ; 8h30-16h30). GRATUIT Jadis imposant, ce fort en partie délabré mais toujours évocateur renferme entre ses remparts de 6 m d'épaisseur des bureaux de l'administration. Bâti par les Portugais en 1628, il fut pris par les Hollandais 10 ans plus tard, puis par les Britanniques en 1745. Dans la cour se dressent les façades délabrées d'anciens édifices coloniaux à colonnades. On y voit aussi des canons anglais, ainsi que les vestiges de tours de guet et d'un clocher. Une vue splendide embrasse la lagune. Un petit **musée** renferme des pièces intéressantes et l'on peut jeter un coup d'œil à l'ancienne prison, convertie en boutique.

Batticaloa

Mahatma Gandhi Park PARC
(Bazaar St, Puliyanthivu). Ce joli parc moderne bordant le front de mer du vieux Batti est apprécié des couples, qui viennent s'y promener et admirer la Batticaloa Gate, une arche du XIXe siècle marquant l'entrée du port.

St Mary's Cathedral ÉGLISE
(Cathédrale Sainte-Marie ; St Mary's St, Puliyanthivu). L'imposante silhouette turquoise de la cathédrale St Mary se distingue des nombreuses églises de Batti. Elle a été reconstruite en 1994 après sa destruction partielle lors d'affrontements entre Tamouls et musulmans.

Anipandi Sitivigniswara Alayar TEMPLE HINDOU
(Hospital Rd, Puliyanthivu). En expansion constante, le sanctuaire hindou le plus esthétique de Batticaloa comporte un magnifique *gopuram* décoré d'un enchevêtrement délirant de divinités.

New Town

Au nord de Puliyanthivu, de l'autre côté de la lagune, s'étend New Town, la ville nouvelle, un quartier d'affaires sillonné de larges avenues bordées de banques et de boutiques.

Phare de Batticaloa PHARE
(Près de la B46, Palameenmadu ; circuits en bateau 400-3 000 Rs ; 8h-19h). Au bout d'un banc de sable entouré de lagunes et de mangroves, ce phare de 28 m de haut (1913) et le littoral alentour sont une destination prisée des familles (évitez le week-end), d'autant qu'il y a une aire de jeux pour les enfants. Vous pourrez nager dans les eaux calmes, entre les îles et les criques. De Batticaloa, la course en *túk-túk* coûte 500 Rs. Le phare est à 5 km au nord-ouest de New Town par la B46.

Les petites croisières sur les eaux alentour sont particulièrement agréables au coucher du soleil.

Batticaloa

Les incontournables
1 Dutch Fort C3

À voir
2 Anipandi Sitivigniswara Alayar A4
3 Mosquée d'Auliya C2
4 Imperial Saloon B1
5 Mahatma Gandhi Park B3
6 Église méthodiste B3
7 Our Lady of Sorrows A1
8 St Mary's Cathedral A3
9 St Michael's College B3

Où se loger
10 Treatooo Lagoon View D1
11 YMCA A1

Où se restaurer
12 Eat Me B1
13 Euro Veg Restaurant A3
14 RN Buffet & Take Away A3
15 Sun Shine Cafe B1
Tomato Restaurant .... (voir 15)

Où prendre un verre et faire la fête
16 Café Chill C2

Imperial Saloon SANCTUAIRE
(☎077 248 7815 ; Trinco Rd ; ⏲8h30-20h30 lun-sam, 8h30-13h dim). Venez vous faire couper les cheveux et masser le crâne (400 Rs) dans ce salon d'un kitsch attendrissant. Chaque centimètre carré est couvert de peintures décoratives, de fleurs artificielles, de paillettes, de filigranes, de vitraux et de guirlandes scintillantes, tandis qu'au fond, sous un plafond clouté d'étoiles, un sanctuaire syncrétique accueille la déesse Durga, la Vierge Marie et le Bouddha.

Our Lady of Sorrows ÉGLISE
(Église Notre-Dame-des-Douleurs ; Trinco Rd). La plus étonnante des dizaines d'églises du quartier est l'immense édifice octogonal bleu céruléen de l'Our Lady of Sorrows, dont la construction n'est pas terminée.

Mosquée d'Auliya MOSQUÉE
(Lady Manning Dr). La mosquée d'Auliya, surmontée d'un étonnant minaret vert, est un lieu idéal pour admirer le fort hollandais de l'autre côté de la lagune.

Kallady

À l'est de Batti s'étend Kallady, que l'on rejoint aisément à pied ou en vélo par un joli pont de 1924 (les voitures circulent sur un pont plus récent). Le quartier possède une artère commerçante animée, des zones arborées plus anciennes et de vastes plages. Par endroits, la terre à nu témoigne encore des ravages du tsunami de 2004.

Heritage Museum of Kattankudy MUSÉE
(☎065-224 8311 ; A4 ; adulte/enfant 250/100 Rs ; ⏲9h-18h sam-jeu). Cet excellent nouveau musée plonge le visiteur dans l'histoire des marchands musulmans et arabes de la région. Réparties sur 3 niveaux, les expositions retracent plusieurs siècles d'évolution culturelle à travers maquettes, artefacts et autres reconstitutions. Le personnel anglophone sera ravi de vous faire visiter les lieux.

Plage de la péninsule de Kallady et Navalady PLAGE
Cette longue plage, où l'on peut généralement se baigner, borde la péninsule jusqu'à son extrémité nord. Les nombreux accès depuis Navalady Rd permettent d'explorer la plage à vélo. Certaines sections sont plus ombragées que d'autres.

Temple Thiruchendur Murugan Alayam TEMPLE HINDOU
(Navalady Rd). Construit en 1984 pour servir d'étape lors du pèlerinage de Pada Yatra, de Jaffna jusqu'à Kataragama, l'édifice contient une effigie de Murugan, qui aurait ouvert les yeux avant que le peintre ne l'achève. Il a été frappé par le tsunami et son petit *gopuram* coloré penche dangereusement. Vous le verrez à Kallady, près de la plage entre Third St et Fourth Cross St.

Activités et circuits organisés

Explorer la région, notamment à la recherche de la plage idéale, est une des activités les plus intéressantes à Batti. La plupart des hébergements louent des vélos, et les routes de Kallady sont parfaitement adaptées à ce moyen de locomotion.

Si vous logez au Riviera Resort, vous pourrez louer un kayak pour explorer la lagune.

Sri Lanka Diving Tours PLONGÉE
(☎077 764 8459 ; www.srilanka-divingtours.com ; Deep Sea Resort, près de Navalady Rd, Kallady ; croisière plongée 2 bouteilles à partir de 70 $US ; ⏲8h-18h mars-sept). Un centre de plongée professionnel spécialisé dans les épaves, comme celle du porte-avions britannique HMS *Hermes,* coulé en 1942 par des bombardiers japonais au large de Batticaloa.

Cette sortie s'adresse aux plongeurs certifiés Tech (les personnes expérimentées peuvent suivre une formation de 5 jours), mais il en existe d'autres plus faciles dans les rochers. Certains packs incluent l'hébergement sur place.

♥ **East N' West On Board** CYCLOTOURISME
(☎065-222 6079 ; www.eastnwestonboard.com ; 65 Thiruchentoor Beach Rd, Kallady ; location vélo 500 Rs/jour, excursions guidées 2 pers à partir de 7 000 Rs ; ⏱8h-18h lun-sam). Cet excellent organisme franco-sri lankais promeut le tourisme dans la région de Batti et propose de nombreux services, dont la location de vélos, des cartes gratuites et de fructueux conseils. Il organise également des excursions en vélo et en *túk-túk* à travers les villages et les fermes de la région, permettant de découvrir la culture et la cuisine locales.

Où se loger

Kallady est un quartier agréable, bordé par la lagune d'un côté et la plage de l'autre.

L'organisme de visites culturelles East N' West On Board peut vous trouver des hébergements de charme confortables chez l'habitant, que nous recommandons chaleureusement. Comptez 6 000 Rs pour 2 personnes avec la demi-pension.

♥ **Riviera Resort** HÔTEL $
(☎065-222 2165, 065-222 2164 ; www.riviera-online.com ; New Dutch Bar Rd, Kallady ; s/d avec ventil à partir de 2 500/3 000 Rs, avec clim à partir de 4 500/5 000 Rs ; ❄@📶). Au bord de l'eau avec vue sur le pont de Kallady et la lagune, il s'agit d'un endroit assurément paisible et relaxant. Les chambres possèdent un charme à l'ancienne, notamment les bungalows dotés de grands patios. De quoi faire oublier une certaine vétusté. Bar et bon restaurant (ci-contre) de cuisine locale. Service excellent.

Location de kayaks (individuel/double 500/800 Rs) et de vélos.

Treatooo Lagoon View PENSION $
(☎065-222 8929 ; www.treatooo.com ; 103 Lady Manning Drive, New Town ; s/d avec ventil à partir de 3 000/3 500 Rs, avec clim à partir de 5 000/ 6 000 $US ; ❄📶). Cette pension accueillante dispose de 8 chambres spacieuses portant des noms d'oiseaux, dont certaines ont des balcons avec vue sur la lagune. Les propriétaires vous renseigneront sur les transports. Service de blanchissage. Savoureuse cuisine sri lankaise, chinoise et occidentale (plats 250-500 Rs) également. Emplacement reposant en bord de lagune.

YMCA AUBERGE DE JEUNESSE $
(☎065-222 2495 ; www.ymcabatticaloa.org ; Boundary Rd, New Town ; s/d avec ventil à partir de 1 200/ 1 500 Rs, avec clim à partir de 2 000/2 600 Rs ; ❄📶). Pour les voyageurs au budget serré, cette adresse à la fois calme et centrale défie toute concurrence. Le personnel se montre avenant, mais le bâtiment sans caractère ne favorise pas l'ambiance, les chambres sont spartiates et les sdb attenantes n'ont pas l'eau chaude.

Naval Beach Villa PENSION $
(☎077 469 2121 ; School Rd, Kallady ; s/d avec ventil à partir de 2 000/2 500 Rs, avec clim à partir de 4 500/5 000 Rs ; ❄📶). Dans un petit domaine entouré de murs vert olive à une centaine de mètres de la plage, une pension conviviale avec cuisine et espace barbecue partagés. Les chambres, basiques mais spacieuses, attirent les Européens en groupe souhaitant voyager sans se ruiner. La famille qui tient les lieux est sympathique et ne demande qu'à se rendre utile. Les hamacs sont irrésistibles.

Hotel East Lagoon HÔTEL $$$
(☎065-222 9222 ; www.hoteleastlagoon.lk ; Munai Lane, Uppodai Lake Rd, New Town ; ch 7 200-12 000 Rs ; ❄📶🏊). Cet hôtel moderne de style colonial à 4 niveaux bénéficie d'un emplacement paisible le long de la lagune, à 1 km au nord-est du centre. Ses grandes chambres chics offrent une vue sur Kallady, de l'autre côté de l'eau. Le restaurant propose au déjeuner un excellent buffet local (900 Rs) comprenant beaucoup de plats végétariens.

Naaval HÔTEL $$$
(☎077 068 4905 ; 74/1 Mugathuwaram Rd, Kallady ; ch à partir de 50 $US ; ❄📶). Ce nouveau complexe hôtelier occupe une bande de terre étroite près de la pointe nord de la péninsule, qui offre une vue sur la lagune d'un côté et l'océan de l'autre. Il possède 10 villas modernes avec terrasses et balcons. Les installations sont certes un peu aseptisées, mais d'une propreté irréprochable.

Où se restaurer et prendre un verre

Seuls les hôtels de catégorie supérieure ont des bars, et la plupart des restaurants ne servent pas d'alcool.

Sun Shine Cafe SRI LANKAIS $
(☎065-465 0650 ; 136 Trinco Rd, New Town ; repas 180-400 Rs ; ⏲10h-22h). La réputation du lieu se comprend aisément. Moderne, propre et accueillant, il couvre toute la gamme des classiques *biriyani*, currys (goûtez celui au mouton) et riz pilaf, sans oublier les burgers, pâtisseries, en-cas (samosas 25 Rs), jus de fruits et lassis. La boulangerie fait de bons cupcakes.

Euro Veg Restaurant SRI LANKAIS $
(Covington Rd, Puliyanthivu ; repas 180-450 Rs ; ⏲8h-22h). Plus qu'un repas… une expérience sensorielle (et épicée) ! Les excellents biryanis, nouilles et *kotthu* se dégustent dans un environnement baigné de lumière.

Eat Me SRI LANKAIS $
(Trinco Rd, New Town ; plats 150-400 Rs ; ⏲9h-21h). Ah… Si seulement le Eat Me vendait des T-shirts ! Cette jolie échoppe propose une variété de riz-currys dans une atmosphère colorée. Le mot d'ordre : "sain et savoureux".

Riviera Resort SRI LANKAIS $$
(☎065-222 2164 ; www.riviera-online.com ; New Dutch Bar Rd, Kallady ; repas 350-1 000 Rs ; ⏲12h-15h et 17h-22h ; 📶). Ce restaurant évoque la période coloniale. Un serveur vous installe sous la véranda avec un verre, prend votre commande et vous conduit ensuite dans une salle à manger (ou sur la terrasse). La cuisine, notamment les currys de crabe et autres produits de la mer, justifie l'attente.

RN Buffet & Take Away SRI LANKAIS $$
(☎065-222 2684 ; 42 Covington Rd, Puliyanthivu ; repas 150-650 Rs ; ⏲7h30-18h). Ce petit restaurant hyperanimé présente un coin vente à emporter très fréquenté par les employés de bureau (repas végétarien/carné 120/200 Rs) et une salle à l'étage. Le buffet déjeuner (600 Rs) comprend du poisson, du poulet et un tas de mets végétariens.

Tomato Restaurant INTERNATIONAL $$
(☎065-465 0650 ; 136 Trinco Rd, New Town ; repas 300-650 Rs ; ⏲10h-22h30 ; 📶). Quand la chaleur tropicale devient insupportable, la salle climatisée du Tomato est une bénédiction. Au-dessus du Sun Shine Cafe, cette table raffinée propose des plats occidentaux (pâtes, sandwichs, salades, fruits de mer et côtelettes d'agneau grillées) et des spécialités tandoori d'Inde du Nord (après 18h), dont des *naan* et des *tikka*. Bon choix de jus de fruits, mais pas d'alcool.

Café Chill CAFÉ
(☎077 777 9598 ; 9 Pioneer Rd, New Town ; ⏲9h30-21h dim-ven ; 📶). Un petit lieu rustique à demi en plein air, proche de la lagune, où les hipsters de Batti se retrouvent dans une atmosphère décontractée. Au menu : cafés, thés, infusions, jus de fruits, lassis, etc. Le café sert également des plats, notamment burgers, frites et samosas.

Renseignements

On trouve de nombreux DAB dans toutes les zones commerçantes.

Kiosque d'information touristique (Bazaar St, Puliyanthivu ; ⏲horaires variables). Bonnes cartes, mais horaires irréguliers.

Police (Bar Rd ; ⏲24h/24)

Poste (Post Office Rd, Puliyanthivu ; ⏲7h-20h lun-ven, 7h-18h sam, 7h-17h dim). Bien placée.

Depuis/vers Batticaloa

AVION

Un vol de **Cinnamon Air** (carte p. 60 ; ☎011-247 5475 ; www.cinnamonair.com) fait quotidiennement la navette entre Colombo et Batticaloa. Le vol dure 1 heure et coûte environ 40 000 Rs. Les avions atterrissent à l'aéroport de Batticaloa, situé à 2 km à l'ouest de Puliyanthivu.

BUS

Les bus CTB, les bus privés et les minibus possèdent des gares routières attenantes dans Munai St. Bus CTB et privés :

Ampara 110 Rs, 3 heures, 3/jour

Badulla 260 Rs, 6 heures, 5/jour

Colombo 365 Rs, 9 heures, 3/jour

Jaffna (via Vavuniya) 515 Rs, 7 heures, 4/jour

Polonnaruwa 130 Rs, 2 heures, ttes les 30 min

Pottuvil (pour Arugam Bay) 160 Rs, 3 heures, 12/jour

Trincomalee 200 Rs, 4 heures, ttes les 30 min

Valaichchenai (pour Passekudah et Kalkudah) 50 Rs, 50 min, ttes les 20 min

La plupart des visiteurs préfèrent prendre un bus privé pour Colombo :

Surena Travels (☎065-222 6152 ; Munai St, Puliyanthivu ; ⏲16h30-20h30). Standard/clim 600/1 100 Rs, 9 heures, 2/jour

TRAIN

Réservez à la **gare ferroviaire** (☎065-222 4471 ; Station Rd, New Town ; ⏲billetterie 8h30-18h) les trains pour Colombo (1re/2e/3e classe 1 250/630/480 Rs, 9 heures, 2/jour). Réservez au moins une semaine à l'avance pour le train de nuit.

Kalkudah et Passekudah

☎ 065

À 34 km au nord de Batticaloa, de part et d'autre d'une étroite péninsule, ces deux plages spectaculaires sont très différentes. Du côté nord du cap, lové au creux d'une baie abritée, l'époustouflant croissant de sable blanc de la **plage de Passekudah** voit pousser comme des champignons les hôtels de luxe de la "zone économique spéciale", subventionnée par le gouvernement qui souhaite faire de la baie un mini-Cancun. Le long des complexes hôteliers, les eaux très peu profondes atteignent sous le soleil des températures élevées et il faut s'éloigner de la rive pour pouvoir nager. Des coraux coupants se mêlent par ailleurs au sable.

En allant 2 km vers l'est, puis en longeant l'océan vers le sud, on atteint la **plage de Kalkudah**, une plage déserte à l'exception de quelques pêcheurs et de leurs embarcations. Elle est reliée par de bonnes routes à l'intérieur des terres, et les hôtels qui se dressaient ici avant le tsunami de 2004 pourraient rapidement repousser. En attendant, et malgré le manque d'ombre, c'est un plaisir de parcourir cette bande de sable en quête d'un coin où poser sa serviette. Pour accéder à ces deux plages, il faut passer par la ville sans charme de Valaichchenai, à l'intérieur des terres, près de l'intersection de l'A11 et de l'A15, où s'arrêtent les bus et les trains.

À voir

Coconut Cultural Park PARC
(☎ 065-365 9028 ; Coconut Board Rd, Passekudah ; 1 300 Rs ; 7h30-16h30 lun-sam). Juste derrière les complexes hôteliers, ce parc met à l'honneur la noix de coco, étroitement liée à la nation sri lankaise (la culture de ce fruit remarquable est même mentionnée dans le Mahavamsa). Promenez-vous sous les cocotiers et apprenez les multiples usages qu'on peut en faire : bois de construction, tapis, cordes, huile de cuisine et alcool. La glace à la noix de coco est un délice. Le site fait aussi la part belle à d'autres fruits, comme la papaye.

Où se loger et se restaurer

Des complexes hôteliers de luxe bordent le rivage de Passekudah. Les établissements bon marché et de catégorie moyenne se concentrent dans l'arrière-pays, sur la route Valaichchenai-Kalkudah Rd et dans les ruelles sablonneuses qui partent de la plage de Passekudah.

Quel que soit votre choix d'hébergement, sachez que les deux plages sont faciles d'accès. Vous n'aurez jamais plus de 2 km à faire pour poser votre serviette.

La zone des complexes hôteliers de Passekudah (et ses lampadaires artistiques bordant Coconut Board Rd) est très étendue, et ne permet pas vraiment d'errer d'hôtel en hôtel.

Tous les hébergements possèdent des restaurants dont les prix reflètent généralement ceux des chambres. Il n'y a pour l'instant pas de cafés indépendants.

Moni Guest House PENSION $
(☎ 077 392 6833, 065-365 4742 ; près de Valaichchenai-Kalkudah Rd ; s/d avec ventil à partir de 2 000/2 500 Rs, avec clim à partir de 3 000/3 500 Rs ; ❄ ☎). Cette pension est installée au cœur de l'animation et offre une plaisante atmosphère familiale. Elle loue 9 chambres assez basiques entretenues avec soin et sert des repas substantiels, dont des currys de poisson et de copieux petits-déjeuners. Délassez-vous en regardant les noix de coco tomber dans le jardin.

New Land Guesthouse PENSION $
(☎ 065-568 0440 ; 283 Valaichchenai-Kalkudah Rd, Passekudah ; s/d avec ventil à partir de 2 000/2 500 Rs, avec clim à partir de 3 000/3 500 Rs ; ❄ ☎). Cet autre établissement familial bien dirigé propose des chambres nettes avec mobilier en bois et moustiquaires. Celles du nouveau bâtiment sont un peu plus petites. Excellent restaurant de fruits de mer ; les succulents dîners de homard sont à réserver la veille.

♥ **Roy's Inn** PENSION $$
(☎ 077 503 6696, 065-205 0223 ; Mariyamman Kovil Rd, Passekudah ; s/d avec ventil à partir de 3 000/3 500 Rs, avec clim à partir de 4 500/5 000 Rs ; ❄ ☎). Les chambres en bungalows, réparties autour d'un jardin agréable et reposant, ont des hauts plafonds, des terrasses et une literie de qualité. La pension est indiquée dans une ruelle sablonneuse à 300 m de la plage de Passekudah.

Nandawanam Guesthouse PENSION $$
(☎ 065-225 7258 ; www.nandawanam.blogspot.com ; près de Valaichchenai-Kalkudah Rd, Passekudah ; ch 3 300-7 000 Rs ; ❄ ☎). Cette villa verte est implantée bien à l'écart de la route, dans de beaux jardins. Les chambres diffèrent

– traditionnelles au rez-de-chaussée, plus modernes à l'étage –, mais toutes sont propres, avec de bons matelas épais et la TV. Excellents repas et location de vélos.

Laya Waves BOUTIQUE-HÔTEL $$$
(☎011-232 1122, 065-205 0500 ; www.layahotels.lk ; Valaichchenai-Kalkudah Rd, Kalkudah ; ch à partir de 70 $US ;). Tout au nord de la plage de Kalkudah, cet hôtel rutilant et très bien tenu compte 8 chambres dotées de terrasses avec vue sur l'océan (les meilleures sont à l'étage). Pour l'instant, les résidents ont l'essentiel de la plage sans fin juste pour eux.

Anilana Pasikuda COMPLEXE HÔTELIER $$$
(☎065-203 0900 ; www.anilana.com/pasikuda ; 14 Hotel Development Rd, Passekudah ; ch 90-200 $US ;). Situé en retrait de la rue principale, un complexe hôtelier en front de mer, au design moderne tempéré par les toits en chaume et les matériaux naturels. Organisés autour d'une piscine idéale pour faire des longueurs, les chambres du corps principal et les bungalows sur le rivage comportent un éclairage et des sdb tendance. Spa réputé.

Uga Bay COMPLEXE HÔTELIER $$$
(☎065-567 1000 ; www.ugaescapes.com ; Coconut Board Rd, Passekudah ; ch à partir de 140 $US ;). Sur une portion de plage s'étendant au centre de la succession d'hôtels, ce luxueux complexe loue des chambres et des suites joliment finies qui regardent la mer. Elles affichent une déco tropicale élégante mariant bois sombre, marbre et touche contemporaine. Les enfants adoreront la piscine. Spa et salle de sport.

Anantaya Resort COMPLEXE HÔTELIER $$$
(☎065-223 3200 ; www.anantaya.lk/passikudah ; Coconut Cultivation Board Rd, Passekudah ; ch à partir de 140 $US ;). Légèrement plus petit que son luxueux grand frère, l'Anantaya, et situé un peu à l'écart des foules au nord de la plage, cet hôtel offre une certaine intimité. Les 55 chambres sont réparties sur une vaste propriété dans de spectaculaires bâtiments à 2 ou 3 niveaux. La piscine qui ondule entre les édifices du site est l'une des plus grandes du coin.

Depuis vers Passekudah et Kalkudah

On accède aux plages par la ville de Valaichchenai. Les trains arrivent à la **Valaichchenai Railway Station** (Railway Rd, Valaichchenai ; billetterie 8h-18h), en bordure nord de l'A15, depuis :

Batticaloa 1re/2e/3e classe 110/60/30 Rs, 45 min, 2/jour

Colombo 1re/2e/3e classe 1 230/630/380 Rs, 8 heures, 2/jour

Il n'y a pas de gare routière ; les bus s'arrêtent sur la route principale près de la gare ferroviaire. De là, rejoindre Passekudah ou Kalkudah en *túk-túk* coûte 200 Rs. Les bus arrivent de :

Batticaloa 50 Rs, 1 heure, ttes les 30 min

Polonnaruwa 97 Rs, 1 heure 30, ttes les 30 min

Trincomalee 160 Rs, 3 heures, ttes les 30 min

Trincomalee

☎026 / 101 100 HABITANTS

Trincomalee (Trinco) possède l'un des plus beaux ports naturels au monde. Cette cité historique remonte à la nuit des temps ; elle serait le site de l'antique Gokana du Mahavamsa (Grande Chronique, textes sacrés) et de son temple de Shiva, celui de Trikuta dans le Vayu Purana hindou. Si la plupart des touristes se contentent de traverser la ville pour rejoindre les plages proches d'Uppuveli et de Nilaveli, Trincomalee séduit par son charme, sa longue histoire et la diversité de sa population.

Son superbe port en eau profonde fut souvent attaqué au cours de l'histoire. Lorsque les Britanniques s'en emparèrent en 1795, il avait déjà été colonisé 7 fois. Explorez pendant au moins une journée le fort, le célèbre temple et les multiples recoins du front de mer.

À voir et à faire

Les plages les plus réputées du secteur, Uppuveli et Nilaveli, se situent non loin de Trincomalee. Autrement, la jolie Dutch Bay et Manayaweli Cove offrent également de belles plages. N'envisagez pas de faire trempette à l'Inner Harbour (port intérieur) et à Back Bay, trop pollués.

Kandasamy Kovil SITE HINDOU
(Koneswaram Kovil ; Fort Frederick). Ce sanctuaire trônant au sommet d'un affleurement rocheux fait partie des *pancha ishwaram* du Sri Lanka, les 5 temples historiques de Shiva érigés pour protéger l'île des catastrophes naturelles. Il renferme le lingam (symbole phallique) de Swayambhu, ce qui le range parmi les

Trincomalee

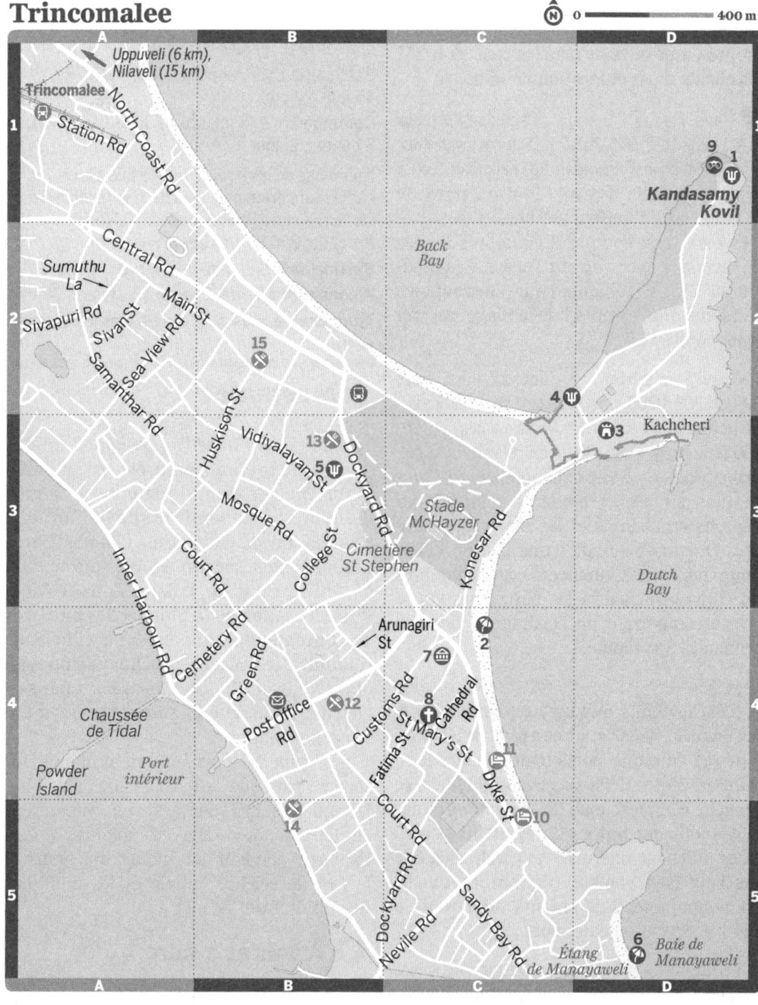

Trincomalee

Les incontournables
1 Kandasamy Kovil D1

À voir
Statue du Bouddha .... (voir 4)
2 Dutch Bay Beach C4
3 Fort Frederick D3
4 Temple de Gokana C2
5 Kali Kovil B3
6 Manayaweli Cove D5
7 Maritime & Naval History Museum C4
8 St Mary's Cathedral C4
9 Swami Rock D1

Où se loger
10 Dyke Rest C5
11 Hotel Blue Ocean C4

Où se restaurer
12 Ajmeer Hotel B4
13 Anna Pooram Vegetarian Restaurant B3
14 Dutch Bank Cafe B5
15 New Parrot Restaurant B2

sites hindous les plus importants du pays. Si l'on vient s'y recueillir depuis la nuit des temps, la structure actuelle date de 1952. Les *pujas* – à 6h30, 11h30 et 16h30 – attirent une foule de fidèles.

Fort Frederick FORTERESSE
Konesar Rd). GRATUIT Sis au début d'une étroite péninsule, le fort Frederick joua pendant des siècles un rôle défensif important. Une forteresse fut d'abord bâtie ici par les Portugais en 1623, puis reconstruite par les Hollandais, avant de tomber aux mains des Anglais en 1782 (notez les emblèmes de la couronne britannique qui surmontent l'entrée, pareille à un tunnel perçant les épais remparts).

La forteresse est aujourd'hui occupée par l'armée sri lankaise, mais l'essentiel du site est accessible à pied ou en voiture. À l'intérieur, parmi les canons et les pièces d'artillerie, quelques chitals broutent paisiblement sous les immenses banians.

Parmi les édifices coloniaux à colonnades, la **Wellesley House** (fermée au public), imposante demeure de style georgien baptisée d'après le duc de Wellington, date de la fin du XVIIIe siècle. Enfin, le **temple de Gokana**, d'où l'on profite d'une belle vue sur Trincomalee et la côte, recèle un grand **bouddha** debout.

Maritime & Naval History Museum MUSÉE
(Dockyard Rd ; ⌚8h30-16h30 mer-lun). Ce musée occupe un imposant édifice colonial hollandais rénové, datant du XVIIIe siècle. Au rez-de-chaussée, les expositions retracent l'histoire navale du Sri Lanka depuis l'époque de Marco Polo, tandis que l'étage est consacré à la faune et à la flore de la côte est, notamment de Pigeon Island. Les vastes vérandas sont parfaites pour faire une pause en contemplant la vue.

Manayaweli Cove PLAGE
(Sandy Bay Rd). Située derrière Manayaweli Pond (ou Dhoby Tank), Manayaweli Cove est une charmante plage de pêcheurs où l'on peut se promener sur un sable propre et se baigner dans des eaux limpides.

Dutch Bay Beach PLAGE
Située en plein centre de Trinco, la pittoresque plage de Dutch Bay se prête surtout à la promenade, une glace à la main (il y a de nombreux vendeurs) ; la baignade reste possible malgré des courants parfois dangereux.

À NE PAS MANQUER

OBSERVER LES BALEINES

Avançant dans l'océan à l'est de Trincomalee, le **Swami Rock** (Fort Frederick) a été désigné par les océanographes comme le premier site mondial pour l'observation des baleines bleues.

Ces cétacés sont présents toute l'année, mais on les voit le plus souvent entre février et novembre. Des cachalots se montrent aussi régulièrement.

Lors de la visite du Koneswaram Kovil, prenez le temps de scruter la mer. Apportez des jumelles si possible.

St Mary's Cathedral ÉGLISE
(Cathédrale Sainte-Marie ; St Mary's St ; ⌚8h-17h). Cette jolie église catholique de 1852 arbore une façade néobaroque bleu ciel et une partie arrière décorée de carreaux et flanquée de tours. À l'intérieur, des portraits de saints vous toisent entre les colonnes.

Kali Kovil TEMPLE HINDOU
(Dockyard Rd). Des nombreux sanctuaires hindous de Trincomalee, celui-ci possède le *gopuram* le plus impressionnant. Il y a toujours foule.

Où se loger

La plupart des voyageurs préfèrent loger à Uppuveli, 6 km au nord, mais vous pouvez profiter des charmes de Trinco en logeant sur place, par exemple dans les bonnes pensions jalonnant la plage de Dutch Bay.

♥ **Dyke Rest** AUBERGE $
(☎026-222 5313 ; www.facebook.com/DykeRest ; 228 Dyke St ; ch avec ventil 1 500-2 500 Rs, avec clim à partir de 4 400 Rs ; ❄📶). Un joyau sur 2 niveaux, extrêmement bien tenu et en plein sur la plage. L'extérieur est quelconque, mais une fois passée la porte la vue est splendide. À l'étage, 2 chambres ont la climatisation, une sdb partagée et une belle vue. On aperçoit le fort depuis la véranda.

Hotel Blue Ocean PENSION $
(☎026-222 5578 ; 290 Dyke St ; ch à partir de 1 500 Rs). Sur la plage de Dutch Bay, cette modeste pension possède une étroite portion de plage et des chambres simples et propres réparties sur 3 niveaux.

VAUT LE DÉTOUR

LA ROUTE VERS LE SUD DEPUIS TRINCO

Si vous prenez l'A15 sans vous arrêter, vous accomplirez les 110 km séparant Trincomalee de Kalkudah en 2 heures, mais en prenant une journée complète, vous pourrez explorer la myriade de sites d'intérêt jalonnant les abords de la route.

De Trincomalee, l'A15 fait le tour de Trincomalee Bay en passant par l'aéroport. Au bout de 17 km, un embranchement à gauche, indiqué juste avant le pont de Kinniya, conduit à **Marble Beach** (026-302 1000 ; www.marblebeach.lk ; près de l'A15 ; 20 Rs/pers, parking 50 Rs ; aube-crépuscule), une anse magnifique flanquée de promontoires boisés, au nord de laquelle un complexe balnéaire est géré par l'armée de l'air. Mieux vaut s'attarder au sud de la baie pour barboter dans ses eaux limpides en admirant un paysage aux tons émeraude et azur, et le passage occasionnel d'un cargo au loin. Attention : le site est parfois envahi de groupes d'écoliers en semaine.

Plus au sud, après le pont de Kinniya, l'A15 longe le littoral jusqu'à la ville musulmane de **Mutur**, où des boutiques vendent des boissons fraîches.

Continuez, puis sortez de l'A15 juste après le Km 101 sur une route partiellement goudronnée menant 7,5 km plus loin au **Seruwawila Rajamaha Viharaya**. (En arrivant du sud, sortez juste après le Km 89 et continuez sur 7 km sur une route presque entièrement asphaltée.) Haut lieu du bouddhisme sri lankais fondé au IIe siècle av. J.-C., le stupa, qui domine des plaines broussailleuses, fut redécouvert et reconstruit dans les années 1920, puis rénové en 2009. Vous trouverez des en-cas dans le petit village près du stupa.

L'A15 traverse ensuite de vastes étendues de rizières et une région de broussailles et de marais très faiblement peuplée.

Après la ville de Vakarai et le pont de Panichchankeni, sortez en direction de l'océan au Km 58 et poursuivez sur 2,5 km jusqu'à une **plage** paradisiaque sans fin. Si vous souhaitez y faire une halte, optez pour une déconnexion totale aux **Tranquility Coral Cottages** (011-262 5404, 077 735 4894 ; www.tccvakarai.com ; Sallithievu Rd, Panichchankeni, Vakarai ; cottages avec repas à partir de 8 000 Rs/pers). Vous pourrez profiter ici d'une plage de sable blanc déserte, explorer la lagune de Panichchankeni et faire du snorkeling dans les récifs autour de Sallithievu, un îlot relié au continent par un banc de sable. Les cottages en bois spacieux et la cuisine familiale incluse coûtent toutefois un peu cher pour jouer les Robinson Crusoé.

De retour sur l'A15, vous ne serez plus qu'à 20 km au nord des plages jumelles de Kalkudah et Passekudah.

Où se restaurer

Ajmeer Hotel — SRI LANKAIS $

(Newraheemiya ; 65 Post Office Rd ; plats 150-400 Rs ; 5h30-22h30). Sert un excellent curry. Les portions sont énormes et l'ambiance chaleureuse.

Anna Pooram Vegetarian Restaurant — INDE DU SUD $

(415 Dockyard Rd ; plats 150-400 Rs ; 8h-22h). Ce restaurant végétarien animé fait toujours le plein à l'heure du déjeuner grâce à son excellente cuisine tamoule. Il prépare notamment un *sambar* (épais mélange de pois d'angole et de légumes) et un riz-curry réputés. Il n'y a qu'une poignée de tables, mais les clients se pressent pour acheter des plats à emporter.

New Parrot Restaurant — SRI LANKAIS $

(026-326 7777 ; 96 Main St ; plats 150-500 Rs ; 8h-21h lun-sam, 8h-16h dim). Une adresse bien tenue, à l'étage, où l'on mange de savoureux riz sautés – goûtez celui au poulet ou aux œufs – *kotthu*, nouilles, soupes et plats pimentés. Au-dessus d'une agence de la Nations Trust Bank.

Dutch Bank Cafe — INTERNATIONAL $$$

(077 269 0600 ; 88 Inner Harbour Rd ; repas 600-1 600 Rs ; 8h-22h ;). Le plus raffiné des restaurants du centre de Trinco occupe un édifice historique doté d'un décor au design contemporain. Au menu, vous trouverez des pizzas, des burgers, des nouilles, des plats du jour sri lankais, des expressos, ainsi que des cappuccinos, des jus de fruits et des milk-shakes. Il est situé face à l'Inner Harbour et dispose de la climatisation.

Renseignements

On trouve de nombreux DAB à Trinco, ainsi qu'une **poste** dans Post Office Rd (7h-19h lun-sam, 8h30-16h30 dim).

Depuis/vers Trincomalee

AVION

La compagnie **Cinnamon Air** (carte p. 60 ; ☎011-247 5475 ; www.cinnamonair.com) propose un vol quotidien entre Colombo et Trinco. Le trajet dure 1 heure et coûte environ 40 000 Rs. L'aéroport est à 12 km à l'ouest de la ville.

BUS

Les bus CTB et privés partent de la même **gare routière** (Dockyard Rd), notamment vers :

Anuradhapura 200 Rs, 4 heures, 6/jour

Batticaloa 200 Rs, 4 heures, ttes les 30 min

Colombo standard 450 Rs, 7 heures, ttes les heures

Colombo (clim ; réservation essentielle) express/luxe 600/950 Rs, 6 heures, 6/jour

Jaffna (via Vavuniya) 320 Rs, 7 heures, 9/jour

Kandy 250 RS, 5 heures 30, 7/jour

TRAIN

Chaque jour, 2 trains circulent entre Trincomalee et Colombo Fort, dont un direct de nuit avec couchettes. Réservez à la **gare de Trincomalee** (☎026-222 2271 ; Station Rd ; ⏲réservations 8h-16h). On peut aussi rallier Polonnaruwa et Batticaloa en changeant à Gal Oya.

Colombo train de nuit couchette 1re/2e/3e classe 1 250/550/350 Rs, 8 heures ; réservation au moins une semaine à l'avance

Colombo sans réservation (correspondance à Gal Oya) 2e/3e classe 480/305 Rs, 8 heures

Uppuveli

☎026

À 6 km au nord de Trincomalee, Uppuveli est une agréable petite enclave côtière bordée d'une belle plage de sable doré, peuplée de quelques centaines d'habitants et comptant une myriade d'hébergements et de restaurants alimentés par un flot continu de produits de la mer.

Sans être exceptionnelle, Uppuveli dégage un charme typique et une atmosphère d'intimité qui en font l'une des destinations préférées des voyageurs dans l'est du pays.

À voir et à faire

La plupart des boutiques de plongée n'ouvrent qu'en haute saison, d'avril à octobre.

♥ Uppuveli Beach PLAGE

Une superbe plage au sable couleur miel où il fait bon se baigner la plupart du temps ... conviviale, av... nade et des voyage... nouveaux amis. Sur la p... s'amusent à vous piquer vo... pendant que vous vous baignez, et ... une poignée de modestes cafés.

Cimetière militaire du Commonwealth CIMETIÈRE

(B424 ; ⏲aube-crépuscule). Dans ce cimetière superbement entretenu reposent 364 soldats de 13 nationalités morts à Trincomalee pendant la Seconde Guerre mondiale, pour la plupart lors d'une attaque japonaise qui coula plus d'une dizaine de vaisseaux en 1942.

L'aimable gardien, qui connaît l'endroit comme sa poche, vous fera visiter et vous montrera des tombes spécifiques.

Salli Muthumariamunam Kovil SITE HINDOU

Ce sanctuaire hindou au bord du rivage se situe à 4 km d'Uppuveli par la route, mais à une courte distance à pied (en bateau à marée haute) de l'extrémité nord de la plage, caché par des rochers couverts de verdure de l'autre côté de Fishermen's Creek.

♥ Angel Diving PLONGÉE

(☎071 275 8499 ; www.facebook.com/angeldivingsrilanka ; Uppuveli Beach ; croisière plongée 2 bouteilles à partir de 80 $US ; ⏲8h-18h avr-sept). Boutique de plongée appréciée pour son personnel de bon conseil, située sur la plage près du Golden Beach Cottage. L'établissement organise toutes sortes d'excursions, notamment vers Pigeon Island et le célèbre HMS *Hermes*.

Où se loger

On trouve des hébergements d'un bon rapport qualité/prix le long de la plage et juste derrière.

Aqua Inn HÔTEL $

(☎071 251 9749 ; www.aquahotel-trincomalee.com ; 12 Alles Garden ; s/d avec ventil à partir de 2 500/3 000 Rs, avec clim à partir de 4 500/5 000 Rs ; ❄📶🏊). Une adresse bon marché, conviviale et superbement placée en bordure de plage. Mais vous découvrirez un affreux bâtiment en béton et des chambres économiques sinistres, avec leur faible ampoule nue pour toute décoration. Les options climatisées ont un peu plus d'attrait.

Uppuveli

Les incontournables
1 Uppuveli Beach B3

À voir
2 Cimetière militaire du Commonwealth A2
3 Salli Muthumariamunam Kovil B1

Activités
4 Angel Diving B2

Où se loger
5 Anantamaa A2
6 Aqua Inn B2
7 Coconut Beach Lodge B3
8 Golden Beach Cottages A2
9 Palm Beach Resort A3
10 Shiva's Beach Resort B3
11 Trinco Blu by Cinnamon A2

Où se restaurer
12 Ceylon Seafood Cafe A2
Coconut Beach Lodge .... (voir 7)
13 Crab B2
14 Palm Beach A3
15 Sana's A2
Tonic's .... (voir 8)

Où prendre un verre et faire la fête
16 Fernando's Beach Bar B2

♥ Coconut Beach Lodge PENSION $$
(026-222 4888 ; coconutbeachlodge@gmail.com ; ch 5 000-8 000 Rs ;). Outre un merveilleux emplacement en bordure de plage, l'établissement possède un ravissant jardin et une élégante villa où déguster une délicieuse cuisine maison (commandez vers 15h30). Les chambres avec ventilateur, aux sdb rehaussées de touches artistiques, ont beaucoup de succès. Il existe aussi des chambres climatisées équipées de tout le confort moderne.

Anantamaa HÔTEL $$
(026-205 0250 ; www.anantamaa.com ; 7/42 Alles Garden ; ch à partir de 50 $US ;). En retrait de la plage mais disposant d'un accès privé à l'océan, cet hôtel tenu avec professionnalisme propose des chambres propres et confortables réparties autour d'une grande piscine dans des bâtiments à 2 niveaux.

Golden Beach Cottages PENSION $$
(026-493 1210, 077 134 4620 ; www.golden-beachcottages.com ; ch 3 500-7 000 Rs ;). Tarifs abordables pour 10 chambres rénovées, étonnamment spacieuses (elles peuvent loger 2 à 4 personnes) et dotées d'agréables petites vérandas. Petit café avec tables sur la plage.

Palm Beach Resort HÔTEL $$
(026-222 1250 ; ch à partir de 50 $US ;). Cet hôtel bien tenu dispose de chambres sans surprise mais décorées avec goût de mobilier en bois sombre et dotées de petites vérandas. Il n'y a en revanche pas d'eau chaude dans les sdb, et les matelas sont en mousse. Le jardin ombragé, à deux pas de la plage, résonne du chant des oiseaux, et la nourriture est excellente.

Shiva's Beach Resort HÔTEL $$
(026-222 8000 ; goldenbeachtrinco24@gmail.com ; 178/32 Alles Garden ; ch 3 000-7 000 Rs ;). Ne vous laissez pas rebuter par l'aspect massif et sans âme de ce bâtiment en béton, car il renferme 16 chambres nettes et spacieuses d'un intéressant rapport qualité/prix. Certaines des moins chères n'ont que des ventilateurs. Une petite allée mène aux *cabana* de l'hôtel, posées sur la plage.

♥ Trinco Blu by Cinnamon COMPLEXE HÔTELIER $$$
(026-222 2307 ; www.cinnamonhotels.com ; près de Sarvodaya Rd ; s/d avec petit-déj à partir de 90/110 $US ;). Le design de l'hôtel tire le meilleur parti de l'emplacement sur

la plage, toutes les chambres regardant la mer. Des coussins orange vif, des textiles et des mosaïques ressortent sur le fond blanc et bleu cobalt des murs. Une vaste pelouse et une piscine de 30 m invitent à la détente. Un véritable havre de paix.

Où se restaurer et prendre un verre

Promenez-vous sur la plage pour trouver un endroit où prendre un verre ou dîner, ou préférez les excellents restaurants en retrait de la plage, dans Sarvodaya Rd.

Coconut Beach Lodge SRI LANKAIS **$$**
(026-222 4888 ; repas 350-700 Rs ;). La meilleure adresse pour une cuisine sri lankaise maison (riz-curry, poisson grillé, crevettes géantes et délices végétariens) préparée avec amour et servie sur une jolie terrasse à la lumière des bougies. Réservez vers 15h30.

Ceylon Seafood Cafe POISSON, FRUITS DE MER **$$**
(077 933 5858 ; Sarvodaya Rd ; plats 500-1 200 Rs ; 19h-minuit). Difficile de faire plus rustique que cette hutte en bambou ouverte à tous vents, bordée d'un étang de lotus. Choisissez votre poisson frais directement sur l'étal ; les cuisiniers s'occupent du reste (demandez un supplément poivre et ail). Apportez votre bière de l'une des épiceries du coin.

Tonic's POISSON, FRUITS DE MER **$$**
(026-493 1210 ; Golden Beach Cottage ; repas 500-1 200 Rs ; 11h-22h). Le restaurant sur la plage du Golden Beach Cottage possède juste ce qu'il faut de raffinement pour accompagner la dégustation de poissons frais, servis avec frites et salade. Les beignets de calmars sont également excellents. Plats du jour en fonction des arrivages.

Sana's SRI LANKAIS **$$$**
(077 700 4047 ; Sarvodaya Rd ; plats 500-2 000 Rs ; 8h-22h). Ce paradis de bois flotté sur 2 niveaux, géré par un personnel charmant, n'est pas étranger à l'ascension de Sarvodaya Rd sur la scène gastronomique de la côte est. S'il est possible de se restaurer pour moins de 800 Rs, vous pourrez faire des folies en optant pour le homard ou d'intéressantes créations culinaires de la mer.

Crab INTERNATIONAL **$$$**
(026-222 2307 ; Trinco Blu by Cinnamon, près de Sarvodaya Rd ; repas 1 000-2 800 Rs ; 17h-23h). Avec son cadre de rêve, cet élégant hôtel-restaurant est idéal pour un long dîner en bord de mer. Il décline un large choix de plats, du riz indonésien relevé de satay aux succulents plats de la mer comme le curry de crabe. Vous ne trouverez pas plus haut de gamme à Uppuveli. Cuisine ouverte, bar bien fourni et service professionnel.

Palm Beach ITALIEN **$$$**
(026-222 1250 ; repas 1 300-2 600 Rs ; 18h30-21h fév-nov ;) Authentiques spécialités italiennes, dont des pâtes et des fruits de mer ; la carte, qui varie quotidiennement, inclut un ou deux plats du jour. En retrait de la plage, à l'ombre des palmiers, le restaurant jouit d'une bonne réputation ; réservation indispensable. On peut dîner dehors ou en salle.

Fernando's Beach Bar BAR
(071 251 9749 ; Aqua Inn ; 7h-22h). C'est dans ce bar de plage que bien des soirées commencent et s'achèvent à Uppuveli. Installez-vous sur un coussin sur la plage, à une table ou sur la terrasse en bois flotté pour apprécier une bière fraîche ou un cocktail corsé en profitant de l'ambiance animée. Idéal pour sociabiliser entre voyageurs, bercé par le va-et-vient de la houle. Nourriture correcte sans plus.

Depuis/vers Uppuveli

Des bus Irakkandy-Trincomalee circulent toutes les 20 minutes le long de la B424 ; faites-leur signe sur la grand-route pour rejoindre Trincomalee (20 Rs, 20 min) ou Nilaveli (20 Rs, 10 min). Un *túk-túk* pour Trinco coûte 500 Rs ; comptez 600 Rs pour Nilaveli.

Nilaveli

026

Avec ses hôtels disséminés dans des ruelles partant de la route côtière (B424), Nilaveli, qui s'étend sur 6 km, est la plus septentrionale des stations balnéaires de la région de Trinco, et présente une atmosphère plus intimiste qu'Uppuveli. Son sable doré et ses eaux engageantes invitent à profiter pleinement des plaisirs de la plage.

Au large, Pigeon Island recèle quelques coins propices à la plongée et au snorkeling. Ne vous attendez pas à un environnement vierge car le développement récent du tourisme a déjà endommagé le récif. Près du rivage, des excursionnistes piétinent allègrement les coraux.

Nilaveli

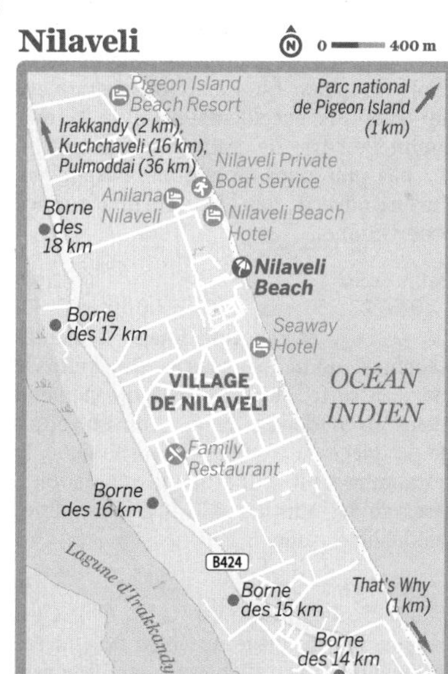

À voir et à faire

Nilaveli Beach PLAGE

La plage de Nilaveli est considérée depuis des années comme l'une des plus belles du Sri Lanka, et l'on comprend pourquoi : c'est un paradis isolé dont le sable doré est bordé de palmiers se balançant dans la brise. Les 4 km de plage sont jalonnés de modestes complexes hôteliers. À l'est, la silhouette de Pigeon Island vous donnera des envies de snorkeling.

Nilaveli Private Boat Service CROISIÈRES, SNORKELING

(071 593 6919, 077 886 9285 ; excursions pêche 1-4 pers 6 000 Rs, observation des baleines 2/4 pers 14 000/16 000 Rs). L'association des bateliers locaux a fixé des prix pour l'excursion à Pigeon Island : 2 000 Rs par bateau (entrée du parc non comprise) et 600 Rs par jour pour la location de matériel de snorkeling. Le tarif reste le même que vous louiez une embarcation la journée entière (7h-17h30) ou quelques heures, les bateliers restant à votre disposition toute la journée pour venir vous chercher à l'heure souhaitée. Les capitaines (qui ne parlent pas bien anglais) ont une hutte sur la plage, près des bureaux du parc.

Des sorties de pêche ou d'observation des baleines (très populaires car l'on aperçoit fréquemment des baleines bleues) sont également possibles. Toute une gamme d'excursions permettent aussi de découvrir la faune variée des mangroves. En haute saison (juillet-août), réservez l'excursion à Pigeon Island au moins 24 heures à l'avance.

Parc national de Pigeon Island PLONGÉE, SNORKELING

(Entrée du parc 1/2 adultes 3 150/4 700 Rs, enfant 950 Rs). Située à 1 km de la côte, cette belle île au sable blanc poudreux et aux coraux scintillants séduit par ses possibilités. Lieu de nidification des pigeons bisets, elle abrite des bassins rocheux et des sentiers qui serpentent à travers les fourrés, mais le paysage sous-marin est son principal attrait. La faible profondeur du récif, peuplé de dizaines de coraux, de centaines de poissons (dont des requins à pointe noire) et de tortues, rend le snorkeling presque aussi gratifiant que la plongée !

Poseidon Diving Station PLONGÉE

(091-720 1200 ; www.divingsrilanka.com ; près de la B424, près du Km 9 ; croisière plongée 2 bouteilles à partir de 80 € ; avr-nov). Au programme de cette école de plongée bien organisée figurent des cours PADI open water (à partir de 350 €), des plongées, des sorties de snorkeling à Pigeon Island et des excursions en bateau pour observer baleines bleues et cachalots.

Où se loger et se restaurer

Nilaveli compte un nombre croissant d'hébergements disséminés sur 6 km entre les Km 13 et 19. Ils sont en moyenne plus chers qu'à Uppuveli. L'endroit est pratiquement désert hors saison. Presque tous les hébergements servent à manger, et des restaurants indépendants commencent à apparaître.

That's Why HUTTES $$

(077 175 6290 ; près de la B424 ; ch 3 500-5 000 Rs). Avec le jovial Sameera, c'est toujours la fête dans cet ensemble de huttes en bord de plage. Plus près de l'océan, vous auriez les pieds dans l'eau ! Les 8 *cabana* coniques, se rapprochant plus de petites huttes, sont dotées de ventilateurs et offrent un confort relax très années 1960. Résidents et personnel se retrouvent au bar de plage (11h-tard), le centre de la fête.

VAUT LE DÉTOUR

NORD DE NILAVELI

La B424 au nord de Nilaveli suit le littoral, coincée entre l'océan et les lagunes de l'intérieur des terres. Une route agréable à parcourir en voiture, à moto, ou pour les plus courageux en vélo (c'est très plat). Votre solitude n'y sera perturbée que par les ânes sauvages, les paons et les singes.

Les 6 premiers kilomètres ne présentent guère d'intérêt, mais après avoir franchi l'estuaire à Kumpurupiddi, la route longe étroitement la plage, puis contourne à l'ouest une immense lagune peu profonde. Un réseau de digues et de chenaux forme des **marais salants** où l'eau pompée dans la mer s'évapore à la saison sèche pour produire du sel.

En poursuivant vers le nord, vous atteindrez le célèbre site archéologique, bien indiqué, de **Kuchchaveli**, au Km 34 de la B424. Occupant une pointe rocheuse qui s'avance dans l'océan Indien, les modestes vestiges d'un stupa en brique (50 marches) offrent une vue spectaculaire sur les flots turquoise couronnés d'écume blanche et les magnifiques plages de sable au nord et au sud.

Vers le Km 40, la route traverse un autre estuaire, dont le rivage sablonneux est ponctué de bateaux multicolores. Elle passe ensuite par d'épaisses mangroves où vivent des varans et une abondante faune aviaire (hérons, cigognes et autres échassiers), avant d'atteindre un checkpoint de l'armée.

Au Km 45, délaissez un moment le superbe panorama sur la plage et prenez vers l'ouest sur une petite route. Arrêtez-vous au parking, 4 km plus loin, et passez devant un vieil étang bordé des vestiges d'inscriptions complexes avant de gravir la colline pour découvrir une vue splendide et les ruines du **Girihandu Seya**, considéré comme le plus ancien temple bouddhique du Sri Lanka (sa construction remonterait au IIIe siècle av. J.-C.).

De retour sur la B424, on rejoint rapidement au Km 54 le village isolé de **Pulmoddai**, non loin de la **lagune de Kokkilai**, une importante réserve d'oiseaux.

Des bus (90 Rs, 1 heure 30, 1/heure) relient Pulmoddai à Trincomalee via Nilaveli et Uppuveli. D'autres desservent Mullaitivu (100 Rs, 2 heures, ttes les heures), longeant la côte vers le nord du pays et Jaffna.

Seaway Hotel HÔTEL $$

(☎026-223 2212 ; www.seawayhotel.com ; près de la B424 ; ch 3 000-8 000 Rs ; ❄📶). Juste en retrait de la plage, cet établissement engageant s'inscrit sur un vaste terrain herbeux. Il loue de petites chambres économiques avec ventilateur, eau froide dans la sdb et véranda, ainsi que des chambres modernes joliment meublées comprenant minibar, eau chaude et balcon.

Uga Jungle Beach Resort COMPLEXE HÔTELIER $$$

(☎026-567 1000 ; www.ugaescapes.com/junglebeach ; B424, Km 27, Kuchchaveli ; bung 100-300 $US ; ❄📶🏊). 🍃 À 9 km au nord de Nilaveli, cet établissement de style écolo en matériaux naturels profite d'une situation privilégiée en lisière d'une belle plage. Les chambres ont été construites dans le respect de l'environnement, d'où une abondante végétation peuplée d'oiseaux. Le restaurant jouxte la piscine. Cours de yoga gratuits et spa.

Nilaveli Beach Hotel COMPLEXE HÔTELIER $$$

(☎026-223 2296 ; www.nilaveli.tangerinehotels.com ; près de la B424 ; ch 90-200 $US ; ❄📶🏊). Avec ses bosquets ombragés ponctués de hamacs, sa superbe piscine et sa magnifique portion de plage avec vue sur Pigeon Island, le Nilaveli Beach Hotel possède de loin le plus beau domaine des hôtels de la région. L'architecture organique fait un usage créatif du béton et des fontaines pour créer un décor contemporain sans être ostentatoire.

Le restaurant est un temple à la gloire des produits de la mer, et les épices proviennent du jardin de l'hôtel. Près des bateaux pour Pigeon Island.

Anilana Nilaveli HÔTEL $$$

(☎011-203 0900 ; www.anilana.com/nilaveli ; près de la B424 ; ch 90-170 $US ; ❄@📶🏊). Cet hôtel contemporain et branché d'un blanc presque aveuglant propose d'élégantes chambres aux tons crème avec des sdb splendides et des balcons regardant la plage ou l'une des deux grandes piscines. Le restaurant propose une excellente cuisine asiatique et occidentale, à déguster dehors sur une formidable terrasse en planches. Il y a aussi un spa.

Pigeon Island Beach Resort HÔTEL **$$$**
(☎026-492 0633 ; www.pigeonislandresort.com ; près de la B424 ; ch avec petit-déj à partir de 70 $US ;). Un long bâtiment à 2 niveaux au bord de la plage abrite des chambres attrayantes, même si seules les suites ont vue sur la mer. Si vous logez ailleurs, venez tout de même déjeuner ou dîner au charmant restaurant, agrémenté de meubles anciens et de lampes en osier. La plage est particulièrement calme à cet endroit.

Family Restaurant POISSON, FRUITS DE MER **$$**
(Près de la B424 ; plats 700-1 000 Rs ; 8h-21h). Toutes les générations de cette famille de pêcheurs mettent la main à la pâte pour préparer des spécialités de fruits de mer d'une simplicité désarmante. Il n'y a que 8 tables posées sur le sol sablonneux et vous serez accueilli comme un roi.

Depuis/vers Nilaveli

Faites signe à un bus de passage le long de la B424 pour rallier Trincomalee (40 Rs, 30 min, ttes les 20 min). Le trajet en *túk-túk* coûte environ 900 Rs ou 600 Rs pour Uppuveli.

Jaffna et le Nord

Dans ce chapitre ➡

Jaffna 287
Péninsule de Jaffna 296
Îles au large de Jaffna 300
Kilinochchi et ses environs 304
Vavuniya 304
Île de Mannar et ses environs 306

Le top des restaurants

- Mangos (p. 293)
- Jaffna Heritage Hotel (p. 294)
- Hotel Rolex (p. 293)
- Green Grass (p. 294)

Le top des hébergements

- Jetwing Jaffna Hotel (p. 293)
- Jaffna Heritage Hotel (p. 293)
- Sarras Guest House (p. 292)
- Shell Coast Resort (p. 308)

Pourquoi y aller

Temples hindous richement ornés, saris chatoyants des femmes et littoral spectaculaire ourlé de palmiers, le contraste entre le Nord et le reste du pays saute aux yeux. Il règne ici un climat aride presque toute l'année et un soleil brûlant écrase les terres cultivées. La lumière est plus intense : d'une blancheur inouïe quand elle se reflète sur les salants de la région du Vanni, d'une transparente clarté sur les îles coralliennes et les plages du Nord, et d'une douceur caressante sur les faubourgs verdoyants de Jaffna et son centre-ville animé. On voit partout des paons au plumage coloré.

Et, bien sûr, il y a les différences culturelles. Langue, cuisine, religion : la culture tamoule a ses propres rythmes, et les habitants sont fiers de leur patrimoine. Étant donné l'histoire récente de la région, l'armée est omniprésente. Pourtant, l'atmosphère est paisible, la population mobilisant ses efforts pour la reconstruction et la renaissance des traditions locales.

Quand partir

Jaffna

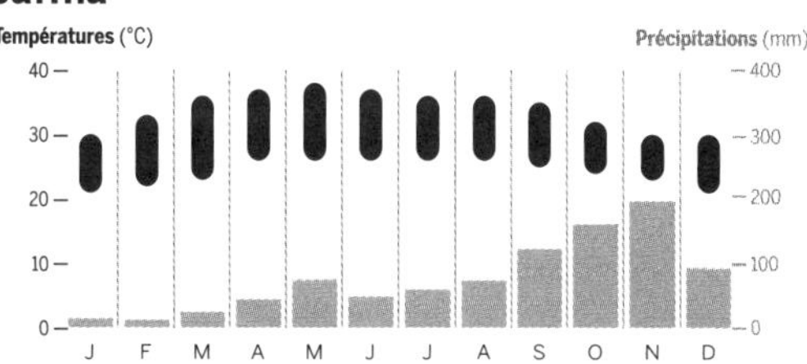

Février Le mois idéal pour voir des flamants roses, présents sur l'île de Mannar.

Juin-juillet La haute saison : soleil, chaleur modérée et mangues délicieuses.

Juillet-août La fête de Nallur dure 25 jours à Jaffna : défilés, crème glacée et mortifications.

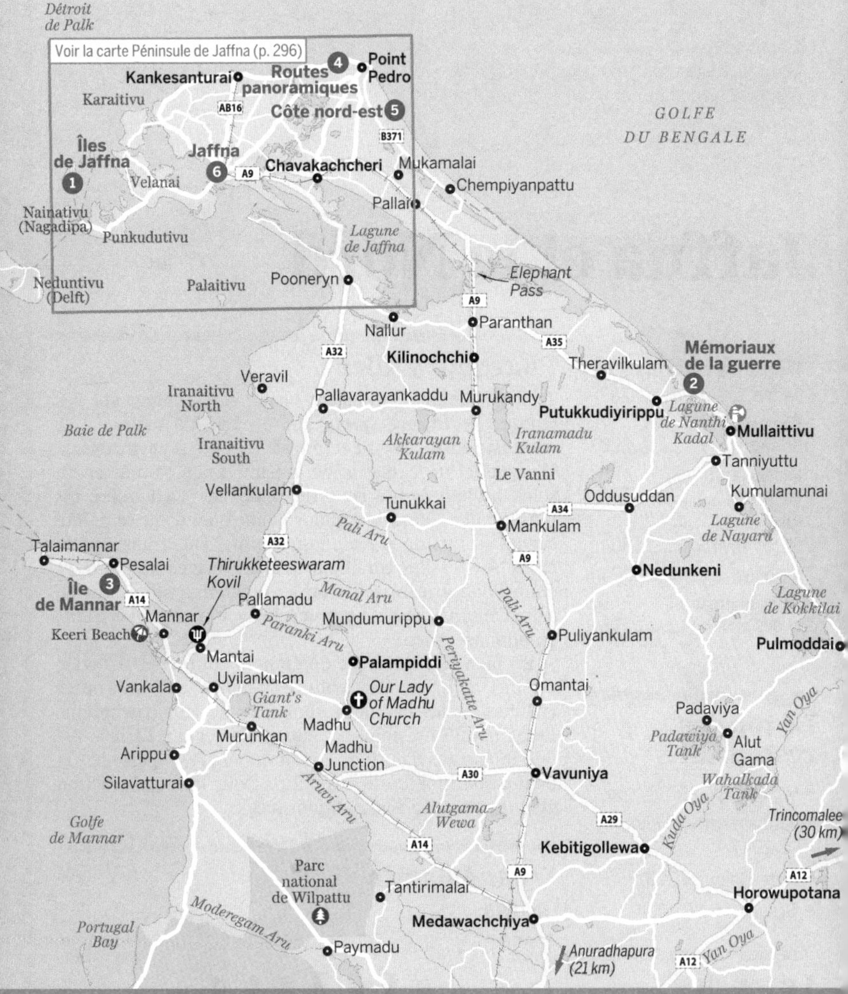

À ne pas manquer

❶ Les magnifiques paysages marins et la lumière irréelle des **îles de Jaffna** (p. 300), notamment Nainativu.

❷ Les **mémoriaux de la guerre** (p. 287), dont le Sea Tiger Shipyard, pour comprendre l'impact de la guerre sur les communautés.

❸ Les baobabs, le fort historique, les baies isolées et une vue presque jusqu'en Inde sur l'**île de Mannar** (p. 306).

❹ Les spectaculaires **routes panoramiques** (p. 296) du littoral de la péninsule de Jaffna.

❺ Les plages paradisiaques bordées de palmiers de la **côte nord-est** (p. 299), dont celle de Manalkadu.

❻ La *puja* (prière) au Nallur Kandaswamy Kovil et une ville de **Jaffna** (p. 287) en pleine renaissance autour des remparts du vieux fort.

Histoire

Le Nord a toujours vécu un peu à part du reste de l'île. Même sous les régimes coloniaux, la région a bénéficié d'un statut d'autonomie. Jaffna a toujours été une ville importante, et la montée des tensions connut un moment marquant en 1981 quand un groupe de Cinghalais incendia la bibliothèque de Jaffna, attentat considéré par les Tamouls comme un affront insupportable à leur riche tradition intellectuelle.

La guerre commença deux ans plus tard, et Jaffna demeura le théâtre de violences. Pendant 26 ans, les affrontements entre les Tigres tamouls et l'armée sri lankaise pour le contrôle du Nord semèrent la mort et la destruction. Le conflit a pris fin en 2009 sur la côte de Mullaittivu et la région retrouve depuis le calme.

Jaffna

021 / 91 000 HABITANTS

Le bastion de traditions hindoues, d'art et de culture qu'est Jaffna réserve un accueil chaleureux aux visiteurs. Cette ville intrigante, à taille humaine et hors des sentiers battus, permet de découvrir la culture tamoule sri lankaise. Les décennies de conflit armé, l'émigration, les embargos, les morts et les destructions ont durement touché cette ville historique, mais elle offre un cadre verdoyant et arboré, avec des quartiers de l'époque coloniale, des temples et des églises à l'ombre des palmiers. D'autre part, les projets de développement et l'amélioration du réseau de transports sont autant de signes que l'isolement de Jaffna n'est plus qu'un lointain souvenir.

Au centre comme en lisière de la ville, on découvre d'intéressants sites antiques. Si les lieux de vie nocturne commencent à se développer, les rues restent suffisamment calmes pour se promener sans peur d'être renversé à tout moment. C'est une bonne base pour explorer la péninsule et les îles avoisinantes.

Histoire

Des siècles durant, Jaffna fut le centre de la culture tamoule et de la religion hindoue au Sri Lanka, notamment au temps du royaume de Jaffna, la puissante dynastie tamoule qui régna depuis Nallur pendant 400 ans à partir du XIIIe siècle. En 1620, cependant, les Portugais capturèrent Cankili II, le dernier roi de Jaffna (dont la statue équestre se dresse dans Point Pedro Rd, près des ruines du palais royal), puis entreprirent la démolition systématique des temples hindous de la cité. S'ensuivit une vague de conversions au catholicisme.

Les Portugais abandonnèrent "Jaffnapattao" aux Hollandais, plus tolérants, après un siège impitoyable de 3 mois. La Jaffna hollandaise vécut quelque 140 ans et devint un centre de négoce. La ville continua de prospérer sous les Britanniques qui s'emparèrent de la ville en 1795. Ces derniers, toutefois, semèrent également les graines du futur conflit interethnique en "favorisant" les Tamouls de Jaffna.

Les tensions croissantes atteignirent leur paroxysme à Jaffna au début des années 1980 et, pendant les deux décennies suivantes, la cité devint une zone de guerre. Occupée tour à tour par les guérilleros tamouls (les Tigres de libération de l'Eelam Tamoul, LTTE), les troupes de l'armée du Sri Lanka (SLA) et

L'ARMÉE ET LE TOURISME DANS LE NORD

Le Sri Lanka est un pays très militarisé, surtout dans le Nord, zone de conflit où stationnent encore plusieurs divisions du pays.

Depuis la fin de la guerre civile en 2009, l'armée a pris possession de larges portions de côte. Le gouvernement considère cela comme une mesure nécessaire au maintien de la sécurité, tandis que les groupes contestataires dénoncent des saisies de terre à but purement lucratif. Les expropriations de villageois et l'implication des militaires dans le développement du tourisme dans le Nord ne semblent laisser planer aucun doute.

À l'image de Fort Hammenhiel (p. 304), certains hôtels se trouvent dans des bases militaires bien établies et suscitent à ce titre moins de polémiques. D'autres, dont le Thalsevana Resort à Kankesanturai, sur la péninsule de Jaffna, ont été construits sur des terrains confisqués à leurs propriétaires villageois. La marine nationale contrôle la plupart des lignes de ferry vers les îles de Jaffna, et l'armée devrait jouer un rôle dans le développement touristique à venir des superbes plages de l'ancienne zone de conflit du littoral au nord de Mullaittivu.

Jaffna

une prétendue force de maintien de la paix, la ville perdit près de la moitié de sa population, partie à l'étranger. En 1990, le LTTE ordonna le départ des quelques Cinghalais restants et de tous les musulmans. Jaffna a survécu aux bombardements à répétition, à un blocus draconien (les biens, dont le kérosène, étaient à une époque vendus 20 fois plus cher que le prix courant, ce qui explique le nombre de déplacements à vélo) et à la loi martiale, après que la SLA eut repris Jaffna en 1995.

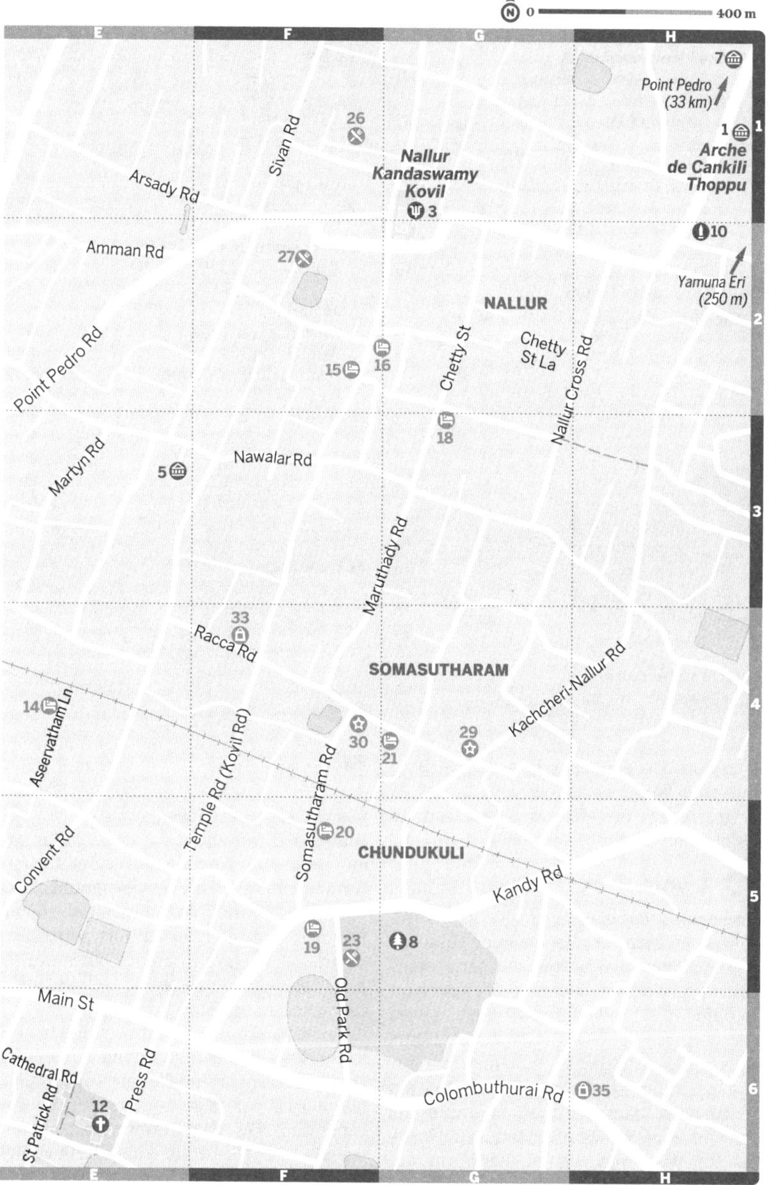

Puis, dans l'ambiance de paix créée par les accords de 2002, l'occupation s'allégea et Jaffna ressuscita. Les liaisons aériennes intérieures reprirent, les personnes déplacées et les expatriés revinrent, de nouveaux commerces ouvrirent et des chantiers de construction démarrèrent. La reprise des hostilités en 2006 replongea la ville dans le chaos jusqu'à la fin de la guerre en 2009.

Aujourd'hui, Jaffna se tourne à nouveau vers l'avenir, une tendance palpable à travers

Jaffna

Les incontournables
1 Arche de Cankili Thoppu ... H1
2 Fort de Jaffna ... A5
3 Nallur Kandaswamy Kovil ... G1

À voir
4 Clock Tower ... C4
5 Jaffna Archaeological Museum ... E3
6 Jaffna Public Library ... B5
7 Mantiri Manai ... H1
8 Old Park ... G5
9 Our Lady of Refuge ... D4
10 Statue de Sangiliyan ... H2
11 St James' Church ... C6
12 St Mary's Cathedral ... E6

Activités
13 Sri Lanka Click ... D3

Où se loger
14 Green Grass Hotel ... E4
15 Jaffna Heritage Hotel ... F2
16 Jaffna Heritage Villa ... F2
17 Jetwing Jaffna Hotel ... C4
18 Lux Etoiles ... G3
19 Old Park Villa ... F5
20 Sarras Guest House ... F5
21 Theresa Inn ... G4

Où se restaurer
22 Cosy Restaurant ... D3
23 Dora Cafe ... F5
Green Grass ... (voir 14)
24 Hotel Rolex ... B3
Jaffna Heritage Hotel ... (voir 15)
25 Malayan Café ... B3
26 Mangos ... F1
27 Rio Ice Cream ... F2
28 Rolex Bake Mart ... B2

Où prendre un verre et faire la fête
Jetwing Jaffna Rooftop Bar ... (voir 17)

Où sortir
29 Alliance Française ... G4
30 British Council ... F4
31 Jaffna Cultural Centre ... B4

Achats
32 Anna Coffee ... B3
33 Art Gallery ... F4
34 Jaffna Market ... B3
35 Rosarian Convent ... H6
36 Zahra Tailors ... B3

Transports
37 Arrêt des bus CTB ... B3
38 Arrêt des minibus ... B3
39 Arrêt des bus privés ... B3
40 Bus privés pour Colombo ... B3

la région. De grands projets de construction sont lancés et les dernières traces de la guerre ont été effacées – les cicatrices visibles, du moins.

À voir

Aisément identifiables à leurs rayures rouges et blanches, les temples hindous qui émaillent la ville vont des petits sanctuaires aux vastes ensembles comprenant *mandapaya* (plateformes aux piliers décorés), bassins ornés et *gopuram* (tours d'accès). La ville compte également un fort et de nombreuses églises, dont beaucoup se trouvent dans les rues ombragées de l'est du centre. Les effervescentes Hospital Rd, Kasturiya Rd et Kankesanturai (KKS) Rd regroupent le gros de l'activité commerçante. Au nord-est se dressent d'extraordinaires ruines datant du royaume de Jaffna, d'il y a 4 siècles.

Centre de Jaffna

De nombreux sites de Jaffna sont à distance de marche, et tout est facile d'accès à vélo.

Fort de Jaffna ÉDIFICE HISTORIQUE

(Main St ; fort 8h-18h, boutique 8h-16h30 jeu-mar). GRATUIT Certaines parties de ce vaste complexe dominant la lagune de Jaffna ont été restaurées récemment, et les travaux continuent. Jadis l'un des plus grands forts hollandais d'Asie, il fut construit en 1680 à l'emplacement d'un ancien fort portugais ; ses triangles défensifs furent ajoutés en 1792 pour lui donner une forme d'étoile, selon l'architecture de Vauban.

Le fort a fait l'objet de batailles à travers les siècles. On peut aujourd'hui explorer les remparts (avec une belle vue sur la ville), admirer les portes et les douves et voir des expositions. Les remparts en coraux, pierres, briques et mortier, restent largement cachés au pied de pentes envahies par la végétation

Longtemps la gardienne de Jaffna, cette citadelle abritait des milliers de militaires et de civils.

Durant la guerre, les forces gouvernementales y avaient établi leur camp. En 1990, le LTTE, qui contrôlait alors le reste de Jaffna, parvint à déloger les troupes gouvernementales au terme d'un siège de 107 jours. Passez le portail principal pour découvrir une salle d'exposition sur l'histoire du fort et d'autres sites de la région. En face, se trouve une petite boutique de livres sur l'histoire locale.

♥ Nallur Kandaswamy Kovil SITE HINDOU
(Temple Rd ; dons acceptés ; ⌚4h-19h). À 1,5 km au nord-est du centre, cet immense temple couronné d'un haut *gopuram* ocre jaune incrusté de divinités compte parmi les lieux de culte hindous les plus importants du pays. Il est dédié à Murugan (ou Skanda), dont l'effigie entourée d'un cadre de cuivre fait l'objet d'une dévotion et d'offrandes lors des *pujas* de 5h, 10h, 12h, 17h et 18h45, de la petite *puja* à 16h15 et de la *puja* "spéciale" à 16h30.

Jaffna Public Library BIBLIOTHÈQUE
(☎021-222 6028 ; english.jaffnalibrary.lk ; Esplanade Rd ; ⌚9h-19h). Symboliquement, l'un des premiers édifices majeurs reconstruits après le cessez-le-feu de 2002 fut la bibliothèque de Jaffna. La précédente avait été incendiée par des émeutiers progouvernementaux à la suite des violences qui avaient marqué les élections au Conseil du district en 1981. Ce fut l'un des événements qui provoquèrent la guerre civile.

Les architectes chargés de la reconstruction ont fidèlement reproduit l'édifice néo-moghol de 1959, abritant un espace spacieux et lumineux très fréquenté par les habitants de Jaffna.

Clock Tower MONUMENT
(Vembadi St). Véritable curiosité architecturale, cette tour de l'horloge filiforme est couronnée d'un dôme mauresque lui donnant des airs de minaret d'Afrique du Nord. Elle fut érigée en 1875 à l'occasion de la visite du prince de Galles, et l'actuel prince, Charles, a fait don en 2000 des horloges que l'on peut voir aujourd'hui, en remplacement de celles endommagées par les combats.

Old Park PARC
(Kandy Rd). Ce parc aux vastes pelouses parsemées d'immenses arbres sans âge fut conçu par les Britanniques en 1829. Outre l'aire de jeux et le joli Dora Cafe (p. 293), on peut y voir les ruines troublantes du bâtiment de l'État civil colonial détruit par la guerre, qui paraissent tout droit sorties d'un roman d'Agatha Christie.

Jaffna Archaeological Museum MUSÉE
(Nawalar Rd ; don apprécié ; ⌚8h-16h45 mer-lun). Mal entretenu, mais intéressant, le petit Musée archéologique se cache au fond d'un jardin à la végétation exubérante, derrière une salle de spectacle en béton. À l'entrée, deux canons hollandais rouillés provenant du fort côtoient des ossements de baleine. L'intérieur recèle quelques trésors, dont des bustes du Bouddha du XVe siècle découverts à Kantarodai et un "pot à sept bouches" du XIVe siècle.

St Mary's Cathedral ÉGLISE
(Cathédrale Sainte-Marie ; ☎021-222 2457 ; Cathedral Rd ; ⌚8h-17h). Construite par les Hollandais dans les années 1790, cette cathédrale de style classique étonnamment grande, au toit en tôle ondulée, surprenant sur une belle charpente en bois voûtée, est le principal lieu de culte des catholiques de Jaffna.

St James' Church ÉGLISE
(Église Saint-Jean ; ☎021-222 5189 ; Main St ; ⌚8h-17h). Cette église de 1827, bâtie dans un style italianisant classique, est la plus imposante de Jaffna, et sert de lieu de culte aux anglicans.

Our Lady of Refuge Church ÉGLISE
(Église Notre-Dame-du-Refuge ; ☎075 064 9899 ; près de Hospital Rd ; ⌚6h-19h). Cette structure inhabituelle ressemble à une église de village anglais blanchie à la chaux.

Royaume de Jaffna

À partir du XIIIe siècle et pendant les 400 ans qui suivirent, Nallur fut la capitale du royaume de Jaffna. Les quelques vestiges délabrés du palais royal méritent amplement une brève excursion vers le nord-est par Point Pedro Rd. Allez-y en vélo ou prenez un *túk-túk* pour moins de 250 Rs.

♥ Arche de Cankili Thoppu ÉDIFICE HISTORIQUE
(Cankili Thoppu Archway ; Sangili Thoppu ; Point Pedro Rd). On estime que cette arche était l'une des entrées principales du palais d'origine. L'une des inscriptions de l'arche, aussi érodées qu'élaborées, date de 1519 et rend hommage au roi Sangili.

Mantiri Manai ÉDIFICE HISTORIQUE
(Mantri Manai ; Point Pedro Rd). Tombant en ruine et couvert de graffitis, cet édifice en retrait de la route conserve néanmoins une beauté évocatrice de la splendeur passée des lieux. Son origine fait débat. Certains affirment qu'il date du royaume de Jaffna

et qu'il servait à recevoir les ministres en visite. D'autres pensent qu'il remonte à l'époque coloniale hollandaise ou portugaise, tandis que les plus sceptiques parlent d'une construction dans les années 1890.

Yamuna Eri SITE HISTORIQUE
(Chemmani Rd, près de Point Pedro Rd). Le Yamuna Eri, un bassin en forme de U fait de pierres sculptées, est négligé, mais toujours intact – il aurait servi au bain des femmes de la famille royale. Le bassin s'étend au nord de St James' Church, dans Chemmani Rd (à ne pas confondre avec l'église du même nom, située dans Main St). On y accède par une allée étroite partant à l'est de Point Pedro Rd. Le site est charmant si l'on fait fi des immeubles modernes qui l'entourent.

Statue de Sangiliyan MONUMENT
(Point Pedro Rd). Scintillant au soleil, cette statue dorée, érigée en 1974, représente Cankili II, dernier souverain du royaume de Jaffna, mort en 1623. La statue fut démantelée pendant la guerre, avant de retrouver sa place en 2011, non sans polémique. Certains Tamouls affirment qu'il manque à la statue actuelle l'aspect héroïque de l'ouvrage d'origine.

Activités

Sri Lanka Click VÉLO
(☎077 848 8800 ; www.srilankaclick.com ; 447 Stanley Rd ; location vélo/moto à partir de 500/2 000 Rs par jour ; ⌚8h-19h). Cette excellente boutique loue vélos, scooters et motos ; casques et antivols sont compris dans le prix. Elle propose aussi des infos pratiques et des excursions guidées dans la région.

Fêtes et festivals

Nallur Festival RELIGION
Cette fête hindoue qui s'étend sur 25 jours en juillet et/ou août culmine le 24e jour avec des défilés d'énormes chars et des séances de mortification par des dévots en transe.

Où se loger

Jaffna compte une belle gamme d'hébergements, qui ne cesse de s'enrichir.

Sarras Guest House PENSION $
(☎021-567 4040, 021-222 3627 ; www.jaffnasarras.lk ; 20 Somasutharam Rd ; ch 2 000-3 500 Rs ; ❄@📶). Cette demeure coloniale vieillissante conserve un charme fané, notamment des parquets cirés et des sols rouge brique. Préférez les chambres du dernier étage, très spacieuses, et évitez l'annexe. La famille hôte prépare à manger et vous conseille sur les transports. Les chambres les moins chères n'ont que des ventilateurs. Chambres familiales disponibles. Réfrigérateur et micro-ondes communs.

Senthil Complex PENSION $
(☎021-222 5226 ; www.senthilcomplex.com ; 88 Sivapragasam Rd ; ch avec ventil/clim à partir de 2 500/3 500 Rs ; ❄📶). Hébergement très basique dans une petite maison à la lisière nord-ouest du centre. Les 2 chambres sont impeccables et la famille hôte est adorable. Il y a une agréable cour extérieure.

Theresa Inn PENSION $
(Do Drop Inn ; ☎021-222 8615, 071 856 5375 ; calistusjoseph89@gmail.com ; 72 Racca Rd ; s/d à partir de 1 700/1 800 Rs, avec clim 2 800/3 000 Rs ; ❄📶). Sur un terrain verdoyant dans une rue calme, 8 chambres claires et spartiates. Les propriétaires préparent des repas savoureux et fournissent vélos (350 Rs/jour), scooters (1 500 Rs) et voitures avec chauffeur (à partir de 6 000 Rs).

Jaffna Heritage Villa PENSION $$
(☎021-222 2411, 021-222 2424 ; www.jaffnaheritage.com ; 240 Temple Rd ; ch à partir de 40 $US ; ❄📶). Gérée comme une annexe de l'excellent Jaffna Heritage Hotel (ci-contre), cette jolie pension apparaît comme indépendante sur de nombreux sites de réservation en ligne. Les chambres spacieuses, occupant une ancienne villa sans jardin, arborent une déco coloniale chic. Les services de l'hôtel sont un peu plus bas dans la rue, mais les prix sont très avantageux.

Margosa HÔTEL HISTORIQUE $$
(☎021-224 0242 ; www.bongostay.com ; Puttur Rd/B380, Urelu North ; s/d avec petit-déj à partir de 45/50 $US ; ❄📶). Des chambres superbement aménagées, la plupart avec sdb en plein air, dans une majestueuse demeure coloniale du XIXe siècle au cœur d'un jardin paysager. Les prix sont peut-être un peu élevés, mais la dépense se justifie malgré tout. Bon restaurant de cuisine locale et occidentale. À 10 km au nord de la ville, dans une zone calme et arborée.

Green Grass Hotel HÔTEL $$
(☎021-222 4385 ; www.jaffnagreengrass.com ; 33 Aseervatham Lane, Hospital Rd ; ch à partir

de 4 000 Rs ; ❄📶🏊). Une piscine et un jardin attrayants compensent l'architecture inesthétique. Demandez à voir plusieurs chambres (toutes n'ont pas été rénovées et certaines sont vieillottes). Une adresse bon marché et très bien située, notamment si vous voyagez en train. La terrasse du restaurant attire du monde.

Lux Etoiles HÔTEL $$
(☎021-222 3966 ; www.facebook.com/HotelLuxEtoilesJaffna ; 34 Chetty St La ; ch à partir de 50 $US ; ❄📶🏊). Dans une rue calme des faubourgs, le Lux Etoiles fait une bonne première impression, et l'Austin vintage dans le hall crée une atmosphère artistique. Certaines des 24 chambres sont un peu moins exiguës suite à l'agrandissement récent de l'hôtel. La grande piscine est cernée de murs ornés de fresques aussi colorées qu'originales.

Old Park Villa HÔTEL $$
(☎021-222 3790 ; www.oldparkvillajaffna.com ; 76 Kandy Rd ; s/d avec petit-déj à partir de 4 000/5 000 Rs ; ❄📶). Sur la grand-route mais isolée du trafic, cette gracieuse villa comprend 7 chambres ocre d'un goût sûr, rehaussées de meubles en bois sombre, ainsi qu'un beau salon décoré d'objets ethniques. Très bons repas, dont des petits-déjeuners occidentaux.

♥ **Jetwing Jaffna Hotel** HÔTEL $$$
(☎021-221 5571 ; www.jetwinghotels.com ; 37 Mahatma Gandhi Rd ; ch à partir de 100 $US ; ❄📶). Occupant un immeuble de 7 étages, les 55 chambres du Jetwing sont petites mais modernes, dotées de balcons et ornées de belles œuvres d'art. Celles des étages les plus hauts offrent un vaste panorama sur toute la région. Personnel professionnel. Le toit-terrasse (p. 294) est sans doute le meilleur endroit de Jaffna pour un cocktail en soirée.

♥ **Jaffna Heritage Hotel** BOUTIQUE-HÔTEL $$$
(☎021-222 2424 ; www.jaffnaheritage.com ; 195 Temple Rd ; ch à partir de 75 $US ; ❄📶🏊). Sur un vaste terrain bordé de cocotiers, cette adresse splendide joue la carte du design contemporain, avec 10 chambres hautes de plafond, aux lignes sobres et au mobilier chic, et une agréable terrasse à l'étage. Personnel accueillant et excellents repas (végétariens seulement), notamment un riz-curry de haute facture. L'établissement gère aussi la Jaffna Heritage Villa (ci-contre).

Où se restaurer et prendre un verre

Jaffna est un lieu propice pour savourer une cuisine inspirée de celle de l'Inde du Sud. Le *pittu* (farine de riz et noix de coco cuites à la vapeur dans du bambou), de couleur rouge, les *idiyappam* (ou *string hoppers*, vermicelles cuits à la vapeur) et le *vadai* (savoureux en-cas frit de farine de lentilles épicées) figurent parmi les spécialités du coin. Régalez-vous des en-cas typiques cuisinés par les vendeurs du marché.

♥ **Mangos** INDIEN DU SUD $
(☎021-222 8294 ; près de 359 Temple Rd ; repas 200-450 Rs ; ⏲10h30-22h). Toujours rempli de grandes familles tamoules et d'Occidentaux, ce vaste lieu pittoresque avec cuisine ouverte et tables dehors propose une cuisine d'Inde du Sud exceptionnelle. La carte décline une vingtaine de *dosa* (goûtez celui au ghee et au masala), ainsi que des *parotta* (pains plats du Kerala ; ceux au piment sont à tomber) et *idiyappam* très réussis. Au déjeuner, le thali (200 Rs) est imbattable. Dans une petite rue près du Nallur Kandaswamy Kovil.

♥ **Rio Ice Cream** GLACIER $
(☎021-222 7224 ; 448A Point Pedro Rd ; glaces et sundaes 60-250 Rs ; ⏲9h-22h). Goûtez une douceur glacée typique de Jaffna chez ce glacier apprécié des habitants, près du Nallur Kandaswamy Kovil. Les habitants se pressent chez Rio, en salle ou sur l'agréable terrasse couverte, pour savourer les meilleures glaces de la ville ainsi que quelques en-cas salés.

Rolex Bake Mart BOULANGERIE $
(☎021-222 9402 ; 118 Kasthuriar Rd ; en-cas à partir de 100 Rs ; ⏲7h-17h). Ne vous laissez pas tromper par le nom : vous ne verrez ici aucune montre à 4 000 $, mais seulement d'excellentes pâtisseries salées ou sucrées tout juste sorties du four. Tout est à emporter.

Hotel Rolex SRI LANKAIS $
(☎021-222 2808 ; 340 Hospital Rd ; repas 100-300 Rs ; ⏲8h-21h). Au cœur du centre-ville, ce restaurant local toujours bondé au personnel souriant propose un vaste choix de plats et des glaces aux noix.

Dora Cafe CAFÉ $
(☎077 999 4045 ; Old Park Rd, Old Park ; plats 150-300 Rs ; ⏲9h-18h). Des effluves de pop-corn s'échappent de ce convivial café d'Old Park où l'on sirote des jus de fruits frais en grignotant en-cas et repas légers.

Malayan Café SRI LANKAIS $
(☎021-222 2373 ; 36 Power House Rd ; repas 150-300 Rs ; ⊙7h-21h). Un restaurant à l'ancienne très couleur locale, dans le quartier du marché. Des tables en marbre, de longs placards en bois vitrés, des ventilateurs au plafond et un petit autel éclairé par des néons composent le décor. Savoureux et peu chers, les plats végétariens – *dosa*, riz-curry au déjeuner et en-cas – sont servis dans des feuilles de bananier et se mangent avec les doigts.

Jaffna Heritage Hotel INDIEN, OCCIDENTAL $$
(☎021-222 2424 ; www.jaffnaheritage.com ; 195 Temple Rd ; repas 600-1 500 Rs ; ⊙8h-22h ; 📶). En quête de raffinement ? Optez pour le petit restaurant en plein air du Jaffna Heritage Hotel (p. 293). On y savoure une excellente cuisine végétarienne d'Inde et du Sri Lanka, dont d'excellents *rotti* à la noix de coco et des currys haut de gamme délicatement épicés. Petits-déjeuners à l'occidentale, sains mais onéreux. Pas d'alcool.

Green Grass SRI LANKAIS $$
(☎021-222 4385 ; www.jaffnagreengrass.com ; 33 Aseervatham Lane, Hospital Rd ; plats 300-600 Rs ; ⊙11h-23h ; 📶). Cet agréable restaurant d'hôtel, avec des tables disposées sous un manguier et autour d'une piscine, mitonne de bons petits plats. On peut aussi y siroter une bière le soir. Essayez les plats tamouls, indiens (délicieux curry de crabe !) et chinois. Évitez la salle, à l'atmosphère étouffante.

Cosy Restaurant INDIEN DU NORD $$
(☎021-222 5899 ; 15 Sirampiyadi Lane, Stanley Rd ; repas 250-700 Rs ; ⊙11h-23h ; 📶). Les tables de l'agréable cour de ce restaurant sont aussi populaires que le curry de crabe à la Jaffna. Le *tandoor* (four en terre cuite), qui dès 18h produit à tour de bras *naan* et poulet tikka, constitue la grande attraction. Pas d'alcool, mais vous pouvez en apporter.

♥ **Jetwing Jaffna Rooftop Bar** TOIT-TERRASSE
(☎021-221 5571 ; www.jetwinghotels.com ; 37 Mahatma Gandhi Rd ; ⊙18h-23h ; 📶). Ce bar compense le manque d'originalité de son nom par une vue sensationnelle depuis le toit de l'hôtel caressé par la brise. Nombreux cocktails et quelques en-cas. Assurez-vous que votre bière est fraîche.

☆ Où sortir

Jaffna Cultural Centre ARTS DE LA SCÈNE
(Esplanade Rd). Cet immense centre culturel, don de l'Inde à Jaffna, doit ouvrir ses portes en 2019. Il abritera un grand théâtre, un musée, des galeries d'art, entre autres... Son design est inspiré de la Jaffna Public Library voisine. Une fois terminé, le centre devrait véritablement révolutionner la scène culturelle de la région.

British Council CENTRE CULTUREL
(☎021-752 1521 ; www.britishcouncil.lk ; 70 Racca Rd ; ⊙9h-17h mer-dim ; 📶). Fonds de périodiques et manifestations culturelles.

Alliance Française CENTRE CULTUREL
(☎021-222 8093 ; lk.ambafrance.org/Alliance-Francaise-in-Jaffna ; 61 Kachcheri-Nallur Rd ; ⊙9h-17h). Met à disposition un salon confortable avec journaux français et une bibliothèque. Projections de films.

Achats

Jaffna Market MARCHÉ
(Grand Bazaar, Modern Market ; Hospital Rd ; ⊙7h-18h lun-sam). Le marché chamarré de fruits et légumes de Jaffna s'étend à l'ouest de l'arrêt de bus, et les étals se succèdent sur plusieurs pâtés de maisons au-delà, englobant notamment Power House Rd. On y passe facilement quelques heures.

Zahra Tailors VÊTEMENTS
(☎071 919 2908 ; 17 Jaffna Market, Power House Rd ; ⊙9h-18h lun-sam). Ouvert sur la rue, cet excellent atelier de tailleurs est au cœur du marché. Des mains expertes s'occuperont de vos vêtements à réparer pendant que vous attendez. Ils peuvent vous confectionner une robe de mariée ou un costume à queue de pie, en cas de coup de foudre au cours de votre séjour.

Art Gallery ART ET ARTISANAT
(☎021-222 7955 ; www.facebook.com/jaffnaartgallery ; 15 Racca Rd ; ⊙10h-15h mer-lun). La première galerie de la ville expose dans un beau bâtiment blanc des œuvres d'artistes contemporains sri lankais.

Anna Coffee CAFÉ
(n° 4, Jaffna Market ; ⊙8h30-18h lun-sam). Cette vieille et vénérable échoppe vend du café et du thé sri lankais dans le quartier du marché. La boutique produit également sa propre gamme d'épices, et même de la poudre dentaire.

Rosarian Convent VIN
(Thoma Monastery ; 48 Colombuthurai Rd ; ⊙8h30-13h et 14h-17h30 lun-sam). Le couvent fabrique un "vin" Rosetto (à partir de

VOYAGER EN SÉCURITÉ À JAFFNA

En visitant le Nord, vous ne verrez que des vestiges du climat de haute sécurité qui régnait autrefois dans la région.

Les checkpoints routiers ont disparu, mais certaines routes autour du camp militaire de Palali KKS sont toujours fermées. Vous remarquerez également de nombreuses bases militaires à travers les campagnes, gardées par des soldats faisant de leur mieux pour avoir l'air vigilant.

Cependant, les Sri Lankais et les étrangers politiquement actifs sont toujours victimes d'intimidation. Le harcèlement, les arrestations et les disparitions continuent. Et si la plupart des Sri Lankais, soulagés que la guerre soit terminée, se tournent vers l'avenir, les tensions n'ont pas complètement disparu.

Il se peut que les habitants ne veuillent pas parler ouvertement de la politique ou de la guerre ; faites preuve de tact. Les médias internationaux tentant de couvrir la situation dans le Nord se heurtent également à la réticence des habitants à parler ouvertement de politique et du conflit.

300 Rs la bouteille), un breuvage sucré à la cannelle et aux clous de girofle, qui rappelle le vin chaud. Il produit aussi un "jus" de raisin coloré et du "nelli crush" (200 Rs) sans alcool.

Renseignements

Le DAB le plus proche n'est jamais très loin dans le centre-ville de Jaffna.

Jaffna Teaching Hospital (☎021-222 3348 ; Hospital Rd ; ⏲24h/24). Grand hôpital d'État et principal hôpital du Nord.

Poste (Postal Complex, KKS Rd ; ⏲7h-17h lun-sam). Près du fort.

Depuis/vers Jaffna

BUS

Longue distance

De l'**arrêt CTB** (☎021-222 2281 ; près de Power House Rd) et de l'**arrêt privé** (près de Power House Rd) voisin, des bus fréquents couvrent les destinations suivantes :

Anuradhapura 400 Rs, 4 heures, 3/jour

Kandy 600 Rs, 8 heures, 9/jour

Mannar 185 Rs, 3 heures, 10/jour

Trincomalee 350 Rs, 7 heures, 5/jour

Vavuniya 185 Rs, 3 heures, ttes les 30 min

Colombo

Des compagnies privées proposent des bus de nuit pour Colombo. Une dizaine d'entre elles ont des bureaux dans Hospital Rd près de la **zone** où les bus attendent. La plupart roulent de nuit, et le trajet dure entre 8 et 10 heures.

Comptez 700/900/1 300 Rs pour un billet standard/semi-luxe/luxe en bus climatisé.

Des bus CTB desservent également Colombo (750 Rs, 8 heures, 8/jour).

Péninsule de Jaffna

Différentes destinations de la péninsule (y compris les îles) sont desservies par les bus CTB (arrêt de bus CTB) et par des minibus privés au départ d'un **arrêt** dans Power House Rd. Les bus locaux sont lents et certains services peu fréquents. Vérifiez l'horaire de retour avant de partir.

Kairanagar via Vaddukkoddai (782, 786) 70 Rs, 1 heure 30, ttes les 30 min

Kayts (777) 54 Rs, 1 heure, ttes les 30 à 60 min (le bus 780 s'y rend aussi, mais le trajet est plus long)

Source de Keerimalai (minibus privés 82, 87, 89) 54 Rs, 1 heure, ttes les 20 min

Kurikadduwan (KKD ; 776) 70 Rs, 1 heure 30, ttes les heures

Point Pedro via Nelliady (750) 76 Rs, 1 heure 30, ttes les 30 min

Point Pedro via Valvettiturai (VVT ; 751) 80 Rs , 1 heure 30, ttes les 30 à 60 min

Tellippalai via Chunnakam (pour le Thurkkai Amman Kovil, Kantarodai et la source de Keerimalai ; 769) 33 Rs, ttes les 30 min

TRAIN

Les trains de la ligne Jaffna-Colombo partent de la **Jaffna Railway Station** (Station Rd), une gare Art déco magnifiquement restaurée où un petit café vend boissons et en-cas que vous pouvez emporter à bord. On trouve aussi un DAB.

Il y a notamment un train de nuit avec couchettes et des trains InterCity (1/jour dans chaque direction), bien plus rapides.

Anuradhapura 3e/2e/1re classe 190/340/600 Rs, 3-4 heures, 4/jour

Colombo 3e/2e/1re classe 320/570/1 100 Rs, 6-8 heures, 4/jour

Vavuniya 3e/2e/1re classe 150/280/520 Rs, 2-3 heures, 4/jour

VOITURE ET MOTO

Beaucoup de voyageurs préfèrent louer un véhicule afin d'explorer la péninsule et les îles à leur guise. Les routes sont maintenant en bon état et il n'y a guère de circulation. Un scooter coûte environ 1 500 Rs/jour, essence en sus, une voiture avec chauffeur, 6 500 Rs environ. La plupart des hébergements offrent ce service.

Comment circuler

Il est facile de parcourir le centre de Jaffna à pied ou à vélo.

De nombreuses pensions louent des vélos (350-500 Rs/jour). Autrement, adressez-vous à l'excellente boutique **Sri Lanka Click** (p. 292).

Les *túk-túk* facturent les trajets en ville entre 150 et 300 Rs. Pour votre sécurité le soir, les habitants recommandent d'en faire appeler un. La plupart des hébergements peuvent vous mettre en contact avec un chauffeur.

Péninsule de Jaffna

021

Passé les faubourgs déjà rustiques de Jaffna, le voyageur se retrouve plongé dans un décor de palmeraies, de temples multicolores, de sources sacrées et de rivages sans fin. Peu de ces sites laissent un souvenir impérissable, mais ils forment un ensemble intéressant pour une excursion d'un jour, surtout si l'on dispose de son propre véhicule.

La sécurité s'est grandement améliorée et la plupart des barrages routiers ont disparu, même si les derniers empêchent de parcourir l'intégralité de la côte. Concentrez-vous sur quelques zones : la source sacrée de Keerimalai, l'exceptionnelle route côtière reliant Valvettiturai à Point Pedro et les superbes plages du Nord-Est.

Les routes de la péninsule sont en bon état. Si l'on trouve quelques bus pour la source de Keerimalai et Point Pedro, mieux vaut louer un véhicule pour explorer la région. La péninsule se prête bien à l'exploration à vélo, notamment les routes désertes du littoral.

Côte nord et source de Keerimalai

La route de Kankesanturai (KKS) est jalonnée de plusieurs sites antiques et religieux de première importance. La ville elle-même se dresse au bord de l'océan dans un beau cadre boisé. Elle est entourée de bases militaires, ce qui n'empêche nullement d'y accéder en voiture pour admirer l'océan (un nouveau complexe militaire est cependant apparu au bord du rivage). En revanche, des

Péninsule de Jaffna

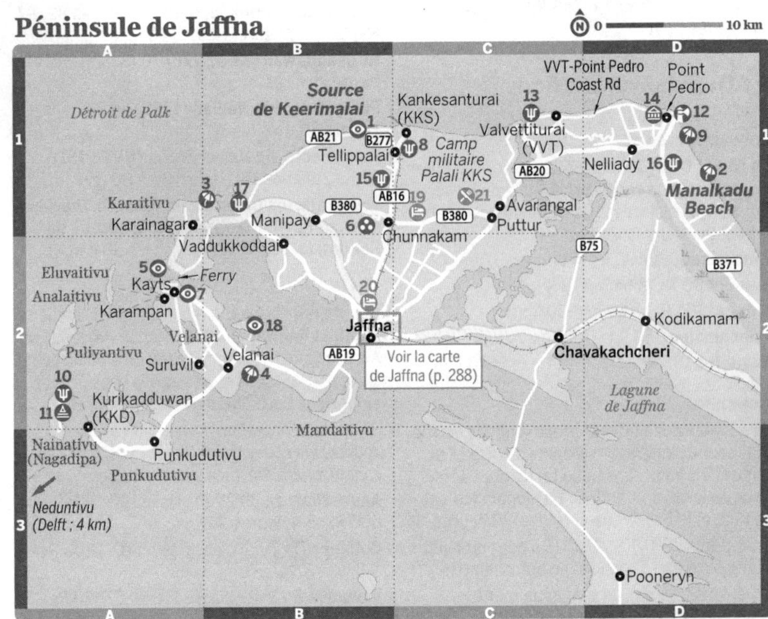

barrages routiers empêchent de poursuivre vers la magnifique source de Keerimalai à l'ouest et vers Valvettiturai à l'est.

À voir

Source de Keerimalai SITE HISTORIQUE
(B277). Cette source est un joli petit endroit : le côté des hommes offre un bassin à gradins aux eaux bleu-vert qui se détachent sur la mer, tandis que les femmes disposent d'un bassin plus petit entouré de hauts murs. Il y a des vestiaires sur place ; les femmes doivent se baigner avec un vêtement préservant la pudeur. Les minibus réguliers de Jaffna coûtent 54 Rs jusqu'à la source. Un *túk-túk* depuis l'arrêt de bus de Tellippalai revient à 400/700 Rs l'aller/aller-retour.

Ruines de Kantarodai RUINES
(Près de la B380, Chunnakam ; 8h30-17h). À 1 km au sud de la B380, un dédale de ruelles mène aux splendides et mystérieuses ruines de Kantarodai, composées d'une vingtaine de dagobas de 1 à 2 m de hauteur dispersés dans un champ entouré de palmiers. Leurs origines suscitent de vives controverses – à verser au fameux débat historique : "Qui était ici le premier ?" Un site fascinant, quoique grillagé, ponctué de structures semblant sorties d'un autre monde.

Naguleswaram Shiva Kovil SITE HINDOU
(B277, Keerimalai). Juste avant la source de Keerimalai se trouve le Naguleswaram Shiva Kovil (VIe siècle av. J.-C.), l'un des *pancha ishwaram*, les 5 temples consacrés à Shiva au Sri Lanka. Cet ensemble religieux florissant comportait à l'origine plusieurs sanctuaires, 6 *madham* (gîtes pour pèlerins) et des *samadhi* (mausolées de saints hommes). Seules quelques parties des bâtiments ont survécu au bombardement de l'armée en 1990.

Maviddapuram Kanthaswamy Kovil SITE HINDOU
(AB16, Tellippalai). Le Maviddapuram Kanthaswamy Kovil connaît une seconde vie depuis la fin de la guerre. Si vous n'arrivez pas à l'heure de la *puja* (11h30), les prêtres accepteront sans doute d'en faire une pour vous. Le site est en bord de route, entouré de bananiers.

Thurkkai Amman Kovil SITE HINDOU
(AB16, Tellippalai ; 5h30-19h, fermé 13h-15h certains jours). À côté de la route de KKS, au niveau du Km 13 au sud du village de Tellippalai, le vaste Thurkkai Amman Kovil se tient derrière un bassin en gradins assez profond. Dédié à la déesse Durga, le temple attire les foules, surtout des femmes, les mardis et vendredis, quand les fidèles prient pour obtenir un bon conjoint. Les *pujas* se déroulent à 8h, 11h, 12h et 16h. Les prêtres sont accueillants. Observez la sculpture d'éléphants tractant un train.

Où se restaurer

Vous trouverez petits cafés et épiceries dans les villages et à la source de Keerimalai.

Sri Murugan Café SRI LANKAIS $
(Près de la B380, Alaveddy Rd, Vakaiadi ; plats à partir de 150 Rs ; 5h-21h). Ce café à l'ancienne, au cœur de la campagne à 3 km à l'ouest de Puttur, sert un savoureux riz-curry. On y parle peu anglais, mais il vous suffira de pointer du doigt. Le café est sur la B380 ; il faut longer le camp militaire Palali KKS par le sud.

Péninsule de Jaffna

Les incontournables

1 Source de Keerimalai ... B1
2 Manalkadu Beach ... D1

À voir

3 Casuarina Beach ... B1
4 Chaatty Beach ... B2
5 Fort Hammenhiel ... A2
6 Ruines de Kantarodai ... B1
7 Kayts ... A2
8 Maviddapuram Kanthaswamy Kovil ... C1
9 Munai Beach ... D1
10 Naga Pooshani Amman Kovil ... A2
11 Temple Nagadipa ... A2
Naguleswaram Shiva Kovil ... (voir 1)
12 Point Pedro Lighthouse ... D1
13 Selvachannithy Murugan Kovil ... C1
St Anthony's Church ... (voir 7)
14 Theru Moodi Madam ... D1
15 Thurkkai Amman Kovil ... B1
16 Vallipura Aalvar Kovil ... D1
17 Varatharaja Perumal Kovil ... B1
18 War Memorial ... B2

Où se loger

19 Margosa ... C1
20 Senthil Complex ... B2

Où se restaurer

Fort Hammenhiel Resort ... (voir 5)
21 Sri Murugan Café ... C1

Depuis/vers la côte nord

La route côtière étant bloquée par l'armée, il vous faudra contourner l'immense camp militaire Palali KKS par la B380 entre Chunnakam et Puttur. Il est possible qu'à l'avenir les barrages soient levés et que l'on puisse à nouveau prendre la route côtière reliant la source de Keerimalai à Valvettiturai et Point Pedro à l'est.

Si une voie ferrée dessert KKS depuis Jaffna, les trains ne sont pas assez fréquents pour en faire une option envisageable.

Valvettiturai

Valvettiturai (VVT) est un bourg de pêcheurs animé en plein sur l'océan Indien. Un nouveau pont traverse l'estuaire vers Thondaimanaru à l'ouest. À l'est, une splendide route côtière (p. 299) file vers Point Pedro.

Aujourd'hui modeste bourgade, VVT était jadis une riche ville de contrebande. C'est également ici qu'est né Vellupillai Prabhakaran, célèbre leader du LTTE. Sa forte personnalité – il est connu pour sa cruauté impitoyable, son charisme et son implacable détermination – est considérée par de nombreux observateurs comme la raison principale pour laquelle le LTTE s'est imposé parmi tous les groupes militants tamouls nés dans les années 1970. La mort de Prabhakaran a été annoncée durant les derniers jours de la guerre. Aujourd'hui, rien ne subsiste de sa maison familiale, démolie par l'armée en 2010 pour éviter qu'elle ne devienne un lieu touristique, voire une sorte de sanctuaire.

Selvachannithy Murugan Kovil SITE HINDOU
(Thondaimanaru). Situé sur un joli site en bord de mer, à 4 km à l'ouest de VVT, le Selvachannithy Murugan Kovil (également appelé Sella Sannathy Kovil) est un temple majeur dédié à Murugan, avec une *puja* très suivie.

Depuis/vers Valvettiturai

Les routes de la région sont goudronnées et en bon état. On visite généralement VVT lors d'excursions à la journée en voiture ou à moto depuis Jaffna, via la splendide route côtière menant à Point Pedro.

Point Pedro

Point Pedro, deuxième ville de la péninsule de Jaffna, conserve quelques traces de style colonial malgré les dégâts considérables causés par le tsunami de 2004 (des bateaux de pêche auraient échoué dans les terres à 1 km des côtes). C'est aujourd'hui une ville marchande affairée, entourée de sites intéressants et reliée à Valvettiturai (VVT) par une route côtière splendide.

La petite ville compte un marché et une ou deux rues commerçantes. Le site naturel du même nom, avec son phare et ses plages, est à 1,5 km à l'est de la ville.

Theru Moodi Madam ÉDIFICE HISTORIQUE
(Tollgate ; Thumpalai Rd). Cette mystérieuse arche en ruine chevauchant la route et recouverte d'inscriptions daterait de l'époque coloniale hollandaise. Elle se trouve à 100 m à l'est du centre de Point Pedro.

LES TOMBES DES TIGRES

Si la tradition hindoue veut que les corps des défunts soient incinérés, les combattants décédés des Tigres de libération de l'Îlam Tamoul (LTTE) ont été enterrés et leurs sépultures surmontées de stèles identiques bien alignées. Les Tigres morts au combat sont appelés *maaveerar* (martyrs ou héros) et leurs cimetières sont des Maaveerar Thuyilum Illam (maisons où dorment les martyrs). Cette tradition commença dans les années 1990, peu après la création du Maveerar Naal (jour des Héros) en 1989, célébré chaque année le 27 novembre. Ces cimetières suscitèrent la controverse : pour certains, ils étaient une façon naturelle d'honorer les morts ; pour d'autres, ils étaient des outils de propagande.

Lorsque l'armée sri lankaise (SLA) prit le contrôle de la péninsule de Jaffna en 1995, elle détruisit plusieurs de ces cimetières, mais ils furent vite reconstruits par le LTTE après le cessez-le-feu de 2002. Mais quand la SLA conquit des zones de l'Est en 2006 et 2007, et encore à la fin de la guerre en 2009, tous les cimetières (et autres monuments du LTTE) du nord au sud furent à nouveau démolis – au grand désarroi de nombreux Tamouls et des familles des défunts.

Aujourd'hui, alors que l'armée érige des monuments glorifiant sa victoire, de nombreux Tamouls célèbrent chaque année le Maveerar Naal.

À NE PAS MANQUER

ROUTE DU LITTORAL

La route côtière de 9 km entre Valvettiturai (VVT) et le phare de Point Pedro (ci-dessous) est l'une des plus belles du nord du Sri Lanka. Elle embrasse le rivage, tandis que des vagues bleu-vert s'écrasent sur les rochers qui la bordent, longeant par endroits des récifs tout proches et offrant des panoramas exceptionnels.

Vous traverserez plusieurs villages de pêcheurs où des rangées de poissons sèchent au bord de la route.

Munai Beach PLAGE

(Près de la B370, Point Pedro). Cette belle plage s'étend à l'est du phare de Point Pedro. On peut s'y baigner lorsque la mer est calme.

Point Pedro Lighthouse PHARE

Ce phare se dresse sur un promontoire offrant un panorama impressionnant, au bout de la spectaculaire route côtière reliant VVT à Point Pedro. Le site est grillagé et les photos sont interdites, mais on peut se baigner ou pique-niquer sur la belle plage qui le jouxte.

Vallipura Aalvar Kovil SITE HINDOU

Le très vénéré Vallipura Aalvar Kovil se trouve à 5 km au sud du centre de Point Pedro. Son *gopuram* est peint d'une palette aux teintes raffinées et l'intérieur du temple arbore des représentations de Krishna. Il est connu pour sa fête des eaux sacrées (*water-cutting festival*) qui a lieu en octobre et qui attire de nouveau des milliers de pèlerins. Les *pujas* ont lieu à 7h, 9h30, 12h et 16h15, et le dimanche à 18h.

Depuis/vers Point Pedro

Des bus fréquents se rendent à Point Pedro depuis Jaffna (76 Rs, 1 heure 30, ttes les 30 min). Il vous faudra certainement marcher pour rejoindre les plages.

Côte nord-est

La côte nord-est de la péninsule de Jaffna est bordée de plages comptant parmi les plus belles de la région. C'est un endroit particulièrement isolé ; la plupart des maisons à l'abandon jalonnant le littoral ont été détruites par le tsunami de 2004.

Une visite d'une journée au départ de Jaffna est une expérience inoubliable. Bifurquez sur la B402 depuis l'A9 à 9 km au nord de l'Elephant Pass Causeway. Un embranchement conduit au nord vers la côte située à 8 km. La route, magnifiquement isolée, traverse quelques villages et une lagune tout en longueur avant d'atteindre le littoral à Chempiyanpattu.

De Chempiyanpattu, suivez la route côtière déserte B371, qui file vers le nord-ouest sur l'étroite péninsule sur 30 km, à travers des paysages magnifiques et désolés, jusqu'à Point Pedro. Vous rencontrerez peut-être en route des singes, des varans et de nombreux oiseaux, et vous longerez des plages paradisiaques, comme celle de Manalkadu.

♥ Manalkadu Beach PLAGE

Une petite piste de terre de 3,1 km mène de la B371 à cette superbe plage, où quelques bateaux de pêche flottent le long du sable bordé de palmiers. L'immense plage offre un panorama qui semble sans limites. En retrait du rivage se dresse **St Anthony's Church**, petite église isolée abritant une statue de Jésus de 6 m de haut. Il n'y a ni vendeurs ni boutiques.

Chempiyanpattu Beach PLAGE

(Près de la B402). Archétype des tropiques, cette somptueuse plage de sable blanc baignée par une mer azur, où se balancent des cocotiers, ne comporte aucune infrastructure – un lieu parfait pour fuir la civilisation. Admirez l'énorme baobab.

Depuis/vers la côte nord-est

La B371 et la B402 sont goudronnées, mais en mauvais état par endroits. Certaines plages ne sont accessibles que par des pistes de terre, ce qui ne pose généralement pas de problème à la saison sèche. La région est idéale pour le cyclotourisme.

Elephant Pass

À 52 km au sud-est de Jaffna, l'A9 lisse et rapide mène à Elephant Pass, une chaussée étroite qui relie la péninsule de Jaffna au reste du Sri Lanka. De certains endroits, on voit à des dizaines de kilomètres au-delà des vastes salines. La chaussée doit son nom aux éléphants qui transitèrent par là entre 300 av. J.-C. et le XIXe siècle pour être vendus en Inde.

Les Sri Lankais associent ce lieu stratégique, véritable porte de Jaffna, à la guerre civile. Des batailles sanglantes opposant l'armée aux Tigres tamouls s'y déroulèrent en 1991, 2000 et 2009.

ELEPHANT QUAY

Les éléphants étaient autrefois indispensables aux armées d'Asie du Sud-Est. Ils servaient au transport de troupes et d'équipements sur terrain difficile, à enfoncer les portes des forts et à terrifier l'ennemi lorsqu'ils avançaient en formation serrée avec au bout de leurs trompes des boulets d'acier. Les éléphants du Sri Lanka étaient réputés pour leur force, leur intelligence et leur taille, et l'île devint naturellement le principal fournisseur de l'Inde entre 300 av. J.-C. environ et le début du XIXe siècle.

La plupart des éléphants étaient capturés dans le Vanni, puis acheminés à travers la péninsule de Jaffna par Elephant Pass et embarqués sur des navires à Elephant Quay, à Kayts. Les bateaux étaient construits sur place spécifiquement pour le transport des pachydermes, et Kayts était alors connue comme le port des éléphants.

Si puissants qu'ils soient, les éléphants sont effrayés et désorientés par les bruits sourds, et l'apparition des armes à feu mit un terme à leurs exploits guerriers, ainsi qu'à leur commerce à Kayts.

Les deux mémoriaux du site attirent aujourd'hui de nombreux touristes. Les zones humides alentour, des eaux bleu-vert bordées de sable blanc et de mangroves remplies d'échassiers, surprennent par leur beauté.

Buldozer Memorial MÉMORIAL
(A9). Arrivé à l'extrémité sud de la route, poursuivez sur 1 km jusqu'à cet imposant mémorial célébrant Gamini Kularatne, soldat de l'armée sri lankaise qui parvint à lui seul à neutraliser un blindé du LTTE. Le véhicule couvert de rouille et au flanc éventré par une explosion a été monté sur un socle. On peut aussi voir une exposition sur la vie de Kularatne, comptant entre autres des lettres à sa mère et un talon de chèque de solde.

Elephant Pass War Memorial MONUMENT
(A9). Ce monument grandiose évoquant vaguement un stupa glorifie sur le mode triomphaliste le rôle de l'armée sri lankaise et du président Rajapaksa dans la défaite des Tigres tamouls. D'énormes mains en bronze tiennent une représentation du pays, gardées par des lions portant des cartouchières. Le mémorial est à l'extrémité nord de la route.

Depuis/vers Elephant Pass

Il vous faudra une voiture pour voir les mémoriaux, qui sont tout deux au bord de l'A9 ; la route est en excellent état.

Îles au large de Jaffna

Joyaux de la région, les îles basses au sud-ouest de la péninsule de Jaffna offrent une vision idyllique des tropiques, avec leurs paysages marins envoûtants – leur principal attrait. La mer étant peu profonde (pas plus d'un mètre par endroits), la lumière est vraiment particulière, les rayons du soleil se réfléchissant sur le fond sablonneux. Toutes les îles sont couvertes de palmiers de Palmyre (p. 301), et des flamants roses visitent souvent les salines.

Les chaussées et les bateaux qui relient les îles entre elles rendent possibles des excursions paradisiaques. Les plages insulaires n'ont peut-être pas la splendeur de celles de la côte sud, mais elles réservent des conditions de baignade agréables dans une eau tiède (le port du T-shirt et du short s'impose pour les femmes).

Plusieurs itinéraires possibles permettent d'explorer les îles de Jaffna. De la ville de Jaffna, une option consiste à rallier Velanai, puis Punkudutivu, d'où une traversée en ferry vous conduira aux temples de Nainativu, avant de revenir sur le continent via Kayts et Karaitivu. Une seconde excursion met le cap sur Neduntivu (Delft).

Comment circuler

Depuis Jaffna, les bus à destination des îles sont assez peu fréquents. L'idéal est de louer une voiture, ou, encore mieux, un deux-roues, afin de pouvoir vous arrêter quand vous le souhaitez. Les îles, très plates, sont idéales pour une exploration en scooter ou à vélo (qui peuvent être embarqués à bord des ferrys entre les îles). Les routes désertes permettent de se balader en toute décontraction. La marine nationale gère la plupart des ferrys.

Velanai

Reliée à Jaffna par une chaussée, Velanai (nommée aussi Leiden, son nom hollandais, ou Kayts d'après le village de la côte nord-est) est une belle île avec peu d'habitants.

Kayts VILLAGE

Kayts est un joli village où le ferry accoste parmi une poignée de bateaux de pêche sur un quai bordé d'anciens banians majestueux. C'est de ce port qu'à l'époque coloniale, dont les traces sont encore visibles, on exportait des éléphants vers l'Inde. Depuis le rivage, on aperçoit le beau fort Hammenhiel (p. 303), au loin.

War Memorial MÉMORIAL

(Près de l'AB19). À 2 km au nord de l'AB19, par un chemin de terre, se dresse un mémorial en l'honneur du lieutenant-général Denzil Lakshman Kobbekaduwa et d'autres militaires du commandement sri lankais du Nord, tués en 1992 dans un attentat à la bombe du LTTE, une victoire majeure pour les Tigres tamouls. Le site, construit récemment, comprend les vestiges des véhicules du cortège. Le lieu est isolé et solennel.

St Anthony's Church ÉGLISE

(Église Sainte-Antoine ; AB19, Kayts). Bâtie en 1820, cette grande église à colonnades un peu délabrée est ornée de guirlandes colorées suspendues par des fidèles aux poutres de la haute voûte. Juste à l'ouest, au milieu de chèvres broutant paisiblement, se dressent les ruines de **St Anthony's Villa**, qui arbore encore de magnifiques sculptures.

Chaatty Beach PLAGE

(Chaddy Beach ; Velanai). À défaut de sable blanc, la plage de Chaatty, à 11 km de Jaffna, offre des conditions de baignade correctes. On y trouve des vestiaires, des kiosques pour pique-niquer et des vendeurs d'en-cas.

Depuis/vers Velanai

Le bus n° 777 (54 Rs, 1 heure, ttes les 30 à 60 min) dessert Kayts depuis Jaffna.

À Kayts, le ferry gratuit Velanai-Karaitivu part toutes les 30 minutes de 6h à 18h ; la traversée de l'étroit bras de mer dure 10 minutes.

Les ferrys de la marine nationale pour les îles quasi désertes d'Analaitivu et d'Eluvaitivu partent tous les jours de Karampan, à 4 km au sud-ouest de Kayts (horaires irréguliers).

Attention : la route qui apparaît sur certaines applications et cartes en ligne entre l'isthme au nord du village de Velanai et le reste du Sri Lanka n'existe pas. La seule route pour l'île est l'AB19.

Punkudutivu

Une très longue chaussée relie Velanai et l'île de Punkudutivu. Sur la lagune, des pêcheurs utilisent des pièges à fleur d'eau et se déplacent dans des canots à voile. Le village de Punkudutivu possède l'un des temples hindous les plus colorés de Jaffna, et de nombreuses maisons anciennes présentant divers degrés de décrépitude. De petites chaussées relient Punkudutivu au ponton de Kurikadduwan (KKD), d'où les ferrys de la marine nationale rallient Neduntivu et Nainativu.

Le bus n° 776 dessert le ponton des ferrys de Kurikadduwan (KKD ; 70 Rs, 1 heure 30, ttes les heures) depuis Jaffna. En voiture, comptez 40 minutes environ.

LES PALMIERS DE PALMYRE

Emblématiques du nord du Sri Lanka, les palmiers de Palmyre (*Borassus flabellifer*), ou palmiers à sucre, poussent en nombre dans la région. Leur haute silhouette gracieuse se découpe sur l'horizon au crépuscule. Il y en aurait environ 11 millions à travers le pays, dont 90% dans les provinces de Jaffna, Mannar et Kilinochchi.

Ces arbres, qui jouent un rôle essentiel dans la culture tamoule, ont de multiples usages : le tronc sert de bois de construction, les feuilles à confectionner clôtures, toitures et objets de vannerie, la fibre de la corde. Après fermentation, la sève devient une boisson odorante peu alcoolisée, le toddy. On mange les racines de jeunes palmiers, riches en calcium, en en-cas ou bien on les réduit en farine pour préparer le *kool*, une sorte de soupe. Sur les marchés de la région, vous verrez aussi de gros blocs de *jaggery* (sucre non raffiné de couleur miel) fabriqué à partir du sirop de palme.

Le Palmyrah Development Board (www.katpahachcholai.com) fait la promotion d'une gamme de produits issus du palmier, des cabas aux shampooings.

Nainativu (Nagadipa)

Appelé Nainativu en tamoul et Nagadipa en cinghalais, ce losange long de 6 km planté de palmiers rôniers est un lieu sacré pour les bouddhistes et les hindous. La ville compte à peine 2 500 habitants. Les jours de *poya* (pleine lune) sont observés par les hindous et les bouddhistes de l'île ; attendez-vous à une forte affluence.

Temple Nagadipa SITE BOUDDHIQUE
(Nainativu). Ce temple est le seul site majeur de pèlerinage bouddhique du Nord. Le Bouddha serait venu ici afin d'empêcher une guerre entre un roi *naga* et son neveu pour posséder un trône incrusté de pierres précieuses. Il leur suggéra d'offrir le trône au temple. Le précieux siège et le temple d'origine ont disparu depuis longtemps. Aujourd'hui, vous découvrirez un joli dagoba argenté et, juste derrière, trois bouddhas souriants dans un temple coiffé d'un dôme. À 10 minutes de marche vers le sud par la route côtière depuis le Naga Pooshani Amman Kovil.

Naga Pooshani Amman Kovil SITE HINDOU
(Nainativu). Ce beau temple hindou entouré de *neem* (margousiers) est consacré à la déesse *naga* Meenakshi, une épouse de Shiva (le terme *naga* fait aussi bien référence aux dieux serpents qu'aux premiers habitants de l'île). Les femmes qui souhaitent avoir des enfants viennent pour la bénédiction, donnée durant la *puja* de la mi-journée dans une ambiance de transe. Un festival impressionnant a lieu chaque année en juin/juillet, auquel assistent 100 000 spectateurs. Le site est en face du ponton des ferrys.

Depuis/vers Nainativu (Nagadipa)

Les ferrys de la marine (30 Rs, 20 min) partent toutes les 30 minutes de Kurikadduwan (KKD), sur l'île de Punkudutivu, pour Nainativu de 7h30 à 16h30. Sur certains ferrys, vous pourrez embarquer une moto pour 100 Rs. Pendant le festival, l'attente pour embarquer est longue.

Neduntivu (Delft)

Intrigante et balayée par les vents, l'île de Neduntivu (Delft) est à 10 km au sud-ouest de KKD. Près de 6 000 personnes y vivent, mais elle donne l'impression d'être déserte, avec ses chemins de terre à travers les cocoteraies et palmeraies et le soleil qui scintille sur le sable blanc et l'eau bleu-vert. L'île recèle une flore très variée : margousiers, lianes (auxquelles on peut se balancer) et un vénérable baobab, véritable curiosité.

De toutes les îles de Jaffna, Neduntivu est celle qui donne le plus envie d'oublier le reste du monde. Contrairement à Nainativu, elle ne possède aucun sanctuaire majeur.

En 2011, Basil Rajapaksa (frère de l'ancien président) annonça la création de routes et de complexes hôteliers sur l'île. Mais la chute du clan Rajapaksa mit fin à cette menace sur la tranquillité de l'île, qui n'est pas pour autant à l'abri de futurs projets de développement.

Les centaines de murets en coraux séparent les champs. Les chevaux de Delft, descendants des montures apportées par les Hollandais, s'ébattent dans des champs arides bordés d'un rivage corallien. Il y a une **pierre géante** qui continuerait de grossir et vénérée de ce fait, ainsi qu'un petit **fort hollandais** (Dutch fort) en ruine près du quai du ferry.

Des ferrys vétustes, gérés par la marine sri lankaise (gratuit ou 85 Rs selon les horaires, 1 heure), partent de KKD 4 fois par jour de 8h à 16h30. Les bateaux sont bondés ; arrivez tôt et jouez des coudes lors d'une traversée aussi inconfortable que mémorable.

Si vous venez en bus de Jaffna, vous devrez prendre le bus de 6h40 pour KKD afin de ne pas rater le bateau.

Impossible d'explorer l'île sans véhicule. Vous pourrez louer un *túk-túk*/pick-up (1 500/4 500 Rs pour 2 heures) sur le quai.

Karaitivu

Karaitivu possède plusieurs atouts : le ferry pour Kayts, la longue chaussée à fleur de mer depuis Jaffna, avec vue sur les pêcheurs et les casiers à crevettes, une belle plage publique et un joli fort.

À voir

Casuarina Beach PLAGE
(New Rd ; 20 Rs/pers , moto 20 Rs, voiture 50 Rs ; billetterie 7h-18h). Une jolie plage de sable propice à la baignade, qui doit son nom aux casuarinas qui bordent le rivage. Prisée des habitants de Jaffna le week-end, elle comprend quelques snack-bars où manger et se désaltérer. Les bus de Jaffna à Karainagar passent à 2 km de la plage. Des *túk-túk* couvrent le trajet restant.

HORS DES SENTIERS BATTUS

EXCURSION EN VOITURE À MULLAITTIVU

La région du Nord-Est, autour de Mullaittivu, est désormais un paradis de verdure et de pâturages. Mais en 2009, alors que l'assaut final de l'armée sri lankaise contre le LTTE mettait un terme à la guerre civile, c'était loin d'être le cas.

Malgré les allégations de violations des droits humains et de bombardement de civils, aucune enquête n'a pour l'instant été ouverte, en dépit des pressions de l'ONU et de la communauté internationale.

C'est aujourd'hui une région en transition où les plages d'un blanc immaculé contrastent avec les bâtiments criblés de balles de villes comme Puthukkudiyiruppu. Cependant, on y assiste à une reprise de la construction. L'armée érige notamment des mémoriaux qui valent le détour, sur l'A34 et l'A35 en direction de Jaffna.

La plage de Mullaittivu est longue, blanche et splendide. Elle est peu développée, même si en ville des magasins commencent à apparaître. Un officier de l'armée tient un petit café au bord du sable. La mer est parfois calme, parfois traître.

À 3 km au nord, sur l'A35, se trouve le **pont de Vaddu Vakal**. L'ouvrage de béton à une voie porte encore les marques de la guerre. Lorsqu'il y a du poisson, le pont est envahi de pêcheurs lançant leurs filets à l'eau ; vous ne verrez jamais pareille foule dans la région. La tranquille lagune est un paradis pour les oiseaux.

Poursuivez vers le nord sur 6 km avant de bifurquer vers l'est sur une route de terre. Il est possible qu'un panneau indique un musée. Suivez la route sur environ 500 m et vous serez bouche bée devant le **Sea Tiger Shipyard** (près de l'A35 ; ⌚aube-crépuscule) GRATUIT. Dans cette base navale du LTTE, guérilla qui sévit pendant des décennies à coups d'attentats suicide sur les navires et les ports du gouvernement, on construisait des sous-marins expérimentaux et des bateaux rapides. On y voit au milieu des dunes plus d'une dizaine d'embarcations aux formes étranges, pas toujours achevées, ainsi que les vestiges d'un canal rudimentaire reliant la base à l'océan.

Les sous-marins sont particulièrement intéressants. Relevant plus du bricolage que du génie militaire, ils étaient construits en ferraille à l'aide d'outils rudimentaires et destinés à des missions suicide. Il y a deux stands vendant des en-cas et quelques soldats dans les parages.

Près de la base, une petite route de terre file vers le nord-ouest en retrait de la plage. Depuis l'A35, roulez environ 1 km et arrêtez-vous près de l'entrée d'une base militaire. Le sol tapissé d'herbe est plein de trous et de bosses, une topographie étrange qui s'explique lorsqu'on comprend qu'il s'agit d'une **zone de bombardement** (près de l'A35). C'est l'un des endroits où des civils tamouls périrent sous les bombes lors des derniers jours de la guerre, en février 2009. Des atrocités qui font encore polémique, chaque camp s'en renvoyant la responsabilité ; pourtant, les preuves que des milliers de civils ont été tués sont accablantes, comme en attestent notamment des rapports de l'ONU. Il n'y a aucun mémorial sur le site.

De retour sur l'A35, à 4 km à l'ouest de la route du Sea Tiger Shipyard, se dresse le **Monument of Victory** (A35). Érigé par l'armée au milieu d'un marais, ce buste de soldat peint en doré paraît jaillir du sol. Un mémorial grandiloquant à souhait, à côté duquel une petite structure abrite des cartes militaires incompréhensibles censées détailler les derniers mois de la campagne militaire.

Le long de votre périple sur l'A34 et l'A35, vous verrez des signes d'un retour à la normale autour de Mullaittivu : des fermiers font sécher leur riz sur de vastes portions de la route quasi déserte et des statues de la Vierge Marie prolifèrent sur le bas-côté.

En partant de l'A9, les principales routes du circuit de 100 km autour de Mullaitivu sont l'A35, qui part de Paranthan, et l'A34 au départ de Mankulam, toutes deux en excellent état. Il est presque impossible de visiter la région en bus.

Fort Hammenhiel SITE HISTORIQUE
(☎021-381 8216 ; 📶). Dans la baie, un minuscule îlot accueille le petit Fort Hammenhiel, construit par les Portugais avant de passer aux mains des Hollandais dans les années 1650, dont les murs de corail dépassent 4 m de hauteur. S'y rendre n'est pas chose aisée, la marine

sri lankaise y ayant installé un petit complexe hôtelier réservé aux officiers. En déjeunant au restaurant du complexe (ci-dessous), côté terre, vous parviendrez peut-être à obtenir une place à bord d'un des bateaux faisant la traversée de 5 minutes pour visiter le fort.

Varatharaja Perumal Kovil SITE HINDOU
(Près de l'AB21). Ce temple est à 1,1 km au nord du début de la route de Karaitivu, côté Jaffna. Vous apercevrez immédiatement sur votre droite l'imposant *gopuram* multicolore.

Où se restaurer

Fort Hammenhiel Resort MULTICUISINE $$
(☎021-381 8216 ; Karaitivu ; repas 400-800 Rs ; ⌚8h30-22h ; 📶). Le fort historique fait partie d'une base navale de l'armée. Le restaurant de la base, sur le front de mer à 1 km à l'ouest du ponton des ferrys pour Kayts, est aussi grand que le menu est long. Ouvert au public et offrant une belle vue sur le fort, c'est un bon endroit pour déjeuner. Le restaurant se trouvant dans l'enceinte de la base, vous devrez présenter une copie de votre passeport pour y accéder. Les chambres d'hôtel du fort sont réservées aux visiteurs ayant fait une demande par l'entremise d'un amiral.

Depuis/vers Karaitivu

Des bus relient Jaffna à Kairanagar via Vaddukkoddai (n°s 782, 786 ; 70 Rs, 1 heure 30, ttes les 30 min). Le ferry gratuit Karaitivu-Velanai part de la pointe sud de l'île toutes les 30 minutes de 6h à 18h ; la traversée de l'étroit bras de mer dure 10 minutes.

Kilinochchi et ses environs

L'essor économique du Nord est particulièrement palpable à Kilinochchi. La ville, qui était pendant la guerre un centre de pouvoir des Tigres tamouls, n'a rien de remarquable hormis un étonnant vestige du conflit : tout près du centre, un gigantesque **château d'eau** (A9, Kilinochchi ; ⌚site 24h/24, boutique 9h-17h) en béton est couché sur le flanc depuis qu'il fut renversé en 2008, dans les derniers jours de la guerre. La taille de la structure et la force nécessaire pour la faire céder laissent songeur. Sur place, une boutique de souvenirs signalée par un grand panneau "Souvenir Galore" vend toutes sortes d'articles, dont des T-shirts arborant le slogan "Reawakening K-town !".

Au nord de la ville, vous traverserez des paysages désolés d'une beauté minimaliste jusqu'à Elephant Pass. De nombreux bus en provenance de Jaffna traversent la ville avant de filer vers le sud, pratiques pour descendre et monter à votre guise. Des trains s'arrêtent également en ville.

Vavuniya

☎024 / 79 000 HABITANTS

Nœud de transport très animé, Vavuniya (*vao*-nya) possède peu de curiosités, mais y passer un après-midi n'a rien de désagréable. Peu de visiteurs s'y arrêtent depuis l'amélioration des réseaux ferrés et routiers de Jaffna, mais l'on y trouve tout de même quelques hôtels et restaurants corrects.

À voir

La ville se déploie autour d'un joli **réservoir**, que l'on peut admirer du **Kudiyiruppu Pillaiyar Kovil** (Pandaravanniyan Rd), un vaste temple délabré dédié à Ganesh. Le **quartier du marché** entourant la **Grande mosquée Jummah** (Horowapatana Rd) est de loin celui qui se prête le plus à la balade.

Madukanda Vihara TEMPLE BOUDDHIQUE
(Horowapatana Rd/A29). Ce temple charmant se dresse au sud-est de la ville sur l'A29, après le Km 3 ; comptez 200 Rs en *túk-túk*. Il aurait été la quatrième étape lors du transport de la dent sacrée du Bouddha de Mullaittivu à Anuradhapura au IVe siècle.

Kandasamy Kovil TEMPLE HINDOU
(Kandasamy Kovil Rd). Ce temple hindou, consacré à Murugan (Skanda), comporte un *gopuram* (tour d'entrée) travaillé aux couleurs passées et une statue dorée dans son sanctuaire. Le lieu est très sombre ; en sortant, admirez le temple depuis les édifices alentour, d'où la lumière est meilleure.

Où se loger et se restaurer

Hotel Nelly HÔTEL $
(☎024-222 4477 ; www.nellystarhotel.com ; 84 2nd Cross St ; ch avec ventil/clim à partir de 2 200/3 000 Rs ; ❄📶🍴). Certes, l'hôtel n'est pas très joli, et on y accède en traversant une salle de banquet, mais il dispose d'une vaste gamme de chambres bon marché et spacieuses, les meilleures du quartier (la concurrence est mince). Si vous n'êtes pas claustrophobe, vous pourrez vous repaître dans le minuscule restaurant aux murs couverts d'épais rideaux (plats

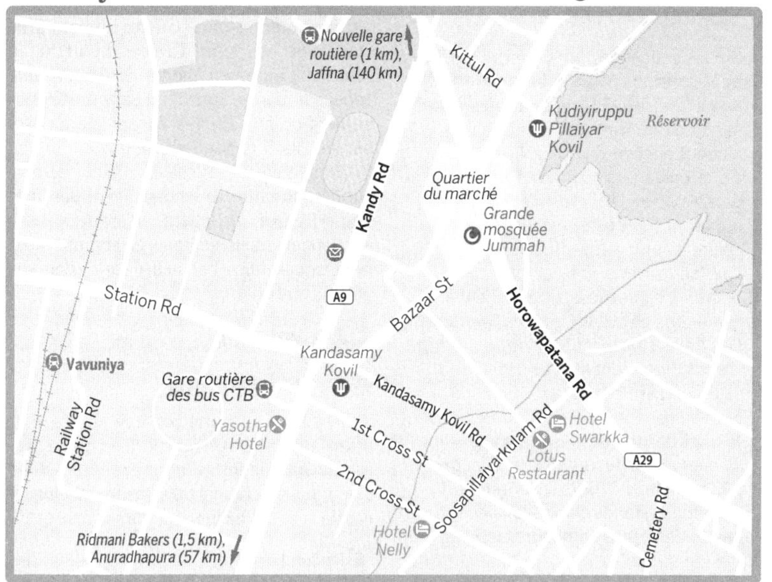

300-600 Rs), avec un bar servant de la bière. Les pizzas à emporter font un carton.

Hotel Swarkka PENSION $
(☎024-222 1090 ; Soosapillaiyarkulam Rd ; s/d avec ventil 1 500/2 000 Rs, avec clim 1 750/3 000 Rs ; ❄). En cas de budget serré, cette pension datée fera l'affaire pour une nuit. Les grandes chambres avec TV et moustiquaires accusent toutefois leur âge.

Yasotha Hotel SRI LANKAIS $
(138 Kandy Rd ; plats 130-250 Rs ; ⊙8h-22h). Dans cette échoppe chic et propre du Yasotha Hotel, qui sert le chaland depuis 1994 à côté de la gare routière, le cuisinier prépare derrière la vitrine de savoureux *kotthu* (*rotti* émincés avec des légumes) au fromage, au poulet et au bœuf.

Ridmani Bakers BOULANGERIE $
(Kandy Rd/A9 ; en-cas à partir de 50 Rs ; ⊙7h-21h). Cette boulangerie bordant la route à 1 km au sud du centre est aussi petite que son choix de produits frais est vaste. Prenez un petit pain aux légumes, au poulet ou au poisson ou contentez-vous de petits gâteaux.

Lotus Restaurant SRI LANKAIS $
(Soosapillaiyarkulam Rd ; plats 150-300 Rs ; ⊙8h-22h). Ce petit café très propre n'a pas de menu : faites votre choix entre *string hoppers* (nouilles sautées) et currys, et installez-vous sur la vaste terrasse couverte. En face de l'hôtel Swarkka (ci-contre).

Renseignements

Vavuniya accueille de nombreuses personnes de passage, et les rues sont calmes la nuit tombée. La prudence est donc de rigueur pour les voyageuses en solo lorsqu'elles sortent la nuit. Le centre-ville compte de nombreux DAB. La **poste** (près de Kandy Rd ; ⊙8h-20h lun-sam) est proche du centre.

Depuis/vers Vavuniya

BUS

La **gare routière** (Kandy Rd) du Central Tourist Board (CTB) à Vavuniya se trouve devant la tour de l'horloge. Des bus privés, moins organisés mais aux tarifs comparables, stationnent sur 2nd Cross St.

Une nouvelle gare routière centralisant toutes les lignes doit ouvrir dans Kandy Rd, à 1 km au nord du centre.

Anuradhapura 100 Rs, 1 heure, ttes les 20 min

Colombo CTB/privé demi-luxe 330/440 Rs, 6 heures 30, ttes les 30 min

Jaffna 185 Rs, 3 heures, ttes les 30 min

Kandy 220 RS, 5 heures, 12/jour

Mannar 111 Rs, 2 heures 30, 1/heure

Trincomalee 130 Rs, 3 heures 30, 1/heure

VAUT LE DÉTOUR

TEMPLE PROTECTEUR

Sur le continent, 10 km à l'est de la ville de Mannar, le **Thirukketeeswaram Kovil** (près de l'A32) fait partie des *pancha ishwaram*, les 5 temples hindous anciens du Sri Lanka dédiés à Shiva, construits pour protéger l'île des catastrophes naturelles. Cet ensemble imposant comporte un haut *gopuram* coloré. Autour du sanctuaire, des pavillons ouverts en façade abritent 5 chars gigantesques, qui paradent en février lors de la fête de Maha Sivarathri. Des travaux de reconstruction et d'agrandissement sont en cours.

Le Thirukketeeswaram Kovil est à 1 km au nord de l'A32 et à 3 km à l'est de la route de Mannar. Des bus s'y rendent fréquemment depuis Mannar ; en *túk-túk*, comptez 1 000 Rs l'aller-retour. Il y a quelques stands de boissons et d'en-cas, et des paons gambadent ici et là.

TRAIN

La **gare ferroviaire** (☎ 024-222 2271 ; Railway Station Rd ; ⏱ billetterie 7h-10h et 16h-17h) de Vavuniya possède des quais agréables et ombragés. Les voies ont été rénovées et les trains desservent à nouveau le Nord et Jaffna.

Anuradhapura 3e/2e/1re classe 50/90/160 Rs, 1 heure, 6/jour

Colombo 3e/2e/1re classe 185/330/600 Rs, 5-7 heures, 6/jour

Jaffna 3e/2e/1re classe 150/280/520 Rs, 2-3 heures, 4/jour

Comment circuler

Nombre de *túk-túk* ont un compteur, d'où des prix raisonnables pour les courts trajets en ville.

Île de Mannar et ses environs

☎ 023

Aride et écrasée de soleil, cette quasi-péninsule où mouillent des bateaux de pêche présente des étendues de sable blanc et de palmiers, habitées par des mouettes, des sternes et des ânes sauvages. C'est un fascinant mélange culturel, les vieux baobabs originaires d'Afrique plantés par des marchands arabes côtoyant les édifices délabrés des colonisateurs portugais, hollandais et britanniques.

Celle qui fut jadis un centre prospère de la pêche aux perles figure aujourd'hui parmi les territoires les plus pauvres du pays. L'île était jadis un point d'accès important au continent indien, à moins de 30 km, une époque tombée aujourd'hui dans l'oubli. Des milliers de musulmans en ont été chassés par les Tigres tamouls en 1990.

Complètement isolée, l'île semble oubliée du reste du monde avec ses rues poussiéreuses jonchées d'ordures, son atmosphère mélancolique et ses nuées de moustiques. Mais l'accueil y est chaleureux pour l'aventurier.

À voir

Ville de Mannar

Relié à la terre ferme par une chaussée de 3 km, ce nœud de transport est peu engageant. Outre le fort, il n'y a pas grand-chose à voir, mais la plupart des visiteurs y logent car il y a peu d'hébergements sur l'île.

♥ **Dutch Fort** FORT

(fort hollandais ; Ville de Mannar). Cet imposant ouvrage défensif hollando-portugais, entouré de douves, jouxte la chaussée qui mène à l'île. Le site, en piètre état, comporte de jolis remparts, les vestiges sans toiture d'une chapelle, d'un cachot et d'un beffroi hollandais. Escaladez les remparts pour profiter d'une perspective impressionnante sur la ville et le golfe de Mannar. Admirez les motifs gravés sur l'entrée de la cour centrale (où l'on peut se garer).

Baobab ARBRE

(Palimunai Rd, ville de Mannar). À 1,2 km au nord-est du centre-ville, ce vénérable baobab planté, dit-on, par des marchands arabes fait figure de curiosité. Mesurant 20 m de circonférence, il aurait plus de 700 ans. En Afrique, on appelle parfois le baobab "arbre à l'envers" car ses branches ressemblent à des racines. Les habitants de Mannar le surnomment quant à eux *ali gaha* (arbre éléphant), car son écorce dure et rugueuse ressemble à la peau d'un pachyderme.

Ailleurs sur l'île

Si l'île ne recèle pas de plages paradisiaques, **Keeri Beach**, 6 km à l'ouest de la ville de Mannar, se prête à la baignade. Il n'y a cependant pas d'ombre et des détritus jonchent le sable. La petite palmeraie en lisière abrite des singes.

Environ 3 km au nord-ouest de la ville de Mannar, vous passerez devant un bosquet de baobabs. Non loin du Km 8 se dresse Our Lady of the Martyrs, une église doublée d'une immense salle de méditation où des centaines de fidèles se réunissent le jeudi de 16h à 19h.

Plus loin s'étendent une vaste lagune (peuplée de flamants en février et de hérons bleus et blancs toute l'année), et la bourgade de Pesalai, avant le port de Talaimannar, à 38 km de Mannar.

Talaimannar

Jadis un point de passage incontournable vers l'Inde, c'est de ce petit port de la pointe ouest de l'île que partaient jusqu'en 1990 les ferrys pour la ville indienne de Rameswaram. Une époque révolue depuis le départ du dernier ferry chargé de réfugiés fuyant les combats en 1994. Aujourd'hui, le port a des airs de bout du monde. Un phare (près de l'A14, Talaimannar) solitaire se dresse au-dessus de l'ancien terminal rouillé des ferrys. Des épaves gisent autour des quelques bateaux de pêche en activité. Le port, quasi désert et dépourvu d'infrastructures, compte quelques panneaux décrivant l'histoire locale devant un joli panorama d'eaux turquoise.

Au large, l'Adam's Bridge – une chaîne de récifs, de bancs de sable et d'îlots – relie pratiquement le Sri Lanka au sous-continent indien. Dans le *Ramayana*, c'est le gué qu'emprunta le dieu-singe Hanuman pour aider Rama à secourir Sita, son épouse enlevée par Ravana, le roi-démon de Lanka.

On peut se baigner sur l'étroite plage bordant la vieille jetée, mais le village d'Urumale, 1 km à l'est du phare, se prête mieux à la baignade. Il a pour spécialité la pêche aux raies pastenagues, dont vous verrez des morceaux sécher au soleil. Des bateaux bordent sa plage, mais on peut rejoindre à pied des bandes de sable désertes à l'est.

Où se loger et se restaurer

Le plus commode est de loger dans la ville de Mannar, même si quelques modestes pensions bordent les routes autour de Pesalai, vers le centre de l'île. Il n'y a aucun hébergement à Talaimannar.

Mannar Guest House PENSION **$**
(077 316 8202, 023-222 2006 ; www.mannarguesthouse.com ; 55/12 Uppukulam, ville de Mannar ; s/d avec ventil 1 500/2 000 Rs, avec clim 2 000/2 500 Rs ;). Dans un quartier résidentiel où se côtoient hindous et musulmans, cette pension bien tenue à l'architecture éclectique compte 21 chambres avec sdb. Les propriétaires peuvent d'ordinaire fournir des repas si on les prévient.

Baobab Guest House PENSION **$**
(023-222 3155 ; 70 Field St, ville de Mannar ; s/d avec ventil 1 750/2 000 Rs, avec clim 2 750/3 000 Rs ;). Dans un endroit calme à 10 minutes de marche du centre-ville, cette pension, tenue par Jerome (qui peut venir vous chercher à la gare), offre un agréable salon/salle à manger, une véranda où paresser et de bons repas (commandez à l'avance). Le sol rouge traditionnel et les moustiquaires aux fenêtres ajoutent une touche tropicale. Réservez bien à l'avance car il n'y a que 4 chambres.

Four Tees Rest Inn LODGE **$**
(023-323 0008 ; Station Rd, Thoddaveli ; s/d avec ventil et sdb commune 1 500/2 000 Rs ;). Ce lodge excentré mais agréable, à 9 km au nord-ouest de la ville de Mannar, possède

L'ÎLE DES PERLES

Les eaux peu profondes autour de l'île de Mannar sont associées aux perles depuis l'Antiquité. Des textes grecs et romains en parlent, et le moine chinois Fa-hsien (Faxian) mentionne en 411 leur qualité exceptionnelle, de même que Marco Polo. L'explorateur arabe Ibn Battuta, qui se rendit dans l'île en 1344, rapporte avoir vu de précieuses collections de perles dans le trésor royal. Les Britanniques tirèrent de gros profits de cette ressource naturelle. Plus de 200 bateaux de pêcheurs de perles levaient l'ancre chaque jour pour ratisser le golfe de Mannar. Chacun d'eux transportait à son bord un "charmeur de requins", qui accomplissait un cérémonial censé protéger les plongeurs des attaques de squales.

Les revenus de l'industrie perlière déclinèrent fortement à la fin du XIXe siècle, sans doute à cause du dragage, de la surexploitation et de l'arrivée sur le marché des perles de culture. La dernière saison de pêche, en 1906, se solda par un échec commercial.

VAUT LE DÉTOUR

L'ÉGLISE DES MIRACLES

Bien que probablement érigée sur les fondations d'un temple hindou ancien, **Our Lady of Madhu Church** (Notre-Dame de Madhu ; Madhu ; ⊙église 5h30-19h30, bureau d'information 7h30-17h30) n'en est pas moins l'édifice chrétien le plus sacré du Sri Lanka. Elle contient une petite statue de la Vierge à l'Enfant, apportée en 1670 par des catholiques qui fuyaient les persécutions des protestants hollandais à Mannar. Cette statue fut rapidement réputée miraculeuse et vénérée notamment comme protection contre les morsures de serpent. Lieu de pèlerinage depuis lors, Madhu fut plus récemment un refuge pour les victimes de la guerre civile. L'église se situe sur Madhu Rd, à 12 km de Madhu Junction, l'embranchement de la route partant de l'A14, au niveau du Km 47.

L'église actuelle date de 1872. Sa façade arbore un long portique crème rehaussé de gris-bleu. Sans beaucoup d'ornements, sa nef comporte de hautes colonnes centrales. Une foule de pèlerins afflue lors des 10 fêtes annuelles, notamment le 15 août. À l'extérieur se trouve depuis peu un calvaire composé d'énormes statues dorées.

Les bus de la ligne Vavuniya-Mannar marquent l'arrêt à Madhu Junction. De là, comptez 900 Rs l'aller-retour en *túk-túk*, attente comprise. Une route partiellement goudronnée part vers l'est depuis l'église pour rejoindre l'A30, offrant un raccourci vers Vavuniya.

un cadre rural enchanteur à l'ombre de grands arbres. L'endroit est particulièrement apprécié des amateurs d'ornithologie et M. Lawrence, le gérant, propose infos pratiques et excursions d'observation des oiseaux. On peut manger sur place de bons repas (environ 500 Rs). À proximité de l'arrêt de train de Thoddaveli.

Shell Coast Resort HÔTEL **$$$**
(☎077 144 9062 ; www.shellcoastresort.com ; s/d avec petit-déj à partir de 75/80 $US ; ❄📶🏊). Situé à 6 km au sud de Pesalai, ce complexe en bord de plage se compose de bungalows en bois octogonaux avec terrasse et de chambres attrayantes partageant des vérandas. Le cadre rustique conviendra à ceux qui apprécient le côté retour à la nature. Repas possibles (l'hôtel étant isolé, ce n'est pas une mauvaise idée).

Palmyrah House HÔTEL **$$$**
(☎011-259 4467 ; www.palmyrahhouse.com ; près de l'A14, Karisal ; s/d avec petit-déj à partir de 85/110 $US ; ❄📶🏊). 🍃 Cet hôtel sur 2 niveaux, entouré de vastes vérandas ombragées et installé dans un coin tranquille à 12 km au nord-ouest de la ville de Mannar, propose 5 chambres agréables de style colonial. Atmosphère et service raffinés. Demi-pension et pension complète possibles. Des vélos sont à disposition pour rejoindre la plage, à 5 minutes de là.

ℹ Depuis/vers l'île de Mannar

L'A14 vers la ville de Mannar est en excellent état. Vers l'ouest et Talaimannar, elle est goudronnée mais cahoteuse. La reprise des traversées de ferrys vers Rameswaram (Inde) n'est pas à l'ordre du jour.

BUS

Des bus partent de la **gare routière de Mannar** (A14, ville de Mannar) pour :

Colombo 550 Rs, 8 heures, 7/jour

Jaffna 180 Rs, 3 heures, 10/jour

Tallaimannar 65 Rs, 30 min, 1/heure

Thirukketeeswaram Kovil 25 Rs, 20 min, 9/jour

Vavuniya 120 Rs, 2 heures 30, 1/heure

TRAIN

Des trains circulent de Colombo via l'embranchement de Medawachchiya jusqu'à la **gare ferroviaire de Mannar** (S Bar Rd, ville de Mannar), à 2,3 km à l'ouest de la ville. Ils rejoignent ensuite Talaimannar et une gare déserte près du phare, marquant de nombreux arrêts.

Parmi les trains au départ de Mannar :

Colombo 3ᵉ/2ᵉ/1ʳᵉ classe 620/350/205 Rs, 8 heures, 2/jour

Talaimannar 3ᵉ/2ᵉ/1ʳᵉ classe 50/90/160 Rs, 45 min, 2/jour

Comprendre le Sri Lanka

LE SRI LANKA AUJOURD'HUI 310

Le Sri Lanka a payé un lourd tribut à la guerre. Même si la paix reste encore fragile, le pays veut aller de l'avant et le tourisme prend son essor.

HISTOIRE................................. 312

Ce petit pays a un passé riche, comme en témoignent ses 6 sites historiques classés au patrimoine mondial de l'Unesco.

ENVIRONNEMENT 325

Le progrès vient avec son lot de problèmes sur cette île qui renferme un si grand nombre d'espèces uniques et tant d'éléphants !

LES SRI LANKAIS 329

Ses 20 millions d'habitants font de l'ancienne Ceylan une mosaïque de peuples et de religions.

LE THÉ 334

Tout ce que vous avez toujours voulu savoir sur le produit phare du Sri Lanka.

Le Sri Lanka aujourd'hui

Tandis que s'estompent les conséquences matérielles et économiques de la longue guerre civile, les touristes affluent, toujours plus nombreux. Le résultat surprenant de l'élection de 2015 a porté une nouvelle coalition au pouvoir. Le gouvernement actuel consacre une grande partie de ses efforts à détricoter l'œuvre de Mahinda Rajapaksa, le président précédent.

À voir

Dheepan (2015) Un Tigre tamoul gagne la France pour fuir les violations des droits de l'homme au Sri Lanka, mais se trouve confronté à la violence de la banlieue. Palme d'Or à Cannes pour Jacques Audiard.

Flying Fish (2011) C'est à Trincomalee, sa ville natale, que le réalisateur Sanjeewa Pushpakumara situe ces récits montrant des êtres qui essaient de survivre à la guerre.

Karma (2013) Drame de la maturité de Prasanna Jayakody, ce film primé montre des adultes tentant de donner un sens à leur vie et à leurs désirs à Colombo.

À lire

Les Fontaines du paradis (J'ai lu, 2001). On y retrouve de remarquables descriptions de l'Adam's Peak et de Sigiriya. Arthur C. Clarke (1917-2008), auteur également de *2001 : l'Odyssée de l'espace*, a longtemps vécu au Sri Lanka.

Le Fantôme d'Anil (Michael Ondaatje, 2000). Ce roman lancinant de l'auteur récompensé par le Booker Prize porte sur les droits de l'homme dans la tourmente du Sri Lanka à la fin du XXe siècle. Soutenu à l'étranger, ce livre a été condamné dans son pays.

Lisière du paradis (Gallimard, 2005). Roman méditatif de Romesh Gunesekera sur les thèmes du deuil et de l'exil.

Droits de l'homme

Plus de 8 ans après la fin de la guerre civile, le Sri Lanka panse encore ses plaies. Si certaines infrastructures dans le Nord et l'Est ont été reconstruites (ces régions ont à présent des routes et un réseau mobile excellents), d'autres dommages seront plus longs à compenser.

La terre est un des problèmes les plus sensibles. Dès les années 1990, l'armée a chassé de leurs terres un grand nombre de personnes. Nombre de ces familles étaient musulmanes et ont fini comme réfugiés en Inde ou dans un des "camps de réinstallation" du pays. Ces personnes déplacées (elles seraient plus de 250 000) exigent la restitution de leurs terres, et des manifestations ont lieu depuis 2016. L'armée n'a jamais communiqué de chiffres sur la superficie de terres confisquées. Mais celles-ci représentent des surfaces gigantesques, surtout près de Mannar et dans les régions au nord et à l'est de Jaffna.

L'armée sri lankaise prétend avoir restitué plus de 28 000 ha à leurs propriétaires (généralement de petits exploitants agricoles), mais refuse de dire combien de terres elle contrôle encore. Les familles de retour chez elles exigent que l'argent consacré aux routes et relais de téléphonie mobile servent aussi à installer l'électricité et à traiter l'eau dans les territoires restitués. Beaucoup expriment un mécontentement grandissant à l'égard du président Maithripala Sirisena, qu'ils ont contribué à élire en 2015 dans l'espoir d'un nouveau départ.

Des demandes d'enquêtes sur les violations des droits de l'homme au cours des dernières années de la guerre pèsent encore sur le pays. Si le gouvernement actuel est plus ouvert à ce principe, aucune enquête officielle ou conduite par un organisme indépendant n'a débuté et la communauté internationale se montre de plus en plus impatiente. Le président Sirisena a été loué pour avoir créé un Bureau des personnes disparues, mais on lui reproche de ne pas favoriser une enquête véritable. Après 7 ans de suspension, l'Union européenne a autorisé en 2017 le Sri Lanka à réintégrer le système de préférences commerciales. Cette réintégration reste toutefois soumise à la mise en place de mesures visant à la réconciliation nationale et au jugement des criminels de guerre.

Le Comité des Nations unies contre la torture a publié en 2016 un rapport dénonçant la persistance des tortures et brutalités infligées à des Tamouls soupçonnés d'avoir eu des liens, même vagues, avec les Tigres de libération de l'Eelam tamoul (LTTE), et affirme que des enlèvements dans les "camionnettes blanches" et autres disparitions forcées continuent. Le gouvernement sri lankais a réfuté ces allégations.

D'autres obstacles entravent l'avènement d'une véritable paix : les monuments édifiés par l'armée pour célébrer sa victoire offensent la population et de nouveaux hôtels appartenant à l'armée sont prévus dans les plus beaux secteurs du Nord et de l'Est.

Affaires étrangères

Le Sri Lanka affronte d'autres défis internationaux. Décidés par le gouvernement Rajapaksa, les grands chantiers de construction financés par la Chine ont laissé une dette colossale. La Chine ne cache pas qu'elle attend quelque chose en retour, en sus du remboursement de la dette, mais les Sri Lankais sont réticents. À la suite de violentes manifestations, l'accord qui devait donner au gouvernement chinois la propriété perpétuelle d'une vaste zone du nouveau port de Hambantota a été ramené à une concession de 99 ans par le gouvernement Sirisena.

Le gouvernement indien, voyant la Chine prendre pied près de ses côtes, tente de s'attirer les bonnes grâces du Sri Lanka, notamment par des investissements massifs dans le nord tamoul. Là encore, l'échange est compliqué. L'Inde a rejeté l'offre de contrôler le port de Trincomalee – pour compenser l'emprise chinoise sur celui de Hambantota –, le développement de ce port exigeant des investissements colossaux.

Des touristes partout

Le nombre de visiteurs ne cesse d'augmenter. À peine 550 000 en 2005, les visiteurs étrangers étaient 655 000 en 2010, un an après la fin de la guerre. Depuis, c'est l'explosion touristique, à raison de 22% d'augmentation moyenne par an. En 2016, pas moins de 2,1 millions de touristes ont débarqué – des chiffres à relativiser toutefois : la même année, Bali accueillait 4 millions de visiteurs et la Thaïlande 32,6 millions.

Cet afflux a entraîné d'énormes investissements dans les entreprises touristiques, de Jaffna à Galle. D'immenses hôtels financés par des multinationales sont en construction, mais aussi des pensions familiales. Le tourisme représente aujourd'hui 11% de l'économie et, étant donné le magnifique littoral, ces chiffres continueront à augmenter.

Les infrastructures s'efforcent de suivre. Beaucoup ont hâte que soit achevé le nouveau terminal de l'aéroport international de Bandaranaike, dont l'ouverture est prévue pour 2020.

POPULATION :
22,3 MILLIONS

SUPERFICIE :
65 610 KM²

PIB :
80,6 MILLIARDS DE $US

TAUX D'INFLATION ANNUEL :
6,9%

TAUX DE CHÔMAGE :
4,6%

Sur 100 personnes au Sri Lanka

75 sont cinghalais
11 sont tamouls sri lankais
9 sont maures sri lankais
4 sont tamouls indiens
1 est d'une autre origine

Religions

(% de la population)

Bouddhistes Hindous Musulmans

7
Chrétiens

Population au km²

SRI LANKA FRANCE SUISSE

≈ 35 personnes

Histoire

La situation géographique de Sri Lanka, proche de l'Inde et d'anciennes routes commerciales, a de tout temps attiré immigrés, envahisseurs, missionnaires, négociants et voyageurs venus d'Inde, d'Asie de l'Est et du Moyen-Orient. Nombre d'entre eux s'y sont établis et se sont intégrés au fil des générations et des unions interethniques. Si le débat reste houleux quant à la primauté des uns ou des autres, l'histoire de l'île, comme celle de ses ethnies, se conjugue au gré des luttes de pouvoir et des afflux de population.

Préhistoire et premières migrations

Pour les Cinghalais et les Tamouls, les deux ethnies principales du pays, l'histoire du Sri Lanka est une source de fierté. Seul problème, mais de taille, les deux communautés n'en ont pas la même version. Chaque site historique, chaque édifice religieux, chaque nom de village semble donner lieu à des interprétations historiques divergentes, auxquelles s'ajoutent une foule de mythes religieux et de légendes locales contradictoires. Dans chaque camp, on en conclut que l'île constitue la patrie exclusive de sa propre ethnie, chacune revendiquant la primauté de ses droits.

Adam laissa-t-il son empreinte de pied sur l'Adam's Peak (pic d'Adam ou Sri Pada) en jetant un dernier regard sur le jardin d'Éden ? À moins qu'il ne se fût agi de celle du Bouddha, de passage sur l'île à mi-chemin du paradis ? La chaîne d'îlots reliant l'Inde au Sri Lanka est-elle celle que Rama traversa pour arracher son épouse Sita des griffes de Ravana, roi-démon de Lanka, dans l'épopée du *Ramayana* ?

Sites pouvant dater du début de l'âge du fer

- *Sigiriya*
- *Kantarodai*
- *Tissamaharama*

Abstraction faite des légendes, les premiers habitants du Sri Lanka furent les Vedda (ou, ainsi qu'ils se désignent eux-mêmes, les Wanniyala-aetto : "habitants de la forêt"), des chasseurs-cueilleurs qui subsistèrent grâce aux prodigalités de l'île. Si leurs origines restent obscures, les anthropologues pensent qu'ils descendraient de populations originaires d'Inde et peut-être d'Asie du Sud-Est. Leur présence sur l'île remonterait à 32 000 ans av. J.-C. On estime aussi qu'une langue de terre entre l'Inde et le Sri Lanka aurait été recouverte par les eaux vers 5 000 av. J.-C.

Si les interprétations divergent quant à son origine, une culture mégalithique a bien émergé vers 900 av. J.-C., présentant des similitudes

CHRONOLOGIE

Avant le VIe siècle av. J.-C.

L'île est habitée par les Vedda (Wanniyala-aetto), des chasseurs-cueilleurs qui, selon les anthropologues, seraient les descendants d'un peuple présent dans l'île depuis 32 000 ans av. J.-C.

VIe siècle av. J.-C.

Vijaya, un prince déchu d'Inde du Nord, arrive sur la côte ouest du Sri Lanka. Il s'établit autour d'Anuradhapura et fonde le premier grand royaume de l'île mentionné dans les sources.

IIIe siècle av. J.-C.

L'empereur indien Ashoka envoie son fils et sa fille propager les enseignements du Bouddha. Le roi d'Anuradhapura les accueille et en saisit la portée, tissant ainsi des liens entre politique et religion.

frappantes avec celles de l'Inde du Sud de la même époque. C'est aussi lors du premier âge du fer qu'Anuradhapura commença à se développer et à prendre une position dominante.

Des objets présentant des inscriptions en brahmi (une écriture "parente" de la plupart de ses homologues de l'Asie du Sud) ont été découverts et datés du IIIe siècle av. J.-C. ; et des parallèles avec des styles brahmi de l'Inde du Nord et du Sud ont été faits, même si des mots tamouls apparaissent dans nombre d'objets mis au jour dans le nord et l'est de l'île. Les historiens sri lankais se livrent à un âpre débat sur ces questions. Cependant, plus qu'une simple implantation de deux ethnies distinctes, il est probable que des migrations simultanées en provenance d'Inde de l'Ouest, de l'Est et du Sud se soient produites à cette époque, les nouveaux arrivants se mêlant aux indigènes.

[...]ure, par les premiers arrivants sur l'île. Nul ne sait si c'est parce qu'ils vivaient en parfaite harmonie avec la nature, ou parce qu'ils priaient pour leurs ancêtres défunts, des esprits appelés *nae yaku*.

Anuradhapura

Datant du Ve siècle, le *Mahavamsa*, une chronique épique en pali, est la première source historique du pays. Si cette fresque relate assez fidèlement l'histoire des royaumes et du pouvoir politique cinghalais à partir du IIIe siècle av. J.-C., sa fiabilité historique est plus discutable s'agissant des temps en amont – comme en témoigne en particulier la place accordée aux mythes. Cela n'empêche pas de nombreux Cinghalais d'affirmer descendre de Vijaya, un prince du nord de l'Inde, au VIe siècle av. J.-C, dont le grand-père, selon l'épopée, était un lion, et dont le père, seulement pourvu des pattes du même animal, avait épousé sa propre sœur… Banni pour mauvaise conduite, le prince fut contraint d'embarquer sur des navires délabrés avec un contingent de 700 hommes.

Ils auraient accosté près de l'actuelle Mannar le jour où le Bouddha atteignit l'Éveil. Vijaya et son équipage s'établirent près d'Anuradhapura et firent la connaissance de Kuveni, une Yaksha (probablement une Vedda), qui apparaît tour à tour sous les traits d'une reine pernicieuse et d'une séductrice prenant la forme d'une jeune fille pour séduire le prince. Elle lui offrit la couronne, se joignit à lui pour massacrer son propre peuple et lui donna deux enfants avant de se voir chasser par son époux. Vijaya se fit alors amener une princesse tamoule du royaume Pandya, dans le sud de l'Inde, ainsi que des femmes pour ses hommes (le fait que, selon ce récit, les ancêtres de la lignée cinghalaise auraient tous épousé des Tamoules est ignoré de la majorité des Sri Lankais). Son règne est considéré comme l'origine du royaume d'Anuradhapura, qui se développa dans la région au IVe siècle av. J.-C.

Au IIe siècle av. J.-C., le royaume d'Anuradhapura englobait l'île. Il n'en dut pas moins lutter ou coexister avec d'autres dynasties au fil des siècles, notamment avec les Chola tamouls. Les frontières entre Anuradhapura et divers royaumes d'Inde du Sud furent modifiées

Noms de lieux vedda

Parc national de Gal Oya

Nanu Oya

Kelaniya Ganga

205-161 av. J.-C.	103-89 av. J.-C.	Ier siècle av. J.-C.	IVe siècle
Règne du roi Chola Elara, décrit par le *Mahavamsa* comme un souverain juste. Bien que Tamoul et hindou, il fait l'aumône aux moines bouddhistes et emploie aussi bien des Cinghalais que des Tamouls.	Des rois tamouls venus d'Inde envahissent Anuradhapura et règnent pendant 14 ans. Le roi Valagamba est contraint de fuir et trouve refuge dans les grottes autour de Dambulla.	Le 4e Concile bouddhique se tient à Aluvihara. Les enseignements du Bouddha, conservés jusque-là oralement, sont recueillis par écrit pour la première fois.	L'arrivée à Anuradhapura de la dent sacrée du Bouddha renforce la popularité du bouddhisme au Sri Lanka. La relique devient le symbole de la religion et de la souveraineté de l'île.

à maintes reprises. Plusieurs guerriers cinghalais prirent les armes pour repousser les assauts des royaumes d'Inde du Sud. Parmi eux, Vijayabahu Ier (XIe siècle) décida d'abandonner Anuradhapura pour établir la capitale à Polonnaruwa, au sud-est.

L'arbre de la Bodhi, visible à Anuradhapura, fait l'objet de soins méticuleux depuis plus de 2 000 ans. C'est le plus vieil arbre de ce type au monde.

Durant des siècles, le royaume fut à chaque fois reconstruit après les bataille grâce au *rajakariya,* un système de servitude au profit du roi qui permit de développer l'agriculture et de restaurer les édifices, les réservoirs et les systèmes d'irrigation. Il ne fut interdit qu'en 1832, lorsque les Britanniques eurent imposé des lois prohibant l'esclavage.

Introduction de l'enseignement du Bouddha

Le bouddhisme arriva d'Inde au IIIe siècle av. J.-C. par Mahinda, transformant Anuradhapura et participant sans doute de l'émergence de ce qui est considéré aujourd'hui comme la culture cinghalaise. La colline de Mihintale marque l'endroit où le roi Devanampiya Tissa aurait reçu pour la première fois les enseignements du bouddhisme. Les premiers émissaires bouddhistes apportèrent une bouture de l'arbre de la Bodhi sous lequel le Bouddha atteignit l'Éveil. Toujours vivace à Anuradhapura, l'arbre est décoré de drapeaux de prière et de lumières. Des liens solides s'établirent entre la monarchie sri lankaise et les ordres bouddhiques. Les souverains, reconnaissants du soutien des bonzes, fournissaient logements, citernes et vivres aux monastères. Un contrat informel, qui perdure aujourd'hui, lia alors l'État et la religion.

Sur l'île, le bouddhisme subit une autre évolution majeure avec la transcription des enseignements oraux au Ier siècle av. J.-C. Les premiers moines sri lankais rédigèrent un corpus de commentaires sur les enseignements, ainsi que des manuels, des grammaires du pali

LES BÂTISSEURS DE RÉSERVOIRS

La maîtrise des réservoirs d'eau, des pentes et des canaux constitue la clé de la civilisation sri lankaise des premiers temps. Probablement modestes au départ, ces réservoirs qui parsèment les plaines des anciens territoires de Rajarata (au nord du pays) et de Ruhuna (au sud-est), atteignirent de telles dimensions au Ve siècle av. J.-C. que les légendes locales s'en emparèrent. On raconte ainsi que le réservoir du Géant, près de l'île de Mannar, fut bâti par des colosses et que d'autres procédèrent des efforts conjoints d'hommes et de démons.

Le système d'irrigation local, construit à une échelle toujours plus grande durant le millénaire précédant notre ère, rivalise en sophistication avec les anciens *qanat* (systèmes d'irrigation souterrains) iraniens et les canaux de l'Égypte des pharaons. Ces réservoirs ont nourri et façonné la civilisation sri lankaise pendant plus de 2 500 ans, avant que la guerre et la discorde ne frappent le pays entre le XIIe et le XIVe siècle.

Ve siècle

Après avoir ourdi la mort de son père et chassé son frère Mugalan, le roi Kasyapa construit la forteresse rocheuse de Sigiriya. Aidé par des mercenaires indiens, Mugalan reprend le trône.

Ve siècle

Buddhaghosa, érudit indien, compose au Sri Lanka le *Visuddhimagga*, un manuel traitant des enseignements du Bouddha. Ses commentaires font partie du canon du theravada.

VIIe-XVe siècle

Des négociants arabes s'établissent au Sri Lanka, se marient et diffusent l'islam sur l'île. Ils commercent avec le Moyen-Orient et cohabitent paisiblement avec Tamouls et Cinghalais.

XIe siècle

Lassé des conflits incessants avec ses voisins tamouls, le roi Vijayabahu Ier défait les Chola et transfère la capitale cinghalaise à Polonnaruwa, au Sud-Est. Un bref âge d'or s'ensuit.

et d'autres textes fondamentaux, développant ainsi une littérature classique pour le bouddhisme theravada (ou "doctrine des anciens"). L'arrivée de la dent sacrée du Bouddha à Anuradhapura en 371 renforça la place du bouddhisme dans la société cinghalaise, donnant naissance à un sentiment de cohésion identitaire et nationale, ainsi qu'à une culture et une littérature propres aux Cinghalais.

Polonnaruwa

La nouvelle capitale, Polonnaruwa, perdura sur plus de deux siècles, marqués par le règne de deux grands souverains. Parakramabahu Ier (r. 1153-1186), neveu de Vijayabahu Ier, renversa l'empire des Chola tamouls venus d'Inde méridionale, et poursuivit le combat jusqu'en Inde du Sud, faisant même une incursion au Myanmar. Il construisit de nombreux réservoirs et puisa dans les fonds publics pour faire de Polonnaruwa une splendide capitale. Son successeur, Nissanka Malla (r. 1187-1196), fut le dernier souverain de Polonnaruwa à se préoccuper du bien-être de son peuple. Des dirigeants faibles lui succédèrent, tandis que la dégradation du système d'irrigation favorisait la propagation des maladies. Polonnaruwa fut abandonnée et la deuxième capitale cinghalaise du pays fut envahie par la jungle.

Le pouvoir cinghalais s'établit alors dans le sud-ouest de l'île, changeant 5 fois de capitale entre 1253 et 1400. Aucune n'atteignit la grandeur d'Anuradhapura ou de Polonnaruwa. Dans l'intervalle, le puissant royaume de Jaffna prenait le contrôle d'une grande partie de l'île. Lorsque le voyageur arabe Ibn Battuta visita Ceylan en 1344, il rapporta que le royaume s'étendait jusqu'à Puttalam, sur la côte ouest.

Avec le déclin des capitales cinghalaises du Nord et la migration de la population vers le Sud, les villages tamouls du Nord, essentiellement côtiers, et les villages cinghalais du Sud se retrouvèrent séparés par une vaste zone tampon, couverte de jungle. Pendant des siècles, cette frontière naturelle maintint Cinghalais et Tamouls à distance, semant les graines de la division ethnique sri lankaise.

Les descendants des esclaves mozambicains, amenés au Sri Lanka par les Portugais, sont aujourd'hui presque totalement assimilés. Leur contribution la plus évidente à la culture sri lankaise fut les *bailas*, des chansons d'amour basées sur des mélodies latines et des rythmes africains.

Le commerce et la conquête

L'arrivée des Portugais

Au cœur de l'océan Indien, le Sri Lanka avait déjà été un carrefour marchand avant l'arrivée des négociants arabes et de leur nouvelle religion, l'islam, au VIIIe siècle. Les pierres précieuses, la cannelle, l'ivoire et les éléphants comptaient parmi les ressources convoitées. Les musulmans s'installèrent d'abord à Jaffna et à Galle, puis l'arrivée des Européens, tout autant désireux d'imposer leur domination que de commercer, contraignit nombre d'entre eux à fuir dans l'arrière-pays pour échapper aux persécutions.

1216

Parallèlement au déclin de Polonnaruwa, le royaume tamoul de Jaffna s'établit puis se soumet au royaume Pandya, en Inde du Sud, avant de gagner son indépendance. Il se maintient 4 siècles durant.

1505

Après le déclin de Polonnaruwa, le pouvoir cinghalais se déplace vers le royaume de Kotte au sud-ouest et Kandy. Les Portugais conquièrent toute la côte ouest. Le royaume de Kandy parvient à les repousser.

1658

Les premiers navires hollandais accostent en 1602. Un traité signé avec le royaume de Kandy accorde aux Hollandais le monopole du commerce des épices et ils ravissent aux Portugais le contrôle du littoral.

1796

Les Pays-Bas, sous contrôle français, cèdent Ceylan aux Britanniques. Ce changement est censé être temporaire, et les Britanniques administrent l'île depuis Madras, en Inde.

À l'arrivée des Portugais en 1505, le Sri Lanka comptait trois grands royaumes : le royaume tamoul de Jaffna et les royaumes cinghalais de Kandy et de Kotte (près de Colombo). Fils du vice-roi portugais des Indes, Lourenço de Almeida établit des relations amicales avec le royaume de Kotte et obtint le monopole du lucratif commerce des épices. Par la suite, les Portugais devaient prendre le contrôle du royaume.

Forts de la période européenne

Batticaloa

Jaffna

Matara

Trincomalee

Galle

Mannar

Les rapports entre Tamouls et Portugais se révélèrent moins cordiaux. Jaffna parvint à contenir deux expéditions portugaises avant de rendre finalement les armes en 1619. Les Lusitaniens détruisirent alors les plus beaux temples hindous de la ville ainsi que sa Bibliothèque royale. Le Portugal parvint à s'emparer de tout le littoral occidental, mais le royaume de Kandy, dans les montagnes du Centre, continuait de résister à cette domination.

Divers ordres religieux, les dominicains et les jésuites, accompagnaient les Portugais. Ils convertirent de nombreux villages côtiers et laissèrent massacrer les populations qui résistaient à l'évangélisation, et détruire les temples. Les bouddhistes se réfugièrent à Kandy, qui devint la cité protectrice de leur foi. Cette fonction sacrée s'enracina au cours des 3 siècles suivants, marqués par l'échec des tentatives de mainmise des puissances européennes.

Les Hollandais

Les Hollandais arrivèrent en 1602, aussi désireux que les Portugais de contrôler le négoce des épices dans l'océan Indien. Rajasinha II, roi de Kandy, leur en octroya le monopole en échange de l'indépendance du Sri Lanka. En dépit de cet accord, les Hollandais ne cessèrent de tenter d'assujettir Kandy durant les 140 années de leur présence.

Les Hollandais construisirent des canaux le long de la côte ouest pour transporter les récoltes, notamment la cannelle ; il en reste quelques-uns aux alentours de Negombo. La législation actuelle de Sri Lanka comporte des éléments du droit hollandais de cette époque.

Sir James Emerson Tennent a livré une description détaillée du Sri Lanka au XIXe siècle. Cet ouvrage désormais tombé dans le domaine public est disponible sur www.gutenberg.org.

Les Britanniques

Les Britanniques considérèrent d'abord le Sri Lanka d'un point de vue stratégique, estimant pouvoir contrer l'influence française en Inde depuis le port de Trincomalee. Prenant le contrôle du Sri Lanka en 1796, ils étendirent leur influence, faisant de l'île une colonie en 1802 et soumettant Kandy en 1815. Trois ans plus tard, la première administration unifiée de l'île par une puissance européenne voyait le jour.

Les Cinghalais croyaient que seuls les gardiens de la dent sacrée avaient le droit de diriger le pays. Leur courroux fut légèrement apaisé quand un bonze retira la relique du temple de la Dent afin de la garder, ainsi que la souveraineté symbolique de l'île, en mains cinghalaises.

1802

Les Britanniques supplantent les Hollandais et font du Sri Lanka une colonie, à vocation d'abord stratégique, puis commerciale.

1815

Les Britanniques veulent contrôler l'île entière et parviennent à conquérir le royaume de Kandy. C'est la première (et seule) fois que le Sri Lanka est gouverné par une puissance européenne.

1832

Le bouleversement des lois foncières ouvre les portes aux colons britanniques. L'anglais devient la langue officielle, les monopoles d'État sont abolis et les capitaux affluent, finançant les plantations de café.

1843-1859

Ne parvenant pas à persuader les Cinghalais de travailler dans les plantations, les Britanniques font venir d'Inde du Sud près d'un million de travailleurs tamouls.

Le tourment des Cinghalais s'accrut dans les années 1830 avec l'arrivée des premiers colons britanniques. Le thé se substitua en grande partie au café et à l'hévéa dès les années 1870, et la composition démographique fut bouleversée avec l'afflux d'ouvriers agricoles tamouls venant d'Inde du Sud. Ces derniers étaient – et sont encore – séparés des Tamouls de Jaffna par la géographie, l'histoire et la caste. La colonisation britannique entraîna d'autres évolutions dans la population de l'île, de nombreux Tamouls quittant le Nord pour s'installer à Colombo, tandis que des Cinghalais s'établissaient à Jaffna.

Le chemin de l'indépendance

Les progrès du nationalisme

L'aube du XXe siècle fut une époque importante pour le mouvement nationaliste sri lankais. À la fin du XIXe siècle, des campagnes bouddhistes et hindouistes avaient été lancées afin de rendre ces religions plus à même de tenir sous la férule coloniale et de défendre la culture sri lankaise contre l'influence des missionnaires chrétiens. L'étape suivante consistait à réclamer une plus grande participation sri lankaise dans le gouvernement. En 1910, les militants obtinrent une concession mineure : les Sri Lankais purent élire un unique représentant au Conseil législatif.

La création du Congrès national de Ceylan en 1919 formalisa les revendications des nationalistes. L'un d'eux, Anagarika Dharmapala, ayant été contraint à l'exil, diverses organisations de jeunesse, cinghalaises ou tamoules, reprirent la lutte pour le changement. En 1927, la visite du Mahatma Gandhi aux activistes tamouls de Jaffna renforça le mouvement. En 1924, une révision constitutionnelle permit la création d'un gouvernement représentatif, puis en 1931, une nouvelle Constitution autorisa enfin les leaders sri lankais à participer au Parlement et instaura le suffrage universel. Selon la Constitution, aucun groupe ethnique ne pouvait dominer le champ politique ; une série de mesures garantissait que tous les départements du gouvernement étaient supervisés par un comité composé de représentants de chaque ethnie. Cependant, les dirigeants cinghalais et tamouls n'accordèrent pas leur soutien sans réserve à cette Constitution qui préparait l'indépendance, laissant présager les problèmes qui allaient marquer les 8 décennies suivantes.

Les Communautés tamoules et le conflit sri lankais (L'Harmattan, 2011), de Gaëlle Dequirez, Delon Madavan et Eric Meyer, propose de nombreux éclairages sur la question tamoule au Sri Lanka et dans la diaspora.

De Ceylan au Sri Lanka

Après l'Inde en 1947, Ceylan accéda à son tour à l'indépendance le 4 février 1948. Bien que rassemblant des membres issus de tous les groupes ethniques, le Parti national uni (UNP), au pouvoir, ne

Années 1870	Fin du XIXe siècle	1910	1919
L'industrie du café favorise le développement des routes, des ports et des voies ferrées. Puis la rouille décime les plants, et le café est remplacé par le thé et l'hévéa.	L'arwi, un mélange de tamoul et d'arabe qui s'est élaboré au sein de la population des Maures sri lankais, connaît son apogée avec la publication d'importants textes religieux.	Les Sri Lankais élisent un unique représentant au Conseil législatif.	Après l'arrestation de dirigeants cinghalais par les Britanniques en 1915, le Congrès national de Ceylan réunit des groupes nationalistes cinghalais et tamouls qui œuvrent pour l'indépendance.

HISTOIRE DE NOM...

En 1972, l'abandon du nom Ceylan pour celui de Sri Lanka sema le trouble parmi les étrangers. Pourtant, l'île avait toujours été Lanka pour les Cinghalais et Ilankai pour les Tamouls. Dans le *Ramayana*, Sita n'est-elle pas enlevée par le roi de Lanka ? Les Romains appelaient l'île Taprobane et les négociants arabes parlaient de Serendib ("île des Joyaux" en arabe). Les Portugais transformèrent Sinhala-dvipa ("île des Cinghalais") en Ceilão, que les Hollandais traduisirent Ceylan et les Britanniques Ceylon. L'île retrouva son nom de Lanka en 1972 auquel on accola "Sri", mot qui marque le respect.

représentait que les intérêts de l'élite anglophone. Ses tentatives de retirer leur citoyenneté aux "Tamouls des plantations" et de les renvoyer en Inde furent une indication de la montée d'un nationalisme cinghalais. Le clivage se creusa en 1956 avec l'arrivée au pouvoir du Parti de la liberté (SLFP), élu sur un programme socialiste, nationaliste et prônant un soutien de l'État au bouddhisme. L'une des premières décisions du chef du SLFP, Solomon Bandaranaike, fut de déclarer le cinghalais seule langue officielle du pays.

Durant la période coloniale britannique, les Tamouls avaient acquis une bonne maîtrise de l'anglais et s'étaient vus surreprésentés dans les universités et l'administration, créant le ressentiment des Cinghalais, surtout pendant la période de faible croissance économique des années 1950. Les principaux partis politiques jouèrent sur la crainte des Cinghalais de voir leur religion, leur langue et leur culture balayées par les Indiens, perçus comme les alliés naturels des Tamouls du Sri Lanka. Ces derniers, dont l'identité hindoue s'était affirmée, commencèrent à se sentir menacés.

Une loi faisant du cinghalais la seule langue officielle priva les populations hindoues et musulmanes parlant le tamoul de leur droit de vote : presque 30% des citoyens se virent soudainement interdire l'accès à l'administration. Si les tensions couvaient depuis la fin de la période coloniale, cette décision marqua le véritable début du conflit ethnique sri lankais.

Un scénario similaire se répéta en 1970, lorsqu'une loi favorisant l'accès des Cinghalais aux universités fut promulguée, réduisant ainsi le nombre d'étudiants tamouls. Puis, au lendemain d'une insurrection armée contre le gouvernement menée par le Front de libération populaire (JVP), mouvement radical anti-tamoul, une nouvelle Constitution (qui entérina l'abandon du nom Ceylan pour celui de Sri Lanka) accorda une "place prépondérante" au bouddhisme, donnant à l'État un devoir de "le protéger et le propager".

1927
La visite du Mahatma Gandhi aux activistes tamouls de Jaffna renforce le mouvement.

1931
Une nouvelle Constitution prévoit le partage du pouvoir avec un gouvernement cinghalais. Le suffrage universel est introduit dans le pays, qui accorde également le droit de vote aux femmes.

1948
Six mois après l'Inde, Ceylan devient un membre indépendant du Commonwealth. Le Parti national uni (UNP) consolide son pouvoir en ôtant leur citoyenneté aux "Tamouls des plantations".

1956
Le Parti de la liberté (SLFP) l'emporte sur l'UNP grâce à son programme nationaliste et socialiste. Une loi faisant du cinghalais la seule langue officielle déclenche des émeutes.

L'agitation grandit parmi les Tamouls du Nord et l'état d'urgence fut instauré dans leur territoire pour plusieurs années à partir de 1971. La police et l'armée comptaient peu de Tamouls (une conséquence de la loi faisant du cinghalais la seule langue officielle), accentuant la division du pays et suscitant, pour la population tamoule, un sentiment d'oppression.

Naissance des Tigres

Au milieu des années 1970, plusieurs groupes de jeunes Tamouls réclamèrent la fondation d'un État tamoul indépendant, l'Eelam (Terre précieuse). Parmi eux, Velupillai Prabhakaran, était l'un des fondateurs des Tigres de libération de l'Eelam tamoul (LTTE) – souvent appelés les Tigres tamouls. Le tamoul avait été promu au rang de "langue nationale" pour les travaux officiels, mais uniquement dans les territoires à majorité tamoule. Les relations entre Tamouls et forces de l'ordre connurent une escalade de la violence dont les principales victimes furent des civils. En 1981, un groupe de Cinghalais brûla la bibliothèque de Jaffna, laquelle conservait notamment des manuscrits anciens relatant l'histoire du peuple tamoul.

La situation s'envenima en 1983, quand 13 soldats trouvèrent la mort dans une embuscade orchestrée par les Tigres dans la région de Jaffna. S'ensuivirent des représailles massives contre les Tamouls à Colombo. Lors d'une émeute baptisée "Juillet noir", jusqu'à 3 000 Tamouls furent passés à tabac ou tués, et leurs maisons pillées. Plusieurs zones à majorité tamoule, notamment Pettah à Colombo, furent rasées et la violence se propagea au reste du pays.

Le gouvernement, la police et l'armée ne purent faire cesser les violences, certains allant jusqu'à y participer. Des dizaines de milliers de Tamouls se réfugièrent dans des territoires à majorité tamoule, au nord et à l'est du pays, tandis que d'autres partirent à l'étranger. Nombreux furent ceux qui rejoignirent la résistance. Beaucoup de Cinghalais migrèrent vers le Sud. L'horreur de ce Juillet noir déclencha une vague de soutien international aux Tamouls, ainsi qu'un appui financier des Tamouls d'Inde du Sud et du gouvernement d'Indira Gandhi.

Le cycle des attaques et des représailles dégénéra en atrocités des deux côtés. Le gouvernement, largement critiqué pour des actes de torture et des disparitions inexpliquées, mit en cause les procédés d'intimidation et de violence exercés par les militants tamouls sur les civils, y compris des Tamouls et des musulmans. La mise en place d'un accord en 1987, censé garantir une autonomie partielle aux Tamouls et accorder au tamoul le statut de langue officielle, resta lettre morte. Au contraire, le conflit s'intensifia et se transforma en guerre civile, faisant plus de 100 000 victimes en 25 ans.

1958

Le pays assiste à sa première émeute anti-tamoule. Après 10 jours d'affrontement, plus de 200 victimes ont péri lors d'attaques violentes (et de représailles), et des milliers de Tamouls sont déplacés.

1959

Solomon Bandaranaike entame des négociations avec les représentants tamouls pour créer une fédération, ce qui provoque son assassinat par un moine bouddhiste.

1959

Sirimavo Bandaranaike remplace son mari à la tête du SLFP et devient la première femme Premier ministre au monde, poste qu'elle occupera à plusieurs reprises jusqu'à sa disparition en 2000.

Années 1970

De jeunes Tamouls luttent pour la création d'un État tamoul indépendant, dans le nord du Sri Lanka. Les Tigres de libération de l'Eelam tamoul (LTTE) se dessinent comme le groupe le plus puissant.

Tentatives d'apaisement

La Force indienne de maintien de la paix

En 1987, les forces gouvernementales, lors d'une offensive majeure, repoussèrent le LTTE à Jaffna. L'Inde fit pression sur le gouvernement sri lankais afin qu'il se retire, et les chefs d'État des deux nations, Rajiv Gandhi et J.R. Jayawardene, négocièrent un accord : le gouvernement sri lankais mettrait un terme à l'offensive, les rebelles tamouls seraient désarmés, et une Force indienne du maintien de la paix (IPKF) veillerait à ce que la trêve soit respectée. Les régions tamoules obtiendraient également une autonomie non négligeable, Colombo décentralisant le pouvoir vers les provinces.

Mais cet arrangement ne convenait à personne. Le LTTE manifesta son mécontentement dès le début, et finit par entrer en conflit avec l'IPKF lorsqu'il refusa de se laisser désarmer. L'opposition aux Indiens vint également des Cinghalais, d'un JVP renaissant et de sections de la *sangha* (communauté de moines et de nonnes bouddhistes) à travers de violentes manifestations.

En 1987, le JVP déclencha une nouvelle rébellion, accompagnée d'assassinats politiques et de grèves. Fin 1988, la terreur régnait dans le pays, l'économie s'effondrait et le gouvernement était paralysé. L'armée répondit par une impitoyable campagne, matant l'insurrection au prix de dizaines de milliers de victimes.

Au moins un million de mines furent disséminées au Sri Lanka durant les années 1990. Des milliers de personnes ont dû être déplacées pour effectuer le déminage.

La Force indienne se retira en mars 1990 après avoir perdu plus de 1 000 hommes en 3 ans. Dès son retrait, le conflit reprit entre le LTTE et le gouvernement sri lankais. Fin 1990, alors que le LTTE tenait Jaffna et la majeure partie du Nord, l'Est était de nouveau presque entièrement contrôlé par le gouvernement. En mai 1991, Rajiv Gandhi fut assassiné par un kamikaze. On en imputa la responsabilité au LTTE, qui aurait agi en représailles du feu vert donné à l'intervention de l'IPKF.

Le cessez-le-feu de 2002

Alors que la plupart des Tamouls et des Cinghalais aspiraient à la paix, les extrémistes des deux camps cherchaient à attiser le conflit. Le président Premadasa fut assassiné le 1er mai 1993. Soupçonné, le LTTE n'en revendiqua jamais la responsabilité. L'année suivante, l'Alliance populaire (PA) gagna les élections législatives. Son leader, Chandrika Bandaranaike Kumaratunga, fille de l'ancienne dirigeante Sirimavo Bandaranaike, remporta l'élection présidentielle. Malgré sa promesse de mettre un terme à la guerre civile, les hostilités continuèrent.

En 2000, une mission de paix norvégienne amena le LTTE et le gouvernement à la table des négociations. Il fallut attendre les élections de 2001, remportées par l'UNP, pour que soit instaurée une trêve. Ranil Wickremasinghe devint Premier ministre, tandis que le pays

1972
Une nouvelle Constitution proclame l'abandon du nom de Ceylan pour celui de Sri Lanka, fait du cinghalais la seule langue officielle et accorde au bouddhisme une place prépondérante.

1979
Le Sri Lanka promulgue la loi sur la prévention du terrorisme. La police peut emprisonner jusqu'à 18 mois quiconque est soupçonné d'activités illégales. Une loi toujours en vigueur.

1981
La bibliothèque de Jaffna, un symbole de la culture tamoule, est brûlée par des émeutiers cinghalais, galvanisant ainsi le mouvement séparatiste tamoul.

1983
Le massacre d'une patrouille près de Jaffna déclenche des violences interethniques. On estime que 3 000 Tamouls furent tués par des émeutiers cinghalais au cours du "Juillet noir".

connaissait une forte croissance et que les pourparlers de paix semblaient sur la bonne voie. Le Premier ministre devait affronter l'hostilité de la présidente, membre d'un parti concurrent. En 2003, Chandrika Bandaranaike Kumaratunga résolut de dissoudre le Parlement afin d'évincer le chef du gouvernement.

En 2002, au lendemain d'un cessez-le-feu conclu à la faveur d'une mission de paix norvégienne, un optimisme prudent régnait de nouveau dans le pays. Dans le Nord, les réfugiés et les émigrés commencèrent à rentrer, contribuant à relancer l'économie de Jaffna. Les ONG entreprirent de débarrasser le pays de ses 2 millions de mines terrestres.

Les pourparlers de paix chancelèrent et la situation devint de plus en plus tendue, les deux côtés dénonçant parti pris et injustices. En octobre 2003, les États-Unis inscrivirent le LTTE sur la liste des Organisations terroristes étrangères (FTO). Certains jugèrent cette décision positive, tandis que d'autres estimèrent qu'elle allait accroître le conflit. Début 2004, un schisme au sein du LTTE apporta au mouvement un regain de vigueur. Les Norvégiens partirent dans une période marquée par un climat d'insécurité. Pratiquement tout le pays, dont la majeure partie de la péninsule de Jaffna, était alors contrôlé par le gouvernement sri lankais. Le LTTE, qui dominait une petite partie au sud de la péninsule et quelques enclaves à l'Est, poursuivait ses revendications sur la péninsule de Jaffna, ainsi que dans le nord-ouest et le nord-est de l'île.

Le tsunami de 2004 dans l'océan Indien a tué plus de 225 000 personnes dans 14 pays. Les vagues, qui dépassaient à certains endroits 30 m de hauteur, se sont propagées jusqu'aux côtes de l'Afrique de l'Est.

Après le tsunami

Le 26 décembre 2004, une catastrophe altéra le processus de paix et tout le tissu social de l'île. Tandis que les habitants fêtaient la *poya* (pleine lune) mensuelle, un tsunami balaya la côte, tuant 30 000 personnes, détruisant d'innombrables maisons et faisant de nombreux blessés et orphelins. Après l'espoir initial que la nation s'unirait face à la catastrophe, l'optimisme disparut face aux disputes liées à la distribution de l'aide, à la reconstruction et à la propriété des terres.

Dans le même temps, Chandrika Kumaratunga tenta de modifier la Constitution pour prolonger son mandat présidentiel, mais la Cour suprême ordonna la tenue d'une élection présidentielle en 2005. Parmi les candidats figuraient le Premier ministre de l'époque, Mahinda Rajapaksa, et le chef de l'opposition, Ranil Wickremasinghe. Le LTTE ayant appelé au boycott du scrutin, Rajapaksa remporta l'élection de peu. Il s'engagea à remplacer les négociateurs norvégiens par des émissaires de l'ONU et indiens, à renégocier un cessez-le-feu avec le LTTE et à refuser l'autonomie tamoule et le partage des aides reçues pour le tsunami avec le LTTE. Parallèlement, le chef du LTTE, Prabhakaran, réclama un règlement politique du conflit en 2006, à

Juillet 1987
Un accord est signé, avec la participation de l'Inde, garantissant une province autonome aux Tamouls dans le Nord, mais des divergences concernant sa mise en place l'empêchent de voir le jour.

1987-1989
Le JVP organise une nouvelle insurrection marxiste et tente de lancer une rébellion paysanne de style Khmer rouge. Le bilan du soulèvement s'élève à 60 000 morts.

1991
Un Tigre noir (une combattante du LTTE formée à des missions suicidaires, en l'occurrence, et pour la première fois au monde, une femme) assassine l'ancien Premier ministre indien Rajiv Gandhi.

1994
Présidente, Chandrika Kumaratunga s'engage à mettre un terme au conflit avec le LTTE. Malgré des pourparlers de paix, les hostilités continuent. En 1999, elle survit à un attentat-suicide à la bombe.

défaut de quoi il “intensifierait” l’action. La situation demeurait tendue et le Sri Lanka se trouvait de nouveau au bord du gouffre. Assassinats, attaques, enlèvements et disparitions se poursuivaient.

La fin de la guerre

Un cessez-le-feu incertain

Le chemin vers la paix fut jalonné de violences parmi les pires perpétrées pendant cette guerre. Un nouveau cessez-le-feu fut signé début 2006, mais des failles apparurent très vite et l’accord vola en éclats. Au bout de 6 mois, les opérations militaires reprirent des deux côtés dans le Nord et l’Est. En 2006 et 2007, une nouvelle vague de disparitions et de tueries provoqua une condamnation de tous les belligérants par la communauté internationale. En août, des combats violents dans le Nord-Est mirent fin aux pourparlers de paix tenus à Genève.

En janvier 2008, le gouvernement sri lankais dénonça officiellement l’accord de cessez-le-feu, montrant qu’il était déterminé à mettre un terme à 25 années de conflit par des moyens militaires. Cette même année, le LTTE fit l’offre d’un cessez-le-feu unilatéral de 10 jours afin de soutenir le sommet de l’Association sud-asiatique pour la coopération régionale (SAARC), lequel se tenait en août à Colombo. Le gouvernement, soupçonnant le LTTE d’utiliser ce cessez-le-feu comme stratagème visant à lui permettre de renforcer ses capacités militaires, lui opposa un non catégorique.

Le LTTE acculé

Changeant de stratégie, l’armée sri lankaise (SLA) eut de plus en plus recours aux méthodes de la guérilla. En août, elle pénétra dans le dernier bastion des rebelles, la jungle du Vanni. Le gouvernement affirma que les militaires occuperaient la place forte des Tigres, Kilinochchi, avant la fin de l’année. Après une série de revers, le LTTE riposta par un nouvel attentat-suicide à Anuradhapura, tuant 27 personnes.

LE DRAPEAU DE LA COMPASSION

Créé en 1948, le drapeau du Sri Lanka a subi diverses modifications. Élément clé sur fond pourpre, le lion apparaissait déjà à l’époque du prince Vijaya, lequel aurait rapporté d’Inde une bannière arborant le noble animal. Aujourd’hui, le lion représente les Cinghalais et la couleur or le bouddhisme. Adopté en 1950, le drapeau évolua tandis que le pays avançait sur le chemin de l’indépendance. En 1951, des bandes vertes et orange furent rajoutées pour désigner respectivement les musulmans et les hindous du pays. En 1972, quatre feuilles de pipal furent adjointes pour symboliser l’amour bienveillant (*metta*), la compassion (*karuna*), la sérénité (*upekkha*) et le bonheur (*muditha*).

1995-2001	2002	2004	2005
Les affrontements entre l’armée et le LTTE s’intensifient. Après l’échec de nouvelles tentatives de négociation, le LTTE déclenche un attentat à la bombe dans le temple de la Dent à Kandy en 1998.	Après deux ans de négociations, une mission de paix norvégienne obtient un cessez-le-feu. Les Sri Lankais retrouvent une vie normale et de nombreux émigrés retournent dans le Nord et l’Est.	Un tsunami déferle sur les côtes du Sri Lanka, faisant 30 000 victimes. Le désastre est suivi de querelles entre le gouvernement et le LTTE sur la distribution de l’aide et la reconstruction.	Mahinda Rajapaksa devient président. Avant l’élection, il signe un accord avec le parti marxiste du JVP, rejette l’autonomie tamoule et refuse de partager avec le LTTE l’aide reçue après le tsunami.

En septembre 2008, le gouvernement sri lankais ordonna aux agences des Nations unies et aux ONG de quitter la région du Vanni, au motif qu'il ne pouvait plus garantir leur sécurité, ce qui priva une population tamoule de tout soutien humanitaire. Le face-à-face entre le gouvernement et les forces du LTTE, dans les environs de Kilinochchi – devenue capitale des Tigres tamouls en 1990 –, dura jusqu'à ce que l'armée y eut proclamé sa victoire en 2009. Peu après, les forces gouvernementales affirmaient avoir pris le contrôle du Vanni. En février, le LTTE avait perdu 99% du territoire qu'il maîtrisait un an plus tôt. Les dernières forces du LTTE et quelque 300 000 civils tamouls se retrouvèrent acculés par l'armée sur une bande étroite de la côte nord-est, près de Mullaittivu. Les gouvernements étrangers et les Nations unies appelèrent à un cessez-le-feu immédiat en février 2009. Les opérations militaires se poursuivirent, mais des couloirs d'évacuation pour les civils furent ouverts. L'armée, affirmant que des attaques étaient lancées depuis ces zones, les pilonna néanmoins des jours durant.

Réagissant aux bombardements de civils par la SLA dans des zones prétendues "sûres", et au recours à ces mêmes civils comme boucliers humains par le LTTE, le haut-commissaire aux droits de l'homme des Nations unies, Navi Pillay, accusa les deux camps de crimes de guerre.

Même si des doutes subsistent quant à l'identité de l'auteur et à la véracité des événements relatés, *Tamil Tigress* (Allen & Unwin, 2011), de Niromi de Soyza, conte en anglais l'histoire captivante d'une jeune fille qui quitte l'école à 17 ans pour rejoindre les Tigres tamouls.

Un épilogue amer

En avril 2009, les combattants du LTTE et des milliers de civils tamouls se retrouvèrent acculés sur une étroite bande de sable et pris sous le feu des bombardements. Le LTTE proposa un cessez-le-feu unilatéral, une offre qualifiée de "plaisanterie" et immédiatement rejetée par le ministre de la Défense. Les démarches diplomatiques suédoise, française et britannique en faveur d'une trêve furent écartées par un gouvernement sri lankais qui voyait à portée de main une victoire militaire attendue depuis une trentaine d'années.

Finalement, les forces gouvernementales franchirent les lignes du LTTE et demandèrent aux réfugiés de rallier les zones de sécurité. D'après des enquêtes des Nations unies, les Tigres en auraient dissuadé un grand nombre et auraient procédé à des exécutions sommaires. Pour leur part, de nombreux réfugiés ont affirmé que les soldats violaient ou abattaient ceux qui se rendaient.

La fin du conflit intervint en mai 2009 lorsque les forces sri lankaises s'emparèrent du dernier bastion côtier et encerclèrent les quelques centaines de combattants des Tigres tamouls. Le LTTE annonça qu'il avait "fait taire les armes" et que "la bataille était arrivée à son terme amer". Plusieurs hauts responsables, dont le leader Velupillai Prabhakaran, avaient été tués, et la guerre qui avait si longtemps terrorisé le pays était enfin terminée.

2008
Le gouvernement dénonce l'accord de cessez-le-feu de 2002, privilégiant une solution militaire. Entre 1983 et 2008, 70 000 personnes auraient péri au cours du conflit.

2008-2009
Au cours des derniers mois de la guerre, près de 40 000 civils sont tués, selon le rapport ultérieur d'un comité spécial des Nations unies.

Mai 2009
Après presque 30 ans, le plus long conflit que l'Asie ait connu s'achève en mai lorsque le LTTE reconnaît sa défaite après une dernière bataille sanglante à Mullaitivu.

2013
Censée mettre en valeur le pays sous la présidence de Mahinda Rajapaksa, la réunion des chefs de gouvernement du Commonwealth attise les protestations contre les violations des droits de l'homme.

Des changements rapides

La fin de la guerre fut aussitôt suivie d'un afflux d'argent et de touristes au Sri Lanka. Les investissements chinois et indiens prirent rapidement la forme de projets de construction à Colombo incluant l'agrandissement de ports et des zones commerciales. Dans le Sud, aux alentours de sa ville natale de Hambantota, le président Rajapaksa se lança dans des chantiers pharaoniques auxquels étaient associés des membres de sa famille. Un nouveau port, un aéroport, de nombreux équipements publics furent construits qui coûtèrent des milliards de dollars, souvent prêtés par la Chine.

Dans tout le pays, un programme de grands chantiers permit de construire de nouvelles routes à péage et de réparer des infrastructures endommagées pendant la guerre dans l'Est et le Nord. À cela s'ajouta l'engouement touristique, avec un nombre de visiteurs en augmentation de 20% chaque année. Ce phénomène stimula l'investissement sur tout le territoire, de nouveaux hôtels, pensions, cafés, tour-opérateurs, etc. apparaissant pour satisfaire la demande. Les visiteurs qui n'étaient pas revenus depuis le tsunami de 2004 furent impressionnés par les changements.

2015

Malgré sa stature d'homme fort du Sri Lanka, Mahinda Rajapaksa n'est pas réélu. Maithripala Sirisena, son ancien lieutenant, est élu président.

2016

Un rapport des Nations unies montre que les violations des droits de l'homme à l'encontre de la population tamoule n'ont pas cessé ; des groupes paramilitaires continueraient à régler des comptes datant de la guerre.

Environnement

De prime abord, le Sri Lanka a tout du paradis terrestre. Le pays resplendit littéralement de verdure et résonne de cris d'animaux sauvages. En ajoutant à cela une incroyable diversité de paysages et de climats, on obtient une merveille de la nature. Pourtant, l'ombre de la déforestation, du développement rapide et de la pollution menace sérieusement ce jardin d'Éden.

Un trésor en forme de poire

Telle une perle charnue, le Sri Lanka semble suspendu dans l'océan Indien, à la pointe sud de l'Inde. Avec une superficie de quelque 66 000 km^2, l'île est un peu plus petite que l'Irlande et abrite une population 4,5 fois supérieure. Ses 22 millions d'habitants vivent sur un territoire qui mesure 433 km du nord au sud et seulement 244 km à son point le plus large.

Entouré de plaines côtières, le Centre-Sud – le cœur de la poire – est dominé par des montagnes et des collines couvertes de plantations de thé. Le plus haut sommet est l'imposant Mt Pidurutalagala (Mt Pedro ; 2 524 m), qui domine l'ancienne ville coloniale de Nuwara Eliya. Toutefois, la silhouette pyramidale de l'Adam's Peak (Sri Pada ; 2 243 m) est plus connue et plus spectaculaire.

Des centaines de cours d'eau acheminent les pluies abondantes des hauts plateaux du Centre-Sud – qui abritent les dernières forêts pluviales du pays – jusqu'aux fermes, vergers et jardins en terrasses, puis aux plaines rizicoles. Le Mahaweli Ganga, le plus long fleuve du pays, prend sa source près de l'Adam's Peak et parcourt 335 km jusqu'à la baie de Koddiyar, le port en eaux profondes de Trincomalee.

Le relief montagneux du Centre-Nord du pays offre de superbes paysages, notamment dans le secteur du Knuckles Range. Les hauteurs cèdent ensuite la place à des plaines qui s'étendent jusqu'à la pointe nord de l'île. Cette région, avec la majeure partie de l'Est et des portions du Sud-Est, constitue la zone sèche.

Le littoral se compose de centaines de lagunes et de marais – dont certains protégés –, ourlés de mangrove et entrecoupés de plages de sable blanc dont les plus belles se situent sur les côtes sud-ouest, sud et est. Un chapelet d'îles plates s'étend au large de la péninsule de Jaffna, au nord. Inaccessibles pendant la guerre civile, elles s'ouvrent de nouveau au tourisme.

Plus grandes étendues de forêt pluviale

Réserve naturelle de l'Adam's Peak (224 km^2)

Knuckles Range (175 km^2)

Réserve forestière de Sinharaja (189 km^2)

Flore

La zone humide du Sud-Ouest contient les dernières forêts pluviales, composées d'un épais sous-bois et d'une haute canopée de feuillus, dont des ébéniers, des tecks et des capulins (*Muntingia calabura*). La région montagneuse centrale comporte des forêts de nuages et quelques hauts plateaux couverts de robustes herbages et de forêts d'altitude.

Parmi les arbres communs figurent le banian, l'arbre de la Bodhi (également appelé *bo* ou *peepu,* sacré dans les religions hindoue et bouddhique), le flamboyant, l'arbre de pluie, l'arbre de fer (*mesua ferrea*) et le margousier (ou *neem*), aux noms aussi pittoresques que leurs écorces, leurs feuilles et, surtout, leurs fleurs. Presque tous sont utilisés dans la médecine traditionnelle. Dans la région montagneuse, les plantations de thé poussent à l'ombre d'immenses eucalyptus.

What Tree Is That? de Sriyanie Miththapala et P. A. Miththapala présente des dessins instructifs d'arbres et de buissons communs au Sri Lanka, avec leurs noms botaniques en latin, en anglais et en cinghalais.

Manguiers, tamariniers, bananiers et arbres tanaka poussent dans nombre de jardins privés, aux côtés d'espèces introduites comme le papayer et le goyavier. Le jaque et le *del* (fruit de l'arbre à pain), son plus petit cousin, attireront certainement votre regard. L'arbre à jaque produit le plus gros fruit du monde, à l'apparence de cabosse, vert et à la peau granuleuse, qui pend près du tronc plutôt que depuis les branches et qui peut peser jusqu'à 30 kg.

Faune

Le Sri Lanka abrite une faune d'une incroyable diversité compte tenu de sa superficie. Outre les éléphants, les léopards, les ours paresseux et les buffles d'Asie sont les plus gros mammifères, sans oublier la gigantesque baleine bleue qui évolue au large.

Éléphants

Les éléphants occupent une place particulière dans la culture sri lankaise. Ils appartenaient jadis à la Couronne et en tuer un constituait une terrible offense. Selon la légende, des pachydermes enfoncèrent les fondations des dagobas (stupas) d'Anuradhapura. Fréquemment représenté dans l'art sri lankais, l'éléphant reste très aimé. Parmi les animaux en captivité, l'éléphant du temple Maligawa, qui porte la dent sacrée du Bouddha lors de l'Esala Perahera de Kandy (p. 166), est le plus vénéré. Le "rassemblement" des éléphants sauvages dans le parc national de Minneriya est l'un des événements les plus extraordinaires du Sri Lanka.

Sauvez les éléphants

Ne nourrissez pas les éléphants sauvages.

Ne visitez pas les endroits où ils sont enchaînés.

Observez-les dans les parcs nationaux afin d'aider à leur protection.

Bien que tenus en haute estime, les éléphants ont vu leur population décliner de manière significative. Leur sort est devenu un point névralgique dans le débat sur le conflit homme-animal.

Ces dernières années, le regard porté sur le rôle des éléphants dans les cérémonies religieuses comme l'Esala Perahera et comme gardiens des temples a commencé à changer. Les associations de protection de la vie sauvage contestent l'éthique des pratiques religieuses traditionnelles (mais de plus en plus controversées) consistant à enchaîner les éléphants dans l'enceinte des temples. Le puissant lobby de protection de la vie sauvage au Sri Lanka s'est aussi fermement opposé à leur exportation en tant que cadeaux à d'autres nations. Naidi, un jeune éléphant de Pinnewala (p. 157), a été offert au zoo d'Auckland par le président Maithripala Sirisena, mais des manifestants ont empêché son exportation en avril 2017.

L'Île aux éléphants de Gérard Civet et Jérôme Delcourt (Arthaud, 2003) permet de mieux comprendre la situation des éléphants au Sri Lanka en étudiant leur histoire à partir de l'arrivée des Britanniques au XIXe siècle.

Une population en déclin

À la fin du XVIIIe siècle, entre 10 000 et 20 000 éléphants vivaient en liberté sur le territoire sri lankais. Au milieu du XXe siècle, des petites hardes d'une population décimée (réduite à 1 000 individus selon certains) étaient confinées dans les plaines arides. La sélection naturelle n'était pas responsable de cette réduction : sous la domination

HAUT LIEU DE LA BIODIVERSITÉ

Ses merveilles naturelles sont l'un des attraits du Sri Lanka. Conservation International a identifié le pays comme l'un des 25 "points chauds" de la biodiversité pour son taux très élevé d'endémisme. En effet, l'île compte 23% de plantes à fleurs et 16% de mammifères endémiques. Par ailleurs, ces points chauds constituent des habitats menacés.

britannique, la chasse au gros gibier avait fait chuter de manière radicale l'espérance de vie des éléphants. Aujourd'hui, des spécialistes émettent des avis contraires sur l'évolution de la population, estimée à environ 4 000 éléphants sauvages – dont la moitié vit dans des territoires protégés –, plus quelque 300 animaux domestiqués.

The Nature of Sri Lanka est un recueil d'essais sur le Sri Lanka rédigés par d'éminents auteurs et défenseurs de l'environnement, agrémenté de remarquables photographies de L. Nadaraja.

La cohabitation homme-éléphant

Dans les terres habitées par les éléphants, les paysans redoutent qu'ils mangent ou piétinent leurs récoltes, qu'ils détruisent leurs maisons ou même qu'ils les tuent. À la saison des cultures, les fermiers se relaient jour et nuit pendant 3 mois afin d'effrayer les pillards.

Parallèlement, les éléphants, qui ont chacun besoin d'une superficie d'environ 5 km^2 pour satisfaire leur appétit (200 kg de végétaux par jour), ne trouvent plus suffisamment de vivres dans les réserves où ils sont protégés. La faim – et peut-être la curiosité – les pousse à chercher de quoi se nourrir dans d'autres secteurs – comme les terres arables jouxtant leurs territoires "protégés". Dans le conflit qui oppose éléphants et cultivateurs, chacun cherche simplement à assurer sa survie.

Les comportements nuisibles qui contribuent à ce cercle vicieux découlent en grande partie des clôtures. Des clôtures électriques délimitant les parcs nationaux pour y maintenir les éléphants empêchent les animaux d'aller se nourrir dans les prairies voisines (leur nourriture préférée). Les schémas migratoires sont aussi bouleversés. Cela cause la faim, et parfois même la famine des éléphants, selon la Born Free Foundation.

VOYAGE RESPONSABLE AU SRI LANKA

Le mot d'ordre pour tout voyage responsable au Sri Lanka est de limiter autant que possible les traces de votre passage :

Demandez des pratiques écologistes Les propriétaires des hôtels sont très accommodants et, avec un nombre croissant de visiteurs, ils sont pour la plupart prêts à répondre aux demandes des clients. Faites part de vos inquiétudes concernant l'environnement et de l'importance de pratiques écologiques (ou de leur absence).

Surveillez votre consommation d'eau Dans la région montagneuse, vous pouvez penser que l'eau abonde, mais la demande dépasse l'offre. Proposez à votre hôtel de réaliser d'importantes économies d'eau en ne changeant pas draps et serviettes tous les jours.

N'achetez pas de bouteilles Si les bouteilles d'eau sont pratiques, elles participent à la pollution. L'eau du robinet étant déconseillée, demandez à votre hôtel de remplir votre gourde à ses grands conteneurs d'eau potable.

Économisez l'électricité La demande d'électricité au Sri Lanka ne cesse d'augmenter et la climatisation met à rude épreuve un réseau déjà surchargé. Préférez les ventilateurs et utilisez l'électricité avec parcimonie, comme si vous deviez payer la facture.

Évitez de conduire Prenez un bus ou un train, plutôt qu'une voiture de location. Même Colombo se visite facilement à pied. Encouragez la nouvelle tendance des hôtels à fournir des vélos à leurs clients. De grandes parties du pays s'explorent plus agréablement dans la journée en deux-roues.

Non aux sacs N'utilisez pas de sacs plastique (ni de pailles en plastique) – les sacs plastique à usage unique sont interdits par la loi depuis le 1er septembre 2017.

Éléphants et tourisme Le Sri Lanka compte plusieurs réserves d'éléphants aux pratiques de conservation douteuses. Fuyez les endroits qui proposent des promenades à dos d'éléphant dans un palanquin. Les parcs nationaux sont vraiment le meilleur endroit pour observer ces animaux majestueux.

ESPÈCES MENACÉES

La liste rouge des espèces en danger de l'Union internationale pour la conservation de la nature recense plus de 60 espèces menacées ou en danger critique d'extinction au Sri Lanka, dont l'éléphant d'Asie, le semnopithèque blanchâtre, le loris grêle et le macaque à toque. Les 5 espèces de tortues marines du pays sont en détresse, tout comme le crocodile marin et le paisible dugong, tués pour leur viande. Plusieurs espèces d'oiseaux, de poissons et d'insectes sont également en péril.

En 2010, le dernier bastion des Tigres tamouls à l'extrême nord-est du pays est devenu une nouvelle zone protégée, le parc national de Mullaitivu.

L'arbre sacré de la Bodhi fut apporté d'Inde au IIIe siècle av. J.-C. par le moine Mahinda, venu répandre sur l'île les enseignements du Bouddha. La plupart des temples bouddhiques du pays possèdent un arbre de la Bodhi, le plus célèbre étant le Sri Maha Bodhi d'Anuradhapura, le plus vieil arbre du monde, dont l'authenticité est établie.

Certains éléphants s'échappent des parcs par des brèches dans les clôtures et saccagent les terres agricoles. Par ailleurs, comme on peut le constater au parc national d'Uda Walawe, des vendeurs de fruits se sont installés le long de la nationale en bordure du parc, afin que les touristes puissent nourrir les éléphants. Depuis, un nombre croissant d'éléphants passent la journée près de la route, attendant ces douceurs et oubliant de chercher eux-mêmes leur nourriture.

Quelles solutions ?

Certains s'efforcent de trouver des solutions à long terme au conflit. La pose de clôtures autour des zones d'habitation a été jugée efficace par la **Sri Lanka Wildlife Conservation Society** (SLWCS ; ☎072 999 9520 ; www.slwcs.org ; Udahamulla, Nugegoda), une organisation primée de protection de la vie sauvage. Une autre solution consiste à fournir aux paysans d'autres moyens d'assurer leur subsistance et encourager les activités intégrant les éléphants, telles la collecte et l'exploitation commerciale des bouses. La répartition des bénéfices générés par les milliers de visiteurs venus voir les éléphants est une autre solution.

Enfin, privilégier les cultures dont les éléphants ne raffolent pas comme les piments, les agrumes et les *thibbatu* (petites aubergines) s'avère une stratégie gagnante pour apaiser le conflit humains-éléphants.

Déforestation et surdéveloppement

Les principales menaces environnementales au Sri Lanka sont sans doute la déforestation et le surdéveloppement, qui engendrent une importante perte d'habitat. Au début du XXe siècle, le Sri Lanka était couvert à 70% de forêt primaire. En 2005, ce pourcentage était tombé à 20%. Plus grave encore, le pays a affiché ces dernières années des chiffres record de destruction de forêt primaire, avec une diminution de 18% du couvert forestier et la disparition de 35% des forêts anciennes.

Le *chena* (culture sur brûlis) est désigné comme un facteur important de déforestation, mais les programmes d'irrigation, le défrichage pour l'agriculture et le "développement", le conflit armé et, bien sûr, l'exploitation forestière illégale, sont autant de facteurs qui ont contribué à cette perte.

Avec la paix, l'essor de l'économie sri lankaise ne peut qu'accroître la pression sur l'environnement. L'augmentation rapide du tourisme provoque la prolifération de nouvelles constructions et le résultat est inquiétant : malgré des lois votées après le tsunami de 2004, interdisant la construction d'hôtels et de restaurants à moins de 100 m de la ligne de marée haute, de nombreuses zones des côtes sud et ouest voient fleurir de nouveaux bâtiments littéralement érigés au bord de l'eau.

Les Sri Lankais

Des familles bouddhistes chargées de lotus déambulent à l'ombre des dagobas blancs, des femmes en sari éclatant font la *puja* dans des temples hindous multicolores et l'appel à la prière résonne à l'aube du haut des minarets. Certes, après des décennies de guerre et de violence, les tensions ethniques demeurent, mais les traditions se perpétuent. Les Sri Lankais connaissent malgré tout des instants de sérénité.

Traditions et ethnies

La vie sri lankaise traditionnelle était centrée sur le *gamma* (village), un pôle d'activité très organisé où chacun avait un rôle spécifique. L'agriculture constituait la principale ressource et certains villages privilégiaient des produits particuliers ; aujourd'hui encore, vous pourrez découvrir un "*gamma* de meubles en rotin". Chaque village possédait un (ou plusieurs) dieu tutélaire protecteur, habituellement associé à des aspects de la nature.

Pour comprendre la vie et les coutumes anciennes et contemporaines des Vedda, consultez le site www.vedda.org.

Vedda

Les Vedda (chasseurs), ou Wanniyala-aetto (Peuple de la forêt) comme ils se nomment eux-mêmes, sont les premiers habitants de l'île. Or, chaque vague de migration leur a laissé moins de forêts où survivre. Ils forment aujourd'hui une communauté si réduite qu'elle échappe au recensement et seul un faible pourcentage d'entre eux conserve un soupçon de leur culture ancestrale de chasseurs-cueilleurs. Les Kele Weddo (Vedda de la jungle) et les Can Weddo (Vedda des villages) vivent principalement dans la région située entre Badulla, Batticaloa et Polonnaruwa.

Cinghalais

Majoritaires, les Cinghalais bouddhistes se divisent parfois eux-mêmes entre ceux du "bas pays" et ceux du "haut pays" (les Kandyens). Ces derniers tirent fierté de l'époque où la région montagneuse était un bastion du royaume cinghalais et considèrent toujours Kandy comme le cœur spirituel de l'île. Bien que le Bouddha ait enseigné l'universalisme, les Cinghalais conservent un système de castes où tous sont catalogués, des aristocrates aux artistes ambulants.

Dans le passionnant *Quelques notions sur l'Isle de Ceylan*, Eudelin de Jonville se rend sur l'île à la fin du XVIIIe siècle et livre ses impressions sur la nature et les différents aspects de la culture locale.

Tamouls

La plupart des Tamouls sont hindous et ont des liens culturels et religieux avec les Tamouls du sud de l'Inde, mais se considèrent généralement comme des groupes distincts. Au Sri Lanka, on distingue généralement deux groupes tamouls. Les "Tamouls de Jaffna" vivent principalement dans le nord et l'est de l'île, où ils sont arrivés il y a plusieurs siècles. Les "Tamouls des plantations" ont, quant à eux, été amenés d'Inde par les Britanniques au XIXe siècle pour travailler dans les plantations de thé.

Les Tamouls sont en grande majorité hindous et la caste est pour eux un important facteur culturel. Les Tamouls de Jaffna appartiennent essentiellement à la caste vellala (propriétaires terriens et nobles), tandis que les Tamouls des plantations font partie de castes inférieures. Toutefois, les temps changent et les traditionnelles distinctions de castes s'érodent progressivement. Cela dit, les mariages inter-castes continuent à être controversés et sont souvent empêchés dans les zones rurales.

Maures

Contes populaires hindous de l'ancienne Ceylan (Binkey Kok, 2006) est un ensemble de textes recueillis par des colons britanniques et des missionnaires du début du XXe siècle, réunis et traduits par Dick de Ruiter.

Les musulmans du pays, appelés Maures sri lankais, sont les descendants des marchands arabes ou indiens qui arrivèrent il y a quelque 1 000 ans. Pour fuir les persécutions portugaises, beaucoup s'établirent dans la région montagneuse et sur la côte est. Vous découvrirez des villes majoritairement musulmanes comme Hakgala près de Nuwara Eliya. La plupart des Maures de l'Est parlent tamoul.

Burghers

Les Burghers sont des descendants de Portugais, de Hollandais et de Britanniques. Même après l'indépendance, les Burghers ont conservé une influence disproportionnée sur la vie politique et économique. Cependant, le nationalisme cinghalais croissant a réduit leur rôle et beaucoup ont émigré. Ils portent des patronymes comme Fernando, Da Silva ou Pereira.

Religion

Si elles ont participé de maintes dissensions au Sri Lanka, les nombreuses religions du pays se mêlent ouvertement. Bouddhistes, hindous, musulmans et chrétiens effectuent des pèlerinages sur les mêmes sites, un chrétien peut vénérer un dieu hindou, et le bouddhisme et l'hindouisme sri lankais s'influencent mutuellement.

Bouddhisme

Foi des Cinghalais, le bouddhisme joue un rôle significatif dans le pays, tant aux niveaux spirituel et culturel que politique. Il influence notablement la littérature, l'art et l'architecture. Au sens strict, le bouddhisme n'est pas une religion, mais une pratique et un code moral hérités du Bouddha. Bien que "bouddhiste" renvoie aujourd'hui à une identité culturelle et ethnique, le Bouddha enseignait la méditation à des disciples de toutes confessions et soulignait que la conversion n'était pas nécessaire pour bénéficier de ses enseignements (dharma).

Lieux de pèlerinage où coexistent plusieurs religions

Adam's Peak

Kataragama

Nainativu

Né prince Siddhartha Gautama dans l'actuel Népal vers 563 av. J.-C., le Bouddha renonça au trône pour chercher un moyen de se libérer de l'humaine souffrance, dont il n'avait pris que tardivement la mesure. Après des années de pratique rigoureuse, il découvrit les "quatre nobles vérités" : l'existence est souffrance ; la souffrance est provoquée par le désir de plaisirs sensuels et matériels ainsi que par l'existence elle-même ; la libération de la souffrance passe par l'élimination du désir ; le désir peut s'éliminer en suivant un chemin moral et en cultivant la sagesse par la méditation. Après plusieurs états de développement spirituel – et de nombreuses vies –, on parvient au nirvana (éveil, ou *nibbana* en pali), se libérant ainsi du cycle des réincarnations.

Bouddhisme historique

Le bouddhisme s'implanta solidement au Sri Lanka lorsque le roi Devanampiya Tissa accepta les enseignements du Bouddha – transmis dans l'île au IIIe siècle av. J.-C. par le fils de l'empereur indien Ashoka –, et une forte relation se développa entre les rois et le clergé bouddhiste.

Le bouddhisme comporte deux écoles majeures, le theravada et le mahayana. Les textes du theravada (voie des anciens) sont en pali, une des langues parlées en Inde du Nord à l'époque du Bouddha, tandis que ceux du mahayana (Grand Véhicule) sont en sanskrit. Le

JOURS DE POYA

Les jours de *poya*, ou *uposatha*, tombent à la pleine lune et ont été observés par moines et laïcs depuis l'époque du Bouddha pour renforcer la pratique. Les fidèles bouddhistes se rendent au temple, jeûnent après midi et s'abstiennent de tout loisir ou luxe. Au temple, ils font des offrandes, écoutent des enseignements et méditent. Les jours de *poya* sont fériés, et chacun est associé à un rituel particulier.

Duruthu (janvier) Marque la première visite supposée du Bouddha sur l'île.

Vesak (mai) Célèbre la naissance, l'éveil et le *parinibbana* (trépas) du Bouddha.

Poson (juin) Commémore l'arrivée du bouddhisme au Sri Lanka.

Esala (juillet/août) L'Esala Perahera de Kandy a lieu en l'honneur de la dent sacrée du Bouddha.

Unduvap (décembre) Célèbre la visite de Sangamitta, qui apporta une bouture de l'arbre de la Bodhi à Anuradhapura.

theravada est considéré comme plus orthodoxe et le mahayana, plus chargé de traditions postérieures.

Bien que le mahayana soit pratiqué au Sri Lanka, le theravada prédomine. Plusieurs facteurs ont renforcé le bouddhisme, en particulier le courant theravada. Les bouddhistes cinghalais attachent une importance vitale au *Mahavamsa* (Grande Chronique), dans lequel le Bouddha les désigne comme les protecteurs des enseignements bouddhiques. Ce devoir a été alimenté par des siècles de conflit entre les Cinghalais (bouddhistes) et les Tamouls (hindous).

Pour certains Cinghalais, le mahayana ressemble à l'hindouisme – et a d'ailleurs été suivi jadis par de nombreux Tamouls –, et la défense du courant theravada leur paraît essentielle. En Inde, des sites bouddhiques furent détruits au Xe siècle, lors d'une résurgence de l'hindouisme (un texte hindou populaire décrivait le Bouddha comme une incarnation dévoyée de Vishnu), renforçant la détermination des Cinghalais à protéger la tradition.

Soûtra de l'entrée à Lânka (Fayard, 2006) est la traduction du *Lankâvatâra-sûtra* qui rapporte les échanges entre le Bouddha et son disciple le bodhisattva Mahâmati

Nationalisme bouddhiste

Depuis la fin du XIXe siècle, un "militantisme" bouddhiste s'est développé au Sri Lanka, fondé sur la croyance selon laquelle le Bouddha aurait investi les Cinghalais de la mission de faire de l'île une citadelle du bouddhisme. Dès lors, le christianisme, l'hindouisme et, plus récemment, l'islam, apparaissent comme des menaces pour la culture cinghalaise. Le bouddhisme sri lankais est historiquement indissociable de la politique. Ainsi, c'est un moine bouddhiste qui, mécontent de l'"éloignement" de l'axe cinghalo-bouddhiste affiché par le Premier ministre Solomon Bandaranaike, l'assassina en 1959, contrevenant au premier précepte bouddhique qui interdit le meurtre. Des moines bouddhistes se sont également opposés à tout compromis avec les Tamouls.

En 2007, ces religieux nationalistes ont obtenu une place influente dans le gouvernement à travers le Jathika Hela Urumaya (JHU ou Parti de l'héritage national). En 2012, des moines jugeant le JHU trop mou ont fondé le Bodu Bala Sena (BBS ou Force du pouvoir bouddhiste) qui, avec d'autres groupes extrémistes, ont été impliqués ces dernières années dans plusieurs manifestations et attaques contre des communautés musulmanes et chrétiennes. En 2013, le ministre de la Défense (et frère du président) Gotabhaya Rajapaksa a déclaré dans le discours d'inauguration d'une école de formation du BBS : "Ce sont les moines qui protègent notre pays, notre religion et notre race."

En 2014, le BBS fut largement critiqué pour avoir encouragé des émeutes contre les musulmans dans la ville de Dharga, qui causèrent 4 victimes, l'incendie et le pillage de boutiques musulmanes, et forcèrent 10 000 personnes à fuir leur foyer.

Hindouisme

Les rois tamouls et leurs partisans du sud de l'Inde apportèrent l'hindouisme dans le nord du Sri Lanka ; cette religion était peut-être présente sur l'île bien avant l'arrivée du bouddhisme en raison de la proximité de l'Inde et des échanges culturels entre les deux pays. Aujourd'hui, les communautés hindoues se concentrent essentiellement dans le Nord et l'Est, et dans les régions des plantations de thé.

L'hindouisme relève d'un ensemble complexe de croyances et de divinités. Tous les hindous croient au *brahman* (âme cosmique présente en toute chose). Les multiples divinités sont des manifestations de cet absolu grâce auquel les croyants peuvent comprendre toutes les facettes de l'existence. Parmi les principes fondamentaux figurent l'*ahimsa* (non-violence), le *samsara* (cycle des réincarnations jusqu'à atteindre la pureté), le *karma* (loi de cause à effet) et le *dharma* (code moral de comportement ou devoir social).

> Dans la mythologie hindoue, les éléphants sont des symboles d'eau, de vie et de chance. Ils représentent aussi la noblesse et la douceur, des qualités acquises en menant une vie vertueuse. Au Sri Lanka, seuls les éléphants peuvent défiler avec des reliques bouddhiques sacrées et des statues hindoues.

Les hindous considèrent que le respect du *dharma* accroît les chances de renaître dans de meilleures circonstances. On peut aussi se réincarner en animal, mais seul l'être humain peut acquérir une connaissance de soi suffisante pour échapper au cycle des renaissances et atteindre la *moksha* (délivrance).

Pour le commun des hindous, accomplir ses obligations rituelles et sociales constitue le but principal de la vie terrestre. Selon la *Bhagavad-Gita*, faire son devoir importe plus qu'affirmer son individualité.

Le panthéon hindou est prolifique ; certains estiment à 330 millions le nombre de divinités. Les principaux dieux sont Brahma, le créateur de l'univers, et son épouse Sarasvatî, la déesse de la Sagesse et de la Musique, Vishnu, fidèle et dévoué, qui soutient l'univers et son épouse Lakshmi, la déesse de la Beauté et de la Fortune, Shiva, le destructeur de l'ignorance et du mal, et son épouse Parvati, qui peut être la mère universelle ou encore Kali, la destructrice. Shiva possède 1 008 noms et d'innombrables avatars ; sous celui de Nataraja, le seigneur du *tandava* (danse), ses gracieux mouvements entament la création du cosmos.

Aujourd'hui, Shiva, Vishnu et leurs épouses sont les divinités les plus vénérées, tandis que Brahma – autrefois divinité majeure du panthéon hindou – a été relégué au rang de personnage secondaire.

Islam

Le Sri Lanka compte près de 2 millions de musulmans, aussi bien d'origine indienne ou malaise, que descendants des marchands arabes qui s'installèrent dans l'île à partir du VIe siècle, peu après la fondation de l'islam dans l'actuelle Arabie saoudite par le prophète Mahomet. Monothéiste, l'islam professe que tout a été créé par Allah.

L'islam se divisa en deux branches distinctes. Le prophète mourut en 632 sans laisser d'instruction sur l'identité de son successeur ou sur la manière dont les futurs chefs islamiques (les califes) devaient être élus. Dans la bataille pour le pouvoir au cours des années suivantes, les *shi'a* (les partisans) apportèrent leur soutien à Ali Bin Abi Taleb, cousin et gendre de Mahomet, pour qu'il devienne le chef spirituel des musulmans, tandis que les autres soutenaient les Omeyyades. La communauté se scinda alors en deux factions rivales : les chiites, qui se rangent derrière les descendants de Mahomet, et les sunnites qui s'en tiennent à la fondation orthodoxe de l'islam. La plupart des musulmans sri lankais sont sunnites, mais de petites communautés chiites ont émigré d'Inde.

Tous les musulmans croient aux 5 piliers de l'islam : la *shahada* (profession de foi), la prière, la *zakat* (aumône obligatoire), le jeûne pendant le mois du ramadan et le *hadj* (pèlerinage) à La Mecque.

Christianisme

D'après la tradition locale, le Sri Lanka aurait été visité par l'apôtre de l'Inde, Thomas, dès le Ier siècle de notre ère, et des chrétiens venus de Perse ou d'Inde auraient fondé des petits villages le long de la côte durant les premiers siècles de notre ère.

Au XVIe siècle, les Portugais tentèrent d'imposer le catholicisme romain et de nombreuses familles de pêcheurs se convertirent. Le catholicisme reste aujourd'hui très implanté dans les villages de la côte ouest, notamment à Negombo. Les Hollandais apportèrent le protestantisme et l'Église réformée de Hollande, surtout présente à Colombo. Les Britanniques ont laissé des églises anglicanes en pierre qui émaillent la région montagneuse.

Lieux saints

Nallur Kandaswamy Kovil, Jaffna

Temple de la Dent, Kandy

Église Our Lady of Madhu Church, Madhu

Cité d'Anuradhapura

Le thé

Si les Hollandais sont venus jusqu'à l'île pour ses épices, c'est désormais une plante importée – le thé, introduit par les Britanniques – qui fait la renommée du pays. Le Sri Lanka est aujourd'hui l'un des premiers pays producteurs au monde, et le thé de Ceylan, sans doute la plus puissante des variétés produites sur l'île, est connu dans le monde entier.

Comment le thé a façonné la nation

L'apparition du thé au Sri Lanka coïncide, de fait, avec la destruction des grandes plantations de café par une maladie végétale au XIXe siècle. Le premier thé sri lankais fut cultivé en 1867 au domaine de Loolecondera, au sud-est de Kandy. Les propriétaires de la plantation se rendirent compte que la région montagneuse combinait climat chaud, altitude et terrain en pente, l'alliance idéale pour la culture du thé.

Dans les années 1870, le goût du public pour cette boisson semblant inextinguible, les premiers exploitants, au nombre desquels le fameux sir Thomas Lipton, firent fortune. Dès les années 1890, les plantations de thé Lipton exportaient environ 30 000 tonnes de thé vers Londres.

La production théière poursuivit son incroyable croissance au XXe siècle. Des forêts furent abattues et les plantations agrandies et on lutta contre les nuisibles et les maladies qui affectaient les récoltes.

Aujourd'hui, le Sri Lanka est le quatrième producteur mondial de thé, avec une production annuelle de 288 000 tonnes (en 2016). Le thé sri lankais ("thé de Ceylan") jouit d'une image excellente et son prix de vente est bien supérieur à celui de ses rivaux. Le revenu des exportations de thé a atteint 1,2 milliard de dollars en 2016. Le thé de Ceylan est aujourd'hui exporté sur toute la planète. La Russie est le premier pays importateur, suivie par l'Iran, l'Irak et la Turquie.

Outre les variantes de l'incontournable thé noir, le Sri Lanka a produit en 2016 2,37 millions de kilos de thé vert, connu pour sa saveur plus corsée, et du thé blanc, l'une des variétés les plus prestigieuses, souvent appelée "Silver Tips" ("feuilles d'argent").

Les plantations de thé couvrent environ 1 900 km^2, essentiellement dans la région montagneuse et les contrées avoisinantes, surtout dans le Sud.

Variétés de thé

Les variétés de thé sont classées selon la taille de la feuille (*dust* bon marché, *fanning*, *broken* ou *leaf* – thé en feuilles) et sa qualité (*flowery*, *pekoe* ou *souchong*). Le thé classé *dust* ("poussière") est de qualité très médiocre. N'importe quel thé classé *leaf* correspond au grade minimal d'un thé digne de ce nom. En termes de qualité et de nomenclature, les feuilles entières sont les meilleures, et les "tips" (les feuilles les plus jeunes et les plus délicates) correspondent au très haut de gamme. Le nom de *pekoe* désigne un thé noir de qualité supérieure, et l'*orange pekoe* désigne une variété de thé noir de Ceylan de très haute qualité.

L'altitude est un autre indicateur crucial de la qualité du thé. L'*udawatte* (thé *high-grown* ou de haute altitude) est tenu pour le nec plus ultra. Il pousse lentement, et sa saveur, délicate et subtile, en fait un thé très recherché. Dimbula, Nuwara Eliya et Uva sont les 3 grandes régions où on le produit. L'*udawatte* est cultivé au-dessus de 1 200 m.

Le *medawatte* (thé *mid-grown* ou de moyenne altitude) a des notes florales et maltées. Kandy est le principal centre de production. On récolte ce thé à des altitudes situées entre 600 m et 1 200 m. Pour ce qui est du prix et de la qualité, il entre dans la catégorie intermédiaire.

Le *yatawatte* (thé *low-grown* ou de basse altitude) est plus corsé et plus robuste, et a une plus forte teneur en caféine. Il n'est pas pour autant considéré comme un thé complexe. On le cultive au-dessous de 600 m d'altitude, principalement dans les contreforts montagneux de l'intérieur des terres. Ratnapura et Galle sont deux grands lieux de production.

Culture

Classiquement, les buissons de thé sont plantés à environ un mètre les uns des autres sur des cultures en terrasses de manière à faciliter l'irrigation et empêcher l'érosion. Un buisson de thé mesure à peu près un mètre de hauteur. Il est régulièrement élagué afin de favoriser la pousse de nouveaux bourgeons, d'empêcher la floraison et la formation de fruits, et d'optimiser la production de feuilles. Des précipitations suffisantes, de même que des engrais, sont indispensables.

Les feuilles de thé sont cueillies à la main tous les 7 à 14 jours, tâche traditionnellement dévolue ici à des femmes tamoules. Les cueilleuses ont l'obligation de récolter chaque jour entre 20 et 30 kg. Les feuilles sont ensuite transportées jusqu'à une usine où on les laisse se flétrir (c'est-à-dire se déshydrater grâce à un courant d'air à température fixe). Vous remarquerez aisément les énormes usines disséminées dans la région du thé. Nombre d'entre elles ont plus d'un siècle.

Partiellement séchées, les feuilles sont ensuite écrasées, ce qui initie un processus de fermentation. Elles passent du vert à un brun cuivré sous l'effet de la chaleur. Tout l'art de la production théière consiste à savoir quand il faut arrêter la fermentation, en "brûlant" le thé avec une chaleur plus intense pour obtenir la couleur finale brun noir à même de rester stable suffisamment longtemps. Pour finir, le thé est trié et classé en fonction de la taille des feuilles.

Les ouvriers qui régulent le subtil processus permettant de transformer la récolte du jour en thé de qualité répondant aux exigences des producteurs sri lankais et aux prix élevés qu'ils escomptent, sont au sommet de la hiérarchie des plantations.

Entre le moment où le thé est récolté et son emballage avant expédition, il ne s'écoule que 24 heures.

BOIRE DU THÉ : TOUT UN ART

Il existe une bonne et une mauvaise façon de préparer le thé. Pour l'apprécier au mieux, gardez les recommandations suivantes à l'esprit.

- Stockez votre thé, en vrac ou en sachet, dans un récipient hermétique. Le thé absorbe facilement les odeurs, nocives à certaines variétés délicates ou parfumées.
- Utilisez de l'eau fraîche et faites-la bouillir (l'eau qui bout trop longtemps ou qui a déjà bouilli donne au thé une saveur fade).
- Vous avez l'habitude des sachets ? Avec le thé en vrac, une cuillère à café par tasse suffit, deux si vous faites une théière.
- Laissez le thé infuser. Il faut de 3 à 5 minutes pour que le thé développe ses arômes.
- Dès que le thé est infusé, jetez le sachet ou les feuilles de thé.
- Pour un thé au lait, versez d'abord le lait, puis le thé ; les arômes se marient mieux.

LES MEILLEURES PLANTATIONS ET FABRIQUES DE THÉ

Certaines de nos adresses favorites, mentionnées ci-après, permettent d'approcher au plus près du processus :

Ceylon Tea Museum (p. 171) Près de Kandy. Première étape pleine d'enseignements sur votre circuit du thé sri lankais.

Handungoda Tea Estate (p. 129) Près de Koggala. Produit plus de 25 variétés de thé, dont beaucoup de rares.

Pedro Tea Estate (p. 184) Près de Nuwara Eliya. Visites de l'usine datant de 1885.

Dambatenne Tea Factory (p. 193) Près de Haputale. Visites de A à Z de l'usine bâtie par sir Thomas Lipton en 1890.

Mackwoods Labookellie Tea Factory (p. 180) Fabrique bien située près de la route de Nuwara Eliya ; pratique si vous manquez de temps.

Les travailleurs du thé

L'industrie théière sri lankaise emploie plus d'un million de personnes – environ 5% de la population. Les salaires sont très bas : en octobre 2016, le salaire minimum journalier des cueilleurs de thé a été augmenté à 730 Rs (moins de 5 $US). En outre, ils sont encore grevés par des prélèvements obligatoires pour la retraite et le paiement des funérailles.

La plupart des familles vivent dans des logements insalubres, sortes de casernes appelées "*lines*" ("alignements") en lisière des plantations. Très peu ont l'eau courante ou l'électricité. Les poêles à bois et à charbon qui servent pour la cuisine et le chauffage causent en outre des maladies respiratoires.

Tous les thés de l'île sont étiquetés d'un lion, emblème indiquant que le produit est bien du Sri Lanka.

La grande majorité des ouvriers de l'industrie théière sont tamouls. Les grands barons anglais du thé tentèrent d'abord d'engager des Cinghalais, qui se révélèrent peu attirés par cette activité. Les propriétaires se tournèrent alors vers l'Inde et firent venir des Tamouls en grand nombre. Aujourd'hui, ils restent l'un des groupes ethniques les plus marginalisés du pays. La plupart sont des paysans sans terre, recensés comme "Tamouls indiens", et désavantagés par les différences linguistiques et culturelles.

Visiter une plantation de thé

Le train qui va d'Ella à Haputale permet d'observer les plantations de thé verdoyantes de la région montagneuse. En quelques heures, des dizaines de plantations et leurs tapis de théiers vert émeraude s'offrent à la vue. Au milieu, on aperçoit les cueilleuses en sari coloré, travaillant sous un soleil de plomb à remplir leur quota journalier.

Les usines et les plantations de thé de la région montagneuse organisent des visites afin d'expliquer le processus de production. Les machines et la technologie utilisées ont peu évolué depuis le XIXe siècle.

Acheter du thé

Bon marché et facile à loger dans sa valise, le thé fait d'excellents cadeaux. Les usines et les plantations de la région montagneuse, comme les nombreuses bonnes boutiques à Colombo, Kandy et Galle, offrent un grand choix.

Le thé noir de Ceylan, le plus connu, est réputé pour ses parfums d'agrumes. Le thé vert, à l'arôme corsé caractéristique, a un léger goût de noisette. Quant au thé *silver tips*, produit avec les toutes jeunes feuilles d'un blanc argenté, il a une saveur des plus subtiles, et un prix des plus élevés...

Sri Lanka pratique

CARNET PRATIQUE. 338
Alimentation et boissons . . 338
Ambassades et consulats . 338
Argent 339
Assurance 339
Cartes de réduction. 340
Cartes et plans 340
Douane. 340
Électricité 340
Formalités et visas. 340
Handicapés 341
Hébergement 341
Heures d'ouverture 342
Heure locale 343
Homosexualité 343
Internet (accès) 343
Jours fériés 343
Librairies spécialisées. . . 343
Offices du tourisme. 343
Photographie 344
Poste. 344
Problèmes juridiques . . . 344
Sécurité 344
Téléphone 344
Toilettes 344
Travailler au Sri Lanka. . . 345
Voyager en solo 345

TRANSPORTS. 346
DEPUIS/VERS LE SRI LANKA 346
Entrer au Sri Lanka 346
Voie aérienne 346
Voie maritime 347
VOYAGES ORGANISÉS . . . 348
COMMENT CIRCULER. . . . 348
Avion. 349
Bateau 349
Bus 349
En stop. 350
Transports locaux. 350
Train 350
Vélo. 351
Voiture et moto. 352

SANTÉ 354
Avant le départ. 354
Pendant le voyage 355
Au Sri Lanka 355

LANGUES. 362
CINGHALAIS 362
TAMOUL 364

INDEX. 371

Carnet pratique

Alimentation et boissons

Le Sri Lanka ne manque pas de bonnes adresses où se restaurer (p. 34). Pensez à réserver pour les restaurants chics et prisés à Colombo et dans les grandes villes ; autrement, il est très rarement nécessaire de réserver.

Restaurants On en trouve dans la capitale, à Galle, à Kandy, dans les destinations balnéaires et les hôtels haut de gamme de tout le pays. Ils sont généralement onéreux et plutôt formels. La plupart servent de l'alcool.

Hôtels Ce ne sont pas des "hôtels" à proprement parler, mais des restaurants locaux basiques servant une cuisine locale à prix abordable.

Cafés Dans les villes et les destinations balnéaires ; servent sandwichs et en-cas.

Boulangeries Proposent des en-cas : petits pains, pâtisseries, viennoiseries, *vadai* (sorte de beignet).

PRIX DES REPAS

Les fourchettes de prix suivantes correspondent à un plat principal standard :

$ moins de 250 Rs

$$ 250-800 Rs

$$$ plus de 800 Rs

Ambassades et consulats

Il est important de savoir dans quelles limites les autorités de votre pays d'origine peuvent vous aider en cas de problème. De manière générale, elles ne peuvent pas intervenir si vous avez enfreint les lois sri lankaises. En cas d'urgence réelle, vous devriez obtenir un peu d'aide une fois que vous aurez épuisé toutes les autres solutions disponibles. Les ambassades peuvent vous recommander des hôpitaux, des médecins et des dentistes en cas de besoin, mais votre assurance devra prendre en charge les frais.

Sauf indication contraire, les ambassades suivantes sont établies à Colombo :

Ambassades et consulats étrangers au Sri Lanka

France Ambassade (carte p. 65 ; ☎011-263 9400 ; www.lk.ambafrance.org ; 89 Rosmead Pl, Col 7 ; ⏰8h30-13h et 14h30-16h lun-jeu, jusqu'à 13h ven)

Belgique Consulat honoraire (☎011-267-41-41 ; consubel.colombo@gmail.com ; 69/5 B, Elvitigala Mawatha, 8 Colombo)

Suisse (☎011-269 5117 ; www.eda.admin.ch/colombo ; col.vertretung@eda.admin.ch ; 63 Srimath R.G. Senanayake Mawatha (Gregory's Road, Colombo 7)

Canada Haut-commissariat du Canada (carte p. 64 ; ☎011-532 6232 ; www.srilanka.gc.ca ; 33A 5th Lane, Col 3 ; ⏰8h-16h30 lun-jeu, jusqu'à 13h ven)

Allemagne Ambassade (carte p. 64 ; ☎011-258 0431 ; www.colombo.diplo.de ; 40 Alfred House Ave, Col 3 ; ⏰7h30-16h lun-jeu, jusqu'à 13h ven)

Inde Service indien des visas (carte p. 64 ; ☎011-255 9435 ; www.ivsvisalanka.com ; 129 Phillip Gunawardena Mawatha, Col 4 ; ⏰demandes 8h30-14h lun-ven)

Haut-commissariat de l'Inde (carte p. 64 ; ☎011-232 7587 ; www.hcicolombo.org ; 36-38 Galle Rd, Col 3 ; ⏰9h-17h30 lun-ven)

Maldives Haut-commissariat des Maldives (carte p. 72 ; ☎011-551 6302 ; www.maldiveshighcom.lk ; 25 Melbourne Ave, Col 4)

Pays-Bas Ambassade (carte p. 65 ;☎011-251 0200 ; www.nederlandwereldwijd.nl/landen/sri-lanka ; 25 Torrington Ave, Col 7 ; ⏰8h30-17h lun-jeu, jusqu'à 14h ven)

Ambassades et consulats du Sri Lanka à l'étranger

France (☎01 55 73 31 31 ; www.srilankaembassy.fr/fr ; 16 rue Spontini, 75016 Paris)

Belgique (☎322 344 53 94 ; www.srilankaembassy.be ; rue Jules-Lejeune 27, 1050 Bruxelles)

UN FIL D'ARIANE EN VOYAGE

Le portail Ariane (pastel.diplomatie.gouv.fr/fildariane), mis en place par le Centre de crise du ministère des Affaires étrangères, est un service gratuit permettant au voyageur français à l'étranger d'être contacté par le service consulaire, sur son téléphone portable ou par e-mail, au cas où des événements graves (crise politique, catastrophe naturelle, attentat...) se produiraient dans le pays durant son séjour, ou de contacter rapidement sa famille ou ses proches en France en cas de besoin.

La procédure d'inscription se réalise en ligne, où vous donnez des informations sur votre voyage (date de départ, de retour, numéro de téléphone portable, coordonnées d'éventuels contacts sur place, adresses de séjour et itinéraire prévu, etc.).

Grâce à ce service, vous recevrez en outre, avant votre départ, des recommandations de sécurité par e-mail si la situation dans le pays le justifie.

Il existe une application pour les Smartphones et les tablettes, intitulée Conseils aux voyageurs.

Canada Consulat général (☎416-323-9133 ; www.torontoslcg.org ; 36 Eglinton West, Suite 301, Toronto, Ontario M4R 1A1) ; Haut-commissariat du Sri Lanka (☎613 233 8449 ; www.srilankahcottawa.org ; 333 Laurier Avenue West, Suite 1204, Ottawa, Ontario K1P 1C1)

Suisse Consulat général (☎022-919 12 50, 022-788 24 41 ; consulate@lankamission.org ; rue de Moillebeau 56, 1209 Genève) ; Consulat (☎044-666 05 55, 044-666 05 56 ; srilankaconzh@swissmail.com ; Europastrasse 15, 8152 Glattbrugg)

Argent

DAB

On trouve facilement des distributeurs dans les villes et agglomérations de toutes tailles. Ceux-ci délivrent souvent des billets de 5 000 Rs. Tâchez de les changer en monnaie le plus tôt possible car, généralement, les commerçants n'acceptent pas les grosses coupures. Il est en principe possible de le faire dans la banque qui possède le DAB.

Espèces

Toute banque ou tout bureau de change convertira les principales devises, notamment l'euro. Changez vos roupies en monnaie forte à l'aéroport (avant le passage de la sécurité, il n'y a plus de comptoir de change après) avant de repartir, car même les pays voisins ne changent pas toujours les devises sri lankaises.

Cartes bancaires

MasterCard et Visa sont les cartes les plus reconnues. Il est possible de payer par carte de crédit dans la plupart des hôtels et restaurants de catégorie moyenne et dans tous les établissements de catégorie supérieure.

Devise

L'unité monétaire sri lankaise est la roupie (Rs), qui se divise en 100 cents (rares cependant). Il existe des pièces de 1, 2, 5 et 10 roupies. Les billets se présentent en coupures de 10, 20, 50, 100, 200, 500, 1 000, 2 000 et 5 000 roupies.

Agents de change

Vous trouverez des agents de change à Colombo, de même que dans les centres touristiques importants. Ils proposent des taux compétitifs mais choisissez-les avec soin car les escroqueries sont nombreuses. Cantonnez-vous aux banques et aux bureaux de change réputés, comme ceux des aéroports. Les DAB sont encore plus sûrs et plus fiables.

Taxe et détaxe

La TVA (taxe sur la valeur ajoutée) est de 15% au Sri Lanka. Elle n'est pas toujours comprise dans le prix annoncé des biens et des services. Attention à ne pas la payer deux fois. Il n'existe pas de système de détaxe de TVA pour les touristes.

Assurance

Il est conseillé de souscrire à une police d'assurance qui vous couvrira en cas d'annulation de votre voyage, de vol, de perte de vos affaires, de maladie ou encore d'accident.

Vérifiez notamment que les "sports à risques", comme la plongée, la moto ou même la randonnée ne sont pas exclus de votre contrat, ou encore que le rapatriement médical d'urgence, en ambulance ou en avion, est couvert. De même, le fait d'acquérir un véhicule dans un autre pays ne signifie pas nécessairement que vous serez protégé par votre propre assurance.

Vous pouvez contracter une assurance qui réglera directement les hôpitaux et les médecins, vous évitant ainsi d'avancer des sommes qui ne vous seront remboursées qu'à votre retour. Dans ce cas, conservez avec vous tous les documents nécessaires (les consultations médicales se règlent généralement en espèces : demandez un reçu pour le remboursement).

SRI LANKA PRATIQUE

Numérique Deux sources intéressantes : www.hirunews.lk résume bien l'actualité et www.yamu.lk propose d'excellentes rubriques et des critiques de restaurants.

Presse écrite Le Sri Lanka possède plusieurs quotidiens en anglais. Choisissez votre préféré.

Tabagisme Peu répandu au Sri Lanka. Il est interdit de fumer dans les bus et les trains, ainsi que dans les lieux publics. La loi exige également que les bars et restaurants disposent de salles fumeurs et non-fumeurs, mais, dans les faits, il arrive que celles-ci se confondent.

Télévision Les stations radiophoniques et les chaînes de TV gouvernementales dominent les ondes. Les hôtels de catégories moyenne et supérieure ont généralement la TV par satellite avec des chaînes étrangères.

Poids et mesures Le Sri Lanka utilise le système métrique. Certains locaux indiquent encore les distances en *yards* et en *miles*. Le terme *lakh* remplace souvent le nombre "100 000". Le nombre "10 millions" est aussi désigné comme *koatiya* ou *koti*.

Avant de souscrire une police d'assurance, vérifiez bien que vous ne bénéficiez pas déjà d'une assistance par votre carte de crédit, votre mutuelle ou votre assurance automobile.

N'oubliez pas de prendre avec vous les documents relatifs à l'assurance ainsi que les numéros à appeler en cas d'urgence. Conservez bien tous les papiers, pour toute éventuelle réclamation ou déclaration ultérieure (vous pouvez, par exemple, vous les adresser par courrier électronique pour qu'ils demeurent accessibles dans votre messagerie).

Cartes de réduction

Les cartes internationales d'étudiant ne permettent que rarement d'obtenir des réductions.

Cartes et plans

Les cartes numériques – en ligne et sur les applications d'Apple, Bing et Google – sont généralement à jour mais prenez garde aux erreurs, surtout dans le nord du pays où la réalité du terrain n'apparaît pas toujours dans le monde numérique.

Douane

Le Sri Lanka interdit aux visiteurs d'importer, comme la plupart des pays, de la drogue, des armes, des produits frais (comme les fruits, la viande, les produits laitiers, etc.) et tout ce qui pourrait être considéré comme pornographique.

Il est permis d'apporter dans le pays :

- 250 ml de parfum
- 1,5 l d'alcool

Des boutiques duty-free se trouvent dans la zone de débarquement, avant d'arriver dans la salle de réception des bagages. Outre l'alcool, elles vendent aussi des appareils du type mixeurs et réfrigérateurs.

Le site Internet des douanes du Sri Lanka est très complet (www.customs.gov.lk).

Électricité

Le courant est de type 230 V, 50 Hz. Il existe une quantité incroyable de types de prises. Outre la prise la plus répandue, la même qu'en Inde, vous trouverez sans doute aussi des prises américaines, européennes et britanniques dans votre chambre.

Des adaptateurs se trouvent facilement sur les marchés ou dans les supermarchés et les boutiques touristiques pour moins de 500 Rs.

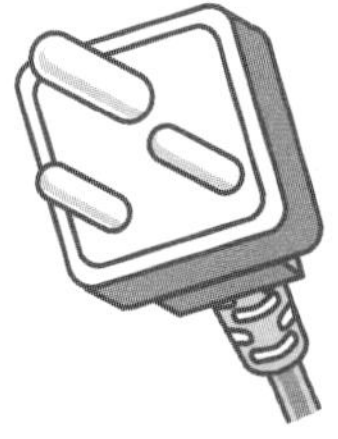

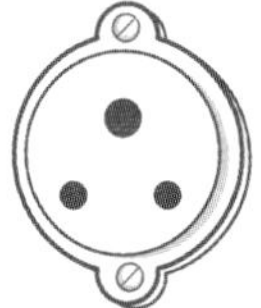

Type D
220 V/50 Hz

Formalités et visas

Pour des séjours touristiques inférieurs à 90 jours, tous les voyageurs doivent se procurer une autorisation d'entrée sur le territoire (Electronic Travel Authorisation, ETA), payante.

Obtenir un visa/ autorisation ETA

- Pour des séjours inférieurs à 30 jours, la demande peut être effectuée à l'avance sur Internet, sur le site officiel www.eta.gov.lk, comportant une version française. Suivez les procédures de demande et payez avec une carte bancaire. Une fois l'autorisation obtenue, imprimez la confirmation de visa.

➡ Il est possible de soumettre sa demande d'ETA à l'arrivée à l'aéroport international Bandaranaike. Dans ce cas, il faut attendre avec la foule des autres voyageurs sans visa (parfois plusieurs heures) et payer plus cher : 40 $US.

➡ Pour des séjours de 30 à 90 jours, la demande d'ETA ne peut être sollicitée qu'auprès de l'ambassade ou du consulat du Sri Lanka dans le pays de résidence, avant le départ (voir p. 338).

➡ Il est toutefois possible de faire prolonger son visa de tourisme au-delà de 30 jours, une fois sur place, en se rendant au bureau de l'immigration, 8 jours au moins avant l'expiration du visa (voir plus loin).

➡ L'autorisation ETA ne constitue pas un droit d'entrée : à l'arrivée au Sri Lanka, les visiteurs doivent être munis d'un passeport d'une durée de validité d'au moins 6 mois après la date de départ du Sri Lanka, d'un billet de retour et de justificatifs de ressources pour la durée de leur séjour.

➡ Les visas de transit sont gratuits et valables 48 heures. Les visas touristiques de 30 jours coûtent de 20 $US à 100 $US, selon les nationalités.

Prorogation de visa

Il est possible de renouveler le visa touristique de 30 jours 2 fois, pour une durée de 30 jours chacune. Contactez le **Department of Immigration and Emigration** (☎011-532 9000 ; www.immigration.gov.lk ; Sri Subuthipura Dr, Battaramulla ; ⌚8h30-16h15). Les extensions de visa ne sont pas difficiles à obtenir mais nécessitent quelques tracasseries administratives et le téléchargement de certains formulaires. Pour accomplir les procédures en une journée, arrivez sur place avant 10h et prévoyez d'y rester au moins 4 heures.

Avant le départ, il est impératif de contacter les ambassades et les consulats pour s'assurer que les modalités d'entrée sur le territoire n'ont pas changé. Nous vous conseillons de scanner ou de photocopier tous vos documents importants (pages d'introduction de votre passeport, cartes de crédit, police d'assurance, billets de train/d'avion/de bus, permis de conduire, etc.). Conservez ces copies à part des originaux. Vous remplacerez ainsi plus aisément ces documents en cas de perte ou de vol.

Handicapés

Il est très difficile de se déplacer au Sri Lanka lorsqu'on est handicapé, mais la population, très serviable, se montre toujours prête à aider les visiteurs. Si votre mobilité est réduite, il vous paraîtra particulièrement malaisé, voire impossible, d'emprunter les transports en commun. Les bus et les trains ne sont, par exemple, pas du tout adaptés aux fauteuils roulants. Les déplacements en ville peuvent également être pénibles pour les personnes en fauteuil ou malvoyantes, en raison des travaux incessants et du piètre état des rues (les trottoirs sont peu nombreux). La circulation automobile, très chaotique, est potentiellement dangereuse. La meilleure solution consiste à louer une voiture avec chauffeur et l'idéal est de voyager avec quelqu'un.

Mis à part les hôtels de catégorie supérieure, les hébergements ne sont pas équipés pour accueillir les voyageurs en fauteuil roulant. Cependant, certains établissements pourront loger des personnes handicapées en mettant à leur disposition des chambres et des salles de bains au rez-de-chaussée.

L'**APF** (Association des paralysés de France ; ☎01 40 78 69 00 ; www.apf.asso.fr ; 17 bd Auguste-Blanqui, 75013 Paris) peut fournir des informations utiles sur les voyages accessibles. L'agence de voyages **Yoola** (www.yoola.fr) et l'association **Ailleurs & Autrement** (www.ailleursetautrement.fr) organisent des voyages adaptés aux personnes à mobilité réduite. **Yanous** (www.yanous.com) et **handicap.fr** (www.handicap.fr) constituent également de bonnes sources d'information.

Hébergement

L'hébergement au Sri Lanka va de la modeste chambre chez un particulier au complexe hôtelier cinq étoiles. Les prix ont bondi avec l'essor du tourisme. Les hébergements sont rarement d'un bon rapport qualité/prix (en comparaison avec les autres pays d'Asie), attendez-vous donc à débourser davantage pour un lit au Sri Lanka qu'en Inde ou en Asie du Sud-Est. Où que vous séjourniez, essayez de faire descendre le prix, car le marchandage est une pratique courante.

Les prix varient beaucoup en fonction des saisons, surtout dans les stations balnéaires. Des réductions avantageuses sont pratiquées en basse saison. La haute saison s'étend de décembre à avril sur les côtes ouest et sud, et d'avril à septembre sur la côte est.

Attention : quelques hôtels ont été signalés pour avoir refusé d'honorer les réservations prépayées effectuées via des sites Internet comme www.agoda.com. Le personnel prétend qu'il faut payer les tarifs affichés (toujours gonflés) et récupérer la somme engagée auprès du site de réservation. C'est le plus souvent une escroquerie. Munissez-vous de la confirmation de réservation imprimée, ainsi que du numéro auquel

PRIX D'UNE CHAMBRE

Prix d'une chambre double avec sdb, en haute saison. Les chambres sont équipées d'un ventilateur et la taxe est incluse dans le tarif (sauf mention contraire).

$ moins de 3 500 Rs

$$ 3 500-9 000 Rs

$$$ plus de 9 000 Rs

joindre localement le site de réservation. Un coup de téléphone devrait tout arranger, les hôtels ne souhaitant pas disparaître de ce genre de sites.

Certains hôtels des catégories moyenne et supérieure mentionnent leurs tarifs en dollars ou en euros, mais acceptent le paiement en roupies. Sachez qu'un supplément de 10% pour le service s'applique en principe aux tarifs annoncés. Dans beaucoup d'hôtels, une taxe sur la valeur ajoutée (TVA) et d'autres taxes locales viennent s'ajouter au prix de la chambre, gonflant la note de parfois 15% ; surprise garantie lors de votre départ.

De nombreux hôtels ne possèdent pas de licence pour servir de l'alcool (mais acceptent généralement que vous apportiez votre propre bouteille). La plupart des établissements sont non-fumeurs.

Types d'hébergement

Les pensions (*guesthouses*) et les hôtels constituent la majorité des hébergements. Dans les zones rurales, on ne trouve quasiment que des pensions. Par rapport à celles-ci, les hôtels sont généralement plus grands et offrent plus de services. Les pensions sont souvent des affaires familiales.

Presque tous les établissements servent des repas. Attention, il est facile de tomber sur des établissements de qualité inférieure, que ce soit des pensions louant des chambres à l'heure ou des hôtels de catégorie supérieure défraîchis, mais si vous cherchez un peu, vous trouverez presque toujours une meilleure option non loin.

PETITS BUDGETS

Le Sri Lanka compte des pensions, auberges de jeunesse et quelques hôtels dans cette catégorie. Les standards et les tarifs varient énormément.

Principales caractéristiques :

➡ Un ventilateur dans la plupart des chambres, la climatisation dans seulement une ou deux chambres (les ventilateurs suffisent dans la région montagneuse ou près de la plage).

➡ Éventuellement de l'eau chaude.

➡ Une salle de bains privée (sauf pour les dortoirs en auberge de jeunesse, où les sanitaires communs sont plus fréquents) avec douche et toilettes à l'occidentale.

➡ Wi-Fi.

➡ Un petit-déjeuner simple.

CATÉGORIE MOYENNE

Les pensions et les hôtels de catégorie moyenne sont les options les plus courantes. La plupart offrent un niveau de confort satisfaisant, et certains peuvent être vraiment agréables et proposer de bons services et une jolie vue. Ces établissements comprennent des lodges de l'époque coloniale bien tenus, ainsi que les établissements stylés installés sur une plage ou à proximité.

Principales caractéristiques :

➡ Peut-être un balcon, une terrasse ou un patio.

➡ La TV satellite.

➡ Un petit réfrigérateur

➡ La climatisation dans la plupart des chambres.

➡ Le Wi-Fi.

➡ Peut-être une piscine.

CATÉGORIE SUPÉRIEURE

Les établissements de cette catégorie vont des petits hôtels de charme installés dans des demeures coloniales aux somptueux complexes hôteliers cinq étoiles.

Principales caractéristiques :

➡ Un bon service.

➡ Généralement de belles vues – sur l'océan, les vallées luxuriantes et les rizières ou des jardins privés.

➡ Généralement une piscine.

➡ Un spa.

➡ Un restaurant (avec licence pour servir de l'alcool).

Les locations de villas sont en plein essor dans les stations balnéaires, notamment sur la côte sud. Parmi les hébergements spéciaux figurent les anciennes demeures des gérants des plantations de thé britanniques dans la région montagneuse, qui ont été transformées en pensions ou en hôtels, la plupart du temps avec un superbe jardin et des salons emplis d'objets anciens.

RÉSERVATION EN LIGNE

Trouvez un vol, un séjour ou un hôtel en quelques clics dans la rubrique "Réservations" de www.lonelyplanet.fr.

Heures d'ouverture

En dehors des zones touristiques, presque tout est fermé le dimanche.

Bars Généralement ouverts jusqu'à minuit, mais la dernière commande est à 23h

OÙ SE LOGER

Quelle que soit votre préférence en matière de voyage, le Sri Lanka saura vous combler.

Si vous explorez les cités anciennes et les grands sites culturels, Anuradhapura, Giritale et Habarana sont des bases idéales.

Les adeptes de la plage seront séduits par les destinations réputées de la côte sud comme Mirissa et Tangalle, ou par les baies moins développées comme Talalle ou Hiriketiya. Sur la côte ouest, Bentota et Hikkaduwa sont des destinations prisées, à l'instar d'Arugam Bay sur la côte est ou des plages au nord de Trincomalee.

La région montagneuse ne manque pas de choix, mais Nuwara Eliya possède une atmosphère coloniale incomparable, tandis que Kandy est un paradis culturel.

Restaurants et cafés 7h-21h tlj, plus tard dans les zones touristiques

Boutiques 10h-19h lun-ven, 10h-15h sam

Boutiques et services destinés aux voyageurs 9h-20h

Heure locale

Le fuseau horaire du Sri Lanka (GMT/UTC + 5 heures 30) est le même qu'en Inde. Il n'y a pas de changement d'heure d'hiver/d'été.

Le décalage de 30 minutes par rapport à l'heure utilisée habituellement dans le reste du monde embrouille la plupart des voyageurs. Le Sri Lanka est en avance de 5 heures 30 sur l'heure GMT (comme l'Inde), et de 4 heures 30 par rapport à la France en heure d'hiver.

Homosexualité

Les relations homosexuelles sont illégales au Sri Lanka et ce sujet est très rarement abordé en public. Si personne n'a été condamné pour homosexualité depuis plus de 60 ans, mieux vaut ne pas faire étalage de ses préférences sexuelles. Aucune loi ne protège les gays, lesbiennes, bisexuels et transgenres du harcèlement. La situation est en train d'évoluer et l'on voit apparaître une modeste scène homosexuelle à Colombo. Il est possible de moins se cacher dans certains coins cosmopolites, comme Col 1, Col 3 et Col 7.

Equal Ground (☎011-567 9766 ; www.equal-ground.org), organisation installée à Colombo qui œuvre en faveur des droits des gays et des lesbiennes, qui sponsorise des événements publics, offre des services d'assistance et propose des publications en ligne pratiques.

Internet (accès)

Les pensions et les hôtels ont généralement le Wi-Fi. Les données mobiles sont d'une rapidité correcte (au moins la 3G) dans les moyennes et grandes villes. En revanche, vous n'aurez pas toujours de réseau à la campagne.

Jours fériés

Avec 4 grandes religions, les jours fériés sont nombreux au Sri Lanka. En outre, tous les jours de *poya* (pleine lune) sont fériés, et presque tout est fermé. Les dates du ramadan variant chaque année, cela peut entraîner quelques changements dans vos projets sur place.

Nouvel An 1er janvier

Thai Pongal 14 janvier, fête hindoue des Moissons

Fête de l'Indépendance 4 février

Vendredi saint Mars/avril

Nouvel An cinghalais et tamoul 14 avril

Fête du Travail 1er mai

Aïd-el-Fitr Marque la fin du ramadan. La date varie selon le calendrier lunaire : le 14 juin 2018, le 4 juin 2019

Noël 25 décembre

Librairies spécialisées

Les librairies suivantes, spécialisées sur l'Asie, possèdent des ouvrages sur le Sri Lanka et vous conseilleront :

➡ **Librairie du musée Guimet** (☎01 40 13 46 66 ; www.guimet.fr ; 6 pl. d'Iéna, 75016 Paris)

➡ **Fenêtre sur l'Asie** (☎01 43 29 11 00 ; www.fenetresurlasie.com ; 49 rue Gay-Lussac, 75005 Paris)

Offices du tourisme

Offices du tourisme au Sri Lanka

Sri Lanka Tourist Board (SLTB ; carte p. 64 ; ☎011-243 7059 ; www.srilanka.travel ; 80 Galle Rd, Col 3, Colombo ; ⏲7h-21h). Le bureau principal à Colombo distribue de belles cartes et brochures très pratiques.

Ailleurs, les offices du tourisme sont rares.

Office du tourisme à l'étranger

Il n'y a pas d'office du tourisme du Sri Lanka en France. Les voyageurs se rapprocheront de l'ambassade du Sri Lanka à Paris qui distribue brochures touristiques et plans.

Ambassade du Sri Lanka (☎01 55 73 31 31 ; www.srilankaembassy.fr/fr ; 16 rue Spontini, 75016 Paris)

Photographie

➡ De manière générale, les Sri Lankais apprécient de se faire photographier, mais il va de soi que, par simple politesse, il faut demander la permission. Il arrive parfois que certains demandent à se faire payer, par exemple les pêcheurs sur échasses de Koggala.

➡ Il est interdit de prendre des photos des barrages, des aéroports, des barrages routiers ou de tout autre site lié à l'armée.

➡ Ne posez jamais à côté ou devant la statue du Bouddha (c'est-à-dire dos à lui) car c'est considéré comme très offensant.

➡ Les flashs des appareils photo pouvant endommager les fresques et peintures murales millénaires, ne les utilisez pas dans des lieux comme Dambulla et Sigiriya.

Poste

Sri Lanka Post (www.slpost.gov.lk) possède des agences dans la plupart des moyennes et grandes villes. Longs délais d'acheminement pour l'international.

Problèmes juridiques

La loi sri lankaise, complexe, est un mélange assez obscur entre le droit britannique, le droit hollandais de tradition romaniste et le droit national. La justice est très lente, et même un dépôt de plainte au commissariat pour un simple vol peut entraîner une somme de paperasserie très chronophage. En cas de problème mineur de ce type, adressez-vous en priorité à la police touristique dans les grandes villes et zones touristiques.

La détention et la consommation de stupéfiants est sévèrement réprimée. La prison vous attend si vous êtes pris en train de consommer des substances illicites et votre gouvernement sera parfois impuissant, à part vous mettre en relation avec un avocat sri lankais.

CONSEILS AUX VOYAGEURS

La plupart des gouvernements possèdent des sites Internet qui recensent les dangers possibles et les régions à éviter. Consultez notamment les sites suivants :

➡ **Ministère des Affaires étrangères français** (www.diplomatie.gouv.fr)

➡ **Ministère des Affaires étrangères de Belgique** (http://diplomatie.belgium.be/fr)

➡ **Département fédéral des Affaires étrangères suisse** (www.eda.admin.ch/eda/fr/dfae.html)

➡ **Ministère des Affaires étrangères du Canada** (www.voyage.gc.ca)

Sécurité

La guerre civile désormais terminée, le Sri Lanka ne présente pas de danger particulier pour les voyageurs.

➡ Il est arrivé que des voyageurs avec des représentations de Bouddha en tatouage ou sur leurs vêtements soient interdits d'entrée dans le pays, ou bien arrêtés et reconduits à la frontière.

➡ Faites preuve de respect envers toute statue ou autre représentation de Bouddha.

Téléphone

Appels internationaux

Pour appeler l'étranger depuis le Sri Lanka, composez l'indicatif international ☎00, puis le code du pays (☎33 pour la France, ☎32 pour la Belgique, ☎1 pour le Canada et ☎41 pour la Suisse), puis l'indicatif régional et le numéro désiré.

Pour appeler le Sri Lanka depuis l'étranger, composez l'indicatif international ☎00, puis le code du pays ☎94, et le numéro désiré (sans le 0 initial d'un numéro de fixe ou de mobile).

Fournisseurs de réseau mobile

La couverture du réseau est bonne dans les zones construites, et peu onéreuse. Vous pouvez acheter une carte SIM avec du crédit communication et données mobiles à partir de 700 Rs, avec un tarif de 2 Rs par minute pour les appels locaux.

Les principaux opérateurs de téléphonie mobile ont des kiosques dans le hall des arrivées de l'aéroport international de Bandaranaike. Comparez les prix car ils varient énormément. Parmi les grands opérateurs, citons :

Dialog (www.dialog.lk)

Hutch (www.hutch.lk)

Mobitel (www.mobitel.lk)

Toilettes

➡ Tous les établissements des catégories moyenne et supérieure disposent de toilettes à l'occidentale.

➡ Seules les adresses petits budgets qui n'accueillent pas beaucoup de voyageurs possèdent des toilettes à la turque et ne proposent pas de papier hygiénique.

➡ Les toilettes publiques sont rares (et peu engageantes pour celles qui existent, bien que certaines soient entretenues par du personnel).

➡ Utilisez les sanitaires des restaurants, des hôtels ou des sites comme les centres des visiteurs des plantations de thé.

Travailler au Sri Lanka

Le Sri Lanka n'est pas un pays où il convient de chercher du travail, même dans les lieux touristiques comme les cafés en bord de plage ou les boutiques de plongée. Les seuls étrangers qui travaillent dans le pays sont généralement employés pour des postes bien spécifiques par des entreprises prêtes à gérer bon nombre de procédures administratives.

Bénévolat

Il y a désormais moins de postes disponibles pour les bénévoles que dans les années qui ont suivi le tsunami de 2004. Les personnes disposant de temps (et surtout d'expertise) peuvent cependant se rendre utiles en aidant les autres.

Lonely Planet ne peut se porter garant d'organisations avec lesquelles nous ne travaillons pas directement ; renseignez-vous toujours de votre côté pour vérifier que les programmes de bénévolat sont éthiques et bénéficient aux habitants. Voici quelques organisations accueillant des bénévoles :

Sri Lanka Wildlife Conservation Society (SLWCS ; ☎072 999 9520 ; www.slwcs.org ; Udahamulla, Nugegoda). Propose des missions de bénévolat rémunéré pour des personnes intéressées par la collecte de données sur la biodiversité et par l'enseignement.

Volunteer Sri Lanka (☎077 791 0747 ; www.volunteersrilanka.net ; Galle). Organise de courtes missions de bénévolat, principalement pour les enseignants, mais également pour des postes non qualifiés.

En France, quelques organismes offrent des opportunités de travail bénévole sur des projets de développement ou d'environnement, parfois sur des périodes courtes, de 1 à 4 semaines. Certaines associations s'adressent plus spécifiquement aux jeunes. Les chantiers proposés vont de la réfection d'une école aux travaux liés à l'environnement. Il s'agit d'une bonne formule pour s'immerger dans le pays, connaître l'envers du décor touristique et bénéficier d'une ambiance internationale (les volontaires viennent de divers pays en général). En revanche, les conditions de vie sur un chantier sont spartiates, et prenez garde au décalage fréquent entre le programme et la réalité. La fouille archéologique peut rapidement se transformer, une fois sur place, en coup de peinture donné à la maison des jeunes locale. Le matériel est parfois rudimentaire, et la réalité du terrain souvent plus dure qu'on ne l'imaginait.

Voici quelques organismes à connaître :

➡ **Service volontaire international** (SVI ; ☎03 66 72 90 20 ; www.servicevolontaire.org ; 75 rue Léon-Gambetta, 59000 Lille). Également des bureaux en Belgique, en Suisse et au Canada. Ce site met à disposition un moteur de recherche recensant les missions existantes, pays par pays.

➡ **Maison de l'Unesco** (☎01 45 68 10 00 ; www.unesco.org ; 1 rue Miollis, 75015 Paris)

➡ **Jeunesse et Reconstruction** (☎01 47 70 15 88 ; www.volontariat.org ; 8-10 rue de Trévise, 75009 Paris)

➡ **Solidarités Jeunesses** (☎01 55 26 88 77 ; www.solidaritesjeunesses.org ; 10 rue du 8-mai-1945, 75010 Paris)

Voyager en solo

Femmes seules

Les femmes voyageant seules seront parfois l'objet d'une attention trop insistante de la part des hommes. En dehors de Colombo, mieux vaut vous couvrir les épaules et les jambes, mais ne comptez pas pour autant échapper aux regards insistants. Évitez également les hauts près du corps. Et, en dehors des plages touristiques des côtes sud, est et ouest, baignez-vous en short et T-shirt.

À Colombo et dans les zones touristiques très fréquentées, vous pouvez adopter un code vestimentaire moins strict. Le plus souvent, pour entamer la conversation, on vous demandera si vous êtes mariée. Si vous êtes célibataire, vous pouvez toujours porter une alliance et garder sur vous quelques photos de votre mari imaginaire resté au pays.

Les femmes seules peuvent faire l'objet de harcèlement le jour, la nuit et dans les endroits isolés. Le harcèlement physique (mains baladeuses) peut arriver n'importe où. Les femmes seules pouvant être suivies, restez toujours en contact avec des groupes de personnes. Il est également arrivé que des femmes seules soient agressées par leurs guides sur des sites touristiques majeurs ; là encore, n'y allez jamais seule.

Toutefois, le voyage au Sri Lanka ne se résume pas à cela. Les incidents désagréables sont davantage l'exception que la règle. Cependant, gardez bien à l'esprit que de nombreux endroits sont presque exclusivement réservés aux hommes, les bars locaux par exemple.

Emportez des tampons hygiéniques, il est difficile de s'en procurer.

Transports

DEPUIS/VERS LE SRI LANKA

Le prix des vols vers le Sri Lanka augmente chaque année, mais il n'existe actuellement aucune liaison par bateau vers l'île.

Vous pouvez réserver vos billets d'avion, vos locations de voiture et vos circuits en ligne sur www.lonelyplanet.fr.

> **AVERTISSEMENT**
>
> Les informations contenues dans ce chapitre sont particulièrement susceptibles de changements. Vérifiez directement auprès de la compagnie aérienne ou de l'agence de voyages les modalités d'utilisation de votre billet d'avion. N'hésitez pas à comparer les prestations. Les détails fournis ici doivent être considérés à titre indicatif et ne remplacent en rien une recherche personnelle attentive.

Entrer au Sri Lanka

Franchir l'immigration à l'aéroport international de Bandaranaike se fait très facilement.

Il faut avoir son passeport sur soi en toutes circonstances au Sri Lanka. Avant de partir, assurez-vous qu'il soit valable au moins 6 mois après la date prévue du retour. Reportez-vous p. 340 pour plus d'informations.

Voie aérienne

Aéroports

En théorie, le Sri Lanka possède 2 aéroports internationaux, mais en pratique presque toutes les compagnies atterrissent à l'**aéroport international de Bandaranaike** (CMB ; ☎011-226 4444 ; www.airport.lk), situé à Katunayake à 30 km au nord de Colombo. Il y a des guichets de change dans le hall des arrivées et des départs, ainsi que des DAB, des fournisseurs de téléphonie mobile, des agences de taxi et d'autres services.

Bon à savoir pour les passagers en transit et ceux qui s'enregistrent très tôt : les terminaux sont plutôt spartiates en termes d'équipement.

L'aéroport est le hub de la compagnie nationale **SriLankan Airlines** (☎011-777 1979 ; www.srilankan.aero), dont l'important réseau s'étend en Asie et au Moyen-Orient. Son bilan de sécurité est à la hauteur de ceux des autres compagnies internationales. Des vols domestiques sont assurés par **Cinnamon Air** (carte p. 60 ; ☎011-247 5475 ; www.cinnamonair.com).

L'**aéroport international Mattala Rajapaksa** (www.airport.lk/mria) est à 15 km au nord d'Hambantota, près de la côte sud. Clairement superflu, il reçoit généralement un seul vol quotidien d'une compagnie low cost de Dubai. Selon les médias, ces vols transportent rarement des passagers. Le grand terminal est rutilant, mais n'offre normalement aucun service. Si vous atterrissez à cet aéroport, assurez-vous d'avoir un moyen de transport à votre arrivée.

Depuis l'Europe

Le billet d'avion représentera certainement une partie importante de votre budget. Les vols les moins chers doivent être réservés plusieurs mois à l'avance et les liaisons très fréquentées affichent vite complet.

Le Sri Lanka ne figure pas parmi les destinations phares des grandes compagnies aériennes. La plupart des départs sont assurés par SriLankan Airlines et des transporteurs du Moyen-Orient.

DEPUIS LA FRANCE

Les compagnies SriLankan Airlines ou Air France assurent des vols avec une escale entre Paris et Colombo. Comptez au minimum 550 € l'aller-retour. La durée du vol aller est d'au moins 12 heures 40, mais dépend du temps d'escale (très variable). Les compagnies du Moyen-Orient (Qatar Airways, Etihad et Emirates notamment) offrent des tarifs plus avantageux (à partir de 380 €), mais sous certaines conditions et avec une à deux escales.

Air France (☎36 54, 0,35 €/min ; www.airfrance.fr)

Emirates (☎01 57 32 49 99 ; www.emirates.com/fr)

Etihad Airways (www.etihadairways.com)

Gulf Air (www.gulfair.com)

Oman Air (www.omanair.com)

Qatar Airways (www.qatarairways.com/fr)

SriLankan Airlines (www.srilankan.com)

DEPUIS LA BELGIQUE

Il n'existe pas de vols directs vers le Sri Lanka depuis la Belgique. On trouve toutefois de nombreux vols avec escale(s), à partir de 650 €. Certaines compagnies (comme Qatar Airways) offrent des tarifs plus avantageux (à partir de 320 €).

Airstop (☎070 233 188 ; www.airstop.be)

Connections (☎070 23 33 13 ; www.connections.be)

Éole (☎02 672 35 03 ; www.voyageseole.be)

Qatar Airways (www.qatarairways.com/be/fr/)

SriLankan Airlines (www.srilankan.com)

DEPUIS LA SUISSE

Il n'y a pas de vols directs depuis la Suisse vers le Sri Lanka. Les tarifs des vols avec escale(s) débutent autour de 700 FS. Certaines compagnies (comme Qatar Airways) offrent des tarifs plus avantageux (à partir de 340 FS).

STA Travel (☎058 450 49 49 ; www.statravel.ch)

Qatar Airways (www.qatarairways.com/ch)

SriLankan Airlines (www.srilankan.com)

Swiss (☎0848 700 700 ; www.swiss.com)

Depuis le Canada

Rejoindre le Sri Lanka depuis le Canada n'est pas une mince affaire. Vous allez littéralement traverser la moitié du globe, avec une correspondance en Asie depuis la côte ouest, ou au Moyen-Orient ou en Inde depuis la côte est. Comptez une ou deux escales pour un voyage de plus de 20 heures. Le prix de base d'un aller-retour Vancouver-Colombo débute à 1 600 $C chez Cathay Pacific par exemple. Prévoyez 1 800 $C environ et à partir de 22 heures de voyage si vous décollez de l'est du pays.

Air Canada (☎0825 880 881, 0,15 €/min ; www.aircanada.com)

Travelocity (www.travelocity.ca)

Voyages Campus/Travel Cuts (☎1 800 667 2887 ; www.voyagescampus.com)

Depuis l'Asie

Le Sri Lanka est bien desservi par les grandes compagnies asiatiques, ainsi que par les compagnies low cost comme **Air Asia** (www.airasia.com). Les tarifs sont très compétitifs pour les liaisons entre le Sri Lanka et l'Inde.

Depuis les Maldives

De nombreux visiteurs combinent leur voyage au Sri Lanka avec un séjour aux Maldives. SriLankan Airlines et Emirates assurent des liaisons entre les deux capitales.

Voie maritime

Il est actuellement impossible de se rendre au Sri Lanka par la mer. La liaison entre Colombo et Tuticorin (ou Thoothukudi), au Tamil Nadu, en Inde n'a fonctionné que quelques mois en 2011. Avant la guerre civile, un ferry effectuait la liaison entre Mannar (nord-ouest du Sri Lanka) et Rameshwaram (Inde) ; il est question de rétablir cette ligne depuis plusieurs années, sans certitude que cela aboutisse.

VOYAGES ET CHANGEMENTS CLIMATIQUES

Tous les moyens de transport fonctionnant à l'énergie fossile génèrent du CO2 – la principale cause du changement climatique induit par l'homme. L'industrie du voyage est aujourd'hui dépendante des avions. Si ceux-ci ne consomment pas nécessairement plus de carburant par kilomètre et par personne que la plupart des voitures, ils parcourent en revanche des distances bien plus grandes et relâchent quantité de particules et de gaz à effet de serre dans les couches supérieures de l'atmosphère. De nombreux sites Internet utilisent des "compteurs de carbone" permettant aux voyageurs de compenser le niveau des gaz à effet de serre dont ils sont responsables par une contribution financière à des projets respectueux de l'environnement. Lonely Planet "compense" les émissions de tout son personnel et de ses auteurs.

AGENCES EN LIGNE

Vous pouvez réserver votre vol via une agence en ligne ou vous renseigner auprès d'un comparateur de vols :

- www.bourse-des-vols.com
- www.ebookers.fr
- www.expedia.fr
- www.govoyages.com
- www.illicotravel.com
- www.kayak.fr
- www.opodo.fr
- www.skyscanner.fr
- voyages.kelkoo.fr
- www.oui.sncf

VOYAGES ORGANISÉS

Vous trouverez ici une liste de voyagistes offrant des prestations intéressantes pour des circuits au Sri Lanka. Ils proposent aussi des séjours balnéaires, principalement sur les plages du Sud-Ouest. Les prix comprennent la plupart du temps le vol aller-retour, le transfert jusqu'à l'hôtel et l'hébergement en hôtel de charme ou de luxe.

De nombreux tour-opérateurs proposent des circuits au Sri Lanka. Une grande partie de l'offre de voyages couple des visites "classiques" et des journées de randonnée et/ou de safari. La quasi-totalité de l'offre se concentre sur le sud de l'île et la région montagneuse.

N'hésitez pas à comparer leurs prix avant de choisir. Examinez également les offres des voyagistes mentionnés dans la rubrique *Voie aérienne*, ainsi que celles des agences en ligne de l'encadré ci-dessus.

Akaoka (☎01 83 62 19 68 ; www.akaoka.com). Séjours trekking ou circuits culturels au Sri Lanka.

Allibert (☎04 76 45 84 84 ; www.allibert-trekking.com). Circuits "Marche" et "Découverte" au Sri Lanka.

Asia (☎01 56 88 66 75 ; www.asia.fr). Circuits individuels ou organisés en groupe.

Atalante (☎04 72 53 24 80 ; www.atalante.fr). Circuit "Féeries cinghalaises" ,"Trek des épices" ou "Découverte en famille".

Clio (☎01 53 68 82 82 ; www.clio.fr). "Ceylan, au royaume du saphir, du thé et des épices".

Comptoir des voyages (☎01 53 10 30 15 ; www.comptoir.fr). Circuits en voiture avec chauffeur : "Ceylan, saveur passion" ou "Un été au Sri Lanka".

Espace mandarin (www.espacemandarin.com). Circuits dans le Triangle culturel ou dans les parcs et réserves.

Explorator (☎01 53 45 85 85 ; www.explo.com). Circuits : "Cités royales et parfums d'épices" et "Le paradis retrouvé".

Huwans Club Aventure (☎01 44 32 09 30 ; www.huwans-clubaventure.fr). De nombreux circuits et randonnées.

Le monde de l'Inde et de l'Asie (☎01 53 10 31 00 ; www.mondeasie.com). Circuits sportifs ou yoga, notamment.

Nomade (☎01 46 33 71 71 ; www.nomade-aventure.com). Le Triangle culturel, aventures en famille ou circuits à VTT.

Orients (☎01 70 64 16 19 ; www.orients.com). Circuits sur mesure.

Tamera (☎04 78 37 88 88 ; www.tamera.fr). "Sentiers et pèlerinages de Ceylan".

Terres d'Aventure (☎01 70 82 90 00 en France, ☎02 543 95 60 en Belgique, ☎022 518 05 13 en Suisse ; www.terdav.com). Circuits accompagnés avec trek ou croisière.

Voyageurs du Monde (☎01 83 64 79 39 ; www.vdm.com). Plusieurs voyages itinérants.

Zig Zag (☎01 42 85 13 93 ; www.zigzag-randonnees.com). Des circuits orientés sur la randonnée.

COMMENT CIRCULER

Certains points sont utiles à connaître quand on se déplace au Sri Lanka :

- Les vols intérieurs sont plutôt limités, mais les distances ne sont pas démesurées et de nouvelles voies express diminuent les temps de trajet.
- En matière de transport public, les visiteurs ont le choix entre le bus et le train, tous deux bon marché. Les trains sont souvent bondés, mais ce n'est rien comparé aux bus locaux. D'ailleurs, voyager debout en train reste tout de même plus agréable que voyager debout en bus.
- Sur les grands axes reliant Colombo à Kandy, Negombo et Galle, les bus circulent à 40 ou 50 km/h. Sur les voies rapides des plaines, ils peuvent atteindre 60 à 70 km/h. Dans la région montagneuse, la vitesse peut descendre jusqu'à 20 km/h.
- Les transports en commun étant particulièrement surchargés les jours de *poya* (pleine lune), ainsi que les week-ends qui suivent ou qui précèdent, évitez les déplacements à ces dates-là.

Avion

Les lignes intérieures sont très peu nombreuses.

Aéroport international de Bandaranaike (p. 346). Il est desservi par plusieurs vols domestiques de **Cinnamon Air** (p. 346). Il propose un petit nombre de vols onéreux vers des destinations comme Batticaloa, Dikwella, Sigiriya et Trincomalee. Les appareils sont de petits avions, dont certains utilisent des bases aériennes militaires, et d'autres se posent grâce à leurs flotteurs sur des lacs et des lagunes. L'aéroport propose aussi des vols charters pour des destinations domestiques, à partir de 3 000 $US.

Aéroport de Colombo, Ratmalanae (www.airport.lk/rma). À 15 km au sud de Colombo, cette base aérienne militaire possède un terminal qui accueille quelques vols charters domestiques.

DE NOUVELLES ROUTES

Plusieurs voies rapides doivent ouvrir dans les prochaines années. La plupart seront des routes à péage, relativement bon marché.

Colombo-Katunayake Expressway Écourte grandement le trajet entre l'aéroport international Bandaranaike et la ville. Elle commence à 4 km au nord-est du fort à Kelani Bridge, et permet de rejoindre l'aéroport en 30 minutes. Malheureusement, en journée les rues de la ville sont toujours aussi embouteillées entre le fort et l'entrée de la voie rapide.

Outer Circular Expressway Achevée en 2017, cette rocade traverse la périphérie sud de Colombo. Elle relie la Southern Expressway et la Katunayake Expressway, permettant d'aller de l'aéroport à Galle en moins de 3 heures, un énorme gain de temps.

Southern Expressway C'est la toute première voie rapide achevée. Longue de 161 km, elle va de Kottawa, banlieue sud de Colombo proche de Maharagama, à Matara, via une sortie à proximité de Galle. En attendant que les voies de liaison soient terminées, aller du quartier du Fort à l'entrée de la voie rapide peut prendre autant de temps que d'aller jusqu'à Galle – voire plus longtemps. Un projet d'extension de la route lui permettrait d'atteindre Hambantota.

Colombo-Kandy Expressway Approuvée en 2012, cette autoroute devrait réduire le temps de trajet à près d'une heure, mais pour l'instant rien ne permet de savoir quand elle sera mise en service.

Bateau

À l'exception des ferrys qui rejoignent les îles au sud-ouest de Jaffna, il n'existe pas de véritable liaison maritime au Sri Lanka.

Bus

Le réseau de bus couvre environ 80% des 90 000 km de routes du pays. Il existe deux types de bus au Sri Lanka :

Bus du Central Transport Board (CTB). Généralement sans climatisation, ce sont les bus les plus fréquents, présents sur la plupart des itinéraires locaux ou longue distance. Certains portent le logo de la Sri Lanka Transport Board (SLTB).

Bus privés. Les compagnies de bus privés peuvent aussi bien proposer d'imposants véhicules modernes couvrant les longs trajets (les Intercity express) que des minibus vétustes réservés aux petites distances entre villages et villes. Les bus Intercity privés et climatisés desservent les principaux parcours. Ils sont plus confortables et aussi plus rapides pour les longs trajets. L'achèvement des travaux de la Southern Expressway a entraîné l'ouverture de nouvelles liaisons express à bord de bus modernes climatisés entre Colombo et Galle.

Remarques générales

Il est à la fois amusant et intéressant de circuler en bus au Sri Lanka. Vous pourrez nouer des contacts avec les habitants, qui parlent généralement un peu anglais. Sur les longues distances, des vendeurs montent à bord pour proposer des en-cas, des livres et des souvenirs.

Remarques importantes concernant les déplacements en autobus :

- En règle générale, les gares routières ne disposent pas de billetterie centrale, ni même d'un guichet de vente. Vous obtiendrez votre titre de transport directement dans le bus, après son départ, auprès du préposé aux billets qui viendra vous demander votre destination.
- Il peut s'avérer difficile de trouver le bon bus dans le chaos des gares routières des principales villes, mais la plupart des bus affichent désormais leur destination en anglais. Vous n'aurez pas de mal à trouver des informations auprès des passagers.
- Beaucoup de bus effectuent toujours le même trajet avec un numéro de ligne, ce qui rend plus facile d'identifier le bon bus.
- Les villes importantes sont desservies plusieurs fois par heure durant la journée.

➡ Il est théoriquement possible de réserver une place à bord d'un bus : renseignez-vous à la gare routière.

➡ Les bus "semi-confortables" (ou "semi-luxe") sont gérés par des compagnies privées. Ils ont de plus grands sièges et un rideau aux fenêtres (contrairement aux bus CTB), mais ne sont pas climatisés comme les meilleurs bus Intercity.

➡ Chroniquement bondés, les bus comportent peu ou pas d'espace pour les bagages. Certains sont cependant pourvus d'un coffre. La petite plate-forme à côté du chauffeur constitue une solution quand le véhicule est plein. Autrement, vous aurez peut-être à acheter un ticket supplémentaire pour votre bagage. Il est dans votre intérêt de voyager léger.

➡ Les deux sièges à l'avant à bord des bus de la CTB sont réservés aux moines bouddhistes.

➡ Pour être certain d'avoir une place assise, vous devrez monter au point de départ.

➡ Lorsque vous arrivez quelque part, vérifiez les renseignements pour la prochaine étape de votre voyage.

Tarifs

Les bus privés desservent le plus souvent les mêmes lignes que les CTB. Les Intercity Express sont deux fois plus chers que les CTB, mais ils sont bien plus confortables et généralement plus rapides. De manière générale, les bus CTB et les bus privés ordinaires sont très bon marché.

En stop

L'auto-stop n'est jamais sans danger, et il est inutile étant donné les tarifs bon marché des transports au Sri Lanka. Nous déconseillons de faire du stop, et les voyageurs qui décident de lever le pouce doivent être conscients du risque ténu mais potentiellement grave qu'ils encourent.

Transports locaux

La plupart des villes de taille réduite peuvent se parcourir à pied. Dans les centres urbains plus importants, vous avez le choix entre les bus, les *túk-túk* et les taxis.

Bus

Les bus vont partout, y compris dans les villages situés à la périphérie des villes principales, moyennant 10 à 50 Rs.

Taxi

On trouve des taxis dans toutes les villes de quelque importance et même dans certains villages. Seuls quelques-uns sont équipés d'un compteur (le plus souvent à Colombo), mais pour les longues distances, leurs tarifs sont comparables à ceux des *túk-túk* – avec plus de confort et de sécurité. Comptez de 60 à 100 Rs par kilomètre sur la plupart des parcours.

Les hôtels et les restaurants peuvent généralement vous trouver un transport moyennant une petite commission. À Colombo, vous pouvez compter sur les taxis commandés sur des applications comme Uber.

Túk-túk

Ces triporteurs à moteur également connus sous le nom de *bajaj* ou *auto-rickshaw*, se trouvent littéralement à tous les coins de rue. Mobilisez vos talents de négociateur et convenez d'un prix avant de monter. Certains conducteurs enthousiastes offrent des circuits très complets ; c'est à vous de décider.

En règle générale, le coût d'une course ne devrait pas excéder 200 Rs par kilomètre, mais les tarifs varient en fonction de vos capacités de négociation. La majorité des *túk-túk* ont un compteur à Colombo.

Les *rickshaws* et les taxis stationnés près des hôtels et des sites touristiques pratiquent des tarifs plus élevés. Éloignez-vous de quelques centaines de mètres pour trouver un transport moins cher.

Train

Sri Lanka Railways (☎011-243 2908 ; www.railway.gov.lk ; Colombo Fort Train Station, Col 11) est la compagnie ferroviaire nationale, et les trains sont un excellent moyen de traverser le pays. Même si les trains sont plutôt lents, les trajets se font rarement de nuit ou sur toute une journée. Les voyages en train sont plus reposants qu'en bus. Les tarifs sont alignés sur ceux des bus : même un trajet en 1re classe ne dépasse pas 1 000 Rs. La plupart des gares ont des guichets d'informations utiles où l'on vous renseignera en anglais.

Quelques compagnies proposent aussi des voitures climatisées privées, qui viennent se fixer aux trains normaux. Plus chers et moins pittoresques que les voitures avec vue panoramique de 1re classe de la Sri Lanka Railways, ces wagons privés offrent la clim et des en-cas, et ont souvent des places disponibles quand les voitures standards affichent complet. **Rajadhani Express** (☎071 453 6840 ; www.rajadhani.lk) dessert Kandy, Badulla, Galle et Matara, tandis qu'**Expo Rail** (☎011-522 5050 ; www.exporail.lk/ExpoRail.php) se rend à Kandy et dans la région montagneuse.

Il y a 3 grandes lignes ferroviaires au Sri Lanka.

De Colombo vers le Sud Un ravissement pour les yeux.

Récemment rénovée, cette ligne passe par Aluthgama et Hikkaduwa pour rejoindre Galle et Matara.

Colombo-Badulla Le chemin de fer traverse ici la région montagneuse, offrant des panoramas de toute beauté, notamment entre Haputale et Ella. Principaux arrêts : Kandy, Nanu Oya (pour Nuwara Eliya), Ella et Badulla.

Colombo-Vavuniya Des voies passent par Anuradhapura à destination de Mannar et Jaffna. Une branche de cette ligne dessert Trincomalee, sur la côte est, tandis que l'autre part plus au sud en direction de Polonnaruwa et de Batticaloa.

Autres lignes La ligne de Puttalam longe la côte sud-ouest vers le nord depuis Colombo, mais des bus prennent le relais entre Chilaw et Puttalam. La ligne de la Kelani Valley relie Colombo à Avissawella en serpentant sur 60 km.

Les trains affichent souvent du retard. Avec l'augmentation du trafic et les difficultés d'amélioration du réseau, il n'est pas rare de constater des retards d'une heure, voire plus.

Deux bons sites de référence sur les trains au Sri Lanka :

www.seat61.com/SriLanka Bonne présentation d'ensemble.

slr.malindaprasad.com Horaires et quelques tarifs.

Classes

Les trains sri lankais possèdent 3 classes (mais beaucoup n'ont pas de 1re classe) :

La 1re classe possède 3 formules : les voitures, les wagons-lits et les salons panoramiques (avec de grandes baies vitrées). Ces derniers sont proposés dans certains trains vers l'est et le nord depuis Colombo et sont l'option la plus agréable pour parcourir ces lignes pittoresques. Certains possèdent des baies vitrées donnant sur l'arrière et un décor rétro.

La 2e classe offre des sièges rembourrés et des ventilateurs. Dans certains trains (mais pas ceux à destination de Galle), ces sièges peuvent se réserver.

La 3e classe a des sièges peu rembourrés. Pas de réservation. Les wagons sont particulièrement bondés et les conditions de transport sont peu confortables.

Les voitures climatisées des compagnies privées sont légèrement plus onéreuses que la 1re classe standard ; le tarif est d'environ 12 $US.

Réservations

➡ Il est possible de faire une réservation en 1re et 2e classe pour plusieurs Intercity Express.

➡ Réservation obligatoire pour les salons panoramiques de 1re classe, qui sont très prisés. Même recommandation pour les wagons-couchettes, à réserver bien en amont.

➡ Il est possible de réserver dans les gares jusqu'à 30 jours pour un aller-retour.

➡ Si votre voyage dépasse 80 km, vous pouvez vous arrêter dans une gare intermédiaire pendant 24 heures sans payer de supplément. Vous devrez néanmoins faire de nouvelles réservations pour la suite du trajet.

Vélo

Faire du vélo dans les ruines éparses d'Anuradhapura et de Polonnaruwa demeure la plus agréable façon de profiter de ces sites historiques. C'est aussi le moyen idéal d'explorer le Nord et l'Est en empruntant les routes tranquilles, typiques de ces régions. De plus en plus d'hôtels et de pensions (*guesthouses*) proposent des vélos à louer pour leurs clients.

Location

La plupart des vélos proposés dans les pensions et les hôtels sont des VTT rudimentaires. Le tarif de la location tourne autour de 500 Rs/jour.

➡ Si votre établissement ne propose pas de vélos en location, il saura généralement vous recommander un loueur. De nombreux hébergements louent des vélos à des clients extérieurs.

➡ Les vélos en location à la journée ne sont pas adaptés pour de longs trajets. Les loueurs de vélos offrant des engins de qualité sont rares. Si vous envisagez de sillonner l'île à vélo, mieux vaut apporter votre propre deux-roues.

Circuits à vélo

Des tour-opérateurs et des loueurs organisent des circuits à vélo et peuvent vous aider à organiser vos déplacements si vous voyagez seul. Voilà quelques opérateurs :

Eco Team (carte p. 65 ; ☎011-583 0833 ; www.srilankaecotourism.com ; 20/63 Fairfield Gardens, Colombo)

SpiceRoads Cycle Tours (☎en Thaïlande 02 381 7490 ; www.spiceroads.com)

Srilanka Bicycle Trips (☎011-622 3378 ; www.srilankabicycletrips.com ; circuits à partir de 10 500 Rs)

Longs trajets

➡ Faire du vélo au Sri Lanka est très agréable, sauf sur les terrains pentus de la région montagneuse et dans les artères surchargées à la sortie de Colombo. Pour quitter la capitale, où que vous alliez, prenez le train jusqu'à la périphérie avant d'enfourcher votre vélo.

➡ Partez tôt le matin afin d'éviter la chaleur, et emportez beaucoup d'eau et de la crème solaire. Les distances parcourues sont limitées par l'état des routes : vous devrez faire preuve d'une grande vigilance pour éviter toutes sortes d'obstacles, du nid-de-poule... à la poule vivante. Pensez également que les bus, les camions et les voitures filent à vive allure sur toute la chaussée et le bas-côté. Soyez très prudent et portez des vêtements très visibles.

➡ Si vous emportez votre vélo, munissez-vous de pneus et de chambres à air de secours car les routes sont mauvaises et les pièces de rechange parfois difficiles à trouver. Les dimensions de pneu standard sont de 28 pouces sur 1,5. Vous trouverez dans certains magasins de Colombo des pneus importés de 27 pouces pour les vélos à 10 vitesses.

➡ Surveillez votre vélo en permanence et utilisez un bon antivol.

➡ Pour monter dans un train avec votre vélo, vous devrez décrire chaque pièce sur la feuille de voyage ; présentez le vélo au moins une demi-heure avant le départ. Prévoyez encore plus de temps (jusqu'à 2 heures) si vous partez de la gare du Fort, à Colombo. Le transport d'un vélo coûte environ le double du tarif de 2e classe.

Voiture et moto

➡ Il est assez inhabituel de louer une voiture sans chauffeur. Pour un court séjour, le coût de la location d'une voiture avec chauffeur peut être raisonnable.

➡ En planifiant votre itinéraire, prévoyez de parcourir environ 35 km/h dans la région montagneuse et 55 km/h dans la plus grande partie du pays.

➡ La moto s'adresse avant tout aux voyageurs intrépides. Les distances sont relativement courtes et certaines routes feront le plaisir des motards, l'essentiel étant de rester loin des voies rapides. Les routes de la région montagneuse, plus paisibles, offrent des vues splendides. La circulation sur les axes secondaires du littoral et des plaines est assez raisonnable. Sachez cependant que la location de deux-roues n'est pas aussi habituelle sur l'île que dans d'autres contrées d'Asie.

➡ Partout au Sri Lanka, Mw est l'abréviation de Mawatha qui désigne une avenue.

Location de voiture avec chauffeur

Une voiture avec chauffeur garantit un maximum de flexibilité dans vos déplacements et pendant que le chauffeur gère la route chaotique, vous pouvez regarder par la fenêtre et – essayer de – vous détendre.

Dans la plupart des coins touristiques, vous trouverez des chauffeurs de taxi qui seront ravis de vous conduire pendant la journée, ou plus longtemps. Autrement, les pensions et les hôtels peuvent vous mettre en relation avec un chauffeur. Les agences de voyages offrent aussi différentes options, mais elles peuvent s'avérer beaucoup plus coûteuses.

TARIFS

Plusieurs possibilités existent pour estimer les coûts, comme le taux par kilomètre plus une indemnité pour le déjeuner et le dîner et une participation aux frais d'essence. L'idéal est de se mettre d'accord sur un forfait sans supplément. Tablez sur 8 000 à 11 000 Rs par jour (60 $US est une bonne moyenne), sans compter le carburant, ou davantage pour un véhicule plus récent et climatisé. Autres remarques :

➡ La plupart des chauffeurs attendent un pourboire de 10% environ.

➡ Rencontrez le chauffeur avant pour voir si le courant passe entre vous.

➡ Envisagez de prendre un chauffeur pour 2 ou 3 jours dans un premier temps pour voir s'il vous convient.

➡ C'est vous qui êtes le patron. Les recommandations du chauffeur sont appréciables, mais ne le laissez pas vous conduire à sa guise. Les chauffeurs sont connus pour dissuader leurs passagers de visiter les temples et autres sites qui ne leur reversent pas de commission.

➡ À moins que le chauffeur ne parle pas un mot d'anglais, vous n'aurez pas besoin d'engager un guide à bord.

Sachez que les chauffeurs tirent une bonne part de leurs revenus des commissions. La plupart des hôtels et de nombreuses pensions leur versent un montant fixe ou un pourcentage, même si certains établissements s'y refusent. Cette situation peut entraîner un désaccord avec votre chauffeur sur le lieu où vous résiderez : il préférera vous emmener dans un endroit pourvoyeur d'argent. Certains hôtels leur proposent des logements affligeants, mais les hôtels et pensions les plus chics ont compris que leurs affaires dépendent aussi de leur satisfaction et leur fournissent un service correct.

Voici quelques compagnies avec chauffeurs (il en existe beaucoup d'autres ; le forum Lonely Planet Thorn Tree est une bonne source d'informations sur les chauffeurs) :

Ancient Lanka (☎077 727 2780 ; www.ancientlanka.com)

Let's Go Lanka (☎077 630 2070 ; www.letsgolanka.com)

Voiture sans chauffeur

Shineway Rent a Car (☎071 278 9323 ; http://rentalcarsrilanka.com ; 45/15 Nawala Rd, Narahenpita, Col 5), à Colombo, loue des voitures sans chauffeur. Vous trouverez d'autres agences locales ainsi que de très petits loueurs dans les villes touristiques. En principe, une voiture se loue dans les 30 $US par jour avec 100 km inclus. Toutefois, il est encore rare de voir des touristes conduire eux-mêmes au Sri Lanka, et nous vous le déconseillons.

Comptez environ 1 500 Rs par jour pour louer une moto, dans tout le pays.

PERMIS DE CONDUIRE

Si vous tenez vraiment à conduire vous-même (attention, conduite à gauche et trafic difficile), il vous faudra un permis de conduire temporaire (valable entre 3 mois et un an) que vous pourrez obtenir auprès d'un automobile club dans votre pays d'origine.

Conditions de circulation

Si vous conduisez au Sri Lanka, soyez très vigilant sur la route. Les routes rurales sont souvent étroites et jonchées de nids-de-poule, avec un flux constant de piétons, de vélos et d'animaux à éviter. Cependant, un important programme de construction de routes améliore déjà la circulation à travers le pays, surtout dans le Nord et l'Est.

Les crevaisons font partie du programme, mais le moindre petit village possède son réparateur.

Il est tout à fait habituel qu'un bus, un camion ou une voiture double en face d'un véhicule plus petit. *Túk-túk*, cyclistes, minibus et petites voitures doivent s'écarter au risque d'être percutés. Avec un coup de klaxon strident, les chauffeurs annoncent qu'ils doublent ou qu'ils souhaitent doubler. Si vous marchez ou faites du vélo le long d'une route fréquentée, soyez très prudent.

Code de la route

- La vitesse est limitée à 50 km/h en agglomération, à 70 km/h en zone rurale et à 100 km/h sur les nouvelles voies rapides.
- La conduite se fait à gauche, comme au Royaume-Uni.

Santé

Avant le départ

Assurance

Il est conseillé de souscrire une assurance qui vous couvrira en cas d'annulation de votre voyage, de vol, de perte de vos affaires, de maladie ou encore d'accident. Reportez-vous p. 339.

Quelques conseils

Assurez-vous que vous êtes en bonne santé avant de partir. Si vous suivez un traitement de façon régulière, n'oubliez pas votre ordonnance (avec le nom du principe actif). Mieux vaut aussi vous munir de vos médicaments dans leur boîte d'origine, avec le nom clairement indiqué.

Vaccins

Plus vous vous éloignez des circuits classiques, plus il faut prendre vos précautions. Faites inscrire vos vaccinations dans un carnet international de vaccination (livret jaune) que vous pourrez vous procurer auprès de votre médecin ou d'un centre.

Le **ministère des Affaires étrangères** (www.diplomatie.gouv.fr/voyageurs) effectue une veille sanitaire et met régulièrement en ligne des recommandations sur les vaccinations.

Planifiez vos vaccinations à l'avance (au moins 6 semaines avant le départ), car certaines demandent des rappels ou sont incompatibles entre elles. Les vaccins ont des durées d'efficacité très variables ; certains sont contre-indiqués pour les femmes enceintes.

Voici les coordonnées de quelques centres de vaccination :

Institut Pasteur (☎01 45 68 80 88 ; www.pasteur.fr/fr/sante ; 209-211 rue de Vaugirard, 75015 Paris ; ⊙lun-sam, vaccinations sans rdv)

Centre de vaccination Air France (☎01 43 17 22 00 ; www.vaccinations-airfrance.fr ; 148 rue de l'Université, 75007 Paris ; ⊙lun-sam sans rdv)

Hôpital Saint-Louis – Centre de vaccination internationale et d'information aux voyageurs (☎ 01 42 49 46 83 ; www.vaccin-voyage-ghparis10.aphp.fr ; 1 av. Claude-Vellefaux, 75010 Paris ; ⊙jeu sur rdv, sam sans rdv)

Centre de vaccinations ISBA (☎04 72 76 88 66 ; www.isbasante.com ; 7 rue Jean-Marie-Chavant, 69007 Lyon ; ⊙lun-ven sur rdv). Autres centres en France. Coordonnées sur le site Internet.

SANTÉ SUR INTERNET

Il existe de très bons sites Internet consacrés à la santé en voyage. Avant de partir, vous pouvez consulter les conseils en ligne du **ministère des Affaires étrangères** (www.diplomatie.gouv.fr), de l'**Organisation mondiale de la santé** (OMS ; http://www.who.int/fr) ou le site très complet du **ministère de la Santé** (www.sante.gouv.fr). Vous trouverez, par ailleurs, plusieurs liens sur le site de **Lonely Planet** (www.lonelyplanet.fr).

Vaccins recommandés

Le seul vaccin obligatoire est celui contre la fièvre jaune. La preuve de votre vaccination vous sera demandée si vous avez visité un pays de la zone d'endémie de la fièvre jaune dans les 6 jours précédant votre entrée au Sri Lanka.

L'Organisation mondiale de la santé (OMS) recommande aux voyageurs se rendant au Sri Lanka (outre d'être à jour avec le vaccin contre la rougeole, les oreillons et la rubéole) les vaccins suivants :

Diphtérie et tétanos Rappel recommandé si le précédent date de plus de 10 ans.

Hépatite A Garantit une protection quasi totale pendant un an.

Hépatite B Vaccination considérée comme routinière pour la plupart des voyageurs. Il existe un vaccin combiné hépatite A et B qui s'administre en 3 injections.

Encéphalite japonaise Recommandé pour un voyage en milieu rural, si des activités de plein air sont prévues, et à quiconque séjournant plus de 30 jours sur place.

Polio Bien qu'aucun cas n'ait été signalé au Sri Lanka depuis plusieurs années, il faut tout de même considérer que la maladie est présente sur l'île.

Rage Vaccination préventive recommandée avant un séjour en zone exposée. Nécessite consultation et évaluation médicales préalables.

Typhoïde Recommandé à tous les voyageurs au Sri Lanka, même si vous ne visitez que les zones urbaines.

Varicelle Si vous n'avez pas eu la varicelle, parlez-en à votre médecin.

Pendant le voyage

Vols long-courriers

Les trajets en avion, principalement du fait d'une immobilité prolongée, peuvent favoriser la formation de caillots sanguins dans les jambes (par exemple une phlébite). Le risque est d'autant plus élevé que le vol est plus long.

Généralement, l'un des premiers symptômes est un gonflement ou une douleur du pied, de la cheville ou du mollet.

En prévention, buvez en abondance des boissons non alcoolisées, faites jouer les muscles de vos jambes lorsque vous êtes assis et levez-vous de temps à autre pour marcher dans la cabine.

DÉCALAGE HORAIRE ET MAL DES TRANSPORTS

Le décalage horaire est fréquent dans le cas de trajet traversant plus de 3 fuseaux horaires. Il se manifeste par des insomnies, de la fatigue, des malaises ou des nausées. En prévention, buvez abondamment (des boissons non alcoolisées) et mangez léger. En arrivant, exposez-vous à la lumière naturelle et adoptez les horaires locaux aussi vite que possible (pour les repas, le coucher et le lever).

Pour réduire les risques d'avoir le mal des transports, mangez légèrement avant et pendant le voyage. Si vous êtes sujet à ces malaises, essayez de trouver un siège dans une partie du véhicule où les oscillations sont moindres : près de l'aile dans un avion, au centre sur un bateau et dans un bus. Les antihistaminiques préviennent efficacement le mal des transports, qui se caractérise principalement par une envie de vomir, mais ils peuvent provoquer une somnolence.

Au Sri Lanka

Précautions élémentaires

Faire attention à ce que l'on mange et à ce que l'on boit est la première des précautions à prendre. Les troubles gastriques et intestinaux sont fréquents, même si la plupart du temps ils restent sans gravité. L'hygiène n'est pas très bonne au Sri Lanka, voire très mauvaise dans la plupart des cuisines du pays. Lavez-vous les mains fréquemment.

TROUSSE MÉDICALE DE VOYAGE

Veillez à emporter avec vous une petite trousse à pharmacie contenant quelques produits indispensables. Certains ne sont délivrés que sur ordonnance médicale. Attention, les liquides et les objets coupants sont interdits en cabine.

- Des antibiotiques, à utiliser uniquement aux doses et aux périodes prescrites. Il n'est pas absurde de demander à votre médecin traitant de vous en prescrire pour le voyage
- Un antidiarrhéique, en cas de forte diarrhée, surtout si vous voyagez avec des enfants
- Un antihistaminique en cas de rhumes, allergies, piqûres d'insectes, mal des transports
- Un antiseptique ou un désinfectant pour les coupures, les égratignures superficielles et les brûlures, ainsi que des pansements gras pour les brûlures
- De l'aspirine ou du paracétamol (douleurs, fièvre)
- Une bande Velpeau et des pansements pour les petites blessures
- Une paire de lunettes de secours (si vous portez des lunettes ou des lentilles de contact) et la copie de votre ordonnance
- Un produit contre les moustiques, de l'écran total
- Une pommade pour soigner les piqûres et les coupures et des comprimés pour stériliser l'eau
- Une paire de ciseaux à bouts ronds, une pince à épiler et un thermomètre à alcool
- Une petite trousse de matériel stérile comprenant une seringue, des aiguilles, du fil à suture, une lame de scalpel et des compresses
- Des préservatifs (norme CE)

AYURVÉDA

L'ayurvéda est une médecine traditionnelle recourant aux plantes, aux huiles, aux métaux et aux produits animaux pour guérir certains maux et conserver sa jeunesse. Fortement influencé par la médecine indienne (de même dénomination), l'ayurvéda est très répandu au Sri Lanka pour traiter diverses pathologies.

Cette théorie postule que les 5 éléments, en liaison avec les 5 sens, influent à tour de rôle sur la santé de l'individu – sa *dosha* (vitalité). La maladie survient en cas de déséquilibre de la *dosha*. Le traitement ayurvédique vise à rétablir cet équilibre.

Pour un traitement complet, le patient doit être prêt à s'engager pour plusieurs semaines, voire plusieurs mois. C'est un processus épuisant avec des lavements fréquents et une diète très pauvre en calories.

En général, les visiteurs se contentent des massages ayurvédiques proposés dans l'un des centres situés dans les zones touristiques ou rattachés aux grands hôtels. Un soin complet dure 3 heures et comprend plusieurs étapes, toutes orientées sur la relaxation :

- Les "saunas aromatiques" (*sweda karma*) sont conçus selon un modèle vieux de 2 500 ans. Les murs de plâtre contiennent des ingrédients aromatiques tels que miel et poudre de bois de santal. Le sol est couvert d'herbes aromatiques et médicinales. Comme dans un sauna européen, on obtient la vapeur, qui a ici des vertus médicinales, en jetant de l'eau sur des braises chaudes.
- Beaucoup plus confiné et oppressant, le bain de vapeur (*vashpa swedanam*) revient presque à s'allonger dans un sarcophage. Une fois le patient étendu sur une plateforme en bois, un battant couvre intégralement son corps à l'exception de la tête. Montant de la base de cette étuve en bois, les effluves d'une cinquantaine d'herbes et épices différentes imprègnent le corps.
- Pour beaucoup, le must reste le traitement appelé "Troisième œil du seigneur Shiva"(*shiro dhara*). Pendant près de 45 minutes, un petit filet d'huile tiède est déversé lentement sur le front, puis, grâce aux bons soins de la masseuse, l'huile pénètre dans les tempes.

S'il existe de nombreux spas jouissant d'une bonne renommée internationale, le standing de certains centres ayurvédiques est de piètre qualité. Les soins sont parfois dispensés avec de l'huile de coco par des masseurs sans qualification. Et il arrive même que ces centres emploient des prostituées. Plusieurs cas d'empoisonnement ayant été signalés à la suite de traitements aux plantes, nous vous recommandons de demander la composition exacte des potions et de consulter un médecin reconnu.

Pour les massages, renseignez-vous sur la présence de thérapeutes des deux sexes, car certaines lectrices ont subi des avances de la part de praticiens hommes. En général, la pratique ayurvédique veut que la personne qui réalise les massages soit du même sexe que la personne qui les reçoit.

Disponibilité et coût des soins

L'accès aux soins médicaux est très variable à l'échelle du pays. Colombo compte des cliniques de bonne qualité destinées aux expatriés. Mieux vaut y avoir recours plutôt qu'aux centres médicaux locaux car elles offrent un meilleur niveau de soin. Le **Nawaloka Hospital** (carte p. 64 ; ☎011-557 7111 ; www.nawaloka.com ; 23 Deshamanya HK Dharmadasa Mawatha, Col 2), à Colombo, a également bonne réputation et des médecins parlant anglais. Ambassades et consulats ont souvent une liste de centres de soins et médecins réputés. Partout ailleurs au Sri Lanka, les hôtels et les pensions peuvent généralement vous indiquer un médecin local qui vous fournira au moins les premiers soins.

En cas d'affection mineure (comme la "turista"), l'automédication suffit parfois, si vous possédez les médicaments appropriés et que vous êtes loin d'une clinique de qualité. Si vous soupçonnez une maladie grave, notamment le paludisme, ne perdez pas de temps : adressez-vous à l'établissement médical le plus proche pour une consultation. Il est toujours préférable d'être examiné par un médecin que de recourir à l'automédication.

Avant d'acheter vos médicaments, vérifiez toujours la date de péremption et assurez-vous que l'emballage est intact. Colombo et les villes importantes comme Kandy comptent des pharmacies bien approvisionnées ;

beaucoup de médicaments peuvent être achetés sans ordonnance.

Affections transmises par les insectes

DENGUE

La dengue se transmet par les moustiques de la famille Aedes, qui piquent la journée et se trouvent souvent près des habitations, ou à l'intérieur. Ils pondent dans les réserves d'eau artificielles (citernes, barils, tonneaux, pots à eau, conteneurs en plastique ou pneus jetés aux ordures). En conséquence, la dengue est surtout répandue dans les environnements urbains densément peuplés.

Il n'existe pas de traitement prophylactique contre cette maladie. Poussée de fièvre, maux de tête, douleurs articulaires et musculaires précèdent une éruption cutanée sur le tronc qui s'étend ensuite aux membres, puis au visage. Au bout de quelques jours, la fièvre régresse, et la convalescence commence. Les complications graves sont rares et les cas les plus sévères touchent généralement les enfants de moins de 15 ans qui contractent la dengue pour la deuxième fois. La meilleure prévention est de se protéger des moustiques (voir l'encadré ci-dessous).

En cas de fièvre à votre retour en France, signalez à votre médecin votre voyage au Sri Lanka.

PALUDISME

Le paludisme était un grave problème au Sri Lanka, mais l'Organisation mondiale de la santé a déclaré la maladie éradiquée du pays depuis 2016. Selon les recommandations médicales actuelles, les médicaments antipaludisme ne sont pas nécessaires.

Maladies infectieuses et parasitaires

HÉPATITES

L'hépatite est un terme général qui désigne une inflammation du foie. Elle est le plus souvent due à un virus. Les formes les plus habituelles se manifestent par une fièvre, une fatigue qui peut être intense, des douleurs abdominales, des nausées, des vomissements, associés à la présence d'urines très foncées et de selles décolorées presque blanches. La peau et le blanc des yeux prennent une teinte jaune (ictère). L'hépatite peut parfois se résumer à un simple épisode de fatigue sur quelques jours ou semaines.

Hépatite A. C'est la plus répandue, mais il existe un vaccin, recommandé en cas de fort risque d'exposition. La contamination est alimentaire : l'hépatite A se transmet par l'eau, les coquillages et, d'une manière générale, tous les produits manipulés à mains nues. Il n'y a pas de traitement médical ; il faut simplement se reposer, boire beaucoup, manger légèrement et s'abstenir totalement de toute boisson alcoolisée pendant au moins 6 mois. Le vaccin contre l'hépatite A est fortement recommandé pour tous les voyageurs se rendant au Sri Lanka.

Hépatite B. Elle est très répandue, mais la vaccination est très efficace. Elle se transmet par voie sexuelle ou sanguine (piqûre, transfusion). Évitez de vous faire percer les oreilles, tatouer, raser ou de vous faire soigner par piqûres si vous avez des doutes quant à l'hygiène des lieux. Les symptômes de l'hépatite B sont les mêmes que ceux de l'hépatite A.

Hépatite E. Transmise par l'eau et la nourriture contaminées, l'hépatite E montre des symptômes similaires à l'hépatite A mais elle est bien plus rare. Elle est très grave pour les femmes enceintes et peut causer la mort de la mère et du bébé. Il n'existe aucun vaccin commercialisé pour l'hépatite E, dont on peut se prévenir en suivant des règles de précaution concernant l'alimentation et la boisson.

SE PROTÉGER DES MOUSTIQUES

Hormis les traitements préventifs, la protection contre les piqûres de moustique est le premier moyen d'éviter d'être contaminé par la dengue ou le paludisme.

- Le soir, dès le coucher du soleil, couvrez vos bras et surtout vos chevilles et mettez de la crème antimoustique. Ils sont parfois attirés par le parfum ou l'après-rasage.
- En dehors du port de vêtements longs, l'utilisation d'insecticides ou de répulsifs à base de DEET (de type Cinq sur Cinq) sur les parties découvertes du corps est à recommander (sauf pour les enfants de moins de 2 ans).
- En vente en pharmacie, les moustiquaires constituent en outre une protection efficace, à condition qu'elles soient imprégnées d'insecticide. De plus, ces moustiquaires sont radicales contre les insectes à sang froid (puces, punaises, etc.) et permettent d'éloigner serpents et scorpions. Vérifiez bien que celles dans les hôtels n'ont pas de trous.
- D'une manière générale, le risque de contamination est plus élevé en zone rurale et pendant la saison des pluies.

VIH/SIDA

Véhiculé par les fluides corporels, le VIH est présent au Sri Lanka. La transmission de cette infection se fait : par rapport sexuel (hétérosexuel ou homosexuel – anal, vaginal ou oral), d'où l'impérieuse nécessité d'utiliser des préservatifs à titre préventif ; par le sang, les produits sanguins et les aiguilles contaminées. Il est impossible de détecter la présence du VIH chez un individu apparemment en parfaite santé sans procéder à un examen sanguin.

Évitez, s'ils ne sont pas stérilisés, tous les instruments de chirurgie, les aiguilles d'acupuncture et de tatouage, ainsi que les instruments utilisés pour percer les oreilles ou le nez.

Toute demande de certificat attestant la séronégativité pour le VIH est contraire au Règlement sanitaire international (article 81).

INFLUENZA

Présente toute l'année sous les tropiques, les symptômes de l'influenza (grippe) comprennent de la fièvre, des douleurs musculaires, un écoulement nasal, de la toux et une gorge douloureuse. C'est une maladie potentiellement grave pour les personnes de plus de 65 ans ou atteintes de maux comme une déficience cardiaque ou le diabète – pour ces personnes, il est recommandé de se vacciner. Il n'y a pas de traitement spécifique, seulement du repos et du paracétamol.

ENCÉPHALITE JAPONAISE

Un moustique nocturne (le *Culex*) est responsable de la transmission de cette maladie virale, surtout dans les zones rurales près des élevages de cochons ou des rizières.

Symptômes : fièvre soudaine, frissons et maux de tête, suivis de vomissements et de délire, aversion marquée pour la lumière vive et douleurs aux articulations et aux muscles. Les cas les plus graves provoquent des convulsions et un coma. Chez la plupart des individus qui contractent le virus, aucun symptôme n'apparaît.

Les personnes les plus en danger sont celles qui doivent passer de longues périodes en zone rurale pendant la saison des pluies (de juillet à octobre). Si c'est votre cas, il faudra peut-être vous faire vacciner.

TUBERCULOSE

Bien que très répandue dans de nombreux pays en développement, cette maladie ne présente pas de grand danger pour le voyageur. Les enfants de moins de 12 ans sont plus exposés que les adultes. Il est donc conseillé de les faire vacciner s'ils voyagent dans des régions où la maladie est endémique. La tuberculose se propage par la toux ou par des produits laitiers non pasteurisés faits avec du lait de vaches tuberculeuses. On peut boire du lait bouilli et manger yaourts ou fromages sans courir de risques.

TYPHOÏDE

La fièvre typhoïde est une infection du tube digestif. Elle se transmet directement de personne à personne par les mains contaminées ou indirectement par de l'eau ou de la nourriture contaminées par des matières fécales humaines (bactérie *Salmonella typhi*). Mieux vaut être vacciné, même si la vaccination n'est pas entièrement efficace. Le vaccin est recommandé à tous les voyageurs séjournant plus d'une semaine au Sri Lanka.

Fièvre, maux de tête et de gorge parfois accompagnés de vomissements, de diarrhée ou de constipation, puis une éruption rose sur l'abdomen sont généralement les premiers symptômes,

EAU

L'eau du robinet n'est pas potable, donc ne buvez jamais l'eau du robinet (même sous forme de glaçons). Préférez les eaux minérales et les boissons gazeuses, tout en vous assurant que les bouteilles sont décapsulées devant vous. Vérifiez que les bouteilles portent le petit logo rond "SLSI" qui prouve que l'eau a été testée par la Sri Lanka Standards Institution, organisme gouvernemental (la majorité des marques locales).

Évitez les jus de fruits, souvent allongés à l'eau. Attention au lait, rarement pasteurisé. Pas de problème pour le lait bouilli et les yaourts. Thé et café, en principe, sont sûrs, puisque l'eau doit bouillir. Par prudence, évitez également les crudités, qui sont bien souvent lavées avec de l'eau.

Pour stériliser l'eau, la meilleure solution est de la faire bouillir durant 15 minutes. N'oubliez pas qu'à haute altitude elle bout à une température plus basse et que les germes ont plus de chance de survivre.

Si vous ne pouvez faire bouillir l'eau, traitez-la chimiquement avec des comprimés ou des gouttes, comme le Micropur (vendu en pharmacie) très efficace.

Vous éviterez bien des problèmes de santé en vous lavant souvent les mains. Brossez-vous les dents avec de l'eau traitée.

qui s'accompagnent parfois d'une septicémie (empoisonnement du sang). S'il n'y a pas d'autres complications, la fièvre et les autres symptômes disparaissent peu à peu la troisième semaine. Cependant, un suivi médical est indispensable, car les complications sont fréquentes, en particulier la pneumonie (infection aiguë des poumons) et la péritonite (éclatement de l'appendice). De plus, la typhoïde est très contagieuse.

PRÉCAUTIONS ALIMENTAIRES

Manger à l'extérieur présente le risque possible d'attraper la diarrhée. Voici quelques moyens de prévenir toute maladie relative à l'alimentation :

- Ne manger que de la nourriture fraîchement préparée
- Éviter les crustacés et les buffets
- Peler les fruits
- Cuire les légumes
- Faire tremper la salade dans de l'eau iodée au moins 20 minutes
- Manger dans les restaurants très fréquentés avec un fort taux de renouvellement des tables

Diarrhée

C'est de loin le problème le plus courant qui touche les voyageurs au Sri Lanka. Le changement de nourriture, d'eau ou de climat suffit à la provoquer ; si elle est causée par des aliments ou de l'eau contaminés, le problème est plus grave. En dépit de toutes vos précautions, vous aurez peut-être la "turista", mais quelques visites aux toilettes sans aucun autre symptôme n'ont rien d'alarmant. Il est fortement recommandé d'emmener avec soi un antidiarrhéique et un antiseptique intestinal (de type Intetrix et Ercefuryl). Demandez conseil à votre pharmacien et à votre médecin. La déshydratation est le danger principal lié à toute diarrhée, particulièrement chez les enfants. Ainsi, le premier traitement consiste à boire beaucoup. Quand vous irez mieux, continuez à manger légèrement. Lorsque la diarrhée persiste au-delà de 48 heures ou s'il y a présence de sang dans les selles, il est préférable de consulter un médecin.

DYSENTERIE

Affection grave, due à des aliments ou de l'eau contaminés, la dysenterie se manifeste par une violente diarrhée, souvent accompagnée de sang ou de mucus dans les selles. Une analyse des selles est indispensable pour diagnostiquer le type de dysenterie. Il faut donc consulter rapidement.

GIARDIASE

Ce parasite intestinal est présent dans l'eau polluée ou dans les aliments souillés par l'eau. Symptômes : crampes d'estomac, nausées, estomac ballonné, selles très liquides et nauséabondes, et gaz fréquents. La giardiase peut n'apparaître que plusieurs semaines après la contamination. Les symptômes peuvent disparaître pendant quelques jours puis réapparaître, et ceci pendant plusieurs semaines.

Affections liées à l'environnement

POLLUTION DE L'AIR

La pollution de l'air, en particulier celle des gaz d'échappement, est un problème en hausse dans la plupart des pôles urbains. Si vous avez de graves problèmes respiratoires, parlez-en à votre médecin avant votre voyage. N'hésitez pas à porter un masque jetable si la qualité de l'air vous affecte.

COUP DE SOLEIL ET INSOLATION

Sous les tropiques, dans le désert ou en altitude, les coups de soleil sont plus fréquents, même par temps couvert. Utilisez un écran solaire haute protection et pensez à couvrir les endroits habituellement protégés, les pieds par exemple. Les lunettes de soleil sont indispensables.

Sur la plage, un parasol est vivement recommandé, de même que le port d'un chapeau. Évitez de vous exposer aux heures les plus chaudes (10h-16h) et privilégiez l'ombre.

Une exposition prolongée au soleil peut provoquer une insolation. Symptômes : nausées, peau chaude, maux de tête. Dans ce cas, il faut rester dans le noir, appliquer une compresse d'eau froide sur les yeux et prendre de l'aspirine.

COUP DE CHALEUR

Dans les régions de basse altitude du Sri Lanka, il peut faire chaud et humide toute l'année. La plupart des visiteurs mettent environ 2 semaines à s'acclimater à la forte chaleur. Il est fréquent de faire de l'œdème aux pieds et aux chevilles et d'avoir des crampes musculaires en raison de la transpiration excessive. En prévention de ces maux, évitez d'être déshydraté ou de faire des efforts au soleil. Ne prenez pas de comprimés de sel (qui irritent les intestins) ; il est bénéfique de boire des solutés de réhydratation ou de manger salé. Soulagez les crampes en vous reposant, en buvant des solutés concentrés de réhydratation et en faisant des étirements modérés.

La déshydratation est le principal facteur des coups de chaleur. Le rétablissement est généralement rapide et il est habituel de se sentir faible pendant les jours suivants. Les symptômes comprennent :

- ➡ Une sensation de faiblesse
- ➡ Des maux de tête
- ➡ L'irritabilité
- ➡ Des nausées ou vomissements
- ➡ La peau moite
- ➡ Un pouls faible ou rapide
- ➡ Température corporelle normale ou légèrement élevée

En cas de déshydratation :

- ➡ Se mettre à l'abri de la chaleur
- ➡ Éventer la personne souffrante
- ➡ Appliquer des vêtements frais et humides sur la peau
- ➡ Allonger la personne souffrante à plat et lui surélever les jambes
- ➡ Se réhydrater avec de l'eau contenant ¼ de cuillère à café de sel par litre

L'insolation est une grave urgence médicale. Les symptômes comprennent :

- ➡ Faiblesse
- ➡ Nausée
- ➡ Corps chaud et sec
- ➡ Température supérieure à 41°C
- ➡ Étourdissements
- ➡ Confusion
- ➡ Perte de coordination
- ➡ Convulsions
- ➡ Évanouissement possible

En cas d'insolation :

- ➡ Se mettre à l'abri de la chaleur
- ➡ Éventer la personne souffrante
- ➡ Appliquer des vêtements frais et humides sur la peau ou mettre de la glace sur le corps, surtout à l'entrejambe et aux aisselles

La miliaire sudorale (boutons de chaleur) est une affection cutanée fréquente sous les tropiques, causée par de la transpiration coincée sous la peau. Elle disparaît après quelques heures à l'écart de la chaleur et à l'aide de douches fraîches. Les crèmes et onguents, rendant la peau imperméable, sont à éviter. Il peut être utile d'acheter sur place de la poudre pour les boutons de chaleur.

Coupures, piqûres et morsures

SANGSUES, TIQUES ET PUNAISES

Les punaises affectionnent la literie douteuse. Vérifiez l'état de la literie avant de vous glisser dans votre lit ; si vous repérez de petites taches de sang sur les draps ou les murs autour du lit, cherchez un autre hôtel. Les piqûres de punaises forment des alignements réguliers. Une pommade calmante apaisera la démangeaison.

Les sangsues, présentes dans les régions de forêts humides, se collent à la peau et sucent le sang. Les randonneurs en retrouvent souvent sur leurs jambes ou dans leurs bottes. Vérifiez toujours que vous n'avez

SE PROTÉGER CONTRE LA RAGE

Très répandue dans le monde, cette maladie est transmise par un animal contaminé. Morsures, griffures ou même simples coups de langue d'un animal à sang chaud et à fourrure (surtout les chiens, chats, singes, chauves-souris) doivent être nettoyés immédiatement et à fond. Frottez avec du savon et de l'eau, puis nettoyez avec de l'alcool. Même si l'animal n'est pas enragé, toutes les morsures doivent être surveillées de près pour éviter les risques d'infection et de tétanos. S'il y a le moindre risque que l'animal soit contaminé, allez immédiatement voir un médecin afin de suivre un traitement antirabique.

Un vaccin antirabique est disponible. Il est particulièrement recommandé si vous comptez séjourner longtemps dans des zones rurales ou exposées, travailler avec des animaux ou pratiquer la spéléologie (les morsures de chauves-souris peuvent être dangereuses). La vaccination préventive ne dispense pas de la nécessité d'un traitement antirabique immédiatement après un contact avec un animal enragé ou dont le comportement peut paraître suspect. La rage a une période d'incubation qui va de quelques jours à plusieurs semaines, les symptômes peuvent donc se révéler longtemps après la morsure.

Attention, il peut arriver que des animaux contaminés vagabondent hors des principales zones à risques. Ce fut le cas en août 2017, où un enfant a été mordu par un chiot sur une plage dans le sud du pays. L'enfant n'a pas reçu de traitement prophylactique après la morsure et est décédé en France quelques semaines plus tard. Il s'agit du second cas de décès en France dû à la rage (attrapée à l'étranger) depuis 2014.

pas attrapé de tiques dans une région infestée : elles peuvent transmettre le typhus ou la maladie de Lyme.

Sangsues ou tiques, ne les arrachez pas, car la morsure s'infecterait plus facilement. Détachez les tiques délicatement avec une pincette fine (huile, vaseline, allumette, alcool sont déconseillés). Passez l'ongle sous la bouche de la sangsue pour lui faire lâcher prise (ne pas appliquer de sel). Une crème répulsive peut les maintenir éloignées.

POUX

Apparaissent généralement sur la tête et les zones pubiennes. Faites plusieurs shampooings anti-poux, avec de la pyréthrine par exemple.

PIQÛRES

Certaines araignées sont dangereuses, mais il existe en général des antivenins.

Les piqûres de guêpes ou d'abeilles sont généralement plus douloureuses que dangereuses. Une lotion apaisante ou des glaçons soulageront la douleur et empêcheront la piqûre de trop gonfler.

Les piqûres de scorpions sont très douloureuses et parfois mortelles. Inspectez vos vêtements ou chaussures avant de les enfiler.

PROBLÈMES CUTANÉS

Éruption cutanée fongique

Deux éruptions fongiques touchent fréquemment les voyageurs. La première apparaît dans les zones moites, comme l'entrejambe, les aisselles et entre les orteils. C'est au départ une tache rouge qui gratte et s'étend lentement. Dans ce cas, il convient de garder la peau sèche, d'éviter les frottements et d'appliquer une crème antifongique comme le clotrimazole ou le Lamisil. La seconde éruption, le pityriasis versicolor, se traduit par l'apparition de taches claires, généralement sur le dos, le buste et les épaules. Consultez un médecin.

Coupures et égratignures

Elles s'infectent facilement sous les climats humides. Nettoyez immédiatement toute blessure à l'eau claire et appliquez un antiseptique. En cas de signes d'infection (douleur croissante et rougeur), consultez un médecin.

PLONGÉE ET SURF

Il est conseillé aux plongeurs et aux surfeurs de demander un avis spécialisé avant de voyager, pour emporter de quoi soigner les coupures de coraux et les otites externes. Les plongeurs vérifieront que leur assurance les couvre en cas d'accident de décompression – prenez une assurance spécialisée en plongée via une association comme Divers Alert Network (www.danasiapacific.org). La plongée est contre-indiquée en cas de certaines maladies ; vérifiez auprès de votre médecin.

Voyager avec des enfants

Les personnes voyageant avec des enfants doivent pouvoir soigner des affections mineures, et savoir quand avoir recours aux services médicaux. Bien avant le départ, assurez-vous que leurs vaccinations sont à jour, et sachez que certains vaccins ne conviennent pas aux enfants de moins de 1 an.

Dans les zones chaudes et humides, la moindre égratignure peut s'infecter. Toute blessure doit être parfaitement nettoyée et tenue au sec. Soyez particulièrement vigilant en évitant de boire l'eau du robinet et en ne prenant aucun risque concernant la nourriture – et les boissons. Pensez à emporter des poudres réhydratantes à utiliser avec de l'eau bouillie si votre enfant est sujet à des vomissements ou à des diarrhées. Demandez conseil à votre médecin. Afin d'éviter les risques de rage ou d'autres maladies, les enfants doivent être tenus à l'écart des chiens et des mammifères en général et ne doivent en aucun cas les caresser.

Les morsures, griffures ou coups de langue d'un animal à sang chaud et à fourrure doivent être immédiatement et soigneusement nettoyés. S'il y a un risque, même infime, que l'animal soit contaminé, il convient de chercher immédiatement une assistance médicale. Reportez-vous à l'encadré ci-contre.

Santé au féminin

Pour tout problème gynécologique, adressez-vous à une femme médecin.

Contraception Apportez avec vous votre moyen de contraception en quantité nécessaire.

Protections hygiéniques Des serviettes hygiéniques sont disponibles partout, mais vous trouverez rarement des tampons.

Mycoses La chaleur, l'humidité et les antibiotiques peuvent tous engendrer des mycoses, qui se traitent par pessaire ou par crème antifongique ou comme le clotrimazole. Autre traitement pratique : un seul comprimé de fluconazole (Diflucan).

Infections urinaires Elles peuvent surgir suite à la déshydratation ou à un long trajet en bus sans arrêt pour aller aux toilettes ; prévoyez les antibiotiques adaptés.

Langues

Le cinghalais et le tamoul sont les langues officielles du Sri Lanka, mais l'anglais demeure la lingua franca : il suffit pour se débrouiller, à condition de saisir les particularismes locaux. Les anglophones sont très nombreux dans les villes mais plus rares à la campagne. Quoi qu'il en soit, quelques mots de cinghalais ou de tamoul vous feront gagner la sympathie de vos interlocuteurs, qui apprécient que des étrangers les saluent dans la langue locale.

CINGHALAIS

Le cinghalais a officiellement recours à une écriture cursive. Si vous lisez nos conseils de prononciation en couleur comme s'il s'agissait du français, vous ne devriez pas avoir de difficultés à vous faire comprendre. Le doublement des consonnes signifie qu'il faut les articuler de manière distincte, comme si les sons appartenaient à deux mots séparés. Le t et le d sont moins prononcés que dans les mots français, le g se prononce comme dans "gare", et le r s'énonce en rabattant la langue contre le palais. Quant aux voyelles, le a se prononce comme dans "tard", le aa de façon plus longue et appuyée, le e comme dans "tête", le i comme dans "lit", le o comme dans "note" et le u comme dans "poule". Enfin, les diphtongues ai et au se prononcent respectivement comme dans "maille" et "aoûtien.

Formules de base

Bonjour	aayu-bowan/hello
Au revoir	aayu-bowan
Oui	owu
Non	naha
S'il vous plaît	karuna kara
Merci	istuh-ti
Excusez-moi	samah venna
Désolé/pardon	kana gaatui
Parlez-vous anglais ?	oyaa in-ghirisih kata karenawa da?

POUR ALLER PLUS LOIN

Indispensable pour mieux communiquer sur place : le *Guide de conversation Cinghalais* de Lonely Planet. Pour réserver une chambre, lire un menu ou simplement faire connaissance, ce manuel permet d'acquérir des rudiments de cinghalais. Inclus : un minidictionnaire bilingue.

Quel est votre nom ?	oyaaghe nama mokka'da?
Je m'appelle...	maaghe nama...

Hébergement

Avez-vous des chambres libres ?	kaamara thiyanawada?
Combien coûte une nuit ?	ek ra-yakata kiyada
Combien ça coûte par personne ?	ek kenek-kuta kiyada?
Le petit-déjeuner est-il compris ?	udeh keh-emath ekkada?
pour 1 nuit	ek rayak pamanai
pour 2 nuits	raya dekak pamanai
pour 1 personne	ek-kenek pamanai
pour 2 personnes	den-nek pamanai
camping	kamping ground eka
pension	gesthaus eka
hôtel	hotel eka
auberge de jeunesse	yut-hostel eka

Manger et boire

Pourrions-nous voir la carte ?	menou eka balanna puluvandha?
Quelle est la spécialité locale ?	mehe visheshayen hadhana dhe monavaadha?

Je voudrais un riz-curry, s'il vous plaît.	bahth denna
Je suis végétarien.	mama elavalu vitharai kanne
Je suis allergique (aux cacahuètes).	mata (ratakaju) apathyayi
Je ne veux pas de glaçons dans ma boisson, merci.	karunaakarala maghe bima ekata ais dhamanna epaa
C'était délicieux !	eka harima rasai!
Apportez-moi, s'il vous plaît…	… karunaakarala gennah
l'addition	bila
une fourchette	gaarappuvak
un verre d'eau	vathura vidhuruvak
un couteau	pihiyak
une assiette	pingaanak
bol	vendhuwa
café	koh-pi
cuillère	han-duh
eau	vathura
fruit	palathuru
lait	kiri
sel	lunu
sucre	sini
thé	thay
verre	co-ppuwa

CHIFFRES – CINGHALAIS

0	binduwa
1	eka
2	deka
3	thuna
4	hathara
5	paha
6	haya
7	hatha
8	atta
9	navaya
10	dahaya
100	siya
200	deh siya
1 000	daaha
2 000	deh daaha
100 000	lakshaya
1 million	daseh lakshaya
10 millions	kotiya

Urgences

Au secours !	aaney!/aaiyoh!/ammoh!
Appelez un médecin !	dostara gen-nanna!
Appelez la police !	polisiyata kiyanna!
Allez-vous-en !	methanin yanna!
Je suis perdu(e)	maa-meh nativelaa

Achats et services

À quelle heure est-ce que ça ouvre/ferme ?	ehika kiyatada arinneh/ vahanneh?
Combien ça coûte ?	ehekka kiyada?
grand	loku
petit	podi, punchi
médicament	behe-yat
ambassade…	… embasiya
banque	bankuwa
kiosque	pattara ejensiya
marché	maakat eka
mon hôtel	mang inna hotalaya
office du tourisme	sanchaaraka toraturu karyaalayak
pharmacie	faahmisiya
poste	tepal kantohruwa
téléphone public	podu dura katanayak

Heure et date

Quelle heure est-il ?	velaave kiyada?
matin	udai
après-midi	havasa
jour	davasa
nuit	raah
semaine	sumaanayak
mois	maasayak
année	avuurudeh
aujourd'hui	ada (uther)
demain	heta
hier	i-yeh
lundi	sandu-da
mardi	angaharuwaa-da
mercredi	badaa-da
jeudi	braha-spetin-da
vendredi	sikuraa-da
samedi	senasuraa-da
dimanche	iri-da

SIGNES – CINGHALAIS

ඇතුල්වීම	**Entrée**
පිටවීම	**Sortie**
විවෘතව ඇත.	**Ouvert**
වසා ඇත.	**Fermé**
තොරතුරු දැන්වුම	**Renseignements**
තහනම් වෙ.	**Interdit**
පොලිස් ස්ථානය	**Bureau de police**
කාමර ඇත.	**Chambres disponibles**
කාමර නැත.	**Complet**
වැසිකිළ	**Toilettes**
පුරුෂ	**Homme**
ස්ත්‍රී	**Femme**

Transports et orientation

Quand arrive/ part le prochain... ?	milanga... pitaht venne/ paminenne?
bateau	bohtuwa
bus (urbain)	bus eka
bus (Intercity)	bus eka nagaraantara
train	koh-chiya
Je veux descendre.	mama methana bahinawa
Je voudrais un aller simple.	mata tani gaman tikat ekak ganna ohna
Je voudrais un aller-retour.	mata yaam-im tikat ekak ganna ohna
1re classe	palamu veni paantiya
2e classe	deveni paantiya
3e classe	tunveni paantiya
horaires	kaala satahana
arrêt de bus	bus nevathuma/ bus hohlt eka
gare ferroviaire	dumriya pala
embarcadère du ferry	totu pala
Je voudrais louer...	mata... ekak bad-dhata ganna ohna
une voiture	kar (eka)
un vélo	baisikeleya
Où se trouve ?	... koheda?
Allez tout droit.	kelinma issarahata yaanna
Tournez à gauche.	wamata harenna
Tournez à droite.	dakunata harenna
proche	lan-ghai
loin	durai

TAMOUL

La langue tamoule parlée au Sri Lanka ressemble à celle du sud de l'Inde (les mots ont la même orthographe en écriture cursive traditionnelle), mais des différences de prononciation marquées existent entre les deux régions. Dans cette section, nous avons opté pour les mêmes indications de prononciation que pour le cinghalais.

Formules de base

Bonjour	vanakkam
Au revoir	poytu varukirehn
Oui	aam
Non	il-lay
S'il vous plaît	tayavu saydhu
Merci	nandri
Excusez-moi.	mannikavum
Désolé	mannikavum
Parlez-vous anglais ?	nin-gal aangilam paysu-virhalaa?
Quel est votre nom ?	ungal peyr en-na?
Je m'appelle...	en peyr...

Hébergement

Avez-vous des chambres libres ?	ingu roum kideikkumaa?
Quel est le prix par nuit/ par personne ?	oru iravukku/oru aalukku evvalavur?
Le petit-déjeuner est-il compris?	kaalei unavum sehrtha?
pour 1/2 nuit(s)	oru/irandu iravukku

SIGNES – TAMOUL

வழி உள்ளே	**Entrée**
வழி வெளியே	**Sortie**
திறந்துள்ளது	**Ouvert**
அடைக்கப்பட்டுள்ளது	**Fermé**
தகவல்	**Renseignements**
அனுமதி இல்லை	**Interdit**
காவல் நிலையம்	**Bureau de police**
அறைகள் உண்டு	**Chambres disponibles**
காலி இல்லை	**Complet**
மலசலகூடம்	**Toilettes**
ஆண்	**Homme**
பெண	**Femme**

CHIFFRES – TAMOUL

0	saifer
1	ondru
2	iranduh
3	muundruh
4	naan-guh
5	ainduh
6	aaruh
7	ealluh
8	ettu
9	onbaduh
10	pat-tuh
100	nouruh
1 000	aayirem
2 000	irandaayirem
100 000	oru latcham
1 million	pattuh lat-chem
10 millions	kohdi

pour 1/2 personne(s)	oruvarukku/iruvarukku
camping	mukhaamidum idahm
pension	virun-dhinar vidhudheh
hôtel	hotehl
auberge de jeunesse	ilainar vidhudheh

Manger et boire

Pourrions-nous voir la carte ?	unavu pattiyalai paarppomaa?
Quelle est la spécialité locale ?	ingu kidaikkak koudiya visheida unavu enna?
Je voudrais un riz-curry, s'il vous plaît.	sorum kariyum tharungal
Je suis végétarien.	naan shaiva unavu shaappidupavan
Je suis allergique (aux cacahuètes).	(nilak kadalai) enakku aleji
Je ne veux pas de glaçons dans ma boisson, merci.	enadu paanaththil ais poda vendaam
C'était délicieux !	adhu nalla rushi!
Apportez-moi, s'il vous plaît...	... konda varungal
l'addition	bill
une fourchette	mul karandi
un verre d'eau	thanni oru glass
un couteau	kaththi
une assiette	oru plate

bol	kouppai
café	kahpi
fruit	paadham
verre	glass
lait	paal
sel	uppu
sucre	siri
thé	te-nir/plan-tea
eau	than-nir

Urgences

Au secours !	udavi!
Appelez un médecin !	daktarai kuppidunga!
Appelez la police !	polisai kuppidunga!
Allez-vous-en !	pohn-goh!/poi-vidu!
Je suis perdu(e)	naan vali tavari-vittehn

Achats et services

À quelle heure ça ouvre/ferme ?	et-thana manikka tirakhum/mudhum?
Combien ça coûte ?	adhu evvalavu?

grand	periyeh
médicament	marunduh
petit	siriyeh
ambassade	tudharalayem
banque	vanghi
kiosque	niyuz paper vitku-midam
marché	maarket
mon hôtel	enadu hotehl
office du tourisme	tourist nilayem
papeterie	eludhuporul vitku-midam
pharmacie	marunduh kadhai/pharmacy
poste	tafaal nilayem
téléphone public	podhu tolai-pessi

Heure et date

Quelle heure est-il ?	mani eth-tanai?
matin	kaalai
après-midi	pit-pahel
jour	pahel
nuit	iravu
semaine	vaarem
mois	maadhem
année	varudem
hier	neh-truh
aujourd'hui	indru
demain	naalay

lundi	tin-gal
mardi	sevvaay
mercredi	budahn
jeudi	viyaalin
vendredi	velli
samedi	san-ni
dimanche	naayiru

Transports et orientation

Quand arrive/part le prochain... ?	eththanai manikku aduththa...sellum/varum?
bateau	padakhu
bus (urbain)	baas naharam/ul-lour
bus (Intercity)	baas veliyour
train	rayill
Je veux descendre.	naan iranga vendum
Je voudrais un aller simple.	enakku oru vahly tikket veynum
Je voudrais un aller-retour.	enakku iru vahlay tikket veynum
1re classe	mudalahaam vahuppu
2e classe	irandaam vahuppu
arrêt de bus	baas nilayem
consigne	porul vaikku-midam
horaires	haala attavanay
gare ferroviaire	rayill nilayem
J'aimerais louer...	enakku... vaadakhaikku aynum
une voiture	car
une bicyclette	sai-kul
Où ça se trouve ?	adhu en-ghe irukkaradhu?
Où se trouve... ?	...en-ghe?
Allez tout droit	neraha sellavum
Tournez à gauche	valadhur pakkam tirumbavum
Tournez à droite	itadhu pakkam thirumbavum
proche	aruhil
loin	tu-rahm

L'ANGLAIS SRI LANKAIS

Formules de politesse et questions

Go and come – formule d'adieu, proche de "à plus tard"

How? – Comment ça va ?

Nothing to do – Je ne peux rien faire

What to do? – Que peut-on y faire ? (question rhétorique)

What country? – De quel pays êtes-vous ?

paining – douloureux

to gift – offrir un cadeau

Les gens

baby/bubba – désigne les enfants jusqu'à l'adolescence

batchmate – camarade d'université

peon – assistant de bureau

uncle/auntie – terme de respect désignant les personnes plus âgées

Comment circuler

backside – partie de l'immeuble éloignée de la rue

bajaj – *túk-túk*

bus halt – arrêt de bus

coloured lights – feux tricolores

down south – zones au sud de Colombo, notamment la côte

dropping – être déposé quelque part par un chauffeur

get down (d'un bus/train/rickshaw) – descendre

normal bus – bus d'État

outstation – tout endroit hors de la zone d'habitation d'une personne

petrol shed – station-service

seaside/landside – indique les emplacements, généralement sur Galle Rd

two-wheeler – moto

up and down – aller-retour

up country/Hill Country – Kandy et au-delà, région des plantations de thé

vehicle – voiture

Alimentation

bite – en-cas accompagnant généralement une boisson alcoolisée

boutique – petite échoppe vendant des articles bon marché

cool spot – petite échoppe traditionnelle vendant des boissons fraîches et des en-cas

hotel – petit restaurant économique ne proposant pas d'hébergement

lunch packet/rice packet – portion de riz-curry enveloppée dans un sachet en plastique et une feuille de journal, que l'on emporte au bureau/à l'école pour le déjeuner

short eats – en-cas

Argent

buck – roupie

last price – dernier prix atteint à l'issue d'un marchandage

purse – portefeuille

GLOSSAIRE

ambalama – abri pour les pèlerins
Aurudu – Nouvel An cinghalais et tamoul, célébré le 14 avril
Avalokitesvara – *bodhisattva* de la Compassion
ayurvéda – médecine traditionnelle utilisant des plantes et des huiles pour se soigner et rajeunir

bailas – airs folkloriques basés sur les styles musicaux portugais, africains et locaux
baobab – arbre ayant la capacité de retenir l'eau (*Adansonia digitata*), typique des régions arides, probablement introduit sur l'île de Mannar et dans la région de Vanni, au nord du Sri Lanka, par des négociants arabes
Bodhi, arbre de la – arbre de taille importante (*Ficus religiosa*) sous lequel le Bouddha était assis lorsqu'il atteignit l'Éveil ; désigne aussi les nombreux autres arbres qui ont poussé à partir de ses boutures ou greffes
bodhisattva – être divin capable d'atteindre le nirvana, mais préférant rester dans le cycle des existences afin d'aider les humains à accéder au salut
brahmi – écriture indienne datant du Ve siècle av. J.-C.
bund – digue ou rive aménagée autour d'un lac artificiel
Burgher – Eurasien sri lankais, descendant d'un mariage mixte luso-cinghalais ou hollando-cinghalais

cadjan – palmes de cocotier tressées servant de nattes et de matériau de construction
Ceylon – (Ceylan) nom colonial donné par les Britanniques au Sri Lanka
Cinghalais – population majoritaire au Sri Lanka ; essentiellement des bouddhistes
chetiya – sanctuaire bouddhique
Chola – ancien et puissant royaume de l'Inde du Sud qui envahit le Sri Lanka à maintes reprises
CTB – Central (anciennement Ceylon) Transport Board, réseau national de bus

dagoba – monument bouddhique en forme d'hémisphère et contenant des reliques du Bouddha ou d'une divinité bouddhique (également appelé stupa)
devale – ensemble architectural consacré à l'adoration d'une divinité hindoue ou sri lankaise
dharma – mot utilisé par les hindous comme par les bouddhistes pour désigner l'ensemble des règles éthiques et des normes de comportement

eelam – mot tamoul signifiant "terre précieuse"

gala – rocher
ganga – fleuve, rivière
gardiens de temple – pierres sculptées qui flanquent l'entrée des temples
gedige – temple se caractérisant par des murs très épais et un toit à encorbellements
geta bera – tambour cylindrique tendu d'une peau à ses deux extrémités, originaire de Kandy
gopuram – tour d'entrée

Hanuman – dieu-singe apparaissant dans le *Ramayana*

jataka – contes relatant les vies antérieures du Bouddha
juggernaut – immense char aux décorations vives et extravagantes, et rattaché à un temple ; on le fait parader dans les rues lors des fêtes religieuses hindoues

kachcheri – siège administratif
kadé – nom cinghalais pour désigner une échoppe (on les appelle aussi "boutiques") ; *unavakam* en tamoul
Karava – communauté de pêcheurs d'origine indienne
karma – principe hindou et bouddhiste selon lequel chaque vie subit les conséquences d'actes commis au cours d'existences antérieures
Kataragama – voir *Murugan*
kiri bath – riz cuit dans le lait de coco, servi en dessert
kolam – costume ou déguisement ; désigne le théâtre dansé avec des masques, ainsi que les motifs en farine de riz qui ornent les maisons dans les zones tamoules
kovil – temple hindou dédié à Shiva
kulam – mot tamoul pour réservoir

lakh – 100 000 ; unité de mesure standard au Sri Lanka et en Inde
lingam – symbole phallique emblématique de Shiva
LTTE – Liberation Tigers of Tamil Eelam (Tigres de libération de l'Eelam tamoul), communément appelés Tigres tamouls ; groupe séparatiste revendiquant un État indépendant, l'Eelam tamoul, au nord et à l'est du pays

maha – mousson du nord-est
Mahaweli Ganga – le plus grand cours d'eau du Sri Lanka ; il prend sa source dans les montagnes près de l'Adam's Peak et se jette dans l'océan près de Trincomalee
mahayana – adaptation relativement tardive du bouddhisme, prédominante en Corée, au Japon et en Chine ; au sens littéral, signifie "Grand Véhicule"
Mahinda – fils de l'empereur indien bouddhiste Ashoka, il introduisit le bouddhisme au Sri Lanka
mahout – cornac
Maitreya – le Bouddha du futur

makara – animal mythique, croisement d'un lion, d'un cochon et d'un éléphant, souvent sculpté dans la balustrade des marches des temples

makara torana – arche ornementale

mandapaya – plateforme surélevée reposant sur des piliers décoratifs

masala – mélange (d'épices, le plus souvent)

mudra – positions symboliques des mains présentes dans l'iconographie du Bouddha

Murugan – dieu hindou de la Guerre ; également connu sous les noms de Skanda et de Kataragama

naga – serpent ; s'applique aussi aux divinités et aux esprits en forme de serpents

naga raksha – masque *raksha* représentant une coiffe de cobras entremêlés

nirvana – objectif suprême de chaque bouddhiste : la libération définitive du cycle des réincarnations

nuwara – ville

ola – feuille de palmier talipot (palmier géant), utilisée pour les manuscrits et livres traditionnels

oruva – pirogue à balancier

oya – ruisseau ou petit cours d'eau

pali – langue dans laquelle les premiers écrits bouddhiques furent consignés

palmyrah – grand palmier que l'on trouve dans les zones sèches du Nord

perahera – procession à laquelle participent danseurs, joueurs de tambour et éléphants

pierre de lune – pierre semi-précieuse ; désigne aussi un "pas de porte" en pierre sculptée à l'entrée des temples

pirivena – centre d'enseignement rattaché à un monastère

poya – jour de la pleine lune ; chaque *poya* est un jour férié

puja – "respect" ; prière ou offrande

rajakariya – "ouvriers du roi" ; tradition du travail féodal

Ramayana – légende de Rama et Sita racontant leur conflit avec Ravana

Ravana – le roi-démon de Lanka qui enlève Sita, épouse de Rama, dans l'épopée hindoue du *Ramayana*

Ruhunu – ancien centre du pouvoir cinghalais, situé près de Tissamaharama dans le Sud, qui résista même lorsque Anuradhapura et Polonnaruwa succombèrent aux envahisseurs indiens

samudra – vaste lac artificiel ou mer intérieure

Sangamitta – sœur de Mahinda ; elle apporta de Bodhgaya, en Inde, la bouture sacrée de l'arbre de la Bodhi

sangha – communauté des moines et religieuses bouddhistes ; au Sri Lanka, c'est un groupe influent divisé en plusieurs *nikaya* (ordres)

sanskrit – langue indienne ; la plus ancienne des langues indo-européennes

school pen – stylo à bille, souvent réclamé (voire exigé !) aux touristes par les enfants sri lankais

sikhara – construction en forme de dôme ou de pyramide s'élevant au-dessus du sanctuaire intérieur d'un *kovil* hindou

Skanda – voir *Murugan*

SLA – armée sri lankaise

stupa – voir dagoba

Tamouls – d'origine sud-indienne, ils forment la principale minorité de l'île ; pour l'essentiel, ils sont hindous et parlent le tamoul

tank – lac artificiel servant de réserve d'eau ou de réservoir ; au Sri Lanka, nombre d'entre eux sont très grands et très anciens

theravada – forme orthodoxe du bouddhisme pratiquée au Sri Lanka et en Asie du Sud-Est, caractérisée par l'adoption du canon pali

unavakam – mot tamoul pour échoppe ; également appelé *kadé* ou boutique en cinghalais

vahalkada – panneau de sculptures

vatadage – chambre reliquaire en forme de cercle, consistant en un petit dagoba central flanqué de représentations du Bouddha et entouré de colonnes

Vedda – premiers habitants du Sri Lanka ; présents bien avant l'arrivée des Cinghalais qui venaient d'Inde ; on les appelle aussi les Wanniyala-aetto

vel – trident ; le dieu Murugan est souvent représenté armé d'un *vel*

vihara, viharaya – ensemble bouddhique comprenant un sanctuaire, qui contient lui-même une statue du Bouddha, une salle de réunion et les quartiers des moines

Wanniyala-aetto – voir *Vedda*

wewa – voir *tank*

yala – mousson du sud-ouest

En coulisses

VOS RÉACTIONS ?

Vos commentaires nous sont très précieux et nous permettent d'améliorer constamment nos guides. Notre équipe lit toutes vos lettres avec la plus grande attention. Nous ne pouvons pas répondre individuellement à tous ceux qui nous écrivent, mais vos commentaires sont transmis aux auteurs concernés. Tous les lecteurs qui prennent la peine de nous communiquer des informations sont remerciés dans l'édition suivante, et ceux qui nous fournissent les renseignements les plus utiles se voient offrir un guide.

Pour nous faire part de vos réactions, prendre connaissance de notre catalogue et vous abonner à notre newsletter, consultez notre site Internet : **www.lonelyplanet.fr**

Nous reprenons parfois des extraits de notre courrier pour les publier dans nos produits, guides ou sites Web. Si vous ne souhaitez pas que vos commentaires soient repris ou que votre nom apparaisse, merci de nous le préciser. Notre politique en matière de confidentialité est disponible sur notre site Internet.

À NOS LECTEURS

Merci à tous les voyageurs qui ont utilisé la dernière édition de ce guide et qui nous ont écrit pour nous faire part de leurs conseils, de leurs suggestions et de leurs anecdotes :

A Agnès, Aurélien Archier **B** François Boulenger, Timothée Boutet, Sophie Bouthier **C** Philippe van Caloen, Mohammed Corpataux, Romain Cottreau **D** Laurent Desaleux, Christelle Durand-Didascalies **F** Pauline Ficagna, Julie Fournier, Benoit Frémont **G** Sébastien Gouyou-Beauchamps, Émilie Guegnuen **H** Kamélia Hachelef, Gildas Huchet **J** Laetitia Jacques **L** Adèle Lamarre, Audrey Lethumier, Sabrina Le Chanony **M** Éric Martin, Bernard Maurel, Audrey Milon, Lionel Monier, Antoine Morieux **N** Adrien Navez, Delphine Neuenschwander **P** Cyriel Pelletier, Victoire Pescio **R** Richard et Florence, Justine Rindel **P** Thibault, Magali et Valentin Pourbaix **S** Angélique Sicard, **T** Claire Thiebault, François Truong **V** Jérémie Villaret **X** Xavier

UN MOT DES AUTEURS

Ryan Ver Berkmoes

Merci à tous ceux qui perpétuent la mémoire des événements tragiques de 2009. Et merci à tous ceux qui ont fait de ces 20 dernières années à Lonely Planet un incroyable parcours, avec des voyages bouleversants, une créativité remarquable et plus de 100 guides d'exception. Mais je retiens surtout les grandes amitiés liées avec des personnes magnifiques. Et puis, l'amour : sans Lonely Planet, Alexis Ver Berkmoes n'existerait pas ! Enfin, je salue Samuel L. Bronkowitz, source d'inspiration depuis le début.

Bradley Mayhew

De nombreux Sri Lankais ont aidé aux recherches pour ce guide, en particulier Dimuthu Priyadarshana à Giritale, A. Malik à Kandy, et Mali et Niksan Peiris à Alankuda. Merci à Roy de m'avoir laissé conduire le *túk-túk* à Sigirya et à Martin Fullerton pour son aide généreuse.

Iain Stewart

C'est avec grand plaisir que je suis retourné au Sri Lanka, un pays exceptionnel. Je remercie Somey, mon ami, chauffeur et guide dans le Sud et la région montagneuse, Nisha pour m'avoir prêté sa moto et pour m'avoir tenu compagnie à Kandy, Juliet Coombe pour son aide et ses conseils à Galle, Herman, les garçons de Bedspace dans la région de Mirissa, l'équipe du Chill à Ella ainsi que Joe Bindloss et toute l'équipe Lonely Planet.

REMERCIEMENTS

Les données de la carte des climats sont issues de Peel MC, Finlayson BL & McMahon TA (2007) "Updated World Map of the Köppen-Geiger Climate Classification", Hydrology and Earth System Sciences, 11, 163344.

Photo de couverture : moine bouddhiste sur la plage de Weligama, Tuul et Bruno Morandi/4Corners ©

À PROPOS DE CET OUVRAGE

Cette 9ᵉ édition française du guide *Sri Lanka* est la traduction de la 14ᵉ édition du guide *Sri Lanka* en anglais. Elle a été écrite et documentée par Anirban Mahapatra (auteur-coordinateur), Ryan Ver Berkmoes, Bradley Mayhew and Iain Stewart.

Traduction
Florence Guillemat-Szarvas, Doriane Sénécal et Antoine Thibault

Direction éditoriale
Didier Férat

Adaptation française
Cécile Bertolissio

Responsable prépresse
Jean-Noël Doan

Maquette
Pierre Brégiroux

Cartographie
Cartes originales de David Kemp et Diana Von Holdt, adaptées en français par Nicolas Chauveau

Couverture
Couverture originale de Naomi Parker, adaptée en français par Laure Wilmot

Remerciements à Michel Mac Leod, Claude Albert et Sylvie Rabuel pour leur précieuse contribution au texte. Merci également à Claire Chevanche pour sa préparation du manuscrit et à Basile Mariton pour le travail de référencement. Un grand merci à Dominique Spaety, Dorothée Pasqualin, ainsi qu'à Clare Mercer, Joe Revill, Sarah Nicholson, Luan Angel et Becky Henderson du bureau LP Londres, et Darren O'Connell, Andy Nielsen, Chris Love, Jacqui Saunders, Glenn van der Knijff et Claire Murphy du bureau LP Australie.

Index

A

Abhayagiri
- dagoba d'Abhayagiri 241
- monastère d'Abhayagiri **233**, 241

Abhayagiri Museum 243
achats 25
Adam's Peak 12, **12**, 28, 177
- poya 178, **186**

Adisham, monastère d' 193
aéroport international Bandaranaike 19
aéroports 346
affna Archaeological Museum 291
Ahangama 129
Ajith Safari Jeep Tours 147
Akasa Chetiya 151
Alahana Pirivena, groupe d' 229
alimentation 338
Almeida, Lourenço de 316
Altair 70
Aluthgama 99
Alut Maligawa 158
Aluvihara 214
Amangalla 114
Ambalangoda 107
ambassades 338
Ambasthale, dagoba d' 250
Ampara 268
Angurukaramulla, temple 91
Anipandi Sitivigniswara Alayar 270
Anuradhapura 10, **10**, 239, 232, **242**, 313
- Citadelle 244
- Jetavanarama 244
- musées 245
- toilettes 244

Aradhana Gala 251
arbre de la Bodhi 314

références des **cartes**
références des **photos**

Archaeological Museum
- Anuradhapura 245
- Polonnaruwa 226

architecture 79
- architecture bouddhique 231
- architecture coloniale 25
- Geoffrey Bawa 69
- héritage colonial 16, **16**
- sculptures 252
- T-Lounge by Dilmah **16**

argent 18, 339
- budget 19

art bouddhique 231
Arugam Bay 13, **13**, 259, **260**
Asgiriya Maha Vihara 162
assurance 339
Atadage 228
Athagala 254
Auliya, mosquée d' 271
avion 346, 349
- agence en ligne 348

ayurvéda 13, 25, 356
- Beruwela 102
- Kandy 173

B

Badulla 203
baleines bleues 277, 135
Bambarakanda, chutes de 192
Bandarawela 195, **196**
Bandrawatta Beach 133
Baobab 306
Basawak Kulama 246
bateau 347
Batticaloa 269, **270**
- phare de Batticaloa 270

Bawa, Geoffrey 69
Belihul Oya 192
bénévolat 345
Bentota 99
Blue Field Tea Estate 180
boissons 38, 338
bouddha Aukana 218
Bouddha Samadhi 244
bouddhisme 314, 330
- bouddhisme theravada 315

brahmi 313
Brief Garden 99
Britanniques 316
Buddangala Rajamaha Viharaya 268
Buddha Seema Prasada 229
Buduruwagala 203
Buldozer Memorial 300
Bundala, parc national de 11, **11**, **130**, 145
Burghers 330
bus 349, 350

C

Cadjugama 157
Cankili Thoppu, arche de 291
cannelle, plantation de 134
canoë 264
Cargills 59
cartes (plans) 340
cartes bancaires 339
cartes de réduction 340
Casuarina Beach 302
Central Point 58
Ceylan 318
Ceylon Tea Museum 171
chambre des reliques 249
change 339
- taux de change 19

Chempiyanpattu Beach 299
Chilaw 96
Chine 311
Chola 313
christianisme 333
Chulangani Vihara 259
Church of the Ascension 195
Cimetière militaire du Commonwealth 279
Cinghalais 312, 318, 329
- langue 362

Cinnamon Gardens 63, **64**
Cinnamon Life 70
circulation 353
cités anciennes 54, 212, **213**, 231
Classic Car Museum 176
Clock Tower (Colombo) 58
Clôture bouddhique 245
Coconut Cultural Park 274
code de la route 353
Colombo 53, 56, **57**
- activités 68
- Bambalapitiya **72**
- baignades 73
- casinos 82
- Cinnamon Gardens 63, **64**
- circuits organisés 69
- fort 58, **60**
- Galle Face Green 62
- hébergement 70
- Kollupitiya 62, **64**
- Kotahena 68
- Mount Lavinia 68, **75**
- nord de Colombo 68, 90
- nord-ouest de Colombo 68
- Pettah 59, **60**, 83
- principaux quartiers 63
- projets de construction 70
- renseignements 85
- sensations fortes 69
- shopping 17, **17**
- sites 58
- Slave Island 62
- St Lucia's Cathedral 68
- sud de Colombo 67, 99
- transports 85
- Union Place 62
- Wellawatta **72**

Colombo Lotus Tower 70
Colombo Port City 70
colonie 316
Congrès national de Ceylan 317

Conseil royal, salle du 230
conseils aux voyageurs 344
consulats 338
coraux, coupures de 361
cuisine 34
  cours de cuisine 35, 197
  enfants 52
  fraises 188
  fruits de saison 34
  kotthu 81
  riz-curry 14, **14**, 35
  spécialités sri lankaises 36

D

DAB 339
Dakinigiriya Vihara 224
Dalada Maligawa 244
Dambana 175
Dambatenne Tea Factory 193
Dambulla 215, **217**, 234
  temples troglodytiques de Dambulla **233**
danse kandyenne 168
dauphins 96
Deegawapi 268
Deepawali **27**
déforestation 328
Degal Doruwa Raja Maha Vihara 171
Delft, *voir* Neduntivu
Dematamal Vihara 259
dengue 357
dent sacrée du Bouddha 158, 166
De Soysa (Lipton) Circus 67
devale de Kandy 159
devale d'Embekka 171
Devanampiya Tissa, roi 314
Dharmapala, Anagarika 317
diarrhée 359
Dikwella 140
distributeurs automatiques de billets, *voir* DAB
Diyaluma, chutes de 204
Dondra 139
Dondra Head Lighthouse 139
douanes 340
Dowa, temple de 195
drapeau 322
droits de l'homme 310

références des **cartes**
références des **photos**

Dutch Fort
  Batticaloa 269
  Mannar 306
  Negombo 90
Dutch Hospital
  Colombo 58
  Galle 114
Dutch Period Museum 59
Dutugemunu, roi 245

E

eau 314, 327
  eau du robinet 358
  système d'irrigation 314
Eelam 319
églises
  Church of the Ascension 195
  église hollandaise réformée 113
  Our Lady of Refuge Church 291
  Our Lady of Sorrows 271
  St Andrew's Church 63
  St Anthony's Church 68, 301
  St James' Church 291
  St Mary's Cathedral 270, 291
  St Paul's Church 159
  St Peter Church 59
électricité 340
Elephant Pass 299
Elephant Pass War Memorial 300
éléphants 157, **187**, 326, 327, 332
  commerce des éléphants 300
  rassemblement des éléphants 238
Elephant Transit Home 205
Ella **187**, 196, **198**
  environs d'Ella 200, **201**
Ella Rock 197
enfants 361
  Kandy 163
  santé 361
  voyager avec des enfants 51
environnement 325
épices, commerce des 316
épices, jardins d' 215
Esala Perahera, Kandy 166
espèces (argent) 339
espèces menacées 328
Est du Sri Lanka 54, 256, **257**
ETA, autorisation 340
ethnies 312, 329

Eth Pokuna 244
Et Vihara 251
Expressway 349

F

Farr Inn 191
faune 46, **186**, 326
  baleines 15
  baleines bleues 277, 135
  dauphins 96
  éléphants 157, **187**, 326, 327, 332
  espèces menacées 328
  oiseaux 91, 92, 176, 190, 207, 261
  parc national des Horton Plains 190
  parc national d'Uda Walawe 206
  reptiles 207
  réserve forestière de Sinharaja 207
  safari 47
  tortues 100, 142
Federation of Self Employees Market 60
femmes 345
Flag Rock 111
flore
  palmiers de Palmyre 301
  parc national des Horton Plains 190
  réserve forestière de Sinharaja 207
Folk Museum 245
formalités 340
forts 79
  de Colombo 58
  de Galle 13, **13**, 78, 113, 130
  fort Frederick 277
  fort hollandais de Mannar **78**
  rempart du Fort 111
fraises 188
fresques de Sigiriya 221
Front de libération populaire, *voir* JVP

G

Gadaladeniya, temple de 171
Galapata Raja, temple de 99
Galle **5**, 110, **112**
  fort 113, 114, **115**
  promenade 114, **115**
  Ville nouvelle 116
Galle Face Green 62
Galle International Cricket Stadium 116
Gal Pota 228
Gal Vihara 229
Galway's Land, parc national de 182
Gangarama Maha Vihara 103
Gangaramaya, temple de 62
gedige de Thuparama 228
Geoffrey Bawa House 63
Getabaruwa Raja Maha Viharaya 208
Girihandu Seya 283
Giritale 236
Glenloch Tea Estate 180
glossaire 367
Gokana, temple de 277
Goyambokka 141
Great Basses 149
grotte du Capuchon du cobra 222
guerre civile 303

H

Habarana 224
Hakgala, jardins d' 182
Hamilton Canal 90
Hammenhiel, fort 303
handicapés 341
Handunugoda Tea Estate 129
Haputale 192, **193**
Hatadage 228
hébergement 20, 341
  prix d'une chambre 342
Helga's Folly 164
Henerathgoda, jardin botanique de 157
Heritage Museum of Kattankudy 271
heure locale 343
heures d'ouverture 19, 342
Hikkaduwa 103, **104**
  lac de Hikkaduwa 103
  parc national d'Hikkaduwa 103
hindouisme 332
Hiriketiya 140
Historical Mansion 114
Hollandais 316
homosexualité 343
Ho-o-maniya Blowhole 140
Horton Plains 14
  parc national des Horton Plains **186**, 189
  World's End 190
hôtel de ville, ancien 60

I

Idalgashinna 194
Imperial Saloon 271
Inde 311
Independent Jeep Association 147
Indikatu Seya, ensemble d' 251
Induruwa 99
Internet
  accès 343
  agence en ligne 348
  santé 354
  sites 19
islam 332
Isurumuniya Vihara 245
itinéraires 29
  Centre 31, **31**
  Essentiel du Sri Lanka 29, **29**
  Nord 32, **32**
  Sud 30, **30**, 33, **33**
irrigation, système d' 314

J

Jaffna 16, **16**, 54, 287, **288**
  fort de Jaffna 290
  îles 300
  royaume de Jaffna 291
  sécurité à Jaffna 295
Jaffna, péninsule de 296, **296**
  côte nord 296
  côte nord-est 299
  Elephant Pass 299
  Point Pedro 298
  Valvettiturai 298
Jaffna Public Library 291
jeep, circuits en 147
Jetavanarama 244
  dagoba de Jetavanarama 244
  Jetavanarama Museum 245
journaux 340
jours fériés 343
Juillet noir 319
Jungle Beach 123
justice 344
JVP 318

K

Kadugannawa 157
Kalkudah, plage de 274
Kallady 271
Kalpitiya, péninsule de 96, 97
Kaludiya Pokuna 252
Kandalama Wewa 224
Kandasamy Kovil 275, 304
Kandy 12, **12**, 157, **160**, 316
  enfants 163
  environs de Kandy 170, **172**
  lac de Kandy 159
  spectacles de danse 168
Kandy Garrison Cemetery 159
Kandy War Cemetery 171
Kantaka Chetiya 251
Kantarodai, ruines de 297
Karaitivu 302
Kasyapa, roi 221, 222
  palais de Kasyapa 221
Kataluwa Purwarama, temple 128
Kataragama 153, **153**, 154
  marche jusqu'à Kataragama 154
Kataragama Devale 161
Kataragama Museum 153
Kaudulla, parc national de 238
Kayts 301
Keerimalai, source de 296
Kegalle 157
Kelaniya Raja Maha Vihara 68
Kilinochchi 304
Kirinda 149
  temple de Kirinda 149
Kirivehara 153
Kiri Vihara 229
Kiruwananaganga, chutes de 208
kitesurf
  Kalpitiya 97
  Negombo 91
Kitulgala 176
Knuckles Range 174
Koggala 127
  lac Koggala 128
Kolawenigama, temple de 208
Kollupitiya 62, **64**
Kotabakina 175
Kotahena 68
Kotawehera 266
Kothmale, réservoir de 180
Kuchchaveli 283
Kumana, parc national de 267
Kurunegala 254
Kuttam Pokuna 244
Kuveni 313

L

langues 21, 362
  anglais sri lankais 366
  brahmi 313
  cinghalais 362
  langue nationale 319
  langue officielle 318, 319
  tamoul 364
Lankatilaka 229
Lankatilake, temple de 171
Latha-Mandapaya 228
librairies spécialisées 343
Lighthouse Beach 111
Lionel Wendt Centre 67
lion, pattes du 221, **234**
Lipton, sir Thomas 192
Lipton's Seat 193
Little Adam's Peak 197
Lloyd's Buildings 59
Lovers Leap 183
Lowamahapaya 241
LTTE 298, 319, 322
lunch packets 77

M

Mackwoods Labookellie Tea Factory 180
Madukanda Vihara 304
Magampura Mahinda Rajapaksa Port 150
Magul Maha Vihara 151, 266
Maha Devale 153
Mahapali, réfectoire de 244
Maha Saman Devale 210
Mahaseya, dagoba de 250
Mahatma Gandhi Park 270
Mahavamsa 313
Mahavihara 240
Mahinda, grotte de 251
Mahinda Rajapaksa International Cricket Stadium 150
Mahiyangana 175
  dagoba de Mahiyangana 175
Main Gate 111
Maligawila 259
Malwatte Maha Vihara 162
Manalkadu Beach 299
Manayaweli Cove 277
Mandalagiri Vihara 237
Mannar
  île de Mannar 306
  perles 307
  ville de Mannar 306
Manning Market 61
Mantiri Manai 291
Maragala Rock 258
Marble Beach 278
marchandage 21
marché
  Federation of Self Employees Market 60
  Manning Market 61
Marine Archeological Museum 114
Maritime & Naval History Museum 277
Martin Wickramasinghe Folk Art Museum 127
masques de démons 107
Matale 214
Matara 137, **137**
  Matara Fort 138
Mattala Rajapaksa International Airport 150
Maures 330
Maveerar Naal 298
Maviddapuram Kanthaswamy Kovil 297
méditation
  Colombo 68
  Kandy 171
mégalithique 312
Mémorial de l'Indépendance 67
Midigama 129
Mihintale 249, **250**
Millennium Elephant Foundation 157
Minneriya, parc national de 238
Mirisavatiya, dagoba de 245
Mirissa 15, **15**, **130**, 134
Mirissa Beach 134
Monaragala 258
Monaragala Viharaya Buddha 254
monnaie 339
montagneuse, région 54, 155, **156**
montgolfière 217
Monument of Victory 303
morsures 361
moto 352
Mount Lavinia 68, **75**
moustiques 357
Mudu Maha Vihara 264
Mulkirigala, temples rupestres de 146
Munai Beach 299
Munneswaram 96
mur du Miroir 221
Murugan, temple 96

musée des Peintures murales de Dambulla 216
musée gemmologique 210
musulmans 332
Muthurajawela, marais de 92
Mutur 278

N

Nagadipa, *voir* Nainativu
Nagadipa, temple 302
Naga Pokuna 251
Naga Pooshani Amman Kovil 302
Naguleswaram Shiva Kovil 297
Nainativu 302
Nalanda Gedige 214
Nallur Kandaswamy Kovil 291
Natha Devale 160
nationalisme 317
National Maritime Museum 114
National Museum
  Colombo 67, **78**
  Galle 116
  Kandy 159
Neduntivu 302
Negombo 90, **91**
  marché au poisson **24**
  plage de Negombo **93**
Nelum Pokuna 230
Newburgh Green Tea Factory 200
New Kathiresan Kovil 62
Nilaveli 281, **282**
  nord de Nilaveli 283
  Nilaveli Beach 282
Nord du Sri Lanka 54, 285, **286**, 287
  route du littoral 299
  sécurité à Jaffna 295
  tourisme dans le Nord 287
Nuwara Eliya 181, **182**
Nuwara Wewa 246

O

offices du tourisme 343
oiseaux 47, 91, 92, 176
  Arugam Bay 261
  parc national des Horton Plains 190
  réserve forestière de Sinharaja 207
Okanda Sri Murugan Kovil 268
Old Dutch Trade Centre 138
Old Galle Buck Lighthouse 58
Old Gate 111
Old Kathiresan Kovil 62
Old Town Hall 67
ouest, côte 53, **88**
Our Lady of Refuge Church 291
Our Lady of Sorrows 271

P

Pabula Vihara 229
Padeniya Raja Mahavihara 254
pagode de la Paix japonaise 268
Pahala Vihara 253
Palais royal
  Anuradhapura 244
  Polonnaruwa 227
palmiers de Palmyre 301
paludisme 357
Panduwasnuwara 253
parcs nationaux 46, 50
  circuits 152
  circuits en jeep 147
Passekudah, plage de 274
Pathma Vihara 259
patrimoine 25
Pattini Devale 161
Pattipola 194
Pedro Tea Estate 184
Pelican Perches 62
Peradeniya, jardin botanique de 170
perles 307
Pettah 59
  rue commerçantes 83
photographie 344
Pidurangala 224
Pidurutalagala 183
Pierre de lune 243
pierres précieuses 210
  musée gemmologique 210
Pigeon Island, parc national de 282
Pilawoos 81
Pinnewala, orphelinat des éléphants de 157
plages 23
  plages de l'Est 14, **14**
plantations de thé 15, **15**
pleine lune, *voir* poya
plongée 123, 133, 361
  Batticaloa 271
  Hikkaduwa 104
  Kalpitiya 97
  Negombo 91
  Nilaveli 282
  Uppuveli 279
Point Pedro 298
  Point Pedro Lighthouse 299
Point Utrecht Bastion 111
Polhena Beach 138
Polonnaruwa 16, **17**, 226, **227**, 232, 315
  ensemble du Nord 229
  ensemble du Palais royal 226
  ensemble du Parc de l'île 230
  ensemble du Sud 230
  Quadrilatère 228, **228**
pont de la rivière Kwai 176
Portugais 315
poste 344
Potgul Vihara 230
Pottuvil 264, **265**
Pottuvil Point 264
pourboires 21
poya **27**, 28, 331
Puliyanthivu 269
Punkudutivu 301

Q

Quadrilatère de Polonnaruwa 228, **228**

R

Radawaduwa 157
rafting
  Kitulgala 176
rage 355, 360
rajakariya 314
Rajapaksa, Mahinda 150, 247, 321, 324
Rakkhiththakanda Len Viharaya, temple troglodytique de 200
ramadan 343
Ramboda, chutes de 180
randonnée
  Adam's Peak 178
  Ella 197
  Haputale 194
  Kandy 163
  Kitulgala 177
  Pidurutalagala 183
Rankot Vihara 229
Ratnaprasada 243
Ratnapura 210
Rawana Ella, chutes de 200
réfectoire des moines 249
religions 330
reptiles
  réserve forestière de Sinharaja 207
réservoirs d'eau 314
  réservoirs d'eau artificiels 246
Ridi Vihara 253
Ritigala 239
  pic de Ritigala 239
routes, nouvelles 349
Royal Gardens, Sigiriya 220
Rumassala 123
Rumassala Peace Pagoda 123
Ruvanvelisaya, dagoba de 241

S

safaris 24, 47
saisons 18, **18**
salaires 21
Salli Muthumariamunam Kovil 279
Sandahiru Seya 247
Sangiliyan, statue de 292
sangsues 208
santé 354
  enfants 361
  rage 355, 360
  sangsues 208
  trousse médicale 355
Saskia Fernando Gallery 67
Satmahal Prasada 228
sculptures
  symboles 252
Sea Tiger Shipyard 303
sécurité 344
Seema Malakaya, Centre de méditation 62
Seenigama Vihara 103
Seetha Amman, temple de 183
Selvachannithy Murugan Kovil 298
Seruwawila Rajamaha Viharaya 278
Shiva Devale n°1 229
Shiva Devale n°2 229
Sigiriya 11, **11**, 219, **220**, 221, 233
Sigiriya Museum 222
Single Tree Hill 183
Sinha Pokuna 250

références des **cartes**
références des **photos**

Sinharaja, réserve forestière de 206
Situlpahuwa 151
Slave Island 62
Somerset Farm 188
South Beira, lac 62
spa 122, 134
  Colombo 68
  Galle 116
sports nautiques 23
Sri Dalada Maligawa, *voir* temple de la Dent
Sri Dalada Museum 158
Sri Lanka 318
Sri Maha Bodhi 241
Sri Manika Pillaiyar 268
Sri Muthumariamman Thevasthanam 214
Sri Muthu Vinayagar Swamy Kovil 61
Sri Pada, *voir* Adam's Peak
St Andrew's Church 63
St Anthony's Church 68, 301
Star Fort 137
St James' Church (Jaffna) 291
St Lucia's Cathedral 68
St Mary's Cathedral (Batticaloa) 270, (Jaffna) 291
stop, en 350
St Paul's Church 159
St Peter Church 59
Sud du Sri Lanka 53, 109, **110**
surf 129, 361
  Arugam Bay 260, 266
  Hikkaduwa 104
  Pottuvil 264
Swami Rock 277

T
tabac 340
Talaimannar 307
Talalla 139
Talawila 96
Tamouls 312, 318, 329
  langue 364
  Tamouls du Nord 319
Tangalla 142, **143**
tapovana, moines 244
Taprobane, île de 133
taxes 339
taxi 350
téléphone 19, 344
télévision 340
temple de Gangaramaya **24**
temple de la Dent 158
Temple doré 217
temples bouddhiques 23
temples hindous 61
temples troglodytiques de Dambulla 215
Tenavaram Kovil 139
Thalpe 127
Thangamale 194
thé 129
  boire le thé 336
  plantations de thé 336
Theru Moodi Madam 298
Thiruchendur Murugan Alayam, temple 271
Thirukketeeswaram Kovil 306
Thuparama, dagoba de 241
Thurkkai Amman Kovil 297
Tigres de libération de l'Eelam tamoul, *voir* LTTE
Tigres tamouls, *voir* LTTE
Tissamaharama 146, 147, **148**
Tissa, dagoba de 146
Tissa Wewa, réservoir 246
Tissa Wewa, lac 146
Tivanka, salle de la statue 230
toilettes 344
tortues 100, 142
tourisme 311
Traditional Puppet Art Museum 67
traditions 329
train 350
  voyage en train 8
transports 346
  transports locaux 350
travail 345
triangle culturel
  billets 216
Trincomalee 275, **276**
tsunami 125, 105, 126
túk-túk 350
turista, *voir* diarrhée

U
Udappuwa 96
Uda Vihara 253
Uda Walawe, parc national d' 10, **10**, **187**, 204, 206
Udawattakelle, réserve d' 159
Ul-Khizr, mosquée 153
Unawatuna 122, **124**, 126, **130**
Union Place 62
Université de Colombo 63
Uppuveli 279, **280**
Uppuveli Beach 279
urgences, numéros d' 85
Utuwankandu 157
Uva Halpewaththa Tea Factory 200

V
vaccins 354
Vaddu Vakal, pont de 303
vahalkada 252
Vallipura Aalvar Kovil 299
Valvettiturai 298
Varatharaja Perumal Kovil 304
vatadage 228, **231**, **233**
Vavuniya 304, **305**
Vedda 175, 329
Velaikkara, stèle de 228
Velanai 301
vélo 349, 351
  Batticaloa 272
  Nuwara Eliya 183
Vessagiriya 246
vêtements 20
Victoria, parc 181
Viharamahadevi, parc 67
vihara de Kandy 162
Vijaya 313
visas 340
Vishnu Devale 160
voiture 352
  location de voiture 352
voyage responsable 327
voyages organisés 348

W
Waikkal 95
Weligama 133
Wellawaya 202
Wewurukannala Vihara 140
Wilpattu, parc national de 98
Wirawila Wewa, lac 147
Wolvendaal Church 60
World Buddhism Museum 159
World's End **14**, 190

Y
Yala, parc national de 151
Yamuna Eri 292
Yapahuwa, forteresse de 252
Yatagala Raja Maha Viharaya 122
Yatala Wehera 146
yoga 122, 129
Yudaganawa 258
Yudaganawa, dagoba de 258

Légende des cartes

À voir

- Plage
- Réserve ornithologique
- Temple bouddhiste
- Château/palais
- Église/cathédrale
- Temple confucéen
- Temple hindou
- Mosquée
- Temple jaïn
- Synagogue
- Monument
- Musée/galerie/édifice historique
- Ruines
- Sentō (bain public)
- Temple shintoïste
- Temple sikh
- Temple taoïste
- Cave/vignoble
- Zoo
- Autre site

Activités, cours et circuits organisés

- Bodysurfing
- Plongée/snorkeling
- Canoë/kayak
- Cours/circuits organisés
- Ski
- Snorkeling
- Surf
- Piscine/baignade
- Randonnée
- Planche à voile
- Autres activités

Où se loger

- Hébergement
- Camping

Où se restaurer

- Restauration

Où prendre un verre

- Bar
- Café

Où sortir

- Salle de spectacle

Achats

- Magasin

Renseignements

- Banque
- Ambassade/consulat
- Hôpital/centre médical
- Accès Internet
- Police
- Bureau de poste
- Centre téléphonique
- Toilettes
- Office du tourisme
- Autre adresse pratique

Géographie

- Plage
- Refuge/gîte
- Phare
- Point de vue
- Montagne/volcan
- Oasis
- Parc
- Col
- Aire de pique-nique
- Cascade

Agglomérations

- Capitale (pays)
- Capitale (région/État/province)
- Grande ville
- Petite ville/village

Transports

- Aéroport
- Poste frontière
- Bus
- Téléphérique/funiculaire
- Piste cyclable
- Ferry
- Métro
- Monorail
- Parking
- Station-service
- Station de métro
- Taxi
- T-Bane/Station T-Bane (norvégien)
- Gare/chemin de fer
- Tramway
- Tube Station (anglais)
- U-Bahn (allemand)
- Autre moyen de transport

Les symboles recensés ci-dessus ne sont pas tous utilisés dans ce guide

Routes

- Autoroute à péage
- Voie rapide
- Nationale
- Route secondaire
- Petite route
- Chemin
- Route non goudronnée
- Route en construction
- Place/rue piétonne
- Escalier
- Tunnel
- Passerelle
- Promenade à pied
- Promenade à pied (variante)
- Sentier

Limites et frontières

- Pays
- État/province
- Frontière contestée
- Région/banlieue
- Parc maritime
- Falaise
- Rempart

Hydrographie

- Fleuve/rivière
- Rivière intermittente
- Canal
- Étendue d'eau
- Lac asséché/salé/intermittent
- Récif

Topographie

- Aéroport/aérodrome
- Plage/désert
- Cimetière (chrétien)
- Cimetière (autre)
- Glacier
- Marais
- Parc/forêt
- Site (édifice)
- Terrain de sport
- Mangrove

Bradley Mayhew

L'Est, Les cités anciennes Cela fait 20 ans que Bradley écrit des guides de voyage. Il commença ses pérégrinations alors qu'il étudiait le chinois à l'université d'Oxford, et s'est depuis spécialisé sur la Chine, le Tibet, l'Himalaya et l'Asie centrale. Il a coécrit les guides Lonely Planet *Tibet, Népal, Trekking en Himalaya, Bhoutan, Asie centrale* et bien d'autres. Bradley a également dirigé deux séries télévisées pour Arte et SWR, l'une retraçant le voyage de Marco Polo à travers la Turquie, l'Iran, l'Afghanistan, l'Asie centrale et la Chine, l'autre parcourant les 10 plus beaux itinéraires de trek longue distance d'Europe. Il débuta pour Lonely Planet avec des guides sur le Pakistan et la Karakorum Highway, avant d'enchaîner avec les premières éditions du *Sud-ouest de la Chine* et de *Shanghai*.

Iain Stewart

Le Sud, La région montagneuse, Environnement, Les Sri Lankais, Le thé Iain roule sa bosse depuis qu'il est étudiant, faisant le tour de l'Europe en stop avant de faire de brèves incursions en Turquie, en Israël et en Iran. Il a parcouru le monde pendant plus de 2 ans – de l'Inde au Honduras – dans les années 1990, séjournant quelque temps à Tokyo pour donner des cours d'anglais. Sans argent ni carrière à son retour au Royaume-Uni, il étudia le journalisme puis s'exerça au métier de reporter d'actualité et de critique gastronomique à Londres. Iain rédige des guides de voyage depuis 1997 ; il a travaillé pour 6 maisons d'édition (dont Lonely Planet, Rough Guides et DK Eyewitness), contribuant à plus de 30 ouvrages sur des destinations aussi variées qu'Ibiza et le Cambodge. Ses écrits pour Lonely Planet comprennent des titres comme *Mexique, Indonésie, Vietnam, Bali et Lombok et Southeast Asia on a Shoestring*. C'est aussi un auteur régulier pour l'*Independent, l'Observer, le Daily Telegraph* et *Wanderlust*. Il peut travailler n'importe où, pourvu qu'il y ait un ou deux palmiers, une belle plage de sable, une discothèque et une carte des cocktails. Après avoir passé 18 ans dans le sud de Londres, Iain vit à Brighton depuis 2003 au bord de la mer, prêt à partir vers l'horizon de cette ville tournée vers le sud.

LES GUIDES LONELY PLANET

Une vieille voiture déglinguée, quelques dollars en poche et le goût de l'aventure, c'est tout ce dont Tony et Maureen Wheeler eurent besoin pour réaliser, en 1972, le voyage d'une vie : rallier l'Australie par voie terrestre via l'Europe et l'Asie. De retour après un périple harassant de plusieurs mois, et forts de cette expérience formatrice, ils rédigèrent sur un coin de table leur premier guide, *Across Asia on the Cheap*, qui se vendit à 1 500 exemplaires en l'espace d'une semaine. Ainsi naquit Lonely Planet, dont les guides sont aujourd'hui traduits en 13 langues.

NOS AUTEURS

Anirban Mahapatra

Auteur coordinateur Anirban Mahapatra revêt de multiples casquettes : conservateur en chef, journaliste de voyage multimédia, photographe sur son iPhone et cinéaste indépendant. Depuis 2007, son rôle d'auteur pour Lonely Planet l'a conduit à voyager, écrire, éditer et coordonner de multiples éditions du célèbre guide *Inde*, ainsi que des guides pratiques sur des régions spécifiques de l'Inde et les ouvrages *Bangladesh*, *Sri Lanka* et *Bhoutan*. Mis à part ses activités d'auteur, il a aussi mis au point des maquettes et animé des ateliers pour les nouveaux auteurs Lonely Planet en Inde. Ses expériences vidéo comprennent des documentaires culturels et de voyage soutenus par le ministère de la Culture et le ministère de l'Information et de la Communication en Inde, et il planche actuellement sur un documentaire expérimental sur l'ancien royaume de Mustang dans l'Himalaya. Quand il ne parcourt par le monde pour ses explorations personnelles ou professionnelles, il lit des ouvrages sur le bouddhisme, cuisine au barbecue et écoute du blues dans ses maisons de Calcutta et de Dhaka.

Ryan Ver Berkmoes

Colombo, L'Est, Jaffna et le Nord et les chapitres introductifs Élevé à Santa Cruz, Ryan Ver Berkmoes quitta la Californie à l'âge de 17 ans pour poursuivre ses études dans le Midwest où il découvrit la neige, une nouveauté dont il se lassa rapidement. Depuis, il a parcouru le monde, pour le plaisir comme pour le travail – tous deux étroitement mêlés – couvrant des sujets variés, de la guerre aux bars, avec une nette préférence pour ces derniers. Ryan vit à New York et a écrit plus de 110 guides Lonely Planet. Pour en savoir plus sur Ryan, consultez ryanverberkmoes.com et Twitter (@ryanvb).

PAGE 383 AUTEURS SUITE

Sri Lanka

9e édition

Traduit et adapté de l'ouvrage *Sri Lanka, 14th edition, January 2018*

Dépôt légal Février 2018
ISBN 978-2-81617-050-4

Imprimé par Pollina, Luçon, France - 83586

En Voyage Éditions | un département